中國國家圖書館編

國家圖書館藏敦煌遺書

第二十六册　北敦〇一八六九號——北敦〇一九三一號

北京圖書館出版社

圖書在版編目(CIP)數據

國家圖書館藏敦煌遺書·第二十六册/中國國家圖書館編;任繼愈主編. —北京:北京圖書館出版社,2006.4

ISBN 7-5013-2968-0

Ⅰ.國… Ⅱ.①中…②任… Ⅲ.敦煌學—文獻 Ⅳ.K870.6

中國版本圖書館 CIP 數據核字(2006)第 007296 號

ISBN 7-5013-2968-0

9 787501 329687 >

書　　名　國家圖書館藏敦煌遺書·第二十六册
著　　者　中國國家圖書館編　任繼愈主編
責任編輯　徐　蜀　孫　彦
封面設計　李　璀

出　　版　北京圖書館出版社　(100034　北京西城區文津街 7 號)
發　　行　010-66139745　66151313　66175620　66126153
66174391(傳真)　66126156(門市部)
E-mail　cbs@nlc.gov.cn(投稿)　btsfxb@nlc.gov.cn(郵購)
Website　www.nlcpress.com
經　　銷　新華書店
印　　刷　北京文津閣印務有限責任公司

開　　本　八開
印　　張　55.75
版　　次　2006 年 4 月第 1 版第 1 次印刷
印　　數　1-150 册(套)

書　　號　ISBN 7-5013-2968-0/K·1251
定　　價　990.00 圓

編輯委員會

主　編　任繼愈
常務副主編　方廣錩
副 主 編　李際寧　張志清
編委（按姓氏筆畫排列）　王克芬　王姿怡　吳玉梅　胡新英　陳　穎　黄　霞（常務）　劉玉芬

出版委員會

主　任　詹福瑞
副主任　陳　力
委　員（按姓氏筆畫排列）　李　健　姜　紅　郭又陵　徐　蜀　孫　彦

攝製人員（按姓氏筆畫排列）

于向洋　王富生　王遂新　谷韶軍　張　軍　張紅兵　張　陽　曹　宏　郭春紅　楊　勇　嚴　平

目錄

共出城各各分散隨處求覓未久之頃有一大
臣前白王曰聞王子在願勿憂愁其最小者
今猶未見王聞是語悲歎而言苦哉苦哉
失我愛子
初有子時歡喜少　後失子時憂苦多
若使我兒重壽命　縱我身亡不為苦
夫人聞已憂惱纏懷如被箭中而嗟歎曰
我之三子并侍從　俱往林中共遊賞
最小愛子獨不還　定有乖離災厄事
次第二臣來至王所王問臣曰愛子何在第
二大臣懊惱啼泣喉舌乾燥口不言竟无
所荅夫人問曰
速報小子今何在　我身熱惱遍燒然
悶亂荒迷失本心　勿使我胷今破裂
時第二臣即以王子捨身之事具白王知王
及夫人聞其事已不勝悲噎望捨身處驟駕
前行詣竹林所至彼菩薩捨身之地見其骸
骨隨處交橫俱時投地悶絕將死猶如猛風
吹倒大樹心迷失緒都无所知時大臣等以
水遍灑王及夫人良久乃蘇舉手而哭咨嗟
歎曰

BD01869號　金光明最勝王經卷一〇　（13-1）

前行詣竹林所至彼菩薩捨身之地見其骸
骨隨處交橫俱時投地悶絕將死猶如猛風
吹倒大樹心迷失緒都无所知時大臣等以
水遍灑王及夫人良久乃蘇舉手而哭咨嗟
歎曰
禍哉愛子端嚴相　因何死苦先來逼
若我得在汝前亡　豈見如斯大苦事
尔時夫人迷悶稍止頭髮蓬亂兩手推胷宛
轉于地如魚處陸若牛失子悲泣而言
我子誰屠割　餘骨散于地　失我所愛子　憂悲不自勝
苦哉誰殺子　致斯憂惱事　我心非金剛　云何而不破
我夢中所見　兩乳皆被割　牙齒悉墮落　今遭大苦痛
又夢三鴿鶵　一被鷹擒去　今失所愛子　惡相表非虛
尔時大王及於夫人并二王子盡哀號哭瓔珞
不御与諸人眾共收菩薩遺身舍利為於
供養置窣覩波中阿難陀汝等應知此即是
彼菩薩舍利復告阿難陀我於昔時雖具煩
惱貪瞋癡等能於地獄餓鬼傍生五趣之中
隨緣救濟令得出離何況今時煩惱都盡无
復餘習号天人師具一切智而不能為一一
眾生經於多劫在地獄中及於餘處代受眾
苦令出生死煩惱輪迴尔時世尊欲重宣此
義而說頌曰
我念過去世　无量无數劫　或時作國王　或復為王子
常行於大施　及捨所愛身　願出離生死　至妙菩提處
昔時有大國　國主名大車　王子名勇猛　常施心无悋
王子有二兄　号大渠大天　三人同出遊　漸至山林所
見虎飢所逼　便生如是心　此虎飢火燒　更无餘可食

BD01869號　金光明最勝王經卷一〇　（13-2）

我念過去世　无量无數劫　或時作國王　或復爲王子
常行扵大施　及捨所愛身　願出離生死　至妙菩提處
昔時有大國　國主名大車　王子名勇猛　常施心无悋
王子有二兄　号大渠大天　三人同出遊　漸至山林所
見虎飢所逼　便生如是心　此虎飢火燒　更无餘可食
大士観如斯　恐其將食子　捨身无所顧　救子不令傷
大地及諸山　一時皆震動　江海皆騰躍　驚波水逆流
天地失光明　昏冥无所見　林野諸禽獸　飛奔失所依
二兄怪不還　憂感生悲苦　即与諸侍從　林藪遍尋求
兄弟共籌議　復往深山處　四顧无所有　見虎處空林
其母并七子　口皆有血汙　殘骨并餘髮　縱横在地中
復見有血流　散在竹林所　二兄既見已　心生大恐怖
悶絶俱投地　荒迷不覺知　塵土坌其身　六情皆失念
王子諸侍從　啼泣心憂惱　以水灑令蘇　舉手號咷哭
菩薩捨身時　慈母在宮内　五百諸婇女　共受扵妙樂
夫人之兩乳　忽然自流出　遍體如針刺　苦痛不能安
欻生失子想　憂箭苦傷心　即白大王知　陳斯苦惱事
悲泣不堪忍　哀聲向王說　大王今當知　我生大苦惱
兩乳忽流出　禁止不隨心　如針遍刺身　煩冤胷欲破
我先夢惡徵　必當失愛子　願王濟我命　知兒存与亡
夢見三鴿鶵　小者是愛子　忽被鷹奪去　悲愁難具陳
我今沒憂海　趣死將不久　恐子命不全　願爲速求覓
又聞外人語　小子求不得　我今意不安　願王哀愍我
夫人白王已　舉身而躃地　悲痛心悶絶　荒迷不覺知
婇女見夫人　悶絶在扵地　舉聲皆大哭　憂惶失所依
王聞如是語　懷憂不自勝　因命諸群臣　尋求所愛子
皆共出城外　隨處而追覓　涕泣問諸人　王子今何在
今者爲存亡　誰知所去處　云何令得見　遣我憂惱心

婇女見夫人　悶絶在扵地　舉聲皆大哭　憂惶失所依
王聞如是語　懷憂不自勝　因命諸群臣　尋求所愛子
皆共出城外　隨處而追覓　涕泣問諸人　王子今何在
今者爲存亡　誰知所去處　云何令得見　遣我憂惱心
諸人悉共傳　咸言王子死　聞者皆傷悼　悲歎苦難裁
尒時大車王　悲號從座起　即就夫人處　以水灑其身
夫人蒙水灑　久乃得醒悟　悲啼以問王　我兒今何不
王告夫人曰　我已使諸人　四向求王子　尚未有消息
王又告夫人　汝莫生煩惱　且當自安慰　可共出追尋
王即与夫人　嚴駕而前進　號哭聲悽感　憂心若火然
士庶百千万　亦隨王出城　各欲求王子　悲號聲不絶
王求愛子故　目視扵四方　見有一人來　被髮身塗血
遍體蒙塵土　悲哭逆前來　王見是惡相　倍復生憂惱
王便舉兩手　哀號不自裁　初有一大臣　急忙至王所
進白大王曰　幸願勿悲哀　王之所愛子　今雖求未獲
不久當來至　以釋大王憂　王復更前行　見次大臣至
其臣詣王所　流淚白王言　二子今現存　被憂火所逼
其苐三王子　已被无常吞　見餓虎初生　將欲食其子
彼薩埵王子　見此起悲心　願求无上道　當度一切衆
繫想妙菩提　廣大深如海　即上高山頂　投身餓虎前
虎羸不能食　以竹自傷頸　遂噉王子身　唯有餘骸骨
時王及夫人　聞已俱悶絶　心沒扵憂海　煩惱火燒然
臣以栴檀水　灑王及夫人　俱起大悲號　舉手推胷臆
苐三大臣來　白王如是語　我見二王子　悶絶在林中
臣以冷水灑　尒乃蘇醒息　顧視扵四方　如猛火周遍
暫起而還伏　悲號不自勝　舉手以哀言　稱歎弟希有
王聞如是說　倍增憂火煎　夫人大號咷　高聲作是語
我之小子偏鍾愛　已爲无常羅刹吞

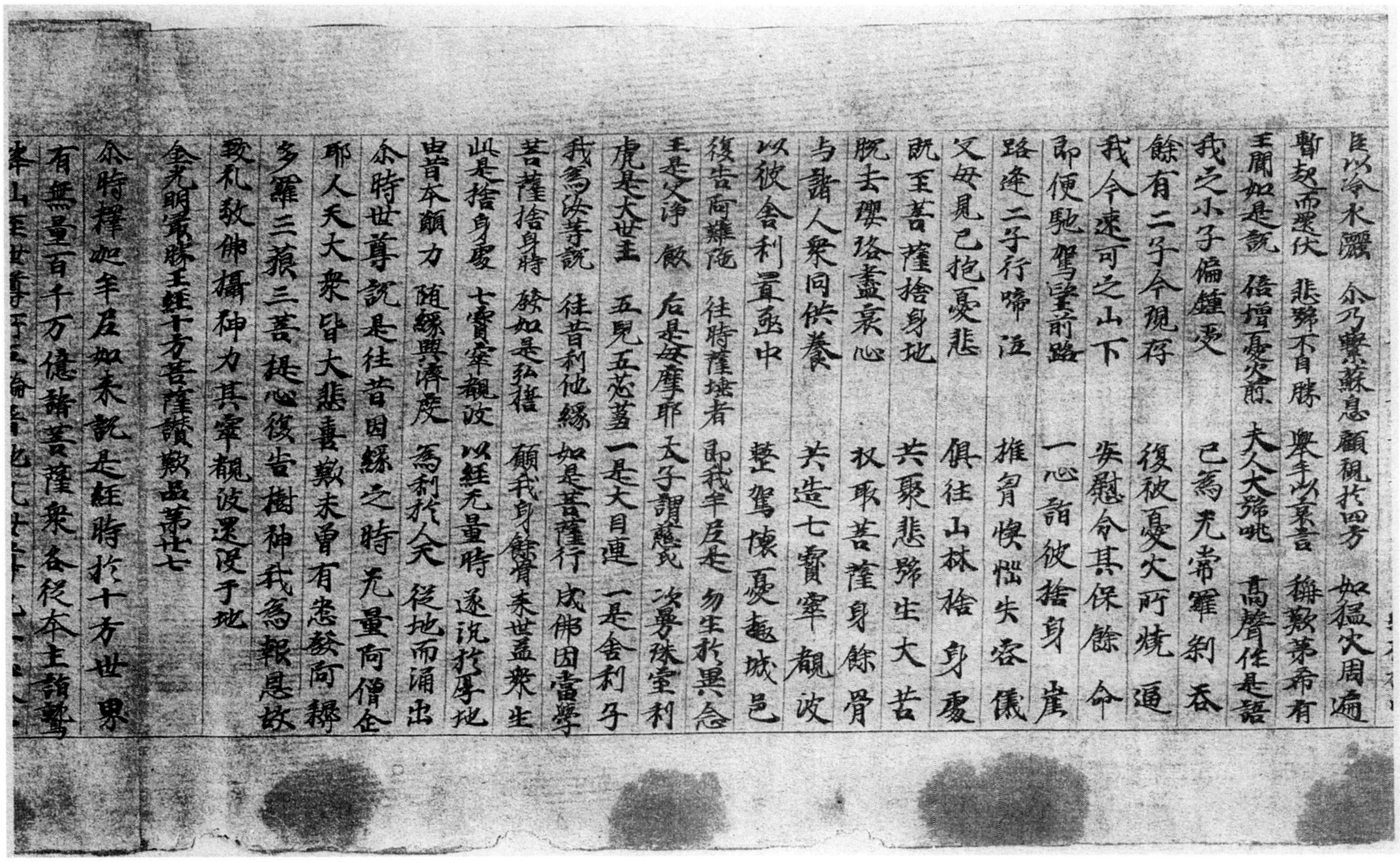

臣以冷水灑　尒乃蹔蘇息　顧視於四方　如猛火周遍
蹔起而還伏　悲號不自勝　舉手以哀言　稱歎弟希有
王聞如是說　倍增憂火煎　夫人大號咷　高聲作是語
我之小子偏鍾愛　已爲无常羅剎呑
餘有二子今現存　復被憂火所燒逼
我今速可之山下　安慰令其保餘命
即便馳駕望前路　一心詣彼捨身崖
路逢二子行啼泣　推胷懊惱失容儀
父母見已抱憂悲　俱往山林捨身處
既至菩薩捨身地　共聚悲號生大苦
脫去瓔珞盡哀心　收取菩薩身餘骨
与諸人衆同供養　共造七寶窣覩波
以彼舍利置函中　整駕懷憂趣城邑
復告阿難陁　往時薩埵者　即我牟尼是　勿生於異念
王是父淨飯　后是母摩耶　太子謂慈氏　次男殊室利
虎是大世主　五兒五苾蒭　一是大目連　一是舍利子
我爲汝等說　往昔利他緣　如是菩薩行　成佛因當學
菩薩捨身時　發如是弘誓　願我身餘骨　來世益衆生
此是捨身處　七寶窣覩波　以經无量時　遂沉於厚地
由昔本願力　隨緣興濟度　爲利於人天　從地而涌出
尒時世尊說是往昔因緣之時　无量阿僧企
耶人天大衆皆大悲喜歎未曾有悉發阿耨
多羅三藐三菩提心復告樹神我爲報恩故
致礼敬佛攝神力其窣覩波還沒于地
金光明最勝王經十方菩薩讚歎品第廿七
尒時釋迦牟尼如來說是經時於十方世界
有無量百千万億諸菩薩衆各從本土詣鷲

BD01869號　金光明最勝王經卷一〇　（13–5）

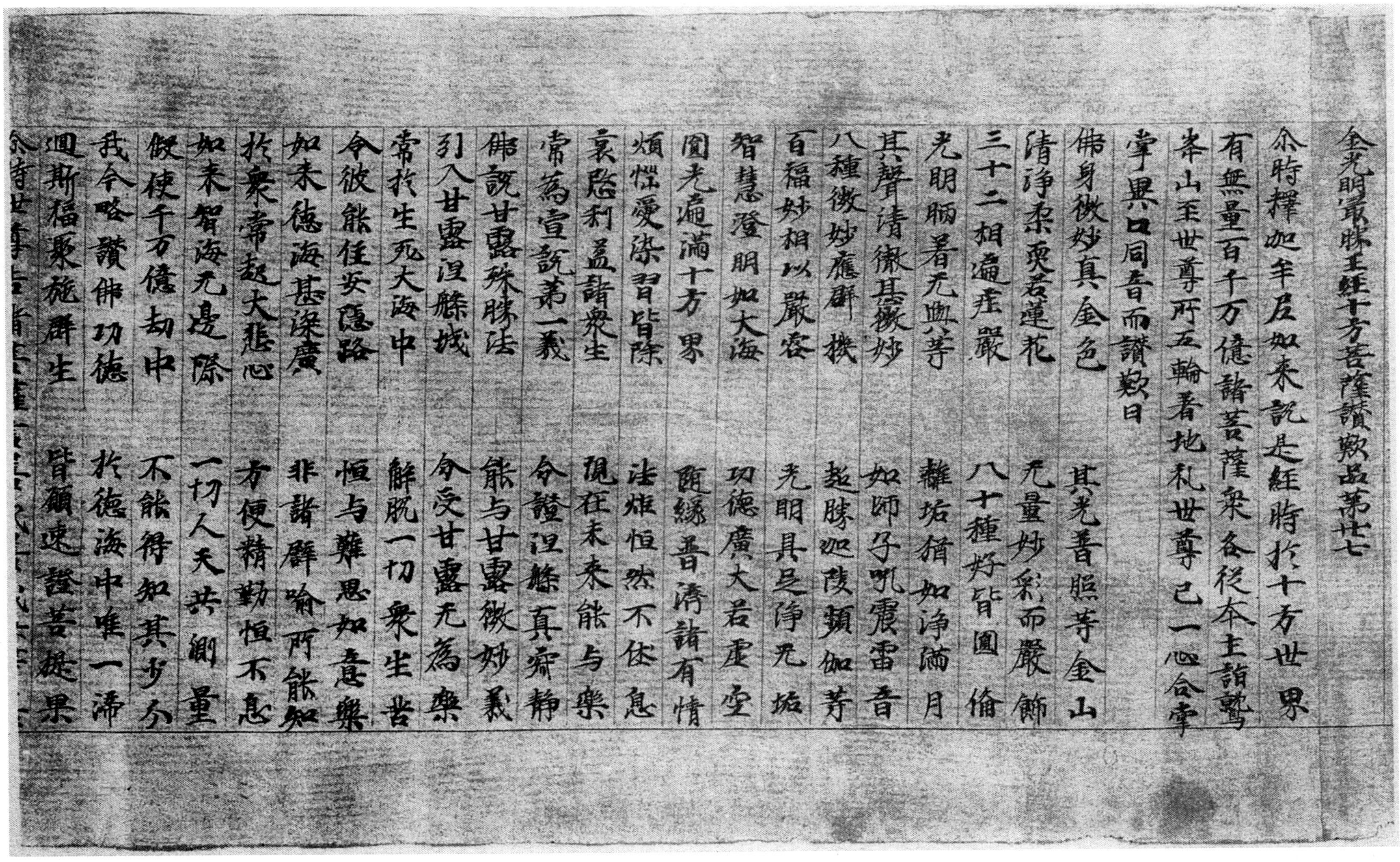

金光明最勝王經十方菩薩讚歎品第廿七
尒時釋迦牟尼如來說是經時於十方世界
有無量百千万億諸菩薩衆各從本土詣鷲
峯山至世尊所五輪著地礼世尊已一心合掌
異口同音而讚歎曰
佛身微妙真金色　其光普照等金山
清淨柔爽若蓮花　无量妙彩而嚴飾
三十二相遍莊嚴　八十種好皆圓備
光明晒著无與等　離垢猶如淨滿月
其聲清徹甚微妙　如師子吼震雷音
八種微妙應群機　超勝迦陵頻伽等
百福妙相以嚴容　光明具足淨无垢
智慧澄明如大海　功德廣大若虛空
圓光遍滿十方界　隨緣普濟諸有情
煩惱愛染習皆除　法炬恒然不休息
哀愍利益諸衆生　現在未來能与樂
常爲宣說第一義　令證涅槃真寂靜
佛說甘露殊勝法　能与甘露微妙義
引入甘露涅槃城　令受甘露无爲樂
常於生死大海中　解脫一切衆生苦
令彼能住安隱路　恒与難思如意樂
如來德海甚深廣　非諸譬喻所能知
於衆常起大悲心　方便精勤恒不息
如來智海无邊際　一切人天共測量
假使千万億劫中　不能得知其少分
我今略讚佛功德　於德海中唯一滴
迴斯福聚施群生　皆願速證菩提果

BD01869號　金光明最勝王經卷一〇　（13–6）

假使千万億劫中　不能得知其少分
我今略讚佛功德　於德海中唯一渧
迴斯福聚施群生　皆願速證菩提果
尒時世尊告諸菩薩言善哉善哉汝等善
能如是讚佛功德利益有情廣興佛事能滅
諸罪生无量福
金光明最勝王經妙幢菩薩讚歎品第廿八
尒時妙幢菩薩即從座起偏袒右肩右膝著
地合掌向佛而說讚曰
牟尼百福相圓滿　无量功德以嚴身
廣大清淨人樂觀　猶如千日光明照
燄彩无邊光熾盛　如妙寶聚相端嚴
如日初出映虛空　紅白分明間金色
亦如金山光普照　悉能周遍百千土
能滅衆生无量苦　皆与无邊勝妙樂
諸相具足悉嚴淨　衆生樂觀无猒足
頭髮柔耎紺青色　猶如黑蜂集妙花
大喜大捨淨莊嚴　大慈大悲皆具足
衆妙相好爲嚴飾　菩提分法之所成
如來能施衆福利　令彼常蒙大安樂
種種妙德共莊嚴　光明普照千万土
如來光相極圓滿　猶如赫日遍空中
佛如須弥功德具　示現能周於十方
如來金口妙端嚴　齒白齊密如珂雪
如來面貌无倫匹　眉間毫相常右旋
光潤鮮白等頗梨　猶如滿月居空界
佛告妙幢菩薩汝能如是讚佛功德不可思
議利益一切令未知者隨順修學

BD01869號　金光明最勝王經卷一〇　（13-7）

光潤鮮白等頗梨　猶如滿月居空界
佛告妙幢菩薩汝能如是讚佛功德不可思
議利益一切令未知者隨順修學
金光明最勝王經菩提樹神讚歎品第廿九
尒時菩提樹神亦以伽他讚世尊曰
敬礼如來清淨慧　敬礼常求正法慧
敬礼能離非法慧　敬礼恒无分別慧
希有世尊无邊行　希有難見比優曇
希有如海鎮山王　希有善逝光无量
希有調御知慈願　希有釋種明逾日
能說如是經中寶　哀愍利益諸群生
牟尼寂靜諸根定　能入寂靜涅槃城
能住寂靜等持門　能知寂靜深境界
兩足中尊住空寂　聲聞弟子身亦空
一切法體性皆无　一切衆生悉空寂
我常憶念於諸佛　我常樂見諸世尊
我常發起慇重心　常得值遇如來日
我常頂礼於世尊　願常渴仰心不捨
悲泣流淚情无間　常得奉事不知猒
唯願世尊起悲心　和顏常得令我見
佛及聲聞衆清淨　願常普濟於人天
佛身本淨若虛空　亦如幻焰及水月
願說涅槃甘露法　能生一切功德聚
世尊所有淨境界　慈悲正行不思議
聲聞獨覺非所量　大仙菩薩不能測
唯願如來哀愍我　常令覩見大悲身
三業无倦奉慈尊　速出生死歸真際
尒時世尊聞是讚已以梵音聲告樹神曰

BD01869號　金光明最勝王經卷一〇　（13-8）

聲聞獨覺非所量　大仙菩薩不能測
唯願如來哀愍我　常令覩見大悲身
三業无倦奉慈尊　速出生死歸真際
尒時世尊聞是讚已以梵音聲告樹神曰善
哉善哉女天汝能於我真實无妄清淨法
身自利利他宣揚妙相以此功德令汝速證
最上菩提一切有情同所修習若得聞者皆
入甘露无生法門
金光明最勝王經大辯才天女讚歎品第卅
尒時大辯才天女即從座起合掌恭敬以直
言詞讚世尊
南謨釋迦牟尼如來應正等覺身真金色咽
如螺貝面如滿月目類青蓮脣口赤好如頗
梨色鼻高脩直如截金鋌齒白齊密如拘物
頭花身光普照如百千日光彩暎徹如贍部
金所有言論皆无謬失示三解脫門開三菩
提路心常清淨意樂亦然佛所住處及所
行境亦常清淨離非威儀進止无謬六年苦行
三轉法輪度苦衆生令歸彼岸身相圓滿如
拘陁樹六度薰修三業无失具一切智自他
利滿所有宣說常為衆生言不虛設於釋種
中為大師子堅固勇猛具八解脫我今隨力
稱讚如來少分功德猶如蚊子飲大海水願
以此福廣及有情永離生死成无上道
尒時世尊告大辯天曰善哉善哉汝久修習
具大辯才今復於我廣陳讚歎令汝速證无
上法門相好圓明普利一切
金光明最勝王經付囑品第卅一

BD01869 號　金光明最勝王經卷一〇　（13–9）

尒時世尊告大辯天曰善哉善哉汝久修習
具大辯才今復於我廣陳讚歎令汝速證无
上法門相好圓明普利一切
金光明最勝王經付囑品第卅一
尒時世尊普告无量菩薩及諸人天一切大
衆汝等當知我於无量无數大劫勤修苦行
獲甚深法菩提正因已為汝說汝等誰能發
勇猛心恭敬守護我涅槃後於此法門廣宣
流布能令正法久住世間尒時衆中有六十
俱胝諸大菩薩六十俱胝諸天大衆異口同
音作如是語世尊我等咸有欣樂之心於佛
世尊无量大劫勤修苦行所獲甚深微妙之
法菩提正因恭敬護持不惜身命佛涅槃後
於此法門廣宣流布當令正法久住世間尒
時諸大菩薩即於佛前說伽他曰
世尊真實語　安住於實法　由彼真實故　護持於此經
大悲為甲冑　安住於大慈　由彼慈悲力　護持於此經
福資糧圓滿　生起智資糧　由資糧滿故　護持於此經
降伏一切魔　破滅諸邪論　斷除惡見故　護持於此經
護世幷釋梵　乃至阿蘇羅　龍神藥叉等　護持於此經
地上及虛空　久住於斯者　奉持佛教故　護持於此經
四梵住相應　四聖諦嚴飾　降伏四魔故　護持於此經
虛空成質礙　質礙成虛空　諸佛所護持　无能傾動者
尒時四大天王聞佛說此護持妙法各生隨
喜護正法心一時同聲說伽他曰
我今於此經　及男女眷屬　皆一心擁護　令得廣流通
若有持經者　能作菩提因　我常於四方　擁護而承事
尒時天帝釋合掌恭敬說伽他曰

BD01869 號　金光明最勝王經卷一〇　（13–10）

我今於此經及男女眷屬 皆一心擁護 令得廣流通
若有持經者 能作菩提因 我常於四方 擁護而承事
尒時天帝釋合掌恭敬說伽他曰
諸佛證此法 爲欲報恩故 饒益菩薩衆 出世演斯經
我於彼諸佛 報恩常供養 護持如是經 及以持經者
尒時覩史多天子合掌恭敬說伽他曰
佛說如是經 若有能持者 當住菩提位 來生覩史天
世尊我慶悅 捨天殊勝報 住於贍部洲 宣揚是經典
時索訶世界主梵天王合掌恭敬說伽他曰
諸靜慮無量 諸乘及解脫 皆從此經出 是故演斯經
若說是經處 我捨梵天樂 爲聽如是經 亦常爲擁護
尒時魔王子名曰商主合掌恭敬說伽他曰
若有受持此 正義相應經 不隨魔所行 淨除魔惡業
我等於此經 亦當勤守護 發大精進意 隨處廣流通
尒時魔王合掌恭敬說伽他曰
若有持此經 能伏諸煩惱 如是衆生類 擁護令安樂
若有說是經 諸魔不得便 由佛威神故 我當擁護彼
尒時妙吉祥天子亦於佛前說伽他曰
諸佛妙菩提 於此經中說 若持此經者 是供養如來
我當持此經 爲俱胝天說 恭敬聽聞者 勸至菩提處
尒時慈氏菩薩合掌恭敬說伽他曰
諸佛妙菩提 於此經中說 若持此經者 是供養如來
我當持此經 爲俱胝天說 恭敬聽聞者 勸至菩提處
尒時慈氏菩薩合掌恭敬說伽他曰
若見住菩提 与爲不請友 乃至捨身命 爲說此經王
我聞如是法 當往覩史天 由世尊加護 廣爲人天說
尒時上坐大迦攝波合掌恭敬說伽他曰
佛於聲聞乘 說我爲智慧 我今隨自力 護持如是經

BD01869號　金光明最勝王經卷一〇　（13–11）

諸佛妙菩提 於此經中說 若持此經者 是供養如來
我當持此經 爲俱胝天說 恭敬聽聞者 勸至菩提處
尒時慈氏菩薩合掌恭敬說伽他曰
若見住菩提 与爲不請友 乃至捨身命 爲說此經王
我聞如是法 當往覩史天 由世尊加護 廣爲人天說
尒時上坐大迦攝波合掌恭敬說伽他曰
佛於聲聞乘 說我爲智慧 我今隨自力 護持如是經
若有持此經 我當攝受彼 受其詞辯力 常隨讚善哉
尒時具壽阿難陀合掌向佛說伽他曰
我親從佛聞 无量衆經典 未曾聞如是 深妙法中王
我今聞是經 親於佛前受 諸樂菩提者 當爲廣宣通
尒時世尊見諸菩薩人天大衆各各發心於
此經典流通擁護勸進菩薩廣利衆生讚言
善哉善哉汝等能於如是微妙經王虔誠流
布乃至於我般涅槃後不令散滅即是无上
菩提正因所獲功德於恒沙劫說不能盡若
有苾芻苾芻尼鄔波索迦鄔波斯迦及餘善
男子善女人等供養恭敬書寫流通爲人解
說所獲功德亦復如是是故汝等應勤修習
尒時无量无邊恒沙大衆聞佛說已皆大歡
喜信受奉行

金光明最勝王經卷第十

鵽去列 航胡郎 鴟仕于 檎巨今 鋌庭頂 齊精昔 捫胡本 鯁庚古

BD01869號　金光明最勝王經卷一〇　（13–12）

……鄔波索迦鄔波斯迦及諸善
男子善女人等供養恭敬書寫流通為人解
說所獲功德亦復如是是故汝等應勤修習
尒時无量无邊恒沙大衆聞佛說已皆大歡
喜信受奉行

金光明最勝王經卷第十

BD01869號　金光明最勝王經卷一〇　　（13–13）

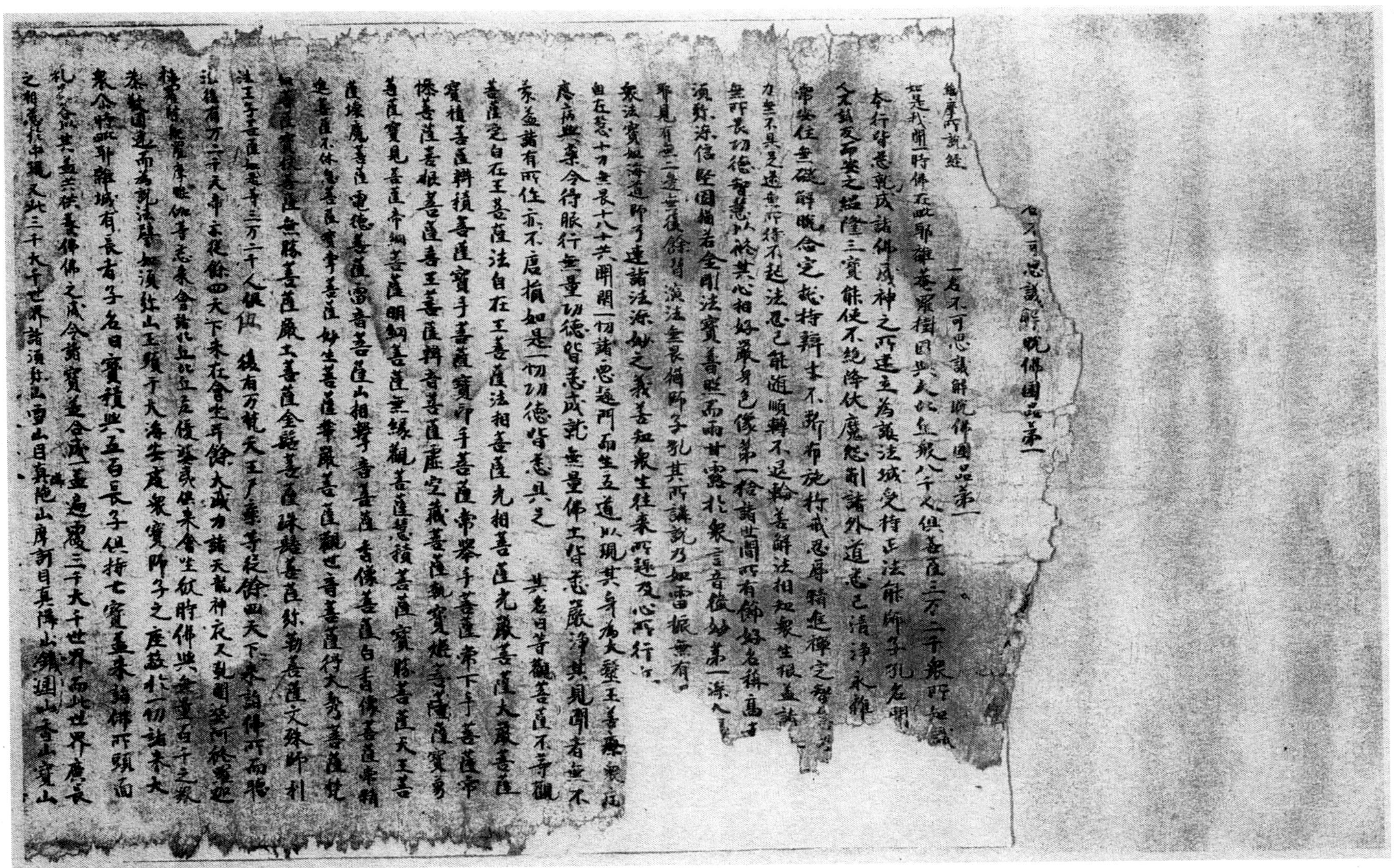

BD01870號 1　維摩詰所說經卷上　　（22–1）

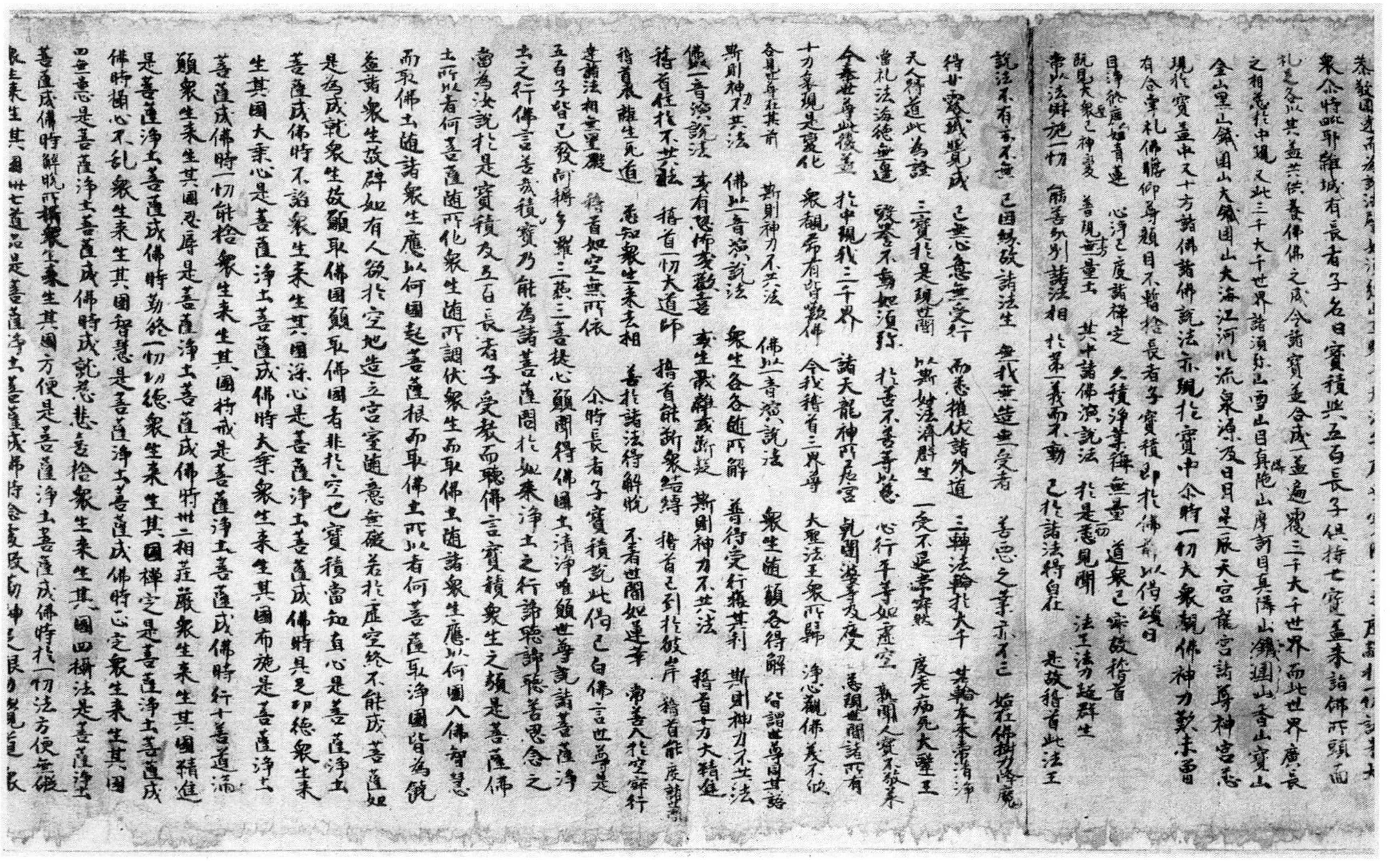

衆介時毗耶離城有長者子名曰寶積與五百長者子俱持七寶蓋來詣佛所頭面
礼足各以其蓋共供養佛佛之威神令諸寶蓋合成一蓋遍覆三千大千世界而此世界廣長
之相悉於中現又此三千大千世界諸須弥山雪山目真隣陁山摩訶目真隣陁山香山寶山
金山黑山鐵圍山大鐵圍山大海江河川流泉源及日月星辰天宮龍宮諸尊神宮悉
現於寶蓋中又十方諸佛諸佛說法亦現於寶蓋中介時一切大衆覩佛神力歎未曾
有合掌礼佛瞻仰尊顏目不暫捨長者子寶積即於佛前以偈頌曰
目淨脩廣如青蓮 心淨已度諸禪定 久積淨業稱無量 導衆以寂故稽首
既見大聖以神變 普現十方無量土 其中諸佛演說法 於是一切悉見聞 法王法力超群生
常以法財施一切 能善分別諸法相 於第一義而不動 已於諸法得自在 是故稽首此法王
說法不有亦不無 以因緣故諸法生 無我無造無受者 善惡之業亦不亡 始在佛樹力降魔
得甘露滅覺道成 已無心意無受行 而悉摧伏諸外道 三轉法輪於大千 其輪本來常清淨
天人得道此為證 三寶於是現世間 以斯妙法濟群生 一受不退常寂然 度老病死大醫王
當礼法海德無邊 毀譽不動如須弥 於善不善等以慈 心行平等如虛空 孰聞人寶不敬承
今奉世尊此微蓋 於中現我三千界 諸天龍神所居宮 乾闥婆等及夜叉 悉見世間諸所有
十力哀現是化變 衆覩希有皆歎佛 今我稽首三界尊 大聖法王衆所歸 淨心觀佛靡不欣
各見世尊在其前 斯則神力不共法 佛以一音演說法 衆生隨類各得解 皆謂世尊同其語
斯則神力不共法 佛以一音演說法 衆生各各隨所解 普得受行獲其利 斯則神力不共法
佛以一音演說法 或有恐畏或歡喜 或生厭離或斷疑 斯則神力不共法 稽首十力大精進
稽首已得無所畏 稽首住於不共法 稽首一切大導師 稽首能斷衆結縛 稽首已到於彼岸 稽首能度諸世間
稽首永離生死道 悉知衆生來去相 善於諸法得解脫 不著世間如蓮華 常善入於空寂行
達諸法相無罣礙 稽首如空無所依 介時長者子寶積說此偈已白佛言世尊是
五百長者子皆已發阿耨多羅三藐三菩提心願聞得佛國土清淨唯願世尊說諸菩薩淨
土之行佛言善哉寶積乃能為諸菩薩問於如來淨土之行諦聽諦聽善思念之
當為汝說於是寶積及五百長者子受教而聽佛言寶積衆生之類是菩薩佛
土所以者何菩薩隨所化衆生而取佛土隨所調伏衆生而取佛土隨諸衆生應以何國入佛智慧
而取佛土隨諸衆生應以何國起菩薩根而取佛土所以者何菩薩取於淨國皆為饒
益諸衆生故譬如有人欲於空地造立宮室隨意無礙若於虛空終不能成菩薩如
是為成就衆生故願取佛國願取佛國者非於空也寶積當知直心是菩薩淨土
菩薩成佛時不諂衆生來生其國深心是菩薩淨土菩薩成佛時具足功德衆生來
生其國大乘心是菩薩淨土菩薩成佛時大乘衆生來生其國布施是菩薩淨土
菩薩成佛時一切能捨衆生來生其國持戒是菩薩淨土菩薩成佛時行十善道滿
願衆生來生其國忍辱是菩薩淨土菩薩成佛時卅二相莊嚴衆生來生其國精進
是菩薩淨土菩薩成佛時勤修一切功德衆生來生其國禪定是菩薩淨土菩薩成
佛時攝心不亂衆生來生其國智慧是菩薩淨土菩薩成佛時正定衆生來生其國
四無量心是菩薩淨土菩薩成佛時成就慈悲喜捨衆生來生其國四攝法是菩薩淨土
菩薩成佛時解脫所攝衆生來生其國方便是菩薩淨土菩薩成佛時於一切法方便無礙
衆生來生其國卅七道品是菩薩淨土菩薩成佛時念處正勤神足根力覺道

BD01870 號 1　維摩詰所說經卷上　（22–2）

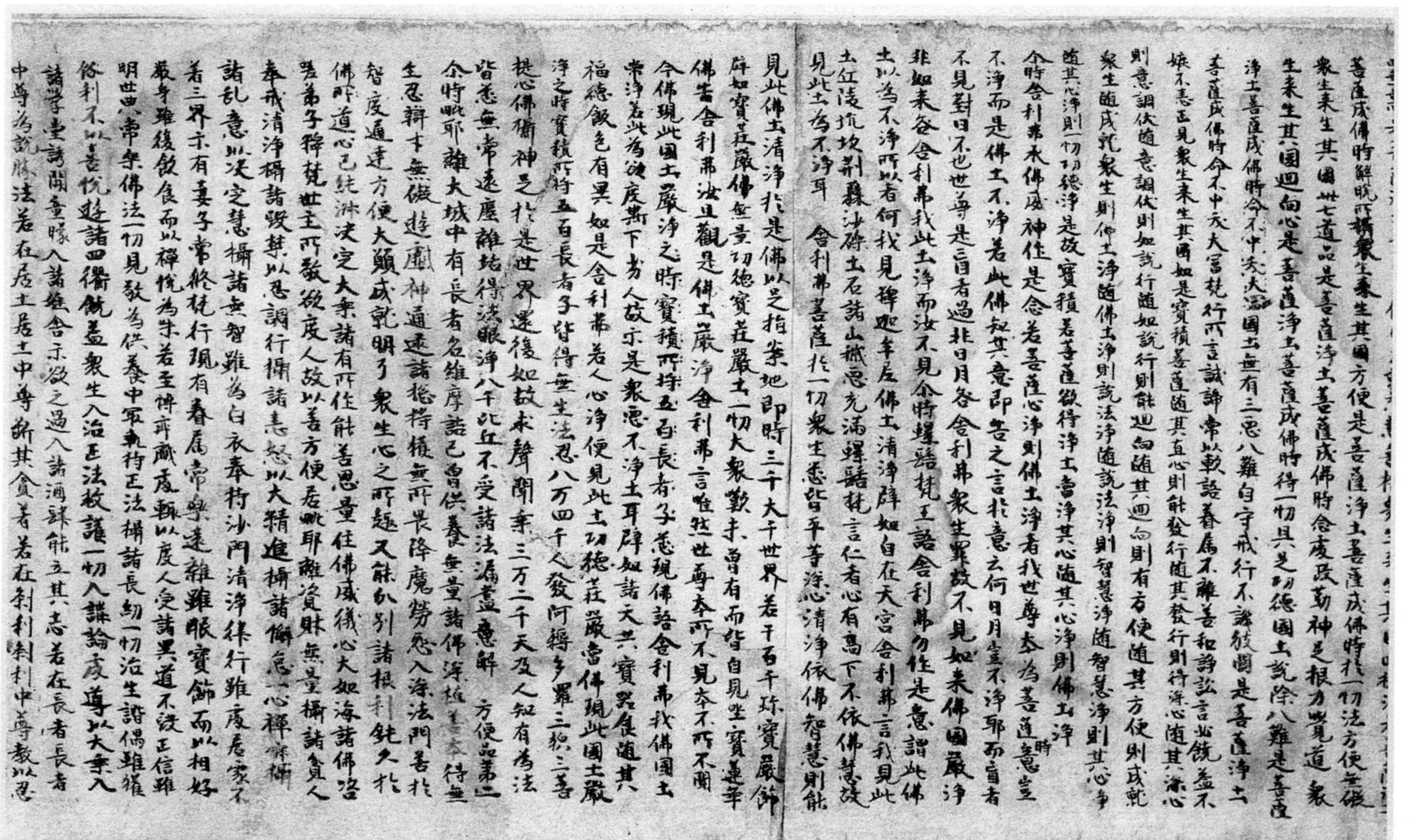

菩薩成佛時解脫所攝衆生來生其國方便是菩薩淨土菩薩成佛時於一切法方便無礙
衆生來生其國卅七道品是菩薩淨土菩薩成佛時念處正勤神足根力覺道衆
生來生其國迴向心是菩薩淨土菩薩成佛時得一切具足功德國土說除八難是菩薩
淨土菩薩成佛時國土無有三惡八難自守戒行不譏彼闕是菩薩淨土
菩薩成佛時命不中夭大富梵行所言誠諦常以軟語眷屬不離善和諍訟言必饒益不
嫉不恚正見衆生來生其國如是寶積菩薩隨其直心則能發行隨其發行則得深心隨其深心
則意調伏隨意調伏則如說行隨如說行則能迴向隨其迴向則有方便隨其方便則成就
衆生隨成就衆生則佛土淨隨佛土淨則說法淨隨說法淨則智慧淨隨智慧淨則其心淨
隨其心淨則一切功德淨是故寶積若菩薩欲得淨土當淨其心隨其心淨則佛土淨
介時舍利弗承佛威神作是念若菩薩心淨則佛土淨者我世尊本為菩薩時意豈
不淨而是佛土不淨若此佛知其意即告之言於意云何日月豈不淨耶而盲者
不見對曰不也世尊是盲者過非日月咎舍利弗衆生罪故不見如來佛國嚴淨
非如來咎舍利弗我此土淨而汝不見介時螺髻梵王語舍利弗勿作是意謂此佛
土以為不淨所以者何我見釋迦牟尼佛土清淨譬如自在天宮舍利弗言我見此
土丘陵坑坎荊棘沙礫土石諸山穢惡充滿螺髻梵言仁者心有高下不依佛慧故
見此土為不淨耳 舍利弗菩薩於一切衆生悉皆平等深心清淨依佛智慧則能
見此佛土清淨於是佛以足指按地即時三千大千世界若干百千珍寶嚴飾
譬如寶莊嚴佛無量功德寶莊嚴土一切大衆歎未曾有而皆自見坐寶蓮華
佛告舍利弗汝且觀是佛土嚴淨舍利弗言唯然世尊本所不見本所不聞
今佛現此國土嚴淨之時寶積所將五百長者子悉現佛語舍利弗我佛國土
常淨若此為欲度斯下劣人故示是衆惡不淨土耳譬如諸天共寶器食隨其
福德飯色有異如是舍利弗若人心淨便見此土功德莊嚴當佛現此國土嚴
淨之時寶積所將五百長者子皆得無生法忍八万四千人發阿耨多羅三藐三菩
提心佛攝神足於是世界還復如故求聲聞乘三万二千天及人知有為法
皆悉無常遠塵離垢得法眼淨八千比丘不受諸法漏盡意解 方便品第二
介時毗耶離大城中有長者名維摩詰已曾供養無量諸佛深植善本得無
生忍辯才無礙遊戲神通逮諸總持獲無所畏降魔勞怨入深法門善於
智度通達方便大願成就明了衆生心之所趣又能分別諸根利鈍久於
佛道心已純淑決定大乘諸有所作能善思量住佛威儀心大如海諸佛咨
嗟弟子釋梵世主所敬欲度人故以善方便居毗耶離資財無量攝諸貧人
奉戒清淨攝諸毀禁以忍調行攝諸恚怒以大精進攝諸懈怠一心禪寂攝
諸亂意以決定慧攝諸無智雖為白衣奉持沙門清淨律行雖處居家不
著三界示有妻子常修梵行現有眷屬常樂遠離雖服寶飾而以相好
嚴身雖復飲食而以禪悅為味若至博弈戲處輒以度人受諸異道不毀正信雖
明世典常樂佛法一切見敬為供養中最執持正法攝諸長幼一切治生諧偶雖獲
俗利不以喜悅遊諸四衢饒益衆生入治政法救護一切入講論處導以大乘入
諸學堂誘開童蒙入諸婬舍示欲之過入諸酒肆能立其志若在長者長者
中尊為說勝法若在居士居士中尊斷其貪著若在刹利刹利中尊教以忍

BD01870 號 1　維摩詰所說經卷上　（22–3）

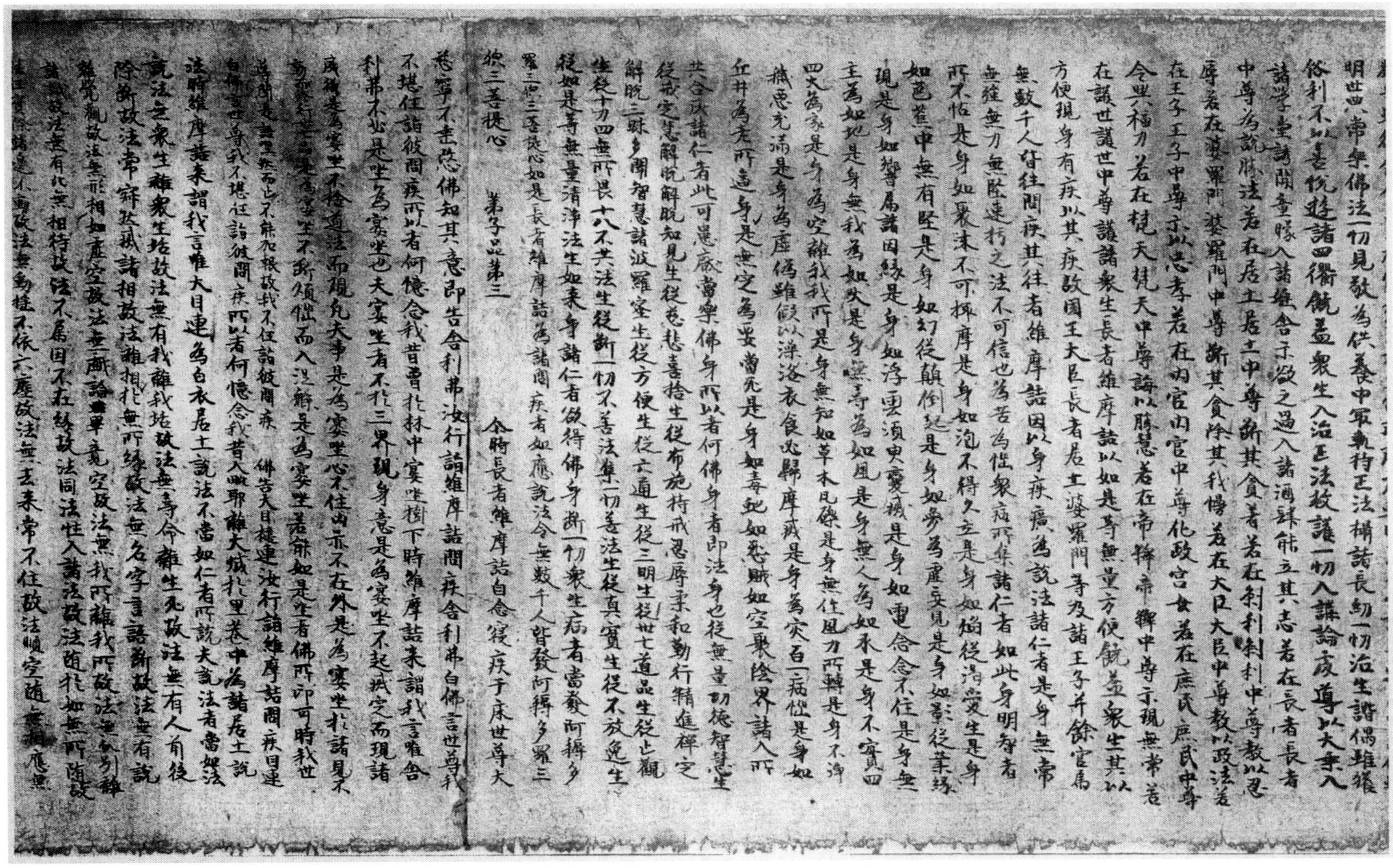

明世典常樂佛法一切見敬為供養中最執持正法攝諸長幼一切治生諧偶雖獲
俗利不以喜悅遊諸四衢饒益眾生入治正法救護一切入講論處導以大乘入
諸學堂誘開童蒙入諸婬舍示欲之過入諸酒肆能立其志若在長者長者
中尊為說勝法若在居士居士中尊斷其貪著若在剎利剎利中尊教以忍
辱若在婆羅門婆羅門中尊斷其我慢若在大臣大臣中尊教以正法若
在王子王子中尊示以忠孝若在內官內官中尊化政宮女若在庶民庶民中尊
令興福力若在梵天梵天中尊誨以勝慧若在帝釋帝釋中尊示現無常若
在護世護世中尊護諸眾生長者維摩詰以如是等無量方便饒益眾生其以
方便現身有疾以其疾故國王大臣長者居士婆羅門等及諸王子并餘官屬
無數千人皆往問疾其往者維摩詰因以身疾廣為說法諸仁者是身無常
無強無力無堅速朽之法不可信也為苦為惱眾病所集諸仁者如此身明智者
所不怙是身如聚沫不可撮摩是身如泡不得久立是身如炎從渴愛生是身
如芭蕉中無有堅是身如幻從顛倒起是身如夢為虛妄見是身如影從業緣
現是身如響屬諸因緣是身如浮雲須臾變滅是身如電念念不住是身無
主為如地是身無我為如火是身無壽為如風是身無人為如水是身不實四
大為家是身為空離我我所是身無知如草木瓦礫是身無作風力所轉是身不淨
穢惡充滿是身為虛偽雖假以澡浴衣食必歸磨滅是身為災百一病惱是身如
丘井為老所逼是身無定為要當死是身如毒蛇如怨賊如空聚陰界諸入所
共合成諸仁者此可患厭當樂佛身所以者何佛身者即法身也從無量功德智慧生
從戒定慧解脫解脫知見生從慈悲喜捨生從布施持戒忍辱柔和勤行精進禪定
解脫三昧多聞智慧諸波羅蜜生從方便生從六通生從三明生從卅七道品生從止觀
生從十力四無所畏十八不共法生從斷一切不善法集一切善法生從真實生從不放逸生
從如是等無量清淨法生如來身諸仁者欲得佛身斷一切眾生病者當發阿耨多
羅三藐三菩提心如是長者維摩詰為諸問疾者如應說法令無數千人皆發阿耨多羅三
藐三菩提心

弟子品第三

尒時長者維摩詰自念寢疾于床世尊大
慈寧不垂愍佛知其意即告舍利弗汝行詣維摩詰問疾舍利弗白佛言世尊我
不堪任詣彼問疾所以者何憶念我昔曾於林中宴坐樹下時維摩詰來謂我言唯舍
利弗不必是坐為宴坐也夫宴坐者不於三界現身意是為宴坐不起滅定而現諸
威儀是為宴坐不捨道法而現凡夫事是為宴坐心不住內亦不在外是為宴坐於諸見不
動而修行卅七品是為宴坐不斷煩惱而入涅槃是為宴坐若能如是坐者佛所印可時我世
尊聞說是語默然而止不能加報故我不任詣彼問疾 佛告大目揵連汝行詣維摩詰問疾目連
白佛言世尊我不堪任詣彼問疾所以者何憶念我昔入毗耶離大城於里巷中為諸居士說
法時維摩詰來謂我言唯大目連為白衣居士說法不當如仁者所說夫說法者當如法
說法無眾生離眾生垢故法無有我離我垢故法無壽命離生死故法無有人前後
際斷故法常寂然滅諸相故法離於相無所緣故法無名字言語斷故法無有說
離覺觀故法無形相如虛空故法無戲論畢竟空故法無我所離我所故法無分別離
諸識故法無有比無相待故法不屬因不在緣故法同法性入諸法故法隨於如無所隨故
法住實際諸邊不動故法無動搖不依六塵故法無去來常不住故法順空隨無相應無

BD01870 號 1　維摩詰所說經卷上　（22–4）

說法無眾生離眾生垢故法無有我離我垢故法無壽命離生死故法無有人前後
際斷故法常寂然滅諸相故法離於相無所緣故法無名字言語斷故法無有說
離覺觀故法無形相如虛空故法無戲論畢竟空故法無我所離我所故法無分別離
諸識故法無有比無相待故法不屬因不在緣故法同法性入諸法故法隨於如無所隨故
法住實際諸邊不動故法無動搖不依六塵故法無去來常不住故法順空隨無相應無
作法離好醜法無增損法無生滅法無所歸法過眼耳鼻舌身心法無高下法常住不動
法離一切觀行唯大目連法相如是豈可說乎夫說法者無說無示其聽法者無聞無得
譬如幻士為幻人說法當建是意而為說法當了眾生根有利鈍善於知見無所罣礙以
大悲心讚于大乘念報佛恩不斷三寶然後說法維摩詰說是法時八百居士發阿耨多
羅三藐三菩提心我無此辯是故不任詣彼問疾 佛告大迦葉汝行詣維摩詰問疾
迦葉白佛言世尊我不堪任詣彼問疾所以者何憶念我昔於貧里而行乞食
時維摩詰來謂我言唯大迦葉有慈悲心而不能普捨豪富從貧乞迦葉住平
等法應次行乞食為不食故應行乞食為壞和合相故應取揣食為不受故
應受彼食以空聚想入於聚落所見色與盲等所聞聲與響等所嗅
香與風等所食味不分別受諸觸如智證知諸法如幻相無自性無他性本自
不然今則無滅迦葉若能不捨八邪入八解脫以邪相入正法以一食施一切供養諸
佛及眾賢聖然後可食如是食者非有煩惱非離煩惱非入定意非起定意非住
世間非住涅槃其有施者無大福無小福不為益不為損是為正入佛道不依聲
聞迦葉若如是食為不空食人之施也時我世尊聞說是語得未曾有即於一切
菩薩深起敬心復作是念斯有家名辯才智慧乃能如是其誰不發阿耨多
羅三藐三菩提心我從是來不復勸人以聲聞辟支佛行是故不任詣彼問
疾
佛告須菩提汝行詣維摩詰問疾須菩提白佛言世尊我不堪任詣彼
疾所以者何憶念我昔入其舍從乞食時維摩詰取我鉢盛滿飯謂我言唯
須菩提若能於食等者諸法亦等諸法等者於食亦等如是行乞乃可取
食若須菩提不斷婬怒癡亦不與俱不壞於身而隨一相不滅癡愛起於
明脫以五逆相而得解脫亦不解不縛不見四諦非不見諦非得果非凡夫非離凡夫
法非聖人非不聖人雖成就一切法而離諸法相乃可取食若須菩提不見佛不
聞法彼外道六師富蘭那迦葉末伽梨拘賒梨子刪闍夜毗羅胝子阿耆
多翅舍欽婆羅迦羅鳩馱迦旃延尼揵陀若提子等是汝之師因其出
家彼師所墮汝亦隨墮乃可取食若須菩提入諸邪見不到彼岸住於八
難不得無難同於煩惱離清淨法汝得無諍三昧一切眾生亦得是定其施
汝者不名福田供養汝者墮三惡道為與眾魔共一手作諸勞侶汝與眾魔
及諸塵勞等無有異於一切眾生而有怨心謗諸佛毀於法不入眾數終不
得滅度汝若如是乃可取食時我世尊聞此茫然不識是何言不知以何答便置
鉢欲出其舍維摩詰言唯須菩提取鉢勿懼於意云何如來所作化人若
以是事詰寧有懼不我言不也維摩詰言一切諸法如幻化相汝今不應有所
懼也所以者何一切言說不離是相至於智者不著文字故無所懼何以故文字性
離無有文字是則解脫解脫相者則諸法也維摩詰說是法時二百天子得

BD01870 號 1　維摩詰所說經卷上　（22–5）

鉢欲出其舍維摩詰言唯須菩提取鉢勿懼於意云何如來所作化人若
以是事詰寧有懼不我言不也維摩詰言一切諸法如幻化相汝今不應有所
懼也所以者何一切言說不離是相至於智者不著文字故無所懼何以故文字性
離無有文字是則解脫解脫相者則諸法也維摩詰說是法時二百天子得
法眼淨故我不任詣彼問疾　佛告富樓那汝行詣
維摩詰問疾富樓那白佛言世尊我不堪任詣彼問疾所以者何憶念我
昔於大林中在一樹下為諸新學比丘說法時維摩詰來謂我言唯富樓那
先當入定觀此人心然後說法無以穢食置於寶器當知是比丘心之所念無
以瑠璃同彼水精汝不能知眾生根源無得發起以小乘法彼自無瘡勿傷之
也欲行大道莫示小徑無以大海內於牛跡無以日光等彼螢火富樓那此比丘
久發大乘心中忘此意如何以小乘法而教導之我觀小乘智慧微淺猶如盲
人不能分別一切眾生根之利鈍時維摩詰即入三昧令此比丘自識宿命曾於五
百佛所植眾德本迴向阿耨多羅三藐三菩提即時豁然還得本心於是諸比
丘稽首礼維摩詰足時維摩詰因為說法於阿耨多羅三藐三菩提不復退轉我
念聲聞不觀人根不應說法是故不任詣彼問疾　佛告摩訶迦旃延汝行詣維
摩詰問疾迦旃延白佛言世尊我不堪任詣彼問疾所以者何憶念昔者佛
為諸比丘略說法要我即於後敷演其義謂無常義苦義空義無我義
寂滅義時維摩詰來謂我言唯迦旃延無以生滅心行說實相法迦旃延諸
法畢竟不生不滅是無常義五受陰洞達空無所起是無我義法本不然今則
無滅是寂滅義說是法時彼諸比丘心得解脫故我不任詣彼問疾　佛告阿
那律汝行詣維摩詰問疾阿那律白佛言世尊我不堪任詣彼問疾所以者何憶念我
昔於一處經行時有梵王名曰嚴淨與万梵俱放淨光明來詣我所稽首作礼問我言幾
何阿那律天眼所見我即答言仁者吾見此釋迦佛土三千大千世界如觀掌中菴摩勒
果時維摩詰來謂我言唯阿那律天眼所見為作相耶無作相耶假使作相則與外
道五通等若無作相即是無為不應有見世尊我時默然彼諸梵聞其言得未曾有即
為作礼而問曰世孰有真天眼者維摩詰言有佛世尊得真天眼常在三昧悉見諸
佛國不以二相於是嚴淨梵王及其眷屬五百梵天皆發阿耨多羅三藐三菩提心礼維
摩詰足已忽然不現故我不任詣彼問疾　佛告優波離汝行詣維摩詰問疾優波
離白佛言世尊我不堪任詣彼問疾所以者何憶念昔者有二比丘犯律行以為恥不敢問
佛來問我言唯優波離我等犯律誠以為恥不敢問佛願解疑悔得免斯咎我即為其如
法解說時維摩詰來謂我言唯優波離無重增此二比丘罪當直除滅勿擾其心所以者何彼
罪性不在內不在外不在中間如佛所說心垢故眾生垢心淨故眾生淨心亦不在內不在外不在中間
如其心然罪垢亦然諸法亦然不出於如如優波離以心相得解脫時寧有垢不我言不也維摩詰
言一切眾生心相無垢亦復如是唯優波離妄想是垢無妄想是淨顛倒是垢無顛倒是淨取我是
垢不取我是淨優波離一切法生滅不住如幻如電諸法不相待乃至一念不住諸法皆妄見如夢如焰
如水中月如鏡中像以妄想生其知此者是名奉律其知此者是名善解於是二比丘言上智哉
是優波離所不及持律之上而不能說我答言自捨如來未有聲聞及菩薩能制其樂說之
辯其智慧明達為若此也是故不任詣彼問疾時二比丘疑悔即除發阿耨多羅三藐三菩提心

言一切眾生心相無垢亦復如是唯優波離妄想是垢無妄想是淨顛倒是垢無顛倒是淨取我是
垢不取我是淨優波離一切法生滅不住如幻如電諸法不相待乃至一念不住諸法皆妄見如夢如焰
如水中月如鏡中像以妄想生其知此者是名奉律其知此者是名善解於是二比丘言上智哉
是優波離所不及持律之上而不能說我答言自捨如來未有聲聞及菩薩能制其樂說之
辯其智慧明達為若此也是故不任詣彼問疾時二比丘疑悔即除發阿耨多羅三藐三菩提心
作是願言令一切眾生皆得是辯故我不任詣彼問疾　佛告羅睺羅汝行詣維摩詰問疾
羅睺羅白佛言世尊我不堪任詣彼問疾所以者何憶念昔時毗耶離諸長者子來詣
我所稽首作礼問我言唯羅睺羅汝佛之子捨轉輪王位出家為道其出家者有何等利
我即如法為說出家功德之利時維摩詰來謂我言唯羅睺羅不應說出家功德之
利所以者何無利無功德是為出家有為法者可說有利有功德夫出家者為無為
法無為法中無利無功德唯羅睺羅夫出家者無彼無此亦無中間離六十二
見處於涅槃智者所受聖所行處降伏眾魔度五道淨五眼得五力立五根不惱於彼
離眾雜惡摧諸外道超越假名出淤泥無繫著無我所無所受無擾亂內懷喜
護彼意隨禪定離眾過若能如是是真出家於是維摩詰語諸長者子汝等
於正法中宜共出家所以者何佛世難值諸長者子言居士我聞佛言父母不聽不得出
家維摩詰言然汝等便發阿耨多羅三藐三菩提心是即出家是即具足尒時卅二
長者子皆發阿耨多羅三藐三菩提心故我不任詣彼問疾　佛告阿難汝行詣
維摩詰問疾阿難白佛言世尊我不堪任詣彼問疾所以者何憶念昔時世尊小
身小有疾當用牛乳我即持鉢詣大婆羅門家門下立時維摩詰來謂我言唯
阿難何為晨朝持鉢住此我言居士世尊身小有疾當用牛乳故來至此維
摩詰言止止阿難莫作是語如來身者金剛之體諸惡已斷眾善普會當
有何疾當有何惱默往阿難勿謗如來莫使異人聞此麁言無令大威德諸
天及他方淨土諸來菩薩得聞斯語阿難轉輪聖王以少福故尚得無病豈況如
來無量福會普勝者哉行矣阿難勿使我等受斯恥也外道梵志若聞此語
當作是念何名為師自疾不能救而能救諸疾人可密速去勿使人聞當知阿難
諸如來身即是法身非思欲身佛為世尊過於三界佛身無漏諸漏已盡佛身
無為不墮諸數如此之身當有何疾時我世尊實懷慚愧得無近佛而謬聽耶
即聞空中聲曰阿難如居士言但為佛出五濁惡世現行斯法度脫眾生行矣阿
難取乳勿慚世尊維摩詰智慧辯才為若此也是故不任詣彼問疾如是五百大弟
子各各向佛說其本緣稱述維摩詰所言皆曰不任詣彼問疾

菩薩品第四

於是佛告彌勒菩薩汝行詣維摩詰問疾彌勒白佛言世尊我不堪任詣彼問疾
所以者何憶念我昔為兜率天王及其眷屬說不退轉地之行時維摩詰來謂
我言彌勒世尊受仁者記一生當得阿耨多羅三藐三菩提為用何生得受記乎過
去耶未來耶現在耶若過去生過去生已滅若未來生未來生未至若現在生現在
生無住如佛所說比丘汝今即時亦生亦老亦滅若以無生得受記者無生即是正位
於正位中亦無受記亦無得阿耨多羅三藐三菩提云何彌勒受一生記乎為從如
生得受記耶為從如滅得受記耶若以如生得受記者如無有生若以如滅得受記

去耶未來耶現在耶若過去生過去生已滅若未來生未來生未至若現在生現在生無住如佛所說比丘汝今即時亦生亦老亦滅若以無生得受記者無生即是正位於正位中亦無受記亦無得阿耨多羅三藐三菩提云何彌勒受一生記乎為從如生得受記耶為從如滅得受記耶若以如生得受記者如無有生若以如滅得受記者如無有滅一切眾生皆如也一切法亦如也眾聖賢亦如也至於彌勒亦如也若彌勒得受記者一切眾生亦應受記所以者何夫如者不二不異若彌勒得阿耨多羅三藐三菩提者一切眾生皆亦應得所以者何一切眾生即菩提相若彌勒得滅度者一切眾生亦當滅度所以者何諸佛知一切眾生畢竟寂滅即涅槃相不復更滅是故彌勒無以此法誘諸天子實無發阿耨多羅三藐三菩提心者亦無退者彌勒當令此諸天子捨於分別菩提之見所以者何菩提者不可以身得不可以心得寂滅是菩提滅諸相故不觀是菩提離諸緣故不行是菩提無憶念故斷是菩提捨諸見故離是菩提離諸妄想故障是菩提障諸願故不入是菩提無貪著故順是菩提順於如故住是菩提住法性故至是菩提至實際故不二是菩提離意法故等是菩提等虛空故無為是菩提無生住滅故知是菩提了眾生心行故不會是菩提諸入不會故不合是菩提離煩惱習故無處是菩提無形色故假名是菩提名字空故如化是菩提無取捨故無亂是菩提常自靜故善寂是菩提性清淨故無取是菩提離攀緣故無異是菩提諸法等故無比是菩提無可喻故微妙是菩提諸法難知故世尊維摩詰說是法時二百天子得無生法忍故我不任詣彼問疾

佛告光嚴童子汝行詣維摩詰問疾光嚴白佛言世尊我不堪任詣彼問疾所以者何憶念我昔出毘耶離大城時維摩詰方入城我即為作禮而問言居士從何所來答我言吾從道場來我問道場者何所是答曰直心是道場無虛假故發行是道場能辦事故深心是道場增益功德故菩提心是道場無錯謬故布施是道場不望報故持戒是道場得願具故忍辱是道場於諸眾生心無礙故精進是道場不懈退故禪定是道場心調柔故智慧是道場現見諸法故慈是道場等眾生故悲是道場忍疲苦故喜是道場悅樂法故捨是道場憎愛斷故神通是道場成就六通故解脫是道場能背捨故方便是道場教化眾生故四攝是道場攝眾生故多聞是道場如聞行故伏心是道場正觀諸法故三十七品是道場捨有為法故諦是道場不誑世間故緣起是道場無明乃至老死皆無盡故諸煩惱是道場知如實故眾生是道場知無我故一切法是道場知諸法空故降魔是道場不傾動故三界是道場無所趣故師子吼是道場無所畏故力無畏不共法是道場無諸過故三明是道場無餘礙故一念知一切法是道場成就一切智故如是善男子菩薩若應諸波羅蜜教化眾生諸有所作舉足下足當知皆從道場來住於佛法矣說是法時五百天人皆發阿耨多羅三藐三菩提心故我不任詣彼問疾

佛告持世菩薩汝行詣維摩詰問疾持世白佛言世尊我不堪任詣彼問疾所以者何憶念我昔住於靜室時魔波旬從萬二千天女狀如帝釋鼓樂絃歌來詣我所與其眷屬稽首我足合掌恭敬於一面立我意謂是帝釋而語之言善來憍尸迦雖福應有不當自恣當觀五欲無常以求善本於身命財而修堅法即語我言正士受是萬二千天女可備掃灑我言憍尸迦無以此非法之物要我沙門釋子此非我宜所言未訖時維摩詰來謂我言非帝釋也是為魔來嬈固汝耳即語魔言是諸女等可以與我如我應受魔即驚懼念維摩詰將無惱我欲隱形去而不能隱盡其神力亦不得去即聞空中聲曰波旬以女與之乃可得去魔以畏故俛仰而與爾時維摩詰語諸女言魔

BD01870 號 1　維摩詰所說經卷上

（22–8）

住於靜室時魔波旬從萬二千天女狀如帝釋鼓樂絃歌來詣我所與其眷屬稽首我足合掌恭敬於一面立我意謂是帝釋而語之言善來憍尸迦雖福應有不當自恣當觀五欲無常以求善本於身命財而修堅法即語我言正士受是萬二千天女可備掃灑我言憍尸迦無以此非法之物要我沙門釋子此非我宜所言未訖時維摩詰來謂我言非帝釋也是為魔來嬈固汝耳即語魔言是諸女等可以與我如我應受魔即驚懼念維摩詰將無惱我欲隱形去而不能隱盡其神力亦不得去即聞空中聲曰波旬以女與之乃可得去魔以畏故俛仰而與爾時維摩詰語諸女言魔
以汝等與我今汝皆當發阿耨多羅三藐三菩提心即隨所應而為說法令發道意復言汝等已發道意有法樂可以自娛不應復樂五欲樂也天女即問何謂法樂答言樂常信佛樂欲聽法樂供養眾樂離五欲樂觀五陰如怨賊樂觀四大如毒蛇樂觀內入如空聚樂隨護道意樂饒益眾生樂敬養師樂廣行施樂堅持戒樂忍辱柔和樂勤集善根樂禪定不亂樂離垢明慧樂廣菩提心樂降伏眾魔樂斷諸煩惱樂淨佛國土樂成就相好故修諸功德樂莊嚴道場樂聞深法不畏樂三脫門不樂非時樂近同學樂於非同學中心無恚礙樂將護惡知識樂親近善知識樂心喜清淨樂修無量道品之法是為菩薩法樂於是波旬告諸女言我欲與汝俱還天宮諸女言以我等與此居士有法樂我等甚樂不復樂五欲樂也魔言居士可捨此女一切所有施於彼者是為菩薩維摩詰言我已捨矣汝便將去令一切眾生得法願具足於是諸女問維摩詰我等云何止於魔宮維摩詰言諸姊有法門名無盡燈汝等當學無盡燈者譬如一燈燃百千燈冥者皆明明終不盡如是諸姊夫一菩薩開導百千眾生令發阿耨多羅三藐三菩提心於其道意亦不滅盡隨所說法而自增益一切善法是名無盡燈也汝等雖住魔宮以是無盡燈令無數天子天女發阿耨多羅三藐三菩提心者為報佛恩亦大饒益一切眾生爾時天女頭面禮維摩詰足隨魔還宮忽然不現世尊維摩詰有如是自在神力智慧辯才故我不任詣彼問疾

佛告長者子善德汝行詣維摩詰問疾善德白佛言世尊我不堪任詣彼問疾所以者何憶念我昔自於父舍設大施會供養一切沙門婆羅門及諸外道貧窮下賤孤獨乞人期滿七日時維摩詰來入會中謂我言長者子夫大施會不當如汝所設當為法施之會何用是財施會為我言居士何謂法施之會答曰法施會者無前無後一時供養一切眾生是名法施之會曰何謂也謂以菩提起於慈心以救眾生起大悲心以持正法起於喜心以攝智慧行於捨心以攝慳貪起檀波羅蜜以化犯戒起尸羅波羅蜜以無我法起羼提波羅蜜以離身心相起毘梨耶波羅蜜以菩提相起禪波羅蜜以一切智起般若波羅蜜教化眾生而起於空不捨有為法而起無相示現受生而起無作護持正法起方便力以度眾生起四攝法以敬事一切起除慢法於身命財起三堅法於六念中起思念法於六和敬起質直心正行善法起於淨命心淨歡喜起近賢聖不憎惡人起調伏心以出家法起於深心以如說行起於多聞以無諍法起空閑處趣向佛慧起於宴坐解眾生縛起修行地以具相好及淨佛土起福德業知一切眾生心念如應說法起於智業知一切法不取不捨入一相門起於慧業斷一切煩惱一切障礙一切不善法起一切善業以得一切智慧一切善法起於一切助佛道法如是善男子是為法施之會若菩薩住是法施會者為大施主亦為一切世間福田世尊維摩詰說是法時婆羅門眾中二百人皆發阿耨多羅三藐三菩提心我時心得清淨歎未曾有稽首禮維摩詰足即解瓔珞價直百千以上之不肯取我言居士願必納受隨意所與維摩詰乃受瓔珞分作二分持一分施此會中一最下乞人持一分奉彼難勝如來一切眾會皆見光明國土難勝如來又見珠瓔在彼佛上變成四柱寶臺四面嚴飾不相障蔽時維摩詰現神變已作是言若施主

BD01870 號 1　維摩詰所說經卷上

（22–9）

如是善男子是為法施之會若菩薩住是法施會者為大施
主亦為一切世間福田世尊維摩詰說是法時婆羅門衆中二百人皆發阿耨多羅三藐三菩提心我時心得清
淨歎未曾有稽首礼維摩詰足即解瓔珞價直百千以上之不肯取我言居士願必納受隨意所與維
摩詰乃受瓔珞分作二分持一分施此會中一最下乞人持一分奉彼難勝如來一切衆會皆見光明國土難勝如
來又見珠瓔在彼佛上變成四柱寶臺四面嚴飾不相鄣蔽時維摩詰現神變已作是言若施主
等心施一最下乞人猶如如來福田之相無所分別等于大悲不求果報是則名曰具足法施城中一最下乞人見是神
力聞其所說皆發阿耨多羅三藐三菩提心故我不任詣彼問疾如是諸菩薩各各向佛說其本緣
稱述維摩詰所言皆曰不任詣彼問疾　　維摩詰經卷上
維摩詰經文殊師利問疾品第五　　中
尒時佛告文殊師利汝行詣維摩詰問疾文殊師利白佛言世尊彼上人者難為酬對深達實相善說法要
辯才無滯智慧無导一切菩薩法式悉知諸佛秘藏無不得入降伏衆魔遊戲神通其慧方便皆已得度雖然當
承佛聖旨詣彼問疾於是衆中諸菩薩大弟子釋梵四天王咸作是念今二大士文殊師利維摩詰共談必說妙
法即時八千菩薩五百聲聞百千天人皆欲隨從於是文殊師利與諸菩薩大弟子衆及諸天人恭敬圍遶入
毗耶離大城尒時長者維摩詰心念今文殊師利與大衆俱來即以神力空其室內除去所有及諸侍者唯置一
牀以疾而卧文殊師利既入其舍見其室空無諸所有獨寢一牀時維摩詰言善來文殊師利不來相而來不見
相而見文殊師利言如是居士若來已更不來若去已更不去所以者何來者無所從來去者無所至所可
見者更不可見且置是事居士是疾寧可忍不療治有損不至
增乎世尊殷勤致問無量居士是疾何所因起其生久如當云何滅維摩詰言從癡有愛
則我病生以一切衆生病是故我病若一切衆生病滅則我病滅所以者何菩薩為衆生故入
生死有生死則有病若衆生得離病者則菩薩無復病譬如長者唯有一子其子得病父母亦病若
子病愈父母亦愈菩薩如是於諸衆生愛之若子衆生病則菩薩病衆生病愈菩薩亦愈又
言是疾何所因起菩薩病者以大悲起文殊師利言居士此室何以空無侍者維摩詰言諸佛國土亦
復皆空又問以何為空答曰以空空又問空何用空答曰以無分別空故空又問空可分別耶答曰分別亦空又
問空當於何求答曰當於六十二見中求又問六十二見當於何求答曰當於諸佛解脫中求又問諸佛解脫當
於何求答曰當於一切衆生心行中求又仁所問何無侍者一切衆魔及諸外道皆吾侍也所以者何衆魔者樂
生死菩薩於生死而不捨外道者樂諸見菩薩於諸見而不動文殊師利言居士所疾為何等相維摩詰言
我病無形不可見又問此病身合耶心合耶答曰是病非身合身相離故亦非心合心如幻故又問地大水大火大
風大於此四大何大之病答曰是病非地大亦不離地大水火風大亦復如是而衆生病從四大起以其有病是故我病
尒時文殊師利問維摩詰言菩薩云何慰喻有疾菩薩維摩詰言說身無常不說厭離於身說身有苦不
說樂於涅槃說身無我而說教導衆生說身空寂不說畢竟寂滅說悔先罪而不說入於過去以己之
疾愍於彼疾當識宿世無數劫苦當念饒益一切衆生憶所修福念於淨命勿生憂惱常起精進當作
醫王療治衆病菩薩應如是慰喻有疾菩薩令其歡喜文殊師利言居士有疾菩薩云何調伏其心
維摩詰言有疾菩薩應作是念今我此病皆從前世妄想顛倒諸煩惱生無有實法誰受病者所以者何四大合
故假名為身四大無主身亦無我又此病起皆由著我是故於我不應生著既知病本即除我想及衆生
想當起法想應作是念但以衆法合成此身起唯法起滅唯法滅又此法者各不相知起時不言我起滅時不
言我滅彼有疾菩薩為滅法想當作是念此法想者亦是顛倒顛倒者即是大患我應離之云何為離離
我我所云何離我我所謂離二法云何離二法謂不念內外諸法行於平等云何平等謂我等涅槃等所以者

BD01870 號 1　維摩詰所說經卷上　　（22–10）
BD01870 號 2　維摩詰所說經卷中

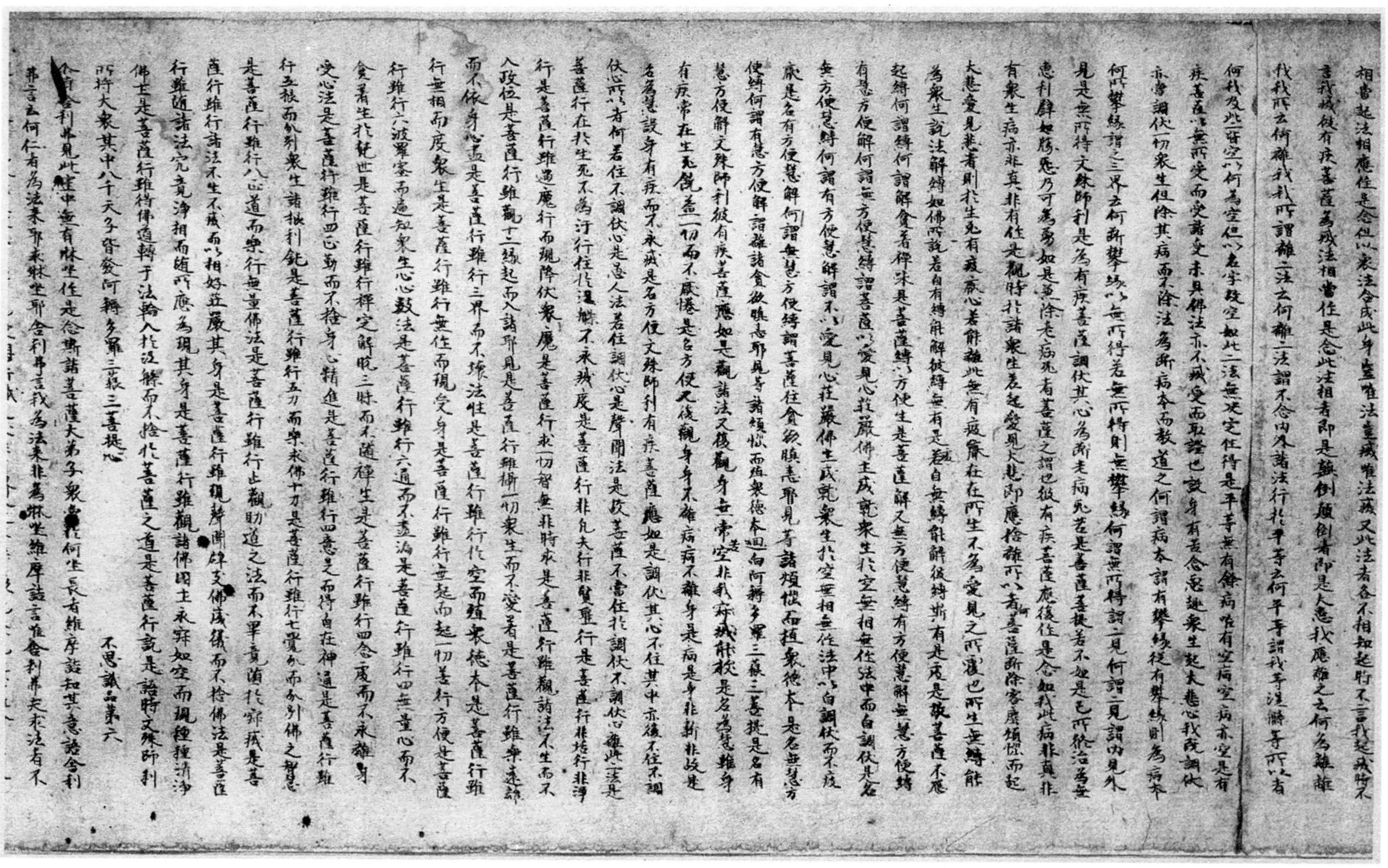
相當起法想應作是念但以衆法合成此身起唯法起滅唯法滅又此法者各不相知起時不言我起滅時不
言我滅彼有疾菩薩為滅法想當作是念此法想者亦是顛倒顛倒者即是大患我應離之云何為離離
我我所云何離我我所謂離二法云何離二法謂不念內外諸法行於平等云何平等謂我等涅槃等所以者
何我及涅槃此二皆空以何為空但以名字故空如此二法無決定性得是平等無有餘病唯有空病空病亦空是有
疾菩薩以無所受而受諸受未具佛法亦不滅受而取證也設身有苦念惡趣衆生起大悲心我既調伏
亦當調伏一切衆生但除其病而不除法為斷病本而教導之何謂病本謂有攀緣從有攀緣則為病本
何所攀緣謂之三界云何斷攀緣以無所得若無所得則無攀緣何謂無所得謂離二見何謂二見謂內見外
見是無所得文殊師利是為有疾菩薩調伏其心為斷老病死苦是菩薩菩提若不如是已所修治為無
慧利譬如勝怨乃可為勇如是兼除老病死者菩薩之謂也彼有疾菩薩應復作是念如我此病非真非
有衆生病亦非真非有作是觀時於諸衆生若起愛見大悲即應捨離所以者何菩薩斷除客塵煩惱而起
大悲愛見悲者則於生死有疲厭心若能離此無有疲厭在在所生不為愛見之所覆也所生無縛能
為衆生說法解縛如佛所說若自有縛能解彼縛無有是處若自無縛能解彼縛斯有是處是故菩薩不應
起縛何謂縛何謂解貪著禪味是菩薩縛以方便生是菩薩解又無方便慧縛有方便慧解無慧方便縛
有慧方便解何謂無方便慧縛謂菩薩以愛見心莊嚴佛土成就衆生於空無相無作法中而自調伏是名
無方便慧縛何謂有方便慧解謂不以愛見心莊嚴佛土成就衆生於空無相無作法中以自調伏而不疲
厭是名有方便慧解何謂無慧方便縛謂菩薩住貪欲瞋恚邪見等諸煩惱而殖衆德本是名無慧方
便縛何謂有慧方便解謂離諸貪欲瞋恚邪見等諸煩惱而殖衆德本迴向阿耨多羅三藐三菩提是名有
慧方便解文殊師利彼有疾菩薩應如是觀諸法又復觀身無常苦空非我是名為慧雖身
有疾常在生死饒益一切而不厭倦是名方便又復觀身身不離病病不離身是病是身非新非故是
名為慧設身有疾而不永滅是名方便文殊師利有疾菩薩應如是調伏其心不住其中亦復不住不調
伏心所以者何若住不調伏心是愚人法若住調伏心是聲聞法是故菩薩不當住於調伏不調伏心離此二法是
菩薩行在於生死不為污行住於涅槃不永滅度是菩薩行非凡夫行非賢聖行是菩薩行非垢行非淨
行是菩薩行雖過魔行而現降伏衆魔是菩薩行求一切智無非時求是菩薩行雖觀諸法不生而不
入正位是菩薩行雖觀十二緣起而入諸邪見是菩薩行雖攝一切衆生而不愛著是菩薩行雖樂遠離
而不依身心盡是菩薩行雖行三界而不壞法性是菩薩行雖行於空而殖衆德本是菩薩行雖
行無相而度衆生是菩薩行雖行無作而現受身是菩薩行雖行無起而起一切善行方便是菩薩
行雖行六波羅蜜而遍知衆生心心數法是菩薩行雖行六通而不盡漏是菩薩行雖行四無量心而不
貪著生於梵世是菩薩行雖行禪定解脫三昧而不隨禪生是菩薩行雖行四念處而不永離身
受心法是菩薩行雖行四正勤而不捨身心精進是菩薩行雖行四如意足而得自在神通是菩薩行雖
行五根而分別衆生諸根利鈍是菩薩行雖行五力而樂求佛十力是菩薩行雖行七覺分而分別佛之智慧
是菩薩行雖行八正道而樂行無量佛道是菩薩行雖行止觀助道之法而不畢竟墮於寂滅是菩
薩行雖行諸法不生不滅而以相好莊嚴其身是菩薩行雖現聲聞辟支佛威儀而不捨佛法是菩薩
行雖隨諸法究竟淨相而隨所應為現其身是菩薩行雖觀諸佛國土永寂如空而現種種清淨
佛土是菩薩行雖得佛道轉于法輪入於涅槃而不捨於菩薩之道是菩薩行說是語時文殊師利
所將大衆其中八千天子皆發阿耨多羅三藐三菩提心
不思議品第六
尒時舍利弗見此室中無有牀坐作是念斯諸菩薩大弟子衆當於何坐長者維摩詰知其意語舍利
弗言云何仁者為法來耶求牀坐耶舍利弗言我為法來非為牀坐維摩詰言唯舍利弗夫求法者不

BD01870 號 2　維摩詰所說經卷中　　（22–11）

佛土是菩薩行雖得佛道轉于法輪入於涅槃而不捨於菩薩之道是菩薩行說是語時文殊師利
所將大衆其中八千天子皆發阿耨多羅三藐三菩提心
不思議品第六
尒時舍利弗見此室中無有牀座作是念斯諸菩薩大弟子衆當於何坐長者維摩詰知其意語舍利
弗言云何仁者為法來耶求牀座耶舍利弗言我為法來非為牀座維摩詰言唯舍利弗夫求法者不
貪軀命何況牀座夫求法者非有色受想行識之求非有界入之求非有欲色無色之求唯舍利弗夫
求法者不著佛求不著法求不著衆求夫求法者無見苦求無斷集求無造盡證修道之求所以者
何法無戲論若言我當見苦斷集證滅修道是則戲論非求法也唯舍利弗法名寂滅若行生滅是求
生滅非求法也法名無染若染於法乃至涅槃是則染著非求法也法無行處若行於法是則行處非求法
也法無取捨若取捨法是則取捨非求法也法無處所若著處所是則著處非求法也法名無相若隨相識
是則求相非求法也法不可住若住於法是則住法非求法也法不可見聞覺知若行見聞覺知是則見聞覺
知非求法也法名無為若行有為是求有為非求法也是故舍利弗若求法者於一切法應無所求說是語時五
百天子於諸法中得法眼淨
尒時長者維摩詰問文殊師利仁者遊於無量千万億阿僧祇國何等
佛土有好上妙功德成就師子之座文殊師利言居士東方度卅六恒河沙國有世界名須彌相其佛號須彌燈王
今現在彼佛身長八万四千由旬其師子座高八万四千由旬嚴飾第一於是長者維摩詰現神通力即時彼
佛遣三万二千師子座高廣嚴淨來入維摩詰室諸菩薩大弟子釋梵四天王等昔所未見其室廣博
悉皆包容三万二千師子座無所妨礙於毗耶離城及閻浮提四天下亦不迫迮悉見如故尒時維
摩詰語文殊師利就師子座與諸菩薩上人俱坐當自立身如彼座像其得神通菩薩即
自變形為四万二千由旬坐師子座諸新發意菩薩及大弟子皆不能昇尒時維摩詰語舍利
弗就師子座舍利弗言居士此座高廣吾不能昇維摩詰言唯舍利弗為須彌燈
王如來作礼乃可得坐於是新發意菩薩及大弟子即為須彌燈王如來作礼
便得坐師子座舍利弗言居士未曾有也如是小室乃容受此高廣之座於毗耶離城無所
妨礙又於閻浮提聚落城邑及四天下諸天龍王鬼神宮殿亦不迫迮維摩詰言唯舍
利弗諸佛菩薩有解脫名不可思議若菩薩住是解脫者以須彌之高廣內芥子中
無所增減須彌山王本相如故而四天王忉利諸天不覺不知己之所入唯應度者乃見須
彌入芥子中是名不可思議解脫法門又以四大海水入一毛孔不嬈魚鱉黿鼉水性之屬
而彼大海本相如故諸龍鬼神阿修羅等不覺不知己之所入於此衆生亦無所嬈又舍
利弗住不可思議解脫菩薩斷取三千大千世界如陶家輪著右掌中擲過恒沙世界之外其中衆
生不覺不知己之所往又復還置本處都不使人有往來想而此世界本相如故又舍利弗
或有衆生樂久住世而可度者菩薩即演七日以為一劫令彼衆生謂之一劫或有衆生
不樂久住而可度者菩薩即促一劫以為七日令彼衆生謂之七日又舍利弗住不可思議解
脫菩薩以一切佛土嚴飾之事集在一國示於衆生又菩薩以一佛土衆生置之右掌飛到十方遍
示一切而不動本處又舍利弗十方衆生供養諸佛之具菩薩於一毛孔皆令得見又十方國土所有日月星
宿於一毛孔普使見之又舍利弗十方世界所有諸風菩薩悉能吸著口中而身無損外諸樹木亦不摧折又十方
世界劫盡燒時以一切火內於腹中火事如故而不為害又於下方過恒河沙等諸佛世界取一佛土舉著上方過
恒河沙無數世界如持鍼鋒舉一棗葉而無所嬈又舍利弗住不可思議解脫菩薩能以神通現作佛身或
現辟支佛身或現聲聞身或現帝釋身或現梵王身或現世主身或現轉輪王身又十方世界所有衆聲上
中下音皆能變之令作佛聲演出無常苦空無我之音及十方諸佛所說種種之法皆於其中普令得聞

BD01870 號 2　維摩詰所說經卷中　　（22–12）

宿於一毛孔普使見之又舍利弗十方世界所有諸風菩薩悉能吸著口中而身無損外諸樹木亦不摧折又十方
世界劫盡燒時以一切火內於腹中火事如故而不為害又於下方過恒河沙等諸佛世界取一佛土舉著上方過
恒河沙無數世界如持鍼鋒舉一棗葉而無所嬈又舍利弗住不可思議解脫菩薩能以神通現作佛身或
現辟支佛身或現聲聞身或現帝釋身或現梵王身或現世主身或現轉輪王身又十方世界所有衆聲上
中下音皆能變之令作佛聲演出無常苦空無我之音及十方諸佛所說種種之法皆於其中普令得聞舍
利弗我今略說菩薩不可思議解脫之力若廣說者窮劫不盡是時大迦葉聞說菩薩不可思議解脫法
門歎未曾有謂舍利弗譬如有人於盲者前現衆色像非彼所見一切聲聞聞是不可思議解脫法門不能解
了為若此也智者聞是其誰不發阿耨多羅三藐三菩提心我等何為永絕其根於此大乘已如敗種一切聲
聞聞是不可思議解脫法門皆應號泣聲震三千大千世界一切菩薩應大欣慶頂受此法若有菩薩信
解不可思議解脫法門者一切魔衆無如之何大迦葉說是語時三万二千天子皆發阿耨多羅三藐三菩提心
尒時維摩詰語大迦葉仁者十方無量阿僧祇世界中作魔王者多是住不可思議解脫菩薩以方便
力教化衆生現作魔王又迦葉十方無量菩薩或有人從乞手足耳鼻頭目髓腦血肉皮骨聚落城邑妻
子奴婢象馬車乘金銀瑠璃車𤦲馬瑙珊瑚虎珀真珠珂貝衣服飲食如此乞者多是住不可思議解
脫菩薩以方便力而往試之令其堅固所以者何住不可思議解脫菩薩有威德力故行逼迫示諸衆生如是難事
凡夫下劣無有力勢不能如是逼迫菩薩譬如龍象蹴蹋非驢所堪是名住不可思議解脫菩薩智慧方便
之門
觀衆生品第七
尒時文殊師利問維摩詰言菩薩云何觀於衆生維摩詰言譬如幻師見所幻
人菩薩觀衆生為若此如智者見水中月如鏡中見其面像如熱時焰如呼聲響如空中雲如水聚沫如水上泡
如芭蕉堅如電久住如第五大如第六陰如第七情如十三入如十九界菩薩觀衆生為若此如無色界色如燋穀
牙如須陀洹身見如阿那含入胎如阿羅漢三毒如得忍菩薩貪恚毀禁如佛煩惱習如盲者見色如入滅盡定
出入息如空中鳥跡如石女兒如化人煩惱如夢所見已寤如滅度者受身如無煙之火菩薩觀衆生為若此文殊
師利言若菩薩作是觀者云何行慈維摩詰言菩薩作是觀已自念我當為衆生說如斯法是則真實慈
也行寂滅慈無所生故行不熱慈無煩惱故行等之慈等三世故行無諍慈無所起故行不二慈內外不合
故行不壞慈畢竟盡故行堅固慈心無毀故行清淨慈諸法性淨故行無邊慈如虛空故行阿羅漢
慈破結賊故行菩薩慈安衆生故行如來慈得如相故行佛之慈覺衆生故行自然慈無因得故行菩提慈等
一味故行無等慈斷諸愛故行大悲慈導以大乘故行無厭慈觀空無我故行法施慈無遺惜故行持戒
慈化毀禁故行忍辱慈護彼我故行精進慈荷負衆生故行禪定慈不受味故行智慧慈無不
知時故行方便慈一切示現故行無隱慈直心清淨故行深心慈無雜行故行無誑慈不虛假故行
安樂慈令得佛樂故菩薩之慈為若此也文殊師利又問何謂為悲答曰菩薩所作功德皆與
一切衆生共之何謂為喜答曰有所饒益歡喜無悔何謂為捨答曰所作福祐無所悕望文殊師
利又問生死有畏菩薩當何所依維摩詰言菩薩於生死畏中當依如來功德之力文殊師利又問菩
薩欲依如來功德之力當於何住答曰菩薩欲依如來功德力者當住度脫一切衆生又問欲度衆生當何
所除答曰欲度衆生除其煩惱又問欲除煩惱當何所行答曰當行正念又問云何行於正念答曰當行不生不
滅又問何法不生何法不滅答曰不善不生善法不滅又問善不善孰為本答曰身為本又問身孰為本答
曰欲貪為本又問欲貪孰為本答曰虛妄分別為本又問虛妄分別孰為本答曰顛倒想為本又問顛倒想
孰為本答曰無住為本又問無住孰為本答曰無住則無本文殊師利從無住本立一切法
時維摩詰室有一天女見諸大人聞所說法便現其身即以天花散諸菩薩大弟子上華至諸菩薩即皆墮落至
大弟子便著不墮一切弟子神力去華不能令去尒時天問舍利弗何故去華答曰此華不如法是以去之天
曰勿謂此華為不如法所以者何是華無所分別仁者自生分別想耳若於佛法出家有所分別為不如法若無所分
別是則如法觀諸菩薩華不著者已斷一切分別想故譬如人畏時非人得其便如是弟子畏生死故色聲香

BD01870 號 2　維摩詰所說經卷中　　（22–13）

顛倒想孰爲本答曰無住爲本又問無住孰爲本答曰無住則無本文殊師利從無住本立一切法

時維摩詰室有一天女見諸大人聞所說法便現其身即以天華散諸菩薩大弟子上華至諸菩薩即皆墮落至大弟子便著不墮一切弟子神力去華不能令去尒時天女問舍利弗何故去華答曰此華不如法是以去之天曰勿謂此華爲不如法所以者何是華無所分別仁者自生分別想耳若於佛法出家有所分別爲不如法若無所分別是則如法觀諸菩薩華不著者已斷一切分別想故譬如人畏時非人得其便如是弟子畏生死故色聲香味觸得其便也已離畏者一切五欲無能爲也結習未盡華著身耳結習盡者華不著也舍利弗言天止此室其已久如答曰我止此室如耆年解脫舍利弗言止此久耶天曰耆年解脫亦何如久舍利弗默然不答天曰如何耆舊大智而默答曰解脫者無所言說故吾於是不知所云天曰言說文字皆解脫相所以者何解脫者不內不外不在兩間文字亦不內不外不在兩間是故舍利弗無離文字說解脫也所以者何一切諸法是解脫相舍利弗言不復以離婬怒癡爲解脫乎天曰佛爲增上慢人說離婬怒癡爲解脫耳若無增上慢者佛說婬怒癡性即是解脫舍利弗言善哉善哉天女汝何所得以何爲證辯乃如是天曰我無得無證故辯如是所以者何若有得有證者即於佛法爲增上慢舍利弗問天汝於三乘爲何志求天曰以聲聞法化衆生故我爲聲聞以因緣法化衆生故我爲辟支佛以大悲法化衆生故我爲大乘舍利弗如人入瞻蔔林唯嗅瞻蔔不嗅餘香如是若入此室但聞佛功德之香不樂聞聲聞辟支佛功德香也舍利弗其有釋梵四天王諸天龍鬼神等入此室者聞斯上人講說正法皆樂佛功德之香發心而出舍利弗吾止此室十有二年初不聞說聲聞辟支佛法但聞菩薩大慈大悲不可思議諸佛之法舍利弗此室常現八未曾有難得之法何等爲八此室常以金色光照晝夜無異不以日月所照爲明是爲一未曾有難得之法此室入者不爲諸垢之所惱也是爲二未曾有難得之法此室常有釋梵四天王他方菩薩來會不絕是爲三未曾有難得之法此室常說六波羅蜜不退轉法是爲四未曾有難得之法此室常作天人第一之樂絃出無量法化之聲是爲五未曾有難得之法此室有四大藏衆寶積滿賙窮濟乏求得無盡是爲六未曾有難得之法此室釋迦牟尼佛阿彌陀佛阿閦佛寶德寶炎寶月寶嚴難勝師子響一切利成如是等十方無量諸佛是上人念時即皆爲來廣說諸佛秘要法藏說已還去是爲七未曾有難得之法此室一切諸天嚴飾宮殿諸佛淨土皆於中現是爲八未曾有難得之法舍利弗此室常現八未曾有難得之法誰有見斯不思議事而復樂於聲聞法乎

舍利弗言汝何以不轉女身天曰我從十二年來求女人相了不可得當何所轉譬如幻師化作幻女若有人問何以不轉女身是人爲正問不舍利弗言不也幻無定相當何所轉天曰一切諸法亦復如是無有定相云何乃問不轉女身即時天女以神通力變舍利弗令如天女天自化身如舍利弗而問言何以不轉女身舍利弗以天女像而答言我今不知何轉而變爲女身天曰舍利弗若能轉此女身則一切女人亦當能轉如舍利弗非女而現女身一切女人亦復如是雖現女身而非女也是故佛說一切諸法非男非女即時天女還攝神力舍利弗身還復如故天問舍利弗女身色相今何所在舍利弗言女身色相無在無不在天曰一切諸法亦復如是無在無不在夫無在無不在者佛所說也舍利弗問天汝於此沒當生何所天曰佛化所生吾如彼生曰佛化所生非沒生也天曰衆生猶然無沒生也舍利弗問天汝久如當得阿耨多羅三藐三菩提天曰如舍利弗還爲凡夫我乃當成阿耨多羅三藐三菩提舍利弗言我作凡夫無有是處天曰我得阿耨多羅三藐三菩提亦無是處所以者何菩提無住處是故無有得者舍利弗言今諸佛得阿耨多羅三藐三菩提已得當得如恒河沙皆謂何乎天曰皆以世俗文字數故說有三世非謂菩提有去來今天曰舍利弗汝得阿羅漢道耶曰無所得故而得天曰諸佛菩薩亦復如是無所得故而得尒時維摩詰語舍利弗是天女已曾供養九十二億佛已能遊戲菩薩神通所願具足得無生忍住不退轉以本願故隨意能現教化衆生

佛道品第八

尒時文殊師利問維摩詰言菩薩云何通達佛道維摩詰言若菩薩行於非道是爲通達佛道又問云何菩薩行於非道答曰若菩薩行五無間而無惱恚至于地獄無諸罪垢至于畜生無有無明憍慢等過至于餓鬼而具足功德行色無色界道不以爲勝示行貪欲離諸染著示行瞋恚

BD01870 號 2　維摩詰所說經卷中　　（22–14）

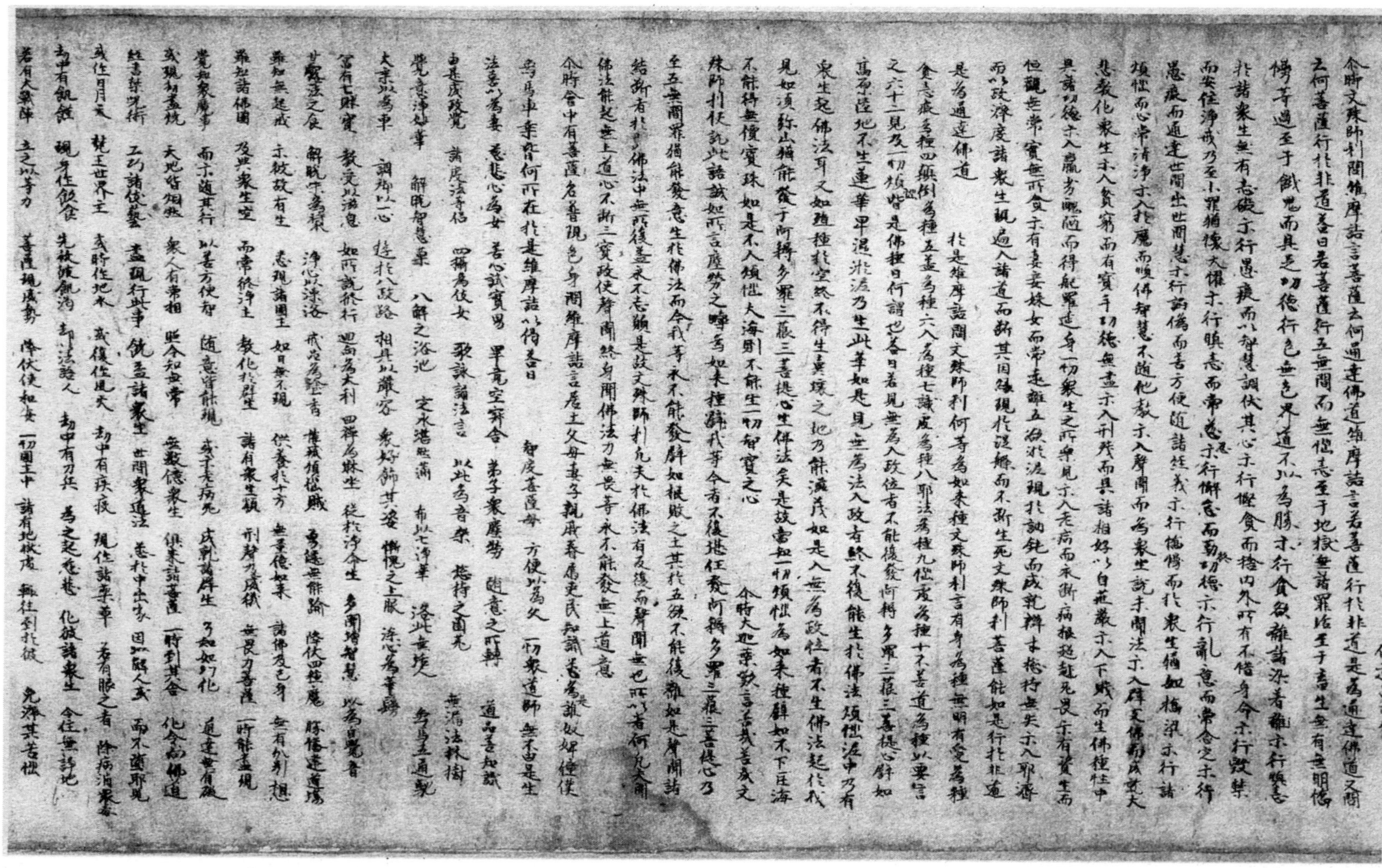

尒時文殊師利問維摩詰言菩薩云何通達佛道維摩詰言若菩薩行於非道是爲通達佛道又問云何菩薩行於非道答曰若菩薩行五無間而無惱恚至于地獄無諸罪垢至于畜生無有無明憍慢等過至于餓鬼而具足功德行色無色界道不以爲勝示行貪欲離諸染著示行瞋恚於諸衆生無有恚閡示行愚癡而以智慧調伏其心示行慳貪而捨內外所有不惜身命示行毀禁而安住淨戒乃至小罪猶懷大懼示行瞋恚而常慈忍示行懈怠而懃修功德示行亂意而常念定示行愚癡而通達世間出世間慧示行諂偽而善方便隨諸經義示行憍慢而於衆生猶如橋梁示行諸煩惱而心常清淨示入於魔而順佛智慧不隨他教示入聲聞而爲衆生說未聞法示入辟支佛而成就大悲教化衆生示入貧窮而有寶手功德無盡示入形殘而具諸相好以自莊嚴示入下賤而生佛種姓中具諸功德示入羸劣醜陋而得那羅延身一切衆生之所樂見示入老病而永斷病根超越死畏示有資生而恒觀無常實無所貪示有妻妾婇女而常遠離五欲淤泥現於訥鈍而成就辯才總持無失示入邪濟而以正濟度諸衆生現遍入諸道而斷其因緣現於涅槃而不斷生死文殊師利菩薩能如是行於非道是爲通達佛道

於是維摩詰問文殊師利何等爲如來種文殊師利言有身爲種無明有愛爲種貪恚癡爲種四顛倒爲種五蓋爲種六入爲種七識處爲種八邪法爲種九惱處爲種十不善道爲種以要言之六十二見及一切煩惱皆是佛種曰何謂也答曰若見無爲入正位者不能復發阿耨多羅三藐三菩提心譬如高原陸地不生蓮華卑濕淤泥乃生此華如是見無爲法入正位者終不復能生於佛法煩惱泥中乃有衆生起佛法耳又如殖種於空終不得生糞壤之地乃能滋茂如是入無爲正位者不生佛法起於我見如須彌山猶能發于阿耨多羅三藐三菩提心生佛法矣是故當知一切煩惱爲如來種譬如不下巨海終不能得無價寶珠如是不入煩惱大海則不能得一切智寶

尒時大迦葉歎言善哉善哉文殊師利快說此語誠如所言塵勞之疇爲如來種我等今者不復堪任發阿耨多羅三藐三菩提心乃至五無間罪猶能發意生於佛法而今我等永不能發譬如根敗之士其於五欲不能復利如是聲聞諸結斷者於佛法中無所復益永不志願是故文殊師利凡夫於佛法有反復而聲聞無也所以者何凡夫聞佛法能起無上道心不斷三寶正使聲聞終身聞佛法力無畏等永不能發無上道意

尒時會中有菩薩名普現色身問維摩詰言居士父母妻子親戚眷屬吏民知識悉爲是誰奴婢僮僕象馬車乘皆何所在於是維摩詰以偈答曰

智度菩薩母　方便以爲父　一切衆導師　無不由是生
法喜以爲妻　慈悲心爲女　善心誠實男　畢竟空寂舍
弟子衆塵勞　隨意之所轉　道品善知識　由是成正覺
諸度法等侶　四攝爲伎女　歌詠誦法言　以此爲音樂
總持之園苑　無漏法林樹　覺意淨妙華　解脫智慧果
八解之浴池　定水湛然滿　布以七淨華　浴此無垢人
象馬五通馳　大乘以爲車　調御以一心　遊於八正路
相具以嚴容　衆好飾其姿　慚愧之上服　深心爲華鬘
富有七財寶　教授以滋息　如所說修行　迴向爲大利
四禪爲床座　從於淨命生　多聞增智慧　以爲自覺音
甘露法之食　解脫味爲漿　淨心以澡浴　戒品爲塗香
摧滅煩惱賊　勇健無能踰　降伏四種魔　勝幡建道場
雖知無起滅　示彼故有生　悉現諸國土　如日無不見
供養於十方　無量億如來　諸佛及己身　無有分別想
雖知諸佛國　及與衆生空　而常修淨土　教化於群生
諸有衆生類　形聲及威儀　無畏力菩薩　一時能盡現
覺知衆魔事　而示隨其行　以善方便智　隨意皆能現
或示老病死　成就諸群生　了知如幻化　通達無有礙
或現劫盡燒　天地皆洞然　衆人有常想　照令知無常
無數億衆生　俱來請菩薩　一時到其舍　化令向佛道
經書禁咒術　工巧諸伎藝　盡現行此事　饒益諸群生
世間衆道法　悉於中出家　因以解人惑　而不墮邪見
或作日月天　梵王世界主　或時作地水　或復作風火
劫中有疾疫　現作諸藥草　若有服之者　除病消衆毒
劫中有饑饉　現身作飲食　先救彼飢渴　却以法語人
劫中有刀兵　爲之起慈悲　化彼諸衆生　令住無諍地
若有大戰陣　立之以等力　菩薩現威勢　降伏使和安
一切國土中　諸有地獄處　輒往到於彼　勉濟其苦惱

BD01870 號 2　維摩詰所說經卷中　　（22–15）

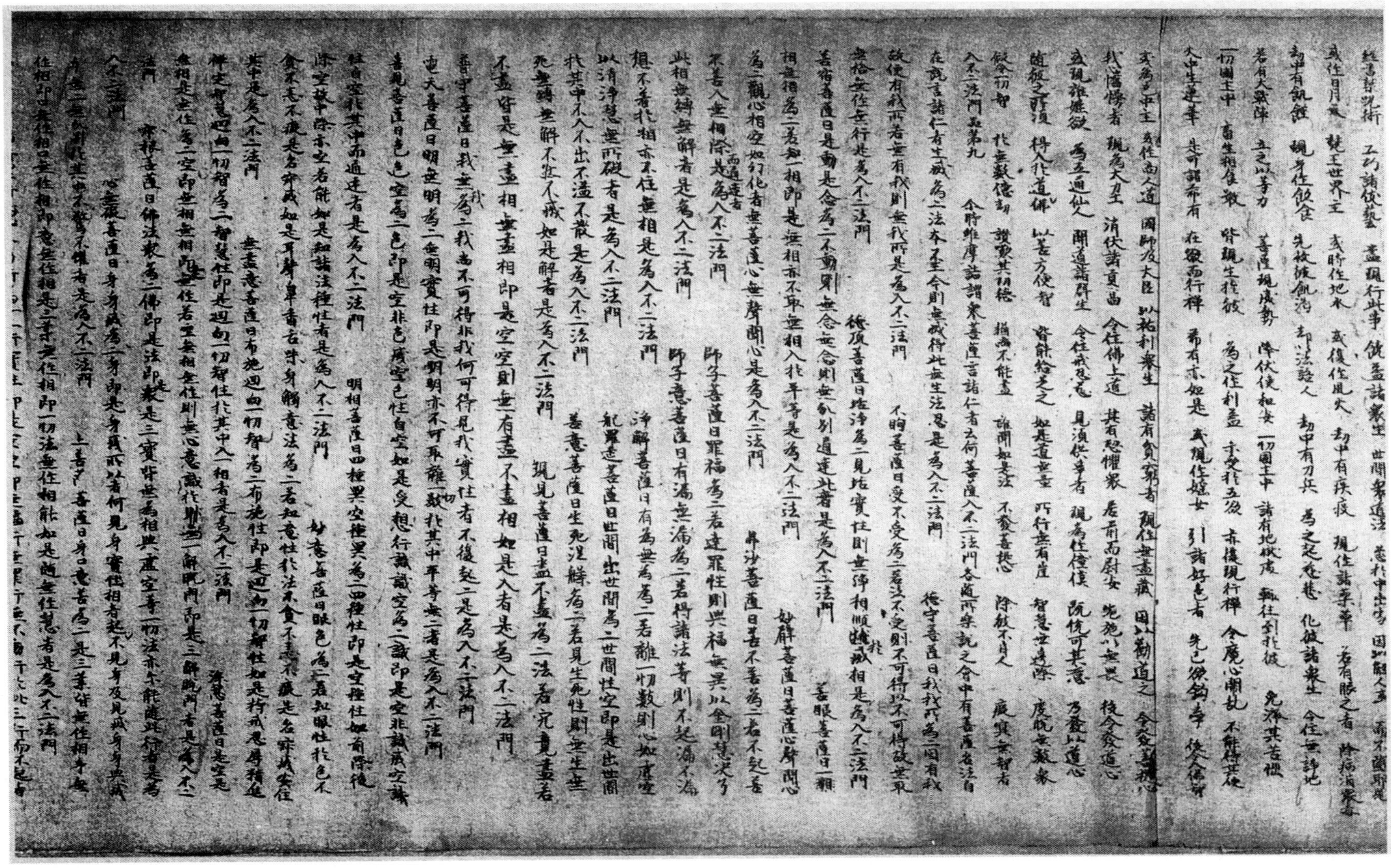

BD01870 號 2　維摩詰所說經卷中　　（22–16）

BD01870 號 2　維摩詰所說經卷中　　（22–17）
BD01870 號 3　維摩詰所說經卷下

世為樂小法衆生敷演道教彼有菩薩名維摩詰住不可思議解脫為諸菩薩說法故遣化來稱揚我
名并讚此土令彼菩薩增益功德彼菩薩言其人何如乃作是化德力無畏神足若斯佛言甚大一切十方
皆遣化往施作佛事饒益衆生於是香積如來以衆香鉢盛滿香飯與化菩薩時彼九百万菩薩俱發聲
言我欲詣娑婆世界供養釋迦牟尼佛并欲見維摩詰等諸菩薩衆佛言可往攝汝身香無令
彼諸衆生起惑著心又當捨汝本形勿使彼國求菩薩者而自鄙恥又汝於彼莫懷輕賤而作礙相
所以者何十方國土皆如虛空又諸佛為欲化諸樂小法者不盡現其清淨土耳時化菩薩既受鉢飯與彼九
百万菩薩俱承佛威神及維摩詰力於彼世界忽然不現須臾之間至維摩詰舍時維摩詰即化作九
百万師子之座嚴好如前諸菩薩皆坐其上化菩薩以滿鉢香飯與維摩詰飯香普熏毗耶離城及三
千大千世界時毗耶離婆羅門居士等聞是香氣身意快然歎未曾有於是長者主月蓋從八万四千人來入
維摩詰舍見其室中菩薩甚多諸師子座高廣嚴好皆大歡喜礼衆菩薩及大弟子却住一面諸地神虛空神
及欲色界諸天聞此香氣亦皆來入維摩詰舍時維摩詰語舍利弗等諸大聲聞仁者可食如來甘露味飯大
悲所熏無以限意食之使不消也有異聲聞念是飯少而此大衆人人當食化菩薩曰勿以聲聞小德小智稱量如
來無量福慧四海有竭此飯無盡使一切人食揣若須彌乃至一劫猶不能盡所以者何無盡戒定智慧解脫解脫
知見功德具足者所食之餘終不可盡於是鉢飯悉飽衆會猶故不賜其諸菩薩聲聞天人食此飯者身安快
樂譬如一切樂莊嚴國諸菩薩也又諸毛孔皆出妙香亦如衆香國土諸樹之香　尒時維摩詰問
衆香菩薩香積如來以何說法彼菩薩曰我土如來無文字說但以衆香令諸天人得入律行菩薩各各
坐香樹下聞斯妙香即獲一切德藏三昧得是三昧者菩薩所有功德皆悉具足彼諸菩薩問維摩詰今世尊
釋迦牟尼佛以何說法維摩詰言此土衆生剛強難化故佛為說剛強之語以調伏之言是地獄是畜生是餓鬼是諸
難處是愚人生處是身邪行是身邪行報是口邪行是口邪行報是意邪行是意邪行報是殺生是殺生報是不與
取是不與取報是邪婬是邪婬報是妄語是妄語報是兩舌是兩舌報是惡口是惡口報是無義語是無義語報是貪嫉
是貪嫉報是瞋惱是瞋惱報是邪見是邪見報是慳悋是慳悋報是毀禁是毀禁報是瞋恚是瞋恚報是懈怠是懈怠
報是亂意是亂意報是愚癡是愚癡報是結戒是持戒是犯戒是應作是不應作是障礙是不障礙是得罪是離罪是
淨是垢是有漏是無漏是邪道是正道是有為是無為是世間是涅槃以難化之人心如猨猴故以若干種法制御
其心乃可調伏譬如象馬𢤱悷不調加諸楚毒乃至徹骨然後調伏如是剛強難化衆生故以一切苦切之言乃可入律彼
諸菩薩聞說是已皆曰未曾有也如世尊釋迦牟尼佛隱其無量自在之力乃以貧所樂法度脫衆生斯
諸菩薩亦能勞謙以無量大悲生是佛土維摩詰言此土菩薩於諸衆生大悲堅固誠如所言然其一世饒益衆生
多於彼國百千劫行所以者何此娑婆世界有十事善法諸餘淨土之所無有何等為十以布施攝貧窮以淨戒攝毀
禁以忍辱攝瞋恚以精進攝懈怠以禪定攝亂意以智慧攝愚癡說除難法度八難者以大乘法度樂小乘者以諸
善根濟無德者常以四攝成就衆生是為十彼菩薩曰菩薩成就幾法於此世界行無瘡疣生于淨土維摩詰言
菩薩成就八法於此世界行無瘡疣生于淨土何等為八饒益衆生而不望報代一切衆生受諸苦惱所作功德盡
以施之等心衆生謙下無礙於諸菩薩視之如佛所未聞經聞之不疑不與聲聞而相違背不嫉彼供不高己
利而於其中調伏其心常省己過不訟彼短恒以一心求諸功德是為八維摩詰文殊師利於大衆中說是法時百千
天人皆發阿耨多羅三藐三菩提心十千菩薩得無生法忍

菩薩行品第十一　　是時佛說法於菴
羅樹園其地忽然廣博嚴事一切衆會皆作金色阿難白佛言世尊以何因緣有此瑞應是處忽然廣博嚴事一
切衆會皆作金色佛告阿難是維摩詰文殊師利與諸大衆恭敬圍繞發意欲來故先為此瑞應於是維摩詰
語文殊師利可共見佛與諸菩薩礼事供養文殊師利言善哉行矣今正是時維摩詰即以神力持諸大衆并師
子座置於右掌往詣佛所到已著地稽首佛足右遶七匝一心合掌在一面立其諸菩薩即皆避座稽首佛

BD01870號3　維摩詰所說經卷下　（22–18）

切衆會皆作金色佛告阿難是維摩詰文殊師利與諸大衆恭敬圍繞發意欲來故先為此瑞應於是維摩詰
語文殊師利可共見佛與諸菩薩礼事供養文殊師利言善哉行矣今正是時維摩詰即以神力持諸大衆并師
子座置於右掌往詣佛所到已著地稽首佛足右遶七匝一心合掌在一面立其諸菩薩即皆避座稽首佛
足亦遶七匝於一面立諸大弟子釋梵四天王等亦皆避座稽首佛足在一面立於是世尊如法慰問諸菩薩已
各令復坐即皆受教衆坐已定佛語舍利弗汝見菩薩大士自在神力之所為乎唯然已見於汝意云何世尊我
覩其為不可思議非意所圖非度所測尒時阿難白佛言世尊今所聞香自昔未有是為何香佛告阿難是彼
菩薩毛孔之香於是舍利弗語阿難言我等毛孔亦出是香阿難言此所從來曰是長者維摩詰從衆香國取
佛餘飯於舍食者一切毛孔皆香若此阿難問維摩詰是香氣住當久如維摩詰言至此飯消曰此飯久如當
消曰此飯勢力至于七日然後乃消又阿難若聲聞人未入正位食此飯者得入正位然後乃消已入正位食此飯者
得心解脫然後乃消若未發大乘意食此飯者至發意乃消已發意食此飯者得無生忍然後乃消已得無生
忍食此飯者至一生補處然後乃消譬如有藥名曰上味其有服者身諸毒滅然後乃消此飯如是滅除一切諸
煩惱毒然後乃消阿難白佛言未曾有也世尊如此香飯能作佛事佛言如是如是阿難或有佛土以佛光明而作
佛事有以諸菩薩而作佛事有以佛所化人而作佛事有以菩提樹而作佛事有以佛衣服臥具而作佛事有以飯食
而作佛事有以園林臺觀而作佛事有以三十二相八十隨形好而作佛事有以佛身而作佛事有以虛空而作
佛事衆生應以此緣得入律行有以夢幻影響鏡中像水中月熱時炎如是等喻而作佛事有以音聲語言
文字而作佛事或有清淨佛土寂寞無言無說無示無識無作無為而作佛事如是阿難諸佛威儀進
止諸所施為無非佛事阿難有此四魔八万四千諸煩惱門而諸衆生為之疲勞諸佛即以此法而作佛
事是名入一切諸佛法門菩薩入此門者若見一切淨好佛土不以為喜不貪不高若見一切不淨佛土不以為憂不
礙不沒但於諸佛生清淨心歡喜恭敬未曾有也諸佛如來功德平等為教化衆生故而現佛土不同阿難汝見諸
佛國土地有若干而虛空無若干也如是見諸佛色身有若干耳其無礙慧無若干也阿難諸佛色身威相種姓戒定
智慧解脫解脫知見力無所畏不共之法大慈大悲威儀所行及其壽命說法教化成就衆生淨佛國土具諸佛法
悉皆同等是故名為三藐三佛陀名為多陀阿伽度名為佛陀阿難若我廣說此三句義汝以劫壽不能盡
受正使三千大千世界滿中衆生皆如阿難多聞第一得念總持此諸人等以劫之壽亦不能受如是阿難諸佛
阿耨多羅三藐三菩提無有限量智慧辯才不可思議阿難白佛言我從今已往不敢自謂以為多聞佛告阿
難勿起退意所以者何我說汝於聲聞中為最多聞非謂菩薩且止阿難其有智者不應限度諸菩薩也
一切海淵尚可測量菩薩禪定智慧總持辯才一切功德不可量也阿難汝等捨置菩薩所行是維摩詰一
時所現神通之力一切聲聞辟支佛於百千劫盡力變化所不能作　尒時衆香世界菩薩來者合掌白
佛言世尊我等初見此土生下劣想今自悔責捨離是心所以者何諸佛方便不可思議為度衆生故隨其
所應現佛國異唯然世尊願賜少法還於本土當念如來佛告諸菩薩有盡無盡無礙法門汝等當學
何謂為盡謂有為法何謂無盡謂無為法如菩薩者不盡有為不住無為何謂不盡有為謂不離大
慈不捨大悲深發一切智心而不忽忘教化衆生終不厭惓於四攝法常念順行護持正法不惜軀
命種諸善根無有疲厭志常安住方便迴向求法不懈說法無悋勤供諸佛故入生死而無所畏
於諸榮辱心無憂喜不輕未學敬學如佛墮煩惱者令發正念於遠離樂不以為貴不著己樂慶於彼樂
在諸禪定如地獄想於生死中如園觀想見來求者為善師想捨諸所有具一切智想見毀戒人起救護想
諸波羅蜜為父母想道品之法為眷屬想發行善根無有齊限以諸淨國嚴飾之事成己佛土行無限施具
足相好除一切惡淨身口意生死無數劫意而有勇聞佛無量德志而不倦以智慧劍破煩惱賊出陰界入荷
負衆生永使解脫以大精進摧伏魔軍常求無念實相智慧行於世間法少欲知足於出世間法求之無厭

BD01870號3　維摩詰所說經卷下　（22–19）

於諸淨居心無憂喜不輕未學敬學如佛墮煩惱者令發正念於遠離樂不以為貴不着己樂慶於彼樂
在諸禪定如地獄想於生死中如園觀想見來求者為善師想捨諸所有具一切智想見毀戒人起救護想
諸波羅蜜為父母想道品之法為眷屬想發行善根無有齊限以諸淨國嚴飾之事成己佛土行不限施具
足相好除一切惡淨身口意生死無數劫意而有勇聞佛無量德志而不惓以智慧劍破煩惱賊出陰界入荷
負眾生永使解脫以大精進摧伏魔軍常求無念實相智慧於世間法少欲知足於出世間法求之無猒不
捨威儀而能隨俗起神通慧引導眾生得念總持所聞不忘善別諸根斷眾生疑以樂說辯演法無导
淨十善道受天人福修四無量開梵天道勸請說法隨喜讚善得佛音聲身口意善得佛威儀深修善
法所行轉勝以大乘教成菩薩僧心無放逸不失眾善行如此法是名菩薩不盡有為何謂菩薩不住無為謂脩
學空不以空為證修學無相無作不以無相無作為證修學無起不以無起為證觀於無常而不猒善本觀世間
苦而不惡生死觀於無我而誨人不惓觀於寂滅而不永滅觀於遠離而身心修善觀無所歸而歸趣善法觀
於無生而以生法荷負一切觀於無漏而不斷諸漏觀無所行而以行法教化眾生觀於空無而不捨大悲觀
正法位而不隨小乘觀諸法虛妄無牢無人無主無相本願未滿而不虛福德禪定智慧修如此法是名菩
薩不住無為又具福德故不住無為具智慧故不盡有為大慈悲故不住無為滿本願故不盡有為集法藥故
不住無為隨授藥故不盡有為知眾生病故不住無為滅眾生病故不盡有為諸正士菩薩已修此法不盡有
為不住無為是名盡無盡無礙解脫法門汝等當學爾時彼諸菩薩聞說是法皆大歡喜以眾妙華若干種色若干
種香散遍三千大千世界供養於佛及此經法并諸菩薩已稽首佛足歎未曾有言釋迦牟尼佛
乃能於此善行方便言已忽然不現還到彼國

見阿閦佛品第十二

爾時世尊問維摩詰汝欲見如來為以何等觀如來乎維摩詰言如自觀身實相觀佛亦然我觀如來
前際不來後際不去今則不住不觀色不觀色如不觀色性不觀受想行識不觀識如不觀識
性非四大起同於虛空六入無積眼耳鼻舌身心已過不在三界三垢已離順三脫門三明與無明等不
一相不異相不自相不他相非無相非取相不此岸不彼岸不中流教化眾生而觀寂滅亦不永滅不此不
彼不在此不在彼不可以智知不可以識識無晦無明無名無相無強無弱非淨非穢不在方不離方非有
為非無為無示無說不施不慳不戒不犯不忍不恚不進不怠不定不亂不智不愚不誠不欺不來不
去不出不入一切言語道斷非福田非不福田非應供養非不應供養非取非捨非有相非無相不增不
減同真際等法性不可稱不可量過諸稱量非大非小非見非聞非覺非知離眾結縛等諸智同眾
生於諸法無分別一切無失無濁無惱無作無起無生無滅無畏無憂無喜無猒無著無已有無當有無今有不
可以一切言說分別顯示世尊如來身為若此作如是觀以斯觀者名為正觀若他觀者名為耶觀
爾時舍利弗問維摩詰汝於何沒而來生此維摩詰言汝所得法有沒生乎舍利弗言無沒生也若諸法無沒
生相云何問言汝於何沒而來生此於意云何譬如幻師幻作男女寧沒生耶舍利弗言無沒生也汝豈不聞
佛說諸法如幻相乎答曰如是若一切法如幻相者云何問言汝於何沒而來生此舍利弗沒者為虛誑法壞敗
之相生者為虛誑法相續之相菩薩雖沒不盡善本雖生不長諸惡是時佛告舍利弗有國名妙喜佛號不動是
維摩詰於彼國沒而來生此舍利弗言未曾有也世尊是人乃能捨清淨土而來樂此多怒害處維摩詰
語舍利弗於意云何日光出時與冥合乎答曰不也日光出時則無眾冥維摩詰言夫日何故行閻浮提答
曰欲以明照為之除冥維摩詰言菩薩如是雖生不淨佛土為化眾生不與愚闇而共合耶但滅眾生煩惱
闇耳
是時大眾渴仰欲見妙喜世界不動如來及其菩薩聲聞之眾佛知一切眾會所念告維摩詰言
善男子為此眾會現妙喜國不動如來及諸菩薩聲聞之眾眾皆欲見於是維摩詰心念吾當不起于坐
接妙喜國鐵圍山川溪谷江河大海泉源須彌諸山及日月星宿天龍鬼神梵天等宮并諸菩薩聲聞之眾

BD01870 號 3　維摩詰所說經卷下　（22–20）

闇耳
是時大眾渴仰欲見妙喜世界不動如來及其菩薩聲聞之眾佛知一切眾會所念告維摩詰言
善男子為此眾會現妙喜國不動如來及諸菩薩聲聞之眾眾皆欲見於是維摩詰心念吾當不起于坐
接妙喜國鐵圍山川溪谷江河大海泉源須彌諸山及日月星宿天龍鬼神梵天等宮并諸菩薩聲聞之眾
城邑聚落男女大小乃至無動如來及菩提樹諸妙蓮華能於十方作佛事者三道寶階從閻浮提至忉利天以此
寶階諸天來下悉為禮敬無動如來聽受經法閻浮提人亦登其階上昇忉利見彼諸天妙喜世界成就如是無
量功德上至阿迦膩吒天下至水際以右手斷取如陶家輪入此世界猶持華鬘示一切眾作是念已入於三昧現
神通力以其右手斷取妙喜世界置於此土彼得神通菩薩及聲聞眾并餘天人俱發聲言唯然世尊誰
取我去願見救護無動佛言非我所為是維摩詰神力所作其餘未得神通者不覺不知己之所往妙喜世
界雖入此土而不增減於是世界亦不迫隘如本無異　爾時釋迦牟尼佛告諸大眾汝等且觀妙喜世界無
動如來其國嚴飾菩薩行淨弟子清白皆曰唯然已見佛言若菩薩欲得如是清淨佛土當學無動如來所行
之道現此妙喜國時娑婆世界十四那由他人發阿耨多羅三藐三菩提心皆願生於妙喜佛土釋迦牟尼佛即記之
曰當生彼國妙喜世界於此國土所應饒益其事訖已還復本處舉眾皆見佛告舍利弗汝見此妙喜世界及無
動佛不唯然已見世尊願使一切眾生得清淨土如無動佛獲神通力如維摩詰世尊我等快得善利得見是
人親近供養其諸眾生若今現在若佛滅後聞此經者亦得善利況復聞已信解受持讀誦解說如法修
行若有手得是經典者便為已得法寶之藏若有讀誦解釋其義如說修行則為諸佛之所護念其有
供養如是人者當知則為供養於佛其有書持此經卷者當知其室則有如來若聞是經能隨喜者
斯人則為取一切智若能信解此經乃至一四句偈為他說者當知此人即是受阿耨多羅三藐三菩提記

法供養品第十三

爾時釋提桓因於大眾中白佛言世尊我雖從佛及文殊師利聞百千經未曾聞
此不可思議自在神通決定實相經典如我解佛所說義趣若有眾生聞是經法信解受持讀誦之者
必得是法不疑何況如說修行斯人則為閉眾惡趣開諸善門常為諸佛之所護念降伏外學摧滅
魔怨修治菩提安處道場履踐如來所行之跡世尊若有受持讀誦如說修行者我當與諸眷屬供養給侍
所在聚落城邑山林曠野有是經處我亦與諸眷屬聽受法故共到其所其未信者當令生信其已信者當為作
護佛言善哉善哉天帝如汝所說吾助爾喜此經廣說過去未來現在諸佛不可思議阿耨多羅三藐三菩
提是故天帝若善男子善女人受持讀誦供養是經者則為供養去來今佛天帝正使三千大千世界如來
滿中譬如甘蔗竹葦稻麻叢林若有善男子善女人或一劫或減一劫恭敬尊重讚歎供養奉諸所安至諸
佛滅後以一一全身舍利起七寶塔縱廣一四天下高至梵天表剎莊嚴以一切華香瓔珞幢幡伎樂微妙第一若一劫若
減一劫而供養之於天帝意云何其人植福寧為多不釋提桓因言多矣世尊彼之福德若以百千億劫說不
能盡佛告天帝當知是善男子善女人聞是不可思議解脫經典信解受持讀誦修行福多於彼所以者何
諸佛菩提皆從是生菩提之相不可限量以是因緣福不可量　佛告天帝過去無量阿僧祇劫時世有
佛號曰藥王如來應供正遍知明行足善逝世間解無上士調御丈夫天人師佛世尊世界名大莊嚴劫曰莊嚴佛
壽廿小劫其聲聞僧卅六億那由他菩薩僧有十二億天帝是時有轉輪聖王名曰寶蓋七寶具足主四天下王
有千子端政勇健能伏怨敵爾時寶蓋與其眷屬供養藥王如來施諸所安至滿五劫過五劫已告其千子汝
等亦當如我以深心供養於佛於是千子受父王命供養藥王如來復滿五劫一切施安其王一子名曰月蓋獨坐思惟
寧有供養殊過此者以佛神力空中有天曰善男子法之供養勝諸供養即問何謂法之供養天曰汝可往
問藥王如來當廣為汝說法之供養即時月蓋王子行詣藥王如來稽首佛足却住一面白佛言世尊諸供
養中法供養勝云何為法供養佛言善男子法供養者諸佛所說深經一切世間難信難受微妙難見清淨無
染非但分別思惟之所能得菩薩法藏所攝陀羅尼印印之至不退轉成就六度善分別義順菩提法眾
經之上入大慈悲離眾魔事及諸邪見順因緣法無我無人無眾生無壽命空無相無作無起能令眾生坐

BD01870 號 3　維摩詰所說經卷下　（22–21）

養中法供養勝云何名為法供養佛言善男子法供養者諸佛所說深經一切世間難信難受微妙難見清淨無染非但分別思惟之所能得菩薩法藏所攝陀羅尼印印之至不退轉成就六度善分別義順菩提法眾經之上入大慈悲離眾魔事及諸邪見順因緣法無我無人無眾生無壽命空無相無作無起能令眾生坐於道場而轉法輪諸天龍神乾闥婆等所共歎譽能令眾生入佛法藏攝諸賢聖一切智慧說眾菩薩所行之道依於諸法實相之義明宣無常苦空無我寂滅之法能救一切毀禁眾生諸魔外道及貪著者能使怖畏諸佛賢聖所共稱歎背生死苦示涅槃樂十方三世諸佛所說若聞如是等經信解受持讀誦以方便力為諸眾生分別解說顯示分明守護法故是名法之供養又於諸法如說修行隨順十二因緣離諸邪見得無生忍決定無我無有眾生而於因緣果報無違無諍離諸我所依於義不依語依於智不依識依了義經不依不了義經依於法不依人隨順法相無所入無所歸無明畢竟滅故諸行亦畢竟滅乃至生畢竟滅故老死亦畢竟滅作如是觀十二因緣無有盡相不復起見是名最上法之供養　佛告天帝王子月蓋從藥王佛聞如是法得柔順忍即解寶衣嚴身之具以供養佛白佛言世尊如來滅後我當行法供養守護正法願以威神加哀建立令我得降魔怨修菩薩行佛知其深心所念而記之曰汝於末後守護法城天帝時王子月蓋見法清淨聞佛授記以信出家修集善法精進不久得五神通具菩薩道得陀羅尼無斷辯才於佛滅後以其所得神通總持辯才之力滿十小劫藥王如來所轉法輪隨而分布月蓋比丘以守護法勤行精進即於此身化百萬億人於阿耨多羅三藐三菩提立不退轉十四那由他人深發聲聞辟支佛心無量眾生得生天上天帝時王寶蓋豈異人乎今現得佛號寶炎如來其王千子即賢劫中千佛是也從迦羅鳩孫馱為始得佛最後如來號曰樓至月蓋比丘即我身是如是天帝當知此要以法供養於諸供養為上為最第一無比是故天帝當以法之供養供養於佛

囑累品第十四

於是佛告彌勒菩薩言彌勒我今以是無量億阿僧祇劫所集阿耨多羅三藐三菩提法付囑於汝如是輩經於佛滅後末世之中汝等當以神力廣宣流布於閻浮提無令斷絕所以者何未來世中當有善男子善女人及天龍鬼神乾闥婆羅剎等發阿耨多羅三藐三菩提心樂于大法若使不聞如是等經則失善利如此輩人聞是等經必多信樂發希有心當以頂受隨諸眾生所應得利而為廣說彌勒當知菩薩有二相何謂為二一者好於雜句文飾之事二者不畏深義如實能入若好雜句文飾事者當知是為新學菩薩若於如是無染無著甚深經典無有恐畏能入其中聞已心淨受持讀誦如說修行當知是為久修道行彌勒復有二法名新學者不能決定於甚深法何等為二一者所未聞深經聞之驚怖生疑不能隨順毀謗不信而作是言我初不聞從何所來二者若有護持解說如是深經者不肯親近供養恭敬或時於中說其過惡有此二法當知是為新學菩薩為自毀傷不能於深法中調伏其心彌勒復有二法菩薩雖信解深法猶自毀傷而不能得無生法忍何等為二一者輕慢新學菩薩而不教誨二者雖解深法而取相分別是為二法彌勒菩薩聞說是已白佛言世尊未曾有也如佛所說我當遠離如斯之惡奉持如來無數阿僧祇劫所集阿耨多羅三藐三菩提法若未來世善男子善女人求大乘者當令手得如是等經與其念力使受持讀誦為他廣說世尊若後末世有能受持讀誦為他說者當知皆是彌勒神力之所建立佛言善哉善哉彌勒如汝所說佛助爾喜於是一切菩薩合掌白佛我等亦於如來滅後十方國土廣宣流布阿耨多羅三藐三菩提法復當開導諸說法者令得是經爾時四天王白佛言世尊在在處處城邑聚落山林曠野有是經卷讀誦解說者我當率諸官屬為聽法故往詣其所擁護其人面百由旬令無伺求得其便者是時佛告阿難受持是經廣宣流布阿難言唯我已受持要者世尊當何名斯經佛言阿難是經名為維摩詰所說亦名不可思議解脫法門如是受持佛說是經已長者維摩詰文殊師利舍利弗阿難等及諸天人阿修羅一切大眾聞佛所說皆大歡喜

BD01870 號 3　維摩詰所說經卷下　　（22–22）

文殊師利白佛言世尊彼上人者
難為酬對深達實相善說法要辯才無滯智慧無㝵一切菩薩法式悉知
諸佛祕藏無不得入降伏眾魔遊戲神通其慧方便皆已得度雖然當
承佛聖旨詣彼問疾於是眾中諸菩薩大弟子釋梵四天王咸作是念今
二大士文殊師利維摩詰共談必說妙法即時八千菩薩五百聲聞百千天人皆
欲隨從於是文殊師利與諸菩薩大弟子眾及諸天人恭敬圍遶入毘耶離
大城爾時長者維摩詰心念今文殊師利與大眾俱來即以神力空其室內
除去所有及諸侍者唯置一床以疾而臥文殊師利既入其舍見其室空無諸
所有獨寢一床時維摩詰言善來文殊師利不來相而來不見相而見文殊
師利言如是居士若來已更不來若去已更不去所以者何來者無所從來
去者無所至所可見者更不可見且置是事居士是疾寧可忍不療治有
損不至增乎世尊慇懃致問無量居士是疾何所因起其生久如當云何滅維
摩詰言從癡有愛則我病生以一切眾生病是故我病若一切眾生得不病者則我
病滅所以者何菩薩為眾生故入生死有生死則有病若眾生得離病者則菩
薩無復病譬如長者唯有一子其子得病父母亦病若子病愈父母亦愈
菩薩如是於諸眾生愛之若子眾生病則菩薩病眾生病愈菩薩亦
愈又言是疾何所因起菩薩病者以大悲起文殊師利言居士此室何以空無
侍者維摩詰言諸佛國土亦復皆空又問以何為空答曰以空空又問空何用
空答曰以無分別空故空又問空可分別耶答曰分別亦空又問空當於何求答曰
當於六十二見中求又問六十二見當於何求答曰當於諸佛解脫中求又問諸
佛解脫當於何求答曰當於一切眾生心行中求又仁所問何無侍者一切眾魔及
諸外道皆吾侍也所以者何眾魔者樂生死菩薩於生死而不捨外道者樂諸
見菩薩於諸見而不動　文殊師利言居士所疾為何等相維摩詰言我病

BD01871 號 1　維摩詰所說經卷中　　（21–1）

空可分別耶答曰分別亦空又問空當於何求答曰
當於六十二見中求又問六十二見當於何求答曰當於諸佛解脫中求又問諸
佛解脫當於何求答曰當於一切衆生心行中求又仁所問何无侍者一切衆魔及
諸外道皆吾侍也所以者何衆魔者樂生死菩薩於生死而不捨外道者樂諸
見菩薩於諸見而不動　文殊師利言居士所疾為何等相維摩詰言我病
无形不可見又問此病身合耶心合耶答曰非身合身相離故亦非心合心如幻故又
問地大水大火大風大於此四大何大之病答曰是病非地大亦不離地大水大火大
風大亦復如是而衆生病從四大起以其有病是故我病
尒時文殊師利問維摩詰言菩薩應云何慰喻有病菩薩維摩詰言說身无常
不說猒離於身說身有苦不說樂於涅槃說身无我而說教導衆生說身空
寂不說畢竟寂滅說悔先罪而不說入於過去以己之疾愍於彼疾當識宿世无
數劫苦當念饒益一切衆生憶所脩福念於淨命勿生憂惱常起精進當作醫
王療治衆病菩薩應如是慰喻有疾菩薩令其歡喜文殊師利言居士有疾
菩薩云何調伏其心維摩詰言有疾菩薩應作是念今我此病皆從前世妄
想顛倒諸煩惱生无有實法誰受病者所以者何四大合故假名為身四大无主
身亦无我又此病起皆由著我是故於我不應生著既知病本即除我想及衆
生想當起法想應作是念但以衆法合成此身起唯法起滅唯法滅又此法者
各不相知起時不言我起滅時不言我滅彼有疾菩薩為滅法想當作是念
此法想者亦是顛倒顛倒者是即大患我應離之云何為離離我我所云何離我我所謂
離二法云何離二法謂不念內外諸法行於平等云何平等謂我等涅槃等所
以者何我及涅槃此二皆空以何為空但以名字故空如此二法无決定性得是
平等无有餘病唯有空病空病亦空是有疾菩薩以无所受而受諸受未
具佛法亦不滅受而取證也設身有苦念惡趣衆生起大悲心我既調伏亦
當調伏一切衆生但除其病而不除法為斷病本而教導之何謂病本謂有
攀緣從有攀緣則為病本何所攀緣謂之三界云何斷攀緣以无所得若
无所得則无攀緣何謂无所得謂離二見何謂二見謂內見外見是无所得文殊
師利是為有疾菩薩調伏其心為斷老病死苦是菩薩菩提若不如是已所
脩治為无慧利譬如勝怨乃可為勇如是兼除老病死者菩薩之謂也彼有疾
菩薩應作是念如我此病非真非有衆生病亦非真非有作是觀時於諸衆生
若起愛見大悲即應捨離所以者何菩薩斷除客塵煩惱而起大悲愛見悲
者則於生死有疲猒心若能離此无有疲猒在在所生不為愛見之所覆也所生
无縛能為衆生說法解縛如佛所說若自有縛能解彼縛无有是處若自无
縛而解彼縛斯有是處是故菩薩不應起縛何謂縛何謂解貪著禪味是菩
薩縛以方便生是菩薩解又无方便慧縛有方便慧解无慧方便縛有慧方便
解何謂无方便慧縛謂菩薩以愛見心莊嚴佛土成就衆生於空无相无作法中

BD01871號1　維摩詰所說經卷中　（21–2）

者則於生死有疲猒心若能離此无有疲猒在在所生不為愛見之所覆也所生
无縛能為衆生說法解縛如佛所說若自有縛能解彼縛无有是處若自无
縛而解彼縛斯有是處是故菩薩不應起縛何謂縛何謂解貪著禪味是菩
薩縛以方便生是菩薩解又无方便慧縛有方便慧解无慧方便縛有慧方便
解何謂无方便慧縛謂菩薩以愛見心莊嚴佛土成就衆生於空无相无作法中
而自調伏是名无方便慧縛何謂有方便慧解謂不以愛見心莊嚴佛土成就衆
生於空无相无作法中以自調伏而不疲猒是名有方便慧解何謂无慧方便縛謂
菩薩住貪欲瞋恚邪見等諸煩惱而殖衆德本是名无慧方便縛何謂有
慧方便解謂離諸貪欲瞋恚邪見等諸煩惱而殖衆德本迴向阿耨多羅三藐
三菩提是名有慧方便解文殊師利彼有疾菩薩應如是觀諸法又復觀身
无常苦空无我是名為慧雖身有疾常在生死饒益一切而不猒倦是名方便
又復觀身身不離病病不離身是病是身非新非故是名為慧設身有疾而不
永滅是名方便　文殊師利有疾菩薩應如是調伏其心不住其中亦復不住
不調伏心所以者何若住不調伏心是凡夫法若住調伏心是聲聞法是故菩薩不
當住於調伏不調伏心離此二法是菩薩行在於生死不為污行住於涅槃不永滅
度是菩薩行非凡夫行非賢聖行是菩薩行非垢行非淨行是菩薩行雖過
魔行而現降衆魔是菩薩行求一切智无非時求是菩薩行雖觀諸法不生而
不入正位是菩薩行雖觀十二緣起而入諸邪見是菩薩行雖攝一切衆生而不愛著
是菩薩行雖樂遠離而不依身心盡是菩薩行雖行三界而不壞法性是菩薩行
雖行於空而殖衆德本是菩薩行雖行无相而度衆生是菩薩行雖行无作而
現受身是菩薩行雖行无起而起一切善行是菩薩行雖行六波羅蜜而遍知衆
生心心數法是菩薩行雖行六通而不盡漏是菩薩行雖行四无量心而不貪著
生於梵世是菩薩行雖行禪定解脫三昧而不隨禪生是菩薩行雖行四念處而
不永離身受心法是菩薩行雖行四正勤而不捨身心精進是菩薩行雖行四如
意足而得自在神通是菩薩行雖行五根而分別衆生諸根利鈍是菩薩行
雖行五力而樂求佛十力是菩薩行雖行七覺分而分別佛之智慧是菩薩行
雖行八正道而樂行无量佛道是菩薩行雖行止觀助道之法而不畢竟墮於
寂滅是菩薩行雖行諸法不生不滅而以相好莊嚴其身是菩薩行雖現聲聞
辟支佛威儀而不捨佛法是菩薩行雖隨諸法究竟淨相而隨所應為現其身
是菩薩行雖觀諸佛國土永寂如空而現種種清淨佛土是菩薩行雖得佛
道轉于法輪入於涅槃而不捨於菩薩之道是菩薩行說是語時文殊師利
所將大衆其中八千天子皆發阿耨多羅三藐三菩提心
不思議品第六
尒時舍利弗見此室中无有床坐作是念斯諸菩薩大弟子衆當於

BD01871號1　維摩詰所說經卷中　（21–3）

道轉于法輪入於涅槃而不捨於菩薩之道是菩薩行說是語時文殊師利
所將大衆其中八千天子皆發阿耨多羅三藐三菩提心

不思議品第六

尒時舍利弗見此室中无有床坐作是念斯諸菩薩大弟子衆當於
何坐長者維摩詰知其意語舍利弗言云何仁者為法來耶求床坐
耶舍利弗言我為法來非為床坐維摩詰言唯舍利弗夫求法者不
貪軀命何況床坐夫求法者非有色受想行識之求非有界入之求非
有欲色无色之求唯舍利弗夫求法者不著佛求不著法求不著
衆求夫求法者无見苦求无斷集求无造盡證脩道之求所以者何
法无戲論若言我當見苦斷集證滅脩道是則戲論非求法也唯舍
利弗法名寂滅若行生滅是求生滅非求法也法名无染若染於法乃
至涅槃是則染著非求法也法无行處若行於法是則行處非求法也
法无取捨若取捨法是則取捨非求法也法无處所若著處所是則著處
非求法也法名无相若隨相識是則求相非求法也法不可住若住於法是
則住法非求法也法不可見聞覺知若行見聞覺知是則見聞覺知非
求法也法名无為若行有為是求有為非求法也是故舍利弗若求法
者於一切法應无所求說是語時五百天子於諸法中得法眼淨
尒時長者維摩詰問文殊師利仁者遊於无量千万億阿僧祇國何等佛土
有好上妙功德成就師子之座文殊師利言居士東方度卅六恒河沙國有世
界名須弥相其佛号須弥燈王今現在彼佛身長八万四千由旬其師子座
高八万四千由旬嚴飾第一於是長者維摩詰現神通力即時彼佛遣三万
二千師子之座高廣嚴淨來入維摩詰室諸菩薩大弟子釋梵四天王等昔
所未見其室廣博悉皆包容三万二千師子之座无所妨礙於毗耶離城及閻
浮提四天下亦不迫迮悉見如故尒時維摩詰語文殊師利就師子座與諸菩薩
上人俱坐當自立身如彼坐像其得神通菩薩即自變形為四万二千由旬坐
師子座諸新發意菩薩及大弟子皆不能昇尒時維摩詰語舍利弗就師子
座舍利弗言居士此座高廣吾不能昇維摩詰言唯舍利弗為須弥燈王如
來作礼乃可得坐於是新發意菩薩及大弟子即為須弥燈王如來作礼便
得坐師子座舍利弗言居士未曾有也如是小室乃容受此高廣之坐於毗
耶離城无所妨㝵又於閻浮提聚落城邑及四天下諸天龍王鬼神宮殿亦
不迫迮維摩詰言唯舍利弗諸佛菩薩有解脫名不可思議若菩薩
住是解脫者以須弥之高廣內芥子中无所增減須弥山王本相如故而四天
王忉利諸天不覺不知己之所入唯應度者乃見須弥入芥子中是名不可
思議解脫法門又以四大海水入一毛孔不嬈魚鼈黿鼉水性之屬而彼大海
本相如故諸龍鬼神阿脩羅等不覺不知己之所入於此衆生亦无所嬈又舍利

住是解脫者以須弥之高廣內芥子中无所增減須弥山王本相如故而四天
王忉利諸天不覺不知己之所入唯應度者乃見須弥入芥子中是名不可
思議解脫法門又以四大海水入一毛孔不嬈魚鼈黿鼉水性之屬而彼大海
本相如故諸龍鬼神阿脩羅等不覺不知己之所入於此衆生亦无所嬈又舍利
弗住不可思議解脫菩薩斷取三千大千世界如陶家輪著右掌中擲過恒河
沙世界之外其中衆生不覺不知己之所往又復還置本處都不使人有往來相
而此世界本相如故又舍利弗或有衆生樂久住世而可度者菩薩即演七日
以為一劫令彼衆生謂之一劫或有衆生不樂久住而可度者菩薩即促一劫以為
七日令彼衆生謂之七日又舍利弗住不可思議解脫菩薩以一切佛土嚴飾之事集
在一國示於衆生又菩薩以一佛土衆生置之右掌飛到十方遍示一切而不動本
處又舍利弗十方衆生供養諸佛之具菩薩於一毛孔皆令得見又十方國土
所有日月星宿於一毛孔普使見之又舍利弗十方世界所有諸風菩薩
悉能吸著口中而身无損外諸樹木亦不摧折又十方世界劫盡燒時以一切火
內於腹中火事如故而不為害又於下方過恒河沙等諸佛世界取一佛土舉著
上方過恒河沙无數世界如持針鋒舉一棗葉而无所嬈又舍利弗住不可思議
解脫菩薩能以神通現作佛身或現辟支佛身或現聲聞身或現帝釋身
或現梵王身或現世主身或現轉輪王身又十方世界所有衆聲上中下音皆
能變之令作佛聲演出无常苦空无我之音及十方諸佛所說種種之法皆
於其中普令得聞舍利弗我今略說菩薩不思議解脫之力若廣說者窮
劫不盡是時大迦葉聞說菩薩不可思議解脫法門歎未曾有謂舍利弗
譬如有人於盲者前現衆色像非彼所見一切聲聞聞是不可思議解脫法門
不能解了為若此也智者聞是其誰不發阿耨多羅三藐三菩提心我等何為
永絕其根於此大乘已如敗種一切聲聞聞是不可思議解脫法門皆應號
泣聲震三千大千世界一切菩薩應大欣慶頂受此法若有菩薩信解不可
思議解脫法門者一切魔衆无如之何大迦葉說是語時三万二千天子皆發阿
耨多羅三藐三菩提心
尒時維摩詰語大迦葉仁者十方无量阿僧
世界中作魔王者多是住不可思議解脫菩薩以方便力教化衆生現
作魔王又大迦葉十方无量菩薩或有人從乞手足耳鼻頭目髓腦血
肉皮骨聚落城邑妻子奴婢象馬車乘金銀瑠璃車渠馬瑙珊瑚虎珀真
珠珂貝衣服飲食如此乞者多是住不可思議解脫菩薩以方便力而
往試之令其堅固所以者何住不可思議解脫菩薩有威德力故行逼迫示
諸衆生如是難事凡夫下劣无有力勢不能如是逼迫菩薩譬如龍象
蹴踏非驢所堪是名住不可思議解脫菩薩智慧方便之門

觀衆生品第七

珂貝衣服飲食如此乞者多是住不可思議解脫菩薩以方便力而
往試之令其堅固所以者何住不可思議解脫菩薩有威德力故行逼迫示
諸衆生如是難事凡夫下劣无有力勢不能如是逼迫菩薩譬如龍象
蹴踏非驢所堪是名住不可思議解脫菩薩智慧方便之門

觀衆生品第七

尒時文殊師利問維摩詰言菩薩云何觀於衆生維摩詰言譬如幻師見
所幻人菩薩觀衆生為若此如智者見水中月如鏡中面像如熱時炎如呼
聲響如空中雲如水聚沫如水上泡如芭蕉堅如電久住如第五大如第六
陰如第七情如十三入如十九界菩薩觀衆生為若此如无色界色如焦穀牙
如須陁洹身見如阿那含入胎如阿羅漢三毒如得忍菩薩貪欲毀禁如佛煩惱
習如盲者見色如入滅盡定出入息如空中鳥跡如石女兒如化人煩惱如夢所見
已寤如滅度者受身如无烟之火菩薩觀衆生為若此文殊師利言若菩
薩作是觀者云何行慈維摩詰言菩薩作是觀已自念我當為衆生說如
斯法是即真實慈也行寂滅慈无所生故行不熱慈无煩惱故行等之慈
等三世故行无諍慈无所起故行不二慈内外不合故行不壞慈畢竟盡故
行堅固慈心无毀故行清淨慈諸法性淨故行无邊慈如虛空故行阿羅漢
慈破結賊故行菩薩慈安衆生故行如来慈得如相故行佛之慈覺衆生
故行自然慈无因得故行菩提慈等一味故行无比慈斷諸愛故行大悲慈
導以大乘故行无猒慈觀空无我故行法施慈无遺惜故行持戒慈化毀
禁故行忍辱慈護彼我故行精進慈荷負衆生故行禪定慈不受味故
行智慧慈无不知時故行方便慈一切示現故行无隱慈直心清淨故行深心慈
无雜行故行无誑慈不虛假故行安樂慈令得佛樂故菩薩之慈為若此
也文殊師利又問何謂為悲答曰菩薩所作功德皆與一切衆生共之何謂為喜答
曰有所饒益歡喜无悔何謂為捨答曰所作福祐无所悕望
文殊師利又問生死有畏菩薩當何所依維摩詰言菩薩於生死畏中當依如来
功德之力文殊師利又問菩薩欲依如来功德之力當依何住答曰菩薩欲依如来功
德力者當住度脫一切衆生又問欲度衆生當何所除答曰欲度衆生除其煩惱
又問欲除煩惱當何所行答曰當行正念又問云何行於正念答曰當行不生不
滅又問何法不生何法不滅答曰不善不生善法不滅又問善不善孰為本答曰身
為本又問身孰為本答曰欲貪為本又問欲貪孰為本答曰虛妄分別為本
又問虛妄分別孰為本答曰顛倒想為本又問顛倒想孰為本答曰无住為
本又問无住孰為本答曰无住則无本文殊師利從无所住為本立一切法
時維摩詰室有一天女見諸大人聞所說法便現其身即以天華散諸菩
薩大弟子上華至諸菩薩即皆墮落至大弟子便著不墮一切弟子神
力去華不能令去尒時天女問舍利弗何故去華答曰此華不如法是以

BD01871 號 1　維摩詰所說經卷中　（21–6）

本又問无住孰為本答曰无住則无本文殊師利從无所住為本立一切法
時維摩詰室有一天女見諸大人聞所說法便現其身即以天華散諸菩
薩大弟子上華至諸菩薩即皆墮落至大弟子便著不墮一切弟子神
力去華不能令去尒時天女問舍利弗何故去華答曰此華不如法是以
去之天曰勿謂此華為不如法所以者何是華无所分別仁者自生分別想耳
若於佛法出家有所分別為不如法若无所分別是則如法觀諸菩薩華不
著者以斷一切分別想故譬如人畏時非人得其便如是弟子畏生死故色聲
香味觸得其便已離畏者一切五欲无能為也結習未盡華著身耳結習
盡者華不著也舍利弗言天止此室其已久如答曰我止此室如耆年解脫
舍利弗言止此久耶天曰耆年解脫亦何如久舍利弗默然不答天曰如
何耆舊大智而嘿答曰解脫者无所言說故吾於是不知所云天曰
言說文字皆解脫相所以者何解脫者不内不外不在兩間文字亦
不内不外不在兩間是故舍利弗无離文字說解脫也所以者何一切諸
法皆是解脫相舍利弗言不復以離婬怒癡為解脫乎天曰佛為增上
慢人說離婬怒癡為解脫耳若无增上慢者佛說婬怒癡性即是解脫
舍利弗言善哉善哉天女汝何所得以何為證辯乃如是天曰我无得
无證故辯如是所以者何若有得有證者則於佛法為增上慢舍利弗
問天汝於三乘為何志求天曰以聲聞法化衆生故我為聲聞以因緣
衆生故我為辟支佛以大悲法化衆生故我為大乘舍利弗如人入瞻蔔
林唯嗅瞻蔔不嗅餘香如是若入此室但聞佛功德之香不樂聞聲
聞辟支佛功德香也舍利弗其有釋梵四天王諸龍鬼神等入此室者聞斯上
人講說正法皆樂佛功德之香發心而出舍利弗吾止此室十有二年初不
聞說聲聞辟支佛法但聞菩薩大慈大悲不可思議諸佛之法舍利弗
此室常現八未曾有難得之法何等為八此室常以金色光照晝夜无異不
以日月所照為明是為一未曾有難得之法此室入者不為諸垢之所惱也是
為二未曾有難得之法此室常有釋梵四天王他方菩薩来會不絕是為
三未曾有難得之法此室常說六波羅蜜不退轉法是為四未曾有難得
之法此室常作天人第一之樂絃出无量法化之聲是為五未曾有難得之
法此室有四大藏衆寶積滿賙窮濟乏求得无盡是為六未曾有難得
之法此室釋迦牟尼佛阿弥陁佛阿閦佛寶德寶炎寶月寶嚴難勝師子
響一切利成如是等十方无量諸佛是上人念時即皆為来廣說諸佛
秘要法藏說已還去是為七未曾有難得之法此室一切諸天嚴飾宮殿諸
佛淨土皆於中現是為八未曾有難得之法舍利弗此室常現八未曾有
難得之法誰有見斯不思議事而復樂於聲聞法乎舍利弗言汝何以不

BD01871 號 1　維摩詰所說經卷中　（21–7）

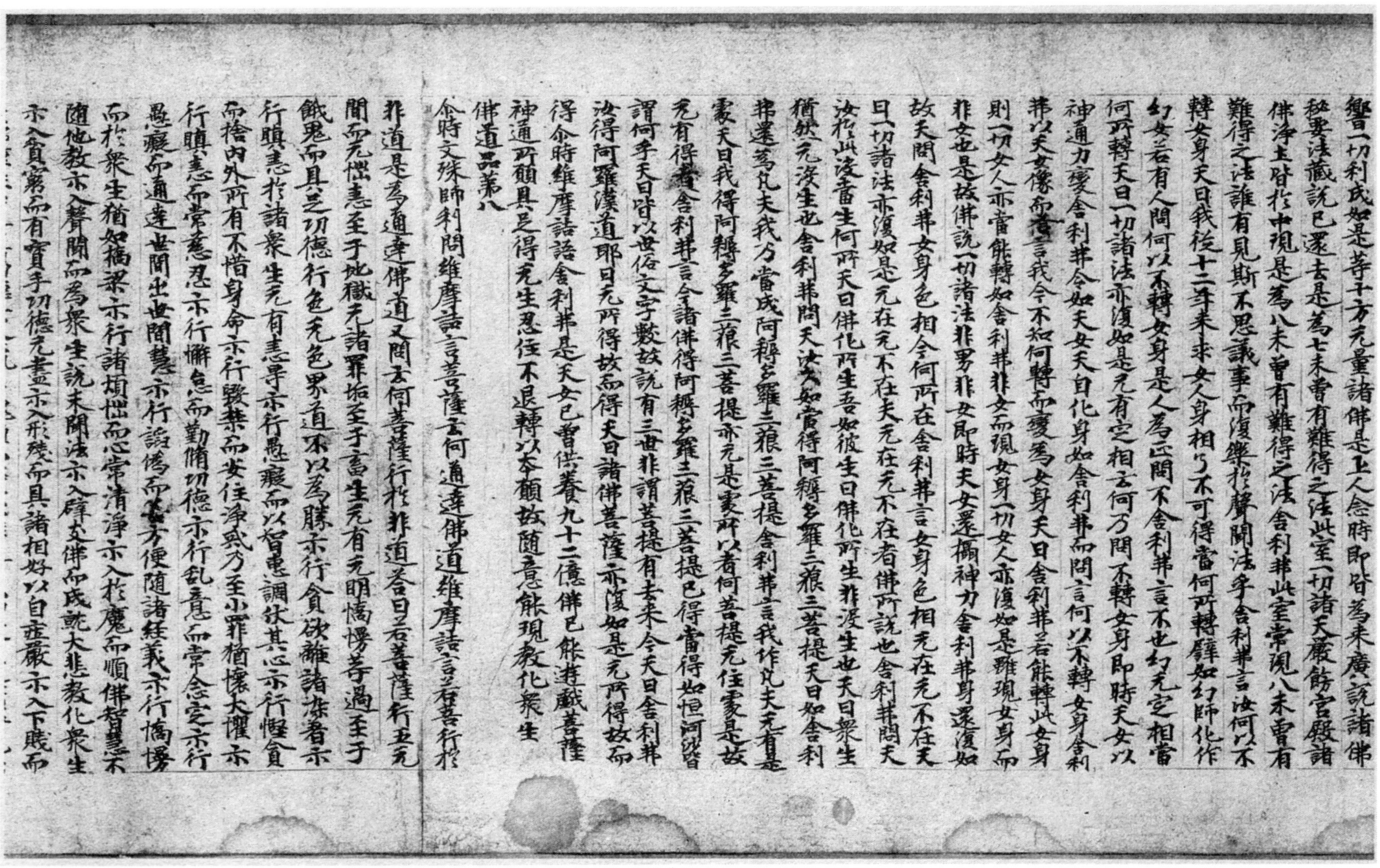

響一切利成如是等十方无量諸佛是上人念時即皆為來廣說諸佛
秘要法藏說已還去是為七未曾有難得之法舍利弗此室一切諸天嚴飾宮殿諸
佛淨土皆於中現是為八未曾有難得之法舍利弗此室常現八未曾有
難得之法誰有見斯不思議事而復樂於聲聞法乎舍利弗言汝何以不
轉女身天曰我從十二年來求女人相了不可得當何所轉譬如幻師化作
幻女若有人問何以不轉女身是人為正問不舍利弗言不也幻无定相當
何所轉天曰一切諸法亦復如是无有定相云何乃問不轉女身即時天女以
神通力變舍利弗令如天女天自化身如舍利弗而問言何以不轉女身舍利
弗以天女像而答言我今不知何轉而變為女身天曰舍利弗若能轉此女身
則一切女人亦當能轉如舍利弗非女而現女身一切女人亦復如是雖現女身而
非女也是故佛說一切諸法非男非女即時天女還攝神力舍利弗身還復如
故天問舍利弗女身色相今何所在舍利弗言女身色相无在无不在天
曰一切諸法亦復如是无在无不在夫无在无不在者佛所說也舍利弗問天
汝於此沒當生何所天曰佛化所生吾如彼生曰佛化所生非沒生也天曰衆生
猶然无沒生也舍利弗問天汝久如當得阿耨多羅三藐三菩提天曰如舍利
弗還為凡夫我乃當成阿耨多羅三藐三菩提舍利弗言我作凡夫无有是
處天曰我得阿耨多羅三藐三菩提亦无是處所以者何菩提无住處是故
无有得者舍利弗言今諸佛得阿耨多羅三藐三菩提已得當得如恒河沙
皆謂何乎天曰皆以世俗文字數故說有三世非謂菩提有去來今天曰舍利弗
汝得阿羅漢道耶曰无所得故而得天曰諸佛菩薩亦復如是无所得故而
得爾時維摩詰語舍利弗是天女已曾供養九十二億佛已能遊戲菩薩
神通所願具足得无生忍住不退轉以本願故隨意能現教化衆生

佛道品第八

爾時文殊師利問維摩詰言菩薩云何通達佛道維摩詰言若菩薩行於
非道是為通達佛道又問云何菩薩行於非道答曰若菩薩行五无
間而无惱恚至于地獄无諸罪垢至于畜生无有无明憍慢等過至于
餓鬼而具足功德行色无色界道不以為勝示行貪欲離諸染著示
行瞋恚於諸衆生无有恚閡示行愚癡而以智慧調伏其心示行慳貪
而捨內外所有不惜身命示行毀禁而安住淨戒乃至小罪猶懷大懼示
行瞋恚而常慈忍示行懈怠而勤脩功德示行亂意而常念定示行
愚癡而通達世間出世間慧示行諂偽而善方便隨諸經義示行憍慢
而於衆生猶如橋梁示行諸煩惱而心常清淨示入於魔而順佛智慧不
隨他教示入聲聞而為衆生說未聞法示入辟支佛而成就大悲教化衆生
示入貧窮而有寶手功德无盡示入形殘而具諸相好以自莊嚴示入下賤而

BD01871 號 1　維摩詰所說經卷中　（21–8）

而於衆生猶如橋梁示行諸煩惱而心常清淨示入於魔而順佛智慧不
隨他教示入聲聞而為衆生說未聞法示入辟支佛而成就大悲教化衆生
示入貧窮而有寶手功德无盡示入形殘而具諸相好以自莊嚴示入下賤而
生佛種姓中具諸功德示入羸劣醜陋而得那羅延身一切衆生之所樂見示
入老病而永斷病根超越死畏示有資生而恒觀无常實无所貪示有妻妾
婇女而常遠離五欲淤泥現於訥鈍而成就辯才揔持无失示入邪濟而以正濟度
諸衆生現遍入諸道而斷其因緣現於涅槃而不斷生死文殊師利菩薩能如
是行於非道是為通達佛道
於是維摩詰問文殊師利何等為如
來種文殊師利言有身為種无明有愛為種貪恚癡為種四顛倒為種五
蓋為種六入為種七識處為種八邪法為種九惱處為種十不善道為種以
要言之六十二見及一切煩惱皆是佛種曰何謂也答曰若見无為入正位者不
能復發阿耨多羅三藐三菩提心譬如高原陸地不生蓮華卑濕淤泥
乃生此華如是見无為法入正位者終不復能生於佛法煩惱泥中乃
有衆生起佛法耳又如殖種於空終不能生糞壤之地乃能滋茂如是
入无為正位者不生佛法起於我見如須彌山猶能發于阿耨多羅三藐
三菩提心生佛法矣是故當知一切煩惱為如來種譬如不下巨海終不能
得无價寶珠如是不入煩惱大海則不能得一切智寶
爾時大迦葉歎言善哉善哉文殊師利快說此語誠如所言塵勞之疇為
如來種我等今者不復堪任發阿耨多羅三藐三菩提心乃至五无間罪
猶能發意生於佛法而今我等永不能發譬如根敗之士其於五欲不能復利
如是聲聞諸結斷者於佛法中无所復益永不志願是故文殊師利凡夫
於佛法有反復而聲聞无也所以者何凡夫聞佛法能起无上道心不斷三寶
正使聲聞終身聞佛法力无畏等永不能發无上道意爾時會中有菩
薩名普現色身問維摩詰言居士父母妻子親戚眷屬吏民知識悉為是
誰奴婢僮僕象馬車乘皆何所在於是維摩詰以偈答曰
智度菩薩母　方便以為父　一切衆導師　无不由是生　法喜以為妻　慈悲心為女
善心誠實男　畢竟空寂舍　弟子衆塵勞　隨意之所轉　道品善知識　由是成正覺
諸度法等侶　四攝為伎女　歌詠誦法言　以此為音樂　揔持之園苑　无漏法林樹
覺意淨妙華　解脫智慧果　八解之浴池　定水湛然滿　布以七淨華　浴此无垢人
象馬五通馳　大乘以為車　調御以一心　遊於八正路　相具以嚴容　衆好飾其姿
慚愧之上服　深心為華鬘　富有七財寶　教授以滋息　如所說脩行　迴向為大利
四禪為床坐　從於淨命生　多聞增智慧　以為自覺音　甘露法之食　解脫味為漿
淨心以澡浴　戒品為塗香　摧滅煩惱賊　勇健无能踰　降伏四種魔　勝幡建道場
雖知无起滅　示彼故有生　悉現諸國土　如日无不見　供養於十方　无量億如來

BD01871 號 1　維摩詰所說經卷中　（21–9）

四禪為床坐　從於淨命生　多聞增智慧　以為自覺音　甘露法之食　解脫味為漿
淨心以澡浴　戒品為塗香　摧滅煩惱賊　勇健无能踰　降伏四種魔　勝幡建道場
雖知无起滅　示彼故有生　悉現諸國土　如日无不見　供養於十方　无量億如來
諸佛及己身　无有分別想　雖知諸佛國　及與衆生空　而常脩淨土　教化於群生
諸有衆生類　形聲及威儀　无畏力菩薩　一時能盡現　覺知衆魔事　而示隨其行
以善方便智　隨意皆能現　或示老病死　成就諸群生　了知如幻化　通達无有礙
或現劫燒盡　天地皆洞然　衆人有常想　照令知无常　无數億衆生　俱來請菩薩
一時到其舍　化令向佛道　經書禁呪術　工巧諸伎藝　盡現行此事　饒益諸群生
世間衆道法　悉於中出家　因以解人惑　而不墮邪見　或作日月天　梵王世界主
或時作地水　或復作風火　劫中有疾疫　現作諸藥草　若有服之者　除病消衆毒
劫中有飢饉　現身作飲食　先救彼飢渴　却以法語人　劫中有刀兵　為之起慈悲
化彼諸衆生　令住无諍地　若有大戰陣　立之以等力　菩薩現威勢　降伏使和安
一切國土中　諸有地獄處　輙往到于彼　勉濟其苦惱　一切國土中　畜生相食噉
皆現生於彼　為之作利益　示受於五欲　亦復現行禪　令魔心憒亂　不能得其便
火中生蓮華　是可謂希有　在欲而行禪　希有亦如是　或現作婬女　引諸好色者
先以欲鉤牽　後令入佛智　或為邑中主　或作商人導　國師及大臣　以祐利衆生
諸有貧窮者　現作无盡藏　因以勸導之　令發菩提心　我心憍慢者　為現大力士
消伏諸貢高　令住无上道　其有恐懼衆　居前而慰安　先施以无畏　後令發道心
或現離婬欲　為五通仙人　開導諸群生　令住戒忍慈　見須供事者　現為作僮僕
既悅可其意　乃發以道心　隨彼之所須　得入於佛道　以善方便力　皆能給足之
如是道无量　所行无有涯　智慧无邊際　度脫无數衆　假令一切佛　於无數億劫
讚嘆其功德　猶尚不能盡　誰聞如是法　不發菩提心　除彼不肖人　癡冥无智者

入不二法門品第九

尒時維摩詰謂衆菩薩言諸仁者云何菩薩入不二法門各隨所樂說之會
中有菩薩名法自在說言諸仁者生滅為二法本不生今則无滅得此无生
法忍是為入不二法門
德守菩薩曰我我所為二因有我故便有我所若无有我則无我所是為入不二法門
不眴菩薩曰受不受為二若法不受則不可得以不可得故无取无捨无作无行
是為入不二法門
德頂菩薩曰垢淨為二見垢實性則无淨相順於滅相是為入不二法門
善宿菩薩曰是動是念為二不動則无念无念即无分別通達此者是為入不二法門
善眼菩薩曰一相无相為二若知一相即是无相亦不取无相入於平等是為入不二法門
妙臂菩薩曰菩薩心聲聞心為二觀心相空如幻化者无菩薩心无聲聞心是為入不二法門
弗沙菩薩曰善不善為二若不起善不善入无相際而通達者是為入不二法門

BD01871 號 1　維摩詰所說經卷中　（21–10）

善眼菩薩曰一相无相為二若知一相即是无相亦不取无相入於平等是為入不二法門
妙臂菩薩曰菩薩心聲聞心為二觀心相空如幻化者无菩薩心无聲聞心是為入不二法門
弗沙菩薩曰善不善為二若不起善不善入无相際而通達者是為入不二法門
師子菩薩曰罪福為二若達罪性則與福无異以金剛慧決了此相无縛无解者
是為入不二法門　師子意菩薩曰有漏无漏為二若得諸法等則不起
漏不漏相不著於相亦不住无相是為入不二法門
淨解菩薩曰有為无為為二若離一切數則心如虛空以清淨慧无所礙者是
為入不二法門　那羅延菩薩曰世間出世間為二世間性空即是出世
間於其中不入不出不溢不散是為入不二法門　善意菩薩曰生死
涅槃為二若見生死性則无生死无縛无解不然不滅如是解者是為
入不二法門　現見菩薩曰盡不盡為二法若究竟盡若不盡皆
是无盡相无盡相即是空空則无有盡不盡相如是入者是為入不二
法門　普守菩薩曰我无我為二我尚不可得非我何可得見我實性者
是為入不二法門　電天菩薩曰明无明為二无明實性即是明明
亦不可取離一切數於其中平等无二者是為入不二法門
喜見菩薩曰色色空為二色即是空非色滅空色性自空如是受想行
識識空為二識即是空非識滅空識性自空於其中而通達者是為
入不二法門　明相菩薩曰四種異空種異為二四種性即是空種性如前
際後際空故中際亦空若能如是知諸種性者是為入不二法門
妙意菩薩曰眼色為二若知眼性於色不貪不恚不癡是名寂滅如是
耳聲鼻香舌味身觸意法為二若知意性於法不貪不恚不癡是名寂
滅安住其中是為入不二法門　无盡意菩薩曰布施迴向一切智為二布施
性即是迴向一切智性如是持戒忍辱精進禪定智慧迴向一切智為二智慧性即是
迴向一切智性於其中入一相者是為入不二法門　深慧菩薩曰是空是无相
是无作為二空即无相无相即无作若空无相无作則无心意識於一解脫門
即是三解脫門者是為入不二法門　寂根菩薩曰佛法衆為二佛即是法
法即是衆是三寶皆无為相與虛空等一切法亦尒能隨此行者是為入
不二法門　心无礙菩薩曰身身滅為二身即是身滅所以者何見身實相
者不起見身及見滅身身與滅身无二无分別於其中不驚不懼者是為入
不二法門　上善菩薩曰身口意善為二是三業皆无作相身无作相即
口无作相口无作相即意无作相是三業无作相即一切法无作相能如是隨
无作慧者是為入不二法門　福田菩薩曰福行罪行不動行為二三行
實性即是空空則无福行无罪行无不動行於此三行而不起者是為入不二法
門　華嚴菩薩曰從我起二為二見我實相者不起二法若不住二法則无

BD01871 號 1　維摩詰所說經卷中　（21–11）

口无作相即意无作相是三業无作相即一切法无作相能如是隨
无作慧者是為入不二法門　福田菩薩曰福行罪行不動行為二三行
實性即是空空則无福行无罪行无不動行於此三行而不起者是為入不二法
門　華嚴菩薩曰從我起二為二見我實相者不起二法若不住二法則无
有識无所識者是為入不二法門
德藏菩薩曰有所得相為二若无所得則无取捨无取捨者是為入不二法門
月上菩薩曰闇與明為二无闇无明則无有二所以者何如入滅受想定无闇
无明一切法相亦復如是於其中平等入者是為入不二法門
寶印手菩薩曰樂涅槃不樂世間為二若不樂涅槃不猒世間則无有二所
以者何若有縛則有解若本无縛其誰求解无縛无解則无樂猒
是為入不二法門　珠頂王菩薩曰正道邪道為二住正道者則不分
別是邪是正離此二者是為入不二法門　樂實菩薩曰實不實為
二實見者尚不見實何況非實所以者何非肉眼所見慧眼乃能見而
此慧眼无見无不見是為入不二法門　如是諸菩薩各各說已問文殊師
利何等是菩薩入不二法門　文殊師利曰如我意者於一切法无言无
說无示无識離諸問荅是為入不二法門　於是文殊師利問維摩
詰我等各自說已仁者當說何等是菩薩入不二法門　時維摩詰嘿
然无言文殊師利歎曰善哉善哉乃至无有文字言說是真入不二法門說
是入不二法門時於此衆中五千菩薩皆入不二法門得无生法忍
維摩詰經卷中

維摩詰所說經卷下
香積佛品第十
於是舍利弗心念日時欲至此諸菩薩當於何食時維摩詰知其意而語言
佛說八解脫仁者受行豈雜欲食而聞法乎若欲食者且待須臾當令汝得未
曾有食時維摩詰即入三昧以神通力示諸大衆上方界分過四十二恒河沙
佛土有國名衆香佛号香積今現在其國香氣比於十方諸佛世界人天
之香最為第一彼土无有聲聞辟支佛名唯有清淨大菩薩衆佛為說法其
界一切皆以香作樓閣經行香地苑園皆香其食香氣周流十方无量世界
時彼佛與諸菩薩方共坐食有諸天子皆号香嚴悉發阿耨多羅三
藐三菩提心供養彼佛及諸菩薩此諸大衆莫不目見
時維摩詰問衆菩薩諸仁者誰能致彼佛飯以文殊師利威神力故咸皆嘿
然維摩詰言仁者今此諸大衆无乃可恥文殊師利曰如佛所言勿輕未學
於是維摩詰不起于座居衆會前化作菩薩相好光明威德殊勝蔽於衆
會而告之曰汝往上方界分度如四十二恒河沙佛土有國名衆香佛号香積
與諸菩薩方共坐食汝往到彼如我辭曰維摩詰稽首世尊足下致

BD01871 號 1　維摩詰所說經卷中　（21–12）
BD01871 號 2　維摩詰所說經卷下

於是維摩詰不起于座居衆會前化作菩薩相好光明威德殊勝蔽於衆
會而告之曰汝往上方界分度如四十二恒河沙佛土有國名衆香佛号香積
與諸菩薩方共坐食汝往到彼如我辭曰維摩詰稽首世尊足下致
敬无量問訊起居少病少惱氣力安不願得世尊所食之餘當於娑
婆世界施作佛事令此樂小法者得弘大道亦使如來名聲普聞時化
菩薩即於會前昇于上方舉衆皆見其去到衆香界礼彼佛足又聞
其言維摩詰稽首世尊足下致敬无量問訊起居少病少惱氣力安不
願得世尊所食之餘欲於娑婆世界施作佛事使此樂小法者得弘大道
亦使如來名聲普聞彼諸大士見化菩薩歎未曾有今此上人從何所來
娑婆世界為在何許云何名為樂小法者即以問佛佛告之曰下方度四十
二恒河沙佛土有世界名娑婆佛号釋迦牟尼今現在於五濁惡世為樂小
法衆生敷演道教彼有菩薩名維摩詰住不可思議解脫為諸菩薩說
法故遣化來稱揚我名并讚此土令彼菩薩增益功德彼菩薩言其人何如
乃作是化德力无畏神足若斯佛言甚大一切十方皆遣化往施作佛事饒
益衆生於是香積如來以衆香鉢盛滿香飯與化菩薩時彼九百万菩薩
俱發聲言我欲詣娑婆世界供養釋迦牟尼佛并欲見維摩詰等諸菩
薩衆佛言可往攝汝身香无令彼諸衆生起惑著心又當捨汝本形勿使
彼國求菩薩者而自鄙恥又汝於彼莫懷輕賤而作礙想所以者何十方國
土皆如虛空又諸佛為欲化諸樂小法者不盡現其清淨土耳時化菩薩既
受鉢飯與彼九百万菩薩俱承佛威神及維摩詰力於彼世界忽然不現
須臾之間至維摩詰舍維摩詰即化作九百万師子之座嚴好如前諸菩薩皆
坐其上化菩薩以滿鉢香飯與維摩詰飯香普熏毗耶離城及三千大千世界時
毗耶離婆羅門居士等聞是香氣身意快然歎未曾有於是長者主
月蓋從八万四千人來入維摩詰舍見其室中菩薩甚多諸師子座高
廣嚴好皆大歡喜礼衆菩薩及大弟子却住一面諸地神虛空神及欲色
界諸天聞此香氣亦皆來入維摩詰舍時維摩詰語舍利弗等諸大聲
聞仁者可食如來甘露味飯大悲所熏无以限意食之使不消也有異聲
聞念是飯少而此大衆人人當食化菩薩曰勿以聲聞小德小智稱量如來
无量福慧四海有竭此飯无盡使一切人食揣若須弥乃至一劫猶不能盡所
以者何无盡戒定智慧解脫解脫知見功德具足者所食之餘終不可盡於
是鉢飯悉飽衆會猶故不賜其諸菩薩聲聞天人食此飯者身安快樂
譬如一切樂莊嚴國諸菩薩也又諸毛孔皆出妙香亦如衆香國土諸樹之香
爾時維摩詰問衆香菩薩香積如來以何說法彼菩薩曰我土如來无文
字說但以衆香令諸天人得入律行菩薩各各坐香樹下聞斯妙香即獲

BD01871 號 2　維摩詰所說經卷下　（21–13）

無盡戒定智慧解脫解脫知見功德具足者所食之餘終不可盡於
是鉢飯悉飽衆會猶故不賜其諸菩薩聲聞天人食此飯者身安快樂
譬如一切樂莊嚴國諸菩薩也又諸毛孔皆出妙香亦如衆香國土諸樹之香
尒時維摩詰問衆香菩薩香積如來以何說法彼菩薩曰我土如來无文
字說但以衆香令諸天人得入律行菩薩各各坐香樹下聞斯妙香即獲
一切德藏三昧得是三昧者菩薩所有功德皆悉具足彼諸菩薩問維摩詰
今世尊釋迦牟尼以何說法維摩詰言此土衆生剛強難化故佛為說剛強
之語以調伏之言是地獄是畜生是餓鬼是諸難處是愚人生處是身邪
行是身邪行報是口邪行是口邪行報是意邪行是意邪行報是殺生是
殺生報是不與取是不與取報是邪婬是邪婬報是妄語是妄語報是
兩舌是兩舌報是惡口是惡口報是无義語是无義語報是貪嫉是貪
嫉報是瞋惱是瞋惱報是邪見是邪見報是慳悋是慳悋報是毀戒是
毀戒報是瞋恚是瞋恚報是懈怠是懈怠報是亂意是亂意報是
愚癡是愚癡報是結戒是持戒是犯戒是應作是不應作是鄣礙是不
鄣礙是得罪是離罪是淨是垢是有漏是无漏是邪道是正道是
有為是无為是世間是涅槃以難化之人心如猨猴故以若干種法
制御其心乃可調伏譬如象馬惟悷不調加諸楚毒乃至徹骨然後
調伏如是剛強難化衆生故以一切之言乃可入律彼諸菩薩聞說是
已皆曰未曾有也如世尊釋迦牟尼佛隱其无量自在之力乃以貧所樂法
度脫衆生斯諸菩薩亦能勞謙以无量大悲生是佛土維摩詰言此土菩
薩於諸衆生大悲堅固誠如所言然其一世饒益衆生多於彼國百千劫
行所以者何此娑婆世界有十事善法諸餘淨土之所无有何等為十以
布施攝貧窮以淨戒攝毀禁以忍辱攝瞋恚以精進攝懈怠以禪定
攝亂意以智慧攝愚癡說除難法度八難者以大乘法度樂小乘者以
諸善根濟无德者常以四攝成就衆生是為十彼菩薩曰菩薩成就幾法
於此世界行无瘡疣生于淨土維摩詰言菩薩成就八法於此世界行无瘡
疣生于淨土何等為八饒益衆生而不望報代一切衆生受諸苦惱所作
功德盡以施之等心衆生謙下无礙於諸菩薩視之如佛所未聞經聞之不疑
不與聲聞而相違背不嫉彼供不高己利而於其中調伏其心常省己過不
訟彼短恒以一心求諸功德是為八維摩詰文殊師利於大衆中說是法
時百千天人皆發阿耨多羅三藐三菩提心十千菩薩得无生法忍

菩薩行品第十一

是時佛說法於菴羅樹園其地忽然廣博嚴事一切衆會皆作金色阿
難白佛言世尊以何因緣有此瑞應是處忽然廣博嚴事一切衆會皆
作金色　佛告阿難是維摩詰文殊師利與諸大衆恭敬圍遶發意欲

BD01871 號 2　維摩詰所說經卷下　（21–14）

時百千天人皆發阿耨多羅三藐三菩提心十千菩薩得无生法忍

菩薩行品第十一

是時佛說法於菴羅樹園其地忽然廣博嚴事一切衆會皆作金色阿
難白佛言世尊以何因緣有此瑞應是處忽然廣博嚴事一切衆會皆
作金色　佛告阿難是維摩詰文殊師利與諸大衆恭敬圍遶發意欲
來故先為此瑞應於是維摩詰語文殊師利可共見佛與諸菩薩禮
事供養文殊師利言善哉行矣今正是時維摩詰即以神力持諸大衆
并師子座置於右掌往詣佛所到已著地稽首佛足右遶七匝一心合掌在
一面立其諸菩薩即皆避座稽首佛足亦遶七匝於一面立諸大弟子釋
梵四天王等亦皆避座稽首佛足在一面立於是世尊如法慰問諸菩薩已
各令復座即皆受教衆坐已定佛語舍利弗汝見菩薩大士自在神力之
所為乎唯然已見汝意云何世尊我覩其為不可思議非意所圖非度
所測尒時阿難白佛言世尊今所聞香自昔未有是為何香佛告阿難是
彼菩薩毛孔之香於是舍利弗語阿難言我等毛孔亦出是香阿難言
此所從來曰是長者維摩詰從衆香國取佛餘飯於舍食者一切毛孔皆
香若此阿難問維摩詰是香氣住當久如維摩詰言至此飯消曰此飯久如
當消曰此飯勢力至于七日然後乃消又阿難若聲聞人未入正位食此飯
者得入正位然後乃消已入正位食此飯者得心解脫然後乃消若未發大乘
意食此飯者至發意乃消已發意食此飯者得无生忍然後乃消已得无
生忍食此飯者至一生補處然後乃消譬如有藥名曰上味其有服者
身諸毒滅然後乃消此飯如是滅除一切諸煩惱毒然後乃消阿難白言
未曾有也世尊如此香飯能作佛事佛言如是如是阿難或有佛土以
佛光明而作佛事又以諸菩薩而作佛事又以佛所化人而作佛事又以菩
提樹而作佛事又以佛衣服卧具而作佛事又以飯食而作佛事又以園林
臺觀而作佛事又以三十二相八十隨形好而作佛事又以佛身而作佛事又以
虛空而作佛事衆生應以此緣得入律行又以夢幻影響鏡中像水中月
熱時炎如是等喻而作佛事又以音聲語言文字而作佛事或有清淨
佛土寂漠无言无說无示无識无作无為而作佛事如是阿難諸佛威儀
進止諸所施為无非佛事阿難有此四魔八万四千諸煩惱門而諸衆生
為之疲勞諸佛即以此法而作佛事是名入一切諸佛法門菩薩入此門
者若見一切淨好佛土不以為喜不貪不高若見一切不淨佛土不以為憂
不礙不沒但於諸佛生清淨心歡喜恭敬未曾有也諸佛如來功德平等
為教化衆生故而現佛土不同阿難汝見諸佛國土地有若干而虛空无
若干也如是見諸佛色身有若干耳其无礙慧无若干也阿難諸佛
色身威相種姓戒定智慧解脫解脫知見力无所畏不共之法

BD01871 號 2　維摩詰所說經卷下　（21–15）

者若見一切淨好佛土不以爲喜不貪不高若見一切不淨佛土不以爲憂
不礙不沒但於諸佛生清淨心歡喜恭敬未曾有也諸佛如來功德平等
爲教化衆生故而現佛土不同阿難汝見諸佛國土地有若干而虛空无
若干也如是見諸佛色身有若干耳其无礙慧无若干也阿難諸佛
色身威德種性戒定智慧解脫解脫知見力无所畏不共之法大慈
大悲威儀所行及其壽命說法教化成就衆生淨佛國土具諸佛法悉
皆同等是故名爲三藐三佛陁名爲多陁阿伽度名爲佛陁阿難若我廣
說此三句義汝以劫壽不能盡受正使三千大千世界滿中衆生皆如阿難多
聞第一得念總持此諸人等以劫之壽亦不能受如是阿難諸佛阿耨多羅三
藐三菩提无有限量智慧辯才不可思議阿難白佛言我從今已往不敢
自謂以爲多聞佛告阿難勿起退意所以者何我說汝於聲聞中最爲多聞非
謂菩薩且止阿難其有智者不應限度諸菩薩也一切海淵尚可測量菩薩禪
定智慧總持辯才一切功德不可量也阿難汝等捨置菩薩所行是維摩詰
一時所現神通之力一切聲聞辟支佛於百千劫盡力變化所不能作
尒時衆香世界菩薩來者合掌白佛言世尊我等初見此土生下劣想今
自悔責捨離是心所以者何諸佛方便不可思議爲度衆生故隨其所應
現佛國土異唯然世尊願賜少法還於本土當念如來佛告諸菩薩有盡无
盡解脫法門汝等當學何謂爲盡謂有爲法何謂无盡謂无爲法如菩
薩者不盡有爲不住无爲何謂不盡有爲謂不離大慈不捨大悲深發一
切智心而不忽忘教化衆生終不厭惓於四攝法常念順行護持正法不惜軀
命種諸善根无有疲厭志常安住方便迴向求法不懈說法无恡勤供諸佛故
入生死而无所畏於諸榮辱心无憂喜不輕未學敬學如佛隨煩惱者令發正
念於遠離樂不以爲貴不著己樂慶於彼樂在諸禪定如地獄想於生死
中如園觀想見來求者爲善師想捨諸所有具一切智想見毀戒人起救護
想諸波羅蜜爲父母想道品之法爲眷屬想發行善根无有齊限以諸淨國
嚴飾之事成己佛土行无限施具足相好除一切惡淨身口意生死无數劫意
而有勇聞佛无量德志而不惓以智慧劍破煩惱賊出陰界入荷負衆生永
使解脫以大精進摧伏魔軍常求无念實相智慧行世間法少欲知足於出
世間法求之无厭而不捨世法不壞威儀而能隨俗起神通慧引導衆生得
念總持所聞不忘善別諸根斷衆生疑以樂說辯演法无礙淨十善道受天
人福脩四无量開梵天道勸請說法隨喜讚善得佛音聲身口意善得佛
威儀深脩善法所行轉勝以大乘教成菩薩僧心无放逸不失衆善行如此法
是名菩薩不盡有爲何謂菩薩不住无爲謂脩學空不以空爲證脩學
无相无作不以无相无作爲證脩學无起不以无起爲證觀於无常而不厭

BD01871 號 2　維摩詰所說經卷下

（21–16）

威儀深脩善法所行轉勝以大乘教成菩薩僧心无放逸不失衆善行如此法
是名菩薩不盡有爲何謂菩薩不住无爲謂脩學空不以空爲證脩學
无相无作不以无相无作爲證脩學无起不以无起爲證觀於无常而不厭
善本觀世間苦而不厭生死觀於无我而誨人不惓觀於寂滅而不永寂滅
觀於遠離而身心脩善觀无所歸而歸趣善法觀於无生而以生法荷負一切觀
於无漏而不斷諸漏觀无所行而以行法教化衆生觀於空无而不捨大悲觀正
法位而不隨小乘觀諸法虛妄无牢无人无主无相本願未滿而不虛福德禪
定智慧脩如此法是名菩薩不住无爲又具福德故不住无爲具智慧故不
盡有爲大慈悲故不住无爲滿本願故不盡有爲集法藥故不住无爲隨授
藥故不盡有爲知衆生病故不住无爲滅衆生病故不盡有爲諸正士菩薩
已脩此法不盡有爲不住无爲是名盡无盡解脫法門汝等當學
尒時彼諸菩薩聞說是法皆大歡喜以衆妙華若干種色若干種
香散遍三千大千世界供養於佛及此經法并諸菩薩已稽首佛足
歎未曾有言釋迦牟尼佛乃能於此善行方便言已忽然不現還到
彼國

見阿閦佛品第十二

尒時世尊問維摩詰汝欲見如來爲以何等觀如來乎維摩詰言如自
觀身實相觀佛亦然我觀如來前際不來後際不去今則不住不觀
色不觀色如不觀色性不觀受想行識不觀識如不觀識性非四大起
同於虛空六入无積眼耳鼻舌身心已過不在三界三垢已離順三脫門三
明與无明等不一相不異相不自相不他相非无相非取相不此岸不彼
岸不中流而化衆生觀於寂滅亦不永滅不此不彼不在此不在彼不可
以智知不可以識識无晦无明无名无相无強无弱非淨非穢不在方不離
方非有爲非无爲无示无說不施不慳不戒不犯不忍不恚不進不怠
不定不亂不智不愚不誠不欺不來不去不出不入一切言語道斷非福田
非不福田非應供養非不應供養非取非捨非有相非无相同真際
等法性不可稱不可量過諸稱量非大非小非見非聞非覺非知離衆結縛
等諸智同衆生於諸法无分別一切无失无濁无惱无作无起无生无滅无
畏无憂无喜无厭无著无已有无當有无今有不可以一切言說分別顯示
世尊如來身爲若此作如是觀以斯觀者名爲正觀若他觀者名爲耶
觀
尒時舍利弗問維摩詰汝於何沒而來生此維摩詰言汝所得法有
沒生乎舍利弗言无沒生也若諸法无沒生相云何問言汝於何沒而來生此
於意云何譬如幻師幻作男女寧沒生也舍利弗言无沒生也汝豈不聞佛
說諸法如幻相乎答曰如是若一切法如幻相者云何問言汝於何沒而來生此
舍利弗沒者爲虛誑法壞敗之相生者爲虛誑法相續之相菩薩雖沒

BD01871 號 2　維摩詰所說經卷下

（21–17）

於意云何譬如幻師幻作男女寧沒生耶舍利弗言无沒生也汝豈不聞佛
說諸法如幻相乎答曰如是若一切法如幻相者云何問言汝於何沒而來生此
舍利弗沒者為虛誑法壞敗之相生者為虛誑法相續之相菩薩雖沒
不盡善本雖生不長諸惡是時佛告舍利弗有國名妙喜佛号无動
是維摩詰於彼國沒而來生此舍利弗言未曾有也世尊是人乃能捨
清淨土而來樂此多怒害處維摩詰語舍利弗於意云何日光出時與冥
合乎答曰不也日光出時則无眾冥維摩詰言夫日何故行閻浮提
答曰欲以明照為之除冥維摩詰言菩薩如是雖生不淨佛土為化
眾生不與愚闇而共合也但滅眾生煩惱闇耳
是時大眾渴仰欲見妙喜世界无動如來及其菩薩聲聞之眾佛知一切
眾會所念告維摩詰言善男子為此眾會現妙喜國无動如來及諸菩
薩聲聞之眾眾皆欲見於是維摩詰心念吾當不起于座接妙喜國鐵圍
山川溪谷江河大海泉源須彌諸山及日月星宿天龍鬼神梵天等宮并諸
菩薩聲聞之眾城邑聚落男女大小乃至无動如來及菩提樹諸妙蓮華
能於十方作佛事者三道寶階從閻浮提至忉利天以此寶階諸天來下
悉為禮敬无動如來聽受經法閻浮提人亦登其階上昇忉利見彼諸天妙
喜世界成就如是无量功德上至阿迦膩吒天下至水際以右手斷取如陶家輪
入此世界猶持華鬘示一切眾作是念已入於三昧現神通力以其右手斷取妙
喜世界置於此土彼得神通菩薩及聲聞眾并餘天人俱發聲言唯
然世尊誰取我去願見救護无動佛言非我所為是維摩詰神力所作
其餘未得神通者不覺不知己之所往妙喜世界雖入此土而不增減於是
世界亦不迫隘如本无異 尒時釋迦牟尼佛告諸大眾汝等且觀妙
喜世界无動如來其國嚴飾菩薩行淨弟子清白皆曰唯然已見佛言若
菩薩欲得如是清淨佛土當學无動如來所行之道現此妙喜國時娑婆
世界十四那由他人發阿耨多羅三藐三菩提心皆願生於妙喜佛土釋迦牟
尼佛即記之曰當生彼國時妙喜世界於此國土所應饒益其事訖已還復
本處舉眾皆見佛告舍利弗汝見此妙喜世界及无動佛不唯然已見世尊
願使一切眾生得清淨土如无動佛獲神通力如維摩詰世尊我等快得善
利得見是人親近供養其諸眾生若今現在若佛滅後聞此經者亦得善
利況復聞已信解受持讀誦解說如法修行若有手得是經典者便為已
得法寶之藏若有讀誦解釋其義如說修行則為諸佛之所護念其有
供養如是人者當知則為供養於佛其有書持此經卷者當知其室則有
如來若聞是經能隨喜者斯人則為取一切智若能信解此經乃至一四句
偈為他說者當知此人即是受阿耨多羅三藐三菩提記

供養如是人者當知則為供養於佛其有書持此經卷者當知其室則有
如來若聞是經能隨喜者斯人則為取一切智若能信解此經乃至一四句
偈為他說者當知此人即是受阿耨多羅三藐三菩提記
法供養品第十三
尒時釋提桓因於大眾中白佛言世尊我雖從佛及文殊師利聞百千經未
曾聞此不可思議自在神通決定實相經典如我解佛所說義趣若有眾生
聞是經法信解受持讀誦之者必得是法不疑何況如說修行斯人則為閉
諸惡趣開諸善門常為諸佛之所護念降伏外學摧滅魔怨修治菩提
安處道場履踐如來所行之跡世尊若有受持讀誦如說修行
者我當與諸眷屬供養給事所在聚落城邑山林曠野有是經處
我亦與諸眷屬聽受法故共到其所其未信者當令生信其已信者當
為作護佛言善哉善哉天帝如汝所說吾助汝喜此經廣說過去未來
現在諸佛不可思議阿耨多羅三藐三菩提是故天帝若善男子善
女人受持讀誦供養是經者則為供養去來今佛天帝正使三千大
千世界如來滿中譬如甘蔗竹葦稻麻叢林若有善男子善女人或以一劫
或減一劫恭敬尊重讚歎供養奉諸所安至諸佛滅後以一一全身舍利起
七寶塔縱廣一四天下高至梵天表剎莊嚴以一切華香瓔珞幢幡伎樂微妙
第一若一劫若減一劫而供養之於天帝意云何其人植福寧為多不釋提桓
因言多矣世尊彼之福德若以百千億劫說不能盡佛告天帝當知是善
男子善女人聞是不可思議解脫經典信解受持讀誦修行福多於彼所
以者何諸佛菩提皆從是生菩提之相不可限量以是因緣福不可量佛告
天帝過去无量阿僧祇劫時世有佛号曰藥王如來應供正遍知明行足善逝
世間解无上士調御丈夫天人師佛世尊世界曰大莊嚴劫曰莊嚴佛壽二十
小劫其聲聞僧三十六億那由他菩薩僧有十二億天帝是時有轉輪聖
王名曰寶蓋七寶具足王四天下王有千子端政勇健能伏怨敵尒時寶
蓋與其眷屬供養藥王如來施諸所安至滿五劫過五劫已告其千子汝等
亦當如我以深心供養於佛於是千子受父王命供養藥王如來復滿五
劫一切施安其王一子名曰月蓋獨坐思惟寧有供養殊過此者以佛神力空
中有天曰善男子法之供養勝諸供養即問何謂法之供養天曰汝可往問
藥王如來當廣為汝說法之供養即時月蓋王子行詣藥王如來稽首
佛足却住一面白佛言世尊諸供養中法供養勝云何為法供養佛言善男
子法供養者謂諸佛所說深經一切世間難信難受微妙難見清淨无染非
但分別思惟之所能得菩薩法藏所攝陀羅尼印印之至不退轉成就六度
善分別義順菩提法眾經之上入大慈悲離眾魔事及諸邪見

佛足却住一面白佛言世尊諸供養中法供養勝云何為法供養佛言善男
子法供養者謂諸佛所說深經一切世間難信難受微妙難見清淨无染非
但分別思惟之所能得菩薩法藏所攝陀羅尼印印之至不退轉成就六度
善分別義順菩提法衆經之上入大慈悲離衆魔事及諸耶見順因緣法
无我无人无衆生无壽命空无相无作无起能令衆生坐於道場而轉法
輪諸天龍神乾闥婆等所共歎譽能令衆生入佛法藏攝諸賢聖一切智
慧說衆菩薩所行之道依於諸法實相之義明宣无常苦空无我寂滅
之法能救一切毀禁衆生諸魔外道及貪著者能使怖畏諸佛賢聖所
共稱歎背生死苦示涅槃樂十方三世諸佛所說若聞如是等經信解受
持讀誦以方便力為諸衆生分別解說顯示分明守護法故是名法之供
養又於諸法如說脩行隨順十二因緣離諸耶見得无生忍決定无我无有
衆生而於因緣果報无違无諍離諸我所依於義不依語依於智不依識依
了義經不依不了義經依於法不依人隨順法相无所入无所歸无明畢竟
滅故諸行亦畢竟滅乃至生畢竟滅故老死亦畢竟滅作如是觀十二因緣无有
盡相不復起見是名最上法之供養佛告天帝王子月蓋從藥王佛聞如是
法得柔順忍即解寶衣嚴身之具以供養佛白佛言世尊如來滅後我當
行法供養守護正法願以威神加哀建立令我得降魔怨脩菩薩
行佛知其深心所念而記之曰汝於末後守護法城天帝時王子月蓋
見法清淨聞佛授記以信出家脩集善法精進不久得五神通具
菩薩道得陀羅尼无斷辯才於佛滅後以其所得神通總持辯才之力
滿十小劫藥王如來所轉法輪隨而分布月蓋比丘以護持法勤行精
進即於此身化百万億人於阿耨多羅三藐三菩提立不退轉十四那由
他人深發聲聞辟支佛心无量衆生得生天上天帝時王寶蓋豈異人
乎今現得佛号寶焰如來其王千子即賢劫中千佛是也從迦羅鳩
孫馱為始得佛最後如來号曰樓至月蓋比丘則我身是如是天帝當知
此要以法供養於諸供養為上為最第一无比是故天帝當以法之
供養供養於佛

囑累品第十四

於是佛告弥勒菩薩言弥勒我今以是无量億阿僧祇劫所集阿耨
多羅三藐三菩提法付囑於汝如是輩經於佛滅後末世之中汝等當以
神力廣宣流布於閻浮提无令斷絕所以者何未來世中當有善男子
善女人及天龍鬼神乾闥婆羅剎等發阿耨多羅三藐三菩提心樂于大
法若使不聞如是等經則失善利如此輩人聞是等經必多信樂發希
有心當以頂受隨諸衆生所應得利而為廣說弥勒當知菩薩有二相

BD01871 號 2　維摩詰所說經卷下　（21–20）

善女人及天龍鬼神乾闥婆羅剎等發阿耨多羅三藐三菩提心樂于大
法若使不聞如是等經則失善利如此輩人聞是等經必多信樂發希
有心當以頂受隨諸衆生所應得利而為廣說弥勒當知菩薩有二相
何謂為二一者好於雜句文飾之事二者不畏深義如實能入若好雜
句文飾事者當知是為新學菩薩若於如是无染无著甚深經典无
有恐畏能入其中聞已心淨受持讀誦如說脩行當知是為久脩道行弥
勒復有二法名新學者不能決定於甚深法何等為二一者所未聞深經聞之
驚怖生疑不能隨順毀謗不信而作是言我初不聞從何所來二者若有
護持解說如是深經者不肯親近供養恭敬或時於中說其過惡有此二
法當知是新學菩薩為自毀傷不能於深法中調伏其心弥勒復有二法
菩薩雖信解深法猶自毀傷而不能得无生法忍何等為二一者輕慢新學
菩薩而不教誨二者雖解深法而取相分別是為二法弥勒菩薩聞說是
已白佛言世尊未曾有也如佛所說我當遠離如斯之惡奉持如來无數
阿僧祇劫所集阿耨多羅三藐三菩提法若未來世善男子善女人求
大乘者當令手得如是等經與其念力使受持讀誦為他廣說世尊
若後末世有能受持讀誦為他說者當知是弥勒神力之所建立佛言
善哉善哉弥勒如汝所說佛助令喜於是一切菩薩合掌白佛我等亦
於如來滅後十方國土廣宣流布阿耨多羅三藐三菩提復當開道諸
說法者令得是經　尒時四天王白佛言世尊在在處處城邑聚落山林
曠野有是經卷讀誦解說者我當率諸官屬為聽法故往詣其所擁
護其人面百由旬令无伺求得其便者是時佛告阿難受持是經廣宣
流布阿難言唯我已受持要者世尊當何名斯經佛告阿難是經名為維
摩詰所說亦名不可思議解脫法門如是受持佛說是經已長者維摩詰
文殊師利舍利弗阿難等及諸天人阿脩羅一切大衆聞佛所說皆大歡
喜

維摩詰所說經卷下

BD01871 號 2　維摩詰所說經卷下　（21–21）

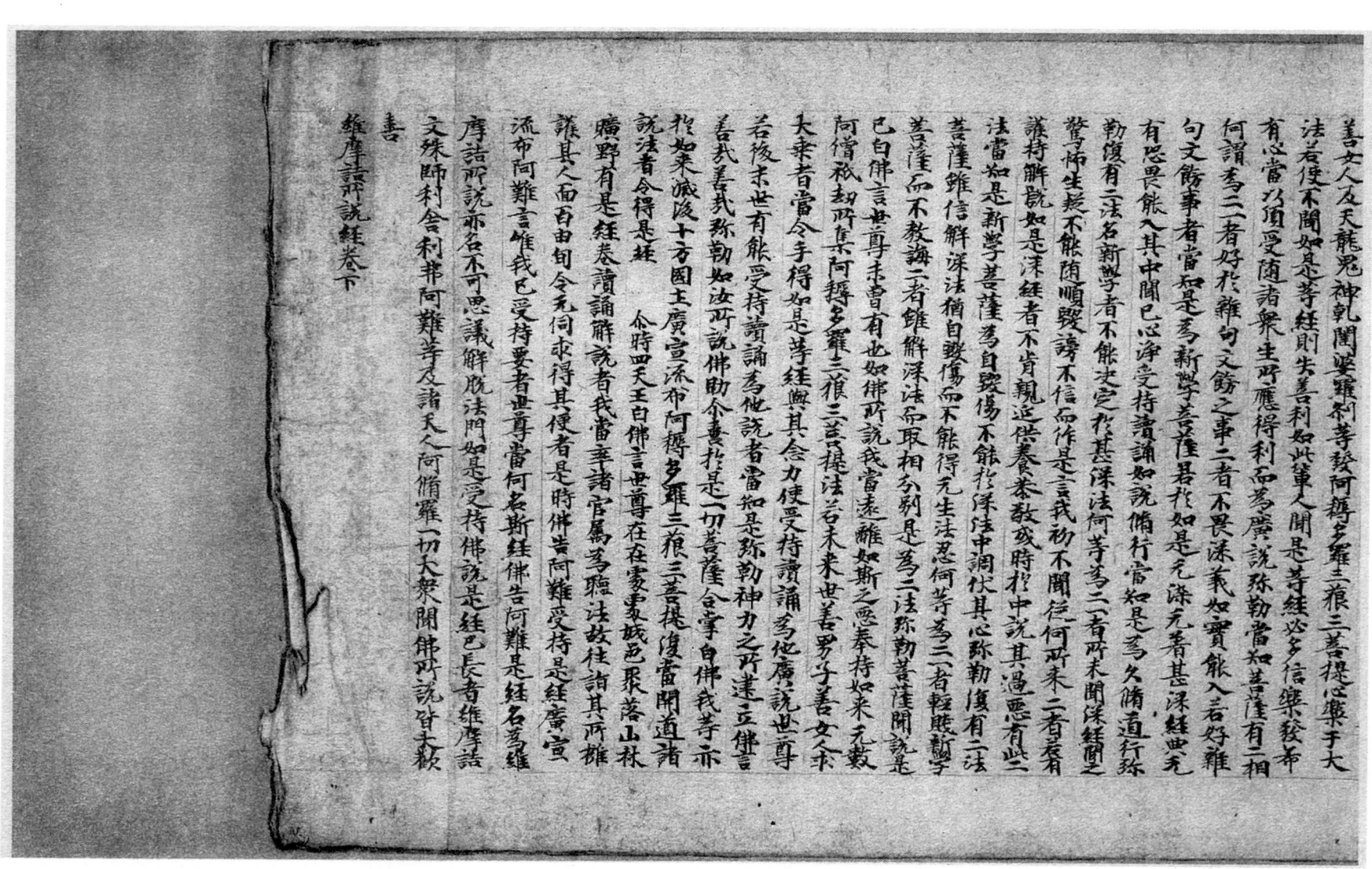

佛說救苦滅罪經

BD01871 號背　雜寫　　（1–1）

過

[illegible]於上定之故示隱身於林息亂於定此

時維摩詰來謂我言唯舍利弗不必是坐為宴坐也

諸下引可證事文三物對結也此初總可不必此坐為真坐也

本寂滅體此安住、此宴坐豈同二乘厭亂忻定而為

宴坐者不於三界現身意是為宴坐　此二天宴坐下別

神不寂失夫三界住空未曾不寂身心如幻何時不空豈

猶有世報生身及世報意根故人間為煩擾而宴

故能斯可　不起滅定而現諸威儀是為宴坐　三二可寂

心名為滅定故寂而無用也菩薩體心住常寂滅名滅盡

小乘人入滅盡定則形猶枯木無運用之能大士入實相定心

八極有感而作應會無方舉動進止不捨威儀其為宴也

不捨道法而現凡夫事是為宴坐　三訶真俗異緣失仁王

諦平等道此直以道法從俗故凡夫事肇曰小乘障隔生死故

大士美兩齊旨道俗一觀故終日凡夫終日道法也淨名之有

事也　心不住內亦不在外是為宴坐　四訶心住內外失心生則

不則內外相滅此无住為住也　肇曰身為幻宅曷為住內万物

在外小乘防念故繫心於內凡夫多求故馳想於外大士齊

寄也　於諸見不動而修行三十七品是為宴坐　五訶乘中起

妄見也夫以見為見者要動捨諸見以修道品大士

見性即是道品故不近捨妄見而遠修道品也如小乘觀身不

名見動大士觀身性空非垢非淨名為不動念處既不餘品

BD01872號　淨名經集解關中疏卷上

（30–1）

[illegible]
爭也心不依內亦不在外此為宴坐 四訶心住內外失心生因
[illegible]目內外相滅此無住為住也 肇曰身為幻宅曷為住內万物
在外小乘防念故繫心於內凡夫多求故馳想於外大士齊
寄也 於諸見不動而修行三十七品是為宴坐 五訶乖中起
妄見也夫以見為見者要動捨諸見以修道品大士
[illegible]性即是道品故不近捨妄見而求修道品也如小乘觀身本
名見動大士觀身性空非垢非淨名為不動念處既尒餘品
斷煩惱而入涅槃是為宴坐 六訶深淨未[illegible] 肇曰比平等[illegible]
有生名為煩惱真性即是涅槃更無別斷者斷煩惱即是入涅槃
而後入也 若能如是坐者佛所印可 此二結也 肇曰比平等法
[illegible]可宣若仁者有[illegible] 時我世尊聞是語已嘿然而止
報[illegible] [illegible]也 肇曰理出意外莫知所對
又二此初命也 回權此二森
樹下之曰以名也 肇曰弟子
能不同舍利弗自可不能餘何必
維摩詰之義
言世尊我不堪任詣彼問疾 二辭也文四如前此初也
憶念我昔入毗耶離大城於里巷中為諸居士說法 此二不堪
[illegible]山說小乘無常等法也 肇曰當是說有為善法施戒之流也
時維摩詰來謂我言唯大目揵連為白衣居士說法不當如仁者所說
此三辯所擇事文三初呵說不真後呵無此初揔呵不當此順方言應云
仁者所說不當法唯一寂滅一非真故云不當 夫說法者當如法說
此示真也文二初理本無說二示說之中文三標釋結也此初標也
肇曰法說一相真實法 無衆生離衆生垢故 二釋法此初約無
我明實相義 肇曰此下辯真法義也夫存衆生則垢真法若悟法無衆
生則真垢自離又解此明法性本無衆生不同二乘斷衆生相也下三句
類然 法無有我離我垢故 生曰我者自在主宰 法無壽命離生
死故 肇曰生死命之始終耳既離則壽命斯無諸言離者皆空之別
名也 法無有人前後際斷故 肇曰夫生万物以人為貴始終不改謂
之人故外道以人名神謂始終不變若法前後斷則新新不同新新不同則
無不變之者無不變之者則無復人矣 法常寂然滅諸相故 此下約
法空辯實相義也法性常寂無生滅相也不同小乘妄執有為有生異滅

法空之辯實相義也法性常寂無生滅相也不同小乘妄執有爲有生異滅
相　法離於相無所緣故　肇曰緣心緣也相心之影響可夫有緣故有
相無緣故無相　法無名字言語斷故　名生於相相空則名亡肇曰
名生於言言斷誰名　法無有說離覺觀故　執名相說從覺觀生
假名相說覺觀自離肇曰覺觀麁心言語之本真法無相故覺觀自
離　法無形相如虛空故　肇曰万法形万形万相解曰此明一法万形無
定形故無形亦一體多相無定相故無相　法無戲論畢竟空故
肇曰真境無言凡有言論皆是虛戲妙絕言境畢竟空也　法無有我
所離我所故　肇曰上直明無我此明無我所自我之外一切諸法我名
我所　法無分別離諸識故　妄法有相故識有分別真法無相故
智無分別肇曰分別生於識　法無有比無相待故　此下約絕待辯實
相義肇曰諸法相待生猶長短比而形　法不屬因不在緣故
妄法有生故屬因緣真法無生故不屬因緣肇曰前後相生因也
現相助成緣也諸法無因緣相假然後成立若觀法在緣則法不屬因也
法同法性入諸法故　隨事則相殊悟理則同性肇曰諸法殊相誰能
遍入諸法者其唯法性乎　法隨於如無所隨故　肇曰法自無法誰
隨如者以無所隨故名隨如也　法住實際諸邊不動故　肇曰有邊
故有動無邊何所動無邊之邊謂之實際此真法之所住也
法無動搖不依六塵故　肇曰情依六塵故有奔逸之動法本無依
故無動搖　法無去來常不住故　肇曰法若常住則從未
來到現在從現在到過去法逕三世則有去來也以法不常住
故法無去來也　法順空隨無相應無作　法離好醜　法無增損　法
無生滅　法無所歸　肇曰同三空之解實相性離故不遷三脫性無本
別故離好醜增損生滅等之即體自直故無別歸趣　法過眼耳鼻
舌身心　法無高下　肇曰超出常非六情之所及法性平等故无高下
法常住不動　肇曰真法常定賢聖不能移　法離一切觀行
肇曰法本無相非觀行之所見見之者其唯無觀乎　唯大目連
法相如是豈可說乎　此三結也　肇曰心觀不能及豈况於言乎
夫說法者無說無示其聽法者無聞無得　此下第二示說方軌文三
初安住無說次爲物故說初文有法喻結能說如幻故無說無示聽者
如幻故無聞無得　肇曰無說豈曰不言謂能無其所說無聞豈曰不
聽謂能無其所聞故終日聞而未嘗聞也示謂說法示人得謂聞法所得
譬如幻士爲幻人說法　喻也　當建是意而爲說法　結也　當了衆
生根有利鈍[illegible]

BD01872 號　淨名經集解關中疏卷上

無生滅……
無生滅 法無所歸 肇曰……相十離故不違 三 ……脫性無今
別故離好醜 好醜積生滅 ……而體自直 故無別歸趣 法過眼耳鼻
舌身心 法無高下 肇曰超出常境 非六情之所及 法性平等 故无高下
法常住不動 肇曰真法常定 賢聖不能移 法離一切觀行
肇曰法本無相 非觀行之所見 見之者其唯無觀乎 唯大目連
法相如是 豈可說乎 此三結也 肇曰心觀不能及 豈況於言乎
夫說法者 無說無示 其聽法者 無聞無得 此下第二示說方軌 文二
初安住無說 以為物故 說初文有法喻結 結能說如幻故 無說無示 聽者
如幻故 無聞無得 肇曰無說豈曰不言 謂能無其所說 無聞豈曰不
聽 謂能無其所聞 故終日聞而未嘗聞也 示說法示人得 謂聞法所得
譬如幻士為幻人說法 喻也 當建是意而謂說法 結也 當了衆
生根有利鈍 此第二謂為物故 說無名相中假名相說 文二 此初了
根利鈍 隨病而化 善於知見 無所罣礙 二了法無相而隨物說相也
肇曰說有不辯空之者 由其於諸法無閡知見未盡善也 無閡知見
相□也 以大悲心讚于大乘 念報佛恩 不斷三寶 然後說法 三結說益
也 肇曰夫大悲所以建大乘 大乘所以篤佛恩 報三寶所以隆 皆由明了
人根善閑實相 而日通偏閑斯事 故以誡之 維摩詰說是法時 八百
居士發阿耨多羅三藐三菩提心 三聞可得益 我無此辯 是故不
任詣彼問疾 第四結成不堪 佛告大迦葉 汝行詣維摩詰問
疾 文二 同上 此初命也 迦葉此云龜氏 亦曰飲光 皆取其明義
肇曰迦葉弟子中頭陀苦行第一 出婆羅門種 姓迦葉也 迦葉
白佛言 世尊 我不堪任詣彼問疾 此下奉辭 文四 此初也 辭
所以者何 憶念我昔於貧里而行乞 二略明所以也 詣貧二意 一小欲故
二大悲故 亦以迦葉於弟子中此二最勝 故可也 生曰大迦葉少欲行
頭陀中第一也 得滅盡三昧 亦最勝 凡得滅盡定者 能為人作現世
福田也 其以自業能使人得現法寶 而貧有交切之苦 故以大悲心欲
拔之也 乞食是其頭陀之業 又至貧里 有會少欲之迹 時維摩詰
來謂我言 唯大迦葉 有慈悲心而不能普 捨豪富從貧乞 此下弟子居
引彈事 文三 初訶悲心不普 二訶頭陀不直 三指伏 此初也 迦葉曰 若生悲故 不普
普了生如幻 若無一切等 起大悲而無緣念 故能普也 迦葉 住平等法
應次行乞食 此二訶頭陀不直 頭陀明心不顛倒 ……

(30–4)

BD01872 號　淨名經集解關中疏卷上

扶之也乞食是其頭陀之業又至多貝里有會少欲之迹 [時維摩詰

來謂我言大迦葉有慈悲心而不能普捨豪富從貧乞此下弟子居

引禪事文三初明悲心不普二明頭陀不真三[illegible]伏此初也迦葉曰若生悲故不普

并了生如幻苦樂一如平等起大悲無緣念故能普也 [迦葉住平等法

應次行乞食此二[illegible]真頭陀明小乘頭陀不真頭陀此云什藪小

亦什藪其心不著者[illegible]藥四事名為頭陀大乘頭陀什藪其心一

切不著生死不住涅槃生滅諸淨等處[illegible]善住意天子經明於中文五一欲

乞乞食法二入聚落淨法三示正法食四結成法食五序二示也此初四段

捨乞食心若為飲食之惠資長法身名真頭陀若為愛養食世報而乞食者非

什藪也住平等者為求平等法身而乞食者應觀無相貪富大恣業行乞

不應取貧富相壞平直什藪也 [為不食故應行乞食 法身不食肇曰

不食即涅槃法涅槃無生死生實者飢渴之患其道平等當為別應以

此平等心而行乞食使因果不殊也 [為壞和合相故應摶取食 壞蘊

和合[illegible]蘊曰五陰[illegible]摶食俱和合相耳壞五陰名為涅槃應以此心而取

摶食也若不[illegible]則[illegible]食終日無壞也 [為不食故應受彼食

心而受彼食[illegible]若然 [illegible]受乃是受也 以空聚相入於聚落

法身不[illegible] [illegible]也 肇曰 涅槃法也夫為涅槃而行乞者應以无受

此二入聚落淨法 既為[illegible]法[illegible]不受毒身而乞食者聚落六塵頓傷正

觀入聚乞食何以[illegible]全故示聚落無相真空[illegible]文三初觀外聚次觀

內根三結真頭陀此初也肇曰空聚亦涅槃相也凡入聚落宜存此想若

然則終日聚落終日空聚也 [所見色與盲等 此二觀內根頭陀也見

色如盲者 肇曰二乘惡厭生死怖畏六塵故誡以等觀也盲謂不見美

惡之異非謂閉目也 [所聞聲與響等 聲如幻也肇曰未有因谷響

而穀音發者也 所嗅香與風等 香如幻也肇曰香嗅因風[illegible]無香嗅也

所食味不分別 味如幻也 什曰法無定性由分別取相謂之為味若不分別

時則非味也雖食當如本相也 [受諸觸如智證 觸如幻也肇曰得盡

智無生智自證成道[illegible]身受軟快樂而不生著身受諸觸宜若此也

智諸法如幻相 法无定相隨心而變故云如幻也 無自性無他性本自

不然今則無滅 三結真頭陀若能知此六塵無自無他不然不滅名真

頭陀也 肇曰諸法如幻從因緣生豈自他之可得也 迦葉若能不捨八邪

入八解脫 什曰此不[illegible]

相諸法如幻相　法无定相隨心而變故云如幻也　無自性無他性本自
不然今則無滅　二結真其顯陀若能知此六塵無自無他不然不滅名真
顯陀也　肇曰諸法如幻從因緣生豈自他之可得也　迦葉若能不捨八邪
入八解脫　此下三示正法食既得食己應思得悅法喜食也文二初示法
食後令施食此初也小乘捨八邪入八解脫爲禪悅大乘不捨而入也肇曰
八邪八解本性常一善觀八邪即入八解豈爲捨邪更求解乎若能如是
者名入解也　以邪相入正法　此正法喜食也小乘捨邪相入無相大乘相
無相不二　肇曰正邪本性常一者則邪正相入不乘其相也　以一食施一切供養
諸佛及衆賢聖然後可食　此明悲施　肇曰因前以無礙施法也若能等邪正
又能以一食等心施一切然後自食者得法身則能實充足之一切如復一所敬也
如是食者非有煩惱非離煩惱非入定意非起定意非住世間非住涅槃
四明法食已得法身食文五此先明受施　肇曰有煩惱食凡夫也離煩惱食二
乘也若能如上平等而食者則是法身之食非有煩惱而食非離煩惱而食
也定亂一如世出世等平等法喜滿賢法可也　其有施者無大福無小福
不爲益不爲損　二就施益　肇曰若能等心受食則有等教既有等教則
施主同獲平等不計福之大小也之損益也　是爲正入佛道不依聲聞
迦葉若如是食爲不空食人之施也　此五結序也　肇曰平等法食自利利
利人故正入佛道不依聲聞又名真其施福故不空施福也　時我世尊聞
說是語得未曾有即於一切菩薩深起敬心　此三稱嘆始知菩薩頭陀
行勝也復作是念斯有家名辯才智慧乃能如是其誰不發阿耨多羅三
藐三菩提心　肇曰維摩詰在家大士智辯若此其誰不發無上心
我從是來不復勸人以聲聞辟支佛行　肇曰始知大乘之勝不復以勸
人也　是故不任詣彼問疾　四結不堪也　佛告須菩提汝行詣維摩
詰問疾　時　肇曰秦言善吉弟子中解空第一文二此初命也
須菩提白佛言世尊我不堪任詣彼問疾　二辭文四此初辭也　所以者何憶
念我昔入其舍從乞食　二明辭所以生曰須菩提得無諍三昧人中第一也
維摩詰我鉢[illegible]　時有敢聞其[illegible]而須菩提既有此定又獨能詣之迹入慚
空夫使有情[illegible]　迹而致詰者豈不有爲然乎文者善吉詣貪之無物施心則
有諍今既詣[illegible]施不[illegible]行也　時維摩詰取我鉢盛滿飯
此三[illegible]文五一[illegible]二詞[illegible]四安[illegible]五聞益此初也生曰維摩詰

BD01872 號　淨名經集解關中疏卷上

（30–6）

維摩詰撰輯雖[illegible]對有叙闕其門者勸須菩提既有此受又稱能諸之迹入悟
空矣使有悟之迹而致詰者豈不有為然乎文右善吉諸貧之無物施心則
有諍今既詣富舍施不難故順無諍行也　時維摩詰取我鉢盛滿飯
此三[illegible]引禪事文五　一取鉢　二詞詰　三[illegible]鉢　四要[illegible]　五聞益　此初也　生曰維摩結
迹在居士有法惜之嫌若手與食便話之者物或謂之慳[illegible]故先取鉢盛滿飯
也而不授之者欲須菩提得鉢便去不盡言論勢也　謂我言唯須菩提若能
於食等者諸法亦等諸法等者於食亦等如是行乞乃可取食　此下二明呵
詰善吉入四禪定不許物心名為無諍大士入實相定万法平等名為無諍又
善吉捨有觀空名為解空大士有空平等名為解空任此平等名真福
田乃可取食文中有四　一法食等　二淨淨等　三邪正等　四損益等　此初也　小乘内心
見生死涅槃其異不等於外行乞食見於貧富亦不等也　大士内任實相若
樂平等於外化無緣大悲亦平等也　肇曰万法同相推一可知若於食等者諸
法亦等諸法等者於食亦等以此行乞乃可取食可者為捨貧從富自生異
想也　若須菩提不斷婬怒癡亦不與俱　此下二明淨淨等文二　初明無生
四諦開二　就聖凡開三　結成可食　初又四句　此初了感無生為集諦　肇曰斷婬
怒癡聲聞也婬怒癡俱凡夫也大士觀婬怒癡即是涅槃故不斷不與俱若能如是
者乃可取食也　不壞於身而隨一相　二悟陰無相為苦諦也　肇曰万物齊
旨是非同觀一相也然則身即一相豈待壞身滅體然後謂之一相乎身五
陰身也　不滅癡愛起於明脫　三識偏即無漏為道諦也　肇曰聲聞
以癡暗故滅[illegible]起明斷愛染心故愛解而脫大士觀癡愛真相即
是明脫故不滅癡愛而起明脫　以五逆相而得解脫亦不解不縛
四縛本不生今則無滅為滅諦也　肇曰五逆真相即是解脫豈有縛
脫之異耶五逆罪之尤者解脫道之勝者若能即五逆相而得解脫者
乃可取人之食　不見四諦非不見諦非得果非不得果非凡夫非離
凡夫法非聖人非不聖人　此下二就人凡聖開也　凡夫不見四諦初果
見諦大士無見無不見之弟一義諦也二乘有證有得故得果大士
无所得故非得果也此明凡聖一如豈有名別哉　雖成就一切法而離
諸法相乃可取食　此三結真福田可食也　肇曰不捨惡法而從善則
切諸法[illegible]不成諸法雖成而離其相則離其相矣惡斯成矣若能[illegible]
如上[illegible]可取食　若須菩提不見佛不聞法　此下三明邪正等文三

BD01872號　淨名經集解關中疏卷上　（30–7）

无所得故非得果也此則凡聖一如豈有名号[illegible]
諸法相乃可取食 此三結真福田可食也 肇曰不捨惡法而從善則
切諸法[illegible]不成諸法[illegible]而離其相 離其相美惡斯成矣若能俗
如上説乃可取食 若須菩提不見佛不聞法 此下三明邪正等文三
初物明背正從邪明同邪後結合取食此初也 肇曰猶諭以平等也夫殺
能齊是非一好醜者雖後上同如來不以為尊下等六師不以為卑何則
天地一旨萬物一觀邪正雖殊其性不二豈有如來獨尊而六師獨卑若同
彼六師不是見佛不聞法因其出家隨其所墮而不以為異者乃可取食
也盡窮理盡性極無方之説善惡反論而不為其常邪正同辯而不乖其
真斯可謂平等正化莫二之道乎夫台意云已前證真故可食此欲
田也此下為同惡故食即悲田也 彼外道六師富蘭那迦葉 此下明
同六師 肇曰姓迦葉字富蘭那其人起邪見謂一切法斷滅性空无
君臣父子忠孝之道 末伽梨拘賒梨子 肇曰末伽梨字也拘賒梨其母
名也其人起邪見謂衆生苦樂不因行自然耳 刪闍夜毗羅胝子
肇曰刪闍夜字也毗羅胝其母名也其人謂道不須求經生死劫數苦
盡自得如轉縷丸於高山縷盡自止何假求也 阿耆多翅舍欽婆羅
肇曰阿耆多翅舍字也欽婆羅麁衣名也其人著弊衣自拔髮五熱炙身
以苦行為道謂今身併受苦後身常樂也 迦羅鳩馱迦旃延 肇曰姓迦
旃延字迦羅鳩馱其人謂諸法亦有相亦無相也 尼犍陀若提子等是
汝之師 肇曰尼犍陀子其出家總名也如佛法出家名沙門若提母名也
其人謂罪福苦樂本有定因要當必受非行道所能斷也此六師佛未
出世時皆道王天下也 因其出家彼師所墮汝亦隨墮乃可取食
此三結取食也 肇曰若能同彼六師不揀異相者乃可取食 若須菩提
入諸邪見不到彼岸 此下四明損益等也文三初明損益等次明福業齊穢
後明罪非損此初也 肇曰彼岸實相岸也惑者以邪見為邪
彼岸為正故捨此邪見適彼彼岸耳邪見彼岸本性不殊曷為捨邪而
適彼岸乎是以入諸邪見不到彼岸者乃可取食也 自五六師已下至手不得
滅度類生逆談以成大順 通心君子有以標其玄旨而遺其所以是也
住於八難不得無難 肇曰夫見難為難必捨難而求無難也若能不難
為難故能住於難不以無難為無難故不得於無難也 同於煩惱離清

適彼岸乎是以入諸邪見不到彼岸者乃可取食也自五六師己天堂乎不得
滅度類生逆談以戒大順鹿通心甚者以標其玄旨而遺其所以是也
任於八難不得無難　肇曰夫見難為難必捨難而求無難也若能不難
為難故能任於難不以無難為無難故不得於無難也　同於煩惱離清
淨法　肇曰夫能悟惱非惱雖惱而淨若以淨為淨雖淨而惱是以同惱
而離淨者乃所以常淨也　汝得無諍三昧一切眾生亦得是定
此下明福非福性法性妙禪定亂一旨善吉群生不容有二如不二之則罪福
無主雖福非福執隨故經云非福田非不福田非應供養非不應供養肇曰
善吉之與群生性常自一豈為善吉獨得而群生不得乎此明本不偏也
其施汝者不名福田　肇曰我受彼食施令彼獲大福故名福田耳由大觀之
彼我不異誰為種者誰為田者　供養汝者墮三惡道　肇曰五逆之指
供養之益大觀正齊未覺其異若五逆而可墮供養亦可墮也
為與眾魔共一手作諸勞侶　汝與眾魔及諸塵勞等無有異於一切眾
生而有怨心謗諸佛毀於法不　肇曰此下三明罪非積性魔王者誘人入
生死也法王者化人住涅槃也在生死涅槃性平等者魔佛二化同一手也既
曰為同等無異者肇曰既為其侶安得有異又曰大以無異故能成其異也
肇曰怨親之心毀譽之意善惡一致孰云其異善吉曰不異亦何為同
不入眾數終不得滅度汝若如是乃可取食　夫見聖諦者入聖眾數斷煩
惱者得至滅度實相之會見無不見故不入眾數滅無得無不得故不得滅
度若能如是任真平等與是應供乃可取食肇曰夫捨愚從善人之常情
耳然是非經心猶未免於累是以等觀者以存善為患故捨善以求宗以
捨惡為累故即惡而求宗以惡則即惡有忘累之功捨善有無染之勳
故習同善求為得同惡求為失淨名言意似在此也　時我世尊聞此茫
不識是何言不知所答便置鉢欲出其舍　此第三置鉢也天台云進非
其敬退非其悲故置之也肇曰淨名言逆而理順善吉似未思其言故不識
身何便置鉢而出也　維摩詰言唯須菩提取鉢勿懼於意云何如
來所作化人若以是事詰寧有懼不　此下四淨名安慰文三初慰問次
答後釋此初也肇曰淨名欲令善吉終平等之道无心以聽美惡斯
順而善吉本不思其言未其所詣故復引喻以明之也　我言不也　此二答也
維摩詰言一切諸法如幻化相汝今不應有所懼也　此三釋也文三初標次釋

答後釋此初也　肇曰淨名欲令善吉知平等之道无心以聽美其所斷
順而善吉本不思其言迷其所說故復引喻以明也我言不也　此二答也
維摩詰言一切諸法如幻化相汝今不應有所懼也　此三釋也文三初標次釋
後重釋也　肇曰居於弟子中解空第一既知化之无心亦知法之如化以人
此聽㝵為不懼也　所以者何一切言說不離是相　此二釋也　肇曰是相
即幻化相也　言說如化聽亦如化以化聽化豈容有懼　至於智者不著
文字故无所懼　肇曰夫文字之作生於惑取法无可取則文相自離
虛妄假名智者不著　何以故文字性離无有文字是則解脫
脫相者則諸法也　此三重釋也　肇曰解脫智无其解脫也夫名生於不足則无名發无
有文字是真解脫則諸法也　肇曰名生於法法生於名既解脫故諸法同解也　維摩
詰說是法時二百天子得法眼淨　此五得益也　故我不任詣彼問疾　四結不堪也
佛告富樓那彌多羅尼子汝行詣維摩詰問疾　文二此初命也　肇曰富樓那字也秦
言滿願彌多羅尼其母名也秦言善知識通名為字弟子辯才第一　此二辭文四初也
所以者何憶念我昔於大林中在一樹下為諸新學比丘說法　二略釋也　時維摩詰來謂我
言唯富樓那先當入定觀此人心然後說法无以穢食置於寶器　三廣引彈事前呵早速
說不稱理　此滿願不識根文七　一說法失機　二結過訶責　三令識宿命　四示志開發　五重為說
法　六得不退轉　七寄者稱　初文四別此初勸觀心
肇曰夫乘自法身已上得无礙真心心智寂然未常不定以心常定故能萬事普照不假推求
然後知也小乘有限礙之不能常定凡所觀察在定則見出定不見聲聞定力深者見衆
生根極八万劫耳定力淺者身數而已大士所見見及无窮此新學比丘根在大乘應聞大道而
為說小乘法故誨其入定也　又曰穢食充飢小乘法感无上寶大乘器也　當如是比丘心之所
念无以瑠璃同彼水精　二勸觀心念雖生滅而性無生滅此真寶也說生滅者為穢也　肇曰當
識其心念之根本无令真為不辯也　汝不能知衆生根源无得發起以小乘法彼自无瘡勿
傷之也　三大乘信根本无瘡小乘信名為傷也　肇曰彼大乘之體自无瘡疣以小乘之
判損傷之也　欲行大道莫示小徑无以大海內於牛跡無以日光等彼螢火　四物喻也
肇曰大物當置大處曷為迴龍烏於牛跡手日光者　肇曰明珠之殊其喻若
此而欲等之者何耶有說大道法性喻法身也　大海喻庶納喻般若也　日光破闇喻解脫
也　富樓那此比丘久發大乘心中忘此意如何以小乘法而教導之我觀小乘智慧微淺猶如盲

肇曰大物當〻大處曷為迴龍象於牛跡乎日光者 肇曰明睽之殊其喻若
此而欲等之者何耶有說大道之法住喻法身也 大海喻於納喻般若也 日光破闇喻解脫
也 富樓那此比丘久發大乘心中忘此意如何以小乘法而教道之我觀小乘智慧微淺猶如盲
人不能分別一切衆生根之利鈍 此二富樓那下結過訶責也 肇曰未得无生忘心皆有退忘
時維摩詰即入三昧令此比丘自識宿命曾於五百佛所殖衆德本迴向阿耨多羅三藐
三菩提 此二令識宿命 肇曰淨名將開其本意故以定力令諸比丘暫識宿命自知曾
於五百佛所殖衆德本曾已迴此功德向无上道此其本意 即時豁然還得本心於
是諸比丘稽首禮維摩詰足 此四大衆開發悟得本心 時維摩詰因為說法 此五定
為說法 肇曰坐方欲令自憶本因說法 於阿耨多羅三藐三菩提不復退轉
此下六聞法悟理於无上道復不退也 我念聲聞不觀人根不應說法 此七自念敘伏也
是故不任詣彼問疾 此四結也 佛告摩訶迦旃延汝行詣維摩詰問疾 肇曰迦旃延南
天竺婆羅門姓也以本姓為名弟子中解義第一有說迦旃延此云文飾也 又云剃髮種也
迦旃延白佛言世尊我不堪任詣彼問疾 此二辭 文四此初辭也 所以者何憶念昔者佛為
諸比丘略說法要 此二敘釋 文三初佛先略說 肇曰如來常略說有為法无常苦空无我无為
法寂滅不動此二言總一切法盡故言略也 生曰為悟時律若出西戶也 我即於後敷演
其義謂无常義苦義空義无我義寂滅義 三迦旃延廣演義之者義理小乘以无常等
五為理大乘以一實相為理由悟此理證道非餘故云要也 肇曰如來言說未嘗有心故其所
說法未嘗有相迦旃延不諭玄旨故於入室之後以相說也何則如來去常故說无常非謂是
无常去樂故言苦去實故言空去我故言无我非謂是无我者相
故言寂滅非謂是寂滅此五者可謂无言之教无相之談而迦旃延造極不同聽隨心異
聞无常則取其流動至聞寂滅亦取其滅相此言同旨異迦旃延所以致惑也 生曰存旨而不
在辭故曰演其義也 時維摩詰來謂我言迦旃延无以生滅心行說實相法 此三彈訶
彈事文三初總呵次示其後得益此初也見法生滅小乘義也悟生滅本不生滅實相義
肇曰心者何也惑相所生行者何也造用之名夫有形必有影有相必有心无形故影无相
故无心然則心隨事轉行因用起見法生滅故心有生滅悟法无生則心无生滅迦旃延聞无常義
謂法有生滅之相法有生滅之相故影響其心同於生滅也夫實相幽深妙絕常境非有心之
所知非辯者之能言如何以生滅心行而欲說乎 迦旃延諸法畢竟不生不滅是无常義
此二示真實相義也 此下五義破執各殊而實相之理一也 肇曰小乘觀法生滅為无常義大
乘以不生不滅為无常義无常名同而幽致超絕 生曰大言无常者據事滅驗之也終而

謂法有生滅之相法有生滅之相故習其心同於生滅也夫實相幽深妙絕常境非有心之
所知非辯者之能言如何以生滅心行而欲說乎 迦旃延諸法畢竟不生不滅是无常義
此二示其實相義也此下五義破執各殊而實相之理一也 肇曰小乘觀法生滅為无常義大
乘以不生不滅為无常義无常名同而幽致超絕 生曰夫言无常者據事滅驗之也終而
有滅始无然乎始若果然則生非定矣生不定生滅孰定哉 五受陰洞達空无所起是苦
義 肇曰有漏五陰愛染生死名受陰也小乘以受陰起則眾苦生為苦義大乘通達受
陰內外常空本自无起雖生苦者此真苦義大經云凡夫有苦无諦二乘有苦有諦菩薩
解苦无苦而有真諦餘義例此可見 諸法究竟无所有是空義 肇曰小乘觀法
緣起內无真主為空義雖能觀空而於空未能都泯故究竟大乘在有不有在空不空
理无不極所以究竟義也 於我无我而不二是无我義 肇曰小乘以封我為累故尊於无
我无我既尊則我為二大乘是非齊旨不二者殊為无我義也又曰諸義例此亦同不二為實相
法本不然今則无滅是寂滅義 肇曰小乘以三界熾然故滅之以求无為夫熾然既形故滅名以生
大乘觀法本自不然今何所滅不然不滅乃真寂滅 說是法時彼諸比丘心得解脫○此三得益
也 故我不任詣彼問疾 ○四結也 佛告阿那律汝行詣維摩詰問疾 ○肇曰阿那律秦
如意剎利種姓也弟子中天眼第一又云无滅一燈施佛九十劫來善根不滅今得天眼第一又常
受如意樂故生剎利種乃至得道 阿那律白佛言世尊我不堪任詣彼問疾 ○二辭也文四此初
也 所以者何憶念我昔於一處經行時有梵王名曰嚴淨與万梵俱放淨光明來詣我所稽
首作禮問我言幾何阿那律天眼所見 ○二略釋文二此初梵王問也阿那律修證天眼梵王業
報天眼欲比其優劣故致問也 我即答言仁者吾見此釋迦牟尼佛土三千大千世界如
觀掌中菴摩勒菓 ○二阿那律答也 肇曰時手執此菓故即以為喻也 時維摩詰來謂我
言唯阿那律天眼所見為作相耶无作相耶 ○此下三廣引文五一難嫌 二受屈 三聞其 四申
述 五發心 ○初文二先雙定後雙難 ○此初雙定也梁本云為受相耶无受相耶此雖意云天眼
所見為取相耶為不取相耶小乘依俗禪得天眼故取相見大乘依實相定得天眼故見而不取
相也 肇曰三界報身六情諸根從結業起名為有作相也法身出三界六情諸根不由結業
生名為无作相夫以有作故有所不作以法身无作故无所不作 假使作相則與外道五通等
○此難也二乘依四禪得五通與外道等也 肇曰外道修俗禪得五通然不能出凡夫見聞
之境也此有作相也欲等之乎 若无作相即是无為不應有見 ○二若菩薩實相三昧得真天
眼所見十方皆是无為不應有別之見 肇曰若无作相即是法身无為之相豈容見
聞近遠之言天台云二乘依四禪得五通則與外道等若觀四諦斷惑釋滅无為雖異外道

……淨也山相作相也欲……
……若无作相即是无為不應有見 ○若菩薩得相三昧得真天
眼所見十方皆是无為不應有分別之見 肇曰若无作相即是法身无為之相豈容見
聞近遠之言天台云二乘四禪得五通則与外道等若觀四諦斷惑釋滅无為雖異外道
則无見有 世尊我時默然 ○三受屈 肇曰欲言作相則同外道欲言无作則違前見意
故不知所荅也 彼諸梵等聞其言得未曾有即為作礼而問曰世孰有真天眼者 ○此三
梵王致問 肇曰諸梵謂天眼正以徹視遠見為理而浄名致詰殊違本途疑有真異
故致斯問者也 維摩詰言有佛世尊得真天眼常在三昧悉見諸佛國土不以二相 ○此四
荅真也 肇曰真天眼謂如來法身无相之目也幽燭微形巨細兼覩万色弥聴有若目
前未甞不見而未甞有見故无眼色之二相二乘在定則見出定不見如來未甞不見故
常在三昧也 叡曰如來天眼入佛眼中雖緣无緣故不以二相有説不以淨穢二相有説不以
動寂二相也 於是嚴淨梵王及其眷屬五百梵天皆發阿耨多羅三藐三菩提心
礼維摩詰足已忽然不現 ○此五聞勝發心 肇曰其所發明我豈若此 故我不任詣彼問疾
○四結也 ○佛告優波離汝行詣維摩詰問疾 ○秦言上首於千中持律第一 優波離白
佛言世尊我不堪任詣彼問疾 ○二辭文四初辭也 所以者何憶念我昔者有二比丘犯律
行以為恥不敢問佛來問我言唯優波離我等犯誡誠以為恥不敢問佛願解疑悔
得免斯咎 ○二略文二初來問後為解此初也 肇曰愧其所犯不敢問佛以優波離持律
第一故從問也 我即為其如法解説 ○二為解持律有二一法身性淨之律 二除身口之律今
優波離持身口之律見罪生滅壞法身无相之律故為訶也 肇曰如法謂依戒律決其罪
之輕重亦其悔過法也 時維摩詰來謂我言唯優波離无重增此二比丘罪當直除滅勿擾
其心 ○此三起訶中文二初總呵二比丘數依初呵文六一初直呵勸 二解釋所以 三引證 四向善 五
分別 六結成 ○此即初呵无重增常勸直滅小乘以犯戒為罪生大乘以取相為罪生既今見罪滅
悔是名重增 ○又二比丘迷於實相妄見罪生今來滅悔又見罪滅重增滅見故云重增 肇曰
二比丘既犯律行疑悔情深方重結其罪則封累弥厚則罪垢弥增當直説法空令悟罪不
實封累情除則罪垢斯滅矣 ○天台云懺悔有三一者戒門依律法懺是 二功德門謂礼佛誦經般
舟方等道場法是 三无生門令悟罪性空寂達罪性与福无異是也今浄名亦此无生懺也
所以者何彼罪性不在内不在外不在中間 ○此二解釋也 肇曰夫罪累之生因緣所成求其罪性不在
三處如盜自彼我二即内外也自我則非盜自彼亦非盜彼我既非豈在中間衆緣所成尋之悉虛
也 如佛所説心垢故衆生垢心淨故衆生淨心亦不在内不在外不在中間如其心然罪垢亦然諸法亦然不出於如
○此三引佛語證文有引有釋有結有類也 肇曰逆知其本也夫執本以知其末守母以見其子佛
言衆生垢淨皆由心起求心之本不在三處心既无在罪垢可知也諸法亦然者 肇曰万法云云皆由心
起豈獨罪垢……

○此三引佛語證受，乃引於釋，乃結於類也　肇曰：達知其本也。夫執本以知其末，守母以見其子。佛
言衆生垢淨皆由心起，求心之本，不在三處，心既無在，罪垢可知也。諸法亦然者　肇曰：万法云云皆由心
起，豈獨垢淨之然哉。故諸法亦然，不離於如。如謂如本相也　如優波離以心相得解脫時寧有垢不
○此四問答取小明大也，文有問答釋二　肇曰：得解脫時謂其初成羅漢得第九解脫。爾時心冥真義，
無復心相，欲以其心類明衆生心，故先定其言也　我言不也　○二答也　維摩詰言一切衆生心相無
垢亦復如是　○三正釋也　肇曰：聖心相如心解相　生曰：衆生心相無垢，理不得異，但見与不見爲殊耳
唯優波離妄想是垢，無妄想是淨　○此五分別今住無垢，文三：初明妄垢，次明正法不住，後明內心妄
見　○此初也　生曰：垢實無也，在妄想中是垢耳。若無妄想，垢即淨也。妄想者，妄分別也，之相也
顛倒是垢，無顛倒是淨　○倒心見垢，離倒則非垢　生曰：見無轉也，見轉於內則妄分別外事也
取我是垢，不取我是淨　○取我即著垢，離我則無垢也　肇曰：見罪則存我也　優波離一切法生
滅不住，如幻如電，諸法不相待，乃至一念不住　○二明諸法不住，故無自性　肇曰：成前無相常淨義也。諸
法如電，新新不停，一起一滅，不相待也。彈指頃有六十念過，諸法乃無一念頃住，況欲久停，無住則如幻，
幻不實，實則爲空，空則常淨，然物物斯淨，何有罪累於我哉　諸法皆妄見，如夢如焰，如水中月，如
鏡中像，以妄相生　○此三明妄見也　肇曰：上明外法不住，此明內心妄見，俱辯空義，內外爲異耳。夫
以見妄故所見不實，不實故無相常淨也。上二喻取其速滅也，此四喻取其妄相也　其知此者
是名奉律，其知此者是名善解　○此六結也　若能悟罪無生，知心不住，是名真解，奉持法身無
相之律也　肇曰：若能知此，乃名善解，不知此法而稱持律者，何耶？今知優波離，隸教言也
於是二比丘言：上智哉！是優波離所不及，持律之上而不能說　○此下第三歎伏，文三：初正歎，二尊
者伏過，三俱發心　○此初歎也　肇曰：二比丘悟罪常淨，無復疑悔，故致斯歎　我答言：自捨
如來未有聲聞及菩薩能制其樂說之辯，其慧明達爲若此也　二尊者伏……
其大乘妙辯，況我持律哉　時二比丘疑悔即除，發阿耨多羅三藐三菩提心，作是願言：令一切衆
生皆得是辯　○三明除疑發心　法身妙律，諸佛所持，悟解除疑，自然發趣　什曰：於罪則憂怖自生，
罪無則疑悔自滅　故我不任詣彼問疾　○此四結也　○佛告羅睺羅：汝行詣維摩詰問疾
肇曰：羅睺羅，秦言覆障，六年爲母胎所障，因以爲名。弟子中持戒第一。又曰：密行第一，譯
筆佳云羅睺羅密行，唯我能知　羅睺羅白佛言：世尊，我不堪任詣彼問疾　○二辭文
四，此初辭也　所以者何？憶念我昔時毘耶離諸長者子來詣我所，稽首作禮，問我言：唯
羅睺羅，汝佛之子，捨轉輪王位出家爲道，其出家者有何等利　○此下二略標，文三：此初問也
諸長者子心慕出家，父母所制，羅睺羅捨轉王十善之化而剃落從道，必有大利勝在家
彼，故從而問焉　我即如法爲說出家功德之利　○二答也　出家有二：一者深厭生死，樂求涅槃
无

BD01872號　淨名經集解關中疏卷上

(30-14)

四此總釋也 所以者何憶念我昔時毗耶離諸長者子來詣我所稽首作禮問我言唯
羅睺羅汝佛之子捨轉輪王位出家為道其出家者有何等利 ○此下二略釋文二此總問也
諸長者子以慕出家父母形制羅睺羅捨轉王十善之化而剃落從道必有大利勝在家
故致從而問焉 我即如法為説出家功德之利 ○二答也出家有二一者深厭生死樂求涅槃
有證有得有利可説名為小乘 二者悟三界如幻无生无滅无證无得无利可説此名大乘今
羅睺羅照讚其小乘涅槃之利既有利可説非實行也非為大乘不取不捨无得无證无
利可説此真實行也 生曰世間樂雖樂難可久保出家之理長樂无為豈可同年語
其優劣哉 時維摩詰來謂我言唯羅睺羅不應説出家功德之利 ○此下三彦之釋
事又五 一呵不應説 二解釋所以 三示真出家 四結真出家 五勸修真出家 ○此總呵也
○體今法身三界如幻不生不滅名為出家此則損益兩亡无利可説故呵不應也 所以者
何无利无功德是為出家 ○二彼釋所以文二此總略釋也 肇曰夫出家之意妙存无為
為之道豈容有功德利乎 有為法者可説有利有功德夫出家者為无為法无為
法中无利无功德 ○次二廣釋也 初一義辨有法住无為森羅方像同歸此理悟此理者
无得无證名真出家非二乘釋滅有得證者名出家也 肇曰夫為之果處於无
為之因之果同想自然之道也出家為无為即无為之因也无為无利功德當知出家
亦然矣 羅睺羅夫出家者无彼无此亦无中間 ○此二示真出家 肇曰上直明出
家之義自下明出家之事雖去此事然是无事之事明出家者以去累為志无為
无心以心无為故形造衆德皆无為也 ○文三此總内顯德也 肇曰為出家者要先生死尊
彼涅槃故有中間三處之異真出家者遣万累亡彼此豈有是非三處之殊哉 離六十
二見處於涅槃 肇曰既无彼此則離衆邪見同涅槃也六十二見者大品云外道依過去
計神及世間常无常等四見依未來世計神及世間邊无邊等四見涅槃計涅槃
計有如來无如來等四見依此十二見歷五陰成六十見又計身与神一斷見身異常見為六
十二見也 智者所受聖所行處 肇曰真智同之而後衆聖履之而通可謂真出家之
道乎 降伏衆魔 ○此二約降魔顯德見無之相則蘊魔自空則諸魔自伏 肇曰衆魔
者四魔也 度五道 肇曰五道非為之路又去生死五道住是涅槃故
名度五道 淨五眼 得五力 立五根 體無之相則垢曉永亡障亡則五眼自淨五力五根亦自
然增長 不惱於彼 肇曰道超事外与物无逆何惱之有 離衆雜惡 肇曰俗善雜

[illegible]
者四魔也正道既成邪徑自塞 度五道 肇曰五道非无為之路文言生死五道住是涅槃故
名度五道 淨五眼得五力立五根 體寂相則始晴來去瞎亡則五眼自淨五力五根亦自
然增長 不惱於彼 肇曰道超事外与物无逆何惱之有 離衆雜惡 肇曰俗善雖
善由雜不善道法真淨故純善不雜也 摧諸外道 曰三伏道也 肇曰[illegible]月不期去圍而
圍自除出家不期摧外外道自消 超越假名 肇曰万事万名虛假以生道在真故
超假名 出淤泥无繫著 肇曰出生死愛見之淤泥无出家受道之繫著 无我所
无所受 肇曰出家本乎无我離我則諸受永亡 肇曰无受也欲受我受戒受見受
无擾亂內懷喜 肇曰大擾亂出于多求喜出于不足出家寡欲擾亂斯无道法內充
故懷喜有餘 護彼意隨禪定離衆過 住定相則不悖物心不違禪定生滅不起為有過患
若能如是是真出家 曰七四結真出家 肇曰若能不違上說乃應出家之道非存形
之存能也 於是維摩詰語諸長者子汝等於正法中宜共出家 曰七五形既緣發勸心出
家也 曰五四勸三釋三釋勸意而得意出家[illegible] 勸理悟出家也 所以者何佛世難值 肇曰
淨名其實不得出家而勸之者欲發无上道心耳 諸長者子言居士我聞佛言父母不聽
不得出家 曰二不悟勸意辭有疑也 肇曰非不欲出家不敢違親耳 維摩詰言然汝等
便發阿耨多羅三藐三菩提心是即出家是即具足 曰三釋意也 肇曰雖為白衣能發无
上心者便為出家具足戒行矣 爾時卅二長者子皆發阿耨多羅三藐三菩提心 曰四得
意發心 佛告阿難汝行詣維摩詰問疾 肇曰阿
難秦言歡喜 子中常侍者 阿難白佛言世尊我不堪任詣彼問疾 曰二辭文四七初辭
也 所以者何憶念昔時世尊身小有疾當用牛乳我即持鉢詣大婆羅門家門下立
七二略釋所以 肇曰現身有疾者亦不可一途而論特以淺識之流取信耳目故如來
身而起步想故彰阿難不達使與同衆人淨名高呵以聞法身之唱使見形之後
悟應感難期方其莫測兼寄述取乳除彼貪求之過阿難以明小乘之步 時維
摩詰來謂我言唯阿難何為晨朝持鉢 曰七三廣明辭事文三初明意三呵彈恥愧初中
文二七初也 肇曰晨朝非乞食時必有以也 我言居士世尊身小有疾當用牛乳故來
至此 曰二答如來為物受生有疾用乳阿難侍者故行求乞 維摩詰言止止阿難莫作
是語 曰七二彈呵文四初略止二略顯真身三廣謗四廣顯真身 是初略止二謗也 天台云无
疾言疾增謗也德圓言減損謗也佛身无生應物現生有身則有疾小乘執實故云謗
也天台知權非謗也豈復離此現疾別有不疾之法身哉 如來身者金剛之體諸惡

BD01872號　淨名經集解關中疏卷上

（30–16）

產也○二云如來爲物受生於疾用乳阿難依此故行求乳　維摩詰言止止阿難莫作
是語○此二釋可文四初略止二略顯真身三廣止一謗四廣顯真身此初略止二謗也一天台吉无
疾言疾增謗也德圓言滅損謗也佛身无生應物現生於身則於疾小宗執實故去謗
也大宗知應非謗也豈復雜此現疾則於不謗々法身哉　如來身者金剛之體諸惡
已斷衆善普會當有何疾當有何惱○二略顯真身金剛體者喻不生不滅常住法身也諸
惡斷解脫也衆善普會般若也　肇曰夫有患之生行業所爲耳如來善无不積惡
无不消體若金剛何患之有　嘿往阿難勿謗如來莫使異人聞此麁言○三廣正二謗先以增
謗也○又三初勸嘿又謗佛麁言異人聞之必誚二親故今嘿往　生曰為去是實為謗佛也
文曰病為常近麁々拯也不違聞之必誚二云　无令大威德諸及地方淨土諸來菩薩得聞斯
語○二智聞必嗤域德諸天淨土菩薩已損惠又受疾報方於如來知應見也　生曰以報稚
已无疾必達佛矣而此言實之病亦不嗤斯語々不得乎　阿難轉輪聖王以少福故尚
得无病豈況如來无量福會普勝者哉○二示孚驗々轉輪聖王乃不及欲界諸天但以
人中少福尚得无病豈況如來普勝三界而有病哉　行矣阿難勿使我等受斯恥也外道
梵志若聞此語當作是念何名爲師自疾不能救而能救諸疾人可密速去勿使人聞
○此下二明揩謗也肇執不去非徒佛有斯謗我等亦受其恥　肇曰至聞則誚汝不達那生聞則
誚佛妄々病何名為法々良醫身疾不能救何欲救人之疾乎　當知阿難諸如來身即是法
身非思欲身○此下四廣顯真身初就正得顯真此初无相法身大悲應現非思業貪
欲々所生々生自在應物是我德也三界不待々形名思欲身也　生曰如來身從實々理中來
起不由彼應於何病耶　佛為世尊過於三界○二明三界受生苦也悟界如幻不受生故棄
也　生曰既以思欲為原便不出三界三界是病々境也佛為悟理々體超越其域應有何
病也　佛身无漏諸漏已盡○三明感業生身漏也智證法身无漏即性淨也　肇曰夫法身
虛微妙絕常境情累不能染心想不能識故日諸漏已盡　佛身无為不墮諸數
○四明有為々身四相所遷故也佛身无生滅相常也　肇曰法身无為而无不為
无不為故現身有病為无故不墮於數也　如此之身當有何疾○二結也如此常樂我
淨金剛法身當有何病　時我世尊實懷慚愧得无近佛而謬聽耶○此下三明正恥愧
文三初阿難懷愧佛身理然不合有疾奉命而疾應是謬聞近佛多聞以此懷愧
肇曰受使有此致譏若欲進退懷愧之容說謬聽也　即聞空中聲曰阿難如居士言
但為佛出五濁惡世現行斯法度脫衆生○三空聲舉應顯真之疾身應物也无為本
真也　肇曰以其懷愧故空聲止之如居士言何有无漏之體嬰世之患但為度五
濁群生故現斯疾取乳勸也○五濁者劫濁衆生濁煩惱濁見濁命濁　行矣阿
難取乳勿慚……

但為佛出五濁惡世現行斯法度脫衆生 ○二空聲應其病
真也 肇曰以其愧哉故空聲應之 如居士言何有无漏之身嬰世之患 但為度五
濁群生故現斯疾耳 乳毋也 ○五濁者 劫濁 衆生濁 煩惱濁 見濁 命濁 行矣阿
難取乳勿慚 ○三若知權化現病即非穢佛 六取乳勿慚也 世尊維摩詰智惠辯才
為若此也 是故不任詣彼問疾 ○七四結辭也 如是五百大弟子各各向佛說其本緣
稱述維摩詰所言 皆曰不任詣彼問疾 ○比二總述辭也

○菩薩品第四

○此三明折伏方便菩薩令歸圓妙 前既聲聞致辭 故次命菩薩 然發菩提心總名
菩薩 而根有利鈍 教有漸頓 或事勝而未悟於理 或悟偏而未進於圓 或漸
證而未務於頓 今將廻事以向斯理 折偏以進圓 斥漸而詣頓 故圓因命
問疾以調伏之 皆菩薩佛事 故名品焉 文二 先別明四大士 此初慈氏
也 於是佛告彌勒菩薩 汝行詣維摩詰問疾 ○文二如前 此初命
也 彌勒此云慈氏 肇曰彌勒南天竺婆羅門姓 出此姓即以為名 五百弟子
皆已不任 故復命菩薩 以將備顯淨名難酬之德也 彌勒白佛言
世尊我不堪任詣彼問疾 ○此初辭 文四 此初辭也 所以者何 憶念我
昔為兜率天王及其眷屬說不退轉地之行 ○此二敢釋所以 什曰此天王
彌勒將上為天師 預懷宗教 故常來聽法也 又曰不退轉地者 或云度
行滿名為不退 或從初地化為不退 天王雖已發心 然內有五欲 外有勝
境 恐其退轉 因以勸之 肇曰下明云無人無發心 亦無退者 以此推之 似
存不退之行 勸發無上心也 雖曰勝期 猶未免乎累 教迹不泯 故致斯
呵 然經云補處大士心無不一 智無不周 應物而動 何關之有 是由得失
同懷 優劣迭應 利彼而動 無計諸己 故彌勒假有以啓始 淨名居宗以濟
終 可為郢匠 唱彼淳朴 雖復迹同儒墨 致教不一 然相成之美 實存
其中矣 時維摩詰來謂我言 彌勒 世尊授仁者記 一生當得阿
耨多羅三藐三菩提 ○此三廣引彈事 文五 先定得記 二破執授記 三
舉例返破 四顯菩提相 五開真得益 此初定之也 生曰阿耨多羅者
無上也 三藐三者正遍也 菩提者彼語 有之此無名也 實即體極無終
智慧也 一生者無復無量生 餘一生也 為用何得授記乎 過去耶
未來耶 現在耶 ○此下二正破授記 文三 初就生門彈 次就無生門彈
後就平等門彈 初中文三 先定三世 二難破三世 三引證 此初定也 肇
曰發無上心 修不退行 授記成道 彌勒致教之本意也 今將明平等

(30–18)

BD01872號　淨名經集解關中疏卷上

未來耶現在耶　○此下二正破授記文三初直生八難次廣無生八難
後就平等門彈初中文三一先定三世二難破三世三引證此初定也肇
曰發無上心修不退行授記成道彌勒數數之卒意也今將明平等
大道以無行爲因無上正覺以無得爲果故先質彌勒明無記無得
然後大齊群生一切物物之致以知菩提莫二之道也夫有生即有記無生
即無記故推序三以何生而得記乎　若過去生過去生已滅生已滅
二難破也肇曰別推三世明無生也過去生已滅法不可謂之生也生曰無
復有也　若未來生未來生未至　肇曰未來生未未至未至則無無生
以何爲生之生爲竟未有也　若現在生現在生無住　肇曰現法流
速不住以何爲生耶若生滅一時二相俱壞若生滅異時即生生時無無滅滅
則法法無三三相相即非有爲也盡有三相即有無窮之名三世既無
生於何而得記乎生曰生時已去未始暫停豈可得於中成佛耶
如佛所說比丘汝今即時亦生亦老亦滅　三引證肇曰證無住義
生曰新新生滅交謝己謝盡待白首然後爲變乎
若以無生得授記者無生即是正位於正位中亦無授記亦無得阿耨
多羅三藐三菩提云何彌勒授一生記乎　○此二約充生門彈文二初約
理破二約行破此初也肇曰上推有生無記此推無生亦允之生即在
無相真正法位也此位爲理無記無成彌勒於何授一生記乎
爲從如生得授記耶爲從如滅得授記耶　○此二約行破文二一此初雙定爲
見如智生授記爲見如滅授記耶肇曰如雖無生滅而生滅不異如
然記別起于生滅真其會獨于即真故假如之生滅以明記別之不殊也
什曰夫授記要由得如若未得而今得似若有起如起即累滅亦似有
有物於中滅故先問其起滅以明無起滅也　若以如生得授記者
如無有生若以如滅得授記者如無有滅　○二明雙破生滅若見如智體不生
生智亦無生若見如滅滅如體無滅滅亦不滅智無生即本覺義無滅即
本滅如不生不滅盡有授記義肇曰如非不生滅非有生滅非不生滅故雙以
言記非有生滅以知無記　一切眾生皆如也一切法亦如也眾聖賢亦如也至
於彌勒亦如也　○此三約平等一如破文二初總舉平等也一切眾生有
情也一切法無情也眾聖賢二乘也彌勒大乘也肇曰万品雖殊未有不
如如者將齊是非一愚智以成無記無得義也　若彌勒得授記者一切眾生
亦應授記所以者何夫如者不二不異　○此下二別約三德平等破也此初
約真如理等法身德破也彌勒眾生理如無二[illegible]

情也一切法無情也衆聖賢〻亦如也彌勒大乘〻也肇曰夫品雖殊未有不
如〻者將齊是非一愚智以成無記無得義也　若彌勒得授記者一切衆生
亦應授記所以者何夫如者不二不異　○此下二別約三德平等破也此初
約真如理等法身德破也彌勒衆生理如無二會如授記生有得不得〻
[illegible]如無有得失之殊哉生曰二者之真二事也異者二相殊也
若彌勒得阿耨多羅三藐三菩提者一切衆生亦皆應得所以者何一切衆
衆生即菩提相　○二約本覺平等智德破也菩提此云覺且本覺寂無相
無智平等本覺也若煩惱即菩提則一切衆生皆菩提相生死勒獨得之耶
肇曰無相是菩提相是菩提記是相無理極之惠言之者謂是菩提
相也　若彌勒得滅度者一切衆生亦當滅度所以者何佛知一切衆生即滅
畢竟寂滅即涅槃相不復更滅　○三約平等寂滅解脫德破涅槃此云滅
度三義法本不生今即無滅為寂滅者即一切衆生本來滅度豈彌勒獨證之耶
肇曰本住常滅今復何滅生曰既以長滅驗矣始若果滅終生豈滅其然矣
衆生即涅槃相不復更滅是之寂滅而不滅也　是故彌勒無以此法誘
諸天子實無發阿耨多羅三藐三菩提心者亦無退者　○此下舉例返破平等
菩提果尚無記豈有初心及不退行耶　肇曰平等之道實无發心亦無退者
而以不退之行誘其發心示其受記者何耶　彌勒當令此諸天子捨於分
別菩提之見　○四顯真菩提相　又三此初勸捨分別無相平等是
菩提相若分別始終有退不退是分別非見菩提　肇曰菩提以寂滅為相
生死同相而諸天子見生死異菩提雖曰勝求更生塵累宜開以正路
令捨分別見為示以道記增其見乎　所以者何菩提者不可以身得不
可以心得　○此二勝徵釋身心無所得相是菩提相也　肇曰自此下大明菩
提（道之極者稱曰菩提秦言无以譯之菩提者）蓋是正覺無相之真智乎其道虛玄妙絕常境聽者無以容其聽
聽智者無以運其智辯者無以措其言像者無以狀其儀故其為
道也微妙無相不可為有用之彌勤不可為無故能出鑑萬物而不
曜玄軌超駕而弗夷大包天地而罔寄曲濟群惑而無私至能道達殊
方開物成務玄機必察無思無慮然則無知而無不知無為而無不
為者唯菩提大覺之道也此無名之法固非名所能名也不知所以言故強名
曰菩提斯無為之道豈可以身心而得乎　寂滅是菩提滅諸相故　○此二卷
法廣顯菩提相亦可前是能破此是能立又前破而不斷此立而不常又前
破而不滅此立而不生又前會而不一此別而不異又前亡而不去此存而不來

BD01872號　淨名經集解關中疏卷上

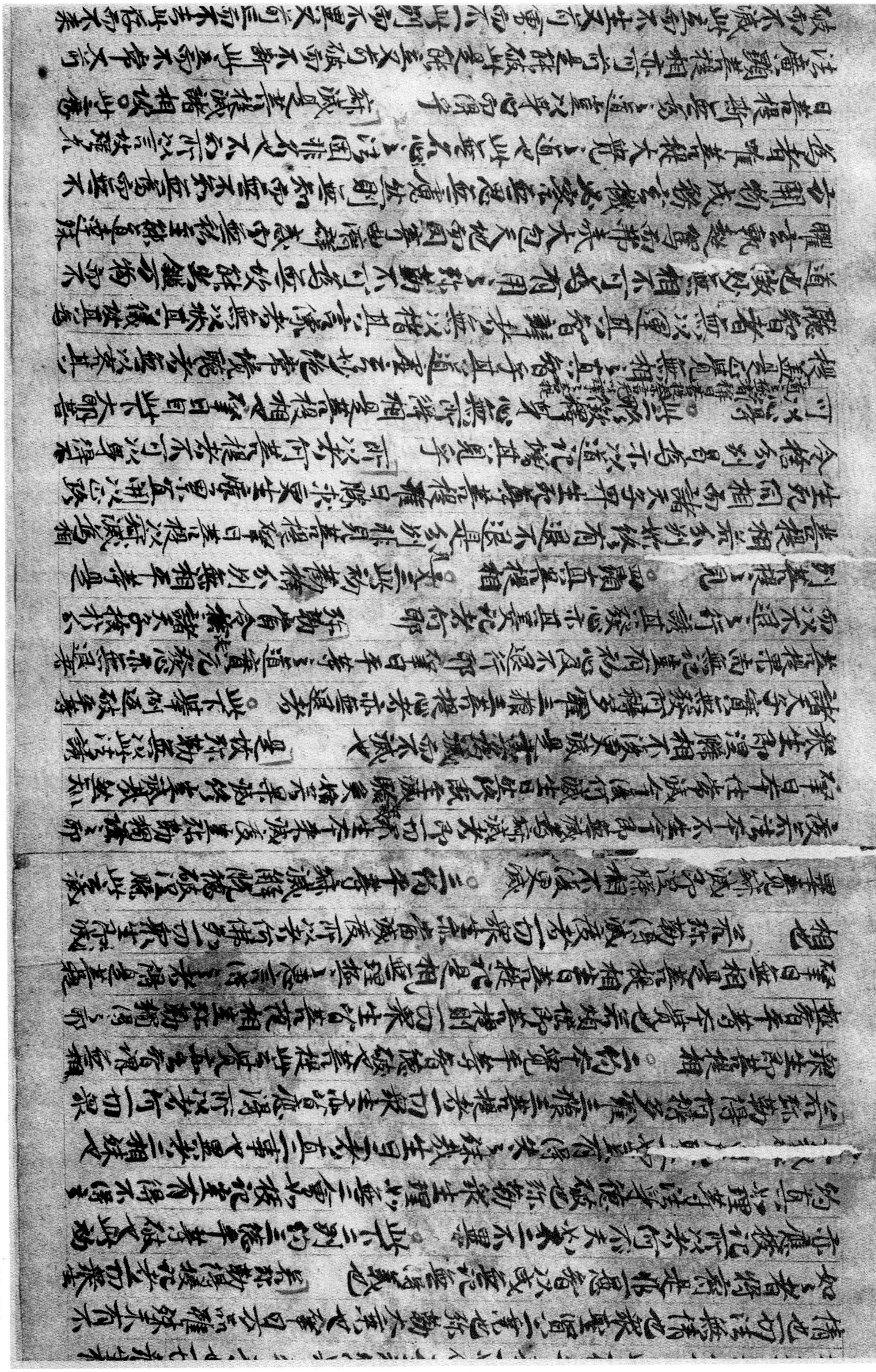

（30–20）

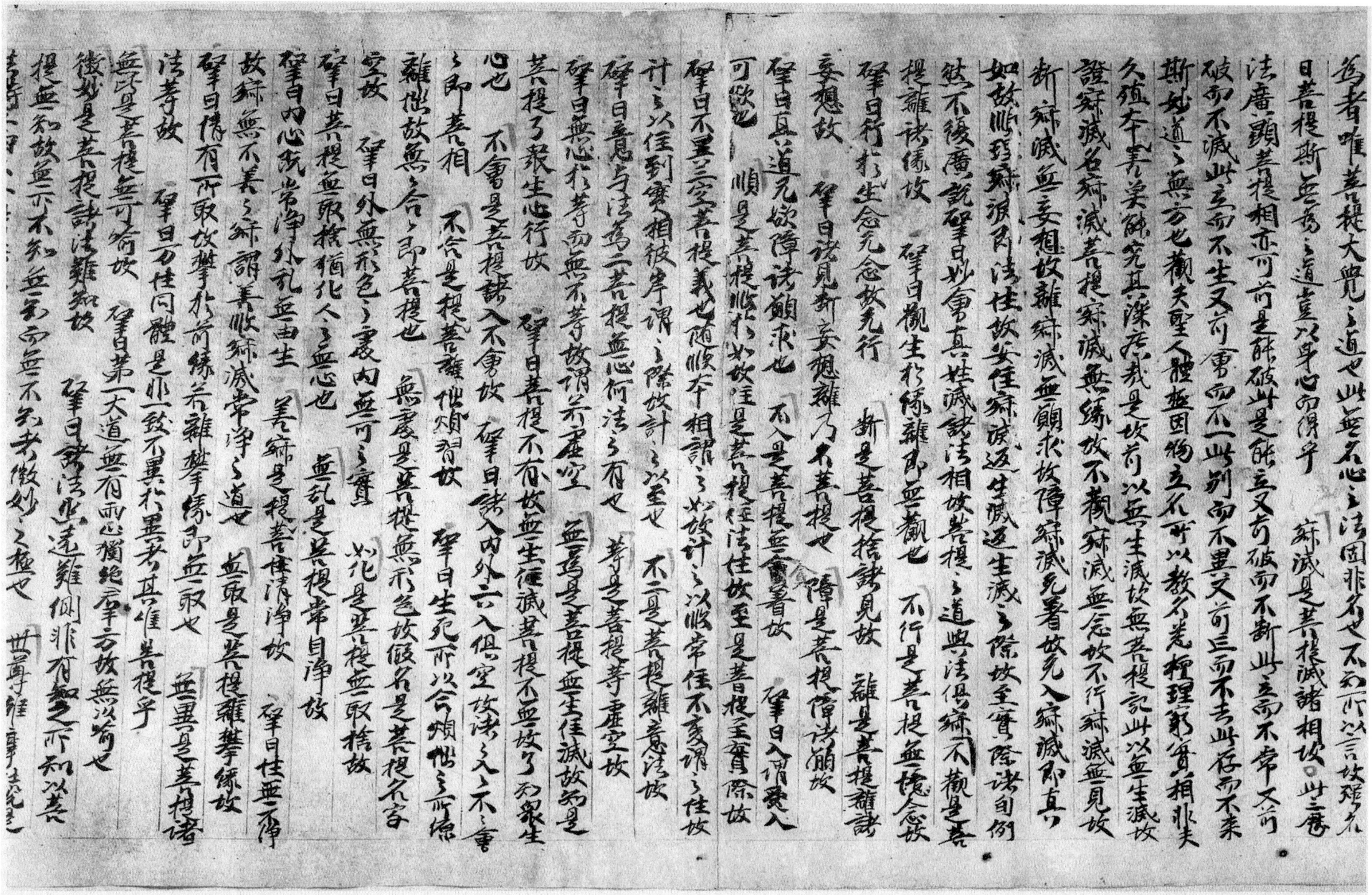

為者唯菩提大覺之道也此無名心之法固非有也不可以言故强名
曰菩提斯無為之道豈以身心而得乎　寂滅是菩提滅諸相故　此三應
法商顯菩提相亦可前是能破此是能立又前破而不斷此立而不常又前
破而不滅此立而不生又前實而不一此別而不異又前亡而不去此存而不來
斯妙道之無方也觀夫聖人體無因物立名所以教名差種理鄉實相非夫
久殖本乎善莫能究其深旨哉是故前以無生滅故無菩提記此以無生滅故
證寂滅名寂滅菩提寂滅無緣故不觀寂滅無念故不行寂滅無見故
斷寂滅無妄想故離寂滅無願求故障寂滅無著故無入寂滅即真
如故順寂滅法性故安住寂滅返生滅返生滅之際故至實際諸自例
然不復廣說　肇曰妙會真性滅諸法相故菩提之道與法俱寂　不觀是菩
提離諸緣故　肇曰觀生於緣離緣即無觀也　不行是菩提無憶念故
肇曰行生於念無念故無行　斷是菩提捨諸見故　離是菩提離諸
妄想故　肇曰諸見斷妄想離乃名菩提也　障是菩提障諸願故
肇曰真道無欲障諸願求也　不入是菩提無貪著故　肇曰入謂受入
可欲也　順是菩提順於如故　住是菩提住法性故　至是菩提至實際故
肇曰不異三空菩提義也隨順本相謂之如故計之以順常住不變謂之住故
計之以住到實相彼岸謂之際故計之以至也　不二是菩提離意法故
肇曰意與法為二菩提無心何法之有也　等是菩提等虛空故
肇曰無心於等而無不等故謂等虛空　無為是菩提無生住滅故知是
菩提了衆生心行故　肇曰菩提不有故無生住滅菩提不無故了知衆生
心也　不會是菩提諸入不會故　肇曰諸入內外六入俱空故諸入之不會
之即菩提相　不合是菩提離煩惱習故　肇曰生死所以合煩惱之所緣
離惱故無合之即菩提也　無處是菩提無形色故　假名是菩提名字
空故　肇曰外無形色之處內無可之實　如化是菩提無取捨故
肇曰菩提無取捨猶化人之無心也　無亂是菩提常自淨故
肇曰內心既常淨外亂無由生　善寂是菩提性清淨故　肇曰性無不淨
故寂無不善之寂謂善順寂滅常淨之道也　無取是菩提離攀緣故
肇曰情有所取故攀於前緣若離攀緣即無取也　無異是菩提諸
法等故　肇曰萬法同體是非一致不異於異者其唯菩提乎
無比是菩提無可喻故　肇曰第一大道無有兩正獨絕群方故無以喻也
微妙是菩提諸法難知故　肇曰諸法幽遠難測非有智之所知以菩
提無知故無不知無知而無不知者微妙之極也　世尊維摩詰
[illegible]

BD01872 號　淨名經集解關中疏卷上

無以是菩提，無可爲故。肇曰：第一大道，無相而已，獨絕言象之方，故無以爲也。
微妙是菩提，諸法難知故。肇曰：諸法幽遠難測，非有智之所知，以菩
提無知故無不知，無知而無不知者，微妙之極也。世尊，維摩詰說是
法時，二百天子得無生法忍。此五時懷直已，不記真得不得，故攘益也。
故我不任詣彼問疾。此四結也。佛告光嚴童子：汝行詣維摩詰問疾。
○夫三如前，此初命也。光嚴童子白佛言：世尊，我不堪任詣彼問疾。○此二辭也。
文四，此初辭也。所以者何？憶念我昔出毗耶離大城。此二略釋所以也。光嚴
接近故，託閑林爲道場；淨名詣理故，謐靜一心爲道場。出入之塗，其在斯也。昔
託在常出，實有以也。時維摩詰方入城，我即爲作禮而問言：居士從何所來？
○此下三明居引彈事，文五：一禮問，二略答，三重問，四廣答，五衆益。此初也。生曰：城門
是人所湊處，故得因廣化，問也。作禮者，述同鄉黨，現脩長幼之禮而問，以嚴
其來有以從也。答我言：吾從道場來。○二略答。肇曰：閑宴脩道之處謂之
道場也。光嚴志存閑獨，每以靜處爲心，故出毗耶，將求道場。淨名悲其
現從外來，將示以真道場，冥其封累，故逆云吾從道場來者，以明道無不在，場
無不在。若能懷道場於胸中，道方累於身外者，雖復形處憒鬧，迹與
事隣，亦動所由非無道場也。○又曰：實相理通爲場，万行道路爲道。生曰：得
佛之處也。我問：道場者何所是？○三重問，曾其所求，故尋問也。
答曰：直心是道場，無虛假故。○此下卅句，廣約諸法明道場，此初約心辯也。肇曰：
脩心進道，無亂之境，是道場耳。若能標心爲主，万行爲場，不越方寸，道自
脩者，乃真道場，曷爲近捨閑境而遠求空地乎？直心者，謂內心真直，外
無虛假，斯乃基万行之本，坦進道之場。自此已下，備列諸行，盡是脩心之
閑地，弘道之靜場也。又解：如世間和麵之麥，皆詣場鞭打麵麥，令從道
亦然。佛性精粹，雜煩惱麩，將脩行者已見實相爲場，對治万行爲鞭，打斷
[illegible]假爲糠麩，布施以慳貪爲糠麩，諸句例知。
發行是道場，能辯事故。肇曰：心既真直，則能發迹造行，行既發則事業斯辯
者也。深心是道場，增益功德故。肇曰：既能發行，則樹心彌深，彌深則功德
彌增者也。菩提心是道場，無錯謬故。肇曰：直心入行轉深，則變爲菩提
心也。此心真正，故所見不謬。凡此道場者，要始四心，四心既生，則六度衆行無不成也。
布施是道場，不望報故。○此下十六約行明住實相真場，行皆遍。肇曰：施
不望報，無相行也。夫言有不失無，言無不失有，有無異說而皆不乖其本者，
其唯大乘之道乎。然則万行雖殊，以無相爲體，無而不無，故即有爲實，有而

心也此心真正故所見不謬〻以道場者要始四心〻既生則六〻度衆行無不成也
布施是道場不望報故 ◦此下十六約行明任實相真場行皆遍 肇曰彼
不望報無相行也夫善有不失有〻無異說而皆不乖其本者
其唯大乘道乎然則六行雖殊以無相為體無而不無故即有為實有而
不有故施戒為一此經前後至於辯列衆行有無不同者能領其所同則
無異而不同也 持戒是道場得願具故 肇曰求有戒具亦願不具矣
忍辱是道場於諸衆生心無礙故 肇曰懷忿則心礙 精進是道場不
不懈退故禪定是道場心調柔故智慧是道場現見諸法故 肇曰万法殊曠
現若目前智慧之能也又曰即事見理為現見也 慈是道場等衆生故
肇曰等心怨親欲其安樂慈行也 悲是道場忍疲苦故
肇曰見苦必赴不避湯炭悲行也 喜是道場悅樂法故 肇曰以己法樂〻彼
同悅喜行也 捨是道場憎愛斷故 肇曰人惑生愛〻生著以生果悲
生憂〻生憎若悲雖善而累相已生故兩捨以平等觀謂之捨行
神通是道場成就六通故 四禪世定但發五通實相真禪得滿盡也
解脫是道場能背捨故 解脫是八解脫〻二乘八解背捨八邪大乘八解邪正俱捨
泛說實非指捨方果也 方便是道場教化衆生故 攝是道場攝衆生故
肇曰方便起手於化四攝生乎來衆也 多聞是道場如聞行故
肇曰聞不能行與簫歎同聽也 伏心是道場正觀諸法故 ◦不非絕不真心
非理不正故心之調也必正觀實相 肇曰心之性也頹梁示觀邪調伏即歸正也
卅七品是道場捨有為法故 ◦此下三科約法明道場 什曰道品斷愛去故〻
捨有為 肇曰卅七品無為之因也又曰無為即涅槃也
諦是道場不誑世間故 什曰小乘中說四諦大乘中說一諦今言諦是
即一諦實相也 緣起是道場無明乃至老死皆無盡故緣起十二因緣相
生起也小乘觀十二緣無明滅即行滅非實相真場大乘觀因緣不生不
不滅無〻明亦無〻〻明盡此實相真場也 諸煩惱是道場知如實故
衆生是道場知無我故一切法是道場知諸法空故 ◦此三科約所治惑明真場
諸迷即衆惑捨即真場 肇曰煩惱之實性衆生之無我諸法之空義皆
道之所由生 降魔是道場不傾動故三界是道場無所趣故師子吼是
四魔能師子吼也 肇曰降魔以為不可動遊履三界而不墮其取漠無
畏法音而無難 力無畏不共法是道場無諸過故三明是道場無餘
礙故 ◦法身無蹤心無餘翳則惠明普照 肇曰佛具八世業而無一翳明

[illegible]
四魔能降伏故也　肇曰降魔立而為不所動遊履三界而不隨其取海無
畏法音而無難　力無畏不共法是道場無諸過故三明是道場無餘
礙故　○法身無礙心無餘翳則慧明普照　肇曰佛具三業而無闇明
道達而無礙斯皆大道之所由生也　一念知一切法是道場成就一切
智故　什曰三乘法以三十四心成道大乘唯以一念則確然大悟具一切智也　肇
曰大一切智之極也朝菌不晨曦衆闇宜俱照照澄然靜鑒群像並鑒無氣
而無所不知者其唯一切智乎何則夫有心則有封有封則有疆封疆既
形則其智有涯其智有涯則所照不普至人無心無心則無封無封則無
疆封疆既無則其智無涯其智無涯則所照無際故能以一念一時畢知一
切法也一切智雖曰行標蓋亦一行之一耳會萬行之所成者其唯無上
道乎故所列衆法皆為道場也　生曰一念無不知者始乎大悟時也以向諸
行終得此事故以名焉以直心為行初義極一念知一切法不亦是得佛之
處乎　如是善男子菩薩若應諸波羅蜜教化衆生諸有所作舉足
下足當知皆從道場來住於佛法矣　○此三結成　肇曰若能應上
諸度以化天下者其人行則遊道場止則住佛法舉動所之無非道場
說是法時五百天人皆發阿耨多羅三藐三菩提心　○此五明得益也
故我不任詣彼問疾　○四結也
○佛告持世菩薩汝行詣維摩詰問疾　○文二此初命也　持世白佛言世尊我不
堪任詣彼問疾　○二辭文四此初也　所以者何憶念我昔住於靜室
此下三略釋文五一住靜室二魔來三不識四魔女五不受此初持世遷住靜捨
惡化善皆迹示方便執之初學　時魔波旬從萬二千天女狀如帝釋鼓樂
絃歌來詣我所與其眷屬稽首我足合掌恭敬於一面立　○此二魔作
帝釋來也　肇曰波旬秦言殺者常欲斷人善根因名殺者違佛亂僧
邪業之大極惡也　什曰帝釋是佛弟子知其不疑故作釋形來也　持世不
作意觀他心故不見也　天台云方便菩薩不知魔來有三意一未能魔佛
二事一如等真故不知二緣修觀有出入之間故不知三未能善惡齊化心有
去取故不知也　我意謂是帝釋而語之言善來憍尸迦雖福應有不當
自恣當觀五欲無常以求善本於身命財而修堅法　○此三持世不識謬為說
法誡之以自恣默之以無常將之以三堅　生曰從女絃歌是自恣之福有
自恣者變為罪之根本也五欲者五情所欲也用為自恣寶之必滌覺
其無常然後能以之求善本矣　肇曰三堅身命財寶也若忘身命

BD01872 號　淨名經集解關中疏卷上　（30–24）

[illegible]
法誡〻以自恣歎〻以無常說〻以三界生日從女絃歌是自恣法也福有
而自恣者豈爲非〻根者也五欲者五情所欲也用爲自恣寶〻必深覺
其無常然後能以〻求善本矣肇曰三堅法身命財寶也忘身命
棄財寶去封累而修道者必獲無極之身無窮之命無盡之財此三
法焚而不燒劫數終而不盡故名堅法以天帝樂著五欲不慮無常故
勸修堅法也 即語我言正士受是万二千天女可備掃灑 ○此四魔
變㨗女爲亂也 ○生曰其說法既可說以德善實欲以女亂之矣 我言憍尸迦
无以此非法之物要我沙門釋子此非我宜 ○此五不受女非順道之緣故捨而
不受若須身亦觀万品一如无非不順 ○肇曰持世菩薩時爲法正也 所言未訖時
維摩詰來謂我言非帝釋也是爲魔來嬈固汝耳 ○此三序列彈事文中
有八 一覺悟二說女三欲隱四勸捨五魔捨六說法七誘女八還女 此稱也 淨名覺
悟 ○肇曰持世不覺故善其狀也 即語魔言是諸女等可以與我如我應
受 ○此二淨名索女 ○肇曰將化諸女故現從其索我爲白衣應受妻者爲
以與沙門釋子乎 魔即驚懼念維摩詰將无惱我欲隱形去而不能隱
盡其神力亦不得去 ○此三魔欲去 ○肇曰淨名神力之所制也 即聞空中聲
曰波旬以女與之乃可得去 ○四空聲勸捨女也 ○肇曰淨名以魔迷固故化導
之也 魔以畏故俛仰而與 ○此五魔女捨 ○生曰推輕重留女故當勝自不得
去 尒時維摩詰語諸女言魔以汝等與我今汝皆當發阿耨多羅三藐
三菩提心即隨所應而爲說法令發道意 ○此六淨名爲女說法文三 此初令
發心也 ○肇曰在魔故從欲在我宜從道教復言汝等已發道意有法樂可
以自娛不應復樂五欲樂也 ○此下勸離行文五一勸二問三答 此初勸樂法捨
欲也 ○肇曰女人之性唯欲是樂以其初捨天樂故示以法樂夫能以弘道爲美積德爲所
者雖復經苦履難而不改其樂天地所重无易其所以此自娛樂之極也豈欲
之足存自此已下備列諸行以明超世之道至歡之所由生也 天女即問何謂法樂
○二不解故問也 答曰樂常信佛樂欲聽法樂供養衆樂離五欲 ○三淨名答文四
○此初樂三寶四信謂歸三寶及厭欲持戒 肇曰信而後悅莫若於三寶樂離五欲
者何曰是信戒 樂觀五陰如怨賊樂觀四大如毒蛇樂觀內入如空聚 ○此二樂厭
若報也 什曰如方便品中說也 肇曰善惡必察何樂如之 樂隨護道意樂饒益
衆生樂敬養師 ○此三明樂於出道文三 此初內護道意下益衆生上敬養師並
行本也 肇曰將護无上道心令无差失 樂廣行施樂堅持戒樂忍辱柔和樂勤

若報也。什曰如方便品中說也。肇曰善惡必察何樂如之 經隨護道意樂饒益
衆生樂敬養師 ○ 此三明樂於出道文三此初内護道意下益衆生上敬養師並
行於也。肇曰將護无上道心令无差失 經廣行施樂堅持戒樂忍辱柔和樂勤
集善樂禪定不亂樂明了慧 ○ 此二明六度正行也。什曰世俗惠中不能生樂要得
无漏惠離座垢所至樂自生也 經廣菩提心 ○ 此下三遍於万行。肇曰彼我兼得謂
之度也 經降伏衆魔樂斷諸煩惱 ○ 魔怨而戟敵而惑病消故也 經淨佛國土樂成
就相好故修諸功德 ○ 依報淨而正報圓何樂如之 經莊嚴道場 ○ 嚴方行之因場始
道樹之果場 經聞深法不畏。什曰心无所着心不邪疑又能信諸佛有不思議法也
故能聞深法不畏也。肇曰樂法之情不深着者深法必生畏也 經樂三脫门不樂非
時 ○ 肇曰三脫门者空无相无作也 傳以之解謂之脫 三乘入三脫门不盡其極而中路
取證謂之非時 此大士之所不樂也 經樂近同學於非同學中心无恚礙。肇曰異
我自彼曷為生恚 非同學人道雖也 經樂將護惡知識樂近善知識 ○ 離惡不捨大
悲近善能成大智 經樂心喜清淨。肇曰清淨是實相真法喜 經樂修无量道品之
法 ○ 遍化无方故道品无量。肇曰法樂无量上略言之耳 是為菩薩法樂 此四結也
於是波旬告諸女言我欲与汝俱還天宮 ○ 此七波旬請女也文三此初請也。肇曰先聞
空中聲畏而言与非其真心故欲俱還也 諸女言以我等與此居士有法樂我等甚
樂不復樂五欲樂也 ○ 二女辭也。肇曰已屬人矣兼存法樂何由返也 魔言居士可捨此女
一切所有施於彼者是為菩薩 ○ 此八還女文五一索女二還女三請法四為說五隨還此
初也 索女也。肇曰淨名化道既訖魔知其不捨故請之 道一切无惜想能見還也
維摩詰言我已捨矣汝便將去令一切衆生得法願具足 ○ 二還女也。肇曰因事興願
菩常法也 以女還魔願其滿故因以生願一切衆生得法願具足必魔之願滿也
於是諸女問維摩詰我等去何止於魔宮 ○ 三弟子諦師故請法也。肇曰昔在魔宮
以五欲為樂今在菩薩以法樂為樂 樂後還魔宮天當何所業耶 維摩
詰言諸姊有法门名无盡燈汝等當學 ○ 四大士為說无盡燈法文三此初標名勸
也。肇曰將還流大法之明以照魔宮 癡冥之室故說此门也 无盡燈者譬如一
燈然百千燈 冥者皆明明終不盡如是諸姊夫一菩薩開導百千衆生令發阿耨
多羅三藐三菩提心於其道意亦不滅盡隨所說法而自增益一切善法是名
无盡燈也 ○ 二釋勸法喻合可見。肇曰自行化彼則功德弥增法光不絕名无盡燈
也 汝等雖住魔宮以是无盡燈令无數天子天女發阿耨多羅三藐三菩提心者
者為報佛恩亦大饒益一切衆生 ○ 三結勸學也。肇曰報恩之上莫先弘道

无盡燈也。二釋勸所以可見。肇曰：自行化彼，則功德彌增，法光不絕，名无盡燈也。「汝等雖住魔宮，以是无盡燈，令无數天子天女發阿耨多三藐三菩提心者，為報佛恩，亦大饒益一切眾生。」二結勸其學也。肇曰：報恩之上，莫先弘道。「爾時天女頭面禮維摩詰足，隨魔還宮，忽然不現。」五致禮辭還。「世尊，維摩詰有如是自在神力、智慧、辯才，故我不任詣彼問疾。」此品結辭不堪。「佛告長者子善得：汝行詣維摩詰問疾。」文二，初命也。梵云須達多，此云善施，即給孤獨也。因緣如別。「善得白佛言：世尊，我不堪任詣彼問疾。」二辭。文四，初總辭也。「所以者何？憶念我昔自於父舍設大施會，供養一切沙門、婆羅門及諸外道、貧窮、下賤、孤獨、乞人，期滿七日。」二略釋也。在家大士致於父舍行施化同類也。生曰：婆羅門法，七日祠梵天，行大施，期生彼也。言已承嫡繼業於父舍此也。寄之可以致明法施大矣。什曰：所以乃至第七日方來議者，欲令其功德滿，以導熟也。「時維摩詰來入會中，謂我言：長者子，夫大施會不當如汝所設。」此三者，引彈事。文三，初一彈訶，二請說，三略說，四重請，五廣說，六得益。此初彈也。肇曰：天竺大施會法，於父舍開四門，立高幢，告天下諸有所須，皆諸其舍，於七日中損家而施，以求梵福。時淨名以其俗施既滿，將進以法施，故先譏其所設，以明為施之殊也。「當為法施之會，何用是財施會為？」肇曰：夫形必有所礙，財必有所窮，故會人以形者不可普集，施人以財者不可以周給。且施既不普，財不益神，未若會群生於十方而即之本土，懷法施於胸中而惠无不普。以此而會，會无不均；以此而施，施不遺人。曷為置殊方而集近賓，捨心益而獨周身乎？「我言：居士，何謂法施之會？」此二請問也。「法施會者，无前无後，一時供養一切眾生，是名法施之會。」此三略答也。什曰：若起一慈心，即十方同緣。施中之等，莫先於此，故曰无前後也。肇曰：夫以方會人，不可一息期；以財濟物，不可一時周。是以會通无隅者，彌綸而不漏；法澤冥被者，不易時而周覆。故能令即无疆為一會，而道无不周。塵心懷德而物自賓，曷為存濡沫之小惠，捨江海之大益，置一時之供養而設前後俗施乎？「何謂也？」此四重問也。肇曰：群生无際而受化不俱，欲无前无後一時而養者，何謂也？「謂以菩提起於慈心。」此下五廣說方行法施。文五，此初以四等也。肇曰：夫財養養身，法養養神，神之道存乎冥益。何則？群生流轉，以无窮為路，冥冥相承，莫能自返。故大士建德不自為身，一念之善，皆為群生故。一行俱果，果則己功立，己功立則有濟物之能，群生益則有返流之分。然則菩薩始建德於內，群生已蒙益於外矣。何必待哺養食留道然後為益乎？菩提者，一濟之道也。是以為菩提而起慈者，一時所益无際矣。「以救眾生起大悲心。」肇曰：大悲之興，以救

果則已功立，果則群生益，已功立則尤濟物，濟物能群生益則尤返流，返流然則菩提
達德於內，群生已蒙益於外矣。何必待哺養登道，然後為益乎。菩提者，極靖之道也。
是以為菩提而起慈者，合一時利益無際矣。以救衆生起大悲心。肇曰：大悲之興，救
彼而起。所以悲生於我，而天下同益也。以持正法起於喜心。肇曰：愛彼我俱，持正法喜
心之生也。以攝智慧行於捨心。肇曰：亦捨之惡亦捨之，方於者正智之佳也。以攝慳貪起
檀波羅蜜。以化犯戒起尸羅波羅蜜。以無我法起羼提波羅蜜。此二明六度，行該大士
以亮之善普施衆生，永除六蔽，圓滿六度。肇曰：忍生於我，無我即無競。以離身
心相起毗耶離波羅蜜。肇曰：精進之相起乎身心，而去離身心者，其唯無相精
進乎。後次愛著身心不能精進者，其在亡身心乎。以菩提相起禪波羅蜜。
肇曰：菩提之相無定無亂，以此起禪，禪同相也。以一切智起般若波羅蜜。肇曰：在佛名
一切智，在菩薩名般若。因果異名也。然一切智以無相為相，以此起般若，無相因果
雖異名，其相不殊也。教化衆生而起於空。此下三約三脫明此義。肇曰：存衆生則
乖空義，存空義則捨衆生。善通法相虛空，其懷者，終日化衆生，終日不乖空
也。不捨有為法而起無相。肇曰：即有而無，故能起無相；即無而有，故能不捨。不捨
起萬法而齊備起，無美惡齊旨。示現受生而起無作。肇曰：作謂造作生死也。為
彼受生者非作生而生也，是以大士受生常起無作。護持正法起方便力，以度衆生
起四攝法。此四通約萬行明法施。肇曰：非方便無以護正法，非四攝無以濟群生。
以敬事一切起除慢法，於身命財起三堅法，於六念中起思念法，於六和敬起質
直心。息諸慢以脩敬，取三危而脩三堅。內思六念，外順六合。此之謂法施。六念
者，肇曰：念佛法僧施戒天，六念也。六和者，肇曰：以慈心起身口意業，為三也；四得重
與人共之，五持戒淨，六脩[illegible]。非直心無以具六法，無以和群衆，衆不和非
發順之道。以正行善法起於淨命。肇曰：見形行善不以邪心為命也。心淨歡喜
起近賢聖，不憎惡人起調伏心。心淨者信也。信樂賢聖，常近三寶；不憎惡人，能調
不善。肇曰：近賢聖生淨善，遠惡無生增慢心。以出家法起於深心。厭患三界，樔
求獲大乘，同緣非小乘之所為也。肇曰：出家之法非淺心所能弘也。以如說行起
於多聞。肇曰：聞不能行，非多聞。以無諍法起空閑處。法性平等，名為無諍。
達心此理，是住空閑。肇曰：忿競生乎衆聚，無諍出乎空閑。趣向佛慧起於宴
坐。肇曰：佛慧深遠，非定不趣。解衆生縛起脩行地。理圓無衝而解縛者，必脩
之行。肇曰：己行不脩，安能解彼。以具足相好及淨佛土起福德業，知一切衆生心念
如應說法起於智業。肇曰：大乘萬行分為二業，以智為行標，故別立智業，諸行隨從

BD01872號　淨名經集解關中疏卷上

（30–28）

達心法理是住空寂　肇曰：不見生乎衆務，无寂出乎空□□佛□□□有寂
也。肇曰：佛患除違非定不起　解衆生縛起䟦行也　理圓无衛而解縛者必䟦
行之住。肇曰：一行不䟦妄稱解被　以具足相好及淨佛土起福德業　知一切衆生心念
如應說法起於智業　肇曰：大乘万行分為二業，以智為行標，故別立智業。諸行隨從
故惣立德業。凡所䟦立非一業所成，而衆經䟦相好淨土，屬之德業；知念說法，繫之
智業。此蓋取其功用之所多，而未始相无也。　知一切法不取不捨入一相門起於慧業
肇曰：決定審知謂之智，遣心不別謂之慧。上決衆生念受諸法相，然後說法，故繫之法起於
智；今遣心分別法相，令入一門，故繫之於慧也。　斷一切煩惱一切障礙一切不善法起一切善業
肇曰：无善不䟦，无惡不斷。　以得一切智慧一切善法起於一切助佛道法　肇曰：一切智慧善法也
一切善法所得善也，助佛道法，大而諸无漏法也。智慧德二業非有漏之所成之者
必由助佛道法。　如是善男子是為法施之會若菩薩住是法施會者為大施主亦
為一切世間福田　此下五結成法施。肇曰：若能備上諸法，則其國无涯，其為會也，不近一方；
其為施也，不近形骸。不近形骸，故妙存濟神；不近一方，故其會弥綸，可謂大施，可謂
大會矣。　世尊維摩詰說是法時婆羅門衆中二百人皆發阿耨多羅三藐三菩提心
此下六明等時施得益。文二：初婆羅門發心也。　我時心得清淨歎未曾有稽首
禮維摩詰足即解瓔珞價直百千以上之　二明善德得益心淨。肇曰：心累永除，
得清淨信也。為上初心悟上瓔珞也。生曰：七日施而此物在者，衆所重也，亦以上維摩詰
者，現崇法施情也。　不肯取　二讓不受。生曰：本意為說法，故立為識財施，故懷此
而以不受。　我言居士願必納受隨意所與　三重請受隨施也。　維摩詰乃受
瓔珞分作二分持一分施此會中一最下乞人持一分奉彼難勝如來　四淨名受已迴
施。文四：初一迴施二田也。肇曰：上直進道以施法，未等發施之心，故施極上窮下，明
施心平等以成善，得為施之義也。　一切衆會皆見光明國土難勝如來又見珠
瓔在彼佛上變成四柱寶臺四面嚴飾不相障蔽　二佛現化。肇曰：不作分
者，欲以明等也。現神力者，彰法施之變也。變成四柱寶臺，豈財施能為之乎？是
法施會故也，故能无不周耳。　時維摩詰現神變已作是言若施主等心施一最
下乞人猶如如來福田之相　三勸人等心。文三：初相等，二无相等。生曰：物更施佛
者，通有此施，意乃是至之施者未能之，非分別，故淨名示之以平等。
何日施佛以施貧，故心懷施貧以施若故。悲係是以福田同相敬報也。　无所分別
等于大悲不求果報是則名曰具足法施也　二无相等。肇曰：若能齊尊
卑一其心平等，悲□而惠者，是法施耳。　城中一最下乞人見是神
力聞其所說皆發阿耨多羅三藐三菩提心　七四得益也　故我不任詣彼問疾
四昔□□□□

BD01872號　淨名經集解關中疏卷上　(30–29)

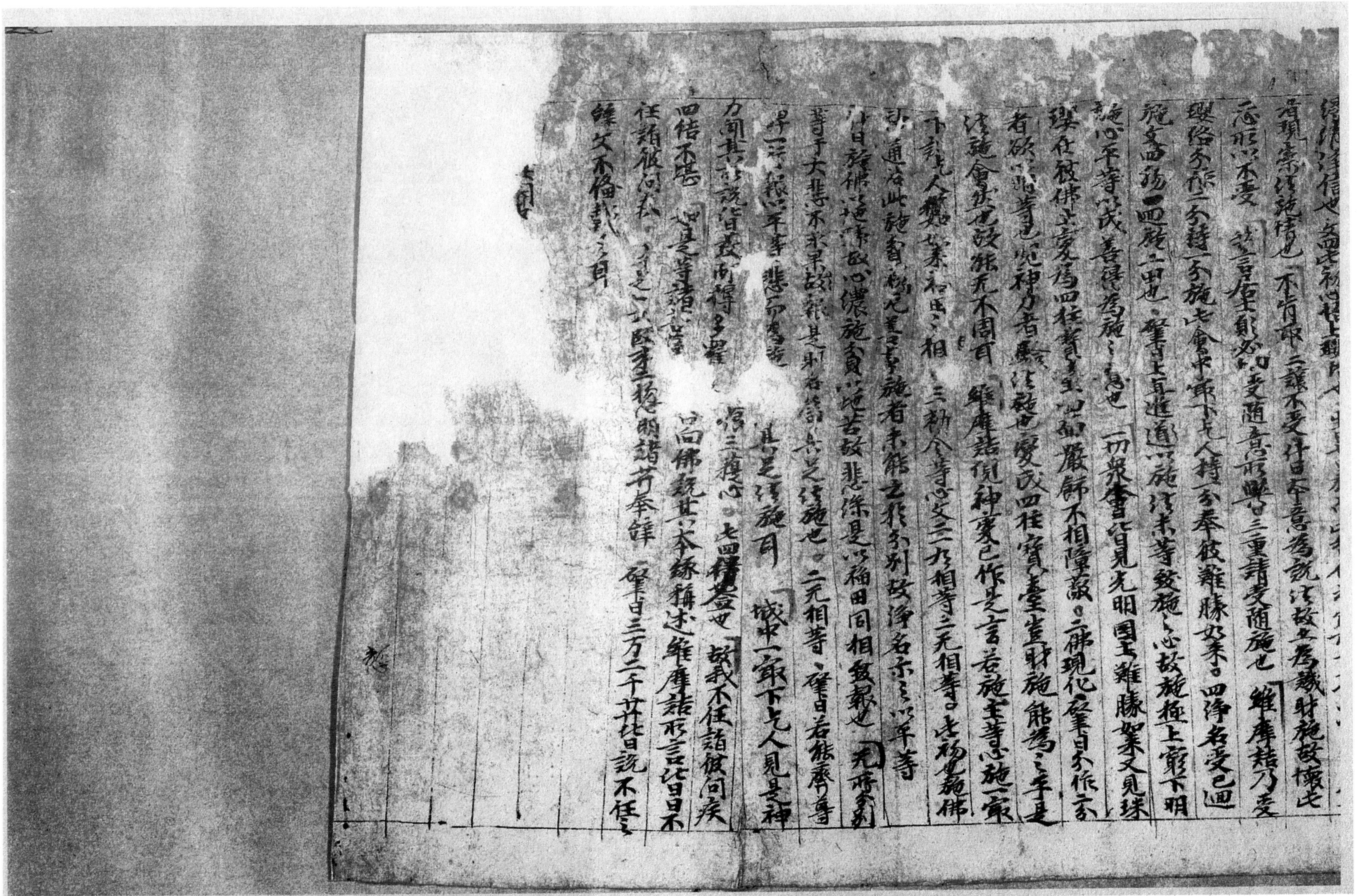

BD01872號　淨名經集解關中疏卷上

（30–30）

BD01872 號背　雜寫　　　　（2–1）

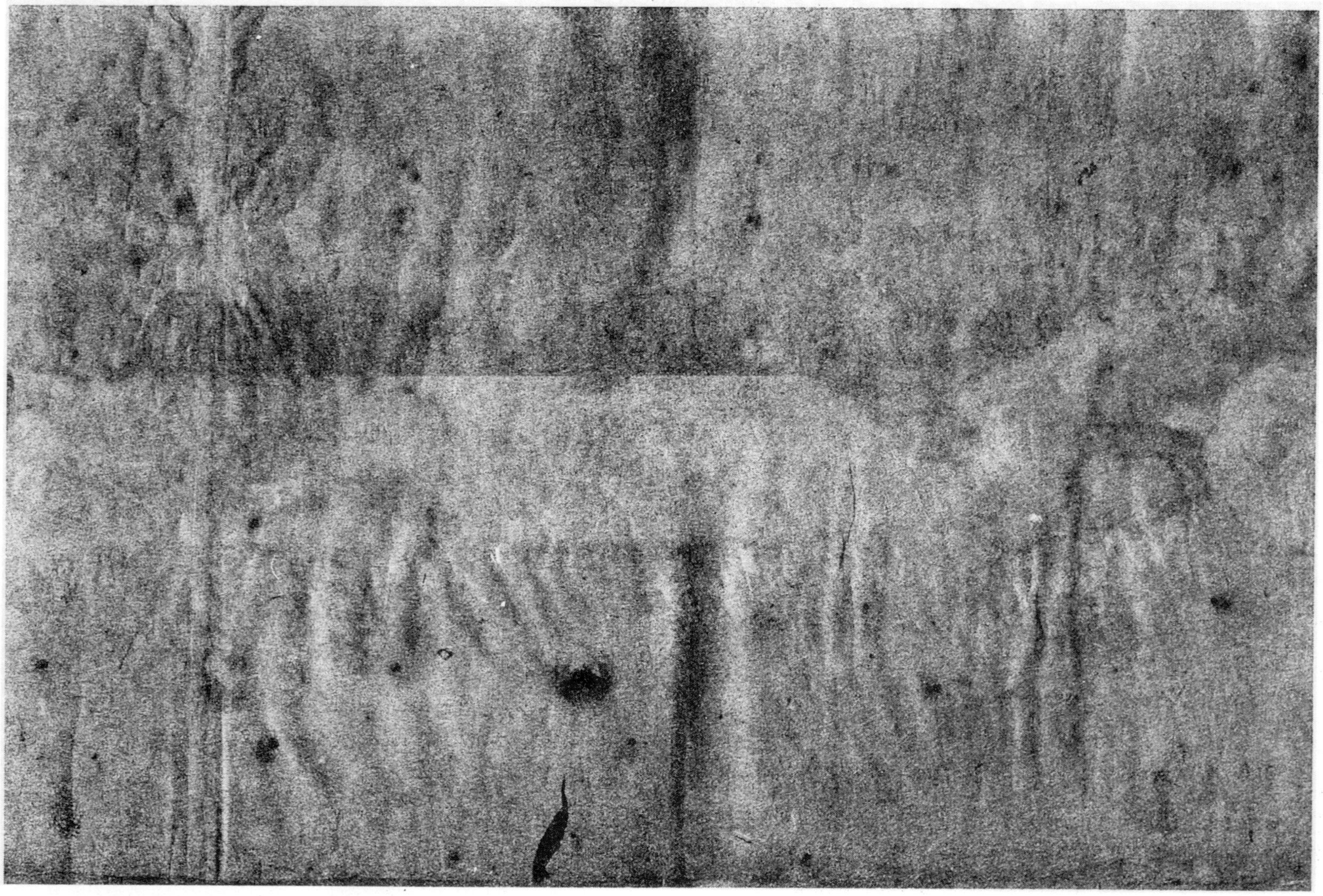

BD01872 號背　雜寫　　　　（2–2）

昔來蒙佛教 不失於大乘
佛音甚希有 能除衆生惱 我已得漏盡 聞亦除憂惱
我處於山谷 或在林樹下 若坐若經行 常思惟是事
嗚呼深自責 云何而自欺 我等亦佛子 同入无漏法
不能於未來 演說无上道
金色三十二 十力諸解脫 同共一法中 而不得此事
八十種妙好 十八不共法 如是等功德 而我皆已失
我獨經行時 見佛在大衆 名聞滿十方 廣饒益衆生
自惟失此利 我為自欺誑
我常於日夜 每思惟是事 欲以問世尊 為失為不失
我常見世尊 稱讚諸菩薩 以是於日夜 籌量如此事
今聞佛音聲 隨宜而說法 无漏難思議 令衆至道場
我本著邪見 為諸梵志師 世尊知我心 拔邪說涅槃
我悉除邪見 於空法得證 尒時心自謂 得至於滅度
而今乃自覺 非是實滅度
若得作佛時 具三十二相 天人夜叉衆 龍神等恭敬
是時乃可謂 永盡滅无餘
佛於大衆中 說我當作佛 聞如是法音 疑悔悉已除
初聞佛所說 心中大驚疑 將非魔作佛 惱亂我心耶
佛以種種緣 譬喻巧言說 其心安如海 我聞疑網斷

BD01873號 妙法蓮華經卷二 （29–1）

若得作佛時 具三十二相 天人夜叉衆 龍神等恭敬
是時乃可謂 永盡滅无餘
佛於大衆中 說我當作佛 聞如是法音 疑悔悉已除
初聞佛所說 心中大驚疑 將非魔作佛 惱亂我心耶
佛以種種緣 譬喻巧言說 其心安如海 我聞疑網斷
佛說過去世 无量滅度佛 安住方便中 亦皆說是法
現在未來佛 其數无有量 亦以諸方便 演說如是法
如今者世尊 從生及出家 得道轉法輪 亦以方便說
世尊說實道 波旬无此事 以是我定知 非是魔作佛
我墮疑網故 謂是魔所為
聞佛柔軟音 深遠甚微妙 演暢清淨法 我心大歡喜
疑悔永已盡 安住實智中
我定當作佛 為天人所敬 轉无上法輪 教化諸菩薩
尒時佛告舍利弗吾今於天人沙門婆羅門
等大衆中說我昔曾於二万億佛所為无上
道故常教化汝汝亦長夜隨我受學我以方
便引導汝故生我法中舍利弗我昔教汝志
願佛道汝今悉忘而便自謂已得滅度我今
還欲令汝憶念本願所行道故為諸聲聞說
是大乘經名妙法蓮華教菩薩法佛所護念
舍利弗汝於未來世過无量无邊不可思議
劫供養若干千万億佛奉持正法具足菩薩
所行之道當得作佛号曰華光如來應供正
遍知明行足善逝世間解无上士調御丈夫

BD01873號 妙法蓮華經卷二 （29–2）

劫供養若干千万億佛奉持正法具足菩薩
所行之道當得作佛号曰華光如来應供正
遍知明行足善逝世間解无上士調御丈夫
天人師佛世尊國名離垢其土平正清淨嚴
飾安隱豊樂天人熾盛琉璃為地有八交道
黄金為繩以界其側其傍各有七寶行樹
常有華菓華光如来亦以三乘教化衆生
舍利弗彼佛出時雖非悪世以本願故說三
乘法其劫名大寶莊嚴何故名曰大寶莊嚴
其國中以菩薩為大寶故彼諸菩薩无量无邊
不可思議筭數譬喻所不能及非佛智力无
能知者若欲行時寶華承足此諸菩薩非初
發意皆久殖德本於无量百千万億佛所淨脩
梵行恒為諸佛之所稱歎常脩佛慧具大神
通善知一切諸法之門質直无偽志念堅固
如是菩薩充滿其國舍利弗華光佛壽十二
小劫除為王子未作佛時其國人民壽八小劫
華光如来過十二小劫授堅滿菩薩阿耨多
羅三藐三菩提記告諸比丘是堅滿菩薩次
當作佛号曰華足安行多陁阿伽度阿羅
訶三藐三佛陁其佛國土亦復如是舍利弗
是華光佛滅度之後正法住世卅二小劫像
法住世亦卅二小劫尒時世尊欲重宣此義
而說偈言

BD01873 號　妙法蓮華經卷二　（29–3）

是華光佛滅度之後正法住世卅二小劫像
法住世亦卅二小劫尒時世尊欲重宣此義
而說偈言
舍利弗来世　成佛普智尊　号名曰華光　當度无量衆
供養无數佛　具足菩薩行　十力等功德　證於无上道
過无量劫已　劫名大寶嚴　世界名離垢　清淨无瑕穢
以瑠璃為地　金繩界其道　七寶雜色樹　常有華菓實
彼國諸菩薩　志念常堅固　神通波羅蜜　皆已悉具足
於无數佛所　善學菩薩道　如是等大士　華光佛所化
佛為王子時　弃國捨世榮　於冣末後身　出家成佛道
華光佛住世　壽十二小劫　其國人民衆　壽命八小劫
佛滅度之後　正法住於世　三十二小劫　廣度諸衆生
正法滅盡已　像法三十二
舍利廣流布　天人普供養　華光佛所為　其事皆如是
其兩足聖尊　冣勝无倫匹　彼即是汝身　宜應自欣慶
尒時四部衆比丘比丘尼優婆塞優婆夷天
龍夜叉乹闥婆阿脩羅迦樓羅緊那羅摩
睺羅伽等大衆見舍利弗於佛前受阿耨多
羅三藐三菩提記心大歡喜踊躍无量各各脫
身所著上衣以供養佛釋提桓因梵天王等
與无數天子亦以天妙衣天曼陁羅華摩訶
曼陁羅華等供養於佛所散天衣住虛空中
而自迴轉諸天伎樂百千万種於虛空中一時
俱作雨衆天華而作是言佛昔於波羅捺初

BD01873 號　妙法蓮華經卷二　（29–4）

曼陁羅華等供養於佛所散天衣住虛空中
而自迴轉諸天伎樂百千万種於虛空中一時
俱作雨衆天華而作是言佛昔於波羅㮈初
轉法輪今乃復轉无上最大法輪尒時諸天
子欲重宣此義而說偈言
昔於波羅㮈　轉四諦法輪　分別說諸法　五衆之生滅
今復轉最妙　无上大法輪　是法甚深奧　少有能信者
我等從昔來　數聞世尊說　未曾聞如是　深妙之上法
世尊說是法　我等皆隨喜　大智舍利弗　今得受尊記
我等亦如是　必當得作佛　於一切世間　最尊无有上
佛道叵思議　方便隨宜說
我所有福業　今世若過世　及見佛功德　盡迴向佛道
尒時舍利弗白佛言世尊我今无復疑悔親
於佛前得受阿耨多羅三藐三菩提記是諸
千二百心自在者昔住學地佛常教化言我
法能離生老病死究竟涅槃是學无學人亦
各自以離我見及有无見等謂得涅槃而今
於世尊前聞所未聞皆墮疑惑善哉世尊願
為四衆說其因緣令離疑悔尒時佛告舍利
弗我先不言諸佛世尊以種種因緣譬喻言
辭方便說法皆為阿耨多羅三藐三菩提耶
是諸所說皆為化菩薩故然舍利弗今當復
以譬喻更明此義諸有智者以譬喻得解舍

BD01873號　妙法蓮華經卷二　（29–5）

是諸所說皆為化菩薩故然舍利弗今當復
以譬喻更明此義諸有智者以譬喻得解舍
利弗若國邑聚落有大長者其年衰邁財
富无量多有田宅及諸僮僕其家廣大唯有一
門多諸人衆一百二百乃至五百人止住其中
堂閣朽故墻壁頹落柱根腐敗梁棟傾危
周匝俱時欻然火起焚燒舍宅長者諸子若十
廿或至卅在此宅中長者見是大火從四面起
即大驚怖而作是念我雖能於此所燒之
門安隱得出而諸子等於火宅內樂著嬉戲
不覺不知不驚不怖火來逼身苦痛切己心
不厭患无求出意舍利弗是長者作是思
惟我身手有力當以衣裓若以机案從舍出
之復更思惟是舍唯有一門而復狹小諸子
幼稚未有所識戀著戲處或當墮落為火
所燒我當為說怖畏之事此舍已燒宜時疾
出无令為火之所燒害作是念已如所思惟具
告諸子汝等速出父雖憐愍善言誘喻而諸
子等樂著嬉戲不肯信受不驚不畏了无
出心亦復不知何者是火何者為舍云何為失
但東西走戲視父而已尒時長者即作是念
此舍已為大火所燒我及諸子若不時出必為
所焚我今當設方便令諸子等得免斯害父

BD01873號　妙法蓮華經卷二　（29–6）

此舍已爲大火所燒我及諸子若不時出必爲
所焚我今當設方便令諸子等得勉斯害父
知諸子先心各有所好種種珎玩奇異之物
情必樂著而告之言汝等所可玩好希有難
得汝若不取後必憂悔如此種種羊車鹿車
牛車今在門外可以遊戲汝等於此火宅宜
速出來隨汝所欲皆當與汝尒時諸子聞父
所說珎玩之物適其願故心各勇鋭互相推
排競共馳走諍出火宅是時長者見諸子
等安隱得出皆於四衢道中露地而坐无復
鄣㝵其心泰然歡喜踊躍時諸子等各白父
言父先所許玩好之具羊車鹿車牛車願
時賜與舍利弗尒時長者各賜諸子等一大
車其車高廣衆寶莊校周迊欄楯四面懸
鈴又於其上張設幰蓋亦以珎奇雜寶而嚴
餝之寶繩絞絡垂諸華纓重敷綩綖安置
丹枕駕以白牛膚色充潔形體姝好有大筋
力行步平正其疾如風又多僕從而侍衛之
所以者何是大長者財富无量種種諸藏悉皆
充溢而作是念我財物无極不應以下劣小
車與諸子等今此幼童皆是吾子愛无偏黨
我有如是七寶大車其數无量應當等心各
各與之不宜差別所以者何以我此物周給
一國猶尚不匱何況諸子是時諸子各乘大

BD01873號　妙法蓮華經卷二　（29–7）

我有如是七寶大車其數无量應當等心各
各與之不宜差別所以者何以我此物周給
一國猶尚不匱何況諸子是時諸子各乘大
車得未曾有非本所望舍利弗於汝意云何
是長者等與諸子珎寶大車寧有虛妄不
舍利弗言不也世尊是長者但令諸子得免火
難全其軀命非爲虛妄何以故若全身命
便爲已得玩好之具況復方便於彼火宅而
拔濟之世尊若是長者乃至不與最小一車
猶不虛妄何以故是長者先作是意我以方
便令子得出以是因緣无虛妄也何況長者
自知財富无量欲饒益諸子等與大車佛告
舍利弗善哉善哉如汝所言舍利弗如来亦
復如是則爲一切世間之父於諸怖畏衰惱憂
患无明闇蔽永盡无餘而悉成就无量知見
力无所畏有大神力及智慧力具足方便智
慧波羅蜜大慈大悲常无懈惓恒求善事
利益一切而生三界朽故火宅爲度衆生生老
病死憂悲苦惱愚癡闇蔽三毒之火教化令
得阿耨多羅三藐三菩提見諸衆生爲生老
病死憂悲苦惱之所燒煑亦以五欲財利故
受種種苦又以貪著追求故現受衆苦後受
地獄畜生餓鬼之苦若生天上及在人間貧
窮困苦愛別離苦怨憎會苦如是等種種諸

BD01873號　妙法蓮華經卷二　（29–8）

受種種苦又以貪著追求故現受眾苦後受
地獄畜生餓鬼之苦若生天上及在人間貧
窮困苦愛別離苦怨憎會苦如是等種種諸
苦眾生沒在其中歡喜遊戲不覺不知不
驚不怖亦不生厭不求解脫於此三界火宅
東西馳走雖遭大苦不以為患舍利弗佛見
此已便作是念我為眾生之父應拔其苦難
與无量无邊佛智慧樂令其遊戲舍利弗
如來復作是念若我但以神力及智慧力捨
於方便為諸眾生讚如來知見力无所畏者
眾生不能以是得度所以者何是諸眾生未免
生老病死憂悲苦惱而為三界火宅所燒何由
能解佛之智慧舍利弗如彼長者雖復身手
有力而不用之但以慇懃方便勉濟諸子火
宅之難然後各與珍寶大車如來亦復如是
雖有力无所畏而不用之但以智慧方便於
三界火宅拔濟眾生為說三乘聲聞辟支佛
佛乘而作是言汝等莫得樂住三界火宅勿
貪麁弊色聲香味觸也若貪著生愛則為
所燒汝速出三界當得三乘聲聞辟支佛佛
乘我今為汝保任此事終不虛也汝等但當
懃修精進如來以是方便誘進眾生復作是
言汝等當知此三乘法皆是聖所稱歎自在
无繫无所依求乘是三乘以无漏根力覺道

言汝等當知此三乘法皆是聖所稱歎自在
无繫无所依求乘是三乘以无漏根力覺道
禪定解脫三昧等而自娛樂便得无量安隱
快樂舍利弗若有眾生內有智性從佛世
尊聞法信受慇懃精進欲速出三界自求涅
槃是名聲聞乘如彼諸子為求羊車出於火宅
若有眾生從佛世尊聞法信受慇懃精進求
自然慧樂獨善寂深知諸法因緣是名辟支
佛乘如彼諸子為求鹿車出於火宅若有眾
生從佛世尊聞法信受懃修精進求一切智佛
智自然智无師智如來知見力无所畏愍念安
樂无量眾生利益天人度脫一切是名大乘
菩薩求此乘故名為摩訶薩如彼諸子為求
牛車出於火宅舍利弗如彼長者見諸子等
安隱得出火宅到无畏處自惟財富无量等
以大車而賜諸子如來亦復如是為一切眾生
之父若見无量億千眾生以佛教門出三
界苦怖畏險道得涅槃樂如來尒時便作
是念我有无量无邊智慧力无畏等諸佛法
藏是諸眾生皆是我子等與大乘不令有人
獨得滅度皆以如來滅度而滅度之是諸眾
生脫三界者悉與諸佛禪定解脫等娛樂之
具皆是一相一種聖所稱歎能生淨妙第一之
樂舍利弗如彼長者初以三車誘引諸子然

生脫三界者悉與諸佛禪定解脫等娛樂之
具皆是一相一種聖所稱歎能生淨妙第一之
樂舍利弗如彼長者初以三車誘引諸子然
後但與大車寶物莊嚴安隱第一然彼長
者无虛妄之咎如來亦復如是无有虛妄初
說三乘引導衆生然後但以大乘而度脫之
何以故如來有无量智慧力无所畏諸法之
藏能與一切衆生大乘之法但不盡能受舍
利弗以是因緣當知諸佛方便力故於一佛
乘分別說三佛欲重宣此義而說偈言
譬如長者 有一大宅 其宅久故 而復頓弊
堂舍高危 柱根摧朽 梁棟傾斜 基陛頹毀
牆壁圮坼 泥塗褫落 覆苫亂墜 椽梠差脫
周障屈曲 雜穢充遍 有五百人 止住其中
鵄梟鵰鷲 烏鵲鳩鴿 蚖蛇蝮蠍 蜈蚣蚰蜒
守宮百足 鼬貍鼷鼠 諸惡虫輩 交橫馳走
屎尿臭處 不淨流溢 蜣蜋諸虫 而集其上
狐狼野干 咀嚼踐蹋 嚌齧死屍 骨肉狼藉
由是群狗 競來搏撮 飢羸慞惶 處處求食
鬪諍齟掣 啀喍嘷吠 其舍恐怖 變狀如是
處處皆有 魑魅魍魎 夜叉惡鬼 食噉人肉
毒虫之屬 諸惡禽獸 孚乳產生 各自藏護
夜叉競來 爭取食之 食之既飽 惡心轉熾
鬪諍之聲 甚可怖畏 鳩槃荼鬼 蹲踞土埵

BD01873號　妙法蓮華經卷二　（29–11）

毒虫之屬 諸惡禽獸 孚乳產生 各自藏護
夜叉競來 爭取食之 食之既飽 惡心轉熾
鬪諍之聲 甚可怖畏 鳩槃荼鬼 蹲踞土埵
或時離地 一尺二尺 往返遊行 縱逸嬉戲
捉狗兩足 撲令失聲 以腳加頸 怖狗自樂
復有諸鬼 其身長大 裸形黑瘦 常住其中
發大惡聲 叫呼求食 復有諸鬼 其咽如針
復有諸鬼 首如牛頭 或食人肉 或復噉狗
頭髮蓬亂 殘害兇險 飢渴所逼 叫喚馳走
夜叉餓鬼 諸惡鳥獸 飢急四向 窺看窗牖
如是諸難 恐畏无量 是朽故宅 屬于一人
其人近出 未久之間 於後宅舍 忽然火起
四面一時 其焰俱熾 棟梁椽柱 爆聲震裂
摧折墮落 牆壁崩倒 諸鬼神等 揚聲大叫
鵰鷲諸鳥 鳩槃荼等 周慞惶怖 不能自出
惡獸毒虫 藏竄孔穴 毗舍闍鬼 亦住其中
薄福德故 為火所逼 共相殘害 飲血噉肉
野干之屬 並已前死 諸大惡獸 競來食噉
臭烟熢㶿 四面充塞 蜈蚣蚰蜒 毒蛇之類
為火所燒 爭走出穴 鳩槃荼鬼 隨取而食
又諸餓鬼 頭上火然 飢渴熱惱 周慞悶走
其宅如是 甚可怖畏 毒害火災 衆難非一
是時宅主 在門外立 聞有人言 汝諸子等
先因遊戲 來入此宅 稚小无知 歡娛樂著

BD01873號　妙法蓮華經卷二　（29–12）

其宅如是 甚可怖畏 毒害火災 衆難非一
是時宅主 在門外立 聞有人言 汝諸子等
先因遊戲 來入此宅 稚小无知 歡娛樂著
長者聞已 驚入火宅 方宜救濟 令无燒害
告喻諸子 說衆患難 惡鬼毒虫 災火蔓莚
衆苦次第 相續不絕 毒虵蚖蝮 及諸夜叉
鳩槃荼鬼 野干狐狗 鵰鷲鵄梟 百足之屬
飢渴惱急 甚可怖畏 此苦難處 況復大火
諸子无知 雖聞父誨 猶故樂著 嬉戲不已
是時長者 而作是念 諸子如此 益我愁惱
今此舍宅 无一可樂 而諸子等 耽湎嬉戲
不受我教 將為火害 即便思惟 設諸方便
告諸子等 我有種種 珍玩之具 妙寶好車
羊車鹿車 大牛之車 今在門外 汝等出來
吾為汝等 造作此車 隨意所樂 可以遊戲
諸子聞說 如此諸車 即時奔競 馳走而出
到於空地 離諸苦難 長者見子 得出火宅
住於四衢 坐師子座 而自慶言 我今快樂
此諸子等 生育甚難 愚小无知 而入險宅
多諸毒虫 魑魅可畏 大火猛焰 四面俱起
而此諸子 貪樂嬉戲 我已救之 令得脫難
是故諸人 我今快樂
尒時諸子 知父安坐 皆詣父所 而白父言

BD01873號 妙法蓮華經卷二 （29-13）

而此諸子 貪樂嬉戲 我已救之 令得脫難
是故諸人 我今快樂
尒時諸子 知父安坐 皆詣父所 而白父言
願賜我等 三種寶車 如前所許 諸子出來
當以三車 隨汝所欲 今正是時 唯垂給與
長者大富 庫藏衆多 金銀琉璃 車𤦲馬瑙
以衆寶物 造諸大車 裝挍嚴飾 周匝欄楯
四面懸鈴 金繩交絡 真珠羅網 張施其上
金華諸瓔 處處垂下 衆綵雜飾 周匝圍遶
柔軟繒纊 以為茵蓐 上妙細疊 價直千億
鮮白淨潔 以覆其上 有大白牛 肥壯多力
形體姝好 以駕寶車 多諸儐從 而侍衛之
以是妙車 等賜諸子 諸子是時 歡喜踊躍
乘是寶車 遊於四方 嬉戲快樂 自在无礙
告舍利弗 我亦如是 衆聖中尊 世間之父
一切衆生 皆是吾子 深著世樂 无有慧心
三界无安 猶如火宅 衆苦充滿 甚可怖畏
常有生老 病死憂患 如是等火 熾然不息
如來已離 三界火宅 寂然閑居 安處林野
今此三界 皆是我有 其中衆生 悉是吾子
而今此處 多諸患難 唯我一人 能為救護
雖復教詔 而不信受 於諸欲染 貪著深故
以是方便 為說三乘 令諸衆生 知三界苦
開示演說 出世間道 是諸子等 若心決定

BD01873號 妙法蓮華經卷二 （29-14）

以是方便 為說三乘 令諸衆生 知三界苦
開示演說 出世間道 是諸子等 若心決定
具足三明 及六神通 有得緣覺 不退菩薩
汝舍利弗 我為衆生 以此譬喻 說一佛乘
汝等若能 信受是語 一切皆當 成得佛道
是乘微妙 清淨第一 於諸世間 為无有上
佛所悅可 一切衆生 所應稱讚 供養礼拜
无量億千 諸力解脫 禪定智慧 及佛餘法
得如是乘 令諸子等 日夜劫數 常得遊戲
與諸菩薩 及聲聞衆 乘此寶乘 直至道場
以是因緣 十方諦求 更无餘乘 除佛方便
告舍利弗 汝諸人等 皆是吾子 我則是父
汝等累劫 衆苦所燒 我皆濟拔 令出三界
我雖先說 汝等滅度 但盡生死 而實不滅
今所應作 唯佛智慧
若有菩薩 於是衆中 能一心聽 諸佛實法
諸佛世尊 雖以方便 所化衆生 皆是菩薩
若人小智 深著愛欲 為此等故 說於苦諦
衆生心喜 得未曾有 佛說苦諦 真實无異
若有衆生 不知苦本 深著苦因 不能暫捨
為是等故 方便說道 諸苦所因 貪欲為本
若滅貪欲 无所依止 滅盡諸苦 名第三諦
為滅諦故 脩行於道 離諸苦縛 名得解脫

BD01873號　妙法蓮華經卷二　（29–15）

為是等故 方便說道 諸苦所因 貪欲為本
若滅貪欲 无所依止 滅盡諸苦 名第三諦
為滅諦故 脩行於道 離諸苦縛 名得解脫
是人於何 而得解脫 但離虛妄 名為解脫
其實未得 一切解脫 佛說是人 未實滅度
斯人未得 无上道故 我意不欲 令至滅度
我為法王 於法自在 安隱衆生 故現於世
汝舍利弗 我此法中 為欲利益 世間故說
在所遊方 勿妄宣傳
若有聞者 隨喜頂受 當知是人 阿鞞跋致
若有信受 此經法者 是人已曾 見過去佛
恭敬供養 亦聞是法 若人有能 信汝所說
則為見我 亦見於汝 及比丘僧 并諸菩薩
斯法華經 為深智說 淺識聞之 迷惑不解
一切聲聞 及辟支佛 於此經中 力所不及
汝舍利弗 尚於此經 以信得入 況餘聲聞
其餘聲聞 信佛語故 隨順此經 非己智分
又舍利弗 憍慢懈怠 計我見者 莫說此經
凡夫淺識 深著五欲 聞不能解 亦勿為說
若人不信 毀謗此經 則斷一切 世間佛種
或復顰蹙 而懷疑惑 汝當聽說 此人罪報
若佛在世 若滅度後 其有誹謗 如斯經典
見有讀誦 書持經者 輕賤憎嫉 而懷結恨
此人罪報 汝今復聽

BD01873號　妙法蓮華經卷二　（29–16）

若佛在世　若滅度後　其有誹謗　如斯經典
見有讀誦　書持經者　輕賤憎嫉　而懷結恨
此人罪報　汝今復聽
其人命終　入阿鼻獄　具足一劫　劫盡更生
如是展轉　至无數劫　從地獄出　當墮畜生
若狗野干　其形頋瘦　黧黮疥癩　人所觸嬈
又復為人　之所惡賤　常困飢渴　骨肉枯竭
生受楚毒　死被瓦石　斷佛種故　受斯罪報
若作駱駝　或生驢中　身常負重　加諸杖捶
但念水草　餘无所知　謗斯經故　獲罪如是
有作野干　來入聚落　身體疥癩　又无一目
為諸童子　之所打擲　受諸苦痛　或時致死
於此死已　更受蟒身　其形長大　五百由旬
聾騃无足　宛轉腹行　為諸小虫　之所唼食
晝夜受苦　无有休息　謗斯經故　獲罪如是
若得為人　眼根闇鈍　座陋攣躄　盲聾背傴
有所言說　人不信受　口氣常臭　鬼魅所著
貧窮下賤　為人所使　多病痟瘦　无所依怙
雖親附人　人不在意　若有所得　尋復忘失
若脩醫道　順方治病　更增他疾　或復致死
若自有病　无人救療　設服良藥　而復增劇
若他反逆　抄劫竊盜　如是等罪　横羅其殃
如斯罪人　永不見佛　衆聖之王　說法教化

若他反逆　抄劫竊盜　如是等罪　横羅其殃
如斯罪人　永不見佛　衆聖之王　說法教化
如斯罪人　常生難處　狂聾心亂　永不聞法
於无數劫　如恒河沙　生輒聾瘂　諸根不具
常處地獄　如遊園觀　在餘惡道　如己舍宅
駝驢猪狗　是其行處　謗斯經故　獲罪如是
若得為人　聾盲瘖瘂　貧窮諸衰　以自莊嚴
水腫乾痟　疥癩癰疽　如是等病　以為衣服
身常臭處　垢穢不淨　深著我見　增益瞋恚
婬欲熾盛　不擇禽獸　謗斯經故　獲罪如是
告舍利弗　謗斯經者　若說其罪　窮劫不盡
以是因緣　我故語汝　无智人中　莫說此經
若有利根　智慧明了　多聞強識　求佛道者
如是之人　乃可為說　若人曾見　億百千佛
殖諸善本　深心堅固　如是之人　乃可為說
若人精進　常脩慈心　不惜身命　乃可為說
若人恭敬　无有異心　離諸凡愚　獨處山澤
如是之人　乃可為說
又舍利弗　若見有人　捨惡知識　親近善友
如是之人　乃可為說　若見佛子　持戒清潔
如淨明珠　求大乘經　如是之人　乃可為說
若人无瞋　質直柔軟　常愍一切　恭敬諸佛
如是之人　乃可為說

如淨明珠 求大乘經 如是之人 乃可為說
若人无瞋 質直柔軟 常愍一切 恭敬諸佛
如是之人 乃可為說
復有佛子 於大衆中 以清淨心 種種因緣
譬喻言辭 說法无礙 如是之人 乃可為說
若有比丘 為一切智 四方求法 合掌頂受
但樂受持 大乘經典 乃至不受 餘經一偈
如是之人 乃可為說
如人至心 求佛舍利 如是求經 得已頂受
其人不復 志求餘經 亦未曾念 外道典籍
如是之人 乃可為說
告舍利弗 我說是相 求佛道者 窮劫不盡
如是等人 則能信解 汝當為說 妙法華經

妙法蓮華經信解品第四

尒時慧命須菩提摩訶迦旃延摩訶迦葉摩
訶目揵連從佛所聞未曾有法世尊授舍利
弗阿耨多羅三藐三菩提記發希有心歡喜
踊躍即從坐起整衣服偏袒右肩右膝著地
一心合掌曲躬恭敬瞻仰尊顏而白佛言我
等居僧之首年並朽邁自謂已得涅槃无所
堪任不復進求阿耨多羅三藐三菩提世尊
往昔說法既久我時在座身體疲懈但念空
无相无作於菩薩法遊戲神通淨佛國土成

BD01873號　妙法蓮華經卷二　（29–19）

往昔說法既久我時在座身體疲懈但念空
无相无作於菩薩法遊戲神通淨佛國土成
就衆生心不憙樂所以者何世尊令我等出
於三界得涅槃證又今我等年已朽邁於佛
教化菩薩阿耨多羅三藐三菩提不生一念
好樂之心我等今於佛前聞授聲聞阿耨多
羅三藐三菩提記心甚歡喜得未曾有不謂
於今忽然得聞希有之法深自慶幸獲大善
利无量珎寶不求自得世尊我等今者樂說
譬喻以明斯義譬若有人年既幼稚捨父逃
逝久住他國或十二十至五十歲年既長大
加復窮困馳騁四方以求衣食漸漸遊行遇
向本國其父先來求子不得中止一城其家
大富財寶无量金銀瑠璃珊瑚虎珀頗梨珠
等其諸倉庫悉皆盈溢多有僮僕臣佐吏民
象馬車乘牛羊无數出入息利乃遍他國商
估賈客亦甚衆多時貧窮子遊諸聚落經歷
國邑遂到其父所止之城父每念子與子離
別五十餘年而未曾向人說如此事但自思
惟心懷悔恨自念老朽多有財物金銀珎寶
倉庫盈溢无有子息一旦終沒財物散失无
所委付是以慇懃每憶其子復作是念我若
得子委付財物坦然快樂无復憂慮世尊尒

BD01873號　妙法蓮華經卷二　（29–20）

所委付是以慇懃每憶其子復作是念我若
得子委付財物坦然快樂无復憂慮世尊尒
時窮子傭賃展轉遇到父舍住立門側遥見
其父踞師子床寶机承足諸婆羅門剎利居
士皆恭敬圍繞以真珠瓔珞價直千万莊嚴
其身吏民僮僕手執白拂侍立左右覆以寶
帳垂諸華幡香水灑地散衆名華羅列寶物
出內取與有如是等種種嚴飾威德特尊窮
子見父有大力勢即懷恐怖悔來至此竊作
是念此或是王或是王等非我傭力得物之
處不如往至貧里肆力有地衣食易得若久
住此或見逼迫強使我作作是念已疾走而
去時富長者於師子座見子便識心大歡喜
即作是念我財物庫藏今有所付我常思念
此子无由見之而忽自來甚適我願我雖年
朽猶故貪惜即遣傍人急追將還尒時使者
疾走往捉窮子驚愕稱怨大喚我不相犯何
為見捉使者執之逾急強牽將還于時窮子
自念无罪而被囚執此必定死轉更惶怖悶
絕躄地父遥見之而語使言不須此人勿強
將來以冷水灑面令得醒悟莫復與語所以
者何父知其子志意下劣自知豪貴為子所
難審知是子而以方便不語他人云是我子
使者語之我今放汝隨意所趣窮子歡喜得

BD01873號　妙法蓮華經卷二　（29–21）

者何父知其子志意下劣自知豪貴為子所
難審知是子而以方便不語他人云是我子
使者語之我今放汝隨意所趣窮子歡喜得
未曾有從地而起往至貧里以求衣食尒時
長者將欲誘引其子而設方便密遣二人形
色憔悴无威德者汝可詣彼徐語窮子此有
作處倍與汝直窮子若許將來使作若言欲
何所作便可語之雇汝除糞我等二人亦共
汝作時二使人即求窮子既已得之具陳上
事尒時窮子先取其價尋與除糞其父見子
愍而怪之又以他日於窗牖中遥見子身羸
瘦憔悴糞土塵坌污穢不淨即脫瓔珞細軟
上服嚴飾之具更著麁弊垢膩之衣塵土坌
身右手執持除糞之器狀有所畏語諸作人
汝等勤作勿得懈息以方便故得近其子後
復告言咄男子汝常此作勿復餘去當加汝
價諸有所須瓫器米麵塩酢之屬莫自疑難
亦有老弊使人須者相給好自安意我如汝
父勿復憂慮所以者何我年老大而汝少壯
汝常作時无有欺怠瞋恨怨言都不見汝有
此諸惡如餘作人自今已後如所生子即時
長者更與作字名之為兒尒時窮子雖欣此
遇猶故自謂客作賤人由是之故於二十年

BD01873號　妙法蓮華經卷二　（29–22）

長者更與作字名之為兒尒時窮子雖欣此
遇猶故自謂客作賤人由是之故於二十年
中常令除糞過是已後心相體信入出无難
然其所止猶在本處世尊尒時長者有疾自
知將死不久語窮子言我今多有金銀珎寶
倉庫盈溢其中多少所應取與汝悉知之我
心如是當體此意所以者何今我與汝便為
不異宜加用心无令漏失尒時窮子即受教
勅領知衆物金銀珎寶及諸庫藏而无希取
一飡之意然其所止故在本處下劣之心亦
未能捨復經少時父知子意漸以通泰成就
大志自鄙先心臨欲終時而命其子并會親
族國王大臣剎利居士皆悉已集即自宣言
諸君當知此是我子我之所生於某城中捨
吾逃走跉跰辛苦五十餘年其本字某我名
某甲昔在本城懷憂推覓忽於此間遇會得
之此實我子我實其父今吾所有一切財物
皆是子有先所出內是子所知世尊是時窮
子聞父此言即大歡喜得未曾有而作是念
我本无心有所希求今此寶藏自然而至世
尊大富長者則是如來我等皆似佛子如來
常說我等為子世尊我等以三苦故於生死
中受諸熱惱迷惑无知樂著小法今日世尊

BD01873號　妙法蓮華經卷二　(29–23)

常說我等為子世尊我等以三苦故於生死
中受諸熱惱迷惑无知樂著小法今日世尊
令我等思惟蠲除諸法戲論之糞我等於中
勤加精進得至涅槃一日之價既得此已心
大歡喜自以為足便自謂言於佛法中勤精進
故所得弘多然世尊先知我等心著弊欲樂
於小法便見縱捨不為分別汝等當有如來
知見寶藏之分世尊以方便力說如來智慧
我等從佛得涅槃一日之價以為大得於此
大乘无有志求我等又因如來智慧為諸菩
薩開示演說而自於此无有志願所以者何
佛知我等心樂小法以方便力隨我等說而
我等不知真是佛子今我等方知世尊於佛
智慧无所悋惜所以者何我等昔來真是佛
子而但樂小法若我等有樂大之心佛則為
我說大乘法於此經中唯說一乘而昔於菩
薩前毀呰聲聞樂小法者然佛實以大乘教
化是故我等說本无心有所希求今法王大
寶自然而至如佛子所應得者皆已得之尒
時摩訶迦葉欲重宣此義而說偈言
我等今日 聞佛音教 歡喜踊躍 得未曾有
佛說聲聞 當得作佛 无上寶聚 不求自得
譬如童子 幼稚无識 捨父逃逝 遠到他土

BD01873號　妙法蓮華經卷二　(29–24)

佛說聲聞　當得作佛　无上寶聚　不求自得
譬如童子　幼稚无識　捨父逃逝　遠到他土
周流諸國　五十餘年　其父憂念　四方推求
求之既疲　頓止一城　造立舍宅　五欲自娛
其家巨富　多諸金銀　車𤦲馬瑙　真珠瑠璃
象馬牛羊　輦輿車乘　田業僮僕　人民衆多
出入息利　乃遍他國　商估賈人　无處不有
千万億衆　圍遶恭敬　常為王者　之所愛念
群臣豪族　皆共宗重　以諸緣故　往来者衆
豪富如是　有大力勢　而年朽邁　益憂念子
夙夜惟念　死時将至　癡子捨我　五十餘年
庫藏諸物　當如之何
尒時窮子　求索衣食　從邑至邑　從國至國
或有所得　或无所得　飢餓羸瘦　體生瘡癬
漸次經歷　到父住城　傭賃展轉　遂至父舍
尒時長者　於其門內　施大寶帳　處師子座
眷屬圍遶　諸人侍衛
或有計筭　金銀寶物　出内財産　注記券疏
窮子見父　豪貴尊嚴　謂是國王　若國王等
驚怖自怪　何故至此
覆自念言　我若久住　或見逼迫　強驅使作
思惟是已　馳走而去　借問貧里　欲往傭作
長者是時　在師子座　遙見其子　默而識之
即勅使者　追捉将来　窮子驚喚　迷悶躃地

覆自念言　我若久住　或見逼迫　強驅使作
思惟是已　馳走而去　借問貧里　欲往傭作
長者是時　在師子座　遙見其子　默而識之
即勅使者　追捉将来　窮子驚喚　迷悶躃地
是人執我　必當見殺　何用衣食　使我至此
長者知子　愚癡狹劣　不信我言　不信是父
即以方便　更遣餘人　眇目矬陋　无威德者
汝可語之　云當相雇　除諸糞穢　倍與汝價
窮子聞之　歡喜隨来　為除糞穢　淨諸房舍
長者於牖　常見其子　念子愚劣　樂為鄙事
於是長者　著弊垢衣　執除糞器　往到子所
方便附近　語令勤作
既益汝價　并塗足油　飲食充足　薦席厚暖
如是苦言　汝當勤作　又以軟語　若如我子
長者有智　漸令入出　經二十年　執作家事
示其金銀　真珠頗梨　諸物出入　皆使令知
猶處門外　止宿草菴　自念貧事　我无此物
父知子心　漸已曠大　欲與財物　即聚親族
國王大臣　剎利居士　於此大衆　說是我子
捨我他行　經五十歲　自見子来　已二十年
昔於某城　而失是子　周行求索　遂来至此
凡我所有　舍宅人民　悉以付之　恣其所用
子念昔貧　志意下劣　今於父所　大獲珍寶
并及舍宅　一切財物　甚大歡喜　得未曾有

昔於某城 而失是子 周行求索 遂來至此
凡我所有 舍宅人民 悉以付之 恣其所用
子念昔貧 志意下劣 今於父所 大獲珎寶
并及舍宅 一切財物 甚大歡喜 得未曾有
佛亦如是 知我樂小 未曾說言 汝等作佛
而說我等 得諸无漏 成就小乘 聲聞弟子
佛勅我等 說最上道 脩習此者 當得成佛
我承佛教 為大菩薩 以諸因緣 種種譬喻
若干言辭 說无上道
諸佛子等 從我聞法 日夜思惟 精勤脩習
是時諸佛 即授其記 汝於來世 當得作佛
一切諸佛 秘藏之法 但為菩薩 演其實事
而不為我 說斯真要
如彼窮子 得近其父 雖知諸物 心不希取
我等雖說 佛法寶藏 自无志願 亦復如是
我等內滅 自謂為足 唯了此事 更无餘事
我等若聞 淨佛國土 教化衆生 都无欣樂
所以者何 一切諸法 皆悉空寂 无生无滅
无大无小 无漏无為 如是思惟 不生喜樂
我等長夜 於佛智慧 无貪无著 无復志願
而自於法 謂是究竟
我等長夜 脩習空法 得脫三界 苦惱之患
住最後身 有餘涅槃 佛所教化 得道不虛
則為已得 報佛之恩

BD01873 號　妙法蓮華經卷二　（29–27）

我等長夜 脩習空法 得脫三界 苦惱之患
住最後身 有餘涅槃 佛所教化 得道不虛
則為已得 報佛之恩
我等雖為 諸佛子等 說菩薩法 以求佛道
而於是法 永无願樂
導師見捨 觀我心故 初不勸進 說有實利
如富長者 知子志劣 以方便力 柔伏其心
然後乃付 一切財物
佛亦如是 現希有事 知樂小者 以方便力
調伏其心 乃教大智
我等今日 得未曾有 非先所望 而今自得
如彼窮子 得无量寶
世尊我今 得道得果 於无漏法 得清淨眼
我等長夜 持佛淨戒 始於今日 得其果報
法王法中 久脩梵行 今得无漏 无上大果
我等今者 真是聲聞 以佛道聲 令一切聞
我等今者 真阿羅漢 於諸世間 天人魔梵
普於其中 應受供養
世尊大恩 以希有事 憐愍教化 利益我等
无量億劫 誰能報者
手足供給 頭頂禮敬 一切供養 皆不能報
若以頂戴 兩肩荷負 於恒沙劫 盡心恭敬
又以美饍 无量寶衣 及諸卧具 種種湯藥
牛頭栴檀 及諸珎寶 以起塔廟 寶衣布地

BD01873 號　妙法蓮華經卷二　（29–28）

普於其中　應受供養
世尊大恩　以希有事　憐愍教化　利益我等
无量億劫　誰能報者　手足供給　頭頂禮敬　一切供養　皆不能報
若以頂戴　兩肩荷負　於恒沙劫　盡心恭敬
又以美饍　无量寶衣　及諸卧具　種種湯藥
牛頭栴檀　及諸珎寶　以起塔廟　寶衣布地
如斯等事　以用供養　於恒沙劫　亦不能報
諸佛希有　无量无邊　不可思議　大神通力
无漏无為　諸法之王　能為下劣　忍于斯事
取相凡夫　随宜而說　諸佛於法　得最自在
知諸衆生　種種欲樂　及其志力　随所堪任
以无量喻　而為說法
随諸衆生　宿世善根　又知成熟　未成熟者
種種籌量　分别知已　於一乘道　随宜說三

妙法蓮華經卷第二

BD01873 號　妙法蓮華經卷二　　　　（29–29）

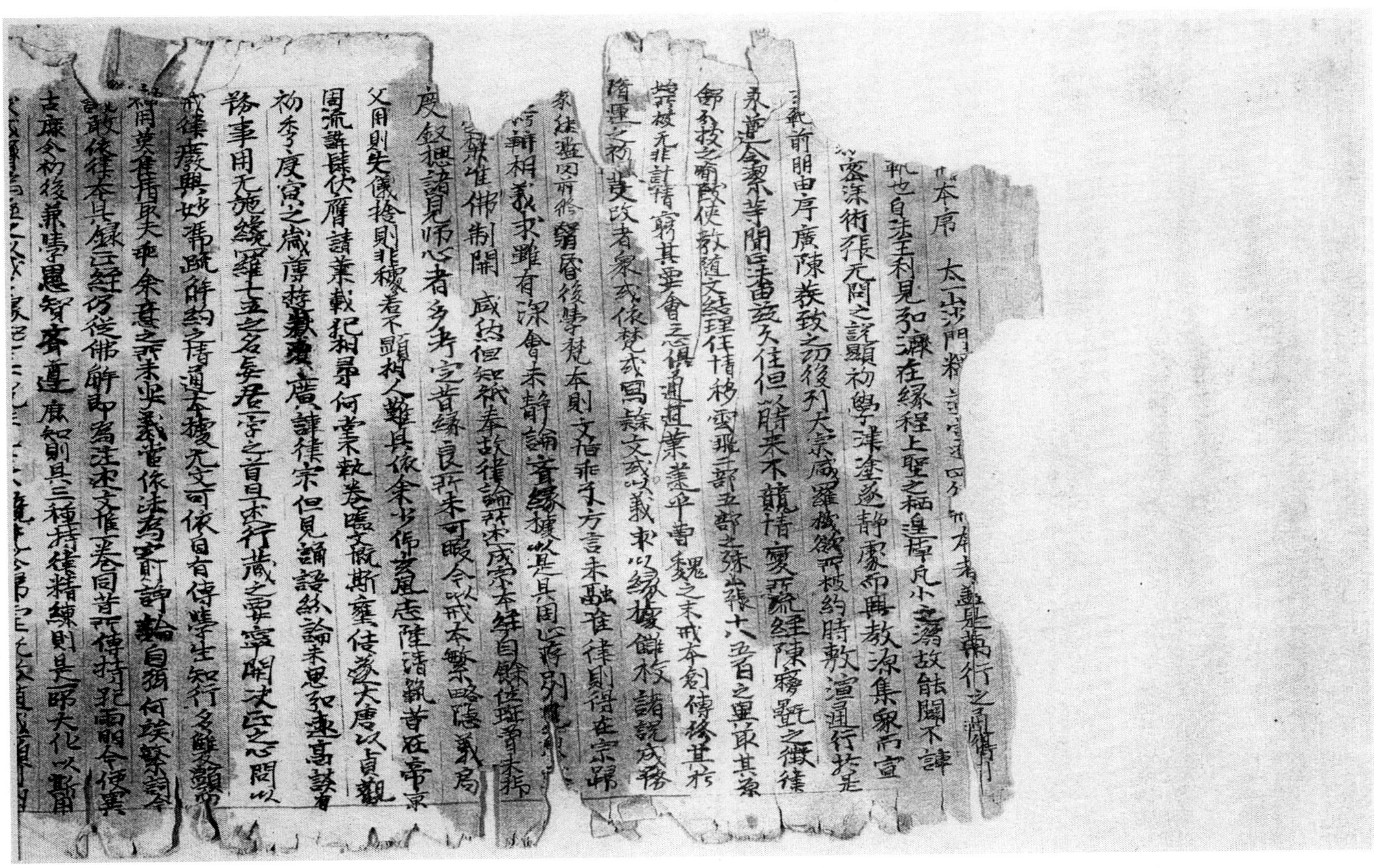

[illegible]本序　太一山沙門釋道宣述　[illegible]本者蓋是萬行之[illegible]
軌也自法王利見知濟在緣程上聖之極逢摽凡小之濟故能闡不諱
密深術張无問之說顯初學津塗遂静處而興教源集衆而宣
戒前明由序廣陳義致之功後列大宗咸羅儀所被約時敷演通行於是
衆論今聚小等聞三番並久住但以時未不競情變所流經陳廢墜之微律
部分指之喻故使敷隨文結理任情移雲飛二部五部之殊出於十八五百之異取其家
崇被无非討情窮其要會之心俱為遍甚葉並平曹魏之末戒本創傳於其於
隋運之初[illegible]改者衆或依梵或寫隸文或以義求以緣據雜校諸說成務
家往盤因前修[illegible]昏後學梵本則文浩非一方言未融[illegible]律則得在宗歸
[illegible]辯相義求雖有深會未靜論音緣據是其因心存别[illegible]
[illegible]唯佛制開　感恐但知衹奉故律論或述成宗本並自餘任理者未抑
度叙攝諸見師心者多矣空者緣良所未可暇令以戒本繁略隱義局
又用則失儀捨則非穢者不顯於人雖具依余少佈玄風志陳諸執普在帝京
固流諸懸伏膺請業載紀稍尋何當未敢卷臨文微斯鎮侍爲大唐以貞觀
初季度寶之歲薄游[illegible]廣諸律宗但見謂諍綵論未思知遠高謀者
務事用无施幾羅十五之名妄居二字之首且述行藏之要寧開決臣之心問以
戒律廢興妙篇所約之語通本據无文可依自有傳學生知行多雖[illegible]
猶用莫准唯取大乘余甚之来未见義當依法為萬詳論自預何疑[illegible]
敢依律本具錄正經仍從佛所即爲注述文惟一卷同昔所傳持犯兩明令使異
古來今初後兼學愚智齊進庶知則具三種持律精練則是一大化以[illegible]

BD01874 號 1　四分律比丘含注戒本序　　　　（9–1）

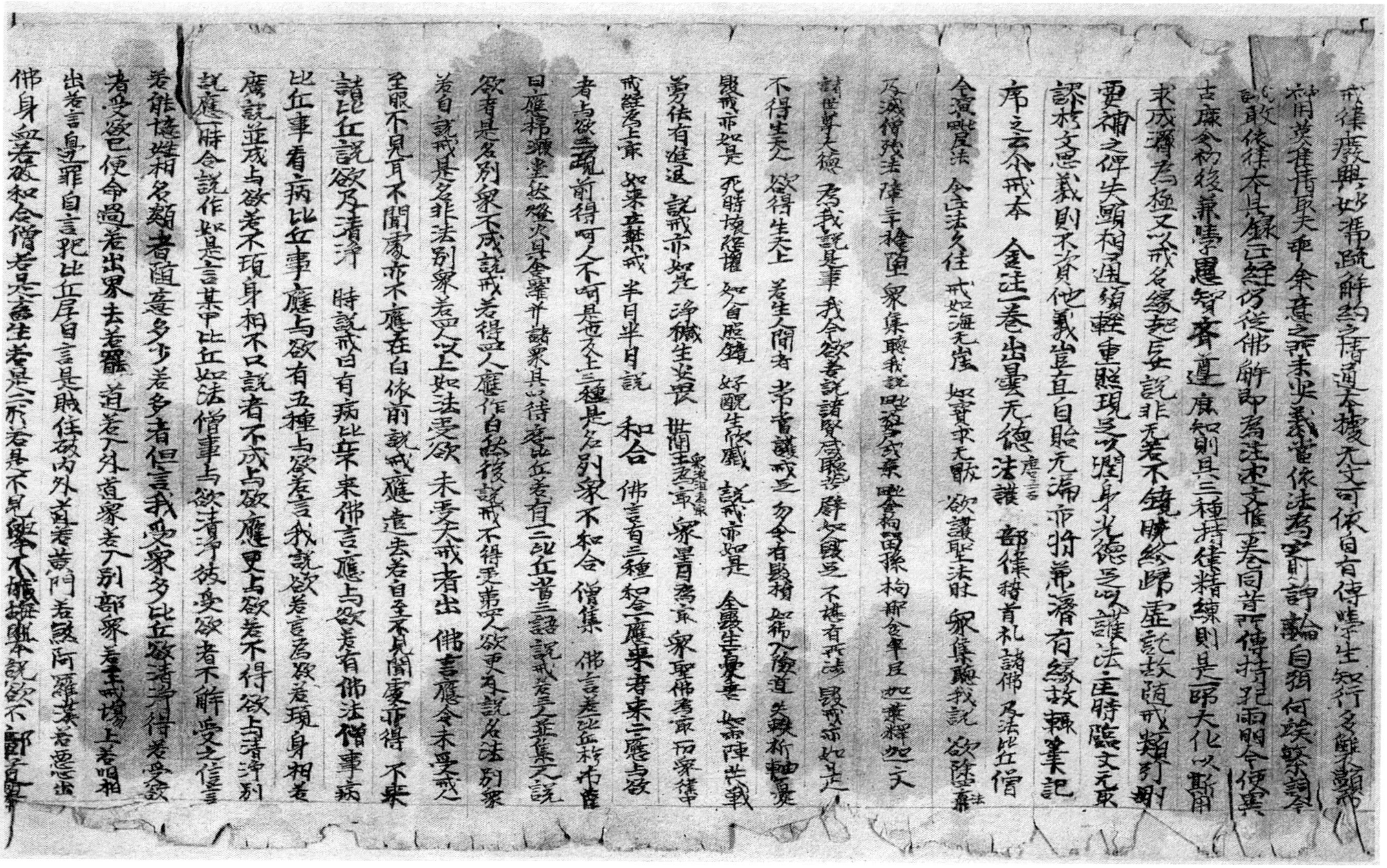

BD01874 號 1　四分律比丘含注戒本序　（9–2）
BD01874 號 2　四分律比丘含注戒本

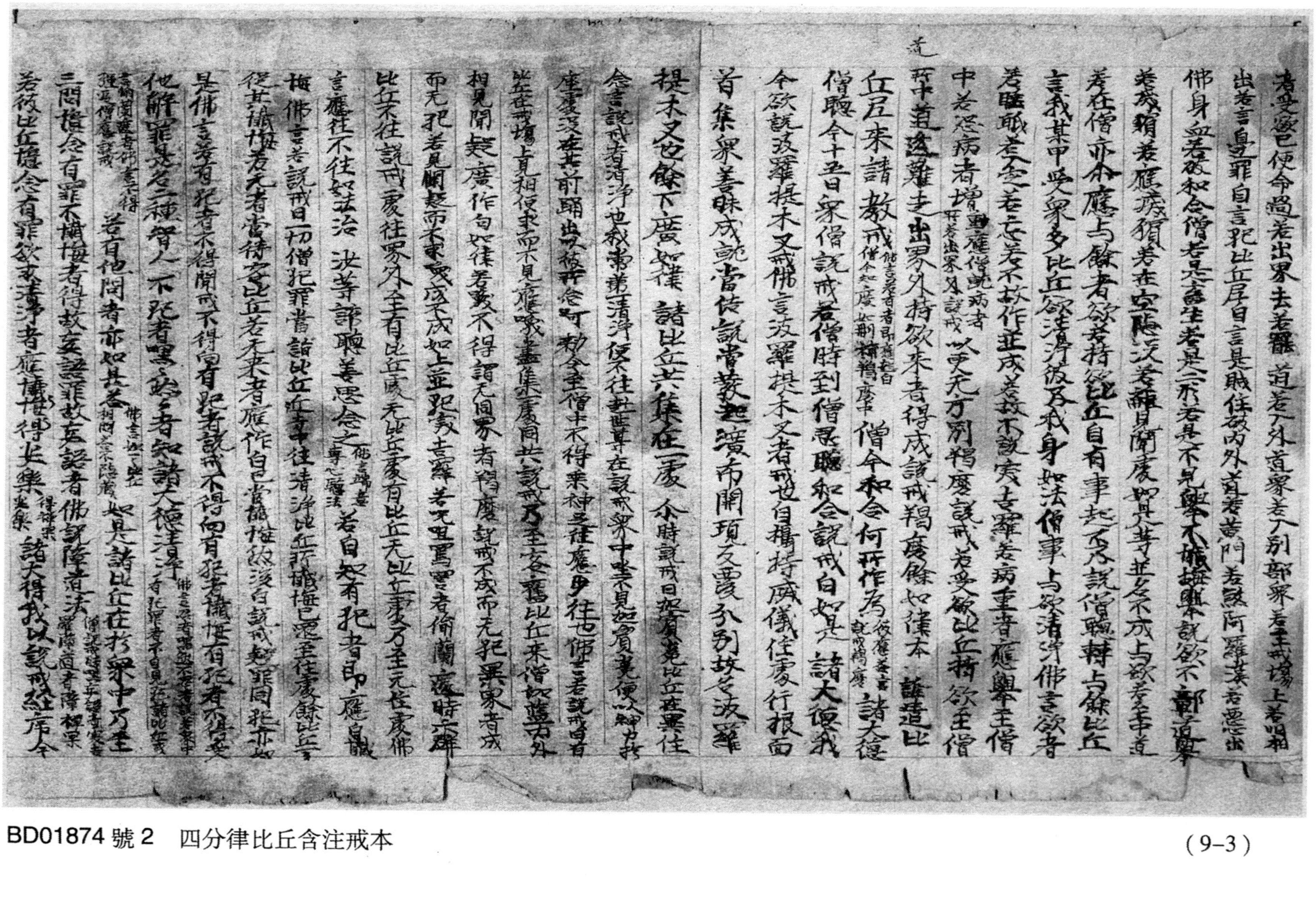

BD01874 號 2　四分律比丘含注戒本　（9–3）

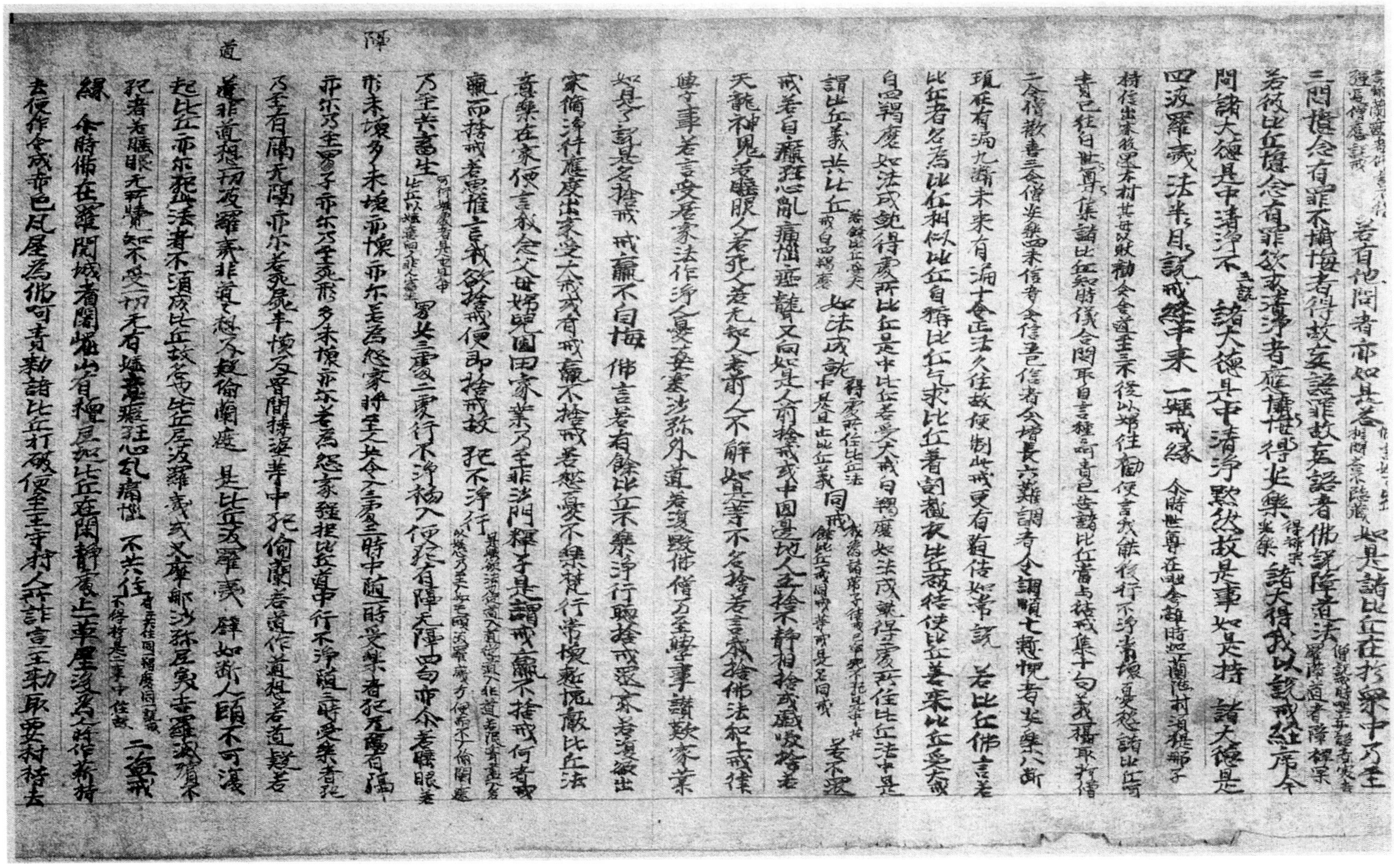

若有他問者亦如是答 如是諸比丘在於衆中乃至三問憶念有罪不懺悔者得故妄語罪 故妄語者佛說障道法
若彼比丘憶念有罪欲求清淨者應懺悔 懺悔得安樂
問諸大德是中清淨不 三說 諸大德是中清淨默然故是事如是持 諸大德是
四波羅夷法半月半月說戒經中來 一婬戒緣 爾時世尊在毗舍離時迦蘭陀村須提那子
持信出家後還本村其母以財勸令舍道
責已往白世尊 集諸比丘種種訶責已告諸比丘
二令僧歡喜 三令僧安樂 四未信者令信 五已信者令增長 六難調者令調順 七慚愧者得安樂 八斷現在有漏 九斷未來有漏 十令正法久住 故便制此戒 更有隨結如常說 若比丘 佛言若比丘者名爲比丘 相似比丘 自稱比丘 乞求比丘 著割截衣比丘 破結使比丘 善來比丘 受大戒白四羯磨如法成就得處所 比丘是中比丘者 受大戒白四羯磨 如法成就 得處所住比丘法中 是謂比丘義 共比丘 如法成就 同戒
若不還戒 若自癲狂心亂痛惱聾啞又向如是人前捨戒 或中國邊地人 不解 天龍神鬼若睡眠人 若死人若無知人 若前人不解 皆不名捨 若言我捨佛法和上戒律 乃至學事 若言受居家法作淨人 優婆塞 沙彌外道 若讚毀佛僧乃至學事 讚歎家業
如是等 戒羸不自悔 佛言若有餘比丘不樂淨行 厭捨戒 若愁憂不樂梵行 常懷慚愧厭比丘法 意樂在家 便言我念父母兄弟姊妹 婦兒 國田家業 乃至非沙門釋子 是謂戒羸不捨戒 何者戒羸而捨戒 若愚癡言我欲捨戒 便即捨戒 故 犯不淨行
乃至共畜生 畜生有三處 大小便道及口 行不淨 梵入便犯 有障無障 四句亦爾 若睡眠 若死 形未壞多未壞 亦爾 亦不爲怨家持至 大 小 三時中隨一時受樂者犯
乃至有隔無隔 亦爾 若死屍半壞 及骨間 於是等中 犯偷蘭遮 若道作非道想 非道作道想 疑 偷蘭遮 是比丘波羅夷 譬如斷人頭不可還
起 比丘亦爾 犯此法者不復成比丘 故名也 比丘尼 沙彌 沙彌尼 式叉摩那 若癡狂心亂痛惱 不共住 不得共住
犯者 若睡眠無所覺知 不受一切無有婬意 癡狂心亂痛惱 不共住 二盜戒
緣 爾時佛在羅閱城耆闍崛山 有檀尼迦比丘在閑靜處 上草屋 後爲人所作薪持
去 便作全成赤色瓦屋 爲佛呵責 勅諸比丘打破 便至王守村人所詐言王勅 取要材持去

道
障

BD01874號2　四分律比丘含注戒本

（9–4）

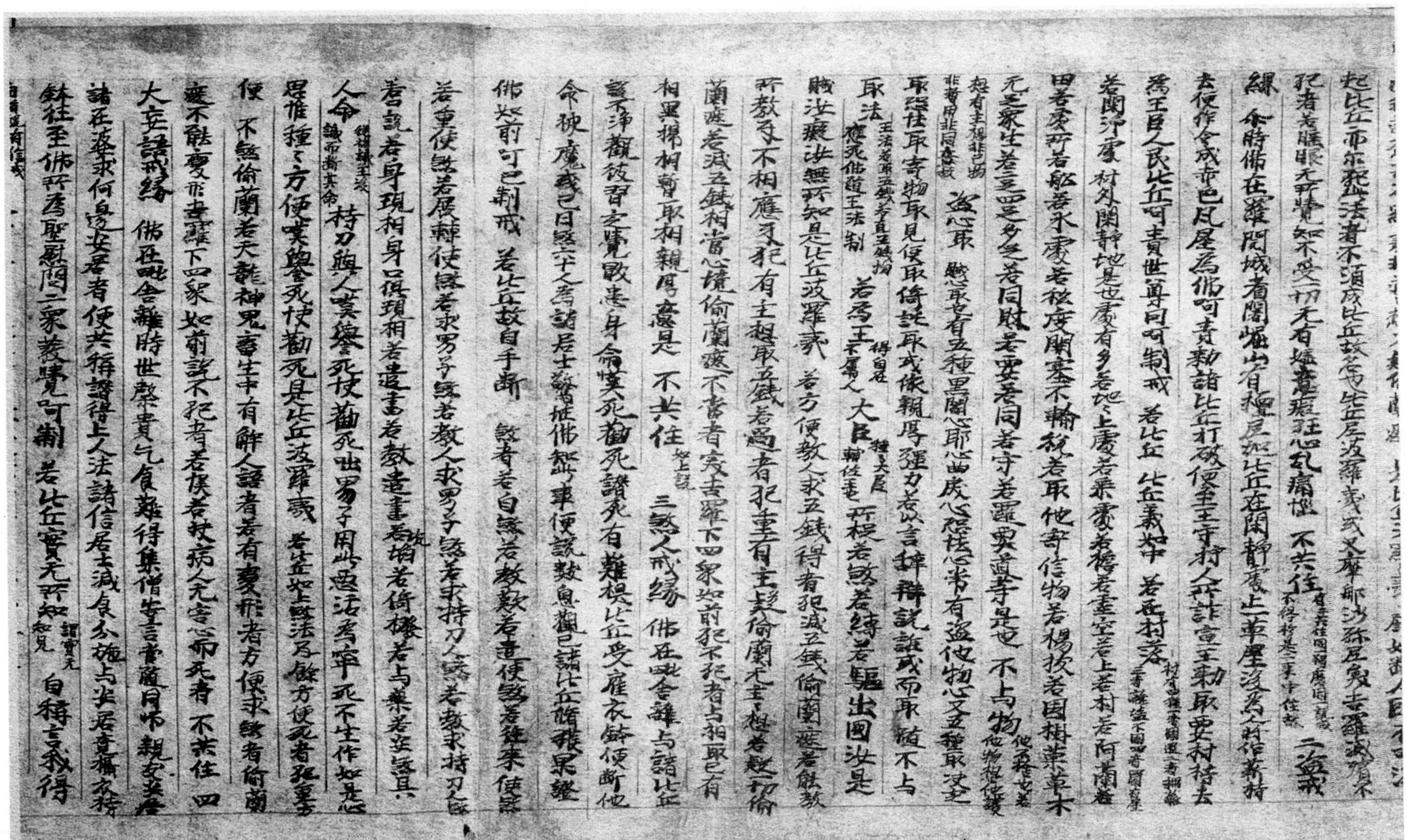

起比丘亦爾 犯此法者不復成比丘 故名也 比丘尼 沙彌 沙彌尼 式叉摩那 不共住
犯者 若睡眠無所覺知 不受一切無有婬意 癡狂心亂痛惱 不共住 二盜戒
緣 爾時佛在羅閱城耆闍崛山 有檀尼迦比丘在閑靜處 上草屋 後爲人所作薪持
去 便作全成赤色瓦屋 爲佛呵責 勅諸比丘打破 便至王守村人所詐言王勅 取要材持去
爲王臣人民比丘可責 世尊因呵制戒 若比丘 比丘義如上 若在村落 村落有四種 三者籬牆
若閑淨處 村外閑靜地是也 處有多種 若地上 處若乘處 若擔 若虛空 若上 若村 若阿蘭若
田 若處所 若船 若水處 若秘度關塞 不輸稅 若取他寄信物 若楊枝 若園樹 葉 草木
無主 衆生 若二足 四足 多足 若同財 若要 若同 若守 若邏 要道 等是也 不與物
他物也
盜心取 賊心取 有五種 黑闇心 邪心 曲戾心 恐怖心 常有盜他物心 又五種取 決定
取 寄住取 寄物取 見便取 倚託取 戒依親厚 強力 若以言辯辯說 誑惑而取 隨不與
取法 王法 若 犯 殺 若 有 治 罪 應死 佛隨王法制 若爲王 大臣 所捉 若殺 若縛 若驅出國 汝是
賊 汝癡 汝無所知 是比丘波羅夷 若方便教人 求五錢 得者 犯 減五錢 偷蘭遮 若 盜 教
所教 不相應 又犯 有主想取五錢 若過者 犯重 有主 疑 偷蘭遮 無主 有主想 若 取 偷
蘭遮 若減五錢 相當 心境 偷蘭遮 不當者 突吉羅 下四衆 如前 犯 不犯者 與 想 取 已有
相 異 糞掃 想 暫取 想 親厚意 是 不共住 如上說 三殺人戒緣 佛在毗舍離 與諸比丘
說不淨觀 彼習定覺厭患身命 懺死 覓刀自殺 請死 有難提比丘 受雇衣鉢 便斷他
命 被魔 殺 已日 殺 六十人 爲諸居士 譏嫌 佛 聞 制戒 事 便說 數息觀 已 諸比丘 隨 樂 證
佛 然 前 可 已 制戒 若比丘 故自手斷 殺者 若自 殺 若 教 殺 若 遣使 殺 若 往來 使 殺
若重使 殺 若展轉使 殺 若求男子 殺 若教人求男子 殺 若求持刀人 殺 若 教 求 持 刀 人 殺
若說 若身現相 身口俱現相 若遣書 若 教 遣 書 若 坑 若 倚 撥 若 與 藥 若 安 殺 具
人命 持刀與人 歎譽死 快勸死 咄男子 用此惡活爲 寧死不生 作如是心
思惟 種種方便 歎譽死 快 勸 死 是比丘波羅夷 若比丘 如上 殺 法 及 餘 方便 死 者
便 不 然 偷 蘭 若 天 龍 神 鬼 畜生 中 有 解 人 語 者 若 有 變 形 者 方 便 求 殺 者 偷 蘭
遮 不 然 亦 突 吉 羅 下 四 衆 如 前 說 不 犯 者 若 擲 若 扶 病 人 無 害 心 而 死 者 不 共 住 四
大妄語戒緣 佛在毗舍離 時世穀貴 乞食難得 集僧安居 隨所 親友 安居
諸在婆求河邊安居者 便共稱讚 得上人法 諸信居士 減食分施 與安居者 得 衣 持
鉢 往至佛所 爲聖 慰問 二 家 義 覺 可 制 若比丘 實無所知 謂實無知見 自稱言我得

BD01874號2　四分律比丘含注戒本

（9–5）

諸比丘遂求何息邊安居者便共稱讚得上人法諸信居士減食分施与安居竟捕衣持
鉢往至佛所爲聖慰問一衆義慚愧呵制 若比丘實無所知 謂實无知見 自稱言我得
自稱說有信戒施聞智慧辯 上人法 人法者人陰人界人入上人法者諸法出要成就若得善果自言念在
身若正憶念若持戒若少欲若不施足若精進若得定若得正受若有道若修若有
慧若見 我已入聖智勝法我知是我見是彼於異時若問若不問欲自清淨故
作是說我實不知不見言知言見虛誑妄語除增上慢 時有比丘增心自謂得道
後便真證諸比丘白佛言增上慢人不犯 是比丘波羅夷 若如是虛而向人說前人知者
波羅夷不知者偷蘭 若遣手作書使若書若作知相者亦尒若不能言說者蘭
向說得吉羅若實得道向不同意比丘說吉羅下四衆如前說不犯者增上慢業
報得不言我得癡狂說疾設屏處說欲說此錯說彼 不共住諸大德我已說四波
羅夷法 若比丘犯一一法 不得与諸比丘共住如前後亦如是比丘得波羅夷罪不應共住今問諸
大德是中清淨不 如是三說 諸大德是中清淨默然故是事如是持 諸大德是十三僧
伽婆尸沙法半月半月說戒經中來 一故弄出不淨戒緣 佛在舍衛國有迦留陀
夷比丘欲意熾盛身色憔悴獨處一房好床褥被地施敷具飲食豐足隨念弄失
諸根悅預顏色光澤諸比丘舉過白佛便無數呵責已制此戒也 若比丘故弄 實心故作 陰 有六
若精而色外而內外 若風著空處方便出則犯 出精除夢中 佛言亂意睡眠有五過失一者惡夢二者諸天不護三者
心不入法四者不思惟明相五者於夢中失精善意睡眠有功德反上句 僧伽婆尸沙 若
方便弄不失偷蘭遮自相教若失犯偷蘭不失吉羅尼波逸提三衆吉羅不犯者初
不作出精意 二觸人女戒緣 佛在舍衛國時迦留陀夷比丘以佛制前戒故便在門外伺
諸婦女將至房中手捉抱撲樂者便咲不樂者嗔罵呵責諸比丘舉過呵責
往白世尊佛便集僧制戒 若比丘婬欲意 愛染汙心 與女人覺觸新死少分壞四種也 身
從頭至足 相觸 若捉摩重摩或牽推或逆摩順摩或舉或下捉或捺若餘觸方便 若捉手若
捉髮若觸一一身分者僧伽婆尸沙 若比丘往觸四種女但著犯僧殘若女來觸比丘
動身受樂亦同犯若不動身吉羅若先有染心偷蘭遮有衣相觸偷蘭俱有衣吉
羅若以二形相觸偷蘭若欲心觸男子或餘畜生具乃至自觸身及以畜生一切突吉羅尼
波羅夷下三衆吉羅不犯者有所取与戲笑相解等是 三与女人麁語戒緣
佛在舍衛國時迦留陀夷以聞佛制前二戒故便將諸婦女入房中以欲心向彼麁惡語

BD01874 號 2　四分律比丘含注戒本　（9–6）

波羅夷下三衆吉羅不犯者有所取与戲笑相解等是 三与女人麁語戒緣
佛在舍衛國時迦留陀夷以聞佛制前二戒故便將諸婦女入房中以欲心向彼麁惡語
諸比丘舉過白佛因制此戒 若比丘婬欲意与女人 人女有智命根不斷 麁惡婬欲語 麁惡者非梵
行讚歎二道好惡若求若教他求若問若答若解若說若教若罵求者言与我二道
作是如如是事若復作餘語次第如是解 若隨麁惡婬欲語僧伽婆尸沙 若一反麁語
僧殘隨語多少說知了了者一一僧殘不了了偷蘭若与書印遣使作相令彼女知僧殘不知偷
蘭除大小便道說餘處好惡偷蘭与非人女非人女黃門二形麁語知者偷蘭畜生衆
能變形者向男子麁語一切吉羅尼偷蘭下三衆吉羅乃至下戒亦尒不犯者爲說
不淨觀若說毗尼受經問答無欲心故也 四嘆身向女人索婬欲供養戒緣 佛在
舍衛國時迦留陀夷 施 以聞佛制前三戒故便門外伺諸婦女將入房自讚嘆身汝可
持欲供養諸女可推比丘舉過白佛因制此戒 若比丘婬欲意於女人前 女見 自嘆身 嘆美身端政
好顏色布施剎利長者居士婆羅門種 言大妹我修梵行 勤修離婬穢也 持戒精進 不教不寶法无漏淨也 修善法 樂閑淨處
時到乞食著糞掃衣作餘食法不食坐食一揣食塚間坐露坐樹下坐常坐隨坐持三衣唄匿
多聞能說法持毗尼坐禪 可持是婬欲法供養我如是供養第一最僧伽婆尸沙 若
作如上自舉已供養我來不說婬欲者偷蘭餘境難犯如前戒說不犯者比丘語女人言
此處妙尊最上此比丘精進持戒修善法汝等應以身口意業而供養彼女言說我故數
身若說毗尼佛言此及此彼誦嘆身若錯說不犯 五媒人戒緣 佛在羅閱祇有迦羅比丘本
是大臣善知俗法城中嫁娶盡往諮問時婚娶成得好者便願迦羅受於喜樂諸居士讚可言
若欲待婚者可往沙門釋子中問諸比丘舉過白佛因制戒 若比丘往來彼此媒嫁 所應可和合者是
持男意語女持女意語男 女人有廿種母護父護父母護兄護姊護兄姊護自護法護姓護宗護
親護樂婦与衣婦与取婦同作業婦水所漂婦不輸稅婦放去婦客作婦他護婦邑方得婦是也
男子亦有廿種並同上列 若爲成婦事若爲私通事乃至須臾頃僧伽婆尸沙 若受語
突吉羅往彼說不還報偷蘭若還報僧殘若使書指印現相令媒嫁多少說而了了一一僧殘
若不了偷蘭除三道說餘身分突吉羅嫁者偷蘭若非人黃門二根媒者偷蘭若畜生及人
男吉羅若持他書往不看若爲白衣作餘使一切吉羅比丘尼同犯不犯者若男女先已通而
後離別還別還和合爲父母病患繫閉看持往信心精進俗人亦尒佛法比丘使亦尒 六無主自房
已過量房戒緣 佛在羅閱祇聽諸比丘造私房室有曠野國比丘私造大房乞求煩擾多
乞告上又有比丘自斫神樹支神白佛佛言驗減刃以事白佛佛以神事可責之又

BD01874 號 2　四分律比丘含注戒本　（9–7）

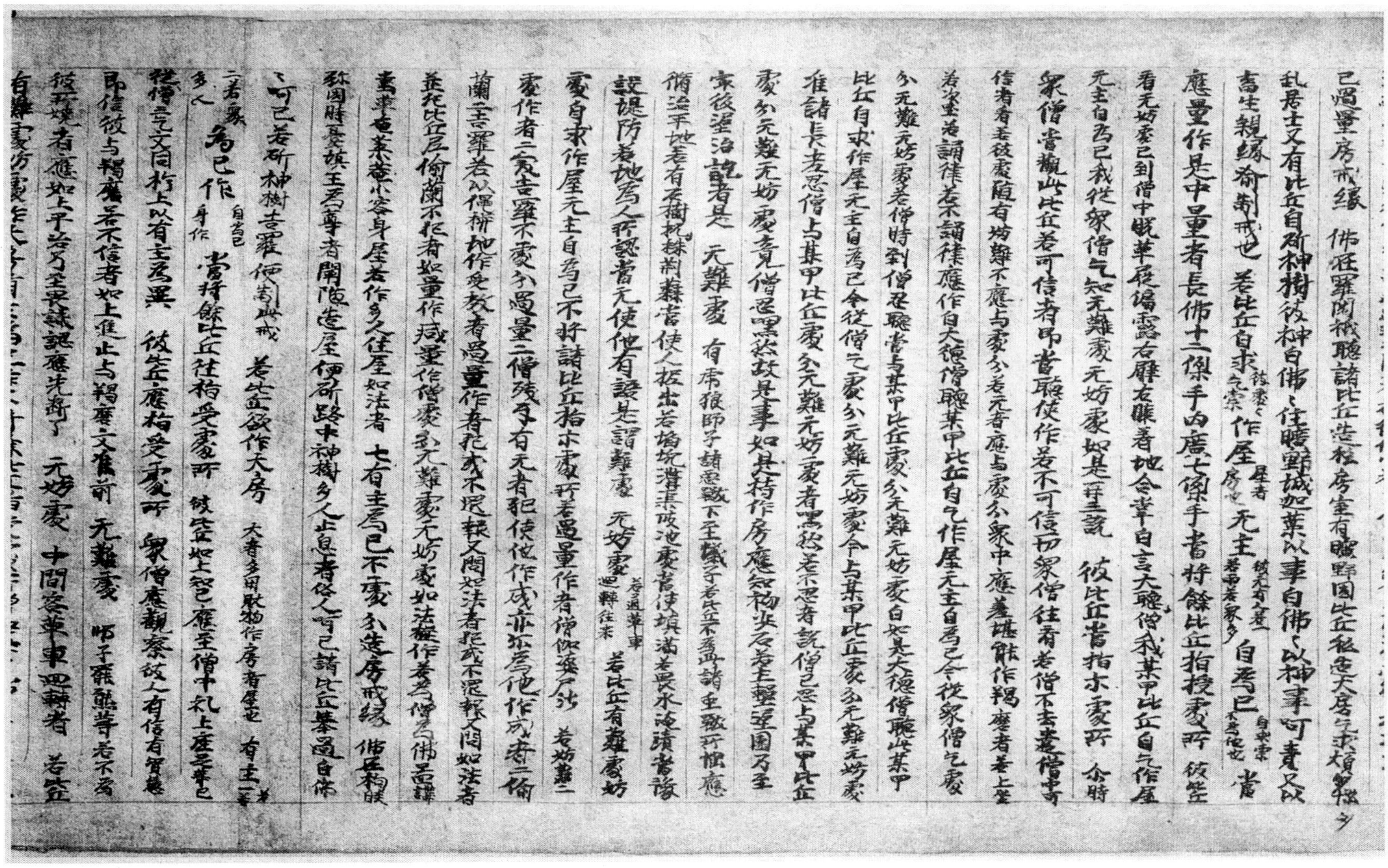

已過量房戒緣　佛在羅閱祇聽諸比丘造私房舍有曠野國比丘私造大房乞求煩擾多
亂居士又有比丘自斫神樹彼神白佛佛住曠野城迦葉以事白佛佛以神事呵責又以
畜生親緣爲制戒也　若比丘自求（謂乞求也）作屋（屋者房也）无主（彼无有主若一若眾多）自爲已（自乞索不爲他也）當
應量作是中量者長佛十二磔手內廣七磔手當將餘比丘指授處所　彼比丘
看无妨處已到僧中脫革屣偏露右臂右膝著地合掌白言大德僧聽我某甲比丘自乞作屋
无主自爲已我從眾僧乞知无難處无妨處如是再三說　彼比丘當指示處所　尒時
眾僧當觀此比丘若可信者即當聽使作若不可信即眾僧往看若僧不去遣僧中可
信者看若彼處有妨難不應與處分若无者應與處分眾中應差堪能作羯磨者若上坐
若次坐若誦律若不誦律應作白大德僧聽某甲比丘自乞作屋无主自爲已今從眾僧乞處
分无難无妨處若僧時到僧忍聽當與某甲比丘處分无難无妨處白如是大德僧聽此某甲
比丘自求作屋无主自爲已今從僧乞處分无難无妨處今與某甲比丘處分无難无妨處
誰諸長老忍僧與某甲比丘處分无難无妨處者默然若不忍者說僧已忍與某甲比丘
處分无難无妨處竟僧忍默然故是事如是持作房應知物安居若王塹圍乃至
寮後渠治說者是　无難處　有虎狼師子諸惡獸下至蟻子若比丘不盡諸重蟲所惱應
脩治平地若有石樹杌株刺叢當使人掘出若坑坎瀆渠陂池處當使填滿若畏水瀆當設
提防若地爲人所認當无使他有諍是謂難處　无妨處（若通草車迴轉往來）　若比丘有難處妨
處自求作屋无主自爲已不將諸比丘指示處所若過量作者僧伽婆尸沙　若妨難二
處作者二突吉羅不處分過量二僧殘　有无者犯使他作成亦亦爲他作成者二偷
蘭二吉羅若以堡擗地作受教者過量作者犯或不恨報又問如法者犯或不恨報又問如法者
並犯比丘尼偷蘭不犯者如量作減量作僧處分无難處无妨處如法樣作若爲僧爲佛若講
堂草庵葉庵小容身屋若作多人住屋如法者　七有主爲已不處分造房戒緣　佛在拘睒
彌國時優填王爲尊者闡陀造屋伐所路中神樹多人止息者俗人呵已諸比丘舉過白佛
佛呵已若斫神樹吉羅便制此戒　若比丘欲作大房（大者多用財物作房者屋也）　有主（若一若多人）
爲已作（自爲已身作）　當將餘比丘往指受處所　彼比丘如上說已應至僧中乞上座是事已
從僧三乞文同於上以有主爲異　彼比丘應指受處所　眾僧應觀察彼人有信有智慧
即信彼與羯磨若不信者如上從止與羯磨文爲前　无難處　師子熊羆等若不爲
彼所嬈者應如上乃至畏瀆認應先齊了　无妨處　中間容車車迴轉者　若比丘
有難處妨處作[illegible]

BD01874 號 2　四分律比丘含注戒本　（9–8）

從僧三乞文同於上以有主爲異　彼比丘應指受處所　眾僧應觀察彼人有信有智慧
即信彼與羯磨若不信者如上從止與羯磨文爲前　无難處　師子熊羆等若不爲
彼所嬈者應如上乃至畏瀆認應先齊了　无妨處　中間容車車迴轉者　若比丘
有難處妨處作大房有主爲已作不將餘比丘指受處所僧伽婆尸沙　辨相開通
如前戒唯无量爲異　八无根波羅夷謗戒緣　佛在羅閱祇尊者沓婆摩羅漢已爲
僧知事佛讚第一時慈地比丘眾中得惡房明日差請又得惡食使令妹尼慈地謗佛重歸問
取自言已諸比丘呵已舉過白佛因制此戒　若比丘瞋恚所覆故（十事中以一一生瞋）（有十惡法因緣故瞋）　非波羅夷
比丘以无根波羅夷法謗　根者有三根見根聞根疑根見根者實見犯梵行見偷五
錢過五錢見斷人命若他見從彼聞是謂見根聞根者聞犯梵行聞偷五錢聞
斷人命聞自言得上人法若從彼聞是謂聞根疑根者有二種生疑從見生者若
見與婦女入林出林无衣裸形男根不淨汙身手捉刀血汙與惡知識爲伴從　疑
聞生者若在闇地若聞床聲若聞草蓐轉側聲若聞身動聲若聞共語聲
若交會語聲若聞犯梵行聲若聞言我偷五錢聲若聞言我殺人若聞我
得上人法除此三根已更以餘法謗是謂无根也　欲壞彼清淨行（謂言眾僧驅…）
住　彼於異時若問若不問（僧知諸比丘所疑）

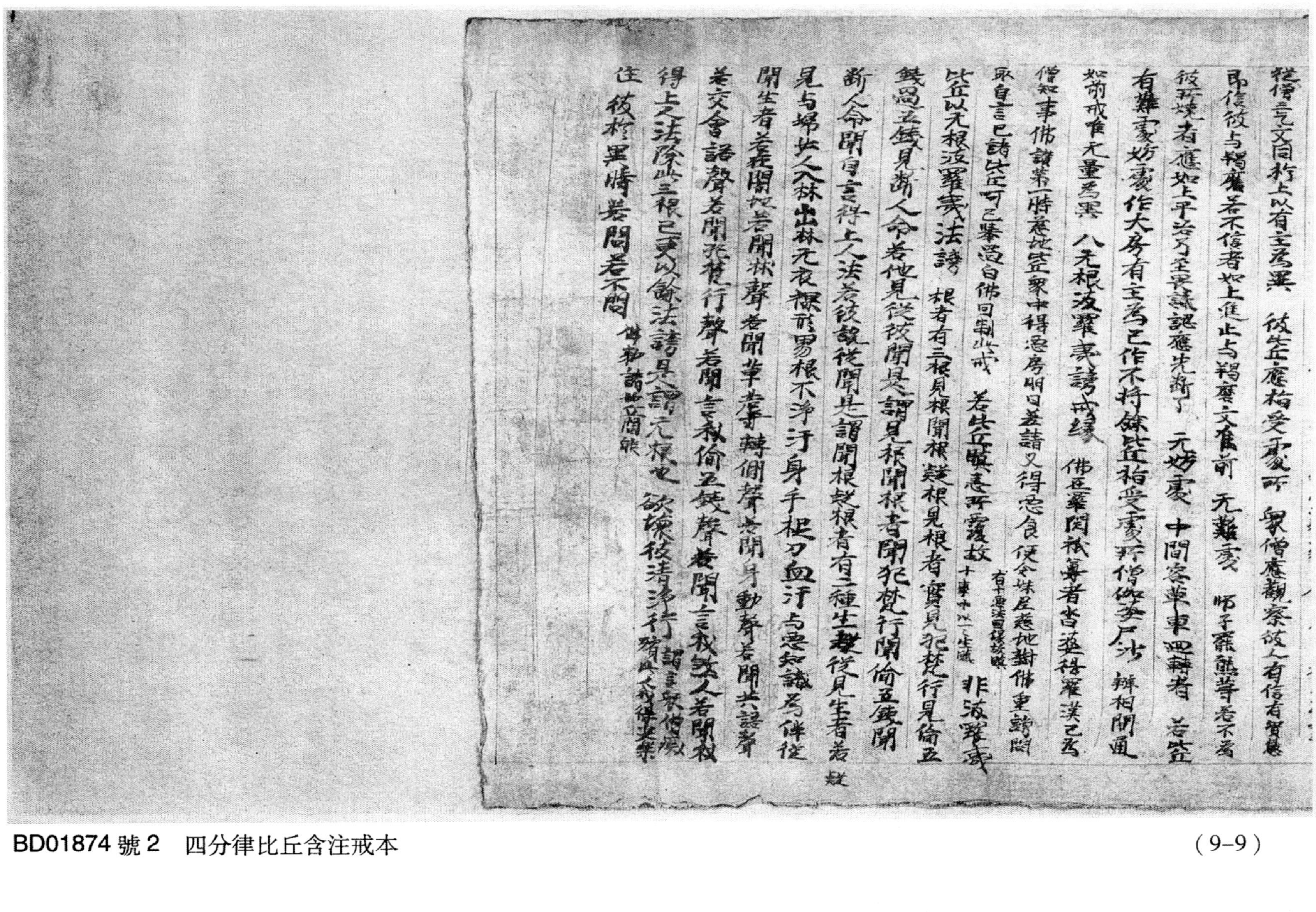

BD01874 號 2　四分律比丘含注戒本　（9–9）

此義而說偈言
父母所生耳　清淨無濁穢　以此常耳聞　三千世界聲
象馬車牛聲　鍾鈴螺鼓聲　琴瑟箜篌聲　簫笛之音聲
清淨好歌聲　聽之而不著　無數種人聲　聞悉能解了
又聞諸天聲　微妙之歌音　及聞男女聲　童子童女聲
山川嶮谷中　迦陵頻伽聲　命命等諸鳥　悉聞其音聲
地獄眾苦痛　種種楚毒聲　餓鬼飢渴逼　求索飲食聲
諸阿修羅等　居在大海邊　自共言語時　出于大音聲
如是說法者　安住於此間　遙聞是眾聲　而不壞耳根
十方世界中　禽獸鳴相呼　其說法之人　於此悉聞之
其諸梵天上　光音及遍淨　乃至有頂天　言語之音聲
法師住於此　悉皆得聞之
復有諸菩薩　讀誦於經法　若為他人說　撰集解其義
如是諸音聲　悉皆得聞之
諸佛大聖尊　教化眾生者　於諸大會中　演說微妙法
持此法華者　悉皆得聞之
三千大千界　內外諸音聲　下至阿鼻獄　上至有頂天
皆聞其音聲　而不壞耳根　其耳聰利故　悉能分別說
持是法華者　雖未得天耳　但用所生耳　功德已如是
復次常精進，若善男子、善女人受持是經，若
讀若誦若解說若書

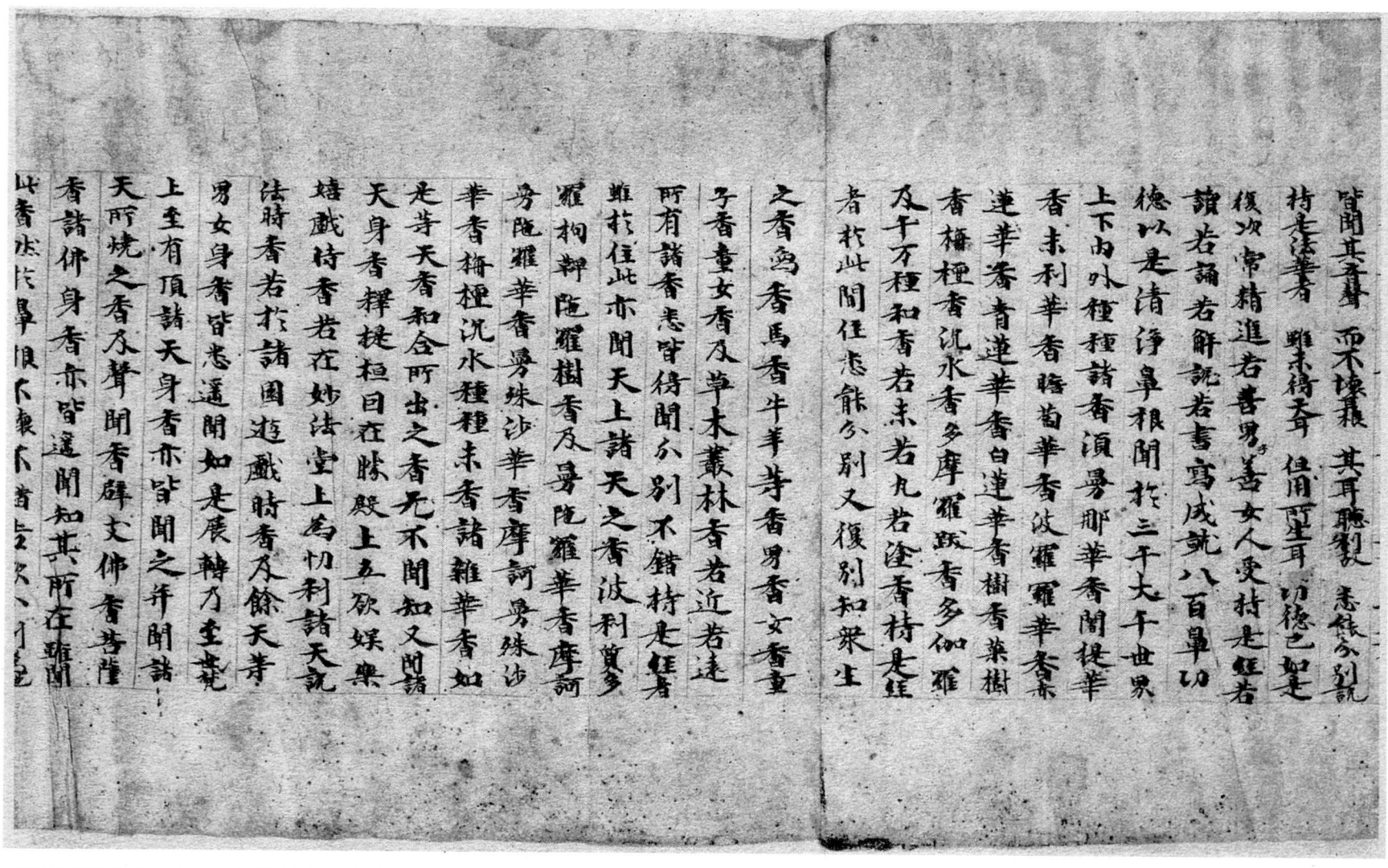

BD01875 號　妙法蓮華經（八卷本）卷六　（7–1）

皆聞其音聲　而不壞耳根　其耳聰利故　悉能分別說
持是法華者　雖未得天耳　但用所生耳　功德已如是
復次常精進，若善男子、善女人受持是經，若
讀若誦若解說若書寫，成就八百鼻功
德。以是清淨鼻根，聞於三千大千世界
上下內外種種諸香：須曼那華香、闍提華
香、末利華香、瞻蔔華香、波羅羅華香、赤
蓮華香、青蓮華香、白蓮華香、華樹香、菓樹
香、栴檀香、沉水香、多摩羅跋香、多伽羅
及千萬種和香，若末、若丸、若塗香，持是經
者於此間住，悉能分別。又復別知眾生
之香：象香、馬香、牛羊等香，男香、女香、童
子香、童女香，及草木叢林香，若近若遠，
所有諸香悉皆得聞，分別不錯。持是經者
雖住於此，亦聞天上諸天之香：波利質多
羅、拘鞞陀羅樹香，及曼陀羅華香、摩訶
曼陀羅華香、曼殊沙華香、摩訶曼殊沙
華香，栴檀、沉水，種種末香，諸雜華香，如
是等天香和合所出之香，無不聞知。又聞諸
天身香：釋提桓因在勝殿上五欲娛樂
嬉戲時香，若在妙法堂上為忉利諸天說
法時香，若於諸園遊戲時香，及餘天等
男女身香，皆悉遙聞。如是展轉乃至梵
上至有頂諸天身香，亦皆聞之，并聞諸
天所燒之香，及聲聞香、辟支佛香、菩薩
香、諸佛身香，亦皆遙聞，知其所在。雖聞
此香，然於鼻根不壞不錯，若欲分別

BD01875 號　妙法蓮華經（八卷本）卷六　（7–2）

天所燒之香及聲聞香辟支佛香菩薩
香諸佛身香亦皆遙聞知其所在雖聞
此香然於鼻根不壞不錯若欲分別爲
人說憶念不謬爾時世尊欲重宣此義而說
偈言
是人鼻清淨　於此世界中　若香若臭物　種種悉聞知
須曼那闍提　多摩羅栴檀　沈水及桂香　種種華菓香
及知衆生香　男子女人香　說法者遠住　聞香知所在
大勢轉輪王　小轉輪及子　群臣諸宮人　聞香知所在
身所著珍寶　及地中寶藏　轉輪王寶女　聞香知所在
諸人嚴身具　衣服及瓔珞　種種所塗香　聞則知其身
諸天若行坐　遊戲及神變　持是法華者　聞香悉能知
諸樹華菓實　及蘇油香氣　持經者住此　悉知其所在
諸山深嶮處　栴檀樹華敷　衆生在中者　聞香皆能知
鐵圍山大海　地中諸衆生　持經者聞香　悉知其所在
阿修羅男女　及其諸眷屬　鬪諍遊戲時　聞香皆能知
曠野險隘處　師子象虎狼　野牛水牛等　聞香知所在
若有懷妊者　未辯其男女　无根及非人　聞香悉能知
以聞香力故　知其初懷妊　成就不成就　安樂產福子
以聞香力故　知男女所念　染欲癡恚心　亦知修善者
地中衆伏藏　金銀諸珍寶　銅器之所盛　聞香悉能知
種種諸瓔珞　无能識其價　聞香知貴賤　出處及所在
天上諸華等　曼陀曼殊沙　波利質多樹　聞香悉能知
天上諸宮殿　上中下差別　衆寶華莊嚴　聞香悉能知
天園林勝殿　諸觀妙法堂　在中而娛樂　聞香悉能知
諸天若聽法　或受五欲時　來往行坐臥　聞香悉能知

BD01875號　妙法蓮華經（八卷本）卷六　（7–3）

天園林勝殿　諸觀妙法堂　在中而娛樂　聞香悉能知
諸天若聽法　或受五欲時　來往行坐臥　聞香悉能知
天女所著衣　好華香莊嚴　周旋遊戲時　聞香悉能知
如是展轉上　乃至於梵世　入禪出禪者　聞香悉能知
光音遍淨天　乃至于有頂　初生及退沒　聞香悉能知
諸比丘衆等　於法常精進　若坐若經行　及讀誦經典
或在林樹下　專精而坐禪　持經者聞香　悉知其所在
菩薩志堅固　坐禪若讀經　或爲人說法　聞香悉能知
在在方世尊　一切所恭敬　愍衆而說法　聞香悉能知
衆生在佛前　聞經皆歡喜　如法而修行　聞香悉能知
雖未得菩薩　无漏法生鼻　而是持經者　先得此鼻相
復次常精進若善男子善女人受持是經
若讀若誦若解說若書寫得千二百舌
功德若好若醜若美不美及諸苦澀物
在其舌根皆變成上味如天甘露无
不美者若以舌根於大衆中有所演
說出深妙聲能入其心皆令歡喜快樂
又諸天子天女釋梵諸天聞是深妙音聲
有所演說言論次第皆悉來聽及諸龍龍
女夜叉夜叉女乾闥婆乾闥婆女阿修羅阿
修羅女迦樓羅迦樓羅女緊那羅緊那
羅女摩睺羅伽摩睺羅伽女爲聽法故皆來親
近恭敬供養及比丘比丘尼優婆塞優婆夷國
王王子群臣眷屬小轉輪王大轉輪王七寶
千子內外眷屬乘其宮殿俱來聽法以是
菩薩善說法故婆羅門居士國內人民盡
其形壽隨侍供養又諸聲聞辟支

BD01875號　妙法蓮華經（八卷本）卷六　（7–4）

王王子群臣眷屬小轉輪王大轉輪七寶
千子內外眷屬乘其宮殿俱來聽法以是
菩薩善說法故婆羅門居士國內人民盡
其形壽隨侍供養又諸聲聞辟支佛菩
薩諸佛常樂見之是人所在方面諸佛
皆向其處說法悉能受持一切佛法又能
出於深妙法音尒時世尊欲重宣此義而
偈言
是人舌根淨　終不受惡味　其有所食噉　悉皆成甘露
以深淨妙聲　於大眾說法　以諸因緣喻　引導眾生心
聞者皆歡喜　設諸上供養
諸天龍夜叉　及阿脩羅等　皆以恭敬心　而共來聽法
是說法之人　若欲以妙音　遍滿三千界　隨意即能至
大小轉輪王　及千子眷屬　合掌恭敬心　常來聽受法
諸天龍夜叉　羅剎毗舍闍　亦以歡喜心　常樂來供養
梵天王魔王　自在大自在　如是諸天眾　常來至其所
諸佛及弟子　聞其說法音　常念而守護　或時為現身
復次常精進若善男子善女人受持是經若
讀若誦若解說若書寫得八百身功德得清
淨身如淨琉璃眾生憙見其身淨故三千大
千世界眾生生時死時上下好醜生善處惡
處悉於中現及鐵圍山大鐵圍山弥樓山摩
訶弥樓山等諸山及其中眾生悉於中現下
至阿鼻地獄上至有頂所有及眾生悉於
中現若聲聞辟支佛菩薩諸佛說法
皆於身中現其色像尒時世尊欲重宣
此義而說偈言

BD01875號　妙法蓮華經（八卷本）卷六　（7–5）

中現若聲聞辟支佛菩薩諸佛說法
皆於身中現其色像尒時世尊欲重宣
此義而說偈言
若持法華者　其身甚清淨　如彼淨琉璃　眾生皆憙見
又如淨明鏡　悉見諸色像　菩薩於淨身　皆見世所有
唯獨自明了　餘人所不見
三千世界中　一切諸群萌　天人阿修羅　地獄鬼畜生
如是諸色像　皆於身中現
諸天等宮殿　乃至於有頂　鐵圍及弥樓　摩訶弥樓山
諸大海水等　皆於身中現
諸佛及聲聞　佛子菩薩等　若獨若在眾　說法悉皆現
雖未得无漏　法性之妙身　以清淨常體　一切於中現
復次常精進若善男子善女人如來滅後
持是經若讀若誦若解說若書寫得千二
百意功德以是清淨意根乃至聞一偈一句通
達无量无邊之義解是義已能演說一句
偈至於一月四月乃至一歲諸所說法隨其
義趣皆與實相不違背若說俗間經書
治世語言資生業等皆順正法三千大千世
界六趣眾生心之所行心所動作心所戲論皆
悉知之雖未得无漏智慧而其意根清淨
如此是人有所思惟籌量言說皆是佛法无
不真實亦是先佛經中所說尒時世尊欲
重宣此義而說偈言
是人意清淨　明利无穢濁　以此妙意根　知上中下法
乃至聞一偈　通達无量義　次第如法說　月四月至歲
是世界內外　一切諸眾生　若天龍及人　夜叉鬼神等

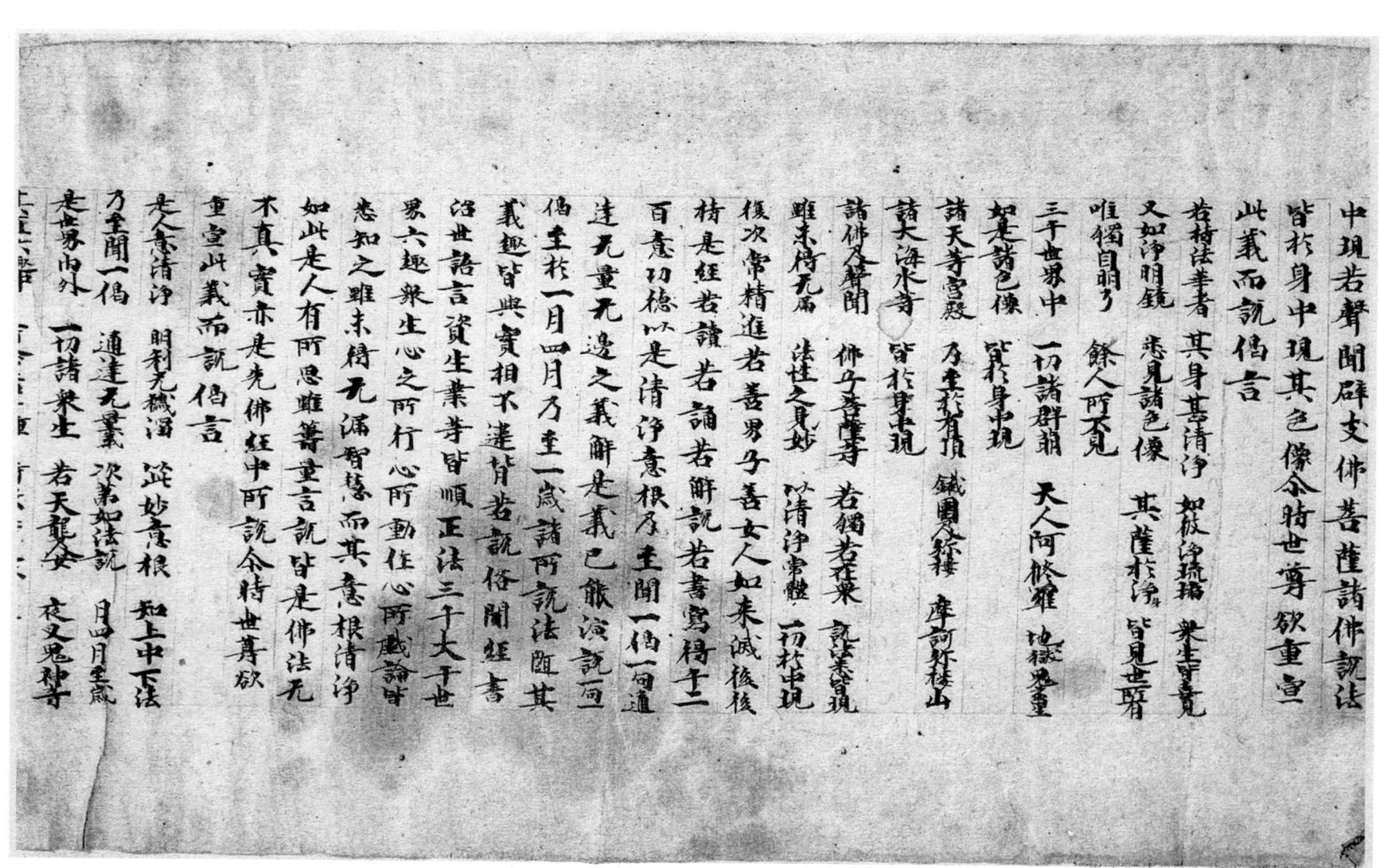

BD01875號　妙法蓮華經（八卷本）卷六　（7–6）

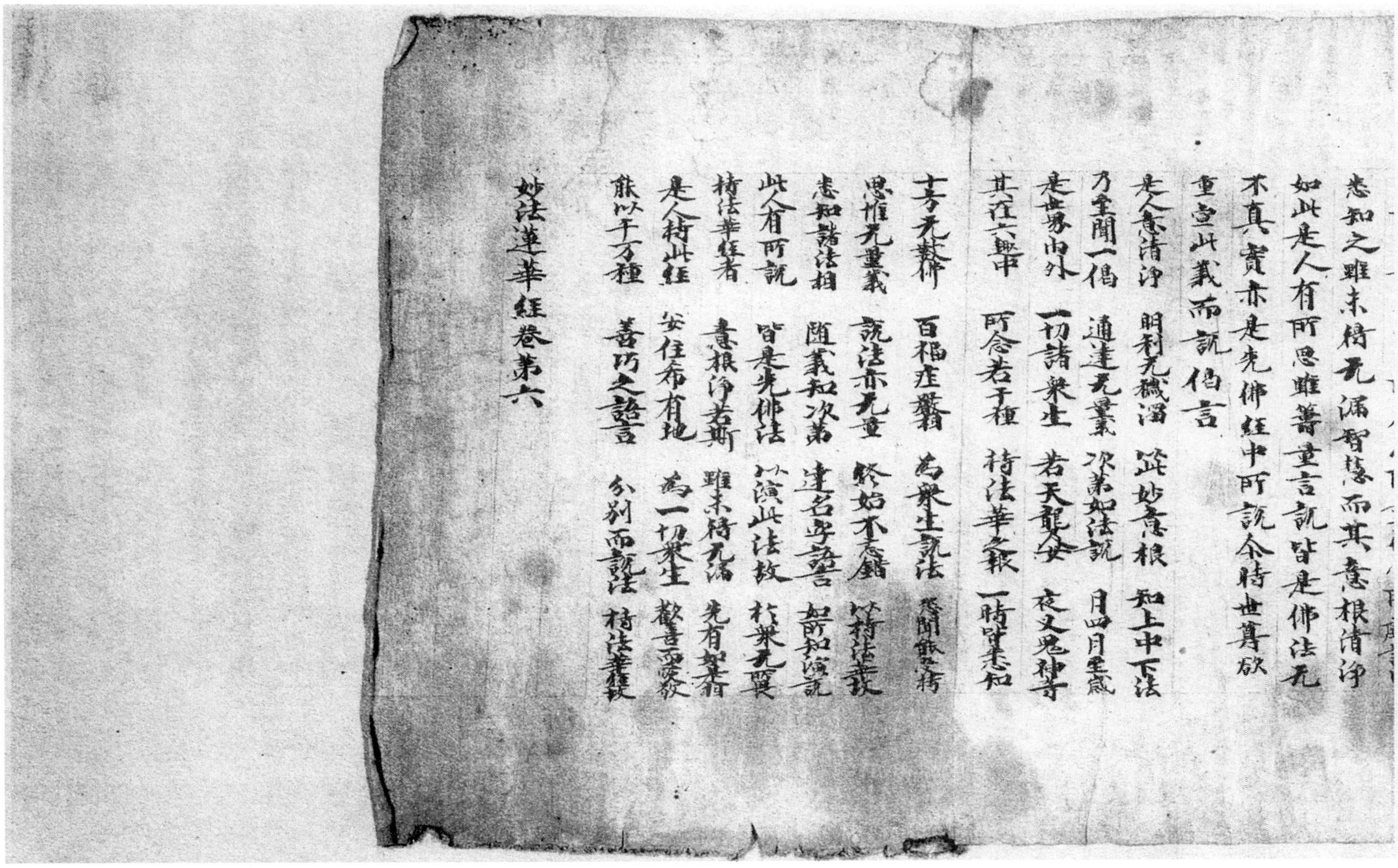

悉知之雖未得无漏智慧而其意根清淨
如此是人有所思惟籌量言說皆是佛法无
不真實亦是先佛經中所說尒時世尊欲
重宣此義而說偈言
是人意清淨　明利无穢濁　以此妙意根　知上中下法
乃至聞一偈　通達无量義　次第如法說　月四月至歲
是世界內外　一切諸衆生　若天龍及人　夜叉鬼神等
其在六趣中　所念若干種　持法華之報　一時皆悉知
十方无數佛　百福莊嚴相　為衆生說法　悉聞能受持
思惟无量義　說法亦无量　終始不忘錯　以持法華故
悉知諸法相　隨義識次第　達名字語言　如所知演說
此人有所說　皆是先佛法　以演此法故　於衆无所畏
持法華經者　意根淨若斯　雖未得无漏　先有如是相
是人持此經　安住希有地　為一切衆生　歡喜而愛敬
能以千万種　善巧之語言　分別而說法　持法華經故
妙法蓮華經卷第六

BD01875 號　妙法蓮華經（八卷本）卷六　　（7–7）

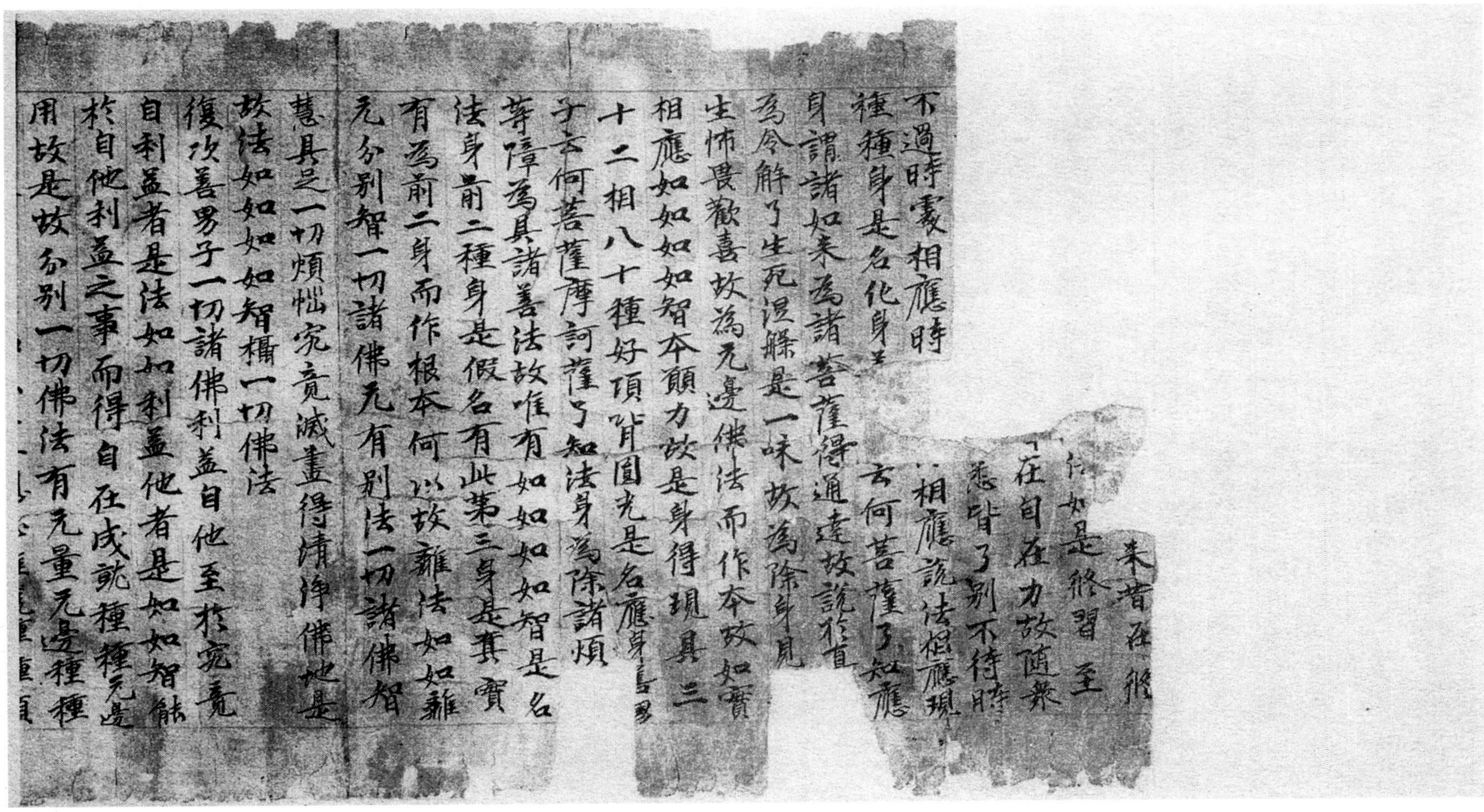

來昔在修
行如是修習至
在自在力故隨衆
悉皆了別不待時
相應說法相應現
云何菩薩了知應
不過時處相應時
種種身是名化身
身謂諸如來為諸菩薩得通達故說於真
為令解了生死涅槃是一味故為除身見
生怖畏歡喜故為无邊佛法而作本故如實
相應如如如如智本願力故是身得現具三
十二相八十種好項背圓光是名應身善男
子云何菩薩摩訶薩了知法身為除諸煩
等障為具諸善法故唯有如如如如智是名
法身前二種身是假名有此第三身是真實
有為前二身而作根本何以故離法如如離
无分別智一切諸佛无有別法一切諸佛智
慧具足一切煩惱究竟滅盡得清淨佛地是
故法如如如如智攝一切佛法
復次善男子一切諸佛利益自他至於究竟
自利益者是法如如利益他者是如如智能
於自他利益之事而得自在成就種種无邊
用故是故分別一切佛法有无量无邊種種

BD01876 號　金光明最勝王經卷二　　（17–1）

復次善男子一切諸佛利益自他至於究竟
自利益者是法如如利益他者是如如智能
於自他利益之事而得自在成就種種无邊
用故是故分别一切佛法有无量无邊種種
差别善男子譬如依止妄想思惟說種種煩
惱說種種業因種種果報如是依法如如如
如智說種種佛法說種種獨覺法說種種聲
聞法依法如如依如如智一切佛法自在成
就是為第一不可思議譬如畫空作莊嚴具
是難思議如是依法如如依如如智成就佛
法亦難思議善男子云何法如如如如智二
无分别而得自在事業成就善男子譬如如
來入於涅槃願自在故種種事業皆得成就
法如如如如智自在事成亦復如是
復次菩薩摩訶薩入无心定依前願力從禪
定起作衆事業如是二法无有分别自在
事成善男子譬如日月无有分别亦如水鏡无
有分别光明亦无分别三種和合得有影生
如是法如如如如智亦无分别以願自在故衆
生有感現應化身如日月影和合出現
復次善男子譬如无量无邊水鏡依於光故
空影得現種種異相空者即是无相善男子
如是受化諸弟子等是法身影以願力故於
二種身現種種相於法身地无有異相善男
子依此二身一切諸佛說有餘涅槃依此法
身說无餘涅槃何以故一切餘法究竟盡故
依此三身一切諸佛說无住處涅槃為二身
故不住涅槃離於法身无有别佛何故二身

BD01876 號　金光明最勝王經卷二　（17–2）

依此三身一切諸佛說无住處涅槃為二身
故不住涅槃離於法身无有别佛何故二身
不住涅槃二身假名不實念念生滅不定住
故數數出現以不定故法身不尒是故二身
不住涅槃法身不二是故不住涅槃故依三身
說无住涅槃
善男子一切凡夫為三相故有縛有障遠離
三身不至三身何者為三一者遍計所執相
二者依他起相三者成就相如是諸相不能
解故不能滅故不能淨故是故不得至於三
身如是三相能解能滅能淨故是故諸佛具
足三身善男子諸凡夫人未能除遣此三心
故遠離三身不能得至何者為三一者起事
心二者依根本心三者根本心依諸伏道起
事心盡依法斷道依根本心盡依最勝道根
本心盡起事心滅故得現化身依根本心滅
故得顯應身根本心滅故得至法身是故一
切如來具足三身
善男子一切諸佛於第一身與諸佛同事於
第二身與諸佛同意於第三身與諸佛同體
善男子是初佛身隨衆生意有多種故現種
種相是故說多第二佛身弟子一意故現一
相是故說一第三佛身過一切種相非執相
境界是故說名不一不二善男子是第一身
依於應身得顯現故是第二身依於法身得
顯現故是法身者是真實有无依處故善男
子如是三身以有義故而說於常以有義故
說於无常化身者恒轉法輪處處隨緣方便

BD01876 號　金光明最勝王經卷二　（17–3）

依於應身得顯現故是第二身依於法身得
顯現故是法身者是真實有无依處故善男
子如是三身以有義故而說於常以有義故
說於无常化身者恒轉法輪處處隨緣方便
相續不斷絕故是故說常非是本故具足大
用不顯現故說為无常應身者從无始來相
續不斷一切諸佛不共之法能攝持故衆生
无盡用亦无盡是故說常非是本故以具足
用不顯現故說為无常法身者非是行法无
有異相是根本故猶如虛空是故說常善男
子離无分別智更无勝智離法如如无勝境
界是法如如是慧如如是二種如如如如不
一不異是故法身慧清淨故滅清淨故是二
清淨是故法身具足清淨
復次善男子分別三身有四種異有化身非
應身有應身非化身有化身亦應身有非化
身亦非應身何者化身非應身謂諸如來般
涅槃後以願自在故隨緣利益是名化身何
者應身非化身是地前身何者化身亦應身
謂住有餘涅槃之身何者非化身非應身謂
是法身善男子是法身者二无所有所顯現
故何者名為二无所有於此法身相及相處
二皆是无非有非无非一非異非數非非數
非明非闇如是如如智不見相及相處不見
非有非无不見非一非異不見非數非非數
不見非明非闇是故當知境界清淨智慧清
淨不可分別无有中間為滅道本故於此法
身能顯如來種種事業

BD01876號　金光明最勝王經卷二　　（17–4）

非有非无不見非一非異不見非數非非數
不見非明非闇是故當知境界清淨智慧清
淨不可分別无有中間為滅道本故於此法
身能顯如來種種事業
善男子是身因緣境界處所果依於本難思
議故若了此義是身即是大乘是如來性是
如來藏依於此身得發初心修行地心而得
顯現不退地心亦皆得現一生補處心金剛
之心如來之心而悉顯現无量无邊如來妙
法皆悉顯現依此法身不可思議摩訶三昧
而得顯現依此法身得現一切大智是故二
身依於三昧依於智慧而得顯現如此法身
依於自體說常說我依大三昧故說於樂依
於大智故說清淨是故如來常住自在安樂
清淨依大三昧一切禪定首楞嚴等一切念
處大法念等大慈大悲一切陁羅尼一切神
通一切自在一切法平等攝受如是佛法悉
皆出現依此大智十力四无所畏四无礙辯一
百八十不共之法一切希有不可思議法
悉皆顯現譬如依如意寶珠无量无邊種種
珎寶悉皆得現如是依大三昧寶依大智慧
實能出種種无量无邊諸佛妙法善男子如
是法身三昧智慧過一切相不著於相不可分
別非常非斷是名中道雖有分別體无分
別雖有三數而无三體不增不減猶如夢幻
亦无所執亦无能執法體如如是解脫處過
死王境越生死闇一切衆生不能脩行所不
能至一切諸佛菩薩之所住處善男子譬如

BD01876號　金光明最勝王經卷二　　（17–5）

別雖有三數而无三體不增不減猶如夢幻
亦无所執亦无能執法體如如是解脫處過
死王境越生死闇一切衆生不能修行所不
能至一切諸佛菩薩之所住處善男子譬如
有人願欲得金處處求覓遂得金礦既得礦
已即便碎之擇取精者爐中銷鍊得清淨金
隨意迴轉作諸鐶釧種種嚴具雖有諸用金
性不改
復次善男子善若男子善女人求勝解脫修
行世善得見如來及弟子衆得親近已白佛
言世尊何者為善何者不善何者正修得清
淨行請佛如來及弟子衆見彼問時如是思
惟是善男子善女人欲求清淨欲聽正法即
便為說令其開悟彼既聞已正念憶持發心
修行得精進力除嬾墮障滅一切罪於諸學
處離不尊重息掉悔心入於初地依初地心
除利有情障得入二地於此地中除不逼惱
障入於三地於此地中除心軟淨障入於四地
於此地中除善方便障入於五地於此地中
除見真俗障入於六地於此地中除見行
相障入於七地於此地中除不見滅相障入
於八地於此中除不見生相障入於九地
於此地中除六通障入於十地於此地中除
所智障除根本心入如來地如來地者由三
淨故名極清淨云何為三一者煩惱淨二者
苦淨三者相淨譬如真金鎔銷冶鍊既燒打
已无復塵垢為顯金性本清淨故金體清淨
非謂无金譬如濁水澄渟清淨无復滓穢為

苦淨三者相淨譬如真金鎔銷冶鍊既燒打
已无復塵垢為顯金性本清淨故金體清淨
非謂无金譬如濁水澄渟清淨无復滓穢為
顯水性本清淨故非謂无水如是法身與煩
惱雜苦集除已无復除習為顯佛性本清淨
故非謂无體譬如虛空烟雲塵霧之所障蔽
若除屏已是空界淨非謂无空如是法身一
切衆苦悉皆盡故說為清淨非謂无體譬如
有人於睡夢中見大河水漂泛其身運手動
足截流而渡得至彼岸由彼身心不懈退故
從夢覺已不見有水彼此岸別非謂无心生
死妄想既滅盡已是覺清淨非謂无覺如是
法界一切妄想不復生故說為清淨非是諸
佛无其實體
復次善男子是法身者惑障清淨能現應身
業障清淨能現化身智障清淨能現法身
譬如依空出電依電出光如是依法身故能現
應身依應身故能現化身由性淨故能現法
身智慧清淨能現應身三昧清淨能現化身
此三清淨是法如如不異如如一味如如解
脫如如究竟如如是故諸佛體无有異善男
子若有善男子善女人說於如來是我大師
若作如是決定信者此人即應深心解了如
來之身无有別異善男子以是義故於諸境
界不正思惟悉皆除斷即知彼法无有二相
亦无分別聖所修行如如於彼无有二相正
修行故如是如是一切諸障悉皆除滅如如

亦无分別聖所修行如如於彼无有二相正
修行故如是如是一切諸障悉皆除滅如如
一切障滅如是如是法如如如如智得最清
淨如如法界正智清淨如是如是一切自在
具足攝受皆得成就一切諸障悉皆除滅一
切諸障得清淨故是名真如正智真實之相
如是見者是名聖見是則名為真實見佛何
以故如實得見法真如故是故諸佛悉能普
見一切如來何以故聲聞獨覺已出三界求
真實境不能知見如是聖人所不知見一切
凡夫皆生疑惑顛倒分別不能得度如兔浮
海必不能過所以者何力微劣故凡夫之人亦
復如是不能通達法如如故然諸如來无分
別心於一切法得大自在具足清淨深智
慧故是自境界不共他故是故諸佛如來於
无量无邊阿僧祇劫不惜身命難行苦行方
得此身最上无比不可思議過言說境是妙
寂靜離諸怖畏

善男子如是智見法真如者无生老死壽命
无限无有睡眠亦无飢渴心常在定无有散
動若於如來起諍論心是則不能見於如來
諸佛所說皆能利益有聽聞者无不解脫諸
惡禽獸惡人惡鬼不相逢值由聞法故果報
无盡然諸如來无无記事一切境界无欲知
心生死涅槃无有異想如來所說无不決定
諸佛如來四威儀中无非智攝一切諸法无
有不為慈悲所攝无有不為利益安樂諸衆

BD01876號　金光明最勝王經卷二　（17–8）

心生死涅槃无有異想如來所說无不決定
諸佛如來四威儀中无非智攝一切諸法无
有不為慈悲所攝无有不為利益安樂諸衆
生者善男子若有善男子善女人於此金光
明經聽聞信解不墮地獄餓鬼傍生阿蘇羅
道常處人天不生下賤恒得親近諸佛如來
聽受正法常生諸佛清淨國土所以者何由
得聞此甚深法故是善男子善女人則為如
來已知已記當得不退阿耨多羅三藐三菩
提若善男子善女人於此甚深微妙之法一
經耳者當知是人不謗如來不毀正法不輕
聖衆一切衆生未種善根令得種故已種善
根令增長成熟故一切世界所有衆生皆勸
修行六波羅蜜多

尒時虛空藏菩薩梵釋四王諸天衆等即從
座起偏袒右肩合掌恭敬頂禮佛足白佛言
世尊若所在處講說如是金光明王微妙經
典於其國土有四種利益何者為四一者國
王軍衆強盛无諸怨敵離於疾病壽命延長
吉祥安樂正法興顯二者中宮妃后王子諸
臣和悅无諍離於諂佞王所愛重三者沙門
婆羅門及諸國人修行正法无病安樂无枉
死者於諸福田悉皆修立四者於三時中四
大調適常為諸天增加守護慈悲平等无傷
害心令諸衆生歸敬三寶皆願修習菩提之
行是為四種利益之事世尊我等亦常為弘
經故隨逐如是持經之人所在住處為作利益
佛言善哉善哉善男子如是如是汝等應當

BD01876號　金光明最勝王經卷二　（17–9）

寧心令諸衆生歸敬三寶皆願修習菩提之
行是為四種利益之事世尊我等亦常為弘
經故隨逐如是持經之人所在住處為作利益
佛言善哉善哉善男子如是如是汝等應當
勤心流布此妙經王則令正法久住於世
金光明最勝王經夢見懺悔品第四
爾時妙幢菩薩親於佛前聞妙法已歡喜踊
躍一心思惟還至本處於夜夢中見大金鼓
光明晃耀猶如日輪於此光中得見十方无
量諸佛於寶樹下坐瑠璃座无量百千大衆
圍繞而為說法見一婆羅門桴擊金鼓出大
音聲聲中演說微妙伽他明懺悔法妙幢聞
已皆悉憶持繫念而住至天曉已與无量百
千大衆圍繞持諸供具出王舍城詣鷲峯山
至世尊所礼佛足已布設香花右繞三帀退
坐一面合掌恭敬瞻仰尊顏白佛言世尊我
於夢中見婆羅門以手執桴擊妙金鼓出大
音聲聲中演說微妙伽他明懺悔法皆我憶
持唯願世尊降大慈悲聽我所說即於佛前
而說頌曰
我於昨夜中　夢見大金鼓　其形極姝妙　周遍有金光
猶如盛日輪　光明皆普耀　充滿十方界　咸見於諸佛
在於寶樹下　各處瑠璃座　无量百千衆　恭敬而圍繞
有一婆羅門　以杖擊金鼓　於其鼓聲內　說此妙伽他
金光明鼓出妙聲　遍至三千大千界
能滅三塗極重罪　及以人中諸苦厄
由此金鼓聲威力　永滅一切煩惱障
斷除怖畏令安隱　譬如自在牟尼尊

BD01876號　金光明最勝王經卷二　（17–10）

能滅三塗極重罪　及以人中諸苦厄
由此金鼓聲威力　永滅一切煩惱障
斷除怖畏令安隱　譬如自在牟尼尊
佛於生死大海中　積行修成一切智
能令衆生覺品具　究竟咸歸功德海
由此金鼓出妙聲　普令聞者獲梵響
證得无上菩提果　常轉清淨妙法輪
住壽不可思議劫　隨機說法利群生
能斷煩惱衆苦流　貪瞋癡等皆除滅
若有衆生處惡趣　大火猛焰周遍身
若得聞是妙鼓音　即能離苦歸依佛
皆得成就宿命智　能憶過去百千生
悉皆正念牟尼尊　得聞如來甚深教
由聞金鼓勝妙音　常得親近於諸佛
悉能捨離諸惡業　純修清淨諸善品
一切天人有情類　慇重至誠祈願者
得聞金鼓妙音聲　能令所求皆滿足
衆生墮在无間獄　猛火炎熾苦焚身
无有救護處輪迴　聞者能令苦除滅
天人餓鬼傍生中　所有現受諸苦難
得聞金鼓發妙響　皆蒙離苦得解脫
現在十方界　常住兩足尊　願以大悲心　哀愍憶念我
衆生无歸依　亦无有救護　為如是等類　能作大歸依
我先所作罪　極重諸惡業　今對十力前　至心皆懺悔
我不信諸佛　亦不敬尊親　不務修衆善　常造諸惡業
或自恃尊高　種姓及財位　盛年行放逸　常造諸惡業
心恒起邪念　口陳於惡言　不見於過罪　常造諸惡業

BD01876號　金光明最勝王經卷二　（17–11）

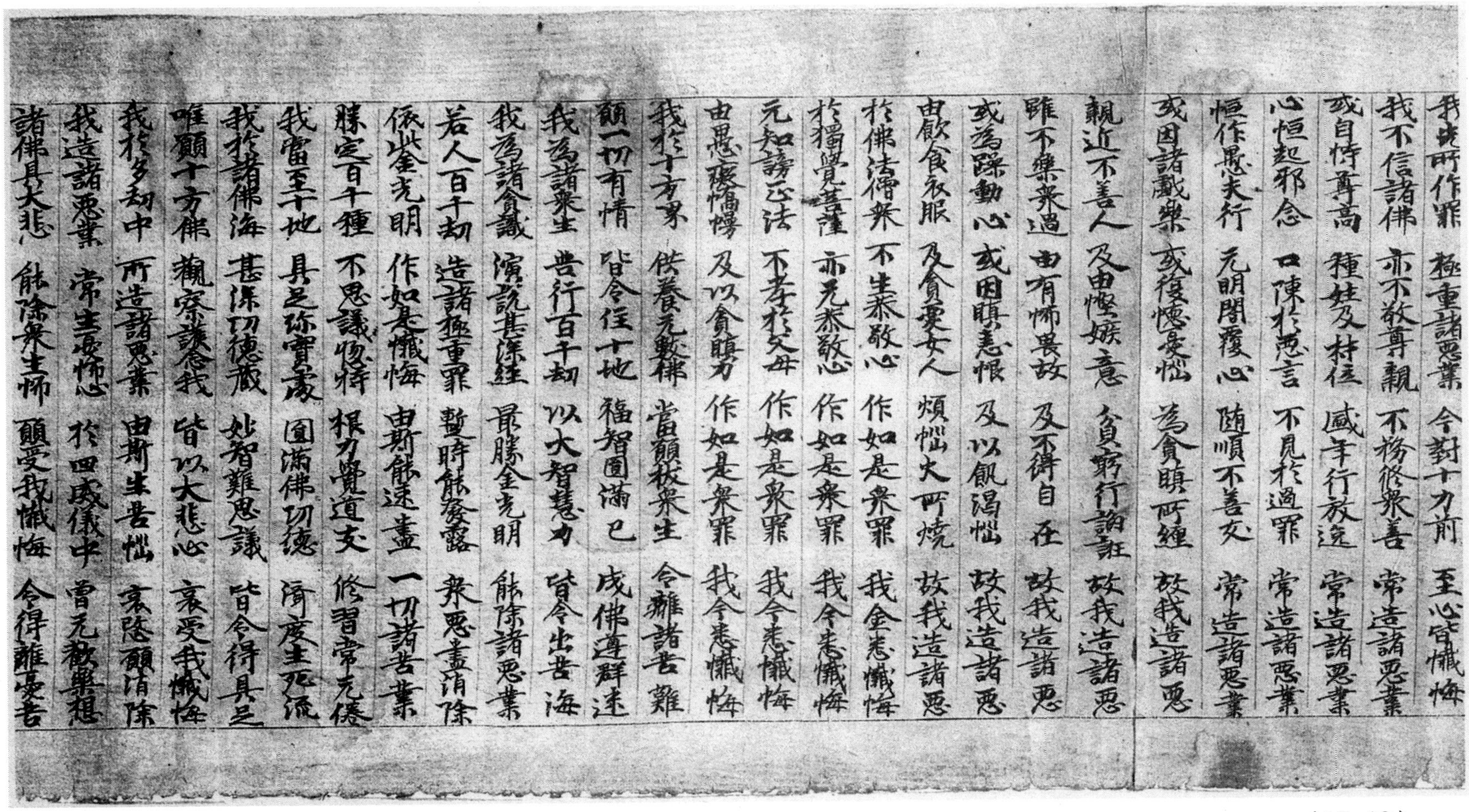

我此所作罪　極重諸惡業　今對十力前　至心皆懺悔
我不信諸佛　亦不敬尊親　不務修衆善　常造諸惡業
或自恃尊高　種姓及財位　盛年行放逸　常造諸惡業
心恒起邪念　口陳於惡言　不見於過罪　常造諸惡業
恒作愚夫行　无明闇覆心　隨順不善友　常造諸惡業
或因諸戲樂　或復懷憂惱　為貪瞋所纏　故我造諸惡
親近不善人　及由慳嫉意　貧窮行諂誑　故我造諸惡
雖不樂衆過　由有怖畏故　及不得自在　故我造諸惡
或為躁動心　或因瞋恚恨　及以飢渴惱　故我造諸惡
由飲食衣服　及貪愛女人　煩惱火所燒　故我造諸惡
於佛法僧衆　不生恭敬心　作如是衆罪　我今悉懺悔
於獨覺菩薩　亦无恭敬心　作如是衆罪　我今悉懺悔
无知謗正法　不孝於父母　作如是衆罪　我今悉懺悔
由愚癡憍慢　及以貪瞋力　作如是衆罪　我今悉懺悔
我於十方界　供養无數佛　當願拔衆生　令離諸苦難
願一切有情　皆令住十地　福智圓滿已　成佛導群迷
我為諸衆生　苦行百千劫　以大智慧力　皆令出苦海
我為諸含識　演說甚深經　最勝金光明　能除諸惡業
若人百千劫　造諸極重罪　暫時能發露　衆惡盡消除
依此金光明　作如是懺悔　由斯能速盡　一切諸苦業
勝定百千種　不思議總持　根力覺道支　修習常无倦
我當至十地　具足珍寶處　圓滿佛功德　濟度生死流
我於諸佛海　甚深功德藏　妙智難思議　皆令得具足
唯願十方佛　觀察護念我　皆以大悲心　哀受我懺悔
我於多劫中　所造諸惡業　由斯生苦惱　哀愍願消除
我造諸惡業　常生憂怖心　於四威儀中　曾无歡樂想
諸佛具大悲　能除衆生怖　願受我懺悔　令得離憂苦

BD01876號　金光明最勝王經卷二

(17–12)

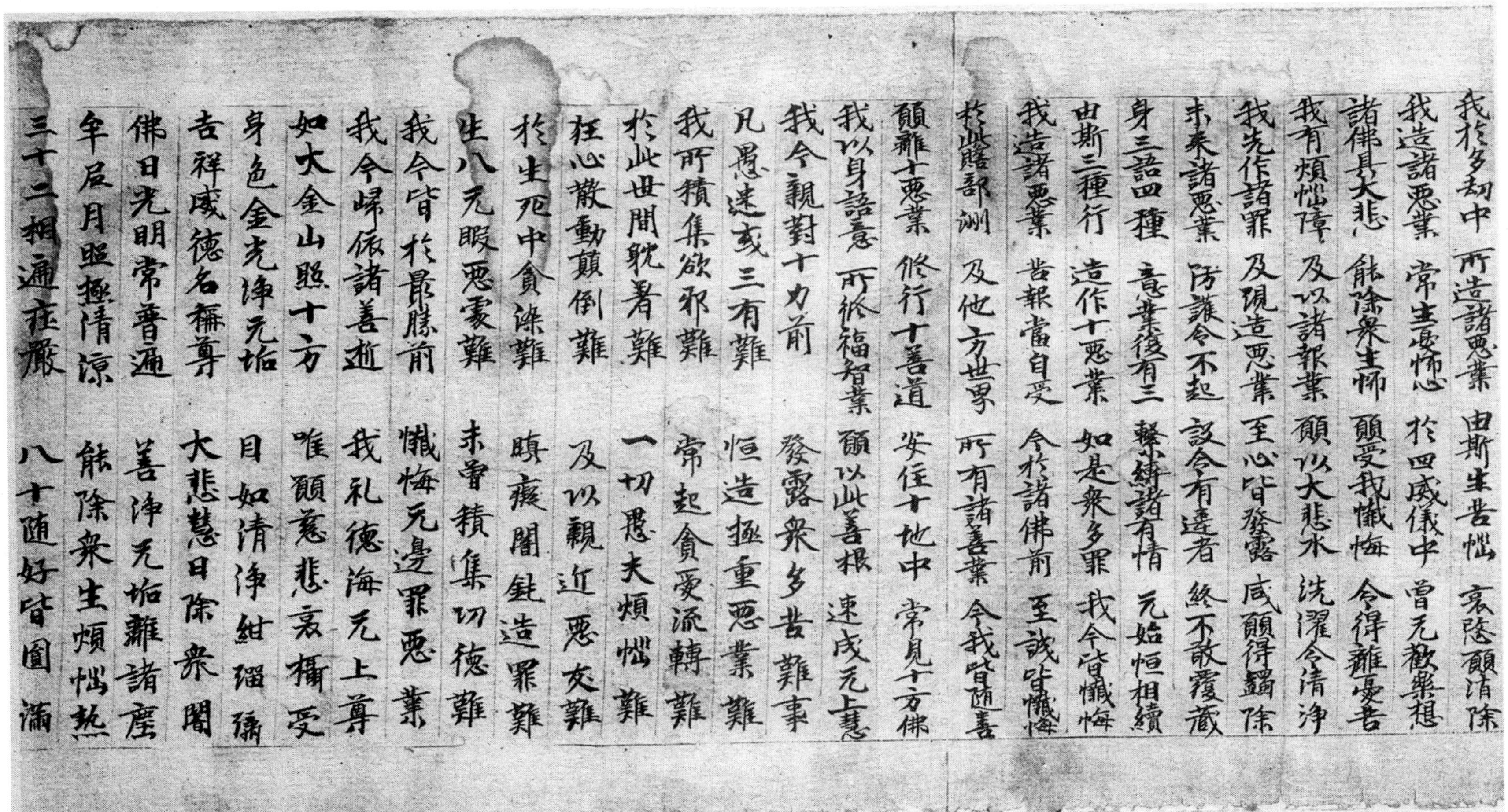

我於多劫中　所造諸惡業　由斯生苦惱　哀愍願消除
我造諸惡業　常生憂怖心　於四威儀中　曾无歡樂想
諸佛具大悲　能除衆生怖　願受我懺悔　令得離憂苦
我有煩惱障　及以諸報業　願以大悲水　洗濯令清淨
我先作諸罪　及現造惡業　至心皆發露　咸願得蠲除
未來諸惡業　防護令不起　設令有違者　終不敢覆藏
身三語四種　意業復有三　繫縛諸有情　无始恒相續
由斯三種行　造作十惡業　如是衆多罪　我今皆懺悔
我造諸惡業　苦報當自受　今於諸佛前　至誠皆懺悔
於此贍部洲　及他方世界　所有諸善業　今我皆隨喜
願離十惡業　修行十善道　安住十地中　常見十方佛
我以身語意　所修福智業　願以此善根　速成无上慧
我今親對十力前　發露衆多苦難事
凡愚迷惑三有難　恒造極重惡業難
我所積集欲邪難　常起貪愛流轉難
於此世間耽著難　一切愚夫煩惱難
狂心散動顛倒難　及以親近惡友難
於生死中貪染難　瞋癡闇鈍造罪難
生八无暇惡處難　未曾積集功德難
我今皆於最勝前　懺悔无邊罪惡業
我今歸依諸善逝　我礼德海无上尊
如大金山照十方　唯願慈悲哀攝受
身色金光淨无垢　目如清淨紺瑠璃
吉祥威德名稱尊　大悲慧日除衆闇
佛日光明常普遍　善淨无垢離諸塵
牟尼月照極清涼　能除衆生煩惱熱
三十二相遍莊嚴　八十隨好皆圓滿

BD01876號　金光明最勝王經卷二

(17–13)

佛日光明常普遍 善淨无垢離諸塵
牟尼月照極清涼 能除衆生煩惱熱
三十二相遍莊嚴 八十隨好皆圓滿
福德難思无與等 如日流光照世間
色如流璃淨无垢 猶如滿月處虛空
妙頗梨網映金軀 種種光明以嚴飾
於生死苦暴流內 老病憂愁水所漂
如是苦海難堪忍 佛日舒光令永竭
我今誓首一切智 三千世界希有尊
光明晃耀紫金身 種種妙好皆嚴飾
如大海水量難知 大地微塵不可數
如妙高山叵稱量 亦如虛空无有際
諸佛功德亦如是 一切有情不能知
於无量劫諦思惟 无有能知德海岸
盡此大地諸山岳 析如微塵能算知
毛端渧海尚可量 佛之功德无能數
一切有情皆共讚 世尊名稱諸功德
清淨相好妙莊嚴 不可稱量知分齊
我之所有衆善業 願得速成无上尊
廣說正法利群生 悉令解脫於衆苦
降伏大力魔軍衆 當轉无上正法輪
久住劫數難思議 充足衆生甘露味
猶如過去諸最勝 六波羅蜜皆圓滿
滅諸貪欲及瞋癡 降伏煩惱除衆苦
願我常得宿命智 能憶過去百千生
亦常憶念牟尼尊 得聞諸佛甚深法
願我以斯諸善業 奉事无邊最勝尊

BD01876號　金光明最勝王經卷二　（17-14）

願我常得宿命智 能憶過去百千生
亦常憶念牟尼尊 得聞諸佛甚深法
願我以斯諸善業 奉事无邊最勝尊
遠離一切不善因 恒得修行真妙法
一切世界諸衆生 悉皆離苦得安樂
所有諸根不具足 令彼身相皆圓滿
若有衆生遭病苦 身形羸瘦无所依
咸令病苦得消除 諸根色力皆充滿
若犯王法當刑戮 衆苦逼迫生憂惱
彼受如斯極苦時 无有歸依能救護
若受鞭杖枷鎖繫 種種苦具切其身
无量百千憂惱時 逼迫身心无暫樂
皆令得免於繫縛 及以鞭杖苦楚事
將臨形者得命全 衆苦皆令永除盡
若有衆生飢渴逼 令得種種殊勝味
盲者得視聾者聞 跛者能行瘂能語
貧窮衆生獲寶藏 倉庫盈溢无所乏
皆令得受上妙樂 无一衆生受苦惱
一切人天皆樂見 容儀溫雅甚端嚴
悉皆現受无量樂 受用豐饒福德具
隨彼衆生念伎樂 衆妙音聲皆現前
念水即現清涼池 金色蓮花泛其上
隨彼衆生心所念 飲食衣服及牀敷
金銀珎寶妙瑠璃 瓔珞莊嚴皆具足
勿令衆生聞惡響 亦復不見有相違
所受容貌悉端嚴 各各慈心相愛樂
世間資生諸樂具 隨心念時皆滿足

BD01876號　金光明最勝王經卷二　（17-15）

勿令衆生聞惡響　亦復不見有相違
所受容貌悉端嚴　各各慈心相愛樂
世間資生諸樂具　隨心念時皆滿足
所得珍財無悋惜　分布施與諸衆生
燒香末香及塗香　衆妙雜花非一色
每日三時從樹墮　隨心受用生歡喜
普願衆生咸供養　十方一切最勝尊
三乘清淨妙法門　菩薩獨覺聲聞衆
常願勿處於卑賤　不墮無暇八難中
生在有暇人中尊　恒得親承十方佛
願得常生富貴家　財寶倉庫皆盈滿
顔貌名稱無與等　壽命延長經劫數
悉願女人變為男　勇健聰明多智慧
一切常行菩薩道　勤修六度到彼岸
常見十方無量佛　寶王樹下而安處
處妙瑠璃師子座　恒得親承轉法輪
若於過去及現在　輪迴三有造諸業
能招可猒不善趣　願得消滅永無餘
一切衆生於有海　生死羂網堅牢縛
願以智劒為斷除　離苦速證菩提處
衆生於此贍部內　或於他方世界中
所作種種勝福田　我今皆悉生隨喜
以此隨喜福德事　及身語意造衆善
願此勝業常增長　速證無上大菩提
所有礼讚佛功德　深心清淨無瑕穢
迴向發願福無邊　當超惡趣六十劫

BD01876號　金光明最勝王經卷二　（17–16）

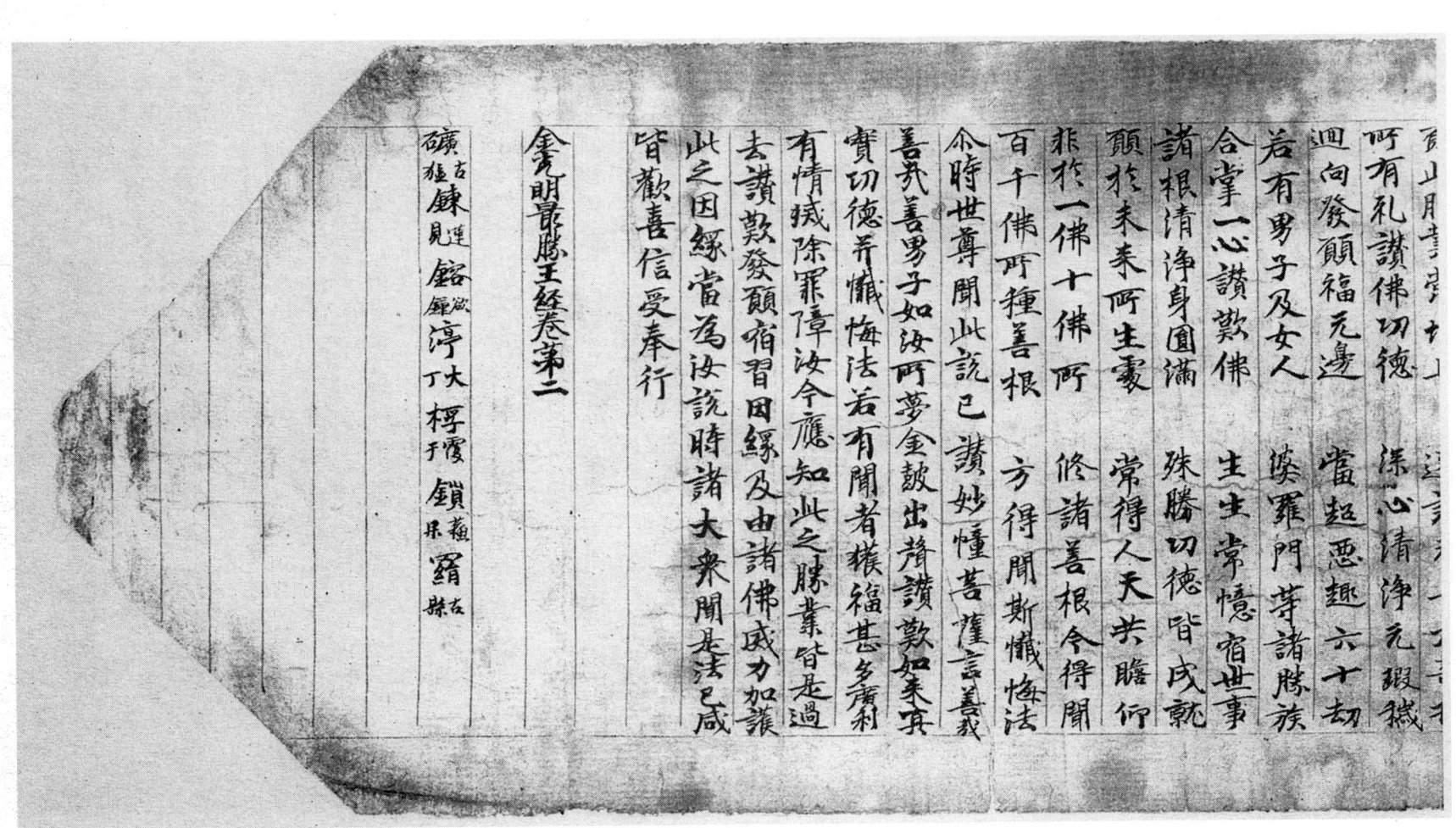

願此勝業常增長　速證無上大菩提
所有礼讚佛功德　深心清淨無瑕穢
迴向發願福無邊　當超惡趣六十劫
若有男子及女人　婆羅門等諸勝族
合掌一心讚歎佛　生生常憶宿世事
諸根清淨身圓滿　殊勝功德皆成就
願於未來所生處　常得人天共瞻仰
非於一佛十佛所　修諸善根今得聞
百千佛所種善根　方得聞斯懺悔法
尒時世尊聞此說已讚妙幢菩薩言善哉
善哉善男子如汝所夢金鼓出聲讚歎如來真
實功德并懺悔法若有聞者獲福甚多廣利
有情滅除罪障汝今應知此之勝業皆是過
去讚歎發願宿習因緣及由諸佛威力加護
此之因緣當為汝說時諸大衆聞是法已咸
皆歡喜信受奉行

金光明最勝王經卷第二

礦古猛　鍊連見　鎔欲鍾　渟大丁　桴覆于　鎖蘇果　羂古縣

BD01876號　金光明最勝王經卷二　（17–17）

BD01876 號背　雜寫　　（1–1）

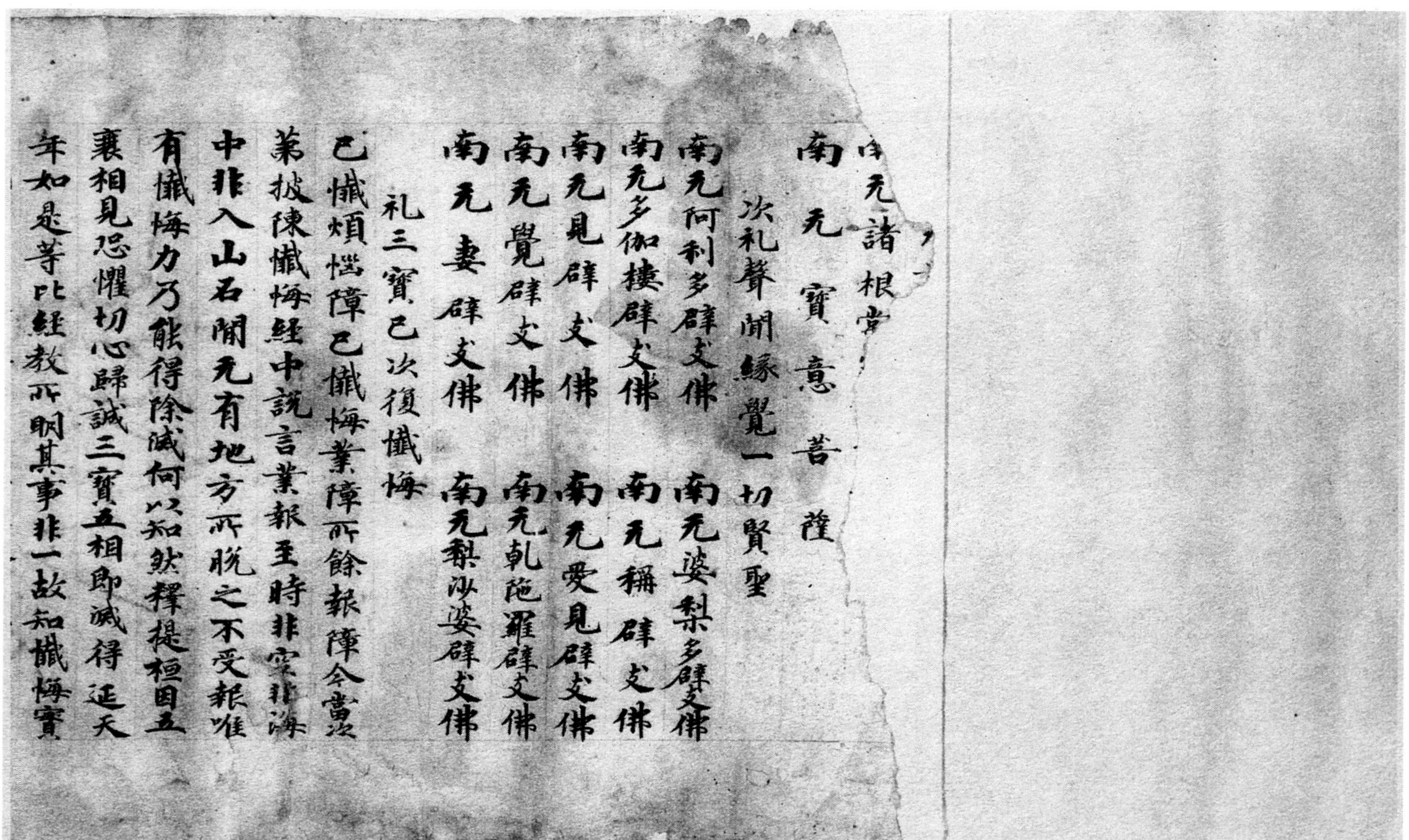

南无諸根常
南无寶意菩薩
次礼聲聞緣覺一切賢聖
南无阿利多辟支佛　南无婆梨多辟支佛
南无多伽樓辟支佛　南无稱辟支佛
南无見辟支佛　南无愛見辟支佛
南无覺辟支佛　南无軋陁羅辟支佛
南无妻辟支佛　南无梨沙婆辟支佛
礼三寶已次復懺悔
已懺煩惱障已懺悔業障所餘報障今當次
苐披陳懺悔經中說言業報至時非空非海
中非入山石間无有地方所脫之不受報唯
有懺悔力乃能得除滅何以知然釋提桓因五
裹相見恐懼切心歸誠三寶五相即滅得延天
年如是等比經教所明其事非一故知懺悔實

BD01877 號　佛名經（十六卷本）卷六　　（7–1）

有懺悔力乃能得除滅何以知然釋提桓因五
衰相見怨懼切心歸誠三寶五相即滅得延天
年如是等比經教所明其事非一故知懺悔實
能滅禍但凡夫之人若不值善友更相將導則靡
惡而不造致使大命將盡臨終之際地獄惡相皆
現在前當尒之時悔懼交至不預修善臨窮
方悔後將何及乎殃禍異處宿預嚴持當
獨趣入遠到地獄所但得前行入於大鑊身心
摧碎精神痛苦如此之時欲求一禮一懺豈復
可得衆生等莫自恃盛年財寶勢力懶墮
懈怠放逸自恣死苦一至无問老少貧富貴賤皆
悉磨滅奄忽而至不令人知夫人命无常喻如朝露
出息雖存入息難保云何以此而不懺悔但五天使
者脫來无常煞鬼卒至盛年莊色无得免者當
尒之時華堂邃宇何關人事高車大馬豈得
自隨妻子眷屬非復我親七珍寶饒適為他
玩以此而言世間果報皆為幻化上天雖樂會
歸敗壞壽盡魂逝墮落三塗是故佛語須跋陁
言汝師欝頭藍弗利根聰明能伏煩惱至於非
想非非想處命終還作畜生道中飛狸之身況
復餘者故知未登聖果已還皆應流轉備經惡
趣如不謹慎忽尒一朝觀嬰斯事將不悔矣
如令世間被罪之人行詣公門以是小苦情地
憧惶眷屬怨懼求救百端地獄衆苦比於此者百

BD01877號　佛名經（十六卷本）卷六　（7–2）

復餘者故知未登聖果已還皆應流轉備經惡
趣如不謹慎忽尒一朝觀嬰斯事將不悔矣
如令世間被罪之人行詣公門以是小苦情地
憧惶眷屬怨懼求救百端地獄衆苦比於此者百
千万倍不得為喻衆等相與歷劫以來罪若須弥
云何聞此晏然不畏不驚不怨令此精神復嬰
斯苦實為可痛是故弟子等運此單誠歸
依佛
南无東方調御佛　南无南方金剛藏佛
南无西方登法界佛　南无北方无邊眼佛
南无東南方无憂德佛　南无西南方壞諸怖畏佛
南无西北方勇猛伏佛　南无東北方大力光明佛
南无下方歡喜路佛　南无上方香上王佛
如是十方盡虛空界一切三寶
弟子等從无始以來至於今日所有報障然其
重者第一唯有阿鼻地獄如經所明今當略說
其相此獄周帀有七重鐵城復有七重鐵網
羅覆其上下有七重刀林无量猛火縱廣八
万四千由旬罪人之身遍滿其中罪業因
緣不相妨礙上火徹下下火徹上東西南北
通徹交過如魚在熬脂膏皆盡此中罪苦亦
復如是其城四門有四大銅狗其身縱廣四
千由旬牙抓鋒鉅眼如掣電復有无量鐵嘴
諸鳥奮翼飛騰噉罪人肉牛頭獄卒形如羅刹

BD01877號　佛名經（十六卷本）卷六　（7–3）

緣不相妨礙上火徹下下火徹上東西南北
通徹交過如魚在熬脂膏皆盡此中罪苦亦
復如是其城四門有四大銅狗其身縱廣四
千由旬牙抓鋒鋩眼如掣電復有无量鐵觜
諸鳥奮翼飛騰噉罪人肉牛頭獄卒形如羅剎
而有九尾尾如鐵叉復有八頭頭上有十八
角有六十四眼一一眼中皆悉迸出諸熱鐵
丸燒罪人肉然其一瞋一怒哮吼之時聲如礔
礰復有无量自然刀輪空中而下從罪人頂入
從足而出於是罪人痛徹骨髓苦切肝心如
是經无量歲求生不得求死不得如是等罪
今日皆悉稽顙慙愧懺悔其餘地獄刀山
劍樹身首脫落罪報懺悔鑊湯爐炭地獄燒
煮罪報懺悔鐵床銅柱地獄燋然罪報懺
悔刀輪火車地獄擀轢罪報懺悔拔舌犁耕
地獄楚痛罪報懺悔吞噉鐵丸烊銅灌口
地獄五內消爛罪報懺悔鐵碓鐵磨地獄
骨肉灰粉罪報懺悔黑繩鐵鋸地獄支節分離
罪報懺悔灰河沸屎地獄惱悶罪報懺悔鹹
水寒冰地獄皮膚折裂裸凍罪報懺悔虎
狼鷹犬地獄更相殘害罪報懺悔刀兵爪距
地獄更相搏攄斫剌罪報懺悔火坑地獄炮
炙罪報懺悔兩石相磕地獄形骸破碎罪報懺

BD01877號　佛名經（十六卷本）卷六　（7–4）

地獄更相搏攄斫剌罪報懺悔火坑地獄炮
炙罪報懺悔兩石相磕地獄形骸破碎罪報懺
悔眾合黑耳地獄解剔罪報懺悔闇冥肉山地
獄斬刳罪報懺悔鋸解釘身地獄斷截罪報
懺悔鐵棒倒懸地獄屠割罪報懺悔燋熱叫
喚地獄煩惋罪報懺悔大小鐵圍山間長夜
冥冥不識三光罪報懺悔阿波波地獄阿婆
婆地獄阿吒吒地獄阿羅羅地獄如是八寒
八熱一切諸地獄一一獄中復有八万四千鬲子
地獄以為眷屬此中罪苦炮煮楚痛剝皮
臠肉削骨打髓抽腸拔肺无量諸苦不可聞
不可說南无佛今日在此中者或是我等无
始以來經生父母一切眷屬我等相與命終
之後或當復墮如此獄中今日洗心單到叩
頭稽顙向十方佛大地菩薩求哀懺悔令此
一切報障畢竟消滅　　願弟子等
承是懺悔地獄等報所生功德即時破壞向
鼻鐵城悉為淨土无惡道名其餘地獄一切
苦具轉為樂緣刀山劍樹變成寶林鑊湯爐
炭蓮華化生牛頭獄卒除捨暴虐皆起慈悲
无有惡念地獄眾生得離苦果更不造因等
受安樂如第三禪一時俱發无上道心 礼一拜
南无安隱恩佛　南无道威德佛

BD01877號　佛名經（十六卷本）卷六　（7–5）

南无安隱恩佛　南无道威德佛
南无清淨心佛　南无天供養佛
南无度泥佛　南无離有佛
南无法華佛　南无大勝佛
南无可樂光明佛　南无大光佛
南无見愛佛　南无光明愛佛
南无喜聲佛　南无大施德佛
南无寶步佛　南无无滯礙智佛
南无得威德佛　南无月藏佛
南无淨光明佛　南无大莊嚴佛
南无得樂自在佛　南无妙光明佛
南无寂光佛　南无離疑佛
南无无過智慧佛　南无成就行佛
南无清淨身佛　南无无畏愛佛
南无稱吼佛　南无大吼佛
南无善思佛　南无大思佛
南无清淨色佛　南无大奮迅佛
南无樂眼佛　南无命清淨佛
南无行清淨佛　南无離熱智佛
從此以上五千佛十二部經一切賢聖
南无應橋佛　南无善集智佛
南无普信佛　南无設尸威德佛
南无不死成佛　南无不護聲佛

BD01877號　佛名經（十六卷本）卷六　（7-6）

從此以上五千佛十二部經一切賢聖
南无應橋佛　南无善集智佛
南无普信佛　南无設尸威德佛
南无不死成佛　南无不護聲佛
南无化日佛　南无善住思惟佛
南无高信佛　南无須摩那光明佛
南无光明力佛　南无功德布佛
南无法俱拘蘇摩佛　南无淨威德佛
南无淨行佛　南无天色心佛
南无力佛　南无普觀佛
南无梵供養佛　南无聖華佛
南无虛空佛　南无降伏醬弥佛
南无无辟智佛　南无降伏剌佛
南无降伏城佛　南无應愛佛
南无弌切德佛　南无平等勿思佛
南无不怯弱心佛　南无精進信佛

BD01877號　佛名經（十六卷本）卷六　（7-7）

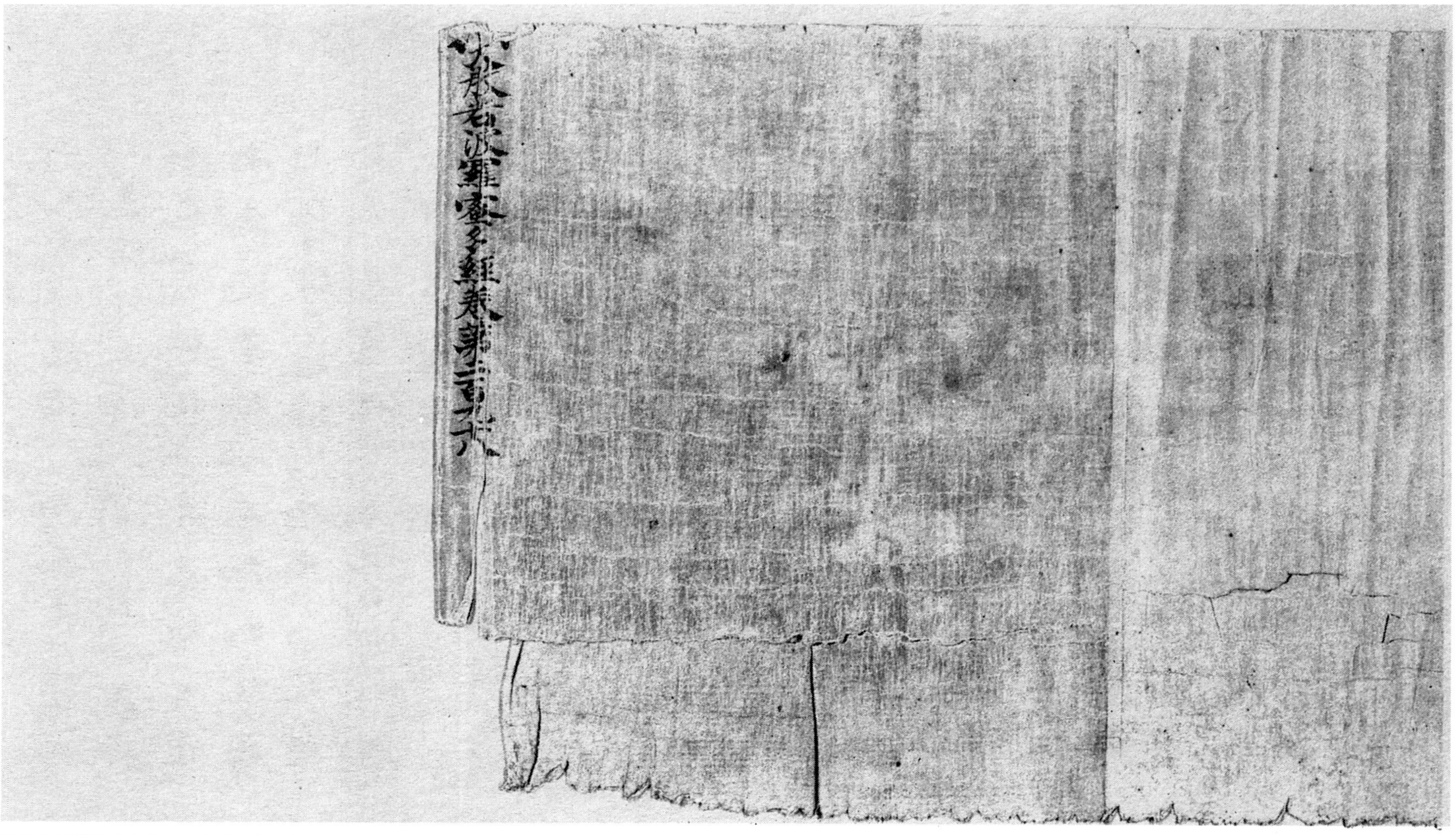
大般若波羅蜜多經卷第二百九十八

BD01878 號背　大般若波羅蜜多經卷二九八護首　（1–1）

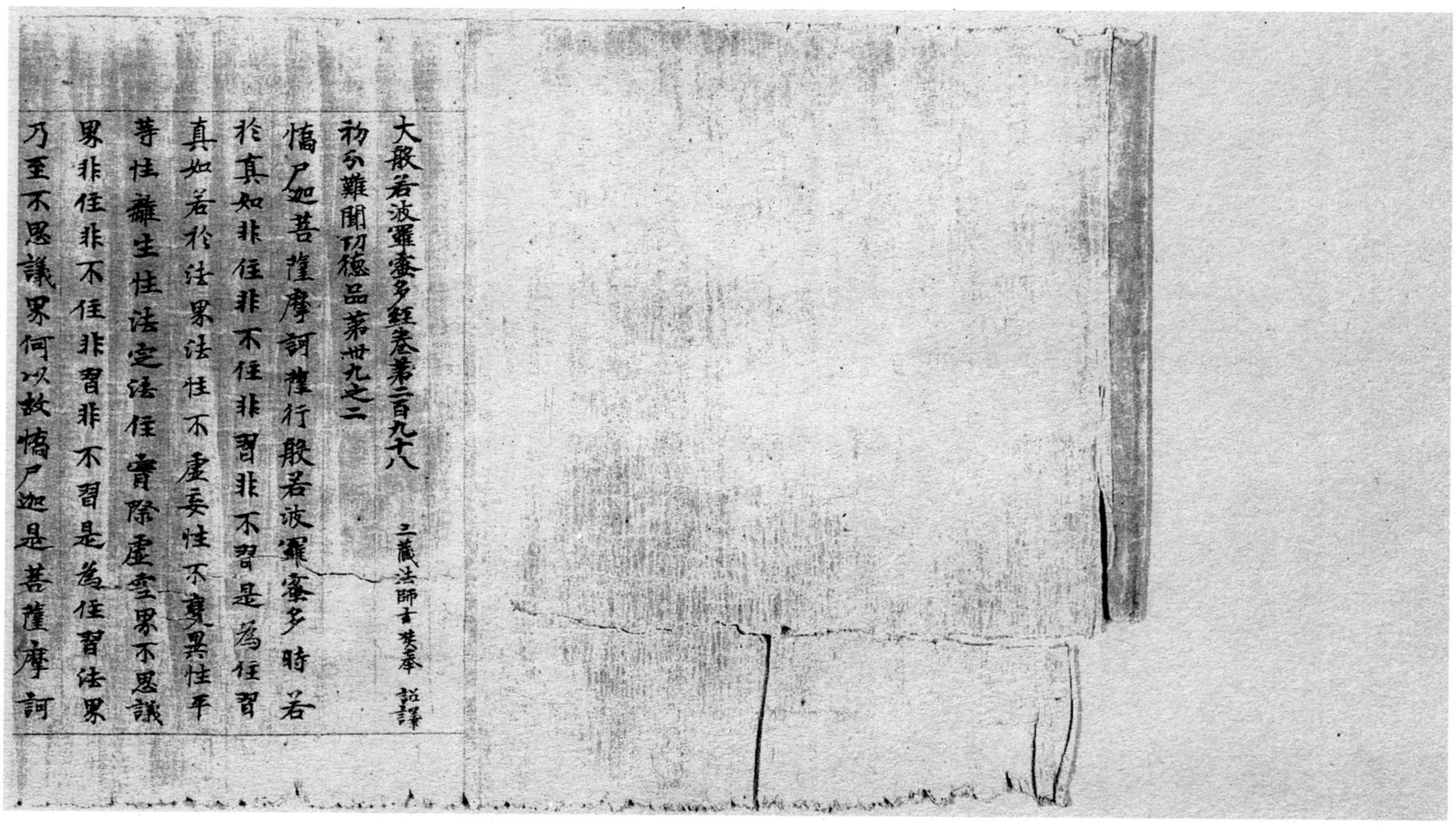
大般若波羅蜜多經卷第二百九十八
初分難聞功德品第卌九之二　三藏法師玄奘奉　詔譯
憍尸迦菩薩摩訶薩行般若波羅蜜多時若
於真如非住非不住非習非不習是為住習
真如若於法界法性不虛妄性不變異性平
等性離生性法定法住實際虛空界不思議
界非住非不住非習非不習是為住習法界
乃至不思議界何以故憍尸迦是菩薩摩訶

BD01878 號　大般若波羅蜜多經卷二九八　（2–1）

真如若於法界法性不虛妄性不變異性平等性離生性法定法住實際虛空界不思議界非住非不住非習非不習是為住習法界乃至不思議界何以故憍尸迦是菩薩摩訶薩觀真如乃至不思議界前後中際不可得故憍尸迦菩薩摩訶薩行般若波羅蜜多時若於苦聖諦非住非不住非習非不習是為住習苦聖諦若於集滅道聖諦非住非不住非習非不習是為住習集滅道聖諦何以故憍尸迦是菩薩摩訶薩觀苦聖諦集滅道聖諦前後中際不可得故憍尸迦菩薩摩訶薩行般若波羅蜜多時若於四靜慮非住非不住非習非不習是為住習四靜慮若於四无量四无色定非住非不住非習非不習是為住習四无量四无色定何以故憍尸迦是菩薩摩訶薩觀四靜慮四无量四无色定前後中際不可得故憍尸迦菩薩摩訶薩行般若波羅蜜多時若於八解脫非住非不住非習非不習是為住習八解脫若於八勝處九次第定十遍處非住非不住非習非不習是為住習八勝處九次第定十遍處何以故憍尸迦是菩薩摩訶薩觀八解脫乃至十遍處前

BD01878 號　大般若波羅蜜多經卷二九八　（2–2）

大乘无量壽經

如是我聞一時薄伽梵在舍衛國祇樹給孤獨園與大苾蒭僧千二百五十人大菩薩摩訶薩衆俱同坐尒時世尊告曼殊室利童子曼殊上方有世界名无量功德聚彼土有佛号无量智決定王如来阿羅訶三藐三菩提現為衆生開示說法曼殊諦聽南閻浮提人皆短壽大限百年於中枉橫死者衆殊如是无量壽如来功德名稱法要若有衆生得聞名号若自書或使人書能為經卷受持讀誦若於舍宅所住之處以種種花鬘瓔珞塗香末香而為供養如其命盡復得延年滿足百歲如是曼殊若有衆生得聞是无量壽智決定王如来一百八名号者益其長壽若有衆生大命將盡憶念是如来名号更得增壽如是曼殊若有善男子善女人欲求長命於是无量壽如来一百八名号有得聞者或自書若使人書受持讀誦得如是等果報福德具足陁羅尼曰

南謨薄伽勃底一 阿波唎蜜多二 阿喻紇硯娜三 須毗你悉指陀四 囉佐耶五 怛他羯他耶六 怛姪他唵七 薩婆桑悉迦囉八 波唎輸底九 達磨底十 伽迦娜十一 莎訶 某持伽底十二 薩婆婆毗輸底十三 摩訶娜耶十四 波唎婆羅莎訶十五

世尊後告曼殊室利如是如来一百八名号若有自書或使人書為經卷受持讀誦如壽命盡復滿百年壽終此身後得往生无量福智世界无量壽淨土陁羅尼曰

南謨薄伽勃底一 阿波唎蜜多二 阿喻紇硯娜三 須毗你悉指陀四 囉佐耶五 怛他羯他耶六 怛姪他唵七 薩婆桑悉迦囉八 波唎輸底九 達磨底十 伽迦娜十一 莎訶 某持伽底十二 薩婆婆毗輸底十三 摩訶娜耶十四 波唎婆羅莎訶十五

尒時有九十九俱胝佛等一時同聲說是无量壽宗要經陁羅尼曰

南謨薄伽勃底一 阿波唎蜜多二 阿喻紇硯娜三 須毗你悉指陀四 囉佐耶五 怛他羯他耶六 怛姪他唵七 薩婆桑悉迦囉八 波唎輸底九 達磨底十 伽迦娜十一 莎訶 某持伽底十二 薩婆婆毗輸底十三 摩訶娜耶十四 波唎婆羅莎訶十五

尒時復有一百四俱胝佛一時同聲說是无量壽宗要經陁羅尼曰

南謨薄伽勃底一 阿波唎蜜多二 阿喻紇硯娜三 須毗你悉指陀四 囉佐耶五 怛他羯他耶六 怛姪他唵七 薩婆桑悉迦囉八 波唎輸底九 達磨底十 伽迦娜十一 莎訶 某持伽底十二 薩婆婆毗輸底十三 摩訶娜耶十四 波唎婆羅莎訶十五

尒時復有七億佛一時同聲說是无量壽宗要經陁羅尼曰 南謨薄伽勃底一 阿

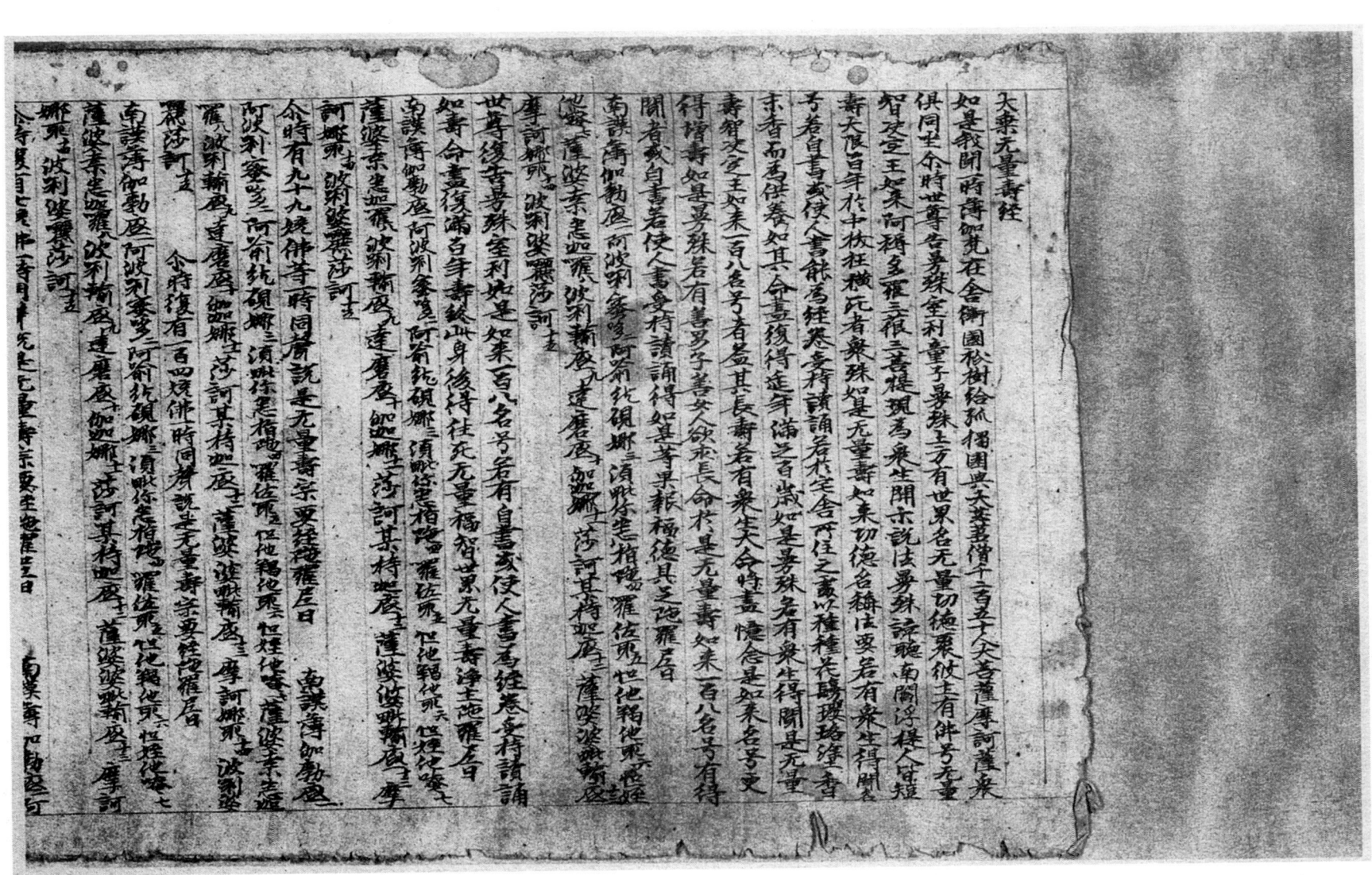

BD01879 號　無量壽宗要經　（5–1）

囉莎訶十五　尒時復有一百四姟佛一時同聲說是无量壽宗要經陀羅尼
南謨薄伽勃底一阿波唎蜜多二阿喻紇硯娜三須毗你悉指陀四囉佐耶五怛他羯他耶六怛姪他唵七
薩婆桑悉迦囉八波唎輸底九達磨底十伽迦娜十一莎訶某持伽底十二薩婆婆毗輸底十三摩訶
娜耶十四波唎婆囉莎訶十五
尒時復有七姟佛一時同聲說是无量壽宗要經陀羅尼曰　南謨薄伽勃底一阿
波唎蜜多二阿喻紇硯娜三須毗你悉指陀四囉佐耶五怛他羯他耶六怛姪他唵七薩婆桑悉迦囉八波唎
輸底九達磨底十伽迦娜十一莎訶某持伽底十二薩婆婆毗輸底十三摩訶娜耶十四波唎婆囉莎訶十五
尒時復有六十五姟佛一時同聲說是无量壽宗要經陀羅尼曰　南謨薄伽勃底一阿波
唎蜜多二阿喻紇硯娜三須毗你悉指陀四囉佐耶五怛他羯他耶六怛姪他唵七薩婆桑悉迦囉八波唎輸
底九達磨底十伽迦娜十一莎訶某持伽底十二薩婆婆毗輸底十三摩訶娜耶十四波唎婆囉莎訶十五
尒時復有五十五姟佛一時同聲說是无量壽宗要經陀羅尼曰　南謨薄伽勃底阿
波唎蜜多二阿喻紇硯娜三須毗你悉指陀四囉佐耶五怛他羯他耶六怛姪他唵七薩婆桑悉迦囉八波
唎輸底九達磨底十伽迦娜十一莎訶某持伽底十二薩婆婆毗輸底十三摩訶娜耶十四波唎婆囉莎訶十五
尒時復有四十五姟佛一時同聲說是无量壽宗要經陀羅尼曰　南謨薄伽勃底一阿波
唎蜜多二阿喻紇硯娜三須毗你悉指陀四囉佐耶五怛他羯他耶六怛姪他唵七薩婆桑悉迦囉八波唎輸底九
達磨底十伽迦娜十一莎訶某持伽底十二薩婆婆毗輸底十三摩訶娜耶十四波唎婆囉莎訶十五
尒時復有三十六姟佛一時同聲說是无量壽宗要經陀羅尼曰　南謨薄伽勃底一阿波唎
蜜多二阿喻紇硯娜三須毗你悉指陀四囉佐耶五怛他羯他耶六怛姪他唵七薩婆桑悉迦囉八波唎輸底九達
磨底十伽迦娜十一莎訶某持伽底十二薩婆婆毗輸底十三摩訶娜耶十四波唎婆囉莎訶十五
尒時復有二十五姟佛一時同聲說是无量壽宗要經陀羅尼曰　南謨薄伽勃底一阿波
唎蜜多二阿喻紇硯娜三須毗你悉指陀四囉佐耶五怛他羯他耶六怛姪他唵七薩婆桑悉迦囉八波唎輸底九
達磨底十伽迦娜十一莎訶某持伽底十二薩婆婆毗輸底十三摩訶娜耶十四波唎婆囉莎訶十五
尒時復有恒河沙姟佛一時同聲說是无量壽宗要經陀羅尼曰　南謨薄伽勃底阿
波唎蜜多二阿喻紇硯娜三須毗你悉指陀四囉佐耶五怛他羯他耶六怛姪他唵七薩婆桑悉迦囉八波
唎輸底九達磨底十伽迦娜十一莎訶某持伽底十二薩婆婆毗輸底十三摩訶娜耶十四波唎婆囉莎訶十五
善男子若有自書寫教人書寫是无量壽宗要經如其命盡得長壽而滿百年陀羅
尼曰　南謨薄伽勃底一阿波唎蜜多二阿喻紇硯娜三須毗你悉指陀四囉佐耶五怛他羯
他耶六怛姪他唵七薩婆桑悉迦囉八波唎輸底九達磨底十伽迦娜十一莎訶某持伽底十二薩婆婆毗輸
底十三摩訶娜耶十四波唎婆囉莎訶十五
若有自書寫教人書寫是无量壽宗要經讀誦受持畢竟不墮地獄在在所生得宿命
智陀羅尼曰　南謨薄伽勃底一阿波唎蜜多二阿喻紇硯娜三須毗你悉指陀四
囉佐耶五怛他羯他耶六怛姪他唵七薩婆桑悉迦囉八波唎輸底九達磨底十伽迦娜十一莎訶某持
伽底十二薩婆婆毗輸底十三摩訶娜耶十四波唎婆囉莎訶十五

BD01879 號　無量壽宗要經　（5–2）

底十三摩訶娜耶十四波唎婆囉莎訶十五
若有自書寫教人書寫是无量壽宗要經讀誦受持畢竟不墮地獄在在所生得宿命
智陀羅尼曰　南謨薄伽勃底一阿波唎蜜多二阿喻紇硯娜三須毗你悉指陀四
囉佐耶五怛他羯他耶六怛姪他唵七薩婆桑悉迦囉八波唎輸底九達磨底十伽迦娜十一莎訶某持
伽底十二薩婆婆毗輸底十三摩訶娜耶十四波唎婆囉莎訶十五
若有自書寫教人書寫是无量壽宗要經受持讀誦如同書寫八万四千一切經典陀羅
尼曰　南謨薄伽勃底一阿波唎蜜多二阿喻紇硯娜三須毗你悉指陀四
囉佐耶五怛他羯他耶六怛姪他唵七薩婆桑悉迦囉八波唎輸底九達磨底十伽迦娜十一莎訶某持
伽底十二薩婆婆毗輸底十三摩訶娜耶十四波唎婆囉莎訶十五
若有自書寫教人書寫是无量壽宗要經即是書寫八万四千部建立塔廟陀羅尼曰
南謨薄伽勃底一阿波唎蜜多二阿喻紇硯娜三須毗你悉指陀四囉佐耶五怛他羯他耶六怛姪他唵七
薩婆桑悉迦囉八波唎輸底九達磨底十伽迦娜十一莎訶某持伽底十二薩婆婆毗輸底十三摩訶
娜耶十四波唎婆囉莎訶十五
若有自書寫教人書寫是无量壽宗要經能消五无間等一切重罪陀羅尼曰
南謨薄伽勃底一阿波唎蜜多二阿喻紇硯娜三須毗你悉指陀四囉佐耶五怛他羯他耶六怛姪他唵七
薩婆桑悉迦囉八波唎輸底九達磨底十伽迦娜十一莎訶某持伽底十二薩婆婆毗輸底十三摩訶
娜耶十四波唎婆囉莎訶十五
若有自書寫教人書寫是无量壽宗要經受持讀誦設有重罪猶如須弥盡能除滅陀
羅尼曰　南謨薄伽勃底一阿波唎蜜多二阿喻紇硯娜三須毗你悉指陀四囉佐耶五怛
他羯他耶六怛姪他唵七薩婆桑悉迦囉八波唎輸底九達磨底十伽迦娜十一莎訶某持伽底十二薩婆婆
毗輸底十三摩訶娜耶十四波唎婆囉莎訶十五
若有自書寫教人書寫是无量壽宗要經受持讀誦若魔魔之眷屬夜叉羅刹
不得其便終无枉死陀羅尼曰　南謨薄伽勃底一阿波唎蜜多二阿喻紇硯娜三須
毗你悉指陀四囉佐耶五怛他羯他耶六怛姪他唵七薩婆桑悉迦囉八波唎輸底九達磨底十伽迦娜十一莎訶
某持伽底十二薩婆婆毗輸底十三摩訶娜耶十四波唎婆囉莎訶十五
若有自書寫教人書寫是无量壽宗要經受持讀誦當命終時有九十九姟佛現
其人前放千佛受手能遊一切佛刹莫於此經生於疑惑陀羅尼曰
南謨薄伽勃底一阿波唎蜜多二阿喻紇硯娜三須毗你悉指陀四囉佐耶五怛他羯他耶六怛姪
他唵七薩婆桑悉迦囉八波唎輸底九達磨底十伽迦娜十一莎訶某持伽底十二薩婆婆毗
輸底十三摩訶娜耶十四波唎婆囉莎訶十五
若有自書寫教人書寫是无量壽宗要經受持讀誦常得四天大王隨其衛護陀羅
尼曰　南謨薄伽勃底一阿波唎蜜多二阿喻紇硯娜三須毗你悉指陀四囉佐耶五怛他羯他
耶六怛姪他唵七薩婆桑悉迦囉八波唎輸底九達磨底十伽迦娜十一莎訶某持伽底十二薩婆婆毗輸

BD01879 號　無量壽宗要經　（5–3）

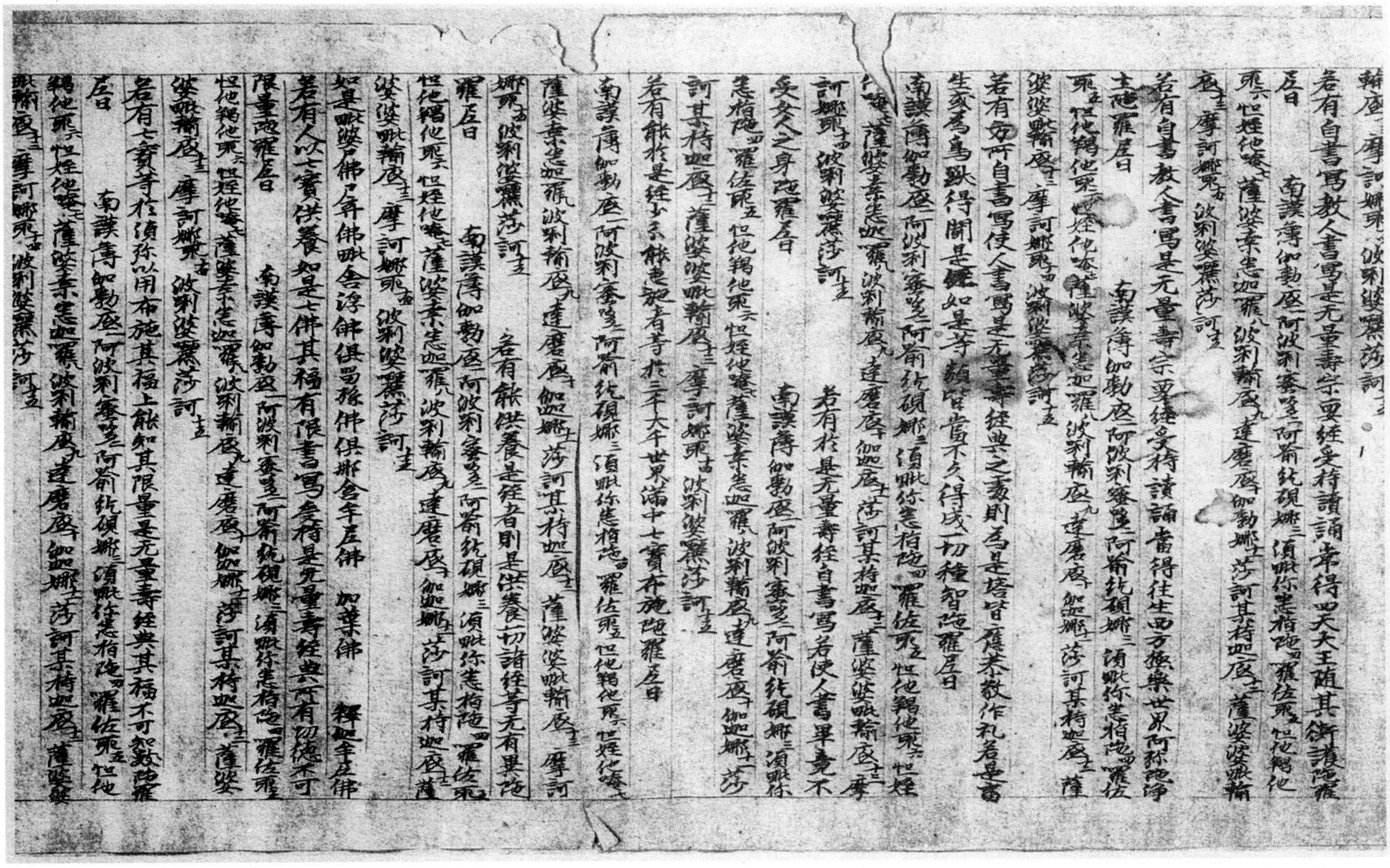
輸底摩訶娜耶波唎婆羅莎訶
若有自書寫教人書寫是无量壽宗要經受持讀誦常得四天大王隨其衛護陁羅
尼曰
南謨薄伽勃底阿波唎蜜哆阿喻紇硯娜須毗你悉指陁囉佐耶怛他羯他
耶怛姪他唵薩婆桑悉迦囉波唎輸底達磨底伽迦娜莎訶其持迦底薩婆婆毗輸
底摩訶娜耶波唎婆羅莎訶
若有自書教人書寫是无量壽宗要經受持讀誦當得往生西方極樂世界阿彌陁淨
土陁羅尼曰
南謨薄伽勃底阿波唎蜜哆阿喻紇硯娜須毗你悉指陁囉佐
耶怛他羯他耶怛姪他唵薩婆桑悉迦囉波唎輸底達磨底伽迦娜莎訶其持迦底薩
婆婆毗輸底摩訶娜耶波唎婆羅莎訶
若有自書寫使人書寫是无量壽經典之處則為是塔皆應恭敬作礼若是畜
生或為鳥獸得聞是經如是等類皆當不久得成一切種智陁羅尼曰
南謨薄伽勃底阿波唎蜜哆阿喻紇硯娜須毗你悉指陁囉佐耶怛他羯他耶怛姪
他唵薩婆桑悉迦囉波唎輸底達磨底伽迦娜莎訶其持迦底薩婆婆毗輸底摩
訶娜耶波唎婆羅莎訶　若有於是无量壽經自書寫若使人書畢竟不
受女人之身陁羅尼曰　南謨薄伽勃底阿波唎蜜哆阿喻紇硯娜須毗你
悉指陁囉佐耶怛他羯他耶怛姪他唵薩婆桑悉迦囉波唎輸底達磨底伽迦娜莎
訶其持迦底薩婆婆毗輸底摩訶娜耶波唎婆羅莎訶
若有能於是經少分能惠施者等於三千大千世界滿中七寶布施陁羅尼曰
南謨薄伽勃底阿波唎蜜哆阿喻紇硯娜須毗你悉指陁囉佐耶怛他羯他耶怛姪他唵
薩婆桑悉迦囉波唎輸底達磨底伽迦娜莎訶其持迦底薩婆婆毗輸底摩訶
娜耶波唎婆羅莎訶　若有能供養是經者則是供養一切諸經等无有異陁
羅尼曰　南謨薄伽勃底阿波唎蜜哆阿喻紇硯娜須毗你悉指陁囉佐耶
怛他羯他耶怛姪他唵薩婆桑悉迦囉波唎輸底達磨底伽迦娜莎訶其持迦底薩
婆婆毗輸底摩訶娜耶波唎婆羅莎訶
如是毗婆尸佛尸棄佛毗舍浮佛俱留孫佛俱那含牟尼佛　迦葉佛　釋迦牟尼佛
若有人以七寶供養如是七佛其福有限書寫受持是无量壽經典所有功德不可
限量陁羅尼曰　南謨薄伽勃底阿波唎蜜哆阿喻紇硯娜須毗你悉指陁囉佐耶
怛他羯他耶怛姪他唵薩婆桑悉迦囉波唎輸底達磨底伽迦娜莎訶其持迦底薩婆
婆毗輸底摩訶娜耶波唎婆羅莎訶
若有七寶等於須彌山用布施其福上能知其限量是无量壽經典其福不可知數陁羅
尼曰　南謨薄伽勃底阿波唎蜜哆阿喻紇硯娜須毗你悉指陁囉佐耶怛他
羯他耶怛姪他唵薩婆桑悉迦囉波唎輸底達磨底伽迦娜莎訶其持迦底薩婆婆
毗輸底摩訶娜耶波唎婆羅莎訶

BD01879 號　無量壽宗要經　（5–4）

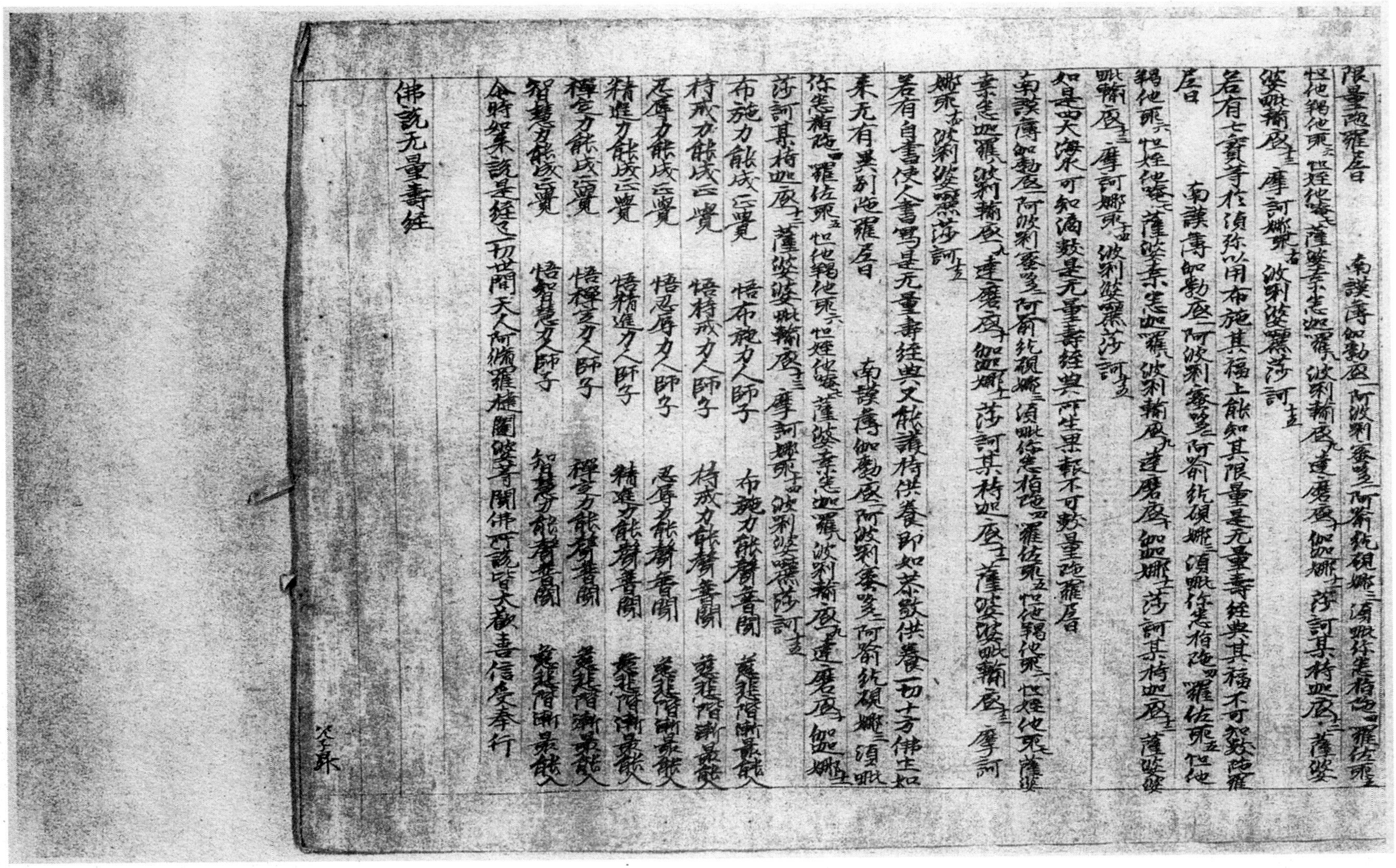
限量陁羅尼曰　南謨薄伽勃底阿波唎蜜哆阿喻紇硯娜須毗你悉指陁囉佐耶
怛他羯他耶怛姪他唵薩婆桑悉迦囉波唎輸底達磨底伽迦娜莎訶其持迦底薩婆
婆毗輸底摩訶娜耶波唎婆羅莎訶
若有七寶等於須彌山用布施其福上能知其限量是无量壽經典其福不可知數陁羅
尼曰　南謨薄伽勃底阿波唎蜜哆阿喻紇硯娜須毗你悉指陁囉佐耶怛他
羯他耶怛姪他唵薩婆桑悉迦囉波唎輸底達磨底伽迦娜莎訶其持迦底薩婆婆
毗輸底摩訶娜耶波唎婆羅莎訶
如是四大海水可知滴數是无量壽經典所生果報不可數量陁羅尼曰
南謨薄伽勃底阿波唎蜜哆阿喻紇硯娜須毗你悉指陁囉佐耶怛他羯他耶怛姪他唵薩婆
桑悉迦囉波唎輸底達磨底伽迦娜莎訶其持迦底薩婆婆毗輸底摩訶
娜耶波唎婆羅莎訶
若有自書使人書寫是无量壽經典又能護持供養即如恭敬供養一切十方佛土如
來无有異別陁羅尼曰　南謨薄伽勃底阿波唎蜜哆阿喻紇硯娜須毗
你悉指陁囉佐耶怛他羯他耶怛姪他唵薩婆桑悉迦囉波唎輸底達磨底伽迦娜
莎訶其持迦底薩婆婆毗輸底摩訶娜耶波唎婆羅莎訶
布施力能成正覺　悟布施力人師子　布施力能聲響聞　慈悲階漸最能入
持戒力能成正覺　悟持戒力人師子　持戒力能聲響聞　慈悲階漸最能入
忍辱力能成正覺　悟忍辱力人師子　忍辱力能聲響聞　慈悲階漸最能入
精進力能成正覺　悟精進力人師子　精進力能聲響聞　慈悲階漸最能入
禪定力能成正覺　悟禪定力人師子　禪定力能聲響聞　慈悲階漸最能入
智慧力能成正覺　悟智慧力人師子　知慧力能聲響聞　慈悲階漸最能入
尒時如來說是經已一切世間天人阿脩羅揵闥婆等聞佛所說皆大歡喜信受奉行
佛說无量壽經

BD01879 號　無量壽宗要經　（5–5）

BD01879 號背　寺院題名　　（1–1）

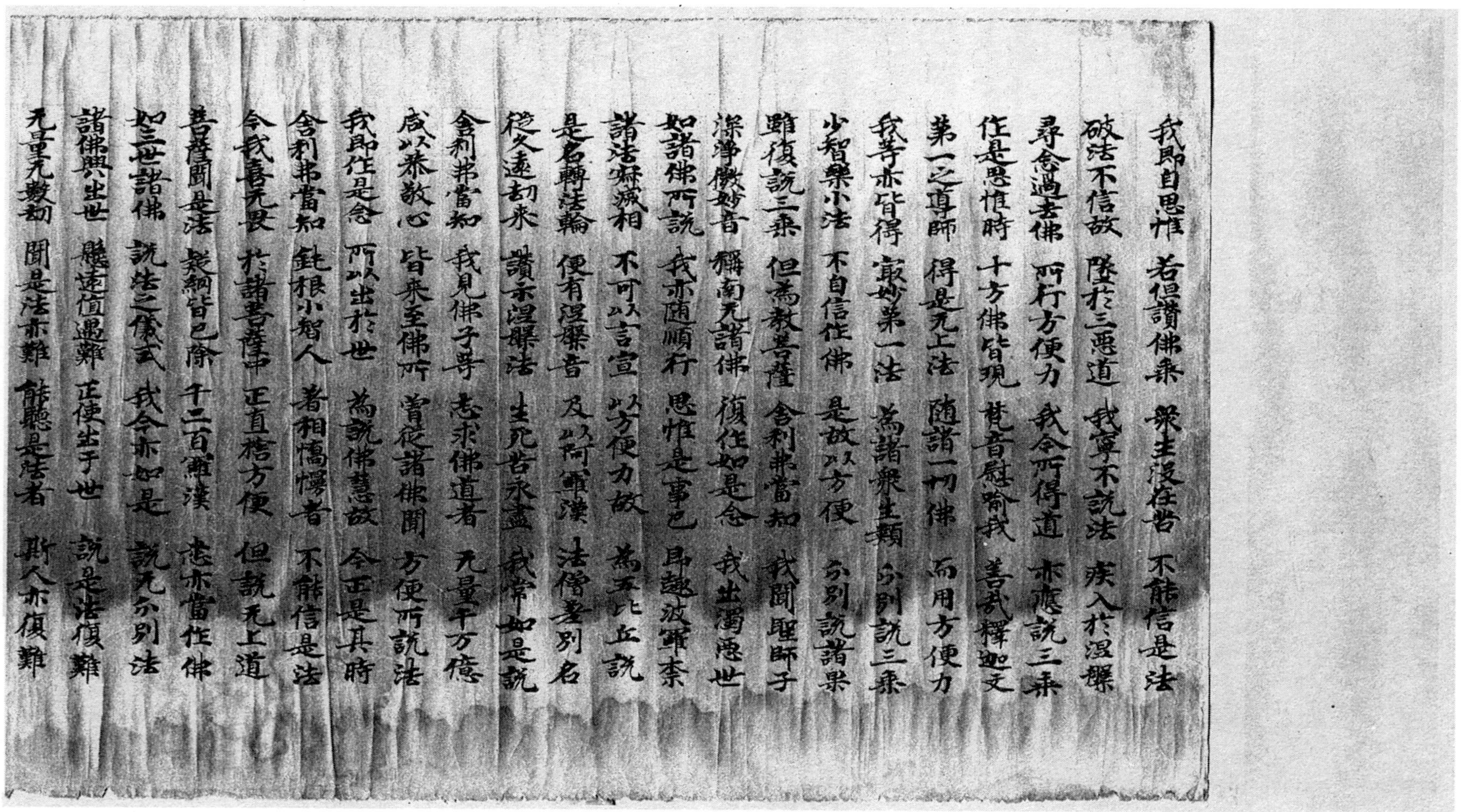

BD01880 號　妙法蓮華經卷一　　（2–1）

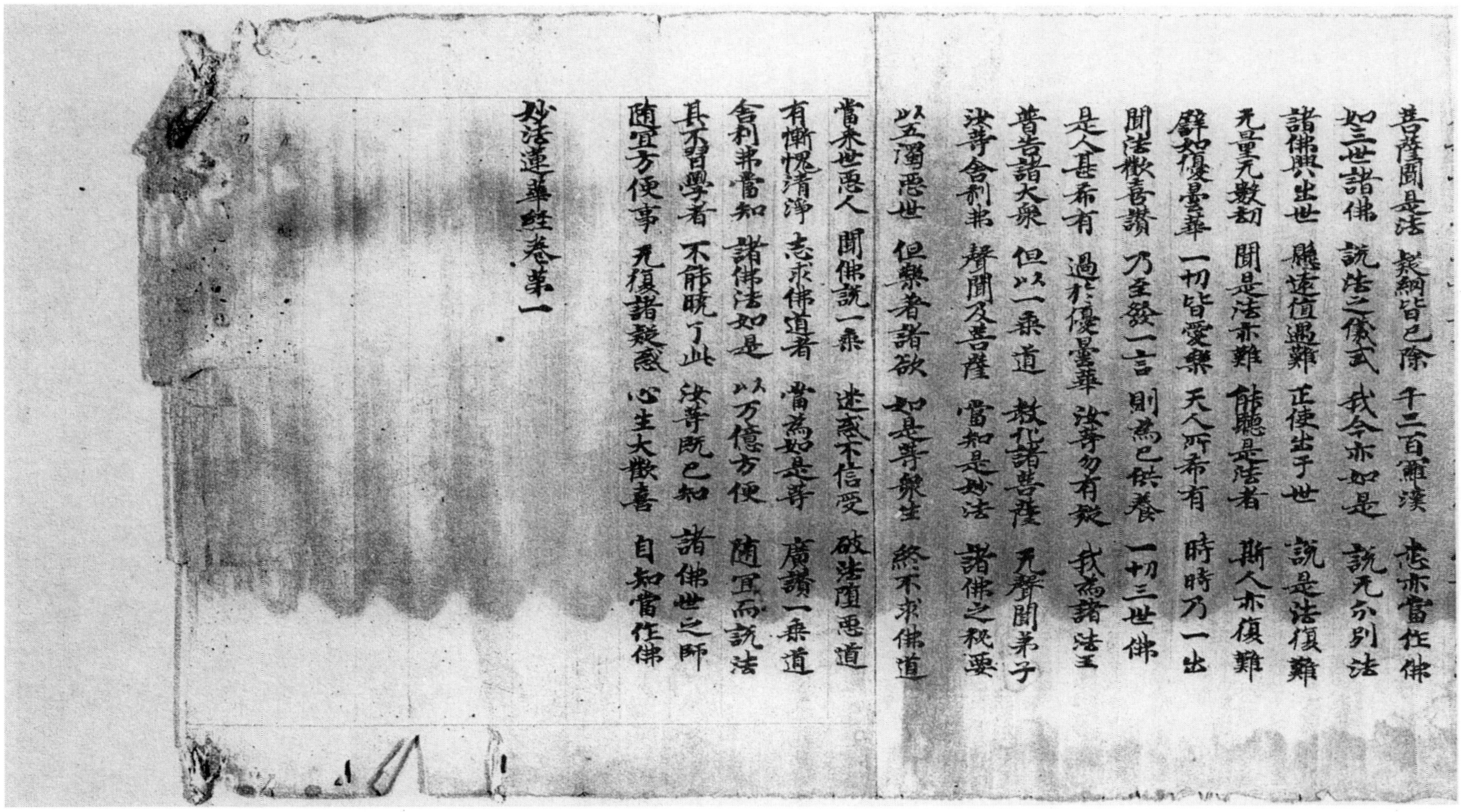

菩薩聞是法　疑網皆已除　千二百羅漢　悉亦當作佛
如三世諸佛　說法之儀式　我今亦如是　說无分別法
諸佛興出世　懸遠值遇難　正使出于世　說是法復難
无量无數劫　聞是法亦難　能聽是法者　斯人亦復難
譬如優曇華　一切皆愛樂　天人所希有　時時乃一出
聞法歡喜讚　乃至發一言　則為已供養　一切三世佛
是人甚希有　過於優曇華　汝等勿有疑　我為諸法王
普告諸大衆　但以一乘道　教化諸菩薩　无聲聞弟子
汝等舍利弗　聲聞及菩薩　當知是妙法　諸佛之秘要
以五濁惡世　但樂著諸欲　如是等衆生　終不求佛道
當來世惡人　聞佛說一乘　迷惑不信受　破法墮惡道
有慚愧清淨　志求佛道者　當為如是等　廣讚一乘道
舍利弗當知　諸佛法如是　以万億方便　隨宜而說法
其不習學者　不能曉了此　汝等既已知　諸佛世之師
隨宜方便事　无復諸疑惑　心生大歡喜　自知當作佛

妙法蓮華經卷第一

BD01880號　妙法蓮華經卷一　（2–2）

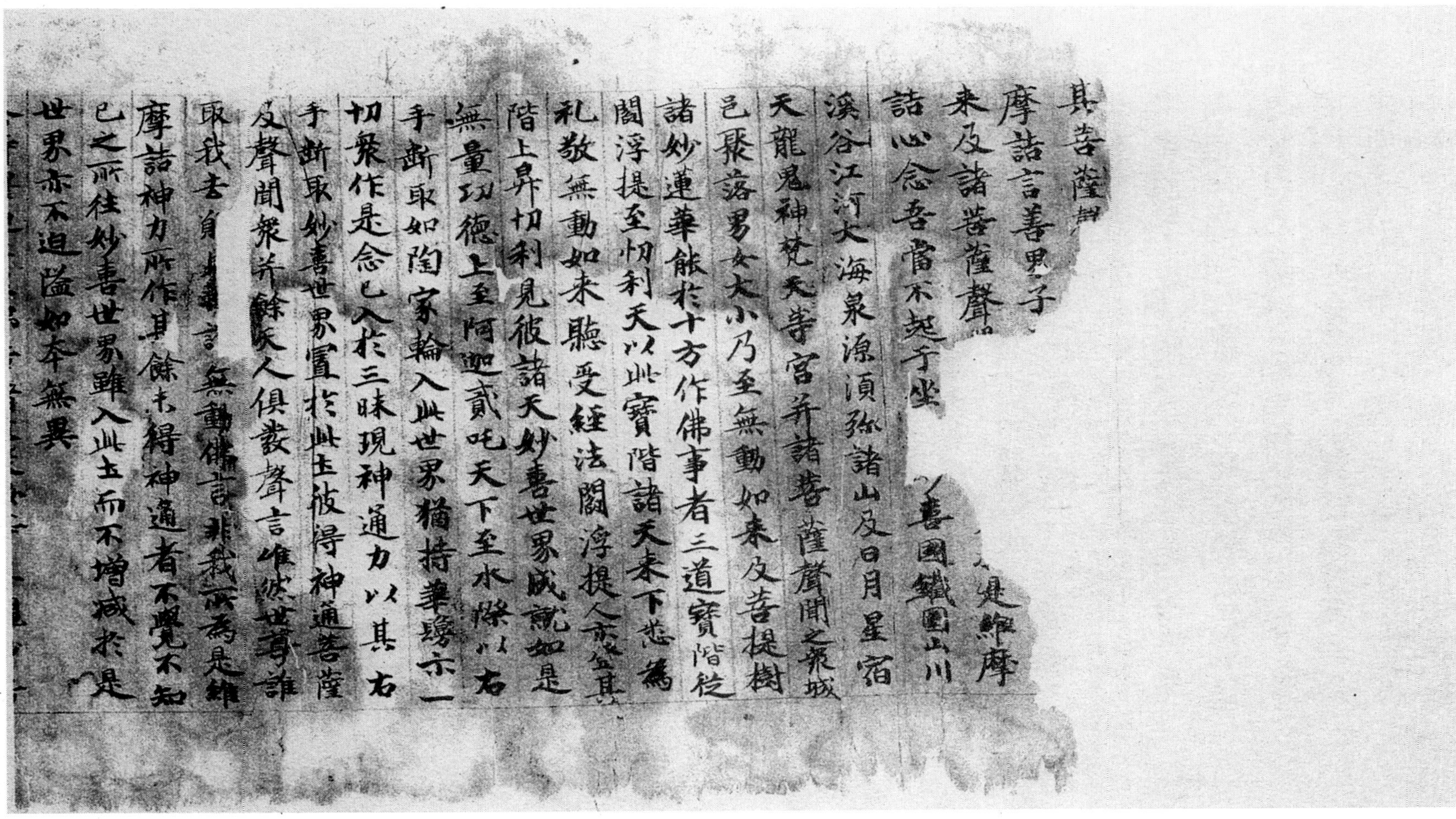

其菩薩聲
摩詰言善男子
來及諸菩薩聲　是維摩
詰心念吾當不起于坐　喜國鐵圍山川
溪谷江河大海泉源須弥諸山及日月星宿
天龍鬼神梵天等宮并諸菩薩聲聞之衆城
邑聚落男女大小乃至無動如來及菩提樹
諸妙蓮華能於十方作佛事者三道寶階從
閻浮提至忉利天以此寶階諸天來下悉為
禮敬無動如來聽受經法閻浮提人亦登其
階上昇忉利見彼諸天妙喜世界成就如是
無量功德上至阿迦貳吒天下至水際以右
手斷取如陶家輪入此世界猶持華鬘示一
切衆作是念已入於三昧現神通力以其右
手斷取妙喜世界置於此土彼得神通菩薩
及聲聞衆并餘天人俱發聲言唯然世尊誰
取我去願見救護無動佛言非我所為是維
摩詰神力所作其餘未得神通者不覺不知
已之所往妙喜世界雖入此土而不增減於是
世界亦不迫隘如本無異

BD01881號　維摩詰所說經卷下　（8–1）

摩詰神力所作其餘未得神通者不覺不知
己之所往妙喜世界雖入此土而不增減於是
世界亦不迫隘如本無異
尒時釋迦牟尼佛告諸大衆汝等且觀妙喜
世界無動如來其國嚴餝菩薩行淨弟子
清白皆曰唯然已見佛言若菩薩欲得如是
清淨佛土當學無動如來所行之道現此妙喜
國時娑婆世界十四那由他人發阿耨多羅三
藐三菩提心皆願生於妙喜佛土釋迦牟尼
佛即記之曰當生彼國時妙喜世界於此
國土所應饒益其事訖已還復本處佛告
舍利弗汝見此妙喜世界及無動佛不唯然已
見世尊願使一切衆生得清淨土如無動佛
獲神通力如維摩詰世尊我等快得善利
得見是人親近供養其諸衆生若今現在若
佛滅後聞此經者亦得善利況復聞已信解
受持讀誦解說如法修行若有手得是經典
者便為已得法寶之藏若有讀誦解釋其義如
說修行則為諸佛之所護念其有供養如是
人者當知則為供養於佛其有書持此經卷
者當知其室則有如來若聞是經能隨喜者
斯人則為取一切智若能信解此經乃至一
四句偈為他說者當知此人即是受阿耨多
羅三藐三菩提記
法供養品第十三
尒時釋提桓因於大衆中白佛言世尊我雖

羅三藐三菩提記
法供養品第十三
尒時釋提桓因於大衆中白佛言世尊我雖
從佛及文殊師利聞百千經未曾聞此不可思
議自在神通決定實相經典如我解佛所
說義趣若有衆生聞是經法信解受持讀誦
之者必得是法不疑何況如說修行斯人則為
閉衆惡趣開諸善門常為諸佛之所護念
降伏外學摧滅魔怨修治菩提安處道場
履踐如來所行之跡世尊若有受持讀誦
如說修行者我當與諸眷屬供養給事所
在聚落城邑山林曠野有是經處我亦與諸
眷屬聽受法故共到其所其未信者當令生
信其已信者當為作護佛言善哉善哉天帝如
汝所說吾助汝喜此經廣說過去未來現在
諸佛不可思議阿耨多羅三藐三菩提是故天
帝若善男子善女人受持讀誦供養是經者
則為供養去來今佛天帝正使三千大千世
界如來滿中譬如甘蔗竹葦稻麻叢林若有
善男子善女人或一劫或減一劫恭敬尊重
讚嘆供養奉諸所安至諸佛滅後以一一全
身舍利起七寶塔縱廣一四天下高至梵天
表剎莊嚴以一切華香瓔珞幢幡伎樂微妙
第一若一劫若減一劫而供養之於天帝意
云何其人植福寧為多不釋提桓因言多矣
世尊彼之福德若以百千億劫說不能盡
佛告天帝當知是善男子善女人聞是不可思

云何其人植福寧為多不釋提桓因言多矣
世尊彼之福德若以百千億劫說不能盡
佛告天帝當知是善男子善女人聞是不可思
議解脫經典信解受持讀誦修行福多於彼
所以者何諸佛菩提皆從是生菩提之相不
可限量以是因緣福不可量
佛告天帝過去無量阿僧祇劫時世有佛号
曰藥王如來應正遍知明行足善逝世間解
無上士調御丈夫天人師佛世尊世界曰大
莊嚴劫曰莊嚴佛壽廿小劫其聲聞僧卅六
億那由他菩薩僧有十二億天帝是時有轉
輪聖王名曰寶蓋七寶具足主四天下王有
千子端正勇健能伏怨敵尒時寶蓋與其眷
屬供養藥王如來施諸所安至滿五劫過五
劫已告其千子汝等亦當如我以深心供養於
佛於是千子受父王命供養藥王如來復滿
五劫一切施安其王一子名曰月蓋獨坐思惟
寧有供養殊過此者以佛神力空中天
曰善男子法之供養勝諸供養即問何謂
法之供養天曰汝可往問藥王如來當廣為
汝說法之供養即時月蓋王子行詣藥王
如來稽首佛足却住一面白佛言世尊諸供養
中法供養勝云何名為法之供養佛言善男
子法供養者諸佛所說深經一切世間難信
難受微妙難見清淨無染非分別思惟之所
能得菩薩法藏所攝陀羅尼印印之至不退

子法供養者諸佛所說深經一切世間難信
難受微妙難見清淨無染非分別思惟之所
能得菩薩法藏所攝陀羅尼印印之至不退
轉成就六度善分別義順菩提法衆經之上
入大慈悲離諸魔事及諸邪見順因緣法無
生坐於道場而轉法輪諸天龍神乾闥婆等
所共嘆譽能令衆生入佛法藏攝諸賢聖一
切智慧說衆菩薩所行之道依於諸法實相
之義明宣無常苦空無我寂滅能救一切毀
禁衆生諸魔外道及貪著者能使怖畏諸佛
賢聖所共稱嘆背生死苦示涅槃樂十方三
世諸佛所說若聞如是等經信解受持讀誦
以方便力為諸衆生分別解說顯示分明守
護法故是名法之供養又於諸法如說修行
隨順十二因緣離諸邪見得無生忍決定無
我無有衆生而於因緣果報無違無諍離諸
我所依於義不依語依於智不依識依了義
經不依不了義經依於法不依人隨順法相
無所入無所歸無明畢竟滅故諸行亦畢竟
滅乃至生畢竟滅故老死亦畢竟滅作如是
觀十二因緣無有盡相不復起見是名最上
法之供養
佛告天帝王子月蓋從藥王佛聞如是法得
柔順忍即解寶衣嚴身之具以供養佛白佛
言世尊如來滅後我當行法供養守護正法
願以威神加哀建立令我得降魔怨修菩薩

佛告天帝王子月蓋從藥王佛聞如是法得
柔順忍即解寶衣嚴身之具以供養佛白佛
言世尊如來滅後我當行法供養守護正法
願以威神加哀建立令我得降魔怨脩菩薩
行佛知其深心所念而記之曰汝於末後守
護法城天帝時王子月蓋見法清淨聞佛授
記以信出家脩集善法精進不久得五神通
菩薩道得陁羅尼無斷辯才於佛滅後以
其所得神通揔持辯才之力滿十小劫藥王
如來所轉法輪隨而分布月蓋比丘以護持
法勤行精進即於此身化百万億人於阿耨
多羅三藐三菩提立不退轉十四那由他人
深發聲聞辟支佛心無量衆生得生天上天
帝時王寶蓋豈異人乎今現得佛号寶焰如
来其王千子即賢劫中千佛是也從迦羅鳩
孫大爲始得佛最後如来号曰樓至月蓋比
丘則我身是如是天帝當知此要以法供養
於諸供養爲上爲最第一無比是故天帝當
以法之供養供養於佛

囑累品第十四

於是佛告弥勒菩薩言弥勒我今以是無
量阿僧祇劫所集阿耨多羅三藐三菩提付
囑於汝如是輩經於佛滅後末世之中汝
等當以神力廣宣流布於閻浮提無令斷絶
所以者何未来世中當有善男子善女人及天
龍鬼神乹闥婆羅刹等發阿耨多羅三藐三
菩提心樂于大法若使不聞如是等經則失善

BD01881 號　維摩詰所說經卷下　（8–6）

龍鬼神乹闥婆羅刹等發阿耨多羅三藐三
菩提心樂于大法若使不聞如是等經則失善
利如此輩人聞是等經必多信樂發希有心
當以頂受隨諸衆生所應得利而爲廣說弥
勒當知菩薩有二相何謂爲二一者好於雜
句文餝之事二者不畏深義如實能入若好
雜句文飾事者當知是爲新學菩薩若於
如是無染無着甚深經典無有恐畏能入其
中聞已心淨受持讀誦如說脩行當知是爲
久脩道行弥勒復有二法名新學者不能決
定於甚深法何等爲二一者所未聞深經聞
驚怖生疑不能隨順毀謗不信而作是言
初不聞從何所来二者若有護持解說如
是深經者不肯親近供養恭敬或時於中說
過惡有此二法當知是新學菩薩爲自毀
不能於深法中調伏其心弥勒復有二法
薩雖信解深法猶自毀傷而不能得無生
何等爲二一者輕慢新學菩薩而不教
者雖解深法而取相分別是爲二法弥
菩薩聞說是已白佛言世尊未曾有也
所說我當遠離如斯之惡奉持如來無
僧祇劫所集阿耨多羅三藐三菩提法
未来世善男子善女人求大乘者當令手
等經典與其念力使受持讀誦爲他廣
若後末世有能受持讀誦爲他說
是弥勒神力之所建立佛言善哉善

BD01881 號　維摩詰所說經卷下　（8–7）

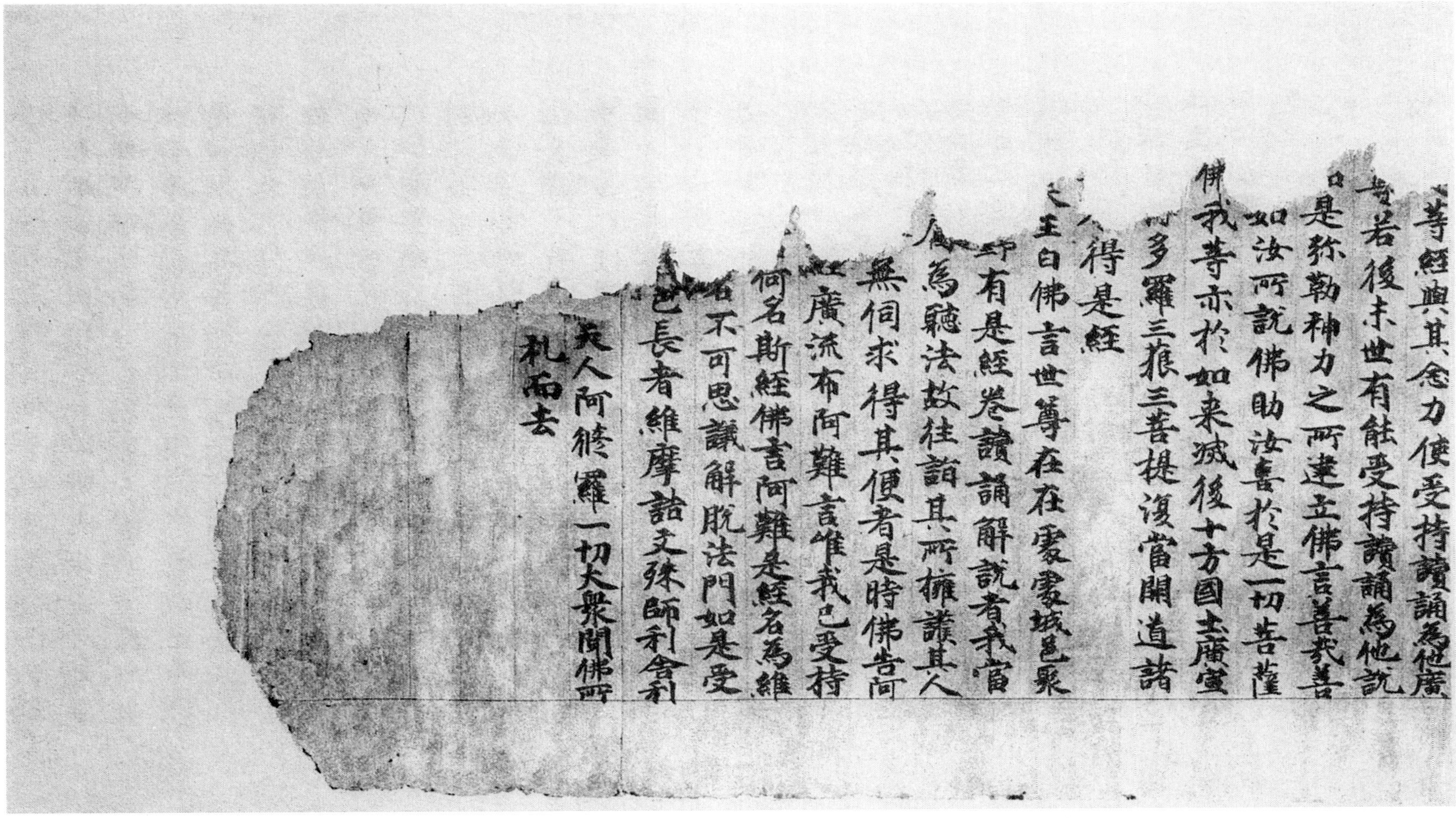
等經典其念力使受持讀誦爲他廣
說若後末世有能受持讀誦爲他說
是彌勒神力之所建立佛言善哉善
如汝所說佛助汝喜於是一切菩薩
我等亦於如來滅後十方國土廣宣
多羅三藐三菩提復當開導諸
得是經
王白佛言世尊在在處處城邑聚
有是經卷讀誦解說者我當
爲聽法故往詣其所擁護其人
無伺求得其便者是時佛告阿
廣流布阿難言唯我已受持
何名斯經佛言阿難是經名爲維
不可思議解脫法門如是受
已長者維摩詰文殊師利舍利
天人阿脩羅一切大衆聞佛所
礼而去

BD01881 號　維摩詰所說經卷下　（8–8）

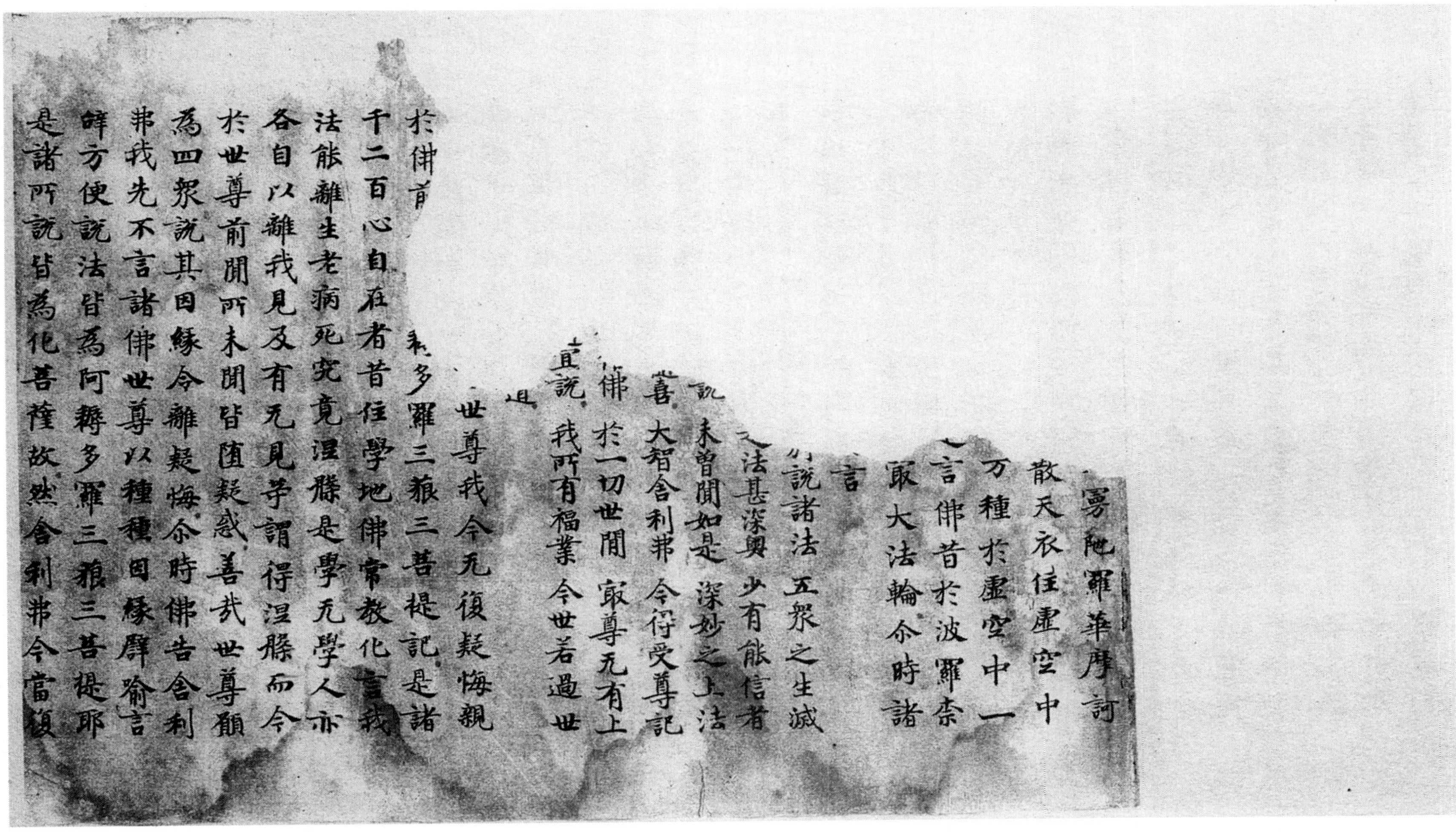
陁羅華摩訶
散天衣住虛空中
万種於虛空中一
言佛昔於波羅柰
最大法輪尒時諸
言
說諸法　五衆之生滅
法甚深奧　少有能信者
未曾聞如是　深妙之上法
大智舍利弗　今得受尊記
佛　於一切世間　最尊无有上
說　我所有福業　今世若過世
道
世尊我今无復疑悔親
於佛前　耨多羅三藐三菩提記是諸
千二百心自在者昔住學地佛常教化言我
法能離生老病死究竟涅槃是學无學人亦
各自以離我見及有无見等謂得涅槃而今
於世尊前聞所未聞皆墮疑惑善哉世尊願
爲四衆說其因緣令離疑悔尒時佛告舍利
弗我先不言諸佛世尊以種種因緣譬喻言
辝方便說法皆爲阿耨多羅三藐三菩提耶
是諸所說皆爲化菩薩故然舍利弗今當復

BD01882 號　妙法蓮華經卷二　（15–1）

千二百心自在者昔住學地佛常教化言我
法能離生老病死究竟涅槃是學无學人亦
各自以離我見及有无見等謂得涅槃而今
於世尊前聞所未聞皆墮疑惑善哉世尊願
為四衆說其因緣令離疑悔尒時佛告舍利
弗我先不言諸佛世尊以種種因緣辟喻言
辞方便說法皆為阿耨多羅三藐三菩提耶
是諸所說皆為化菩薩故然舍利弗今當復
以辟喻更明此義諸有智者以辟喻得解舍
利弗若國邑聚落有大長者其年衰邁財富
无量多有田宅及諸僮僕其家廣大唯有一
門多諸人衆一百二百乃至五百人止住其
中堂閣朽故墻壁頹落柱根腐敗梁棟傾危
周帀俱時欻然火起焚燒舍宅長者諸子若
十二十或至三十在此宅中長者見是大火
從四面起即大驚怖而作是念我雖能於此
所燒之門安隱得出而諸子等於火宅內樂
著嬉戲不覺不知不驚不怖火來逼身苦痛
切己心不猒患无求出意舍利弗是長者作
是思惟我身手有力當以衣祴若以几案從
舍出之復更思惟是舍唯有一門而復狹小
諸子幼稚未有所識戀著戲處或當墮落為
火所燒我當為說怖畏之事此舍已燒宜時
疾出无令為火之所燒害作是念已如所思
惟具告諸子汝等速出父雖憐愍善言誘喻
而諸子等樂著嬉戲不肯信受不驚不畏了
无出心亦復不知何者是火何者為舍云何
為失但東西走戲視父而已尒時長者即作
是念此舍已為大火所燒我及諸子若不時
出必為所焚我今當設方便令諸子等得免

疾出无令為火之所燒害作是念已如所思
惟具告諸子汝等速出父雖憐愍善言誘喻
而諸子等樂著嬉戲不肯信受不驚不畏了
无出心亦復不知何者是火何者為舍云何
為失但東西走戲視父而已尒時長者即作
是念此舍已為大火所燒我及諸子若不時
出必為所焚我今當設方便令諸子等得免
斯害父知諸子先心各有所好種種珎玩奇
異之物情必樂著而告之言汝等所可玩好
希有難得汝若不取後必憂悔如此種種羊
車鹿車牛車今在門外可以遊戲汝等於此
火宅宜速出來隨汝所欲皆當與汝尒時諸
子聞父所說珎玩之物適其願故心各勇鋭
互相推排競共馳走爭出火宅是時長者見
諸子等安隱得出皆於四衢道中露地而坐
无復障礙其心泰然歡喜踊躍時諸子等各
白父言父先所許玩好之具羊車鹿車牛車
願時賜與舍利弗尒時長者各賜諸子等一
大車其車高廣衆寶莊校周帀欄楯四面懸
鈴又於其上張設幰蓋亦以珎奇雜寶而嚴
飾之寶繩交絡垂諸華瓔重敷綩綖安置丹
枕駕以白牛膚色充潔形體姝好有大筋力
行步平正其疾如風又多僕從而侍衛之所
以者何是大長者財富无量種種諸藏悉皆
充溢而作是念我財物无極不應以下劣小
車與諸子等今此幼童皆是吾子愛无偏黨
我有如是七寶大車其數无量應當等心各
各與之不宜差別所以者何以我此物周給
一國猶尚不匱何況諸子是時諸子各乘大
車得未曾有非本所望舍利弗於汝意云何

車與諸子等令此幼童皆是吾子愛无偏黨
我有如是七寶大車其數无量應當等心各各
與之不宜差別所以者何以我此物周給
一國猶尚不匱何況諸子是時諸子各乘大
車得未曾有非本所望舍利弗於汝意云何
是長者等與諸子珍寶大車寧有虛妄不舍
利弗言不也世尊是長者但令諸子得免火
難全其軀命非為虛妄何以故若全身命便
為已得玩好之具況復方便於彼火宅而拔
濟之世尊若是長者乃至不與最小一車猶
不虛妄何以故是長者先作是意我以方便
令子得出以是因緣无虛妄也何況長者自
知財富无量欲饒益諸子等與大車佛告舍
利弗善哉善哉如汝所言舍利弗如來亦復
如是則為一切世間之父於諸怖畏衰惱憂
患无明闇蔽永盡无餘而悉成就无量知見
力无所畏有大神力及智慧力具足方便智
慧波羅蜜大慈大悲常无懈惓恒求善事利
益一切而生三界朽故火宅為度眾生生老
病死憂悲苦惱愚癡闇蔽三毒之火教化令
得阿耨多羅三藐三菩提見諸眾生為生老
病死憂悲苦惱之所燒煮亦以五欲財利故
受種種苦又以貪著追求故現受眾苦後受
地獄畜生餓鬼之苦若生天上及在人間貧
窮困苦愛別離苦怨憎會苦如是等種種諸
苦眾生沒在其中歡喜遊戲不覺不知不驚
不怖亦不生猒不求解脫於此三界火宅東
西馳走雖遭大苦不以為患舍利弗佛見此
已便作是念我為眾生之父應拔其苦難與
无量无邊佛智慧樂令其遊戲舍利弗如來

BD01882號　妙法蓮華經卷二　（15–4）

窮困苦愛別離苦怨憎會苦如是等種種諸
苦眾生沒在其中歡喜遊戲不覺不知不驚
不怖亦不生猒不求解脫於此三界火宅東
西馳走雖遭大苦不以為患舍利弗佛見此
已便作是念我為眾生之父應拔其苦難與
无量无邊佛智慧樂令其遊戲舍利弗如來
復作是念若我但以神力及智慧力捨於方
便為諸眾生讚如來知見力无所畏者眾生
不能以是得度所以者何是諸眾生未免生
老病死憂悲苦惱而為三界火宅所燒何由
能解佛之智慧舍利弗如彼長者雖復身手
有力而不用之但以慇懃方便免濟諸子火
宅之難然後各與珍寶大車如來亦復如是
雖有力无所畏而不用之但以智慧方便於
三界火宅拔濟眾生為說三乘聲聞辟支佛
佛乘而作是言汝等莫得樂住三界火宅勿
貪麤弊色聲香味觸也若貪著生愛則為
所燒汝速出三界當得三乘聲聞辟支佛佛
乘我今為汝保任此事終不虛也汝等但當
懃脩精進如來以是方便誘進眾生復作是
言汝等當知此三乘法皆是聖所稱歎自在
无繫无所依求乘是三乘以无漏根力覺道
禪定解脫三昧等而自娛樂便得无量安隱快
樂舍利弗若有眾生內有智性從佛世尊聞
法信受慇懃精進欲速出三界自求涅槃是
名聲聞乘如彼諸子為求羊車出於火宅若
有眾生從佛世尊聞法信受慇懃精進求自
然慧樂獨善寂深知諸法因緣是名辟支佛
乘如彼諸子為求鹿車出於火宅若有眾生
從佛世尊聞法信受懃脩精進求一切智佛

BD01882號　妙法蓮華經卷二　（15–5）

樂舍利弗若有衆生內有智性從佛世尊聞
法信受慇懃精進欲速出三界自求涅槃是
名聲聞乘如彼諸子為求羊車出於火宅若
有衆生從佛世尊聞法信受慇懃精進求自
然慧樂獨善寂深知諸法因緣是名辟支佛
乘如彼諸子為求鹿車出於火宅若有衆生
從佛世尊聞法信受勤脩精進求一切智佛
智自然智无師智如來知見力无所畏愍念
安樂无量衆生利益天人度脫一切是名大
乘菩薩求此乘故名為摩訶薩如彼諸子為
求牛車出於火宅舍利弗如彼長者見諸子
等安隱得出火宅到无畏處自惟財富无量
等以大車而賜諸子如來亦復如是為一切
衆生之父若見无量億千衆生以佛教門出
三界苦怖畏險道得涅槃樂如來尒時便作
是念我有无量无邊智慧力无畏等諸佛法
藏是諸衆生皆是我子等與大乘不令有人
獨得滅度皆以如來滅度而滅度之是諸衆
生脫三界者悉與諸佛禪定解脫等娛樂之
具皆是一相一種聖所稱歎能生淨妙第一
之樂舍利弗如彼長者初以三車誘引諸子
然後但與大車寶物莊嚴安隱第一然彼長
者无虛妄之咎如來亦復如是无有虛妄初
說三乘引導衆生然後但以大乘而度脫之
何以故如來有无量智慧力无所畏諸法之
藏能與一切衆生大乘之法但不盡能受舍
利弗以是因緣當知諸佛方便力故於一佛
乘分別說三佛欲重宣此義而說偈言
譬如長者　有一大宅　其宅久故　而復頓弊
堂舍高危　柱根摧朽　梁棟傾斜　基陛頽毀

BD01882號　妙法蓮華經卷二　（15-6）

何以故如來有无量智慧力无所畏諸法之
藏能與一切衆生大乘之法但不盡能受舍
利弗以是因緣當知諸佛方便力故於一佛
乘分別說三佛欲重宣此義而說偈言
譬如長者　有一大宅　其宅久故　而復頓弊
堂舍高危　柱根摧朽　梁棟傾斜　基陛頽毀
墻壁圮坼　泥塗褫落　覆苫亂墜　椽梠差脫
周障屈曲　雜穢充遍　有五百人　止住其中
鵄梟鵰鷲　烏鵲鳩鴿　蚖蛇蝮蠍　蜈蚣蚰蜒
守宮百足　狖狸鼷鼠　諸惡蟲輩　交橫馳走
屎尿臭處　不淨流溢　蜣蜋諸蟲　而集其上
狐狼野干　咀嚼踐蹋　嚌齧死屍　骨肉狼藉
由是群狗　競來搏撮　飢羸慞惶　處處求食
鬪諍齟掣　啀喍嗥吠　其舍恐怖　變狀如是
處處皆有　魑魅魍魎　夜叉惡鬼　食噉人肉
毒蟲之屬　諸惡禽獸　孚乳產生　各自藏護
夜叉競來　爭取食之　食之既飽　惡心轉熾
鬪諍之聲　甚可怖畏　鳩槃荼鬼　蹲踞土埵
或時離地　一尺二尺　往返遊行　縱逸嬉戲
捉狗兩足　撲令失聲　以脚加頸　怖狗自樂
復有諸鬼　其身長大　裸形黑瘦　常住其中
發大惡聲　叫呼求食　復有諸鬼　其咽如針
復有諸鬼　首如牛頭　或食人肉　或復噉狗
頭髮蓬亂　殘害凶險　飢渴所逼　叫喚馳走
夜叉餓鬼　諸惡鳥獸　飢急四向　窺看窓牖
如是諸難　恐畏无量　是朽故宅　屬于一人
其人近出　未久之間　於後舍宅　欻然火起
四面一時　其焰俱熾　棟梁椽柱　爆聲震裂
摧折墮落　墻壁崩倒　諸鬼神等　揚聲大叫
鵰鷲諸鳥　鳩槃荼等　周章惶怖　不能自出

BD01882號　妙法蓮華經卷二　（15-7）

夜叉餓鬼　諸惡鳥獸　飢急四向　窺看窓牖
如是諸難　恐畏无量　是朽故宅　屬于一人
其人近出　未久之間　於後舍宅　欻然火起
四面一時　其焰俱熾　棟梁椽柱　爆聲震裂
摧折墮落　墻壁崩倒　諸鬼神等　揚聲大叫
鵰鷲諸鳥　鳩槃茶等　周章惶怖　不能自出
惡獸毒虫　藏竄孔穴　毗舍闍鬼　亦住其中
薄福德故　為火所逼　共相殘害　飲血噉肉
野干之屬　並已前死　諸大惡獸　競來食噉
臭烟熢㶿　四面充塞　蜈蚣蚰蜒　毒蛇之類
為火所燒　爭走出穴　鳩槃茶鬼　隨取而食
又諸餓鬼　頭上火燃　飢渴熱惱　周章悶走
其宅如是　甚可怖畏　毒害火灾　衆難非一
是時宅主　在門外立　聞有人言　汝諸子等
先因遊戲　來入此宅　稚小无知　歡娛樂著
長者聞已　驚入火宅　方宜救濟　令无燒害
告喻諸子　說衆患難　惡鬼毒虫　灾火蔓莚
衆苦次第　相續不絕　毒蛇蚖蝮　及諸夜叉
鳩槃茶鬼　野干狐狗　鵰鷲鵄梟　百足之屬
渴惱急　甚可怖畏　此苦難處　況復大火
无知　雖聞父誨　猶故樂著　嬉戲不已
長者　而作是念　諸子如此　益我愁惱
宅　无一可樂　而諸子等　耽湎嬉戲
教　將為火害　即便思惟　設諸方便
等　我有種種　珎玩之具　妙寶好車
車　大牛之車　今在門外　汝等出來
等　造作此車　隨意所樂　可以遊戲
說　如此諸車　即時奔競　馳走而出
諸苦難　長者見子　得出火宅
子座　而自慶言　我今快樂

等　我有種種　珎玩之具　妙寶好車
車　大牛之車　今在門外　汝等出來
等　造作此車　隨意所樂　可以遊戲
說　如此諸車　即時奔競　馳走而出
諸苦難　長者見子　得出火宅
子座　而自慶言　我今快樂
此諸子　甚難　愚小无知　而入險宅
可畏　大火猛焰　四面俱起
貪樂嬉戲　我已救之　令得脫難
是故諸人　我今快樂　爾時諸子　知父安坐
皆詣父所　而白父言　願賜我等　三種寶車
如前所許　諸子出來　當以三車　隨汝所欲
今正是時　垂給與　長者大富　庫藏衆多
車𤦲馬瑙　以衆寶物　造諸大車
飾　周帀欄楯　四面懸鈴　金繩交絡
真珠羅網　張施其上　金華諸瓔　處處垂下
衆綵雜飾　周帀圍繞　柔軟繒纊　以為茵蓐
上妙細疊　價直千億　鮮白淨潔　以覆其上
有大白牛　肥壯多力　形體姝好　以駕寶車
多諸儐從　而侍衛之　以是妙車　等賜諸子
諸子是時　歡喜踊躍　乘是寶車　遊於四方
嬉戲快樂　自在无礙　告舍利弗　我亦如是
衆聖中尊　世間之父　一切衆生　皆是吾子
深著世樂　无有慧心　三界无安　猶如火宅
衆苦充滿　甚可怖畏　常有生老　病死憂患
如是等火　熾然不息　如來已離　三界火宅
寂然閑居　安處林野　今此三界　皆是我有
其中衆生　悉是吾子　而今此處　多諸患難
唯我一人　能為救護　雖復教詔　而不信受

衆苦充滿　甚可怖畏　常有生老　病死憂患
如是等火　熾然不息　如来已離　三界火宅
寂然閑居　安處林野　今此三界　皆是我有
其中衆生　悉是吾子　而今此處　多諸患難
唯我一人　能為救護　雖復教照　而不信受
於諸欲染　貪著深故　是以方便　為說三乘
令諸衆生　知三界苦　開示演說　出世間道
是諸子等　若心決定　具足三明　及六神通
有得緣覺　不退菩薩　汝舍利弗　我為衆生
以此譬喻　說一佛乘　汝等若能　信受是語
一切皆當　得成佛道　是乘微妙　清淨第一
於諸世間　為无有上　佛所悅可　一切衆生
所應稱讚　供養礼拜　无量億千　諸力解脫
禪定智慧　及佛餘法　得如是乘　令諸子等
日夜劫數　常得遊戲　與諸菩薩　及聲聞衆
乘此寶乘　直至道場　以是因緣　十方諦求
更无餘乘　除佛方便　告舍利弗　汝諸人等
皆是吾子　我則是父　汝等累劫　衆苦所燒
我皆濟拔　令出三界　我雖先說　汝等滅度
但盡生死　而實不滅　今所應作　唯佛智慧
若有菩薩　於是衆中　能一心聽　諸佛實法
諸佛世尊　雖以方便　所化衆生　皆是菩薩
若人小智　深著愛欲　為此等故　說於苦諦
衆生心喜　得未曾有　佛說苦諦　真實无異
若有衆生　不知苦本　深著苦因　不能暫捨
為是等故　方便說道　諸苦所因　貪欲為本
若滅貪欲　无所依止　滅盡諸苦　名第三諦
為滅諦故　修行於道　離諸苦縛　名得解脫
是人於何　而得解脫　但離虛妄　名為解脫
其實未得　一切解脫　佛說是人　未實滅度
斯人未得　无上道故　我意不欲　令至滅度

BD01882號　妙法蓮華經卷二　（15–10）

若有衆生　不知苦本　深著苦因　不能暫捨
為是等故　方便說道　諸苦所因　貪欲為本
若滅貪欲　无所依止　滅盡諸苦　名第三諦
為滅諦故　修行於道　離諸苦縛　名得解脫
是人於何　而得解脫　但離虛妄　名為解脫
其實未得　一切解脫　佛說是人　未實滅度
斯人未得　无上道故　我意不欲　令至滅度
我為法王　於法自在　安隱衆生　故現於世
汝舍利弗　我此法印　為欲利益　世間故說
在所遊方　勿妄宣傳　若有聞者　隨喜頂受
當知是人　阿鞞跋致　若有信受　此經法者
是人已曾　見過去佛　恭敬供養　亦聞是法
若人有能　信汝所說　則為見我　亦見於汝
及比丘僧　并諸菩薩　斯法華經　為深智說
淺識聞之　迷惑不解　一切聲聞　及辟支佛
於此經中　力所不及　汝舍利弗　尚於此經
以信得入　況餘聲聞　其餘聲聞　信佛語故
隨順此經　非己智分　又舍利弗　憍慢懈怠
計我見者　莫說此經　凡夫淺識　深著五欲
聞不能解　亦勿為說　若人不信　毀謗此經
則斷一切　世間佛種　或復顰蹙　而懷疑惑
汝當聽說　此人罪報　若佛在世　若滅度後
其有誹謗　如斯經典　見有讀誦　書持經者
輕賤憎嫉　而懷結恨　此人罪報　汝今復聽
其人命終　入阿鼻獄　具足一劫　劫盡更生
如是展轉　至无數劫　從地獄出　當墮畜生
若狗野干　其形頷瘦　黧黮疥癩　人所觸嬈
又復為人　之所惡賤　常困飢渴　骨肉枯竭
生受楚毒　死被瓦石　斷佛種故　受斯罪報
若作駱駝　或生驢中　身常負重　加諸杖捶

BD01882號　妙法蓮華經卷二　（15–11）

其人命終 入阿鼻獄 具足一劫 劫盡更生
如是展轉 至无數劫 從地獄出 當墮畜生
若狗野干 其形領瘦 黧黮疥癩 人所觸嬈
又復為人 之所惡賤 常困飢渴 骨肉枯竭
生受楚毒 死被瓦石 斷佛種故 受斯罪報
若作駱駝 或生驢中 身常負重 加諸杖捶
但念水草 餘无所知 謗斯經故 獲罪如是
有作野干 來入聚落 身體疥癩 又无一目
為諸童子 之所打擲 受諸苦痛 或時致死
於此死已 更受蟒身 其形長大 五百由旬
聾騃无足 宛轉腹行 為諸小虫 之所唼食
晝夜受苦 无有休息 謗斯經故 獲罪如是
若得為人 諸根暗鈍 座陋攣躄 盲聾背傴
有所言說 人不信受 口氣常臭 鬼魅所著
貧窮下賤 為人所使 多病痟瘦 无所依怙
雖親附人 人不在意 若有所得 尋復忘失
若脩醫道 順方治病 更增他疾 或復致死
若自有病 无人救療 設服良藥 而復增劇
若他反逆 抄劫竊盜 如是等罪 橫羅其殃
如斯罪人 永不見佛 衆聖之王 說法教化
如斯罪人 常生難處 狂聾心亂 永不聞法
於无數劫 如恒河沙 生輒聾瘂 諸根不具
常處地獄 如遊園觀 在餘惡道 如己舍宅
駝驢猪狗 是其行處 謗斯經故 獲罪如是
若得為人 聾盲瘖瘂 貧窮諸衰 以自莊嚴
水腫乾痟 疥癩癰疽 如是等病 以為衣服
身常臭處 垢穢不淨 深著我見 增益瞋恚
婬欲熾盛 不擇禽獸 謗斯經故 獲罪如是
告舍利弗 謗斯經者 若說其罪 窮劫不盡
以是因緣 我故語汝 无智人中 莫說此經

BD01882號 妙法蓮華經卷二 （15–12）

若得為人 聾盲瘖瘂 貧窮諸衰 以自莊嚴
水腫乾痟 疥癩癰疽 如是等病 以為衣服
身常臭處 垢穢不淨 深著我見 增益瞋恚
婬欲熾盛 不擇禽獸 謗斯經故 獲罪如是
告舍利弗 謗斯經者 若說其罪 窮劫不盡
以是因緣 我故語汝 无智人中 莫說此經
若有利根 智慧明了 多聞強識 求佛道者
如是之人 乃可為說 若人曾見 億百千佛
殖諸善本 深心堅固 如是之人 乃可為說
若人精進 常脩慈心 不惜身命 乃可為說
若人恭敬 无有異心 離諸凡愚 獨處山澤
如是之人 乃可為說 又舍利弗 若見有人
捨惡知識 親近善友 如是之人 乃可為說
若見佛子 持戒清潔 如淨明珠 求大乘經
如是之人 乃可為說 若人无瞋 質直柔軟
常愍一切 恭敬諸佛 如是之人 乃可為說
復有佛子 於大衆中 以清淨心 種種因緣
譬喻言辭 說法无礙 如是之人 乃可為說
若有比丘 為一切智 四方求法 合掌頂受
但樂受持 大乘經典 乃至不受 餘經一偈
如是之人 乃可為說 如人至心 求佛舍利
如是求經 得已頂受 其人不復 志求餘經
亦未曾念 外道典籍 如是之人 乃可為說
告舍利弗 我說是相 求佛道者 窮劫不盡
如是等人 則能信解 汝當為說 妙法華經

妙法蓮華經信解品第四

尒時慧命須菩提 摩訶迦栴延 摩訶迦葉 摩
訶目揵連 從佛所聞未曾有法 世尊授舍利
弗阿耨多羅三藐三菩提記 發希有心 歡喜
踊躍 即從座起 整衣服 偏袒右肩 右膝著地

BD01882號 妙法蓮華經卷二 （15–13）

妙法蓮華經信解品第四

尒時慧命須菩提摩訶迦栴延摩訶迦葉摩
訶目捷連從佛所聞未曾有法世尊授舍利
阿耨多羅三藐三菩提記發希有心歡喜
踊躍即從座起整衣服偏袒右肩右膝著地
一心合掌曲躬恭敬瞻仰尊顏而白佛言我
等居僧之首年並朽邁自謂已得涅槃无所
堪任不復進求阿耨多羅三藐三菩提世尊
往昔說法既久我時在座身體疲懈但念空
无相无作於菩薩法遊戲神通淨佛國土成
就衆生心不喜樂所以者何世尊令我等出
於三界得涅槃證又今我等年已朽邁於佛
教化菩薩阿耨多羅三藐三菩提不生一念
好樂之心我等今於佛前聞授聲聞阿耨多
羅三藐三菩提記心甚歡喜得未曾有不謂
於今忽然得聞希有之法深自慶幸獲大善
利无量珎寶不求自得世尊我等今者樂說
譬喻以明斯義譬若有人年既幼稚捨父逃
逝久住他國或十二十至五十歲年既長大
加復窮困馳騁四方以求衣食漸漸遊行遇
向本國其父先來求子不得中止一城其家
大富財寶无量金銀瑠璃珊瑚虎珀頗梨珠
等其諸倉庫悉皆盈溢多有僮僕臣佐吏民
象馬車乘牛羊无數出入息利乃遍他國商
估賈客亦甚衆多時貧窮子遊諸聚落經歷
國邑遂到其父所止之城父每念子與子離
別五十餘年而未曾向人說如此事但自思
惟心懷悔恨自念老朽多有財物金銀珎寶
倉庫盈溢无有子息一旦終沒財物散失无
所委付是以慇懃每憶其子復作是念我若

BD01882號　妙法蓮華經卷二

（15-14）

象馬車乘牛羊无數出入息利乃遍他國商
估賈客亦甚衆多時貧窮子遊諸聚落經歷
國邑遂到其父所止之城父每念子與子離
別五十餘年而未曾向人說如此事但自思
惟心懷悔恨自念老朽多有財物金銀珎寶
倉庫盈溢无有子息一旦終沒財物散失无
所委付是以慇懃每憶其子復作是念我若
得子委付財物坦然快樂无復憂慮世尊尒
時窮子傭賃展轉遇到父舍住立門側遙見
其父踞師子床寶几承足諸婆羅門剎利居
士皆恭敬圍繞以真珠瓔珞價直千万莊嚴
其身吏民僮僕手執白拂侍立左右覆以寶
帳垂諸華旛香水灑地散衆名華羅列寶物
出內取與有如是等種種嚴飾威德特尊窮
子見父有大力勢即懷恐怖悔來至此竊作
或是王等非我傭力得物之
力有地衣食易得若久
作是念已疾走而
識心大歡喜
常思念
雖年

BD01882號　妙法蓮華經卷二

（15-15）

羅三…
等不解方便隨宜所說初聞…
思惟取證世尊我從昔…
見責而今從佛聞所未聞未曾有法斷諸疑
悔身意泰然快得安隱今日乃知真是佛子
從佛口生從法化生得佛法分尒時舍利弗欲
重宣此義而說偈言
我聞是法音 得所未曾有 心懷大歡喜 疑網皆已除
昔來蒙佛教 不失於大乘 佛音甚希有 能除衆生惱
我已得漏盡 聞亦除憂惱 我處於山谷 或在林樹下
若坐若經行 常思惟是事 嗚呼深自責 云何而自欺
我等亦佛子 同入无漏法 不能於未來 演說无上道
金色三十二 十力諸解脫 同共一法中 而不得此事
八十種妙好 十八不共法 如是等功德 而我皆已失
我獨經行時 見佛在大衆 名聞滿十方 廣饒益衆生
自惟失此利 我為自欺誑 我常於日夜 每思惟是事
欲以問世尊 為失為不失 我常見世尊 稱讚諸菩薩
以是於日夜 籌量如此事 今聞佛音聲 隨宜而說法
无漏難思議 令衆至道場 我本著邪見 為諸梵志師

BD01883 號　妙法蓮華經卷二　（11–1）

我獨經行時 見佛在大衆 名聞滿十方 廣饒益衆生
自惟失此利 我為自欺誑 我常於日夜 每思惟是事
欲以問世尊 為失為不失 我常見世尊 稱讚諸菩薩
以是於日夜 籌量如此事 今聞佛音聲 隨宜而說法
无漏難思議 令衆至道場 我本著邪見 為諸梵志師
世尊知我心 拔邪說涅槃 我悉除邪見 於空法得證
尒時心自謂 得至於滅度 而今乃自覺 非是實滅度
若得作佛時 具三十二相 天人夜叉衆 龍神等恭敬
是時乃可謂 永盡滅无餘 佛於大衆中 說我當作佛
聞如是法音 疑悔悉已除 初聞佛所說 心中大驚疑
將非魔作佛 惱亂我心耶 佛以種種緣 譬喻巧言說
其心安如海 我聞疑網斷 佛說過去世 无量滅度佛
安住方便中 亦皆說是法 現在未來佛 其數无有量
亦以諸方便 演說如是法 如今者世尊 從生及出家
得道轉法輪 亦以方便說 世尊說實道 波旬无此事
以是我定知 非是魔作佛 我墮疑網故 謂是魔所為
聞佛柔軟音 深遠甚微妙 演暢清淨法 我心大歡喜
疑悔永已盡 安住實智中 我定當作佛 為天人所敬
轉无上法輪 教化諸菩薩
尒時佛告舍利弗吾今於天人沙門婆羅門
等大衆中說我昔曾於二万億佛所為无上
道故常教化汝汝亦長夜隨我受學我以方
便引導汝故生我法中舍利弗我昔教汝志
願佛道汝今悉忘而便自謂已得滅度我今
還欲令汝憶念本願所行道故為諸聲聞說

BD01883 號　妙法蓮華經卷二　（11–2）

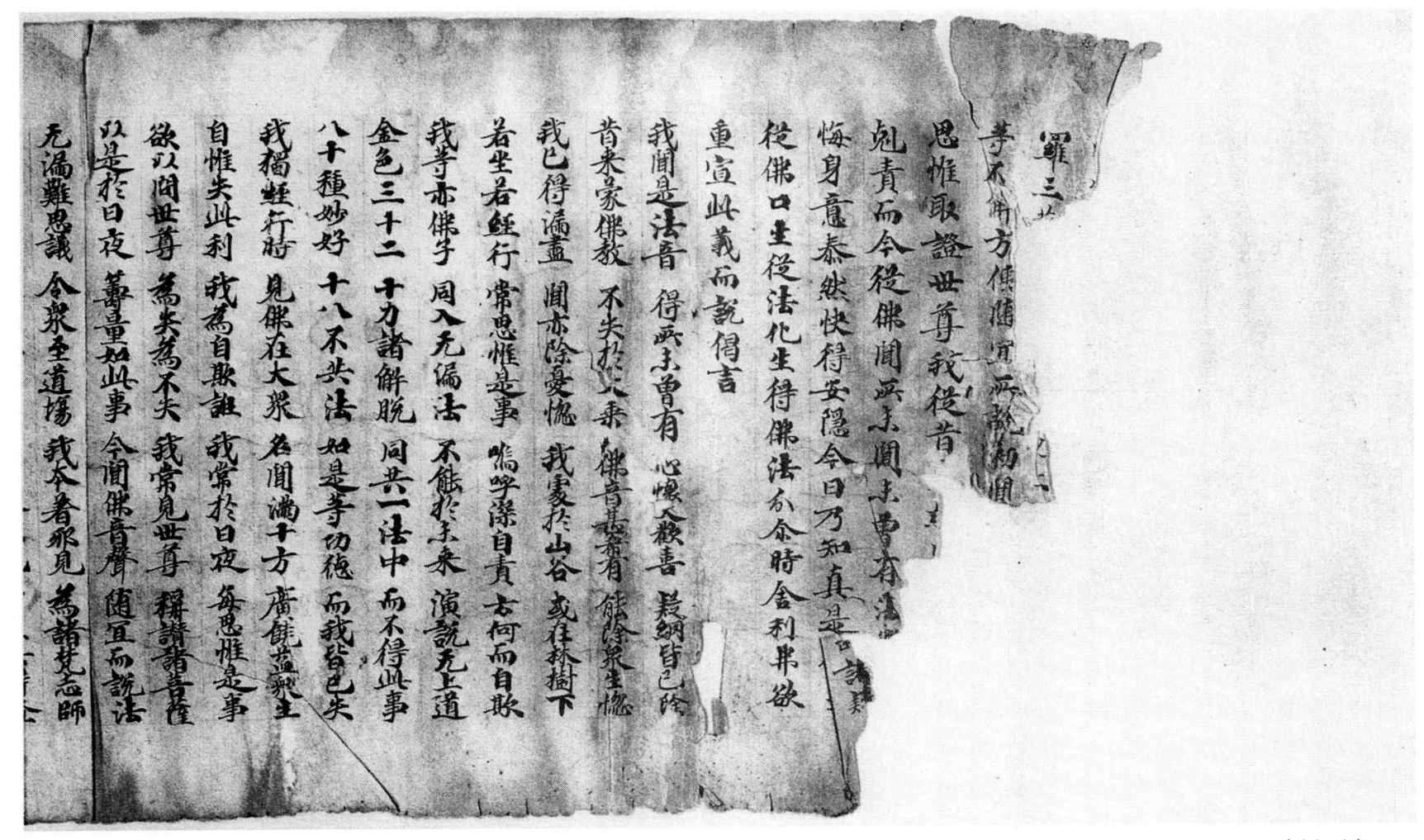

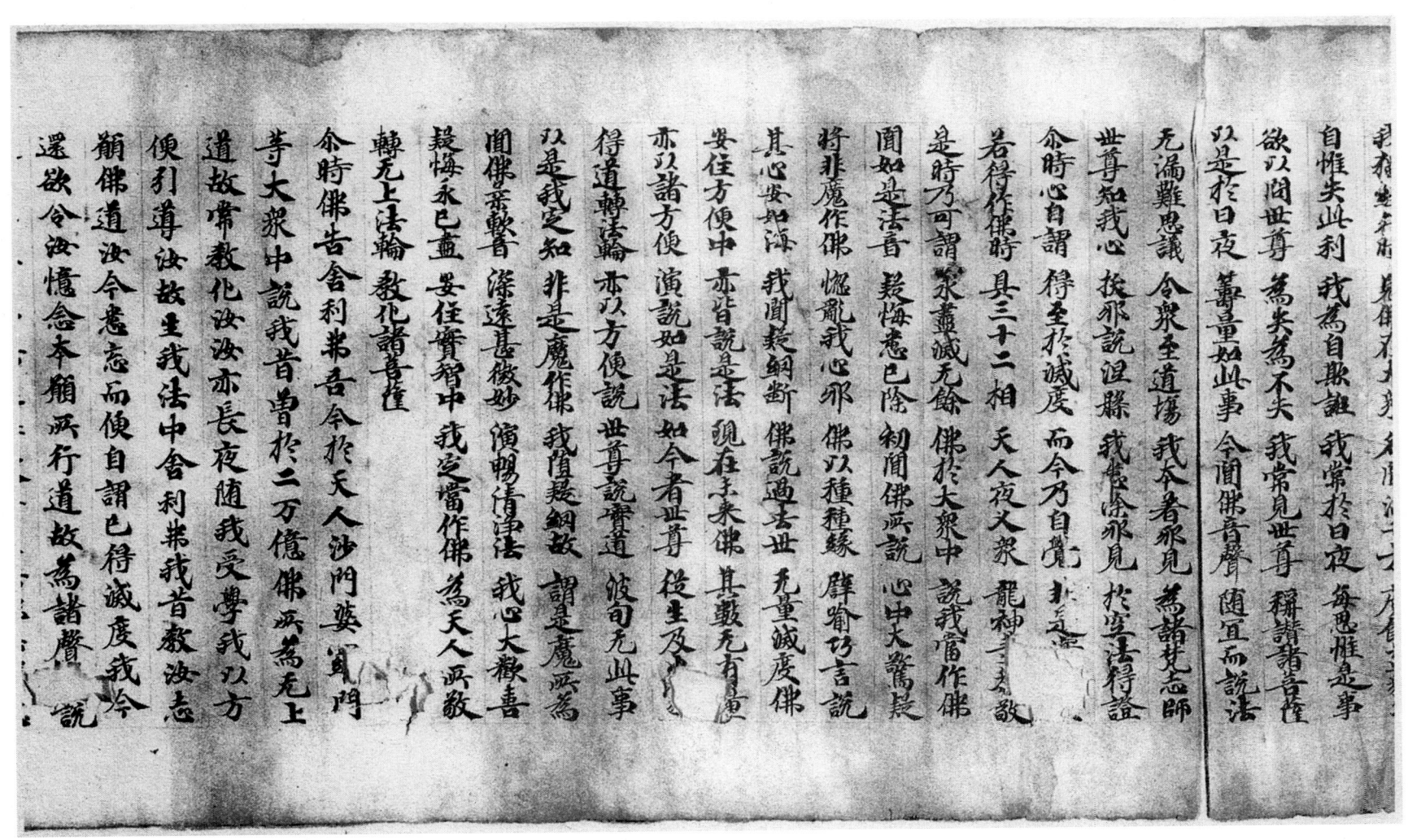

道故常教化汝汝亦長夜隨我受學我以方
便引導汝故生我法中舍利弗我昔教汝志
願佛道汝今悉忘而便自謂已得滅度我今
還欲令汝憶念本願所行道故為諸聲[illegible]說
是大乘經名妙法蓮華教菩薩法佛所護念
舍利弗汝於未來世過无量无邊不可思議劫
供養若千千万億佛奉持正法具足菩薩所
行之道當得作佛号曰華光如來應供正遍
知明行足善逝世間解无上士調御丈夫天人
師佛世尊國名離垢其土平正清淨嚴飾安
隱豐樂天人熾盛瑠璃為地有八交道黃金
為繩以界其側其傍各有七寶行樹常有
華菓華光如來亦以三乘教化眾生舍利弗
彼佛出時雖非惡世以本願故說三乘法其
劫名大寶莊嚴何故名曰大寶莊嚴其國中
以菩薩為大寶故彼諸菩薩无量无邊不可
思議筭數譬喻所不能及非佛智力无能知者
若欲行時寶華承足此諸菩薩非初發意皆
久殖德本於无量百千万億佛所淨修梵行
恒為諸佛之所稱嘆常修佛慧具大神通善
知一切諸法之門質直无偽志念堅固如是菩
薩充滿其國舍利弗華光佛壽十二小劫除
為王子未作佛時其國人民壽八小劫華光
如來過十二小劫授堅滿菩薩阿耨多羅三
藐三菩提記告諸比丘是堅滿菩薩次當作

BD01883號　妙法蓮華經卷二　（11–3）

薩充滿其國舍利弗華光佛壽十二小劫除
為王子未作佛時其國人民壽八小劫華光
如來過十二小劫授堅滿菩薩阿耨多羅三
藐三菩提記告諸比丘是堅滿菩薩次當作
佛号曰華足安行多陀阿伽度阿羅訶三藐
三佛陀其佛國土亦復如是舍利弗是華光
佛滅度之後正法住世三十二小劫像法住世
亦三十二小劫爾時世尊欲重宣此義而說偈
言
舍利弗來世　成佛普智尊　号名曰華光　當度无量眾
供養无數佛　具足菩薩行　十力等功德　證於无上道
過无量劫已　劫名大寶嚴　世界名離垢　清淨无瑕穢
以瑠璃為地　金繩界其道　七寶雜色樹　常有華菓實
彼國諸菩薩　志念常堅固　神通波羅蜜　皆已悉具足
於无數佛所　善學菩薩道　如是等大士　華光佛所化
佛為王子時　棄國捨世榮　於最末後身　出家成佛道
華光佛住世　壽十二小劫　其國人民眾　壽命八小劫
佛滅度之後　正法住於世　三十二小劫　廣度諸眾生
正法滅盡已　像法三十二　舍利廣流布　天人普供養
華光佛所為　其事皆如是　其兩足聖尊　最勝无倫匹
彼即是汝身　宜應自欣慶
爾時四部眾比丘比丘尼優婆塞優婆夷天龍
夜叉乾闥婆阿脩羅迦樓羅緊那羅摩睺羅
伽等大眾見舍利弗於佛前受阿耨多羅三
藐三菩提記心大歡喜踊躍无量各各脫身

BD01883號　妙法蓮華經卷二　（11–4）

夜叉乾闥婆阿脩羅迦樓羅緊那羅摩睺羅
伽等大眾見舍利弗於佛前受阿耨多羅三
藐三菩提記心大歡喜踊躍无量各各脫身
所著上衣以供養佛釋提桓因梵天王等與
无數天子亦以天妙衣天曼陀羅華摩訶曼
陀羅華等供養於佛所散天衣住虛空中而
自迴轉諸天伎樂百千万種於虛空中一時俱
作而雨眾天華而作是言佛昔於波羅柰初轉
法輪今乃復轉无上最大法輪尒時諸天子
欲重宣此義而說偈言

昔於波羅柰　轉四諦法輪　分別說諸法　五眾之生滅
今復轉最妙　无上大法輪　是法甚深奧　少有能信者
我等從昔來　數聞世尊說　未曾聞如是　深妙之上法
世尊說是法　我等皆隨喜　大智舍利弗　今得受尊記
我等亦如是　必當得作佛　於一切世間　最尊无有上
佛道叵思議　方便隨宜說　我所有福業　今世若過世
及見佛功德　盡迴向佛道

尒時舍利弗白佛言世尊我今无復疑悔親於
佛前得受阿耨多羅三藐三菩提記是諸千
二百心自在者昔住學地佛常教化言我法
能離生老病死究竟涅槃是學无學人亦各
自以離我見及有无見等謂得涅槃而今於
世尊前聞所未聞皆墮疑惑善哉世尊願為
四眾說其因緣令離疑悔尒時佛告舍利弗
我先不言諸佛世尊以種種因緣譬喻言辭

BD01883號　妙法蓮華經卷二　（11–5）

世尊前聞所未聞皆墮疑惑善哉世尊願為
四眾說其因緣令離疑悔尒時佛告舍利弗
我先不言諸佛世尊以種種因緣譬喻言辭
方便說法皆為阿耨多羅三藐三菩提耶是
諸所說皆為化菩薩故然舍利弗今當復以
譬喻更明此義諸有智者以譬喻得解舍利
弗若國邑聚落有大長者其年衰邁財富
无量多有田宅及諸僮僕其家廣大唯有一
門多諸人眾一百二百乃至五百人止住其中
堂閣朽故墻壁頹落柱根腐敗梁棟傾危周
匝俱時欻然火起焚燒舍宅長者諸子若十
二十或至三十在此宅中長者見是大火從
四面起即大驚怖而作是念我雖能於此所
燒之門安隱得出而諸子等於火宅內樂著
嬉戲不覺不知不驚不怖火來逼身苦痛切
己心不厭患无求出意舍利弗是長者作是
思惟我身手有力當以衣裓若以几案從舍
出之復更思惟是舍唯有一門而復狹小諸
子幼稚未有所識戀著戲處或當墮落為火
所燒我當為說怖畏之事此舍已燒宜時疾
出无令為火之所燒害作是念已如所思惟
具告諸子汝等速出父雖憐愍善言誘喻而
諸子等樂著嬉戲不肯信受不驚不畏了
无出心亦復不知何者是火何者為舍云何
為失但東西走戲視父而已尒時長者即作

BD01883號　妙法蓮華經卷二　（11–6）

具告諸子汝等速出父雖憐愍善言誘喻而
諸子等樂著嬉戲不肯信受不驚不畏了
无出心亦復不知何者是火何者為舍云何
為失但東西走戲視父而已尒時長者即作
是念此舍已為大火所燒我及諸子若不時
出必為所焚我今當設方便令諸子等得免斯
害父知諸子先心各有所好種種珍玩奇異之
物情必樂著而告之言汝等所可玩好希有
難得汝若不取後必憂悔如此種種羊車鹿
車牛車今在門外可以遊戲汝等於此火宅
宜速出來隨汝所欲皆當與汝尒時諸子聞
父所說珍玩之物適其願故心各勇銳互相
推排競共馳走爭出火宅是時長者見子
等安隱得出皆於四衢道中露地而坐无
復障礙其心泰然歡喜踊躍時諸子等各
白父言父先所許玩好之具羊車鹿車牛車
願時賜與舍利弗尒時長者各賜諸子等
一大車其車高廣衆寶莊校周帀欄楯四
面懸鈴又於其上張設幰蓋亦以珍奇雜寶
而嚴飾之寶繩交絡垂諸華纓重敷綩綖
安置丹枕駕以白牛膚色充潔形體姝好
有大筋力行步平正其疾如風又多僕從
而侍衛之所以者何是大長者財富无量種
種諸藏悉皆充溢而作是念我財物无極
不應以下劣小車與諸子等今此幼童皆是

BD01883號　妙法蓮華經卷二

（11–7）

有大筋力行步平正其疾如風又多僕從
而侍衛之所以者何是大長者財富无量種
種諸藏悉皆充溢而作是念我財物无極
不應以下劣小車與諸子等今此幼童皆是
吾子愛无偏黨我有如是七寶大車其數
无量應當等心各各與之不宜差別所以者
何以我此物周給一國猶尚不匱何況諸子
是時諸子各乘大車得未曾有非本所望舍
利弗於汝意云何是長者等與諸子珍寶大
車寧有虛妄不舍利弗言不也世尊是長者
但令諸子得免火難全其軀命非為虛妄何
以故若全身命便為已得玩好之具況復方便
於彼火宅而拔濟之世尊若是長者乃至不
與最小一車猶不虛妄何以故是長者先作是
意我以方便令子得出以是因緣无虛妄也
何況長者自知財富无量欲饒益諸子等與
大車佛告舍利弗善哉善哉如汝所言舍利
弗如來亦復如是則為一切世間之父於諸怖
畏衰惱憂患无明闇蔽永盡无餘而悉成
就无量知見力无所畏有大神力及智慧力具
足方便智慧波羅蜜大慈大悲常无懈惓恒
求善事利益一切而生三界朽故火宅為度
衆生生老病死憂悲苦惱愚癡闇蔽三毒之
火教化令得何耨多羅三藐三菩提見諸衆
生為生老病死憂悲苦惱之所燒煮亦以五

BD01883號　妙法蓮華經卷二

（11–8）

求善事利益一切而生三界朽故火宅為度
衆生生老病死憂悲苦惱愚癡闇蔽三毒之
火教化令得阿耨多羅三藐三菩提見諸衆
生為生老病死憂悲苦惱之所燒煑亦以五
欲財利故受種種苦又以貪著追求故現受
衆苦後受地獄畜生餓鬼之苦若生天上及
在人間貧窮困苦愛別離苦怨憎會苦如是
等種種諸苦衆生沒在其中歡喜遊戲不
覺不知不驚不怖亦不生猒不求解脫於此
三界火宅東西馳走雖遭大苦不以為患舍
利弗佛見此已便作是念我為衆生之父
應拔其苦難與无量无邊佛智慧樂令其
遊戲舍利弗如來復作是念若我但以神力
及智慧力捨於方便為諸衆生讚如來知
見力无所畏者衆生不能以是得度所以者何
是諸衆生未免生老病死憂悲苦惱而為三界
火宅所燒何由能解佛之智慧舍利弗如彼長
者雖復身手有力而不用之但以慇懃方便
免濟諸子火宅之難然後各與珍寶大車如來
亦復如是雖有力无所畏而不用之但以智慧
方便於三界火宅拔濟衆生為說三乘聲聞辟
支佛佛乘而作是言汝等莫得樂住三界火宅
勿貪麁弊色聲香味觸也若貪著生愛則為
所燒汝速出三界當得三乘聲聞辟支佛佛
乘我今為汝保任此事終不虛也汝等但當

勿貪麁弊色聲香味觸也若貪著生愛則為
所燒汝速出三界當得三乘聲聞辟支佛佛
乘我今為汝保任此事終不虛也汝等但當
勤修精進如來以是方便誘進衆生復作是
言汝等當知此三乘法皆是聖所稱歎自在
无繫无所依求乘是三乘以无漏根力覺道禪
定解脫三昧等而自娛樂便得无量安隱快
樂舍利弗若有衆生內有智性從佛世尊
聞法信受慇懃精進欲速出三界自求涅槃
是名聲聞乘如彼諸子為求羊車出於火
宅若有衆生從佛世尊聞法信受慇懃精
進求自然慧樂獨善寂深知諸法因緣是名
辟支佛乘如彼諸子為求鹿車出於火宅若
有衆生從佛世尊聞法信受勤修精進求一
切智佛智自然智如來知見力无所畏愍念安
樂无量衆生利益天人度脫一切是名大乘菩薩
求此乘故名為摩訶薩如彼諸子為求牛車出於
火宅舍利弗如彼長者見諸子等安隱得出
火宅到无畏處自惟財富无量等以大車而賜
諸子如來亦復如是為一切衆生之父若見无
量億千衆生以佛教門出三界苦怖畏險道
得涅槃樂如來尒時便作是念我有无量无
邊智慧力无畏等諸佛法藏是諸衆生皆
是我子等與大乘不令有人獨得滅度皆以
如來滅度而滅度之是諸衆生脫三界者悉

進求自然慧樂獨善寂深知諸法因緣是名
辟支佛乘如彼諸子為求鹿車出於火宅若
有衆生從佛世尊聞法信受懃脩精進求一
切智佛智自然智如來知見力无所畏愍念安
樂无量衆生利益天人度脫一切是名大乘菩薩
求此乘故名為摩訶薩如彼諸子為求牛車出於
火宅舍利弗如彼長者見諸子等安隱得出
火宅到无畏處自惟財富无量等以大車而賜
諸子如來亦復如是為一切衆生之父若見无
量億千衆生以佛教門出三界苦怖畏險道
得涅槃樂如來尒時便作是念我有无量无
邊智慧力无畏等諸佛法藏是諸衆生皆
是我子等與大乘不令有人獨得滅度皆以
如來滅度而滅度之是諸衆生脫三界者悉
與諸佛禪定解脫等娛樂之具皆是一相一種
聖所稱歎能生淨妙第一之樂舍利弗如彼
長者初以三車誘引諸子然後但與大車寶
物莊嚴安隱第一然彼長者[illegible]虛妄[illegible]

BD01883 號　妙法蓮華經卷二

（11–11）

[illegible]明網[illegible]
像菩薩天王菩

BD01883 號背　維摩詰所說經卷上

（1–1）

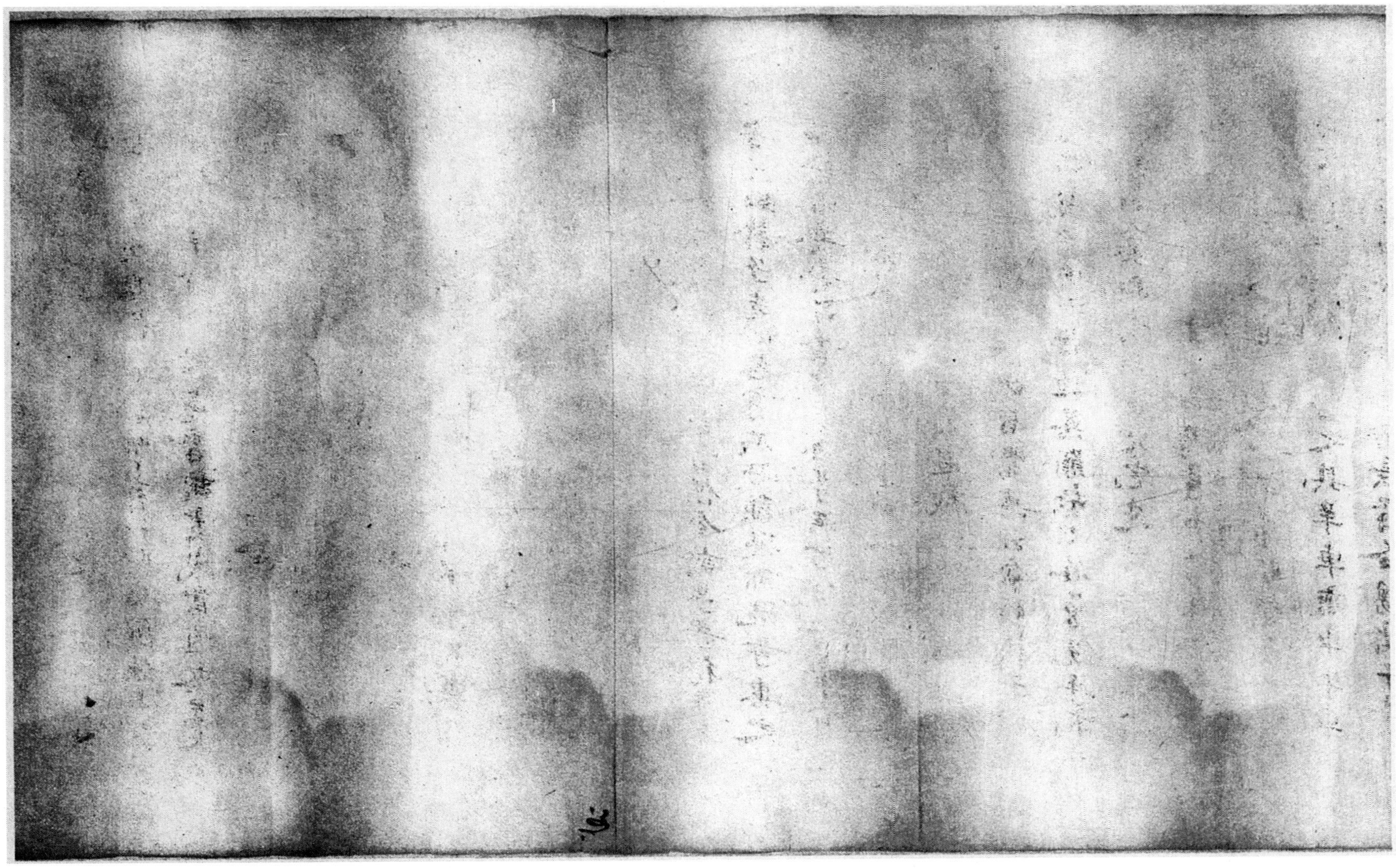

BD01883 號背　古西域文字　　（1–1）

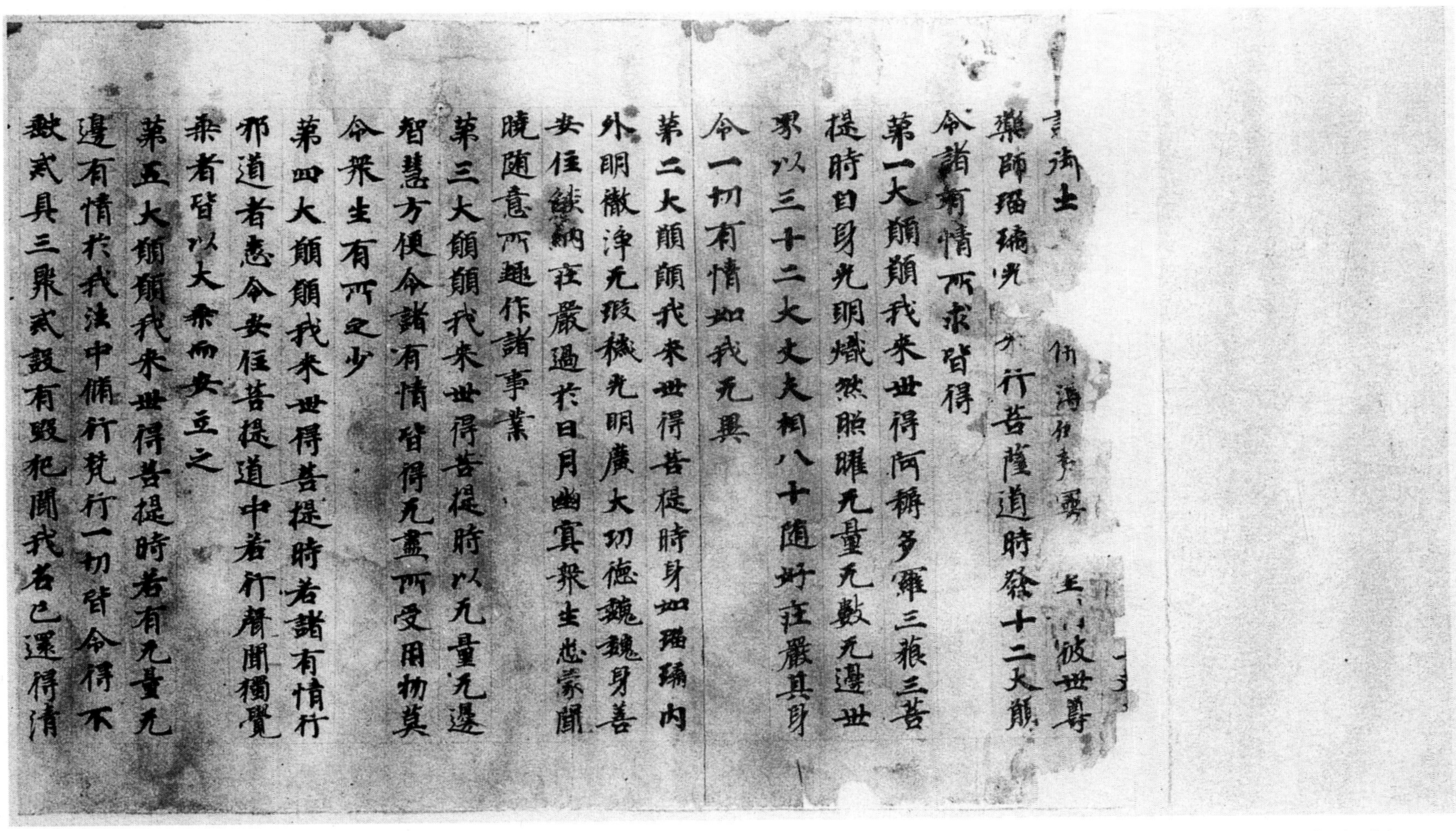

彼世尊
藥師瑠璃光　　行菩薩道時發十二大願
令諸有情所求皆得
第一大願願我來世得阿耨多羅三藐三菩
提時自身光明熾然照曜无量无數无邊世
界以三十二大丈夫相八十隨好莊嚴其身
令一切有情如我无異
第二大願願我來世得菩提時身如瑠璃內
外明徹淨无瑕穢光明廣大功德巍巍身善
安住燄網莊嚴過於日月幽冥衆生悉蒙開
曉隨意所趣作諸事業
第三大願願我來世得菩提時以无量无邊
智慧方便令諸有情皆得无盡所受用物莫
令衆生有所乏少
第四大願願我來世得菩提時若諸有情行
邪道者悉令安住菩提道中若行聲聞獨覺
乘者皆以大乘而安立之
第五大願願我來世得菩提時若有无量无
邊有情於我法中脩行梵行一切皆令得不
缺戒具三聚戒設有毀犯聞我名已還得清

BD01884 號　藥師瑠璃光如來本願功德經　　（13–1）

乘者皆以大乘而安立之
第五大願願我來世得菩提時若有无量无
邊有情於我法中脩行梵行一切皆令得不
缺戒具三聚戒設有毀犯聞我名已還得清
淨不墮惡趣
第六大願願我來世得菩提時若諸有情其
身下劣諸根不具醜陋頑愚盲聾瘖瘂攣躄
背僂白癩顛狂種種病苦聞我名已一切皆
得端政黠慧諸根完具无諸疾苦
第七大願願我來世得菩提時若諸有情衆
病逼切无救无歸无醫无藥无親无家貧窮
多苦我之名号一經其耳衆病悉除身心安
樂家屬資具悉皆豐足乃至證得无上菩提
第八大願願我來世得菩提時若有女人為
女百惡之所逼惱極生厭離願捨女身聞我
名已一切皆得轉女成男具丈夫相乃至證
得无上菩提
第九大願願我來世得菩提時令諸有情出
魔羂網解脫一切外道纏縛若墮種種惡見
稠林皆當引攝置於正見漸令脩習諸菩薩
行速證无上正等菩提
第十大願願我來世得菩提時若諸有情王
法所纏縛錄鞭撻繫閉牢獄或當刑戮及餘
无量灾難陵辱悲愁煎迫身心受苦若聞我
名以我福德威神力故皆得解脫一切憂苦
第十一大願願我來世得菩提時若諸有情
飢渴所惱為求食故造諸惡業得聞我名專
念受持我當先以上妙飲食飽足其身後以

BD01884 號　藥師瑠璃光如來本願功德經　（13–2）

名以我福德威神力故皆得解脫一切憂苦
第十一大願願我來世得菩提時若諸有情
飢渴所惱為求食故造諸惡業得聞我名專
念受持我當先以上妙飲食飽足其身後以
法味畢竟安樂而建立之
第十二大願願我來世得菩提時若諸有情
貧无衣服蚊虻寒熱晝夜逼惱若聞我名專
念受持如其所好即得種種上妙衣服亦得
一切寶莊嚴具華鬘塗香鼓樂衆伎隨心所
翫皆令滿足
曼殊室利是為彼世尊藥師瑠璃光如來應
正等覺行菩薩道時所發十二微妙上願復
次曼殊室利彼世尊藥師瑠璃光如來行菩
薩道時所發大願及彼佛土功德莊嚴我若
一劫若一劫餘說不能盡然彼佛土一向清
淨无有女人亦无惡趣及苦音聲瑠璃為地
金繩界道城闕宮閣軒窻羅網皆七寶成亦
如西方極樂世界功德莊嚴等无差別於其
國中有二菩薩摩訶薩一名日光遍照二名
月光遍照是彼无量无數菩薩衆之上首悉
能持彼世尊藥師瑠璃光如來正法寶藏是
故曼殊室利諸有信心善男子善女人等應
當願生彼佛世界
尒時世尊復告曼殊室利童子言曼殊室利
有諸衆生不識善惡唯懷貪悋不知布施及
施果報愚癡无智闕於信根多聚財寶勤加
守護見乞者來其心不喜設不獲已而行施

BD01884 號　藥師瑠璃光如來本願功德經　（13–3）

有諸衆生不識善惡唯懷貪悋不知布施及
施果報愚癡无智闕於信根多聚財寶勤加
守護見乞者來其心不喜設不獲已而行施
時如割身宍深生痛惜復有无量慳貪有情
積集資財於其自身尚不受用何況能與父
母妻子奴婢作使及來乞者彼諸有情從此
命終生餓鬼界或傍生趣由昔人間曾得暫
聞藥師瑠璃光如來名故今在惡趣暫得憶
念彼如來名即於尒時從彼處沒還生人中
得宿命念畏惡趣苦不樂欲樂好行惠施讚
歎施者一切所有悉无貪惜漸次尚能以頭
目手足血宍身分施來求者況餘財物
復次曼殊室利若諸有情雖於如來受諸學
處而破尸羅有雖不破尸羅而破軌則有於
尸羅軌則雖得不壞然毀正見有雖不毀正
見而棄多聞於佛所說契經深義不能解了
有雖多聞而增上慢由增上慢覆蔽心故自
是非他嫌謗正法為魔伴黨如是愚人自行
耶見復令无量俱胝有情墮大險坑此諸有
情應於地獄傍生鬼趣流轉无窮若得聞此
藥師瑠璃光如來名号便捨惡行脩諸善法
不墮惡趣設有不能捨諸惡行脩行善法墮
惡趣者以彼如來本願威力令其現前暫聞
名号從彼命終還生人趣得正見精進善調
意樂便能捨家趣於非家如來法中受持學
處无有毀犯正見多聞解甚深義離增上慢
不謗正法不為魔伴漸次脩行諸菩薩行速

BD01884號　藥師瑠璃光如來本願功德經　（13–4）

意樂便能捨家趣於非家如來法中受持學
處无有毀犯正見多聞解甚深義離增上慢
不謗正法不為魔伴漸次脩行諸菩薩行速
得圓滿
復次曼殊室利若諸有情慳貪嫉妬自讚毀
他當墮三惡趣中无量千歲受諸劇苦受劇
苦已從彼命終來生人間作牛馬駝驢恒被
鞭撻飢渴逼惱又常負重隨路而行或得為
人生居下賤作人奴婢受他驅役恒不自在
若昔人中曾聞世尊藥師瑠璃光如來名号
由此善因今復憶念至心歸依以佛神力衆
苦解脫諸根聰利智慧多聞恒求勝法常遇
善友永斷魔羂破无明㲉竭煩惱河解脫一
切生老病死憂悲苦惱
復次曼殊室利若諸有情好憙乖離更相鬪
訟惱亂自他以身語意造作增長種種惡業
展轉常為不饒益事互相謀害告召山林樹
塚等神殺諸衆生取其血宍祭祀藥叉羅剎
娑等書怨人名作其形像以惡呪術而呪詛
之厭媚蠱道呪起屍鬼令斷彼命及壞其身
是諸有情若得聞此藥師瑠璃光如來名号
彼諸惡事悉不能害一切展轉皆起慈心利
益安樂无損惱意及嫌恨心各各歡悅於自
所受生於喜足不相侵淩互為饒益
復次曼殊室利若有四衆苾芻苾芻尼鄔波
索迦鄔波斯迦及餘淨信善男子善女人等
有能受持八分齋戒或經一年或復三月受

BD01884號　藥師瑠璃光如來本願功德經　（13–5）

索迦鄔波斯迦及餘淨信善男子善女人等
有能受持八分齋戒或經一年或復三月受
持學處以此善根願生西方極樂世界無量
壽佛所聽聞正法而未定者若聞世尊藥師
瑠璃光如來名號臨命終時有八菩薩乘神
通來示其道路即於彼界種種雜色衆寶華
中自然化生或有因此生於天上雖生天中
而本善根亦未窮盡不復更生諸餘惡趣天
上壽盡還生人間或為輪王統攝四洲威德
自在安立無量百千有情於十善道或生刹
帝利婆羅門居士大家多饒財寶倉庫盈溢
形相端嚴眷屬具足聰明智慧勇健威猛如
大力士若是女人得聞世尊藥師瑠璃光如
來名號至心受持於後不復更受女身
尒時曼殊室利童子白佛言世尊我當誓於
像法轉時以種種方便令諸淨信善男子善
女人等得聞世尊藥師瑠璃光如來名號乃
至睡中亦以佛名覺悟其耳世尊若於此經
受持讀誦或復為他演說開示若自書若使
人書恭敬尊重以種種華香塗香末香燒香
花鬘瓔珞幡蓋伎樂而為供養以五色綵作
囊盛之掃灑淨處敷設高座而用安處尒時
四大天王與其眷屬及餘無量百千天衆皆
詣其所供養守護世尊若此經寶流行之處
有能受持以彼世尊藥師瑠璃光如來本願
功德及聞名號當知是處無復橫死亦復不
為諸惡鬼神奪其精氣設已奪者還得如故

BD01884號　藥師瑠璃光如來本願功德經　（13–6）

詣其所供養守護世尊若此經寶流行之處
有能受持以彼世尊藥師瑠璃光如來本願
功德及聞名號當知是處無復橫死亦復不
為諸惡鬼神奪其精氣設已奪者還得如故
身心安樂
佛告曼殊室利如是如是如汝所說曼殊室
利若有淨信善男子善女人等欲供養彼世
尊藥師瑠璃光如來者應先造立彼佛形像
敷清淨座而安處之散種種花燒種種香以
種種幢幡莊嚴其處七日七夜受八分齋戒
食清淨食澡浴香潔著新淨衣應生無垢濁
心無怒害心於一切有情起利益安樂慈悲
喜捨平等之心鼓樂歌讚右遶佛像復應念
彼如來本願功德讀誦此經思惟其義演說
開示隨所樂願一切皆遂求長壽得長壽求
富饒得富饒求官位得官位求男女得男女
若復有人忽得惡夢見諸惡相或怪鳥來集
或於住處百怪出現此人若以衆妙資具恭
敬供養彼世尊藥師瑠璃光如來者惡夢惡
相諸不吉祥皆悉隱沒不能為患或有水火
刀毒懸嶮惡象師子虎狼熊羆毒蛇惡蠍蜈
蚣蚰蜒蚊虻等怖若能至心憶念彼佛恭敬
供養一切怖畏皆得解脫若他國侵擾盜賊
反亂憶念恭敬彼如來者亦皆解脫
復次曼殊室利若有淨信善男子善女人等
乃至盡形不事餘天唯當一心歸佛法僧受
持禁戒若五戒十戒菩薩四百戒苾芻二百

BD01884號　藥師瑠璃光如來本願功德經　（13–7）

復次曼殊室利若有淨信善男子善女人等
乃至盡形不事餘天唯當一心歸佛法僧受
持禁戒若五戒十戒菩薩四百戒苾芻二百
五十戒苾芻尼五百戒於所受中或有毀犯
怖墮惡趣若能專念彼佛名号恭敬供養者
必定不受三惡趣生或有女人臨當產時受
於極苦若能至心稱名礼讃恭敬供養彼如
來者衆苦皆除所生之子身分具足形色端
正見者歡喜利根聰明安隱少病无有非人
奪其精氣
尒時世尊告阿難言如我稱揚彼佛世尊藥
師琉璃光如來所有功德此是諸佛甚深行
處難可解了汝為信不阿難白言大德世尊
我於如來所說契經不生疑惑所以者何一
切如來身語意業无清淨世尊此日月輪可
令墮落妙高山王可使傾動諸佛所言无有
異也世尊有諸衆生信根不具聞說諸佛甚
深行處作是思惟云何但念藥師琉璃光如
來一佛名号便獲尒所功德勝利由此不信
返生誹謗彼於長夜失大利樂墮諸惡趣流
轉无窮佛告阿難是諸有情若聞世尊藥師
琉璃光如來名号至心受持不生疑惑墮惡
趣者无有是處阿難此是諸佛甚深所行難
可信解汝今能受當知皆是如來威力阿難
一切聲聞獨覺及未登地諸菩薩等皆悉不
能如實信解唯除一生所繫菩薩阿難人身
難得於三寶中信敬尊重亦難可得聞世尊

BD01884號　藥師瑠璃光如來本願功德經　（13–8）

一切聲聞獨覺及未登地諸菩薩等皆悉不
能如實信解唯除一生所繫菩薩阿難人身
難得於三寶中信敬尊重亦難可得聞世尊
藥師瑠璃光如來名号復難於是阿難彼藥
師瑠璃光如來无量菩薩行无量巧方便无
量廣大願我若一劫若一劫餘而廣說者劫
可速盡彼佛行願善巧方便无有盡也尒時
衆中有一菩薩摩訶薩名曰救脫即從座起
偏袒一肩右膝著地曲躬合掌而白佛言大
德世尊像法轉時有諸衆生為種種患之所
困厄長病羸瘦不能飲食喉脣乾燥見諸方
暗死相現前父母親屬朋友知識啼泣圍遶
然彼自身卧在本處見琰魔使引其神識至
于琰魔法王之前然諸有情有俱生神隨其
所作若罪若福皆具書之盡持授與琰魔法
王尒時彼王推問其人筭計所作隨其罪福
而處斷之時彼病人親屬知識若能為彼歸
依世尊藥師瑠璃光如來請諸衆僧轉讀此
經然七層之燈懸五色續命神旛或有是處
神識得還如在夢中明了自見或經七日或二
十一日或三十五日或四十九日彼識還時如
從夢覺皆自憶知善不善業所得果報由自
證見業果報故乃至命難亦不造作諸惡之
業是故淨信善男子善女人等皆應受持藥
師瑠璃光如來名号隨力所能恭敬供養
尒時阿難問救脫菩薩曰善男子應云何恭
敬供養彼世尊藥師瑠璃光如來續命旛燈

BD01884號　藥師瑠璃光如來本願功德經　（13–9）

師瑠璃光如来名号随力所能恭敬供養
尒時阿難問救脫菩薩曰善男子應云何恭
敬供養彼世尊藥師瑠璃光如来續命幡燈
復云何造救脫菩薩言大德若有病人欲脫
病苦當為其人七日七夜受持八分齋戒應
以飲食及餘資具随力所辦供養苾蒭僧晝
夜六時礼拜供養彼世尊藥師瑠璃光如来
讀誦此經四十九遍然四十九燈造彼如来
形像七軀一一像前各置七燈一一燈量大
如車輪乃至四十九日光明不絕造五色綵
幡長四十九搩手應放雜類衆生至四十九
可得過度危厄之難不為諸横惡鬼所持復
次阿難若剎帝利灌頂王等災難起時所謂
人衆疾疫難他國侵逼難自界叛逆難星宿
變怪難日月薄蝕難非時風雨難過時不雨
難彼剎帝利灌頂王等尒時應於一切有情
起慈悲心赦諸繫閉依前所說供養之法供
養彼世尊藥師瑠璃光如来由此善根及彼
如来本願力故令其國界即得安隱風雨順
時穀稼成熟一切有情无病歡樂於其國中
无有暴惡藥叉等神惱有情者一切惡相皆
即隱沒而剎帝利灌頂王等壽命色力无病
自在皆得增益阿難若帝后妃主儲君王子
大臣輔相中宮綵女百官黎庶為病所苦及
餘厄難亦應造立五色神幡然燈續明放諸
生命散雜色華燒衆名香病得除愈衆難解脫
尒時阿難問救脫菩薩言善男子云何已盡

BD01884號　藥師瑠璃光如來本願功德經　（13–10）

餘厄難亦應造立五色神幡然燈續明放諸
生命散雜色華燒衆名香病得除愈衆難解脫
尒時阿難問救脫菩薩言善男子云何已盡
之命而可增益救脫菩薩言大德汝豈不聞
如来說有九横死耶是故勸造續命幡燈脩
諸福德以脩福故盡其壽命不經苦患阿難
問言九横云何救脫菩薩言若諸有情得病
雖輕然无醫藥及看病者設復遇醫授以非
藥實不應死而便横死又信世間邪魔外道
妖孽之師妄說禍福便生恐動心不自正卜
問覓禍殺種種衆生解奏神明呼諸魍魎請
乞福祐欲兾延年終不能得愚癡迷惑信邪
倒見遂令横死入於地獄无有出期是名初
横二者横被王法之所誅戮三者畋獵嬉戲
躭婬嗜酒放逸无度横為非人奪其精氣四者
横為火焚五者横為水溺六者横為種種
惡獸所噉七者横墮山崖八者横為毒藥厭
禱呪咀起屍鬼等之所中害九者飢渴所困
不得飲食而便横死是為如来略說横死有
此九種其餘復有无量諸横難可具說
復次阿難彼琰魔王主領世間名籍之記若
諸有情不孝五逆破辱三寶壞君臣法毀於
信戒琰魔法王随罪輕重考而罰之是故我
令勸諸有情然燈造幡放生脩福令度苦厄
不遭衆難
尒時衆中有十二藥叉大将俱在會坐所謂
宮毗羅大将　伐折羅大将　迷企羅大将　安底羅大将

BD01884號　藥師瑠璃光如來本願功德經　（13–11）

不違我契

尒時衆中有十二藥叉大將俱在會坐所謂
宮毗羅大將　伐折羅大將　迷企羅大將　安底羅大將
頞你羅大將　珊底羅大將　因達羅大將　波夷羅大將
摩虎羅大將　真達羅大將　招杜羅大將　毗羯羅大將
此十二藥叉大將一一各有七千藥叉以為
眷屬同時舉聲白佛言世尊我等今者蒙佛
威力得聞世尊藥師瑠璃光如來名号不復
更有惡趣之怖我等相率皆同一心乃至盡
形歸佛法僧誓當荷負一切有情為作義利
饒益安樂隨於何等村城國邑空閑林中若
有流布此經或復受持藥師瑠璃光如來名
号恭敬供養者我等眷屬衛護是人皆使解
脫一切苦難諸有願求悉令滿足或有疾戹
求度脫者亦應讀誦此經以五色縷結我名
字得如願已然後解結
尒時世尊讚諸藥叉大將言善哉善哉大藥
叉將汝等念報世尊藥師瑠璃光如來恩
德者常應如是利益安樂一切有情
尒時阿難白佛言世尊當何名此法門我等
云何奉持佛告阿難此法門名說藥師瑠璃
光如來本願功德亦名說十二神將饒益有
情結願神呪亦名拔除一切業鄣應如是持
時薄伽梵說是語已諸菩薩摩訶薩及大聲
聞國王大臣婆羅門居士天龍藥叉健達縛
阿素洛揭路荼緊捺洛莫呼洛伽人非人等
一切大衆聞佛所說皆大歡喜信受奉行

BD01884號　藥師瑠璃光如來本願功德經　（13–12）

有流布此經或復受持藥師瑠璃光如來名
号恭敬供養者我等眷屬衛護是人皆使解
脫一切苦難諸有願求悉令滿足或有疾戹
求度脫者亦應讀誦此經以五色縷結我名
字得如願已然後解結
尒時世尊讚諸藥叉大將言善哉善哉大藥
叉將汝等念報世尊藥師瑠璃光如來恩
德者常應如是利益安樂一切有情
尒時阿難白佛言世尊當何名此法門我等
云何奉持佛告阿難此法門名說藥師瑠璃
光如來本願功德亦名說十二神將饒益有
情結願神呪亦名拔除一切業鄣應如是持
時薄伽梵說是語已諸菩薩摩訶薩及大聲
聞國王大臣婆羅門居士天龍藥叉健達縛
阿素洛揭路荼緊捺洛莫呼洛伽人非人等
一切大衆聞佛所說皆大歡喜信受奉行

佛說藥師瑠璃光如來本願功德經

BD01884號　藥師瑠璃光如來本願功德經　（13–13）

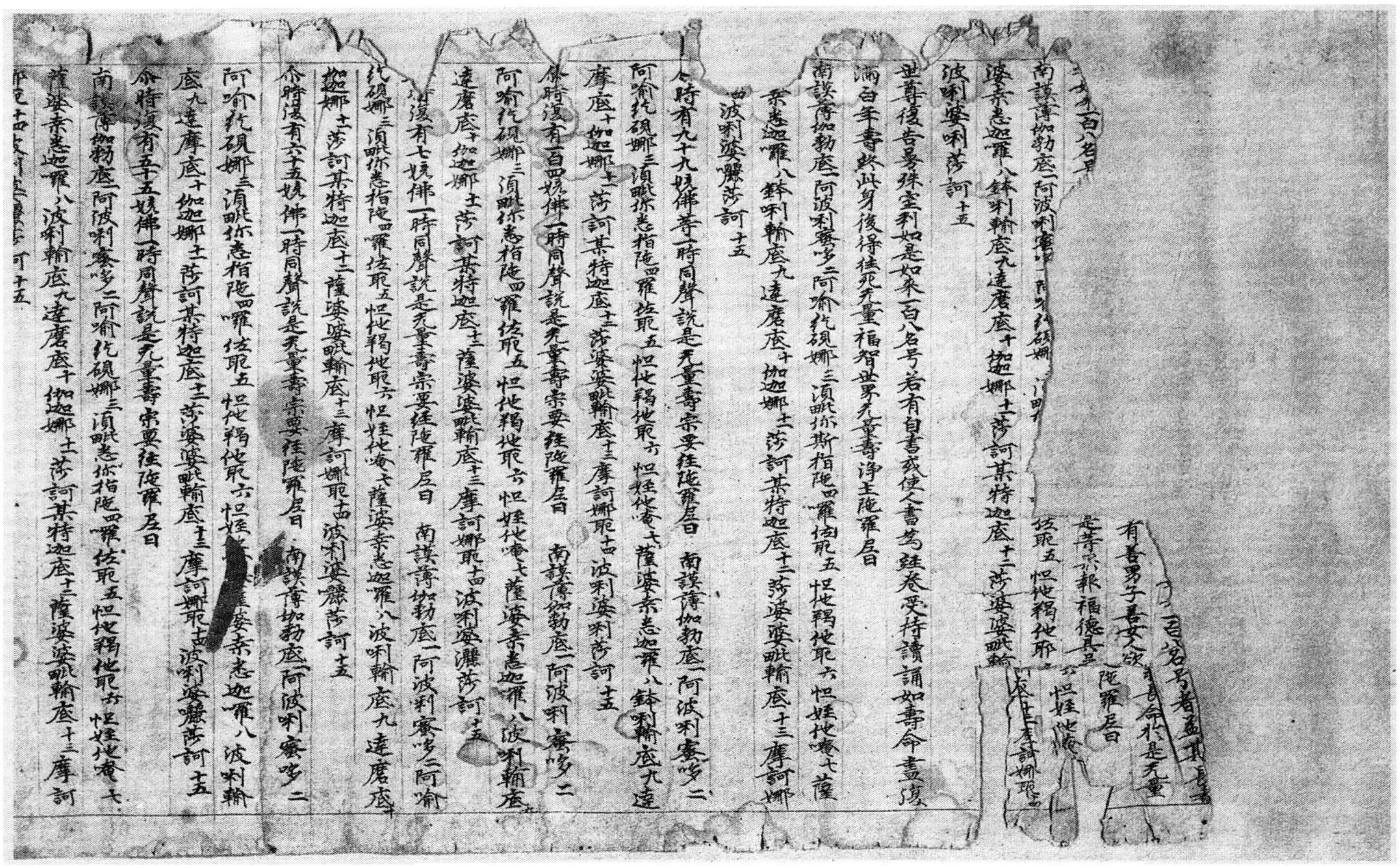
[illegible]
南謨薄伽勃底一阿波唎蜜哆二阿喻紇硯娜三[illegible]
娑桑悉迦囉八鉢唎輸底九達磨底十伽迦娜十一莎訶十二娑摩訶捺耶十三莎婆婆毗輸
波唎婆唎莎訶十五 佐耶五怛他羯他耶
世尊復告曼殊室利如是如來百八名号若有自書或使人書為經卷受持讀誦如壽命盡復
滿百年壽於此身後得往生无量福智世界无量壽淨土陀羅尼曰
南謨薄伽勃底一阿波唎蜜哆二阿喻紇硯娜三須毗你斯指陀四囉佐耶五怛他羯他耶六怛姪他唵七薩
桑悉迦囉八鉢唎輸底九達磨底十伽迦娜十一莎訶十二娑摩訶捺耶十三莎婆婆毗輸底十三摩訶娜
耶十四波唎婆囉莎訶十五
尒時有九十九姟佛等一時同聲說是无量壽宗要經陀羅尼曰 南謨薄伽勃底一阿波唎蜜哆二
阿喻紇硯娜三須毗你悉指陀四囉佐耶五怛他羯他耶六怛姪他唵七薩婆桑悉迦囉八鉢唎輸底九達
磨底十伽迦娜十一莎訶十二娑摩訶捺耶十三莎婆婆毗輸底十三摩訶娜耶十四波唎婆唎莎訶十五
尒時復有百姟佛一時同聲說是无量壽宗要經陀羅尼曰 南謨薄伽勃底一阿波唎蜜哆二
阿喻紇硯娜三須毗你悉指陀四囉佐耶五怛他羯他耶六怛姪他唵七薩婆桑悉迦囉八波唎輸底九
達磨底十伽迦娜十一莎訶十二娑摩訶捺耶十三摩訶娜耶十四波唎婆囉莎訶十五
尒時復有七姟佛一時同聲說是无量壽宗要經陀羅尼曰 南謨薄伽勃底一阿波唎蜜哆二阿喻
紇硯娜三須毗你悉指陀四囉佐耶五怛他羯他耶六怛姪他唵七薩婆桑悉迦囉八波唎輸
伽迦娜十一莎訶十二娑摩訶捺耶十三薩婆婆毗輸底十三摩訶娜耶十四波唎婆囉莎訶十五
尒時復有六十五姟佛一時同聲說是无量壽宗要經陀羅尼曰 南謨薄伽勃底一阿波唎蜜哆二
阿喻紇硯娜三須毗你悉指陀四囉佐耶五怛他羯他耶六怛姪[illegible]婆桑悉迦囉八波唎輸
底九達磨底十伽迦娜十一莎訶十二娑摩訶捺耶十三莎婆婆毗輸底十三摩訶娜耶十四波唎婆囉莎訶十五
尒時復有五十五姟佛一時同聲說是无量壽宗要經陀羅尼曰
南謨薄伽勃底一阿波唎蜜哆二阿喻紇硯娜三須毗悉你指陀四囉佐耶五怛他羯他耶六怛姪他唵七
薩婆桑悉迦囉八波唎輸底九達磨底十伽迦娜十一莎訶十二娑摩訶捺耶十三莎婆婆毗輸底十三摩訶
[illegible]

BD01885 號　無量壽宗要經　（5–1）

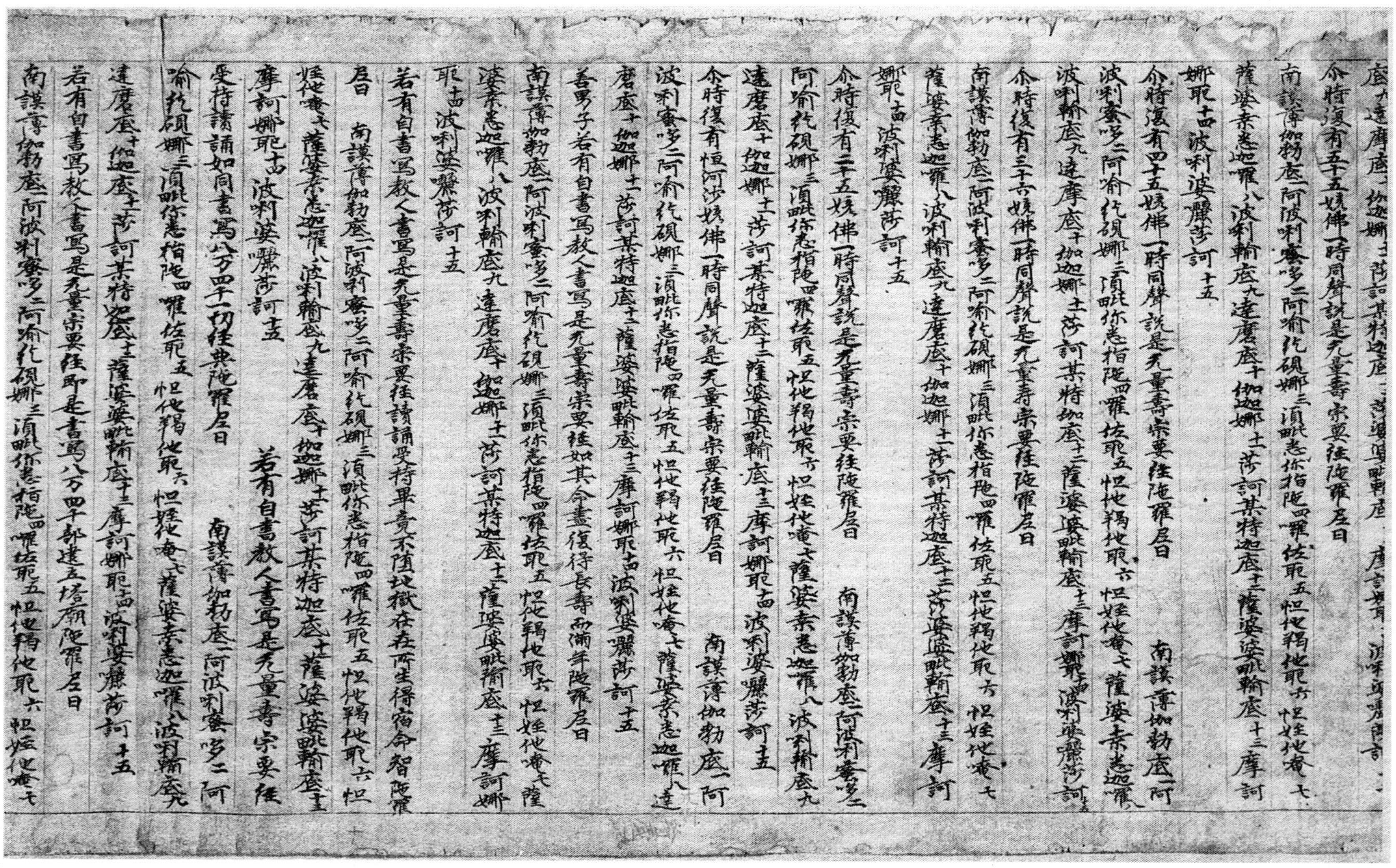
底九達磨底十伽迦娜十一莎訶十二娑摩訶[illegible]
尒時復有五十五姟佛一時同聲說是无量壽宗要經陀羅尼曰
南謨薄伽勃底一阿波唎蜜哆二阿喻紇硯娜三須毗悉你指陀四囉佐耶五怛他羯他耶六怛姪他唵七
薩婆桑悉迦囉八波唎輸底九達磨底十伽迦娜十一莎訶十二娑摩訶捺耶十三莎婆婆毗輸底十三摩訶
娜耶十四波唎婆囉莎訶十五
尒時復有四十五姟佛一時同聲說是无量壽宗要經陀羅尼曰 南謨薄伽勃底一阿
波唎蜜哆二阿喻紇硯娜三須毗你悉指陀四囉佐耶五怛他羯他耶六怛姪他唵七薩婆桑悉迦囉八
波唎輸底九達磨底十伽迦娜十一莎訶十二娑摩訶捺耶十三摩訶娜耶十四波唎婆囉莎訶十五
尒時復有三十六姟佛一時同聲說是无量壽宗要經陀羅尼曰
南謨薄伽勃底一阿波唎蜜哆二阿喻紇硯娜三須毗你悉指陀四囉佐耶五怛他羯他耶六怛姪他唵七
薩婆桑悉迦囉八波唎輸底九達磨底十伽迦娜十一莎訶十二娑摩訶捺耶十三莎婆婆毗輸底十三摩訶
娜耶十四波唎婆囉莎訶十五
尒時復有二十五姟佛一時同聲說是无量壽宗要經陀羅尼曰 南謨薄伽勃底一阿波唎蜜哆二
阿喻紇硯娜三須毗你悉指陀四囉佐耶五怛他羯他耶六怛姪他唵七薩婆桑悉迦囉八波唎輸底九
達磨底十伽迦娜十一莎訶十二娑摩訶捺耶十三摩訶娜耶十四波唎婆囉莎訶十五
尒時復有恒河沙姟佛一時同聲說是无量壽宗要經陀羅尼曰 南謨薄伽勃底一阿
波唎蜜哆二阿喻紇硯娜三須毗你悉指陀四囉佐耶五怛他羯他耶六怛姪他唵七薩婆桑悉迦囉八達
磨底十伽迦娜十一莎訶十二娑摩訶捺耶十三摩訶娜耶十四波唎婆囉莎訶十五
若男子若有自書寫教人書寫是无量壽宗要經如其命盡復得長壽滿年陀羅尼曰
南謨薄伽勃底一阿波唎蜜哆二阿喻紇硯娜三須毗你悉指陀四囉佐耶五怛他羯他耶六怛姪他唵七薩
婆桑悉迦囉八波唎輸底九達磨底十伽迦娜十一莎訶十二娑摩訶捺耶十三莎婆婆毗輸底十三摩訶娜
耶十四波唎婆囉莎訶十五
若有自書寫教人書寫是无量壽宗要經讀誦受持畢竟不墮地獄在在所生得宿命智陀羅
尼曰 南謨薄伽勃底一阿波唎蜜哆二阿喻紇硯娜三須毗你悉指陀四囉佐耶五怛他羯他耶六怛
姪他唵七薩婆桑悉迦囉八波唎輸底九達磨底十伽迦娜十一莎訶十二娑摩訶捺耶十三
摩訶娜耶十四波唎婆囉莎訶十五 若有自書教人書寫是无量壽宗要經
受持讀誦如同書寫八万四千一切經典陀羅尼曰 南謨薄伽勃底一阿波唎蜜哆二阿
喻紇硯娜三須毗你悉指陀四囉佐耶五怛他羯他耶六怛姪他唵七薩婆桑悉迦囉八波唎輸底九
達磨底十伽迦娜十一莎訶十二娑摩訶捺耶十三摩訶娜耶十四波唎婆囉莎訶十五
若有自書寫教人書寫是无量宗要經即是書寫八万四千部建立塔廟陀羅尼曰
南謨薄伽勃底一阿波唎蜜哆二阿喻紇硯娜三須毗你悉指陀四囉佐耶五怛他羯他耶六怛姪他唵七

BD01885 號　無量壽宗要經　（5–2）

達磨底十伽迦底十一莎訶某特迦底十二薩婆婆毗輸底十三摩訶娜耶十四波唎婆囉莎訶十五
若有自書寫教人書寫是无量壽宗要經即是書寫八万四千部建立塔廟陁羅尼曰
南謨薄伽勃底一阿波唎蜜多二阿喻紇硯娜三須毗你悉指陁四囉佐耶五怛他羯他耶六怛姪他唵七
薩婆桑悉迦囉八波唎輸底九達磨底十伽迦娜十一莎訶某特迦底十二薩婆婆毗輸底十三摩
訶娜耶十四波唎婆囉莎訶十五
若有自書寫教人書寫是无量壽宗要經能消无間等一切重罪陁羅尼曰　南謨薄伽
勃底一阿波唎蜜多二阿喻紇硯娜三須毗你悉指陁四囉佐耶五怛他羯他耶六怛姪他唵七薩婆桑悉迦
囉八波唎輸底九達磨底十伽迦娜十一莎訶某特迦底十二薩婆婆毗輸底十三摩訶娜耶十四波唎
婆囉莎訶十五　若有自書寫教人書寫是无量壽宗要經受持讀誦
設有重罪猶如須弥盡能除滅陁羅尼曰　南謨薄伽勃底一阿波唎蜜多二阿喻紇硯
娜三須毗你悉指陁四囉佐耶五怛他羯他耶六怛姪他唵七薩婆桑悉迦囉八波唎輸底九達磨底十
伽迦娜十一莎訶某特迦底十二薩婆婆毗輸底十三摩訶娜耶十四波唎婆囉莎訶十五
若有自書寫教人書寫是无量壽宗要經受持讀誦若魔魔之眷屬夜叉羅刹不得其便終
无枉死陁羅尼曰　南謨薄伽勃底一阿波唎蜜多二阿喻紇硯耶三須毗你悉指陁四囉
佐耶五怛他羯他耶六怛姪他唵七薩婆桑悉迦囉八波唎輸底九達磨底十伽迦娜十一莎訶某特
迦底十二薩婆婆毗輸底十三摩訶娜耶十四波唎婆囉莎訶十五
若有自書教人書寫是无量壽宗要經受持讀誦當命終時有九十九姟佛現其人前千佛
授手能遊一切佛剎莫於此經生於疑惑陁羅尼曰　南謨薄伽勃底一阿波唎蜜多二阿喻紇
硯娜三須毗你悉指陁四囉佐耶五怛他羯他耶六怛姪他唵七薩婆桑悉迦囉八波唎輸底九達磨底十
伽迦娜十一莎訶某特迦底十二薩婆婆毗輸底十三摩訶娜耶十四波唎婆囉莎訶十五
若有自書寫教人書寫是无量壽宗要經受持讀誦當得四天大王隨其衛護陁羅尼曰
南謨薄伽勃底一阿波唎蜜多二阿喻紇硯娜三須毗你悉指陁四囉佐耶五怛他羯他耶六怛姪他唵七
薩婆桑悉迦囉八波唎輸底九達磨底十伽迦娜十一莎訶某特迦底十二薩婆婆毗輸底十三摩訶娜耶十四
波唎婆囉莎訶十五　若有自書教人書寫是无量壽宗要經受持讀誦當得
往生西方極樂世界阿弥陁淨土陁羅尼曰　南謨薄伽勃底一阿波唎蜜多二阿喻紇硯娜三須毗你悉
指陁四囉佐耶五怛他羯他耶六怛姪他唵七薩婆桑悉迦囉八波唎輸底九達磨底十伽迦娜十一
莎訶某特迦底十二薩婆婆毗輸底十三摩訶娜耶十四波唎婆囉莎訶十五
若有方所自書寫使人書寫是无量壽經典之處則為是塔皆應恭敬作礼若是畜生或烏馬
猒得聞是經如是等類皆當不久得成一切種智陁羅尼曰　南謨薄伽勃底一
阿波唎蜜多二阿喻紇硯娜三須毗你悉指陁四囉佐耶五怛他羯他耶六怛姪他唵七薩婆桑悉迦囉八

BD01885號　無量壽宗要經　（5–3）

若有方所自書寫使人書寫是无量壽經典之處則為是塔皆應恭敬作礼若是畜生或烏馬
猒得聞是經如是等類皆當不久得成一切種智陁羅尼曰　南謨薄伽勃底一
阿波唎蜜多二阿喻紇硯娜三須毗你悉指陁四囉佐耶五怛他羯他耶六怛姪他唵七薩婆桑悉迦囉八
波唎輸底九達磨底十伽迦娜十一莎訶某特迦底十二薩婆婆毗輸底十三摩訶娜耶十四波唎婆
囉莎訶十五　若有於是无量壽經自書寫若使人書畢竟不受
女人之身陁羅尼曰　南謨薄伽勃底一阿波唎蜜多二阿喻紇硯娜三須毗你悉指陁四囉
佐耶五怛他羯他耶六怛姪他唵七薩婆桑悉迦囉八波唎輸底九達磨底十伽迦娜十一莎訶某特迦底十二
薩婆婆毗輸底十三摩訶娜耶十四波唎婆唎莎訶十五
若有能於是經少分能惠施者得於三千大千世界滿中七寶布施陁羅尼曰
南謨薄伽勃底一阿波唎蜜多二阿喻紇硯娜三須毗你悉指陁四囉佐耶五怛他羯他耶六怛姪他唵七
薩婆桑悉迦囉八波唎輸底九達磨底十伽迦娜十一莎訶某特迦底十二莎婆婆毗輸底十三
摩訶娜耶十四波唎婆囉莎訶十五
若有能供養是經者則是供養一切諸經等无有異陁羅尼曰　南謨薄伽勃底一
阿波唎蜜多二阿喻紇硯娜三須毗你悉指陁四囉佐耶五怛他羯他耶六怛姪他唵七薩婆桑
迦囉八波唎輸底九達磨底十伽迦娜十一莎訶某特迦底十二薩婆婆毗輸底十三摩訶娜耶十四
波唎婆囉莎訶十五　如是毗婆尸佛尸棄佛毗舍浮佛俱留孫佛俱那
含牟尼佛　迦葉佛　釋迦牟尼佛　若有人以七寶供養如是七佛其福有限書
寫受持是无量壽經典所有功德不可限量陁羅尼曰　南謨薄伽勃底一阿波唎蜜多二阿
喻紇硯娜三須毗你悉指陁四囉佐耶五怛他羯他耶六怛姪他唵七薩婆桑悉迦囉八波唎輸
底九達磨底十伽迦娜十一莎訶某特迦底十二薩婆婆毗輸底十三摩訶娜耶十四波唎婆囉莎訶十五
若有七寶等於須弥以用布施其福上能知其限量是无量壽經典其福不可知數陁羅尼曰
南謨薄伽勃底一阿波唎蜜多二阿喻紇硯娜三須毗你悉指陁四囉佐耶五怛他羯他耶六怛姪他唵七薩婆桑
悉迦囉八波唎輸底九達磨底十伽迦娜十一莎訶某特迦底十二薩婆婆毗輸底十三摩訶娜耶十四波唎婆
囉莎訶十五　如是四大海水可知滴數是无量壽經典所生果報不可數
量陁羅尼曰　南謨薄伽勃底一阿波唎蜜多二阿喻紇硯娜三須毗你悉指陁四
囉佐耶五怛他羯他耶六怛姪他唵七薩婆桑悉迦囉八波唎輸底九達磨底十伽迦娜十一莎訶
某特迦底十二薩婆婆毗輸底十三摩訶娜耶十四波唎婆囉莎訶十五
若有自書使人書寫是无量壽經典又能護持供養即如恭敬供養一切十方佛土如來无
有異別陁羅尼曰　南謨薄伽勃底一阿波唎蜜多二阿喻紇硯娜三須毗悉祢指陁四
囉佐耶五怛他羯他耶六怛姪他唵七薩婆桑悉迦囉八波唎輸底九達磨底十伽迦娜十一
莎訶某特迦底十二薩婆婆毗輸底十三摩訶娜耶十四波唎婆囉莎訶十五

BD01885號　無量壽宗要經　（5–4）

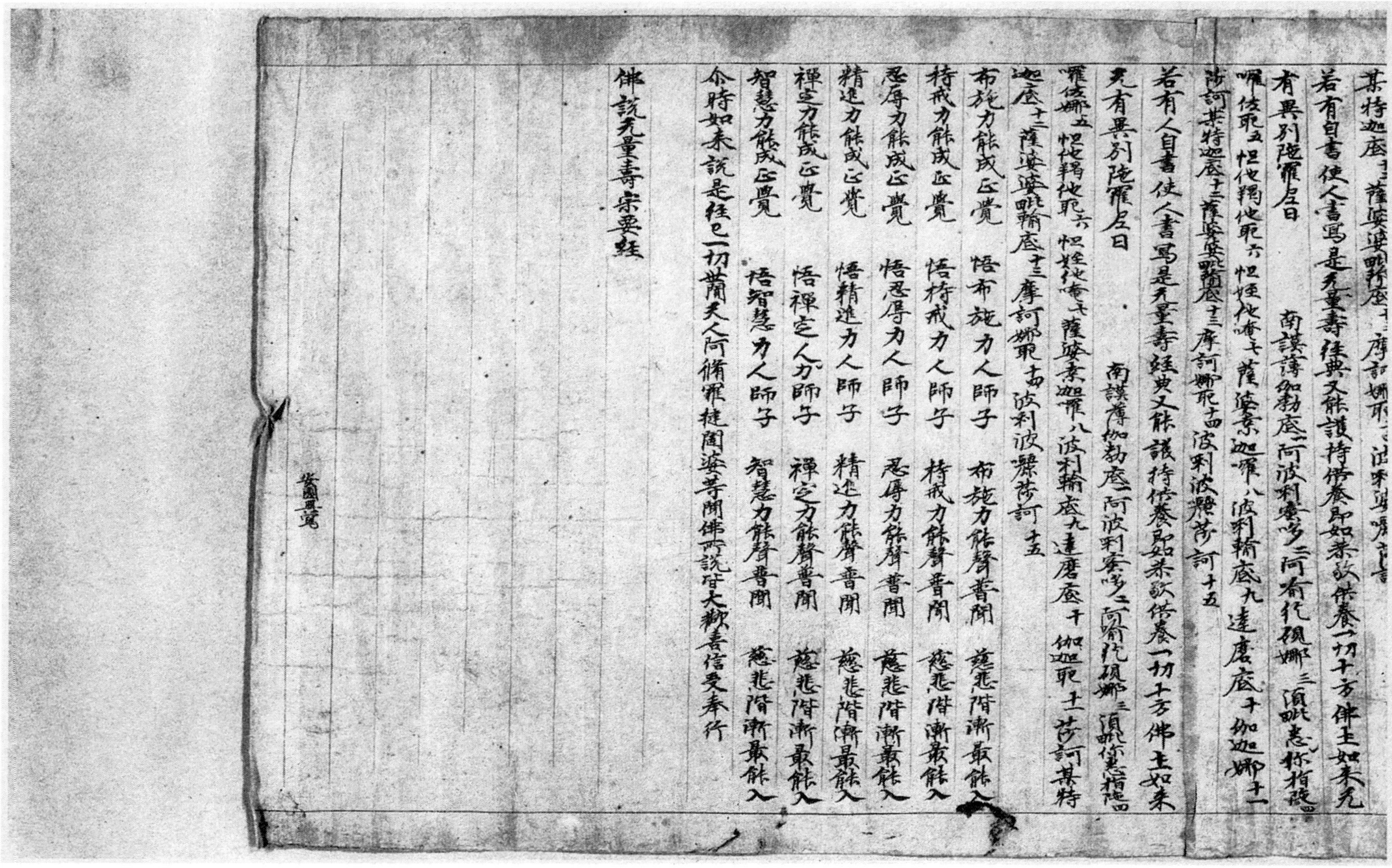

其特迦底十三 薩婆婆毗輸底十四 摩訶娜耶十五 波唎婆嚩……
若有自書使人書寫是无量壽經典又能護持供養即如恭敬供養一切十方佛土如來无
有異別陀羅尼曰　南謨薄伽勃底一 阿波唎蜜多二 阿俞紇硯娜三 須毗你悉指陀四
囉佐耶五 怛他羯他耶六 怛姪他唵七 薩婆桑悉迦囉八 波唎輸底九 達磨底十 伽迦娜十一
莎訶其特迦底十三 薩婆婆毗輸底十三 摩訶娜耶十四 波唎婆嚩莎訶十五
若有人自書使人書寫是无量壽經典又能護持供養即如恭敬供養一切十方佛土如來
无有異別陀羅尼曰　南謨薄伽勃底一 阿波唎蜜多二 阿俞紇硯娜三 須毗你悉指陀四
囉佐耶五 怛他羯他耶六 怛姪他唵七 薩婆桑悉迦囉八 波唎輸底九 達磨底十 伽迦娜十一 莎訶其特
迦底十三 薩婆婆毗輸底十三 摩訶娜耶十四 波唎婆嚩莎訶十五
布施力能成正覺　悟布施力人師子　布施力能聲普聞　慈悲階漸最能入
持戒力能成正覺　悟持戒力人師子　持戒力能聲普聞　慈悲階漸最能入
忍辱力能成正覺　悟忍辱力人師子　忍辱力能聲普聞　慈悲階漸最能入
精進力能成正覺　悟精進力人師子　精進力能聲普聞　慈悲階漸最能入
禪定力能成正覺　悟禪定人力師子　禪定力能聲普聞　慈悲階漸最能入
智慧力能成正覺　悟智慧力人師子　智慧力能聲普聞　慈悲階漸最能入
尒時如來說是經已一切世間天人阿脩羅揵闥婆等聞佛所說皆大歡喜信受奉行
佛說无量壽宗要經

BD01885 號　無量壽宗要經　　　　（5–5）

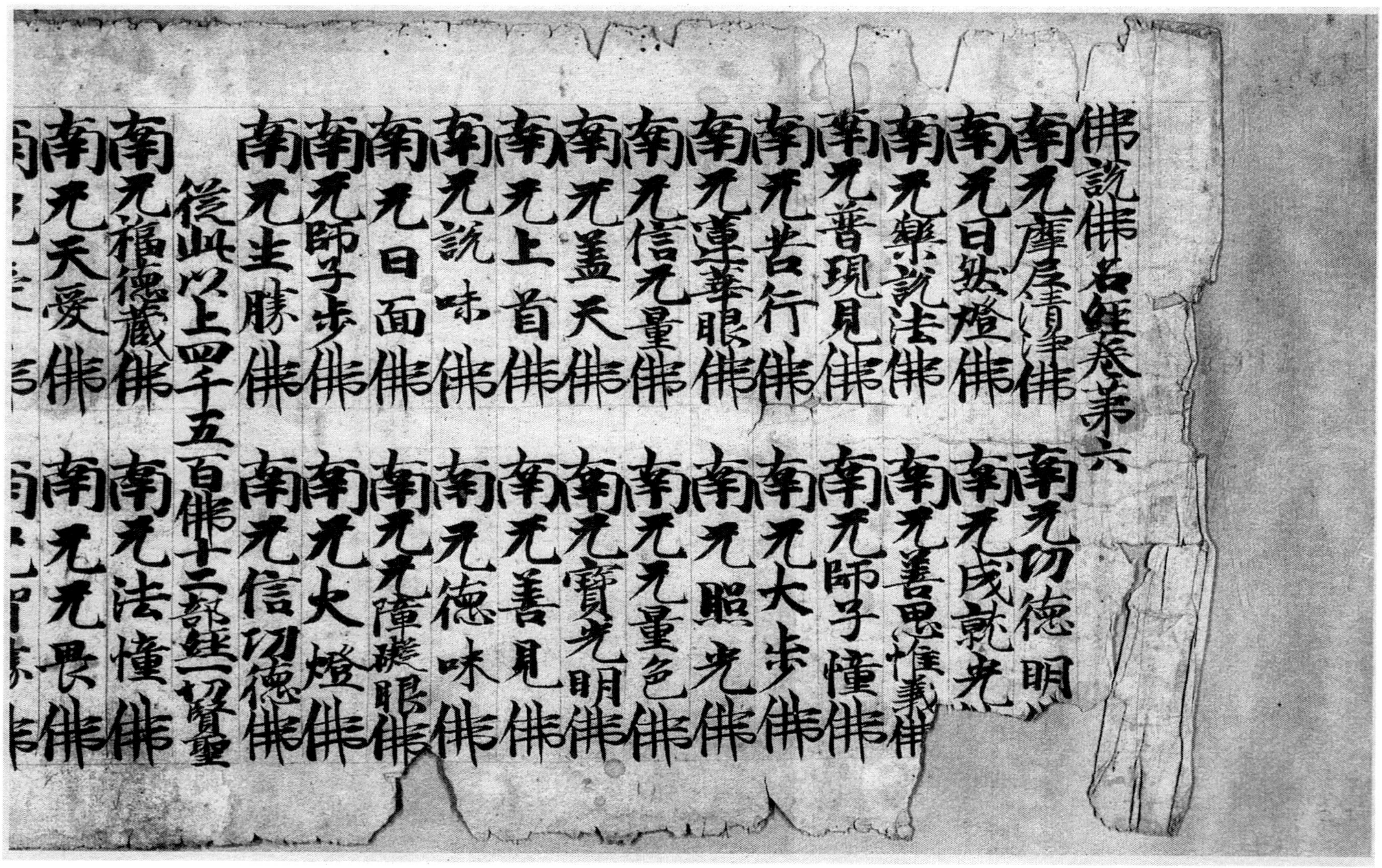

佛說佛名經卷第六
南无摩尼清淨佛　南无功德明佛
南无日然燈佛　南无成就光佛
南无樂說法佛　南无善思惟義佛
南无普現見佛　南无師子幢佛
南无苦行佛　南无大步佛
南无蓮華眼佛　南无照光佛
南无信无量佛　南无无量色佛
南无蓋天佛　南无寶光明佛
南无上首佛　南无善見佛
南无說味佛　南无德味佛
南无日面佛　南无无障礙眼佛
南无師子步佛　南无大燈佛
南无上勝佛　南无信功德佛
從此以上四千五百佛十二部經一切賢聖
南无福德藏佛　南无法幢佛
南无天愛佛　南无无畏佛

BD01886 號　佛名經（十六卷本）卷六　　　　（14–1）

南无福德藏佛　南无法幢佛
南无天愛佛　南无无畏佛
南无愛佛　南无智勝佛
南无威德光佛　南无月德佛
南无功德聚佛　南无无邊光佛
南无安樂佛　南无稱幢佛
南无光明吼佛　南无普功德佛
南无上幢佛　南无那羅延佛
南无寶信佛　南无普思惟佛
南无善思惟佛　南无善智佛
南无不可量威德佛　南无師子髀佛
南无光明意佛　南无王天佛
南无寶幢佛　南无善住意佛
南无无量天佛　南无聖化佛
南无大功德佛　南无大幢佛
南无大光日佛　南无真法佛
南无日月佛　南无真報佛
南无勝天佛　南无觀解脫佛
南无寶光明佛　南无孔雀聲佛
南无普行佛　南无成就光佛

BD01886 號　佛名經（十六卷本）卷六　（14–2）

南无勝天佛　南无觀解脫佛
南无寶光明佛　南无孔雀聲佛
南无普行佛　南无成就光佛
南无无量眼佛　南无稱愛佛
南无善護佛　南无信天佛
南无不可量步佛　南无大威德佛
南无心智佛　南无仙步佛
南无月形佛　南无火聚佛
南无大脩佛　南无大步佛
南无勝天佛　南无成就義脩佛
南无月愛佛　南无師子聲佛
南无信説佛　南无智光佛
南无華威德佛　南无光明聚佛
南无神通光佛　南无无量威德佛
南无无量光佛　南无勝藏佛
南无普照稱佛　南无寶幢佛
南无勝威德佛　南无日幢佛
南无大彌留佛　南无供養莊嚴佛
南无世間聞名佛　南无勝德佛
南无勝稱佛　南无成就步佛
南无大供養佛　南无真實佛

BD01886 號　佛名經（十六卷本）卷六　（14–3）

南无世間名佛　南无勝德佛
南无勝稱佛　南无成就步佛
南无大供養佛　南无寶佛
南无不可降伏稱佛　南无應光明佛
南无大燈佛　南无行威儀佛
南无奮迅佛　南无无障礙光佛
南无難勝佛　南无大行佛
南无不共步佛　南无天國王佛
南无喜喜佛　南无華光佛
南无能与光明佛　南无天愛佛
南无解脫光明佛　南无放光明佛
南无作功德佛　南无成智佛
南无道光佛　南无海王佛
南无喜菩提佛　南无法光佛
南无大天佛　南无深智佛
從此以上四千六百佛十二部經一切賢聖
南无法自在佛　南无大信佛
南无法心意佛　南无智光佛
南无不謀思佛　南无起福德佛
南无漏稱佛　南无大莊嚴佛

BD01886 號　佛名經（十六卷本）卷六　（14–4）

南无漏稱佛　南无大莊嚴佛
南无月光明佛　南无天光佛
南无清淨行佛　南无功德愛佛
南无師子意佛　南无地清淨佛
南无寶光明佛　南无使光明佛
南无種種日佛　南无月愛佛
南无月蓋佛　南无普觀佛
南无无深佛　南无稱勝佛
南无月面佛　南无龍天佛
南无功德聚佛　南无功德智佛
南无華勝佛　南无世愛佛
南无甘露威德佛　南无寶幢佛
南无日光明佛　南无甘露光佛
南无說法愛佛　南无應愛佛
南无地光佛　南无功德作佛
南无華勝佛　南无功德辟佛
南无法燈佛　南无普光佛
南无梵聲佛　南无大莊嚴佛
南无解脫日佛　南无堅精進佛
南无佛光明佛　南无功德稱佛

BD01886 號　佛名經（十六卷本）卷六　（14–5）

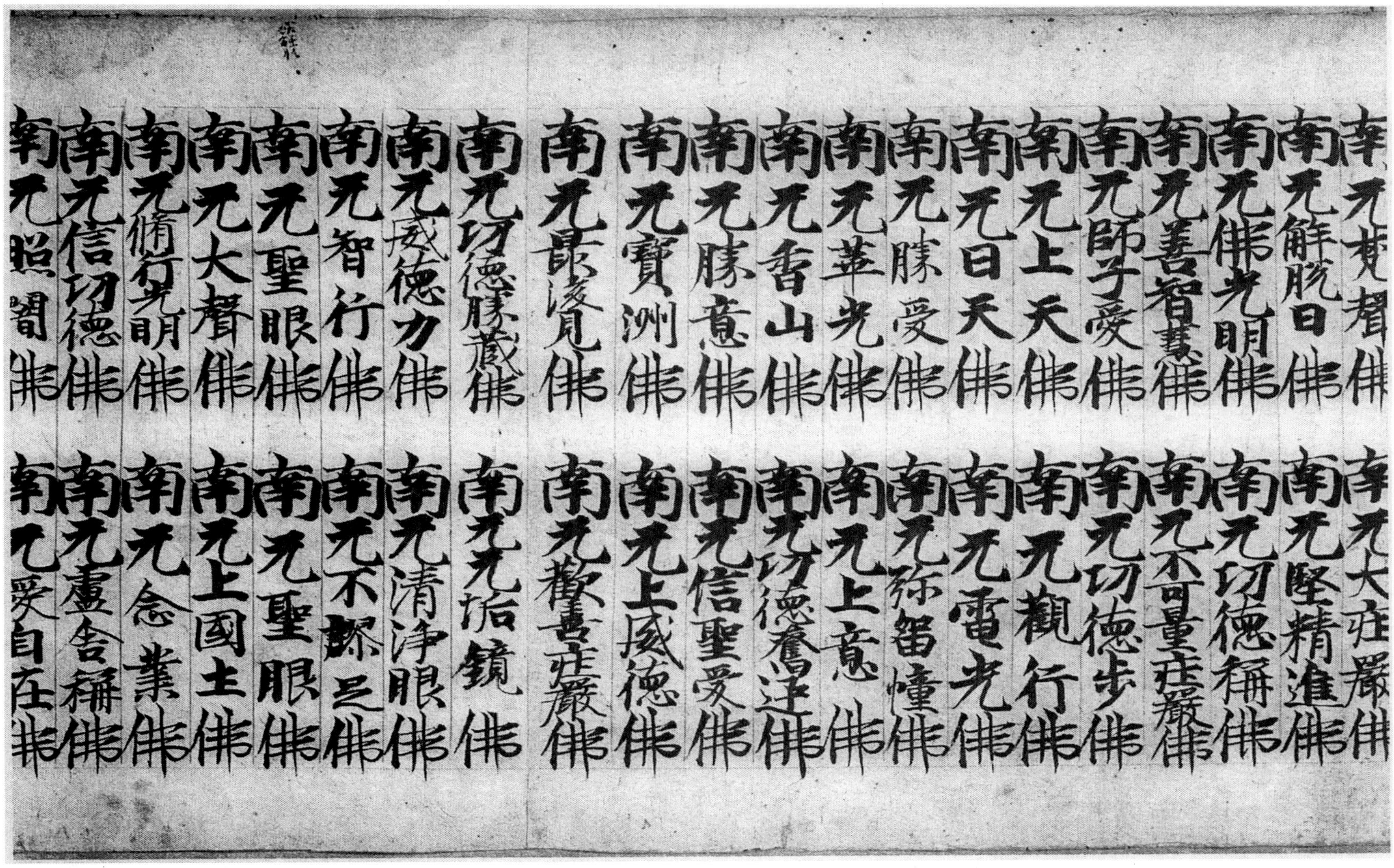

南无梵聲佛　南无大莊嚴佛
南无解脫日佛　南无堅精進佛
南无佛光明佛　南无功德稱佛
南无善智慧佛　南无不可量莊嚴佛
南无師子愛佛　南无功德步佛
南无上天佛　南无觀行佛
南无日天佛　南无電光佛
南无勝愛佛　南无彌留幢佛
南无華光佛　南无上意佛
南无香山佛　南无功德奮迅佛
南无勝意佛　南无信聖愛佛
南无寶洲佛　南无上威德佛
南无毘婆見佛　南无歡喜莊嚴佛
南无功德勝藏佛　南无无垢鏡佛
南无威德力佛　南无清淨眼佛
南无智行佛　南无不跡足佛
南无聖眼佛　南无聖眼佛
南无大聲佛　南无上國土佛
南无脩行光明佛　南无念業佛
南无信功德佛　南无盡舍稱佛
南无照闇佛　南无愛自在佛

BD01886號　佛名經（十六卷本）卷六　（14–6）

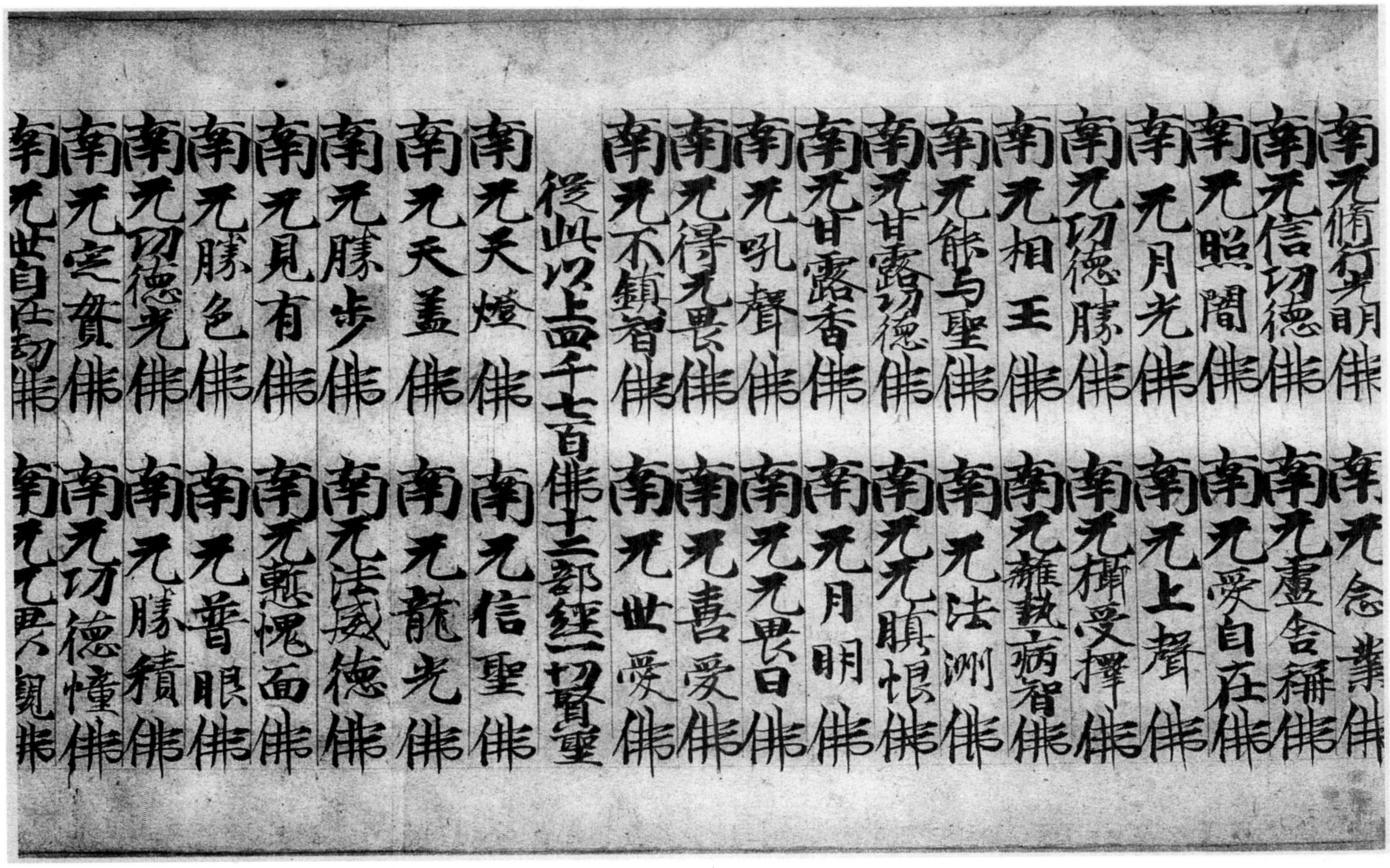

南无脩行光明佛　南无念業佛
南无信功德佛　南无盡舍稱佛
南无照闇佛　南无愛自在佛
南无月光佛　南无上聲佛
南无功德勝佛　南无攝受擇佛
南无相王佛　南无離執病智佛
南无能與聖佛　南无法洲佛
南无甘露功德佛　南无无瞋恨佛
南无甘露香佛　南无月明佛
南无吼聲佛　南无无畏日佛
南无得无畏佛　南无喜愛佛
南无不鎮智佛　南无世愛佛
從此以上四千七百佛十二部經一切賢聖
南无天燈佛　南无信聖佛
南无天蓋佛　南无龍光佛
南无勝步佛　南无法威德佛
南无見有佛　南无慚愧面佛
南无勝色佛　南无普眼佛
南无功德光佛　南无勝積佛
南无定貧佛　南无功德幢佛
南无世自在劫佛　南无无畏觀佛

BD01886號　佛名經（十六卷本）卷六　（14–7）

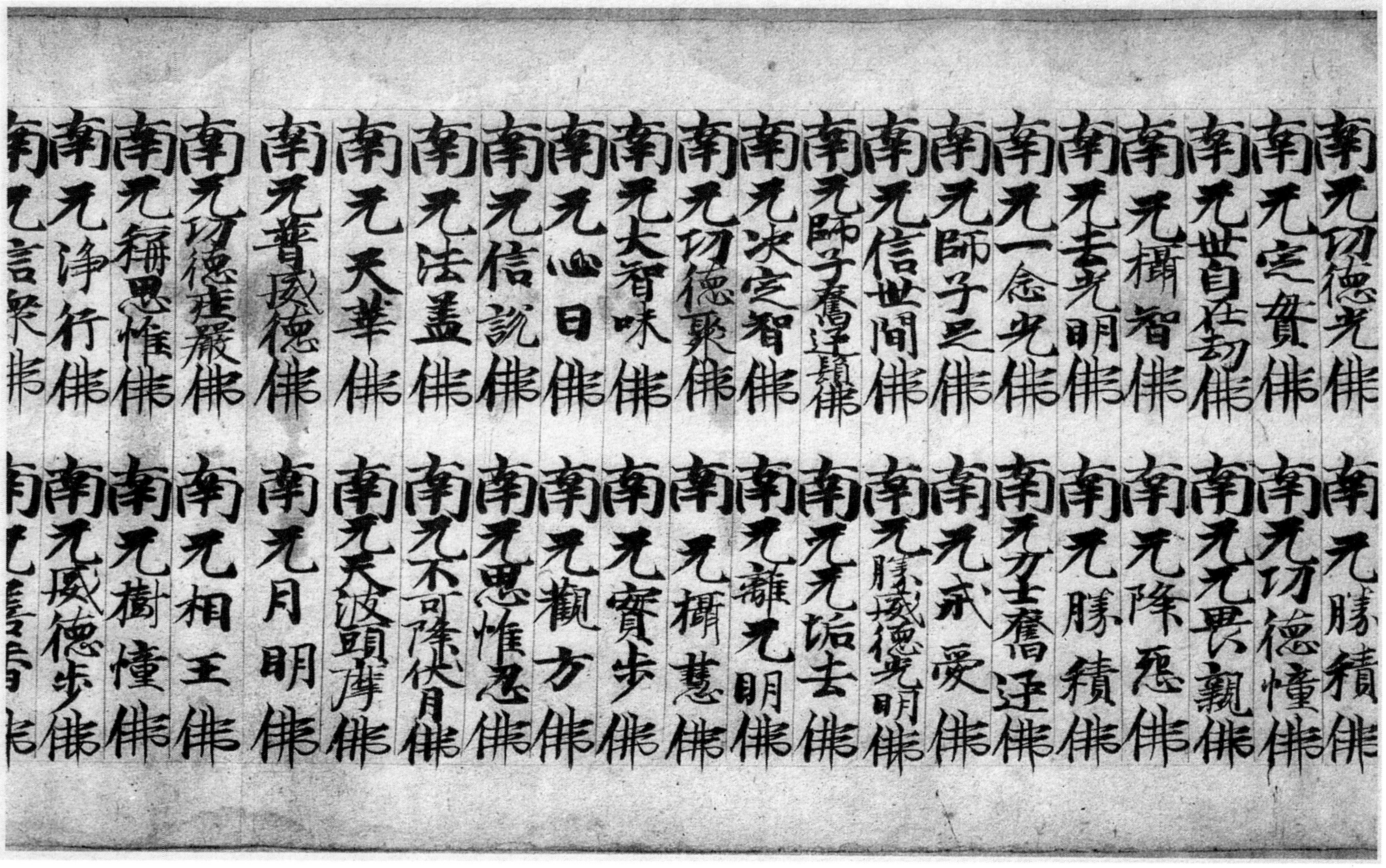

南无一切德光佛　南无勝積佛
南无定賢佛　南无一切德幢佛
南无普自在劫佛　南无无畏觀佛
南无攝智佛　南无降惡佛
南无善光明佛　南无勝積佛
南无一念光佛　南无力士奮迅佛
南无師子足佛　南无戒愛佛
南无信世間佛　南无勝威德光明佛
南无師子奮迅雄佛　南无无垢去佛
南无決定智佛　南无離无明佛
南无一切德聚佛　南无攝慧佛
南无大智味佛　南无寶步佛
南无心日佛　南无觀方佛
南无信說佛　南无思惟忍佛
南无法盖佛　南无不可降伏月佛
南无天華佛　南无大波頭摩佛
南无普威德佛　南无月明佛
南无一切德莊嚴佛　南无相王佛
南无稱思惟佛　南无樹幢佛
南无淨行佛　南无威德步佛
南无言聚佛　南无善香佛

BD01886 號　佛名經（十六卷本）卷六　（14–8）

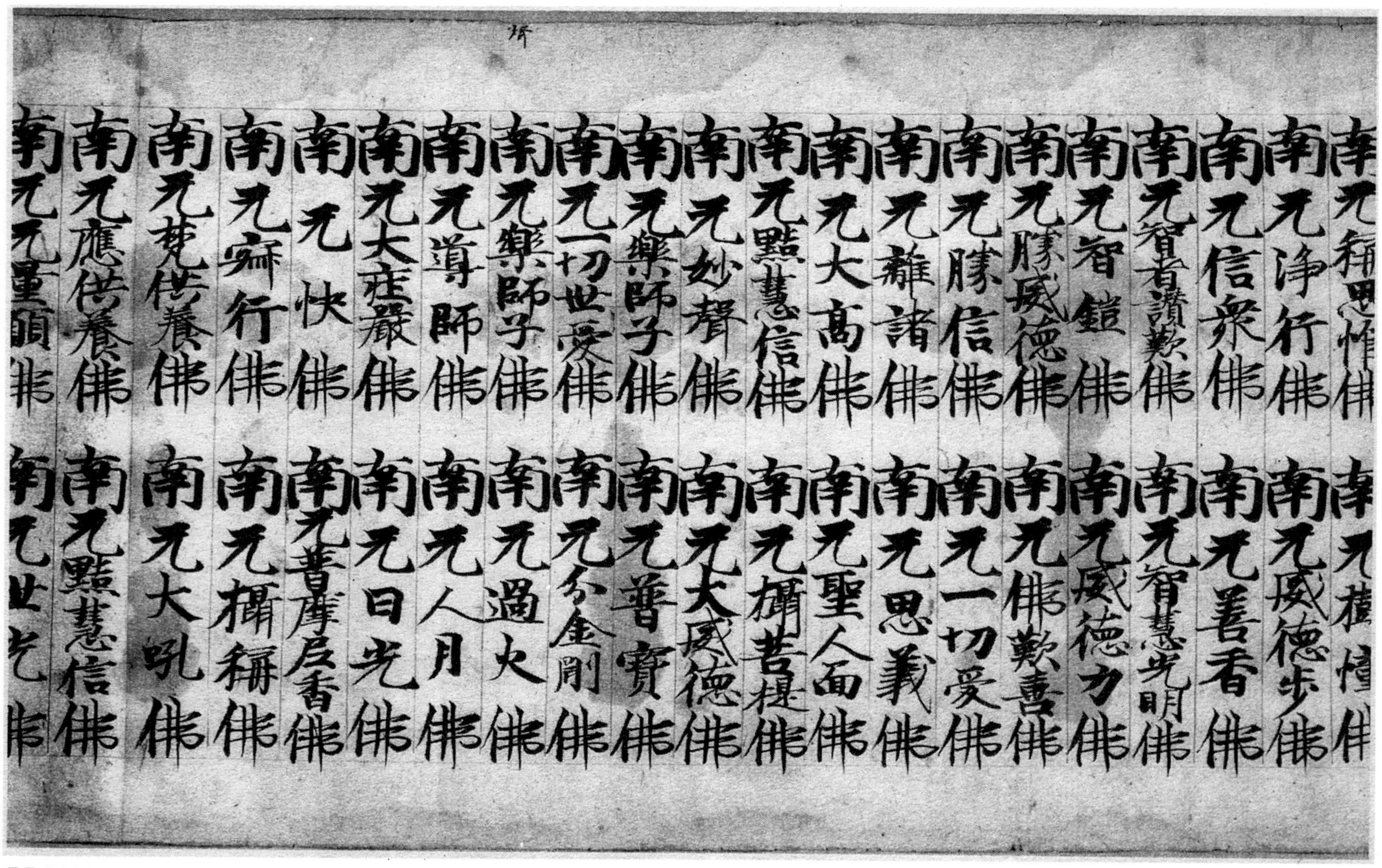

南无稱思惟佛　南无樹幢佛
南无淨行佛　南无威德步佛
南无信衆佛　南无善香佛
南无智者讚歎佛　南无智慧光明佛
南无智鎧佛　南无威德力佛
南无勝威德佛　南无佛歎喜佛
南无勝信佛　南无一切愛佛
南无離諸佛　南无思義佛
南无大高佛　南无聖人面佛
南无黠慧信佛　南无攝菩提佛
南无妙聲佛　南无大威德佛
南无樂師子佛　南无普寶佛
南无一切世愛佛　南无分金剛佛
南无樂師子佛　南无過火佛
南无導師佛　南无人月佛
南无大莊嚴佛　南无日光佛
南无快佛　南无普摩尼香佛
南无稱行佛　南无攝稱佛
南无梵供養佛　南无大吼佛
南无應供養佛　南无黠慧信佛
南无无量頭佛　南无世光佛

BD01886 號　佛名經（十六卷本）卷六　（14–9）

南无應供養佛　南无黠慧信佛
南无无量願佛　南无世光佛
南无見忍佛　南无大華佛
南无有我佛　南无如意佛
南无善菩提根佛　南无地德佛
南无天德佛　南无不怯弱聲佛
南无普現佛　南无月光明佛
南无勝信佛　南无決定色佛
從此以上四千八百佛十二部經一切賢聖
南无方便心佛　南无智味佛
南无功德信佛　南无難降伏佛
南无普見佛　南无月光明佛
南无月蓋佛　南无世福佛
南无信供養佛　南无樂勝佛
南无善蓋佛　南无慚愧賢佛
南无能觀佛　南无師子聲佛
南无丈行佛　南无普信佛
南无器聲佛　南无勝愛佛
南无普行佛　南无普智佛
南无大奮迅佛　南无月幢佛

BD01886 號　佛名經（十六卷本）卷六　（14–10）

南无普行佛　南无普智佛
南无大奮迅佛　南无月幢佛
南无堅行佛　南无天供養佛
南无能驚怖佛　南无勝稱佛
南无成就一切德佛　南无堅固佛
南无甘露光佛　南无大聲佛
南无高聲佛　南无大力佛
南无大盡佛　南无信甘露佛
南无行菩提佛　南无勝聲思惟佛
南无高光佛　南无怖勝佛
南无樂種種聲佛　南无愛義佛
南无脩行信佛　南无離憂佛
南无善主佛　南无憂德力佛
南无信功德佛　南无聲稱佛
南无發光明德佛　南无髮奮迅佛
南无勝王佛　南无華林佛
南无功德華佛　南无捨諍佛
南无大廣佛　南无大稱佛
南无虛空愛佛　南无甘露奮迅佛
南无日聚佛　南无月聲佛
南无天童佛　南无紅青手現佛

BD01886 號　佛名經（十六卷本）卷六　（14–11）

南无虛空愛佛　南无甘露奮迅佛
南无日聚佛　南无月聲佛
南无天幢佛　南无清淨觀佛
南无餘日佛　南无快可見佛
南无堅意勝聲佛　南无雨甘露佛
南无无畏聲佛　南无善根聲佛
南无勝聲佛　南无勝愛佛
南无甘露稱佛　南无法華佛
南无大莊嚴佛　南无世間尊重佛
南无勝意佛　南无彌留光佛
南无清淨思惟佛　南无高光明佛
南无破怨佛　南无甘露城佛
南无華佛　南无大稱佛
次礼十二部尊經大藏法輪
南无彌勒上下經　南无陀羅尼經
南无小涅槃經　南无摩登伽經
南无十輪經　南无五戒經
南无不退輪經　南无八大乘論經
南无付法藏經　南无楞伽經
南无楞伽阿跋多羅經　南无大丈夫經

BD01886號　佛名經（十六卷本）卷六　（14–12）

南无付法藏經　南无楞伽經
南无楞伽阿跋多羅經　南无大丈夫經
南无善臂菩薩經　南无彌勒菩薩問經
南无法自在王經　南无勝鬘經
南无文殊師利經　南无佛說月度經
南无佛說般若經　南无十緣經
從此以上四千九百佛十二部經一切賢聖
南无佛說般若經　南无佛說決定毗尼經
南无佛說觀彌勒菩薩生兜率天經
南无佛說危脆經　南无相續解脫經
南无寶車經　南无千佛名日經
七十佛名經　南无僧忍經
次礼十方諸大菩薩
南无日藏菩薩　南无不歎意菩薩
南无觀世音菩薩　南无滿尸利菩薩
南无執寶印菩薩　南无常舉手菩薩
南无彌勒菩薩　南无敬首菩薩
南无賢首菩薩　南无寶首菩薩
南无惠首菩薩　南无德首菩薩
南无日首菩薩　南无明首菩薩

BD01886號　佛名經（十六卷本）卷六　（14–13）

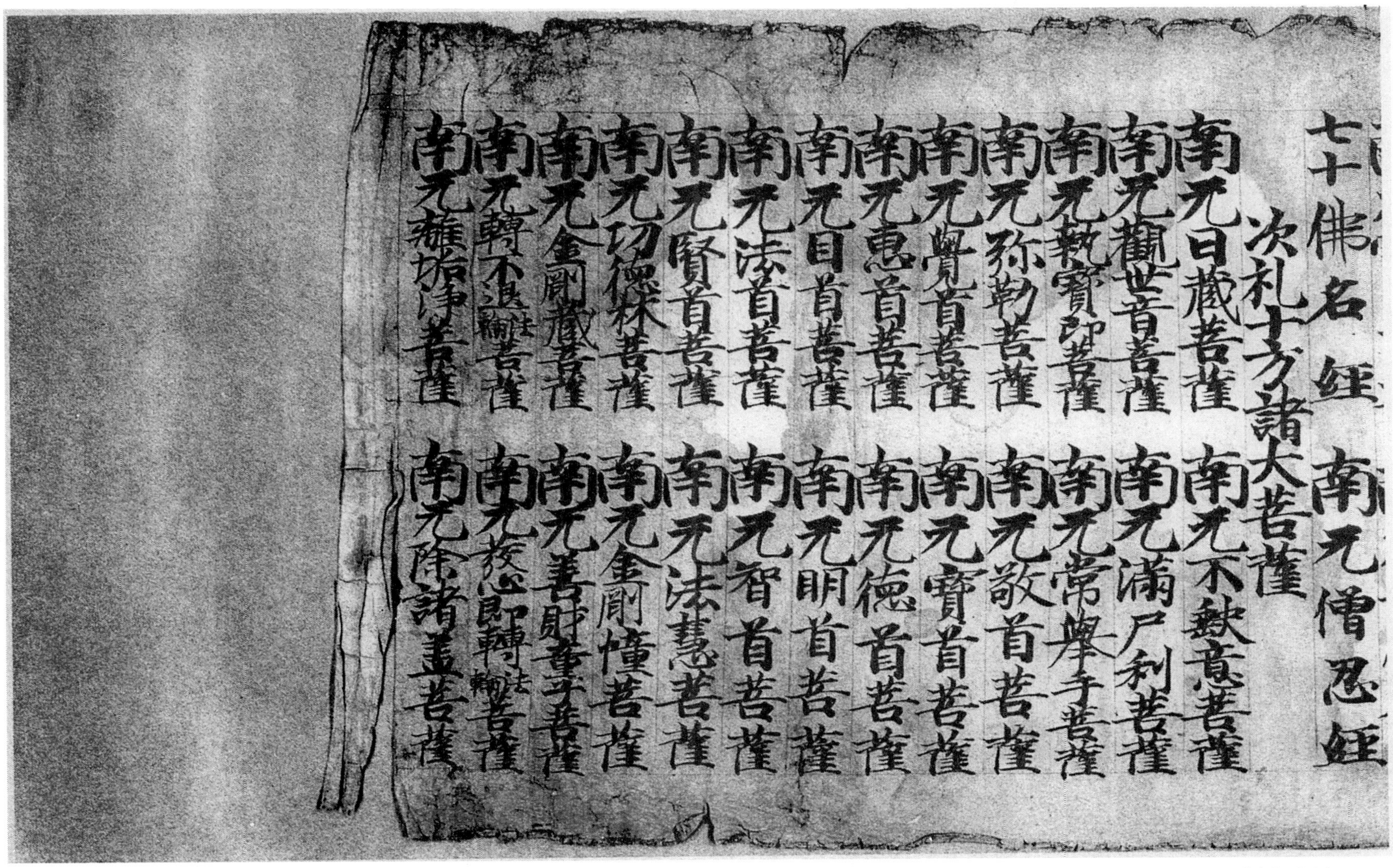

七十佛名經　南无僧忍經
次礼十方諸大菩薩
南无日藏菩薩　南无不欽意菩薩
南无觀世音菩薩　南无滿尸利菩薩
南无執寶印菩薩　南无常舉手菩薩
南无弥勒菩薩　南无敬首菩薩
南无覺首菩薩　南无寶首菩薩
南无惠首菩薩　南无德首菩薩
南无目首菩薩　南无明首菩薩
南无法首菩薩　南无智首菩薩
南无賢首菩薩　南无法慧菩薩
南无功德林菩薩　南无金剛幢菩薩
南无金剛藏菩薩　南无善財童子菩薩
南无轉不退法輪菩薩　南无發心即轉法輪菩薩
南无離垢淨菩薩　南无除諸蓋菩薩

BD01886 號　佛名經（十六卷本）卷六　　（14–14）

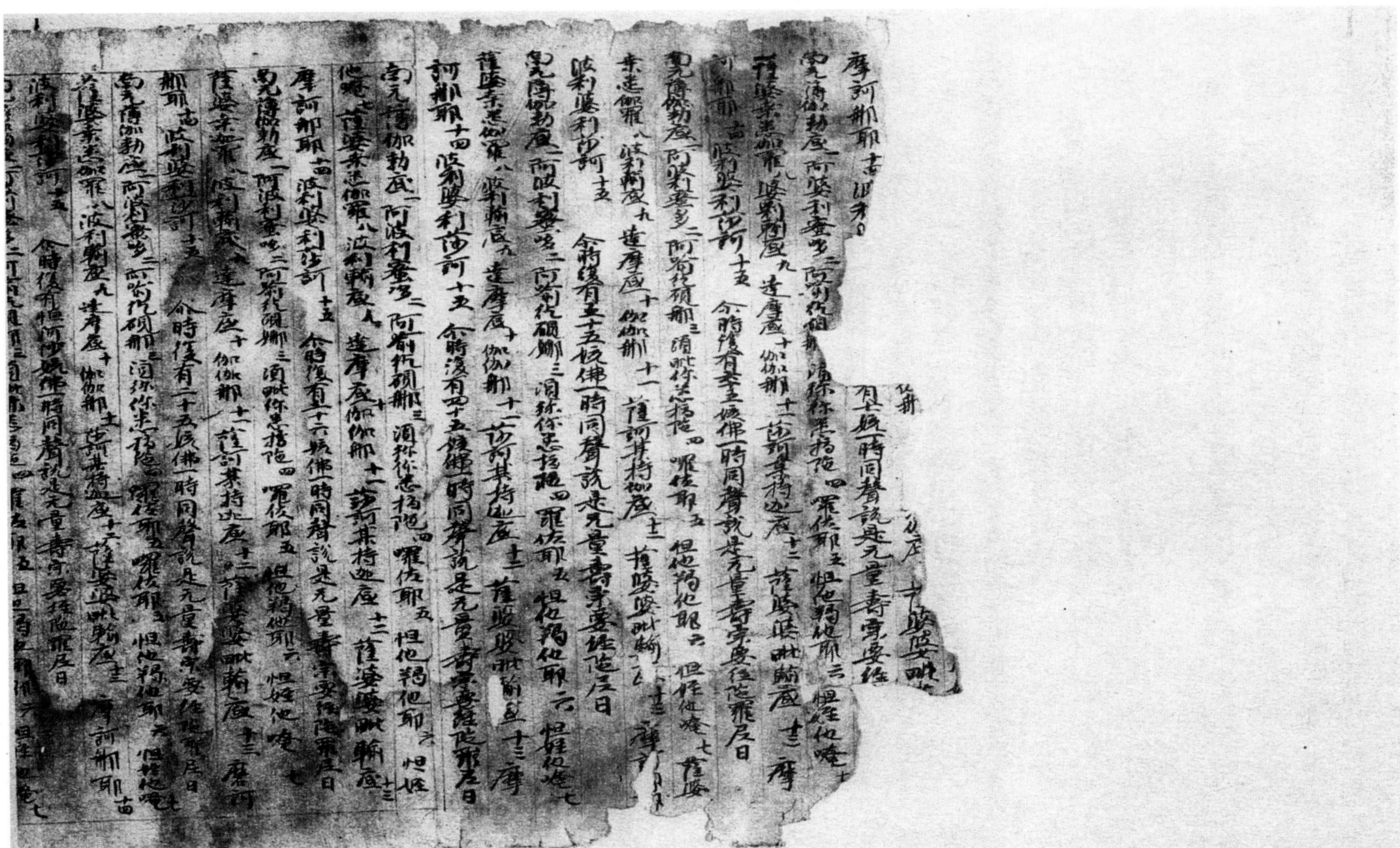

BD01887 號　無量壽宗要經　　（5–1）

[illegible]
南无薄伽勃底一 阿波利蜜哆二 阿喻紇硯娜三 須毗你悉指陀四 囉佐耶五 怛他羯他耶六 怛姪他唵七
薩婆桑迦羅八 波利輸底九 達摩底十 伽伽那十一 莎訶某持迦底十二 薩婆婆毗輸底十三 摩訶
那耶十四 波利婆利莎訶十五 尒時復有二十五殑伽佛一時同聲說是无量壽宗要經陀羅尼曰
南无薄伽勃底一 阿波利蜜多二 阿喻紇硯那三 須弥你悉指陀四 囉佐耶五 怛他羯他耶六 怛姪他唵七
薩婆桑悉伽羅八 波利輸底九 達摩底十 伽伽那十一 莎訶某持迦底十二 薩婆婆毗輸底十三 摩訶那耶十四
波利婆利莎訶十五 尒時復有恒河沙殑伽佛一時同聲說是无量壽宗要經陀羅尼曰
南无薄伽勃底一 阿波利蜜多二 阿喻紇硯那三 須毗你悉指陀四 囉佐耶五 怛他羯他耶六 怛姪他唵七
薩婆桑悉迦羅八 波利輸底九 達摩底十 伽伽那十一 莎訶某持迦底十二 莎婆婆毗輸底十三
摩訶那耶十四 波利婆利莎訶十五 善男子若有自書寫教人書寫是无量壽宗
要經如其命盡復得長壽而滿百年陀羅尼曰
南无薄伽勃底一 阿波利蜜多二 阿喻紇硯那三 須弥你悉指多四 羅佐耶五 怛他羯他耶六
怛姪他唵七 薩婆桑悉伽羅八 波利輸底九 達摩底十 伽伽那十一 莎訶某持迦底十二 莎婆婆
毗輸底十三 摩訶那耶十四 波利婆利莎訶十五 若有自書寫教人書寫是
无量壽宗要經讀誦受持畢竟不堕地獄在在所生得宿命智陀羅尼曰
南謨薄伽勃底一 阿波利蜜多二 阿喻紇硯那三 須毗你悉指陀四 囉佐耶五 怛他羯他耶六 怛姪他
唵七 薩婆桑悉伽羅八 波利輸底九 達摩底十 伽伽那十一 莎訶某持迦底十二 薩婆婆毗輸底十三
摩訶那耶十四 波利婆利莎訶十五
若有自書寫教人書寫是无量壽宗要經受持讀誦如同書寫八万四千一切經典陀羅尼曰
南无薄伽勃底一 阿波利蜜哆二 阿喻紇硯那三 須毗你悉指陀四 羅佐耶五 怛他羯他耶六 怛姪他唵七
薩婆桑悉迦羅八 波羅輸底九 達摩底十 伽伽那十一 莎訶某持迦底十二 薩婆婆毗輸底十三
摩訶那耶十四 波利婆利莎訶十五 若有自書寫教人書寫是无量壽宗要經即是書寫八万四千
部建立塔廟陀羅尼曰 南无薄伽勃底一 阿婆利蜜多二 阿喻紇硯那三 須弥你悉指哆
囉佐耶五 怛他羯他耶六 怛姪他唵七 薩婆桑悉伽羅八 波利輸底九 達摩底十 伽伽那十一 莎訶某
持迦底十二 薩婆婆毗輸底十三 摩訶那耶十四 波利婆利莎訶十五
若有自書寫教人書寫是无量壽宗要經能除五無間等一切重罪陀羅尼曰
南无薄伽勃底一 阿波利蜜哆二 阿喻紇硯那三 須弥你悉指陀四 羅佐耶五 怛他羯他耶六 怛姪他唵七 薩婆
桑悉伽羅八 波利輸底九 達摩底十 伽伽那十一 莎訶某持迦底十二 薩婆婆毗輸底十三 摩
訶那耶十四 波利婆利莎訶十五
若有自書寫教人書寫是无量宗要經受持讀誦設有重罪積如須弥盡能除滅陀羅尼曰
南无薄伽勃底一 阿波利蜜哆二 阿喻紇硯那三 須毗你悉指陀四 囉佐耶五 怛他羯他耶六 怛姪他唵七
薩婆桑悉迦那八 波利輸底九 達摩底十 伽伽那十一 莎訶某持迦底十二 薩婆婆毗輸底十三

BD01887 號　無量壽宗要經　（5–2）

南无薄伽勃底一 阿波利蜜哆二 阿喻紇硯那三 須弥你悉指陀四 囉佐耶五 怛他羯他耶六 怛姪他唵 薩婆
桑悉伽羅八 波利輸底九 達摩底十 伽伽那十一 莎訶某持迦底十二 薩婆婆毗輸底十三 摩
訶那耶十四 波利婆利莎訶十五
若有自書寫教人書寫是无量宗要經受持讀誦設有重罪積如須弥盡能除滅陀羅尼曰
南无薄伽勃底一 阿波利蜜多二 阿喻紇硯那三 須毗你悉指陀四 囉佐耶五 怛他羯他耶六 怛姪他唵七
薩婆桑悉迦那八 波利輸底九 達摩底十 伽伽那十一 莎訶某持迦底十二 薩婆婆毗輸底十三
摩訶那耶十四 波利婆利莎訶十五
若有自書寫教人書寫是无量壽宗要經受持讀誦若魔魔之眷屬夜叉羅剎不能得其便終无枉死陀羅尼曰
南无薄伽勃底一 阿波利蜜多二 阿喻紇硯那三 須毗你悉指多四 羅佐耶五 怛他羯他耶六 怛姪他唵七 薩婆桑悉伽羅
八 波利輸底九 達摩底十 伽伽那十一 莎訶某持迦底十二 薩婆婆毗輸底十三 摩訶那耶十四 波利婆利莎訶十五
若有自書寫教人書寫是无量壽宗要經受持讀誦壽命終時有九十九殑伽佛現其人前各舒手佛授手能往一切
佛剎莫於此經生於疑惑陀羅尼曰
南謨薄伽勃底一 阿波利蜜哆二 阿喻紇硯那三 須毗你悉指陀四 囉佐耶五 怛他羯他耶六 怛姪他唵七 薩婆桑
悉伽羅八 波利輸底九 達摩底十 伽伽那十一 莎訶某持迦底十二 薩婆婆毗輸底十三 摩訶那耶十四 波利婆利莎訶十五
若有自書寫教人書寫是无量壽宗要經受持讀誦常得四天王隨其衛護陀羅尼曰
南无薄伽勃底一 阿波利蜜哆二 阿喻紇硯三 須弥你悉指陀四 囉佐耶五 怛他羯他耶六 怛姪他唵七
薩婆桑悉伽羅八 波利輸底九 達摩底十 伽伽那十一 莎訶某持迦底十二 薩婆婆毗輸底十三 摩訶那
耶十四 波利婆利莎訶十五
若有自書寫是无量壽宗要經受持讀誦當得往生西方極樂世界阿彌陀淨土陀羅尼曰
南无薄伽勃底一 阿波利蜜哆二 阿喻紇硯那三 須弥你悉指陀四 囉佐耶五 怛他羯他耶六
怛姪他唵七 薩婆桑悉迦囉八 波利輸底九 達摩底十 伽伽那十一 莎訶某持迦底十二
薩婆婆毗輸底十三 摩訶那耶十四 波利婆利莎訶十五
若有方所自書寫使人書寫是无量壽經典之處則爲是塔皆應恭敬作礼若是畜生
飛鳥獸得聞是經如是等類皆當不久得成一切種智陀羅尼曰
南无薄伽勃底一 阿波利蜜哆二 阿喻紇硯那三 須毗你悉指陀四 羅佐耶五 怛他羯他耶六 怛姪他唵七
薩婆桑迦羅八 波利輸底九 達摩底十 伽伽那十一 莎訶某持迦底十二 薩婆婆毗輸
底十三 摩訶那耶十四 波利婆利莎訶十五
若有於是无量壽經自書寫若使人書畢竟不受女人之身陀羅尼曰
南无薄伽勃底一 阿波利蜜多二 阿喻紇硯那三 須弥你悉指陀四 羅佐耶五 怛他
羯他耶六 怛姪他唵七 薩婆桑悉伽羅八 波利輸底九 達摩底十 伽伽那十一 莎訶
某持迦底十二 薩婆婆毗輸底十三 摩訶那耶十四 波利婆利莎訶十五
[illegible]陀羅尼曰

BD01887 號　無量壽宗要經　（5–3）

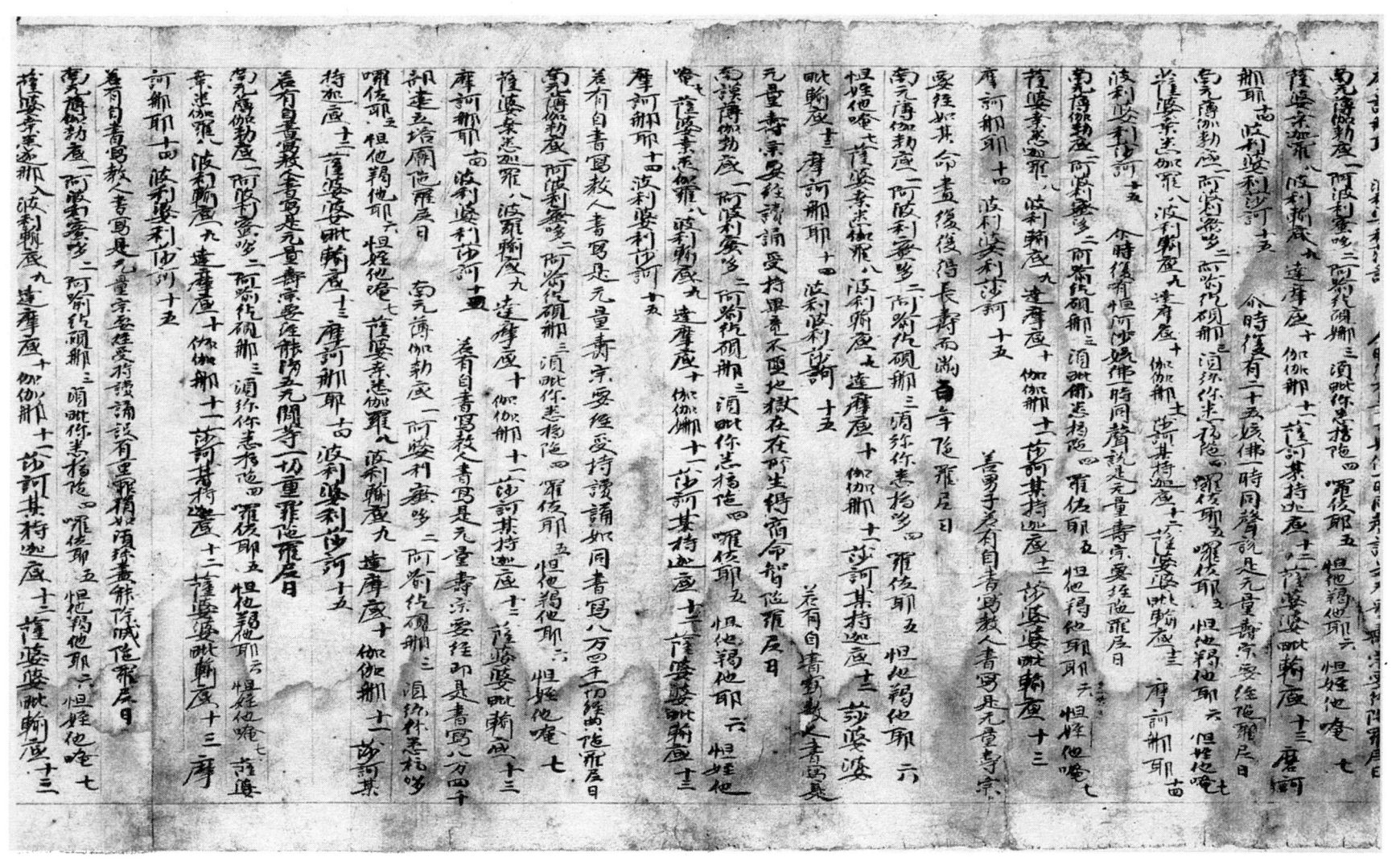

底十三 摩訶斯耶十四 波利婆利莎訶十五
若有於是无量壽經自書寫若使人書畢竟不受女人之身陀羅尼曰
南无薄伽勃底一 阿波利蜜多二 阿喻紇硯那三 須弥你悉指陀四 羅佐耶五 怛他
羯他耶六 怛姪他唵七 薩婆桑悉伽羅八 波利輸底九 達摩底十 伽伽那十一 莎訶
其捺羯底十二 薩婆婆毗輸底十三 摩訶娜耶十四 波利婆利莎訶十五
若有能於是經少分能惠施者等於三千大千世界滿中七寶布施陀羅尼曰
南无薄伽勃底一 阿波利蜜多二 阿喻紇硯那三 須毗你悉指陀四 羅佐耶五 怛他
羯他耶六 怛姪他唵七 薩婆桑悉伽羅八 波利輸底九 達摩底十 伽伽那十一
莎訶其捺伽底十二 薩婆婆毗輸底十三 摩訶娜耶十四 波利婆利莎訶十五
若有能供養是經者則是供養一切諸經等无有異陀羅尼曰
南无薄伽勃底一 阿波利蜜多二 阿喻紇硯那三 須弥你悉指陀四 羅佐耶五
怛他羯他耶六 怛姪他唵七 薩婆桑悉伽羅八 波利輸底十 伽伽那十一 莎訶其
捺迦底十二 薩婆婆毗輸底十三 摩訶娜耶十四 摩訶娜耶十四 波利婆利莎訶
如是毗婆尸佛 尸棄佛 毗舍浮佛 俱留孫佛 俱那含牟尼佛 迦葉佛
釋迦牟尼佛若有人以七寶供養如是七佛其有限量書寫受持
是无量壽經典所有功德不可限量陀羅尼曰
南无薄伽勃底一 阿波利蜜多二 阿喻紇硯那三 須弥你悉指陀四 羅佐耶五
怛他羯他耶六 怛姪他唵七 薩婆桑悉伽囉八 波利輸底九 達摩底十
伽伽那十一 莎訶其捺伽底十二 薩婆婆毗輸底十三 摩訶娜耶十四 波利婆利莎訶十五
若有七寶等於須弥以用布施其福上能知其限量是无量壽經典其福不
可知數陀羅尼曰
南无薄伽勃底一 阿波利蜜多二 阿喻紇硯那三 須弥你悉指陀四 羅佐耶五
怛他羯他耶六 怛姪他唵七 薩婆桑悉伽羅八 波利輸底九 達摩底十
伽伽那十一 薩訶其捺迦底十二 薩婆婆毗輸底十三 摩訶娜耶十四 波利婆利莎訶十五
如是四大海水可知滴數是无量壽經典所生果報不可數量陀羅
尼曰
南无薄伽勃底一 阿波利蜜多二 阿喻紇硯那三 須弥你悉指陀四 羅佐耶五
怛他羯他耶六 怛姪他唵七 薩婆桑悉伽羅八 波利輸底九 達摩底十
伽伽那十一 薩訶其捺迦底十二 薩婆婆毗輸底十三 摩訶娜耶十四
波利婆利莎訶十五
若有自書寫使人書寫是无量壽經典又能護持供養尊如供敬供
養一切十方佛土如來无有別異陀羅尼曰

BD01887 號　無量壽宗要經　　（5–4）

怛他羯他耶六 怛姪他唵七 薩婆桑悉伽羅八 波利輸底九 達摩底十
伽伽那十一 薩訶其捺迦底十二 薩婆婆毗輸底十三 摩訶娜耶十四
波利婆利莎訶十五
若有自書寫使人書寫是无量壽經典又能護持供養尊如供敬供
養一切十方佛土如來无有別異陀羅尼曰
南无薄伽勃底一 阿波利蜜多二 阿喻紇硯那三 須弥你悉指陀四 羅佐耶五
怛他羯他耶六 怛姪他唵七 薩婆桑悉伽囉八 波利輸底九 達摩底十
伽伽那十一 莎訶其捺迦底十二 薩婆婆毗輸底十三 摩訶娜耶十四 波利婆利莎訶十五
布施力能成正覺 悟布施力人師子 布施力能聲普聞 慈悲階漸敢能入
持戒力能成覺 悟持戒力人師子 持戒力能聲普聞 慈悲階漸敢能入
忍辱力能成正覺 悟忍辱力人師子 忍辱力能聲普聞 慈悲階漸敢能入
精進力能成正覺 悟精進力人師子 精進力能聲普聞 慈悲階漸敢能入
禪定力能成正覺 悟禪定力人師子 禪定力能聲普聞 慈悲階漸敢能入
智慧力能成正覺 悟智慧力人師子 智慧力能聲普聞 慈悲階漸敢能入
尒時如來說是經已一切世天人阿修羅揵闥婆等聞佛所說
皆大歡喜信受奉行
佛說大乘无量受經

壽經十卷共五十一紙

BD01887 號　無量壽宗要經　　（5–5）

日安隱佛以此光能令多欲衆生
又如來光名曰歡喜佛以此光能
生断除瞋恚又如來光名曰明佛以
能令多癡衆生断除愚癡又如來光名曰
行佛以此光能令等分衆生断除等分
來光名示一切色佛以此光能令
佛身无量種色網明當知如來若以一劫
滅一劫説此光明力用名号不可窮盡
尒時網明菩薩白佛言未曾有也世尊如來
身者即是无量光明之藏説法方便亦不可
思議世尊我自昔來未曾聞此光明名号
我解佛所説義若有菩薩聞斯光明名号
心清淨皆得如是光明之身世尊唯願令
放諸菩薩光令他方菩薩善聞難者見斯光
已發心來此娑婆世界尒時世尊受網明菩
薩請已即放光明照於三千大千世界普及
十方无量佛土於是諸方无量百千万億菩
薩見斯光已皆來至此娑婆世界尒時東方
過七十二恒河沙佛土有國名清潔佛号日

BD01888號　思益梵天所問經卷一　（14–1）

已發心來此娑婆世界尒時世尊受網明菩
薩請已即放光明照於三千大千世界普及
十方无量佛土於是諸方无量百千万億菩
薩見斯光已皆來至此娑婆世界尒時東方
過七十二恒河沙佛土有國名清潔佛号日
月光如來應供正遍知今現在其佛土有菩
薩梵天名曰思益住不退轉見此光已到日
月光佛所頭面作礼白佛言世尊我欲詣娑
婆世界釋迦牟尼佛所奉覲供養親近諮受
彼佛亦復欲見我等其佛告言便往梵天今
正是時彼娑婆國有若干千億諸菩薩集汝
應以十法遊於彼土何等為十於毁於譽心
无增減聞善聞惡心无分別於諸愚智等以
悲心於上中下衆生之類意常平等於輕毁
供養心无有二於他闕失莫見其過見種種
乘皆是一乘聞三惡道亦勿驚畏於諸菩薩
生如來想佛出五濁生希有想梵天汝當以
此十法遊彼世界思益梵天白佛言世尊我
不敢於如來前作師子吼我所能行佛自知
之今當以此十法於彼世界一心修行尒時
日月光佛國有諸菩薩白佛言世尊我得大
利不生如是惡衆生中其佛告言善男子勿
作是語所以者何若菩薩於此國中百千劫
淨修梵行不如彼土從旦至食无瞋㝵心其
福為勝即時有万二千菩薩與思益梵天俱

BD01888號　思益梵天所問經卷一　（14–2）

淨脩梵行不如彼土從旦至食无瞋㝵心其
福為勝即時有万二千菩薩與思益梵天俱
共發來而作是言我等亦欲以此十法遊彼
世界見釋迦牟尼佛扵是思益梵天與万二
千菩薩俱扵彼佛土忽然不現譬如壯士屈
申臂頃到娑婆世界釋迦牟尼佛所却住一
面
尒時佛告網明菩薩汝見是思益梵天不唯
然已見網明當知思益梵天扵諸正問菩薩
中為最第一扵諸善分別諸法菩薩中為最
第一扵諸說隨宜經意菩薩中為最第一扵
諸慈心菩薩中為最第一扵諸悲心菩薩中
為最第一扵諸喜心菩薩中為最第一扵諸
捨心菩薩中為最第一扵諸更語菩薩中為
最第一扵諸不瞋㝵菩薩中為最第一扵諸
先意問訊菩薩中為最第一扵諸決疑菩薩
中為最第一尒時思益梵天與万二千菩薩
俱頭面礼佛足右繞三迊合掌向佛以偈讚
曰
世尊大名勝　普聞扵十方　所在諸如來　无不稱歎者
有諸餘淨國　无三惡道名　捨如是妙土　慈悲故生此
佛智无減少　與諸如來等　以大悲本願　處斯穢惡土
若人扵淨國　持戒滿一劫　此土須臾間　行慈為最勝
若人扵此土　起身口意罪　應墮三惡道　現世受得除

BD01888號　思益梵天所問經卷一　（14–3）

若人扵淨國　持戒滿一劫　此土須臾間　行慈為最勝
若人扵此土　起身口意罪　應墮三惡道　現世受得除
生此土菩薩　不應懷憂怖　設有惡道罪　頭痛則得除
此土諸菩薩　若能守護法　世世所生處　不失扵正念
若人欲斷縛　滅煩惱業罪　扵此土護法　增益一切智
淨土多億劫　受持法解說　扵此娑婆界　從旦至食時
我見喜樂國　及見安樂土　此中无苦惱　亦无苦惱名
扵彼作功德　未足以為奇
扵此煩惱事　能忍不可事　亦教他此法　其福為最勝
我礼无上尊　大悲救苦者　能為惡衆生　說法甚為難
佛集无量衆　十方世界中　名聞諸菩薩　聽法无厭足
佛集十方界　名聞諸菩薩　聽法无厭足　如海吞衆流
為如是人等　廣說扵佛道
釋梵四天王　諸天龍神等　皆集欲求法　隨所信樂說
比丘比丘尼　及清信士女　是四衆普集　願時為演說
有樂佛乘者　及緣覺聲聞　佛知其深心　悉皆為斷疑
不斷佛種者　能出生三寶　為是諸菩薩　我今請法王
名稱普流布　十方菩薩聞　皆悉共來集　為說无上道
此无上大法　二乘所不及　我等信力故　得入如是法
不可思議慧　非我等所及
佛雖无疲倦　我今有所請　悔過扵世尊　願說菩提道
尒時思益梵天說此偈已白佛言世尊何謂
菩薩其心堅固而无疲倦何謂菩薩所言決
之而不中悔何謂菩薩增長善根何謂菩薩

BD01888號　思益梵天所問經卷一　（14–4）

菩薩其心堅固而无疲倦何謂菩薩所言决
定而不中悔何謂菩薩增長善根何謂菩薩
无所忌畏威儀不轉何謂菩薩成就白法何
謂菩薩善知從一地至一地何謂菩薩於衆
生中善知方便何謂菩薩善化衆生何謂菩
薩世世不失菩提之心何謂菩薩能一其心
而无雜行何謂菩薩善求法寳何謂菩薩善
出毀禁之罪何謂菩薩善除煩惱何謂菩薩
善入諸大衆何謂菩薩善開法施何謂菩薩
得先因力不失善根何謂菩薩不由他教而
能自行六波羅蜜何謂菩薩能轉捨禪定還
生欲界何謂菩薩於諸佛法得不退轉何謂
菩薩不断佛種
尒時世尊讚思益梵天善㦲善㦲能問如来
如此之事汝今諦聽善思念之唯然世尊願
樂欲聞佛告思益梵天菩薩有四法堅固其
心而不疲倦何謂四一者於諸衆生起大悲
心二者精進不懈三者信解生死如夢四者
正思惟佛之智慧菩薩有此四法堅固其心
而不疲倦梵天菩薩有四法所言决定而不
中悔何等為四一者决定說諸法无我二者
决定說諸生處无可樂者三者决定常讚大
乘四者决定說罪福業不失是為四法梵天
菩薩有四法增長善根何等為四一者持戒

BD01888號　思益梵天所問經卷一　（14–5）

决定說諸生處无可樂者三者决定常讚大
乘四者决定說罪福業不失是為四法梵天
菩薩有四法增長善根何等為四一者持戒
二者多聞三者布施四者出家是為四梵天
菩薩有四法无所忌畏威儀不轉何等四一
者失利二者惡名三者毀辱四者苦惱是為
四梵天菩薩有四法成就白法何等四一者
教人令信罪福二者布施不求果報三者守
護正法四者以智慧教諸菩薩是為四梵天
菩薩有四法善知從一地至一地何等四一
者久殖善根二者離諸過咎三者善知方便
迴向四者懃行精進是為梵天菩薩有四
法善知方便何等四一者順衆生二者於
他功德起隨喜心三者悔過除罪四者勸請
諸佛是為四梵天菩薩有四法善化衆生何
等四一者常求利安衆生二者自捨己樂三
者心和忍辱四者除捨憍慢是為四梵天菩
薩有四法世世不失菩提之心何等四一者
常憶念佛二者所作功德常為菩提三者親
近善知識四者稱揚大乘是為四梵天菩薩
有四法能一其心而无離行何等四一者離
聲聞心二者離辟支佛心三者求法无猒四
者如所聞法廣為人說是為四梵天菩薩有
四法善求法寳何等四一者於法中生寳想

BD01888號　思益梵天所問經卷一　（14–6）

者如所聞法廣爲人說是爲四梵天菩薩有
四法善求法寶何等四一者於法中生寶想
以難得故二者於法中生藥想療衆病故三
者於法中生財利想以不失故四者於法中
生滅一切苦想至涅槃故是爲四梵天菩薩
有四法善出毀禁之罪何等四一者得无生
法忍以諸法无來故二者得无滅忍以諸法
无去故三者得因緣忍知諸法因緣生故四
者得无住忍无異心相續故是爲四梵天菩
薩有四法善除煩惱何等四一者正憶念二
者鄣諸根三者得善法力四者獨處遠離是
爲四梵天菩薩有四法善入諸大衆何等四
一者求法不求勝二者恭敬心无憍慢三者
唯求法利不自顯現四者教人善法不求名
利是爲四梵天菩薩有四法善開法施何等
四一者守護於法二者自益智慧亦益他人
三者行善人法四者示人垢淨是爲四梵天
菩薩有四法得先因力不失善根何等四一
者見他人闕不以爲過二者於瞋怒人常脩
慈心三者常說諸法因緣四者常念菩提是
爲四梵天菩薩有四法不由他教而能自行
六波羅蜜何等四一者以施導人二者不說
他人毀禁之罪三者善知攝法教化衆生四
者解達深法是爲四梵天菩薩有四法能轉

六波羅蜜何等四一者以施導人二者不說
他人毀禁之罪三者善知攝法教化衆生四
者解達深法是爲四梵天菩薩有四法能轉
捨禪定還生欲界何等四一者其心柔濡二
者得諸善根力三者不捨一切衆生四者善
脩智慧方便之力是爲四梵天菩薩有四法
於諸佛法得不退轉何等四一者受无量生
死二者供養无量諸佛三者脩行无量慈心
四者信解无量佛慧是爲四梵天菩薩有四
法不断佛種何等四一者不退本願二者言
必施行三者大欲精進四者深心行於佛道
是爲菩薩有四法不断佛種說是諸四法時
二万二千天及人皆發阿耨多羅三藐三菩
提心五千人得无生法忍十方諸來菩薩供
養於佛所散天華周遍三千大千世界積至
于膝
尒時綱明菩薩問思益梵天言佛說汝於正
問菩薩中爲衆第一何謂菩薩所問爲正問
耶梵天言綱明若菩薩以彼我心問名爲邪
問分別法問名爲邪問若无彼我問名爲正問
不分別法問名爲正問又綱明以生故問名
爲邪問以滅故問名爲邪問以住故問名爲
邪問若不以生故問不以滅故問不以住故
問名爲正問又綱明若菩薩爲垢故問名爲

不分別法問名為正問又細明以生故問名
為邪問以滅故問名為邪問以住故問名為
邪問若不以生故問不以滅故問不以住故
問名為正問又細明若菩薩為垢故問名為
邪問為淨故問名為邪問為生死故問名為
邪問為出生死故問名為邪問為涅槃故問
名為邪問若不為垢不為淨故問不為生死出生
死故問不為涅槃故問名為正問所以者何
法位中无垢无淨无生死无涅槃又細明若
菩薩為見故問為斷故問為證故問為脩故
問為得故問為果故問名為邪問若无見无
斷无證无脩无得无果故問名為正問又細
明是善是不善名為邪問是世間法是出世
間法是有罪法是无罪法是有漏法是无漏
法是有為法是无為法如是等二法隨所依
而問者名為邪問若不見二不見不二問名
為正問
又細明若菩薩分別佛問名為邪問分別法
分別僧分別衆生分別佛國分別諸乘問名
為邪問若於法不作一異問者名為正問又
細明一切法正一切法邪細明言梵天何謂
一切法正一切法邪梵天言於諸法性无心
故一切法名為正若於无心法中以心分別
觀者一切法名為邪一切法離相名為正若

BD01888號　思益梵天所問經卷一　（14–9）

故一切法名為正若於无心法中以心分別
觀者一切法名為邪一切法離相名為正若
不信解是離相是即分別諸法若分別諸法
則入增上慢隨所分別皆名為邪細明言何
謂為諸法正性梵天言諸法離自性離欲際
是名正性細明言少有能解如是正性梵天
言是正性不一不多細明若有善男子善女
人能如是知諸法正性者已知若今知若當
知是人无有法已得无有法今得无有法當
得所以者何佛說无得无分別名為所作已
辯相若人聞是諸法正性懃行精進是名如
說脩行不從一地至一地若不從一地至一
地是人不在生死不在涅槃所以者何諸佛
不得生死不得涅槃細明言佛不為度生死
故說法耶梵天言佛所示法有度生死耶細
明言无耶梵天言以是因緣當知佛不令世
衆生出生死入涅槃但為度妄想分別生死
涅槃二相者耳此中實无度生死至涅槃者
所以者何諸法平等无有往來生死无入涅
槃尒時世尊讚思益梵天言善哉善哉說諸
法正性應如汝所說說是法時二千比丘不
受諸法漏盡心得解脫佛告梵天我不得生
死不得涅槃如來雖說生死實无有人往來
生死雖說涅槃實无有人得滅度者若有入

BD01888號　思益梵天所問經卷一　（14–10）

受諸法滅盡心得解脫佛告梵天我不得生
死不得涅槃如來雖說生死實无有人往來
生死雖說涅槃實无有人得滅度者若有入
此法門者是人非生死相非滅度相尒時會
中五百比丘從坐而起作是言我等空脩梵
行今實見有滅度者而言无有滅度我等何
用脩道求智慧為
尒時網明菩薩白佛言世尊若有於法生見
則於其人佛不出世世尊若有決定見涅槃
者是人不度生死所以者何涅槃名為除滅
諸相遠離一切動念戲論世尊是諸比丘於
佛正法出家而今墮於外道邪見見涅槃決
定相譬如從麻出油從酪出蘇世尊若人於
諸法滅相中求涅槃者我說是輩皆為增上
慢人世尊正行道者於法不作生不作滅无
得无果網明謂梵天言是五百比丘從坐起
者汝當為作方便引導其心入此法門令得
信解離諸邪見梵天言善男子縱使令去至
恒河沙劫不能得出如此法門譬如癡人畏
於虛空捨空而走在所至處不離虛空此諸
比丘亦復如是雖復遠去不出空相不出无
相相不出无作相又如一人求索虛空東西
馳走言我欲得空我欲得空是人但說虛空
名字而不得空於空中行而不見空此諸比
丘亦復如是求欲求涅槃行涅槃中而不得涅

BD01888號　思益梵天所問經卷一　　（14–11）

馳走言我欲得空我欲得空是人但說虛空
名字而不得空於空中行而不見空此諸比
丘亦復如是求欲求涅槃行涅槃中而不得涅
槃所以者何涅槃者但有名字猶如虛空但
有名字不可得取涅槃亦復如是但有名字
而不可得尒時五百比丘聞說是法不受諸
法漏盡心得解脫得阿羅漢道作是言世尊
若人於諸法畢竟滅相中求涅槃者則於其
人佛不出世世尊我等今者非凡夫非學非
无學不在生死不在涅槃所以者何佛出故
名為遠離一切動念戲論
尒時長老舍利弗謂諸比丘汝今得正智為
已利耶五百比丘言長老舍利弗我等今者
得諸煩惱不可住而住舍利弗言何故說此
諸比丘言知諸煩惱實相故言得諸煩惱涅
槃是无作性我等已證故說不可作而作舍
利弗言善哉善哉汝等今者住於福田能消
供養諸比丘言大師世尊尚不能消諸供養
何況我等舍利弗言何故說此諸比丘言世
尊知見諸法性性常淨故於是思益梵天白
佛言世尊誰應受供養佛告梵天不為世法
之所牽者世尊誰能消供養佛言於法无所
取者世尊誰為世間福田佛言不壞菩提性
者世尊誰為衆生善知識佛言於一切衆生

BD01888號　思益梵天所問經卷一　　（14–12）

取者世尊誰為世間福田佛言不壞菩提性
者世尊誰為衆生善知識佛言於一切衆生
不捨慈心者世尊誰知報佛恩佛言不斷佛
種者世尊誰能供養佛佛言能通達无生際
者世尊誰能親近於佛佛言乃至失命因緣
不毀禁者世尊誰能恭敬於佛佛言善覆六
根者世尊誰名財富佛言成就七財者世尊
誰名知足佛言得出世間智慧者世尊誰為
遠離佛言於三界中无所願者世尊誰為具
足佛言能断一切諸結使者世尊誰為樂人
佛言无貪著者世尊誰无貪著佛言知見五
陰者世尊誰度欲河佛言能捨六入者世尊誰
住彼岸佛言能知諸道平等者世尊何謂菩
薩能為施主佛言菩薩能教衆生一切智心
世尊何謂菩薩能奉禁戒佛言常能不捨菩
提之心世尊何謂菩薩能行忍辱佛言見心
相念念滅世尊何謂菩薩能行精進佛言求
心不得世尊何謂菩薩能行禪定佛言除身
心麁相世尊何謂菩薩能行智慧佛言於一
切法无有戲論世尊何謂菩薩能行慈心佛
言不生衆生想世尊何謂菩薩能行悲心佛
言不生法想世尊何謂菩薩能行喜心佛言
不生我想世尊何謂菩薩能行捨心佛言不
生彼我想世尊何謂菩薩安住於信佛言信
解心淨无濁法世尊何謂菩薩安住於空佛

BD01888號　思益梵天所問經卷一　（14–13）

言不生衆生想世尊何謂菩薩能行悲心佛
言不生法想世尊何謂菩薩能行喜心佛言
不生我想世尊何謂菩薩能行捨心佛言不
生彼我想世尊何謂菩薩安住於信佛言信
解心淨无濁法世尊何謂菩薩安住於空佛
言不著一切語言世尊何謂菩薩名為有慚
佛言知見內法世尊何謂菩薩名為有愧佛
言捨於外法世尊何謂名為菩薩遍行佛言
能淨身口意業尒時世尊而說偈言
若身淨无惡　口淨常實語　心淨常行慈　是菩薩遍行
行慈无貪著　觀不淨无恚　行捨而不癡　是菩薩遍行
若在聚空野　及與處大衆　威儀終不轉　是菩薩遍行
知法名為佛　知離名為法　知无為名僧　是菩薩遍行
知多欲所行　知恚癡所行　善知轉此行　是菩薩遍行
不依止欲界　不住色无色　行如是禪定　是菩薩遍行
信解諸法空　及无相无作　而不盡諸漏　是菩薩遍行
善知聲聞乘　及辟支佛乘　通達於佛乘　是菩薩遍行
明解於諸法　不疑道非道　憎愛心无異　是菩薩遍行

BD01888號　思益梵天所問經卷一　（14–14）

……屌文佛地佛告須
薩善學內空善學外空乃至善學无法有法
空於是諸空无法可住處若須陁洹果斯陁
含阿那含阿羅漢乃至一切種智是諸空〻
空菩薩摩訶薩行如是諸空能入菩薩位中
須菩提白佛言世尊云何菩薩摩訶薩位云
何非位須菩提一切有所得是非菩薩位一
切无所得是菩薩位世尊何等是有所得何
等是无所得須菩提色是有所得受想行識
是有所得眼耳鼻舌身意乃至一切種智有
所得是非菩薩須菩提菩薩位者是諸
可示不可說何等法不可示不可說若色乃
至一切種智何以故須菩提色性是不可示
不可說乃至一切種智性是不可示不可說
須菩提名菩薩位是菩薩位中一切禪定三
昧具足尚不隨禪定三昧力生何況婬怒
癡於中起罪業菩薩但住如幻法中饒益衆
生〻得衆生〻不得幻若无所得時能成就
衆生淨佛國土如是須菩提是名菩薩具足
无相禪波羅蜜乃至能轉法輪所謂不可得
法輪復次須菩提菩薩摩訶薩行如是波羅
蜜知一切法如夢如響如影如炎如幻如化

衆生淨佛國土如是須菩提是名菩薩
无相禪波羅蜜乃至能轉法輪所謂不可得
法輪復次須菩提菩薩摩訶薩行如是波羅
蜜知一切法如夢如響如影如炎如幻如化
須菩提白佛言世尊菩薩摩訶薩云何知一
切法如夢如響如影如炎如幻如化須菩提
菩薩摩訶薩行般若波羅蜜時不見夢不見
見夢者不見響不見聞響者不見影不見見
影者不見炎不見見炎者不見幻不見見幻
者不見化不見見化者何以故是夢響影炎
幻化皆是凡夫愚人顛倒法故阿羅漢不見
夢不見見夢者乃至不見化不見見化者辟
支佛菩薩摩訶薩諸佛〻不見夢〻不見見
夢者乃至不見化〻不見見化者何以故一
切法无所有性不生不定若法无所生不生
不定菩薩摩訶薩當云何行般若波羅蜜是
中生相定相是處不然何以故若諸法少多
有性有生有定不名般若波羅蜜如是須菩
提菩薩摩訶薩行般若波羅蜜不著色乃至
不著識不著欲色无色界不著諸禪解脫三
昧不著四念處乃至八聖道分不著空三昧
无相无作三昧不著檀波羅蜜羼提波羅蜜
毗梨耶波羅蜜禪波羅蜜般若波羅蜜不著故
能具足菩薩初地於初地〻不生著何以故
是菩薩不得是地云何生貪著乃至十地〻
如是是菩薩行般若波羅蜜〻不得般若波
[illegible]

是菩薩不得是地云何生貪著乃至十地亦
如是是菩薩行般若波羅蜜亦不得般若波
羅蜜若行般若波羅蜜等不得般若波羅蜜
是時見一切法皆入般若波羅蜜中亦不得
是法何以故是諸法與般若波羅蜜无二无
別何以故諸法入如法性實際故无分別須
菩提白佛言世尊若諸法无分別云何說是
善是不善是有漏是无漏是世間是出世間
是有為是无為須菩提於汝意云何諸法實
相中有法可說是善是不善乃至是有為是
无為是須陁洹果乃至阿羅漢是辟支佛是
菩薩是阿耨多羅三藐三菩提不世尊不可
訶也須菩提以是因緣故當知一切法无相
无分別不生不定不可示須菩提我今行菩
薩道時亦无有法可得性若色若受想行識
乃至若有為若无為須陁洹果乃至阿耨多
羅三藐三菩提如是須菩提菩薩摩訶薩行
般若波羅蜜從初發意乃至阿耨多羅三藐
三菩提應善學諸法性善學諸法性是名阿
耨多羅三藐三菩提道（行是道）能具足六波羅蜜成
就眾生淨佛國土住是法中得阿耨多羅三藐
三菩提以三乘法度脫眾生亦不著三乘如是
須菩提菩薩摩訶薩以无相法應學般若波
羅蜜
問曰須菩提問佛若諸法无相无分別云何
差別說六波羅蜜佛還荅菩薩住是如夢五
[illegible]

BD01889號　大智度論卷八八　（28–3）

問曰須菩提問佛若諸法无相无分別云何
差別說六波羅蜜佛還荅菩薩住是如夢五
眾中能具足六波羅蜜須菩提以空問佛還
以空荅若此問荅云何得別異荅曰須菩提
問佛若諸法空今眼見菩薩行六波羅蜜作
佛佛荅凡夫人逐實相智慧取相見菩薩行
六波羅蜜作佛者是空法故難菩薩雖住五
眾五眾如幻如夢空法中亦以空心行布施
是故雖行諸法具足波羅蜜不妨於空辟如
雲霧覩則見近之則无所見凡人亦如是遠
實相故見諸佛菩薩近實相故皆空是故不
妨不妨故能於檀波羅蜜一念中具足行諸
善法是人常脩无漏清淨波羅蜜故轉身還
報得无漏波羅蜜報得名更不脩行自然而
得辟如報得眼根自然能見色得是報得无
漏波羅蜜已能變身作无量阿僧祇身於十
方佛所具足聞諸佛甚深法度脫十方眾生
漸漸淨佛國土隨願作佛問曰若諸法空无
相云何得知行檀波羅蜜等各各具足餘波
羅蜜荅曰行者雖不自分別而諸佛菩薩說
其行檀行尸具足諸行如聲聞人入見諦无
漏无相无分別法中如聖人亦數其所入法
知諸法實相所謂无相无相是名正見正見
得力已名為正行是時不惱眾生不作諸惡
是名正語正業正命是時雖无所說亦无所
造而名為正語正業所以者何是名深妙正
[illegible]

BD01889號　大智度論卷八八　（28–4）

如諸法實相所謂无相无相是名正見正見
得力已名為正行是時不惱衆生不作諸惡
是名正語正業正命是時雖无所說々无所
造而名為正語正業所以者何是名深妙正
語正業所謂畢竟不惱衆生故是中發心有
所造作是名精進繫心緣中是名正念攝心
一處是名正定見身受心法實相是名四念
處乃至七覺意々如是於四念處中々如八
直聖道中諸聖人為教菩薩々如是行是无
相檀波羅蜜等諸善法如檀波羅蜜能具足
尸波羅蜜等諸善法如檀波羅蜜尸波羅蜜
等攝諸善法々如是問曰上品中以一波羅
蜜具諸波羅蜜此无相攝一切法有何差別
答曰上以一念中能具諸波羅蜜此以諸法
雖空无相而能具諸波羅蜜為異

第七十七品釋論

須菩提白佛言世尊若諸法如夢如響如影
如炎如幻如化无有實事无所有性自相空
者云何分別是法善是法不善是世間是法
出世間是法有漏是法无漏是法有為是法
无為是法能得須陁洹果能得斯陁含果阿
那含果阿羅漢果能得辟支佛道能得阿耨
多羅三藐三菩提佛告須菩提凡夫愚人得
夢得見夢者乃至得化得見化者起身口意
善業不善業无記業起福業若罪業作不動
業是菩薩摩訶薩行般若波羅蜜住二空中
畢竟空无始空為衆生說法作是言諸衆生

業是菩薩摩訶薩行般若波羅蜜住二空中
畢竟空无始空為衆生說法作是言諸衆生
是色空无所有受想行識空无所有十二入
十八界空无所有色是夢受想行識是夢十
二入十八界是夢色是響是影是炎是幻是
化受想行識々如是十二入十八界是夢是
響是影是炎是幻是化是中无陰入界无夢
々无見夢者无響々无聞響者无影々无見
影者无炎々見炎者无幻々无見幻者无化
々无見化者一切法相本實性无所有汝等
於无陰中見有陰无入見有入无界見有界
是一切法皆從因緣和合生以顛倒心起屬
業果報如等何以故於諸法空无根本中而
取根本根是時菩薩摩訶薩行般若波羅蜜
以方便力故於慳法中拔出衆生教行檀波
羅蜜持是布施功德得大福報拔出教令持
戒持戒功德生天上尊貴處後拔出令住初
禪々功德生梵天處二禪三禪四禪无邊空處
識處无所有處非有想非无想處々如是衆
生行是布施及布施果報持戒及持果報禪
定及禪定果報種種因緣拔出安置无餘涅
槃及涅槃道中所謂四念處四正懃四如意
足五根五力七覺分八聖道分空解脫門无
相无作解脫門八解脫九次第定佛十力四
无所畏四无㝵智十八不共法安隱衆生令
住聖无漏法无色无形无對法中有可得須
陁洹果安隱教化令住須陁洹果得斯陁含

相无作解脫門八解脫九次第定佛十力四
无所畏四无㝵智十八不共法安隱衆生令
住聖无漏法无色无形无對法中有可得須
陁洹果安隱教化令住須陁洹果得斯陁含
果阿那含果阿羅漢果辟支佛道者令住斯
陁含果阿那含果阿羅漢果辟支佛道可得
阿耨多羅三藐三菩提者安隱教化令阿耨
多羅三藐三菩提中須菩提白佛言世尊諸
菩薩摩訶薩是希有難及能行是深般若波
羅蜜諸法无所有性畢竟空无始空而分別
諸法是善是不善是有漏是无漏乃至是有
為是无為佛告須菩提如是如是諸菩薩摩
訶薩甚希有難及能行是深般若波羅蜜諸
法无所有性畢竟空无始空而分別諸法須
菩提汝等若知是菩薩摩訶薩希有難及法
則知一切聲聞辟支佛不能報何况餘人須
菩提白佛言世尊何等是菩薩摩訶薩希有
難及法諸聲聞辟支佛所无有佛告須菩提
一心諦聽有菩薩摩訶薩行般若波羅蜜住
報得六波羅蜜中及報得五神通卅七助道
法住諸陁羅尼諸无㝵智到十方國土可以
布施度者布施攝之可以持戒度者以持戒
攝之可以忍辱精進禪定智慧度者隨其應
而攝取之可以初禪度者以初禪攝之可以
二禪三禪四禪无邊空處无邊識處无所有
處非有想非无想處度者隨其所應而攝取
之可以慈悲喜捨心度者以慈悲喜捨心攝

BD01889號　大智度論卷八八

（28–7）

處非有想非无想處度者隨其所應而攝取
之可以慈悲喜捨心度者以慈悲喜捨心攝
之可以四念處四正懃四如意足五根五力
七覺分八聖道分空三昧无相无作三昧度
者隨而攝之世尊菩薩摩訶薩云何以布施
饒益衆生須菩提菩薩摩訶薩行般若波羅
蜜時布施隨其所須飲食衣服車馬香華瓔
珞種種所須盡給與之若供養佛辟支佛阿
羅漢阿那含斯陁含須陁洹等无異若施正
道中人及凡人下至禽獸皆无分別等一布
施何以故一切法不異不分別故是菩薩无
異无分別布施已當得无分別法報所謂一
切種智須菩提菩薩摩訶薩見乞匄者若生
是心佛是福田我應供養禽獸非福不應供
養是非菩薩法何以故菩薩摩訶薩發阿耨
多羅三藐三菩提心不作是念是衆生應以
布施是不應是衆生布施回緣故生剎利大
姓婆羅門大姓居士家乃至以是布施回緣
以三乘法度之令入无餘涅槃若衆生來從
菩薩乞乞不生異心分別應與是不應與是
何以故是菩薩為是衆生故發阿耨多羅三
藐三菩提心若分別簡擇便墮諸佛菩薩辟
支佛學无學人一切世間天及人呵責處誰
責汝救一切衆生汝為一切衆生舍一切衆
生護一切衆生依而分別簡擇應與不應與
復次菩薩摩訶薩行般若波羅蜜時若人若
非人來[illegible]

BD01889號　大智度論卷八八

（28–8）

貴汝拔一切衆生汝為一切衆生舍一切衆
生護一切衆生依而分別簡擇應與不應與
復次菩薩摩訶薩行般若波羅蜜時若人若
非人來欲求乞菩薩身體支節是時不應生
二心若與若不與何以故是菩薩摩訶薩為
衆生故受身衆生來取何可不與我以饒益
衆生故受是身衆生不乞自應與何况乞而
不與菩薩摩訶薩行般若波羅蜜應如是學
復次須菩提菩薩摩訶薩見有乞者應生是
念是中誰與誰受所施何物是一切法自性
皆不可得以畢竟空故空相法无與无奪何
以故畢竟空故内空外空大空第一義空自
相空故住是諸空布施是時具足檀波羅蜜
具足檀波羅蜜故若斷内外時作是念截我
者誰割我者誰復次須菩提我以佛眼見東
方如恒河沙等諸菩薩摩訶薩入大地獄令
火滅湯冷以三事教化一者神通二者知他
心三者說法是菩薩以神通力令大地獄火
滅湯冷知他心以慈悲喜捨隨意說法是衆
生於菩薩生清淨心從地獄得脫漸以三乘
法得盡苦際南西北方四維上下亦如是復
次須菩提我以佛眼觀十方世界見如恒河
沙等國土中諸菩薩為諸佛給使供給諸佛
隨意愛樂恭敬若諸佛所說盡能受持乃至
阿耨多羅三藐三菩提終不忘失復次須菩
提我以佛眼觀十方如恒河沙等國土中諸
菩薩摩訶薩為畜生故捨其壽命割截身體

BD01889號　大智度論卷八八　（28–9）

隨意愛樂恭敬若諸佛所說盡能受持乃至
阿耨多羅三藐三菩提終不忘失復次須菩
提我以佛眼觀十方如恒河沙等國土中諸
菩薩摩訶薩為畜生故捨其壽命割截身體
分散諸方有衆生食是菩薩肉皆愛敬菩薩
以愛敬故即離畜生道值遇諸佛說法如說
脩行漸以三乘聲聞辟支佛佛法於无餘涅
槃而般涅槃如是須菩提諸菩薩摩訶薩所
益甚多教化衆生令發阿耨多羅三藐三菩
提心如說脩行乃至於无餘涅槃而般涅槃
復次須菩提我以佛眼見十方如恒河沙等
國土中諸菩薩摩訶薩除諸餓鬼飢渴苦是
諸餓鬼皆愛敬菩薩以愛敬得離餓鬼道值
遇諸佛聞諸佛說法如說脩行漸以三乘聲
聞辟支佛佛法而般涅槃如是菩薩摩訶薩
為度衆生故行大慈心復次須菩提我以佛
眼見諸菩薩摩訶薩在四天王說法在卅二
天夜摩兜率陁天化樂天他化自在天王說
法諸天聞菩薩說法漸以三乘而滅度須菩
提是諸天衆中有貪着五欲者是菩薩亦現
火起燒其宮殿而為說法作是言諸天一切
有為法悉皆无常誰得安者復次須菩提我
以佛眼觀十方世界見如恒河沙等國土中
諸梵天着於耶見諸菩薩摩訶薩教令遠離
耶見作是言汝等云何於空相虛妄諸法而
生耶見如是須菩提菩薩摩訶薩住大慈心
為衆生說法須菩提是為諸菩薩希有難及

BD01889號　大智度論卷八八　（28–10）

耶見作是言汝等云何於空相虛妄諸法而
生耶見如是須菩提菩薩摩訶薩住大慈心
為衆生說法須菩提是為諸菩薩希有難及
法復次須菩提我以佛眼觀十方世界如恒
河沙等國土中諸菩薩摩訶薩以四事攝人
何等四布施愛語利益同事云何菩薩布施
攝衆生須菩提以二種施攝取衆生財施法施
何等財施攝取衆生須菩提菩薩摩訶薩以
金銀瑠璃頗梨真珠珂貝珊瑚等諸寶物或以
飲食衣服卧具房舍燈燭華香瓔珞若男
若女若牛羊象馬車乘若以己身給施衆生
諸衆生言汝等若有所須各來取之取以物
莫得疑難是菩薩施已教三歸依佛歸依佛
歸依法歸依僧或教五戒或教一日戒或教
初禪乃至教非有想非无想之教慈悲喜捨
或教念佛念法念僧念捨念戒念天或教不
淨觀或教安那般那觀或相或觸或教四念
處四正懃四如意足五根五力七覺分八聖
道分空三昧无相无作三昧八解脫九次第
定佛十力四无所畏四无㝵智十八不共
法大慈大悲卅二相八十隨形好或教須陀
洹果斯陀含果阿那含果阿羅漢果或教辟
支佛道或教阿耨多羅三藐三菩提如是須
菩提菩薩摩訶薩行般若波羅蜜以方便
力教衆生財施已後教令得无上安隱涅槃
須菩提菩薩摩訶薩希有難及法須菩提菩

BD01889號　大智度論卷八八　（28–11）

菩提菩薩摩訶薩行般若波羅蜜以方便
力教衆生財施已後教令得无上安隱涅槃
須菩提菩薩摩訶薩希有難及法須菩提菩
薩云何以法施攝衆生須菩提法施有二種一
者世間二者出世間何等為世間法教演顯
示世間法所謂不淨觀安那般那念四禪四
无量心四无色定如是等世間法諸餘共凡
夫所行法是名世間法施是菩薩摩訶薩如
是世間法施已種種因緣教化令遠離世間
法以方便力令得聖无漏法果何等是聖无
漏法者卅七助道法三解脫門聖无漏法果
者須陀洹果乃至阿羅漢果辟支佛道阿耨
多羅三藐三菩提復次須菩提菩薩摩訶薩
聖无漏法須陀洹果中智慧乃至阿羅漢果
中智慧辟支佛道中智慧卅七助道法中智
慧六波羅蜜中智慧乃至大慈大悲中智慧
如是等一切法若世間若出世間智慧若有
漏若无漏若有為若无為是中一切種智是
名菩薩摩訶薩聖法何等為聖无漏法果斷
一切煩惱習是名聖問曰上來處處說諸性
法空云何分別有善不善須菩提以從後來
品品中義无異而作種種各問荅曰是事上
已荅復次衆生從无始生死以來着心深難
解故須菩提復作是重問復作是般若波羅
蜜欲說具空義要故數問復次佛在世時衆
生利根易悟佛滅度五百年後像法衆生愛

BD01889號　大智度論卷八八　（28–12）

解故須菩提復作是重問須作是般若波羅
蜜欲說具空義要故數問復次佛在世時衆
生利根易悟佛滅度五百年後像法衆生愛
著佛法隨著法中言若諸法皆空如夢如幻
何以故有善不善是須菩提憐愍未來衆生
鈍根不解故重問世尊若諸法皆空云何分
別有善不善等中佛說因緣凡夫顛倒心故
於法皆作顛倒異見乃至不見一法是實凡
夫於夢得夢者々著夢中所見事々著是人
若不信罪福起三種不善業若信罪福起三
種善業善不善不動善名欲界中善法喜樂
果報不善名憂悲苦惱果報不動名生色无
色界因緣業菩薩如是三種業皆是虛誑不
實住二空中為衆生說法畢竟空破諸法无
始空破衆生住中道為衆生說法所謂五衆
十二入十八界皆是空如夢如幻乃至如化
是法中无夢々无見夢者菩薩語衆生汝等
於空法顛倒心故生諸善如經中廣說是菩
薩方便力故於顛倒中拔衆生著破顛倒譬
如慳貪是顛倒以布施破慳法而衆生著是
布施故為說布施果報无常實空從布施拔
衆生令持戒及持戒果報中拔出衆生語衆
生言天福盡時无常苦惱拔出衆生令離欲
行禪定而為說禪定及果報虛誑不實能令
人墮顛倒中種因緣為說布施持戒禪定无
常過失令住涅槃得涅槃方便所謂四念處

BD01889號　大智度論卷八八　（28–13）

行禪定而為說禪定及果報虛誑不實能令
人墮顛倒中種因緣為說布施持戒禪定无
常過失令住涅槃得涅槃方便所謂四念處
乃至十八不共法令衆生住法中若布施持
戒禪定具足實法則不應令遠離如布施持
戒等破凡夫法此明因緣顛倒而生難少時
益衆生久則變異能生苦惱故々教令捨離
菩薩方便力故先教衆生捨罪稱歎持戒布
施福德復次為說持戒布施々未免无常苦
惱然後為說諸法空但稱讚實法所謂无餘
涅槃是時須菩提歡喜甚希有菩薩能如是
知諸法實相所謂畢竟空而為衆生說法令
至无餘涅槃佛言是一種希有門欲更知菩
薩希有法一切聲聞辟支佛不能報是菩薩
何况餘人須菩提問何等是更希有法佛荅
如經中說問曰經中教令布施持戒禪定令
復更說有何等異荅曰先說生身菩薩令說
變化身先說一國土令說无量國土如是差
別問曰若菩薩知佛是福田衆生非菩薩法
菩薩以何力故能令佛與畜生等荅曰菩薩
以般若波羅蜜力故一切法中脩畢竟空心
是故於一切法无分別如畜生五衆十二入
十八界和合生名為畜生佛々如是從諸善
法和合假名為人若憐愍衆生得无量福德
於佛著心起諸惡因緣得无量罪是故知一
切法畢竟空故不輕畜生不著心貴佛復次

BD01889號　大智度論卷八八　（28–14）

法和合假名為人若憐愍衆生得无量福德
於佛着心起諸惡因緣得无量罪是故知一
切法畢竟空故不輕畜生不著心貴佛復次
諸法實相是一切法无相是无相中不分別
是佛是畜生若分別即是取相是故等觀復
次菩薩有二法門一者畢竟空法門二者分
別好惡法門則得等觀入分別法門諸阿羅
漢辟支佛上不能及佛何況畜生為其輕衆
生不憐愍布施故教不分別問曰菩薩身非
木石云何衆生來割截而不生異心荅曰有
人言菩薩久脩羼提波羅蜜故能不愁惱如
羼提仙人被截手足血皆為乳有人言菩薩
无量世來深脩大慈悲心故雖有割截々不
愁憂譬如草木无有瞋心有人言菩薩深脩
般若波羅蜜轉身得般若波羅蜜果報空心
故了了知空割截身時心々不動如外物不
動內々如是得般若果報故於諸法中无所
分別有人言是菩薩非生死身是出三界法
性生身住无漏聖心果報中故身如木石而
能慈念割截者是菩薩能生如是心故割截
劫奪內外法持其心不動是為菩薩希有法
復次希有法如經中說我以佛眼見十方如
恒河沙等國土菩薩入地獄中令火滅湯冷
以三事教化如經中說問曰若尒者不應有
三惡道荅曰三惡道衆生无邊无量菩薩雖
无邊无量衆生位多无量隨衆生可度因緣
若三惡道中有餘功德者菩薩則度重罪者

BD01889 號　大智度論卷八八　（28–15）

以三事教化如經中說問曰若尒者不應有
三惡道荅曰三惡道衆生无邊无量菩薩雖
无邊无量衆生位多无量隨衆生可度因緣
若三惡道中有餘功德者菩薩則度重罪者
則不見菩薩菩薩一相无分別心故不一一
求負衆生譬如大攸及者得脫不及者則不
蒙問曰若衆生割截菩薩或食其肉應當有
罪云何得度荅曰此菩薩本願若有衆生噉
我肉者當令得度如經中說衆生食菩薩肉
者則生慈心譬如有色者觸人聞見則喜復
有聞見則瞋味々如是有瞋者有起慈心者
如毗摩羅詰經服食者飯七日得道者有不
得者不以噉肉故得度以起發慈心故得免
畜生生善處值佛得度有菩薩於无量阿僧
秖劫深心行慈心外物給施衆生意猶未滿
并自以身布施尒乃足滿如法華經中藥王
菩薩外物珎寶供養佛意猶不滿以身為燈
供養於佛尒乃滿足復次人得外物雖多不
以恩所以者何非所愛重故得其身時乃能
驚感是故以身布施菩薩又為天上諸天說
法如經中廣說人以四事攝之布施愛語利
益同事布施有二事如經中廣說問曰何以
故略說四道而廣說人道中法荅曰三惡道
苦多故衆生少疑若見菩薩大神通希有事
則直信愛着得度諸天有諸天眼故自見罪
福因緣菩薩少現神足則解人以肉眼不見
罪福因緣果報又多著外道耶師及耶見經

BD01889 號　大智度論卷八八　（28–16）

世多故難生少故若見菩薩大神通希有事
則直信愛著得度諸天有諸天眼故自見罪
福因緣菩薩少現神之則餘人以肉眼不見
罪福因緣果報又多著外道耶師及耶見經
書煩惱有二種分一者屬見二者屬愛若但
有一事則不能成大罪三毒人得耶見力能
盡作重惡耶見人得貪欲瞋恚力能大作罪
事如須陀洹雖有三毒无耶見故不作墮三
惡道重罪是故人中多有三毒耶見又眼不
見罪福因緣故難度難度故多說問曰若尒
者於四事中何以多說布施餘三略說答曰
布施中攝三事故以財施法施教化衆生則
无所不攝復次四事中初廣開布施則知餘
三亦如是問曰若尒者何以略說財施而廣
說法施答曰財施少法施廣故所以者何財
施有量果報法施无量果報施欲界繫果報
法施三界繫果報亦是出三界報能與三乘
冨樂法施能與涅槃常樂又財施從法施生
聞法則能施故復次財施果報但冨樂无種
種法施亦有冨樂亦有餘事乃至佛道涅槃
果報以是等因緣故廣說法施二施義如經
中佛自廣說須菩提白佛言世尊若菩薩摩
訶薩一切種智不佛言如是如是須菩提菩
薩摩訶薩得一切種智須菩提言菩薩與佛
有何等異佛言有異菩薩摩訶薩得一切種
智是名為佛所以者何菩薩心與佛心无有
異菩薩住是一切種智中於一切法无不照

薩摩訶薩得一切種智須菩提言菩薩與佛
有何等異佛言有異菩薩摩訶薩得一切種
智是名為佛所以者何菩薩心與佛心无有
異菩薩住是一切種智中於一切法无不照
明是名菩薩摩訶薩世間法施須菩提菩薩
摩訶薩因世間法施得世間法如是須菩提
菩薩摩訶薩教衆生令得世間法以方便力
教令得出世間法須菩提何等是菩薩出世
間法不共凡夫法同所謂四念處四正懃四
如意足五根五力七覺分八聖道分三解脫
門八解脫九次苐定佛十力四无所畏四无
㝵智十八不共法卅二相八十隨形好五百
陁羅尼門是名出世間法須菩提云何為四
念處菩薩摩訶薩觀內身循身觀外身循身
觀內外身循身觀懃精進以一心智慧觀觀
身集因緣觀身集生滅行是道无所依於世
間无所受受心法念處亦如是須菩提云何
為四正懃未生惡不善法為不生故懃生欲
精進已生惡不善法為斷故懃生欲精進未
生善法為生故懃生欲精進生諸善法為增
長脩具足故懃生精進是名四正懃須菩提
云何為四如意足欲三昧斷行成就修如意
足精進三昧心三昧思惟三昧斷成就如意
足云何為五根信根精進根念根定根慧根
云何為五力信力精進力念力定力慧力云
何為七覺分念覺分擇法覺分精進覺分喜
覺分除息覺分定覺分捨覺分云何為八聖

云何為五力信力精進力念力定力慧力云
何為七覺分念覺分擇法覺分精進覺分喜
覺分除息覺分定覺分捨覺分云何為八聖
道分正見正思惟正語正業正命正精進正
念正定云何為三三昧空三昧門无相无作
三昧門云何為空三昧以空行我行攝心是
名空三昧云何為无相三昧以寂滅行離行
攝心是為无相三昧云何為无作三昧无常
行苦行攝心是為无作三昧云何為八解脫
內色相外觀色是初解脫內无色相外觀色
是二解脫淨解脫是三解脫一切色相滅一
切對相不念一切異相故觀无邊虛空入无
邊識處乃至過一切非有想非无想處入滅
受想解脫是名八解脫云何為九次第定行
者離欲惡不善法有覺有觀離生喜樂入初
禪第二禪第三禪第四禪乃至過非有想非
无想處入滅受想盡定是名九次第定云何
為佛十力是處不是處如實知眾生過去未
來現在諸業諸法受知造業處知因緣知報
諸禪定解脫三昧定垢淨分別相如實知知
他眾生諸根上下相知他眾生種種欲解知
世間種種无數性知一切到道相知種種宿
命一世乃至无量劫如實知天眼見眾生乃
至生善惡道漏盡故无漏心解脫如實知是
為佛十力云何為四无所畏佛作誠言我是
一切正智人若有沙門婆羅門若天若魔若

BD01889號　大智度論卷八八　（28–19）

命一世乃至无量劫如實知天眼見眾生乃
至生善惡道漏盡故无漏心解脫如實知是
為佛十力云何為四无所畏佛作誠言我是
一切正智人若有沙門婆羅門若天若魔若
梵若復餘眾如實言是法不知乃至不見是
微畏相以是故我得安隱得无所畏安住聖
主處在大眾中師子吼能轉梵輪諸沙門婆
羅門若天若魔若梵若復餘眾實不能轉一
无畏也佛作誠言我一切漏盡若有沙門婆
羅門若天若魔若梵若復餘眾如實言是漏
不盡乃至不見是微畏相以是故我得安隱
得无所畏安住聖主處在大眾中作師子吼
能轉梵輪諸沙門婆羅門若天若魔若梵若
復餘眾實不能轉二无畏也佛作誠言我說
鄣法若有沙門婆羅門若天若魔若梵若復
餘眾如實言受是法不鄣道乃至不見微畏
相以是故我得安隱得无所畏安住聖主處
在大眾中師子吼能轉梵輪諸沙門婆羅門
若天若魔若梵若復餘眾實不能轉三无所
畏也佛言我所說聖道能出世隨是行能盡
苦若有沙門婆羅門若天若魔若梵若復餘
眾能如實言行是道不能出世間不能盡苦
乃至不見微畏相以是故我得安隱得无所
畏安住聖主處在大眾師子吼能轉梵輪諸
沙門婆羅門若天若魔若梵若復餘眾實不
能轉四无所畏也云何四无㝵智一者義无
㝵智二者法无㝵智三者辭无㝵智四者樂

BD01889號　大智度論卷八八　（28–20）

[illegible]在大衆[illegible]吼能轉梵輪諸
沙門婆羅門若天若魔若梵若復餘衆實不
能轉四无所畏也云何四无导智一者義无
导智二者法无导智三者辭无导智四者樂
說无导智云何為義无导智緣義智慧是為
義无导智云何為法无导智緣法智慧是為
法无导智云何為辭无导智緣辭智慧是為
辭无导智云何為樂說无导智緣樂說智慧
是為樂說无导智云何十八不共法一諸佛
身无失三念无失四无異想五无定心六无
不知捨心七欲无減八精進无減九念无減
十慧无減十一解脫无減十二解脫知見无
減十三一切身業隨智慧行十四一切口業
隨智行十五一切意業隨智慧行十六智慧
知過去世无导十七智慧知未來世无导十
八智慧知現在世无导云何卅二相一者足
下安平立如匳底二者足下千輻輞輪輪相
具足三者手足指長勝於餘人四者手足柔
濡勝餘身分五者足根廣具足滿好六者手
足指合縵勝於餘人七者足趺高平好與跟
相稱八者伊尼延鹿膊膊好如伊尼延鹿王
九者平住滿手摩膝十者陰藏相如馬王象
王十一者身縱擴等如尼拘盧樹十二者一
一孔一毛生色青柔濡而右旋十三者毛上
向青色柔濡而右旋十四者金色相色微妙
勝閻浮提金十五者身光面一丈十六者皮
薄細滑不受塵垢不受蚊蜹十七者七處滿

BD01889號　大智度論卷八八　（28–21）

一孔一毛生色青柔濡而右旋十三者毛上
向青色柔濡而右旋十四者金色相色微妙
勝閻浮提金十五者身光面一丈十六者皮
薄細滑不受塵垢不受蚊蜹十七者七處滿
足下滿手中滿肩上項中背滿字相分明十
八者滿掖下滿十九者上身如師子廿者身
廣端直廿一者肩圓好廿二者卌齒廿三者
齒白齊密而根深廿四者牙最白而大廿五
者方頰車如師子廿六者味中得上味咽中
二處津液流出廿七者舌大薄滿能覆面至
耳髮際廿八者梵音深遠如迦蘭頻伽聲廿
九者眼色如金精卅者眼睫如牛王卅一者
眉間白毫相濡白如兜羅綿卅二者頂髮肉
骨成是卅二相相佛身成就光明遍照三千
國大千國土若欲廣照則遍滿十方无量阿
僧秖國土為衆生故受丈光若放无量光則
无日月時節歲數佛音聲遍滿三千大千國
土若欲大聲則滿十方无量阿僧秖國土隨
衆生多少音聲通至問曰經中須菩提何以
故言菩薩得一切種智不荅曰須菩提意若
菩薩得一切種智則不名菩薩云何未得佛
而能得一切種智一切種智故名為佛若先
作佛何用一切種智為佛荅今得一切種智
名為菩薩已得一切種智名為佛菩薩時具
足佛因緣生心故得一切種智得已名為佛
真實言之菩薩不得佛亦不得所以者何菩

BD01889號　大智度論卷八八　（28–22）

故為菩薩已得一切種智名為佛菩薩時具
足佛因緣生心故得一切種智得已名為佛
真實言之菩薩不得佛亦不得所以者何菩
薩未得佛已得竟更不復得世俗法故說菩
薩今得佛得已竟第一義中則无一切法何
況佛及菩薩又經中言佛心不異菩薩心菩
薩心不異佛心次第相續不斷故後二心如
无異无分別問曰九次第定卅二相八十隨
形好此是世間共有法何以故名為出世間
不共法答曰四禪四无色定滅受想名九次
滅受想定但聖人能得四禪四无色定從初
禪起更不離餘心而入二禪後從二禪乃至
滅受想定念念中更不離餘心名為次第凡
夫是罪人鈍根云何得卅二相如轉輪聖王
提婆達難陀所得相名字雖同而威德不具
足淨潔得處則不同是相聖王无漏法果報
故自在隨意无量无邊轉輪聖王等相是福
德業因緣不能自在有量有限復次提婆達
難陀有卅二相无卅二轉輪聖王雖有卅二
无威德不具足又得處與愛等煩惱習俱八
十隨形好具足唯佛菩薩有之餘人亦可有
少許或指纖長或尖腹有如是等无威德之
好不足言是故說言出世間不共凡夫法无
答問曰從初來處處說諸法五衆乃至一切
種智不說是卅二相八十隨形好今經欲竟
何以品品中說答曰佛有二種身法身生身
於二身中法身為大法身大所益多故上來

BD01889號　大智度論卷八八　（28–23）

種智不說是卅二相八十隨形好今經欲竟
何以品品中說答曰佛有二種身法身生身
於二身中法身為大法身大所益多故上來
廣說今經欲竟故生身義應當說是故今說
復次此生身相好莊嚴是聖无漏法果報今
次第說上雜諸波羅蜜說四念處等諸法義
如先說十力等是佛法甚深義今當略說問
曰佛十力者若總相說則一力所謂一切種
智力若別相說則千万億種力隨法為名今
何以但說十力答曰佛實相有无量智力但
以衆生不能得行故不說是十力可度衆生
事辦所以者何佛用是處非處力定知一切
法中因果所謂行惡業隨惡道有是處行惡
業生天上无是處善亦如是不離五蓋不脩
七覺得道者无有是處離五蓋脩七覺得道
有是處餘无力盡入此力中佛以此力籌量
十方六道中衆生可度者以種種因緣神通
變化而度脫之不可度者於此人中脩捨心
譬如良醫觀其病相審定知其可治則治之
不可治者則捨之度衆生方便者所謂二力
業力定力求其業因緣生處人以業因緣故
受身轉著世間禪定因緣故得解脫行者必
應求告從何生由何滅是故用二力業力有
分一者淨業能斷惡業二者垢業淨業禪定
解脫諸三昧不淨業者能於三界中受身人
有二種鈍根為受身故作業利根為滅身故
作業問曰若爾者何以不皆令作淨業答曰

BD01889號　大智度論卷八八　（28–24）

解脫諸三昧不淨業者能於三界中受身人
有二種鈍根為受身故作業利根為滅身故
作業問曰若命者何以不皆令作淨業答曰
以衆生根有利根故問曰衆生何因緣故有
利鈍答曰以有種種欲力故惡欲衆生常入
惡欲故鈍根欲衆生名嗜好嗜好罪事生惡
業故鈍根善欲者樂道脩助道法故利問曰
衆生何以不皆作善欲答曰是故佛說世間
種種惡性善性惡性者惡欲惡欲故鈍根如
火熱性水溼性不應憤其所以問曰惡欲即
是惡性有何差別而作二力答曰性先有欲
得因緣而生譬如先有創得觸因緣則血出
性在內欲在外性重欲輕性難除欲易捨性
深欲淺用性作業必當受報用作業必不受
報有如是等差別復有人言欲常脩增長遂
成為性性々能生欲是人若今世若後世常
習是欲則成為性住是性中作惡作善若作
善性則可度若作惡性則不可度佛既知衆
生二種性已知其果報善道惡惡種種差別
惡性者墮三惡道善性者有四種道人天阿
脩羅涅槃道問曰一切到處道力與天眼力
有何差別答曰天眼但見生死時此中未死
時知見因知果天眼見現在罪福果是名一
切到處道力問曰聲聞辟支佛々得涅槃々
能化衆生何以无是力答曰是故說後三力
三世中衆生事盡能通達遍知以宿命力一

BD01889號　大智度論卷八八　　（28–25）

能化衆生何以无是力答曰是故說後三力
三世中衆生事盡能通達遍知以宿命力一
切衆生過去事本末志知以天眼生死智力
故一切衆生未來世中无量事盡能遍知作
是知已知現在世中衆生可度者為漏盡法
以是故但佛有此力二乘所无如有一人即
日應得阿羅漢道舍利弗日中時語言汝无
得道因緣捨而不度晡時佛以宿命神通見
過去八万劫前得道因緣令應成就晡時說
法即得阿羅漢復次佛以初力知衆生可度
相不可度相以第二力知衆生為三鄣所覆
无覆者以第三力知衆生禪定解脫淨不淨
者以第四力知衆生根有利鈍能通法性不
通者以第五力知衆生利根因緣善惡欲以
第六力知二欲因緣種種性以第七力知衆
生利鈍根善惡欲界報處七種道以第八力
知衆生宿命善惡業鄣以第九力知衆生未
可度未來世生處可度以第十力知是人以
空脫門入涅槃无相无作解脫入涅槃知是
人於見諦道思惟道中念念中斷若干結使
以是十力籌量衆生所應度因緣而為說法
是故說法初无空言問曰佛智慧无量身相
々應无量又佛身諸天王何以正與轉輪聖
王同有卅二相答曰卅二相不多不少義如
先說復次有人言佛菩薩相不定如此中說
隨衆生所好可以引導其心者為現又衆生

BD01889號　大智度論卷八八　　（28–26）

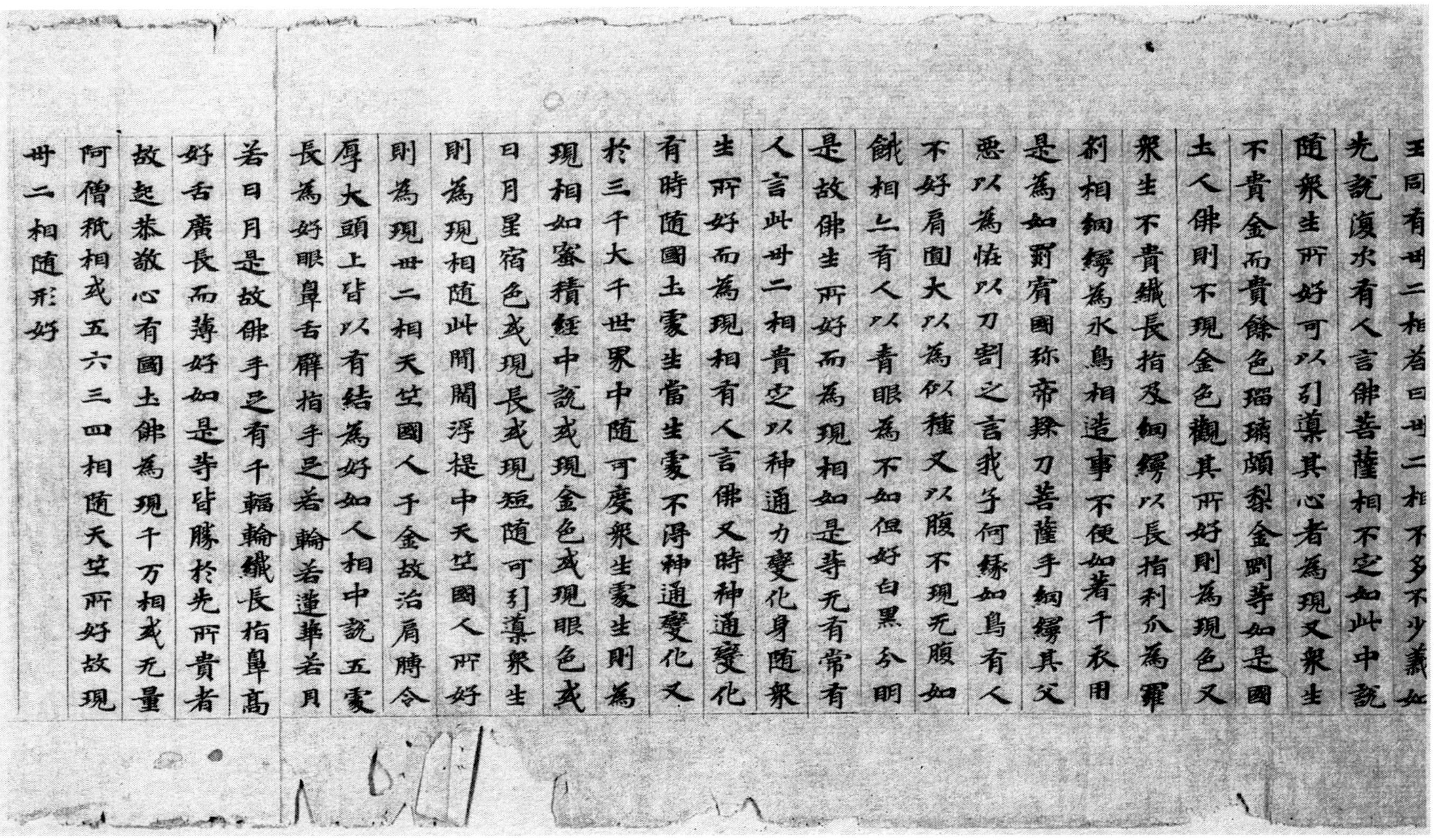
王同有卅二相若曰卅二相不多不少義如
先說復次有人言佛菩薩相不定如此中說
隨衆生所好可以引導其心者爲現又衆生
不貴金而貴餘色瑠璃頗梨金剛等如是國
土人佛則不現金色觀其所好則爲現色又
衆生不貴纖長指及網縵以長指利爪爲羅
剎相網縵爲水鳥相造事不便如著手衣用
是爲如罽賓國弥帝隸刀菩薩手網縵其父
惡以爲恠以刀割之言我子何緣如鳥有人
不好肩圓大以爲似種又以腹不現无腹如
餓相ㄑ有人以青眼爲不如但好白黑分明
是故佛生所好而爲現相如是等无有常有
人言此卅二相貴定以神通力變化身隨衆
生所好而爲現相有人言佛又時神通變化
有時隨國土衆生當生處不得神通變化又
於三千大千世界中隨可度衆生處生則爲
現相如密積經中說或現金色或現眼色或
日月星宿色或現長或現短隨可引導衆生
則爲現相隨此閻浮提中天竺國人所好
則爲現卅二相天竺國人于金故治肩髆令
厚大頭上皆以有結爲好如人相中說五處
長爲好眼鼻舌髀指手足若輪若蓮華若貝
若日月是故佛手足有千輻輪纖長指鼻高
好舌廣長而薄好如是等皆勝於先所貴者
故起恭敬心有國土佛爲現千万相或无量
阿僧祇相或五六三四相隨天竺所好故現
卅二相隨形好

BD01889號　大智度論卷八八　（28–27）

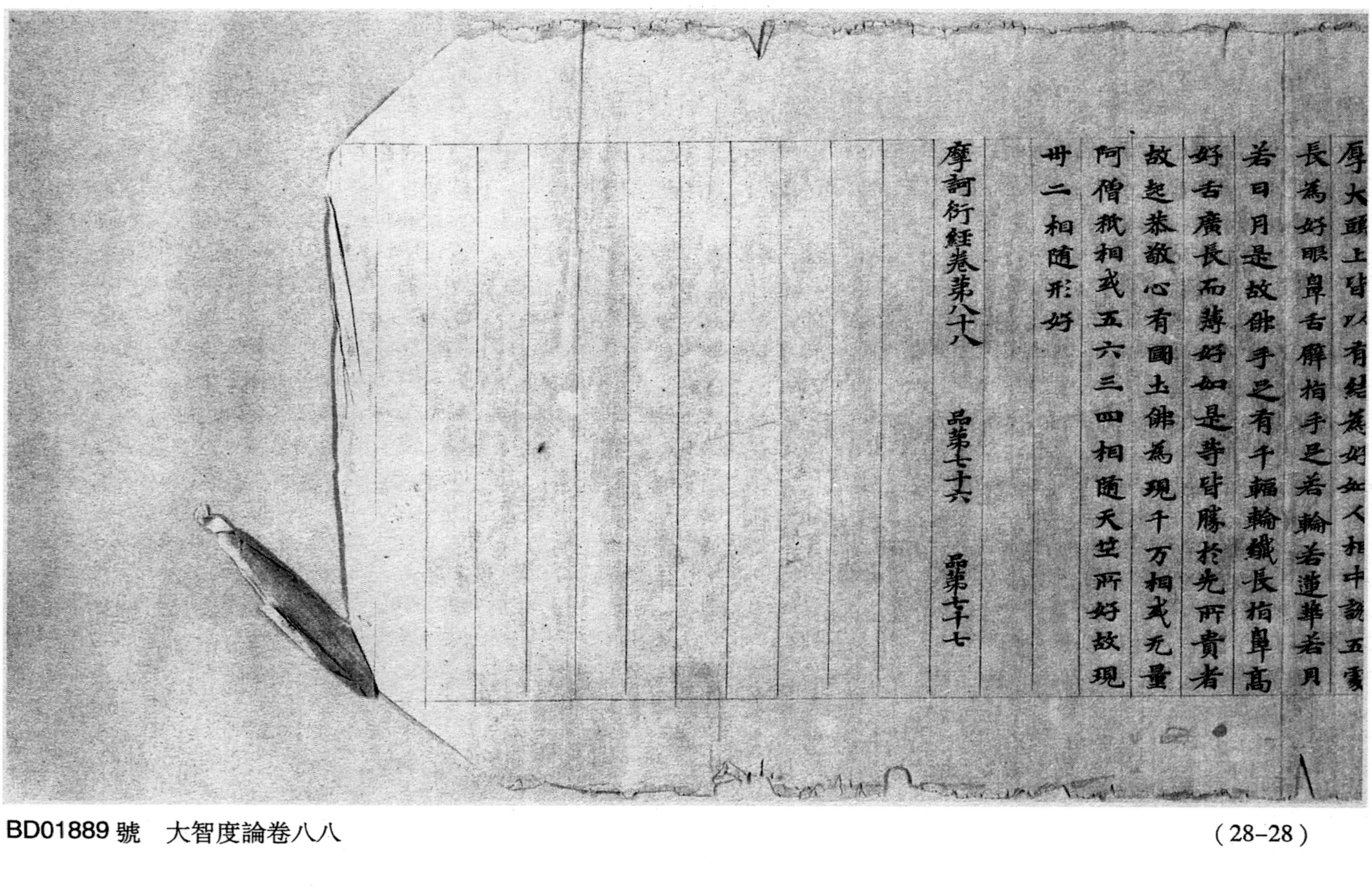
厚大頭上皆以有結爲好如人相中說五處
長爲好眼鼻舌髀指手足若輪若蓮華若貝
若日月是故佛手足有千輻輪纖長指鼻高
好舌廣長而薄好如是等皆勝於先所貴者
故起恭敬心有國土佛爲現千万相或无量
阿僧祇相或五六三四相隨天竺所好故現
卅二相隨形好
摩訶衍經卷苐八十八　品第七十六　品第七十七

BD01889號　大智度論卷八八　（28–28）

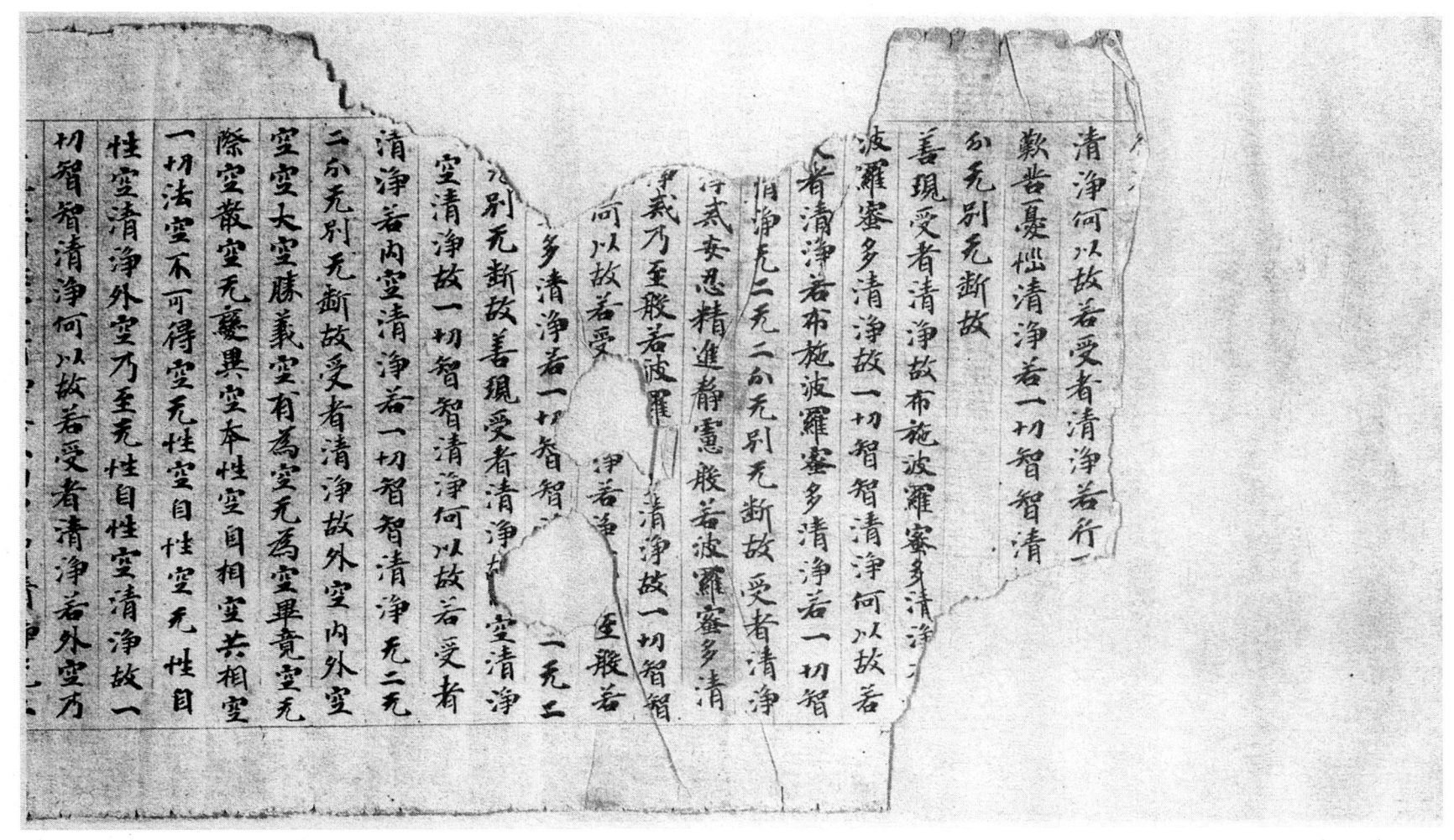

清淨何以故若受者清淨若行一
歎苦憂惱清淨若一切智智清
分无別无斷故
善現受者清淨故布施波羅蜜多清淨
波羅蜜多清淨故一切智智清淨何以故若
者清淨若布施波羅蜜多清淨若一切智
淨无二无二分无別无斷故受者清淨
戒安忍精進靜慮般若波羅蜜多清
淨戒乃至般若波羅[illegible]清淨故一切智智
何以故若受[illegible]淨若[illegible]至般若
多清淨若一切智智[illegible]二无二
別无斷故善現受者清淨[illegible]空清淨
空清淨故一切智智清淨何以故若受者
清淨若內空清淨若一切智智清淨无二无
二分无別无斷故受者清淨故外空內外空
空空大空勝義空有爲空无爲空畢竟空无
際空散空无變異空本性空自相空共相空
一切法空不可得空无性空自性空无性自
性空清淨外空乃至无性自性空清淨故一
切智智清淨何以故若受者清淨若外空乃

BD01890號　大般若波羅蜜多經卷二〇〇　（7–1）

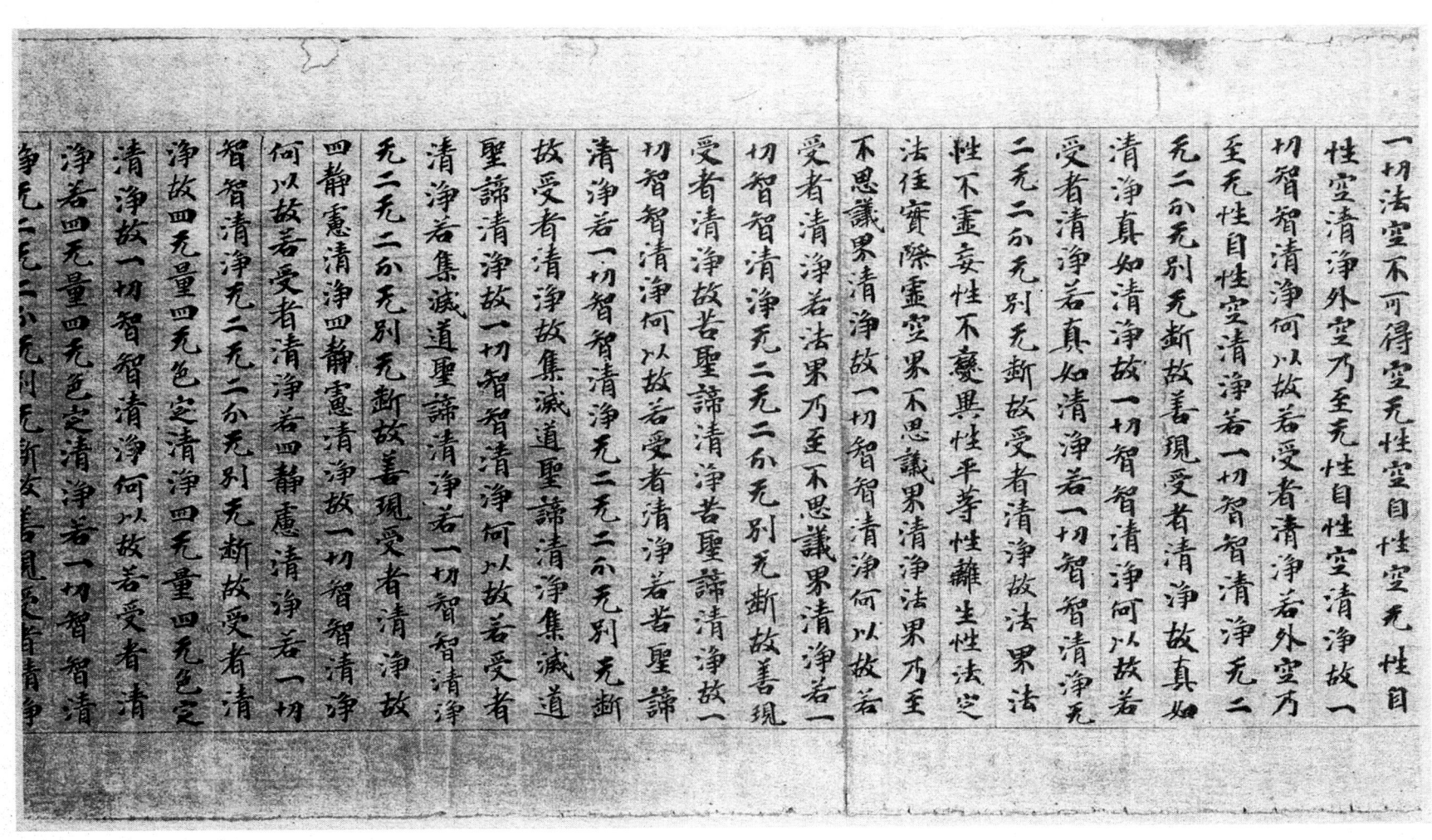

一切法空不可得空无性空自性空无性自
性空清淨外空乃至无性自性空清淨故一
切智智清淨何以故若受者清淨若外空乃
至无性自性空清淨若一切智智清淨无二
无二分无別无斷故善現受者清淨故真如
清淨真如清淨故一切智智清淨何以故若
受者清淨若真如清淨若一切智智清淨无
二无二分无別无斷故受者清淨故法界法
性不虛妄性不變異性平等性離生性法定
法住實際虛空界不思議界清淨法界乃至
不思議界清淨故一切智智清淨何以故若
受者清淨若法界乃至不思議界清淨若一
切智智清淨无二无二分无別无斷故善現
受者清淨故苦聖諦清淨苦聖諦清淨故一
切智智清淨何以故若受者清淨若苦聖諦
清淨若一切智智清淨无二无二分无別无斷
故受者清淨故集滅道聖諦清淨集滅道
聖諦清淨故一切智智清淨何以故若受者
清淨若集滅道聖諦清淨若一切智智清淨
无二无二分无別无斷故善現受者清淨故
四靜慮清淨四靜慮清淨故一切智智清淨
何以故若受者清淨若四靜慮清淨若一切
智智清淨无二无二分无別无斷故受者清
淨故四无量四无色定清淨四无量四无色定
清淨故一切智智清淨何以故若受者清
淨若四无量四无色定清淨若一切智智清

BD01890號　大般若波羅蜜多經卷二〇〇　（7–2）

清淨故一切智智清淨何以故若受者清
淨若四无量四无色定清淨若一切智智清
淨无二无二分无別无斷故善現受者清淨
故八解脫清淨八解脫清淨故一切智智清
淨何以故若受者清淨若八解脫清淨若一
切智智清淨无二无二分无別无斷故受者
清淨故八勝處九次第定十遍處清淨八勝
處九次第定十遍處清淨故一切智智清淨
何以故若受者清淨若八勝處九次第定十
遍處清淨若一切智智清淨无二无二分无
別无斷故善現受者清淨故四念住清淨四
念住清淨故一切智智清淨何以故若受者
清淨若四念住清淨若一切智智清淨无二
无二分无別无斷故受者清淨故四正斷四
神足五根五力七等覺支八聖道支清淨四
正斷乃至八聖道支清淨故一切智智清淨
何以故若受者清淨若四正斷乃至八聖道
支清淨若一切智智清淨无二无二分无別
无斷故善現受者清淨故空解脫門清淨空
解脫門清淨故一切智智清淨何以故若受
者清淨若空解脫門清淨若一切智智清淨
无二无二分无別无斷故受者清淨故无相
无願解脫門清淨无相无願解脫門清淨故
一切智智清淨何以故若受者清淨若无相
无願解脫門清淨若一切智智清淨无二无
二分无別无斷故善現受者清淨故菩薩十

BD01890號　大般若波羅蜜多經卷二〇〇　（7–3）

一切智智清淨何以故若受者清淨若无相
无願解脫門清淨若一切智智清淨无二无
二分无別无斷故善現受者清淨故菩薩十
地清淨菩薩十地清淨故一切智智清淨何
以故若受者清淨若菩薩十地清淨若一切
智智清淨无二无二分无別无斷故
善現受者清淨故五眼清淨五眼清淨故一
切智智清淨何以故若受者清淨若五眼清
淨若一切智智清淨无二无二分无別无斷
故受者清淨故六神通清淨六神通清淨故
一切智智清淨何以故若受者清淨若六神
通清淨若一切智智清淨无二无二分无別
无斷故善現受者清淨故佛十力清淨佛十
力清淨故一切智智清淨何以故若受者清
淨若佛十力清淨若一切智智清淨无二无
二分无別无斷故受者清淨故四无所畏四
无礙解大慈大悲大喜大捨十八佛不共法
清淨四无所畏乃至十八佛不共法清淨故
一切智智清淨何以故若受者清淨若四无
所畏乃至十八佛不共法清淨若一切智智
清淨无二无二分无別无斷故善現受者清
淨故无忘失法清淨无忘失法清淨故一切
智智清淨何以故若受者清淨若无忘失法
清淨若一切智智清淨无二无二分无別无
斷故受者清淨故恒住捨性清淨恒住捨性
清淨故一切智智清淨何以故若受者清淨
若恒住捨性清淨若一切智智清淨无二无

BD01890號　大般若波羅蜜多經卷二〇〇　（7–4）

斷故受者清淨故恒住捨性清淨恒住捨性
清淨故一切智智清淨何以故若受者清淨
若恒住捨性清淨若一切智智清淨无二无
二分无別无斷故善現受者清淨故一切智
清淨一切智清淨故一切智智清淨何以故
若受者清淨若一切智清淨若一切智智清
淨无二无二分无別无斷故受者清淨故道
相智一切相智清淨道相智一切相智清淨
故一切智智清淨何以故若受者清淨若道
相智一切相智清淨若一切智智清淨无二无
二分无別无斷故善現受者清淨故一切陁
羅尼門清淨一切陁羅尼門清淨故一切智
智清淨何以故若受者清淨若一切陁羅尼
門清淨若一切智智清淨无二无二分无別
无斷故受者清淨故一切三摩地門清淨一
切三摩地門清淨故一切智智清清何以故
若受者清淨若一切三摩地門清淨若一切
智智清淨无二无二分无別无斷故
善現受者清淨故預流果清淨預流果清淨
故一切智智清淨何以故若受者清淨若預
流果清淨若一切智智清淨无二无二分无
別无斷故受者清淨故一來不還阿羅漢果
清淨一來不還阿羅漢果清淨故一切智智
清淨何以故若受者清淨若一來不還阿羅
漢果清淨若一切智智清淨无二无二分无
別无斷故善現受者清淨故獨覺菩提清淨
獨覺菩提清淨故一切智智清淨何以故若

BD01890號　大般若波羅蜜多經卷二〇〇　（7–5）

漢果清淨若一切智智清淨无二无二分无
別无斷故善現受者清淨故獨覺菩提清淨
獨覺菩提清淨故一切智智清淨何以故若
受者清淨若獨覺菩提清淨若一切智智清
淨无二无二分无別无斷故善現受者清淨
故一切菩薩摩訶薩行清淨一切菩薩摩訶
薩行清淨故一切智智清淨何以故若受者
清淨若一切菩薩摩訶薩行清淨若一切智
智清淨无二无二分无別无斷故善現受者
清淨故諸佛无上正等菩提清淨諸佛无上
正等菩提清淨故一切智智清淨何以故若
受者清淨若諸佛无上正等菩提清淨若一
切智智清淨无二无二分无別无斷故
復次善現知者清淨故色清淨色清淨故一
切智智清淨何以故若知者清淨若色清淨
若一切智智清淨无二无二分无別无斷故
知者清淨故受想行識清淨受想行識清
淨故一切智智清淨何以故若知者清淨若受
想行識清淨若一切智智清淨无二无二分
无別无斷故善現知者清淨故眼處清淨眼
處清淨故一切智智清淨何以故若知者清
淨若眼處清淨若一切智智清淨无二无二
分无別无斷故知者清淨故耳鼻舌身意處
清淨耳鼻舌身意處清淨故一切智智清淨
何以故若知者清淨若耳鼻舌身意處清淨
若一切智智清淨无二无二分无別无斷故
善現知者清淨故色處清淨色處清淨故

BD01890號　大般若波羅蜜多經卷二〇〇　（7–6）

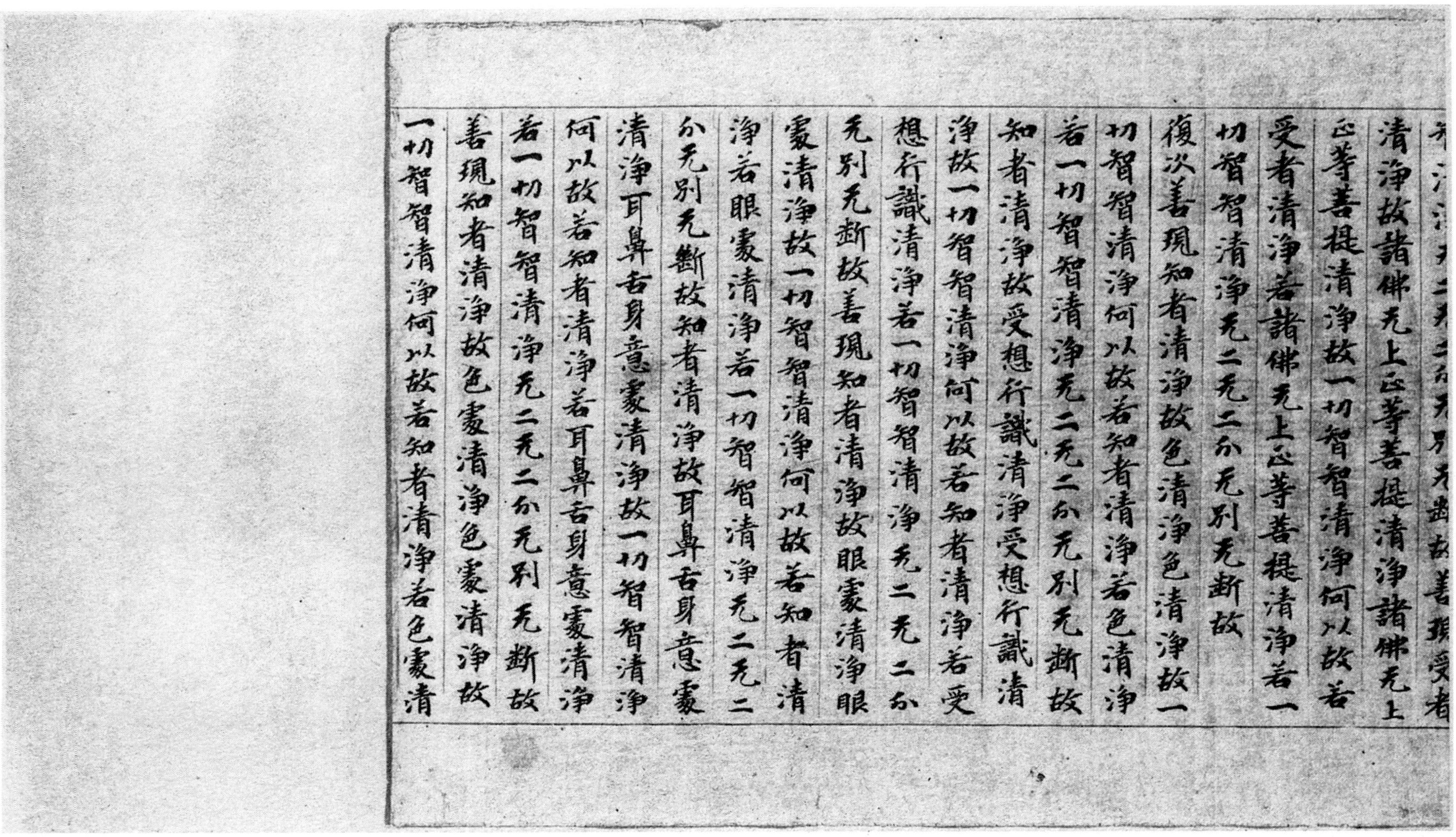

[illegible]无二无二分无別无斷故善現受者
清淨故諸佛无上正等菩提清淨諸佛无上
正等菩提清淨故一切智智清淨何以故若
受者清淨若諸佛无上正等菩提清淨若一
切智智清淨无二无二分无別无斷故
復次善現知者清淨故色清淨色清淨故一
切智智清淨何以故若知者清淨若色清淨
若一切智智清淨无二无二分无別无斷故
知者清淨故受想行識清淨受想行識清
淨故一切智智清淨何以故若知者清淨若受
想行識清淨若一切智智清淨无二无二分
无別无斷故善現知者清淨故眼處清淨眼
處清淨故一切智智清淨何以故若知者清
淨若眼處清淨若一切智智清淨无二无二
分无別无斷故知者清淨故耳鼻舌身意處
清淨耳鼻舌身意處清淨故一切智智清淨
何以故若知者清淨若耳鼻舌身意處清淨
若一切智智清淨无二无二分无別无斷故
善現知者清淨故色處清淨色處清淨故
一切智智清淨何以故若知者清淨若色處清

BD01890號　大般若波羅蜜多經卷二〇〇　（7–7）

BD01890號背　勘記　（1–1）

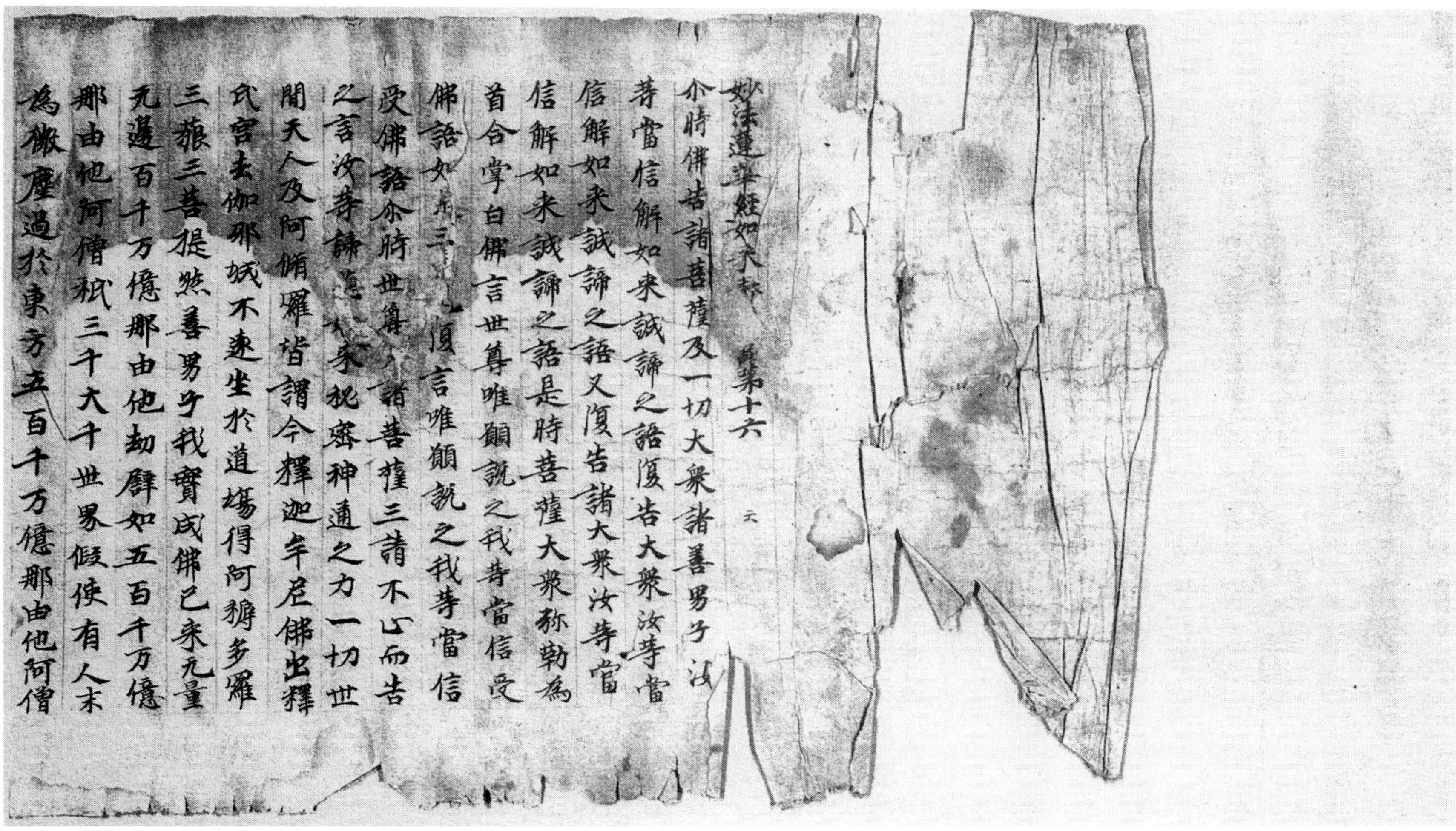

妙法蓮華經如來壽量品第十六
尒時佛告諸菩薩及一切大衆諸善男子汝
等當信解如來誠諦之語復告大衆汝等當
信解如來誠諦之語又復告諸大衆汝等當
信解如來誠諦之語是時菩薩大衆弥勒為
首合掌白佛言世尊唯願說之我等當信受
佛語如是三白已復言唯願說之我等當信
受佛語尒時世尊知諸菩薩三請不止而告
之言汝等諦聽如來祕密神通之力一切世
間天人及阿脩羅皆謂今釋迦牟尼佛出釋
氏宮去伽耶城不遠坐於道場得阿耨多羅
三藐三菩提然善男子我實成佛已來无量
无邊百千万億那由他劫譬如五百千万億
那由他阿僧祇三千大千世界假使有人末
為微塵過於東方五百千万億那由他阿僧

BD01891 號　妙法蓮華經（八卷本）卷六　（6–1）

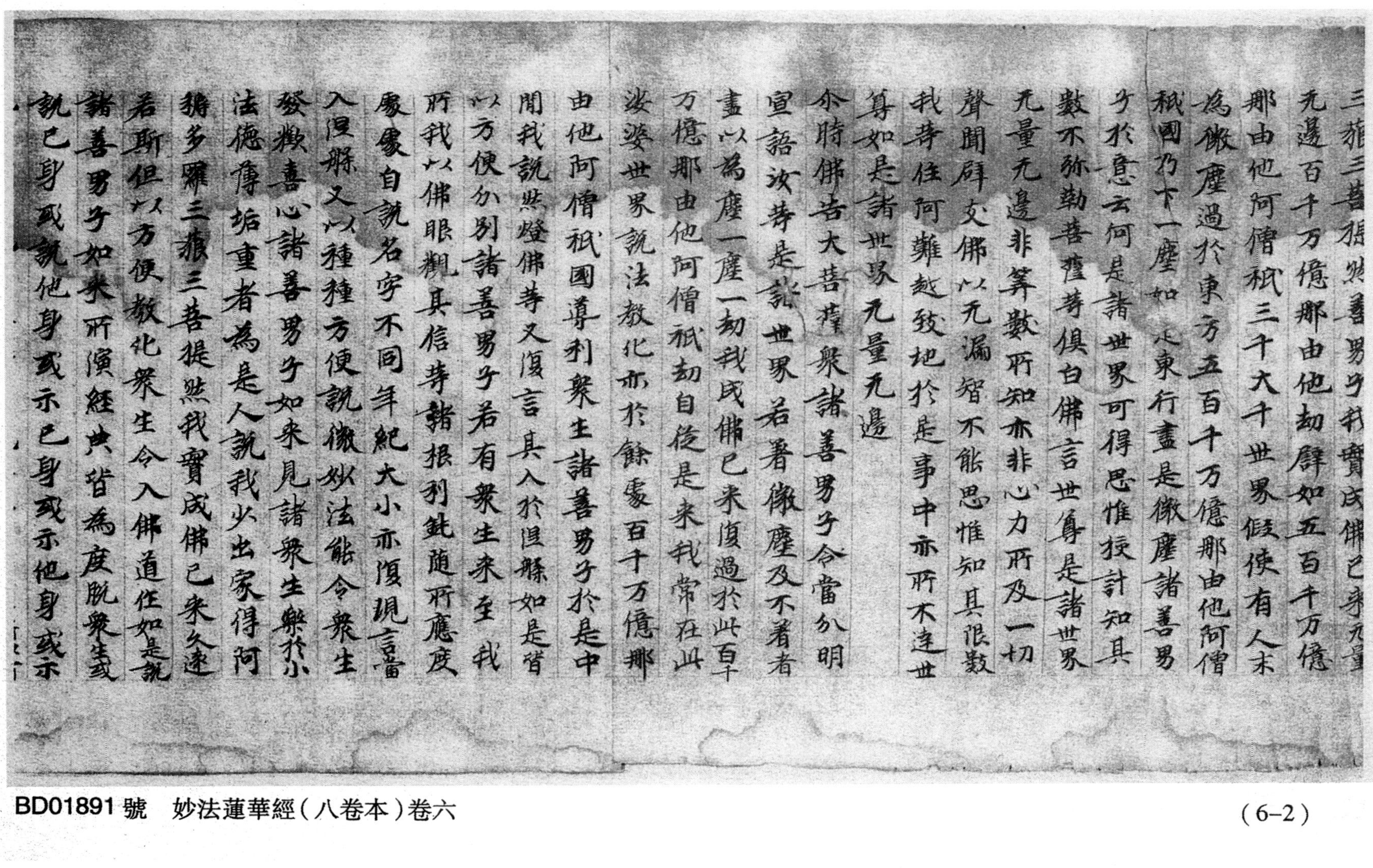

三藐三菩提然善男子我實成佛已來无量
无邊百千万億那由他劫譬如五百千万億
那由他阿僧祇三千大千世界假使有人末
為微塵過於東方五百千万億那由他阿僧
祇國乃下一塵如是東行盡是微塵諸善男
子於意云何是諸世界可得思惟挍計知其
數不弥勒菩薩等俱白佛言世尊是諸世界
无量无邊非筭數所知亦非心力所及一切
聲聞辟支佛以无漏智不能思惟知其限數
我等住阿鞞跋致地於是事中亦所不達世
尊如是諸世界无量无邊
尒時佛告大菩薩衆諸善男子今當分明
宣語汝等是諸世界若著微塵及不著者
盡以為塵一塵一劫我成佛已來復過於此百千
万億那由他阿僧祇劫自從是來我常在此
娑婆世界說法教化亦於餘處百千万億那
由他阿僧祇國導利衆生諸善男子於是中
間我說然燈佛等又復言其入於涅槃如是皆
以方便分別諸善男子若有衆生來至我
所我以佛眼觀其信等諸根利鈍隨所應度
處處自說名字不同年紀大小亦復現言當
入涅槃又以種種方便說微妙法能令衆生
發歡喜心諸善男子如來見諸衆生樂於小
法德薄垢重者為是人說我少出家得阿
耨多羅三藐三菩提然我實成佛已來久遠
若斯但以方便教化衆生令入佛道作如是說
諸善男子如來所演經典皆為度脫衆生或
說己身或說他身或示己身或示他身或示

BD01891 號　妙法蓮華經（八卷本）卷六　（6–2）

耨多羅三藐三菩提然我實成佛已來久遠
若斯但以方便教化衆生令入佛道作如是說
諸善男子如來所演經典皆為度脫衆生或
說己身或說他身或示己身或示他身或示
己事或示他事諸所言說皆實不虛所以
者何如來如實知見三界之相无有生死若退
若出亦无在世及滅度者非實非虛非如非
異不如三界見於三界如斯之事如來明見
无有錯謬以諸衆生有種種性種種欲種種
行種種憶想分別故欲令生諸善根以若干
因緣譬喻言辭種種說法所作佛事未曾暫
廢如是我成佛已來甚大久遠壽命无量阿
僧祇劫常住不滅諸善男子我本行菩薩道
時所成壽命今猶未盡復倍上數然今非實
滅度而便唱言當取滅度如來以是方便教化
衆生所以者何若佛久住於世薄德之人不種
善根貧窮下賤貪著五欲入於憶想妄見
網中若見如來常在不滅便起憍恣而懷厭
怠不能生難遭之想恭敬之心是故如來以
方便說比丘當知諸佛出世難可值遇所以者
何諸薄德人過无量百千万億劫或有見佛
或不見者以此事故我作是言諸比丘如來難
可得見斯衆生等聞如是語必當生於難遭
之想心懷戀慕渴仰於佛便種善根是故如
來雖不實滅而言滅度又善男子諸佛如來
法皆如是為度衆生皆實不虛譬如良醫
智慧聰達明練方藥善治衆病其人多諸子
息若十二十乃至百數以有事緣遠至餘國

BD01891號　妙法蓮華經（八卷本）卷六　（6–3）

法皆如是為度衆生皆實不虛譬如良醫
智慧聰達明練方藥善治衆病其人多諸子
息若十二十乃至百數以有事緣遠至餘國
諸子於後飲他毒藥藥發悶亂宛轉于地是
時其父還來歸家諸子飲毒或失本心或不
失者遙見其父皆大歡喜拜跪問訊善安隱
歸我等愚癡誤服毒藥願見救療更賜壽命
父見子等苦惱如是依諸經方求好藥草色
香美味皆悉具足擣篩和合與子令服而作
是言此大良藥色香美味皆悉具足汝等可
服速除苦惱无復衆患其諸子中不失心者
見此良藥色香俱好即便服之病盡除愈餘
失心者見其父來雖亦歡喜問訊求索治病
然與其藥而不肯服所以者何毒氣深入失本
心故於此好色香藥而謂不美父作是念此
子可愍為毒所中心皆顛倒雖見我喜求
索救療如是好藥而不肯服我今當設方便
令服此藥即作是言汝等當知我今衰老死
時已至是好良藥今留在此汝可取服勿憂
不差作是教已復至他國遣使還告汝父已
死是時諸子聞父背喪心大憂惱而作是念
若父在者慈愍我等能見救護今者捨我遠
喪他國自惟孤露无復恃怙常懷悲感心遂
醒悟乃知此藥色味香美即取服之毒病皆
愈其父聞子悉已得差尋便來歸咸使見之
諸善男子於意云何頗有人能說此良醫虛
妄罪不不也世尊佛言我亦如是成佛已來

BD01891號　妙法蓮華經（八卷本）卷六　（6–4）

諸善男子於意云何頗有人能說此良醫虛
妄罪不不也世尊佛言我亦如是成佛已來
无量无邊百千万億那由他阿僧祇劫為衆
生故以方便力言當滅度亦无有能如法說
我虛妄過者尒時世尊欲重宣此義而說
偈言
自我得佛來　所經諸劫數　无量百千万　億載阿僧祇
常說法教化　无數億衆生　令入於佛道　尒來无量劫
為度衆生故　方便現涅槃　而實不滅度　常住此說法
我常住於此　以諸神通力　令顛倒衆生　雖近而不見
衆見我滅度　廣供養舍利　咸皆懷戀慕　而生渴仰心
衆生既信伏　質直意柔耎　一心欲見佛　不自惜身命
時我及衆僧　俱出靈鷲山　我時語衆生　常在此不滅
以方便力故　現有滅不滅　餘國有衆生　恭敬信樂者
我復於彼中　為說无上法　汝等不聞此　但謂我滅度
我見諸衆生　沒在於苦惱　故不為現身　令其生渴仰
因其心戀慕　乃出為說法　神通力如是　於阿僧祇劫
常在靈鷲山　及餘諸住處　衆生見劫盡　大火所燒時
我此土安隱　天人常充滿　園林諸堂閣　種種寶莊嚴
寶樹多花菓　衆生所遊樂　諸天擊天鼓　常作衆伎樂
雨曼陁羅華　散佛及大衆　我淨土不毀　而衆見燒盡
憂怖諸苦惱　如是悉充滿　是諸罪衆生　以惡業因緣
過阿僧祇劫　不聞三寶名　諸有脩功德　柔和質直者
則皆見我身　在此而說法　或時為此衆　說佛壽无量
久乃見佛者　為說佛難值　我智力如是　慧光照无量
壽命无數劫　久脩業所得　汝等有智者　勿於此生疑
當斷令永盡　佛語實不虛　如醫善方便　為治狂子故
實在而言死　无能說虛妄　我亦為世父　救諸苦患者

BD01891號　妙法蓮華經（八卷本）卷六　（6–5）

以方便力故　現有滅不滅　餘國有衆生　恭敬信樂者
我復於彼中　為說无上法　汝等不聞此　但謂我滅度
我見諸衆生　沒在於苦惱　故不為現身　令其生渴仰
因其心戀慕　乃出為說法　神通力如是　於阿僧祇劫
常在靈鷲山　及餘諸住處　衆生見劫盡　大火所燒時
我此土安隱　天人常充滿　園林諸堂閣　種種寶莊嚴
寶樹多花菓　衆生所遊樂　諸天擊天鼓　常作衆伎樂
雨曼陁羅華　散佛及大衆　我淨土不毀　而衆見燒盡
憂怖諸苦惱　如是悉充滿　是諸罪衆生　以惡業因緣
過阿僧祇劫　不聞三寶名　諸有脩功德　柔和質直者
則皆見我身　在此而說法　或時為此衆　說佛壽无量
久乃見佛者　為說佛難值　我智力如是　慧光照无量
壽命无數劫　久脩業所得　汝等有智者　勿於此生疑
當斷令永盡　佛語實不虛　如醫善方便　為治狂子故
實在而言死　无能說虛妄　我亦為世父　救諸苦患者
為凡夫顛倒　實在而言滅　以常見我故　而生憍恣心
放逸著五欲　墮於惡道中　我常知衆生　行道不行道
隨應所可度　為說種種法　每自作是意　以何令衆生
得入无上道　速成就佛身

BD01891號　妙法蓮華經（八卷本）卷六　（6–6）

菩提即時豁然還得本心於是諸比丘稽首礼
維摩詰足時維摩詰因為說法於阿耨多羅
三藐三菩提不復退轉我念聲聞不觀人
根不應說法是故不任詣彼問疾
佛告摩訶迦旃延汝行詣維摩詰問疾迦旃
延白佛言世尊我不堪任詣彼問疾所以者
何憶念昔者佛為諸比丘略說法要我即於
後敷演其義謂无常義苦義空義无我義寂
滅義時維摩詰來謂我言唯迦旃延无以生
滅心行說實相法迦旃延諸法畢竟不生不
滅是无常義五受陰洞達空无所起是苦義
諸法究竟无所有是空義於我无我而不二
是无我義法本不然今則无滅是寂滅義說
是法時彼諸比丘心得解脫故我不任詣彼
問疾
佛告阿那律汝行詣維摩詰問疾阿那律白
佛言世尊我不堪任詣彼問疾所以者何憶念
我昔於一處經行時有梵王名曰嚴淨與

BD01892 號　維摩詰所說經卷上　（13–1）

問疾
佛告阿那律汝行詣維摩詰問疾阿那律白
佛言世尊我不堪任詣彼問疾所以者何憶念
我昔於一處經行時有梵王名曰嚴淨與
萬梵俱放淨光明來詣我所稽首作礼問我
言幾何阿那律天眼所見我即答言仁者吾
見此釋迦牟尼佛土三千大千世界如觀掌
中菴摩勒果時維摩詰來謂我言唯阿那律
天眼所見為作相耶无作相耶假使作相則
與外道五通等若无作相即是无為不應有
見世尊我時嘿然彼諸梵聞其言得未曾有
即為作礼而問曰世孰有真天眼者維摩詰
言有佛世尊得真天眼常在三昧悉見諸佛
國不以二相於是嚴淨梵王及其眷屬五百
梵天皆發阿耨多羅三藐三菩提心礼維摩
詰足已忽然不現故我不任詣彼問疾
佛告優波離汝行詣維摩詰問疾優波離白
佛言世尊我不堪任詣彼問疾所以者何憶
念昔者有二比丘犯律行以為恥不敢問佛
來問我言唯優波離我等犯律誠以為恥不
敢問佛願解疑悔得免斯咎我即為其如法
解說時維摩詰來謂我言唯優波離无重增
此二比丘罪當直除滅勿擾其心所以者何
彼罪性不在內不在外不在中間如佛所說
心垢故眾生垢心淨故眾生淨心亦不在內

BD01892 號　維摩詰所說經卷上　（13–2）

此二比丘罪當直除滅勿擾其心所以者何
彼罪性不在内不在外不在中間如佛所説
心垢故衆生垢心淨故衆生淨心亦不在内
不在外不在中間如其心然罪垢亦然諸法
亦然不出於如如優波離以心相得解脱時
寧有垢不我言不也維摩詰言一切衆生心
相无垢亦復如是唯優波離忘想是垢无忘
想是淨顛倒是垢无顛倒是淨取我是垢不
取我是淨優波離一切法生滅不住如幻如
電諸法不相待乃至一念不住諸法皆妄見
如夢如焰如水中月如鏡中像以忘想生其
知此者是名奉律其知此者是名善解於是
二比丘言上智哉是優波離所不及持律之
上而不能説我答言自捨如來未有聲聞及
菩薩能制其樂説之辯其智慧明達為若此
也時二比丘疑悔即除發阿耨多羅三藐三
菩提心作是願言令一切衆生皆得是辯故
我不任詣彼問疾
佛告羅睺羅汝行詣維摩詰問疾羅睺羅白
佛言世尊我不堪任詣彼問疾所以者何憶
念昔時毗耶離諸長者子來詣我所稽首作
礼問我言唯羅睺羅汝佛之子捨轉輪王位
出家為道其出家者有何等利我即如法為
説出家功德之利時維摩詰來謂我言唯羅
睺羅不應説出家功德之利所以者何无利
无功德是為出家有為法者可説有利有功

BD01892號　維摩詰所説經卷上　（13–3）

出家為道其出家者有何等利我即如法為
説出家功德之利時維摩詰來謂我言唯羅
睺羅不應説出家功德之利所以者何无利
无功德是為出家有為法者可説有利有功
德夫出家者為无為法无為法中无利无功
德羅睺羅夫出家者无彼无此亦无中間離
六十二見處於涅槃智者所受聖所行處降伏
衆魔度五道淨五眼得五力立五根不惱於
彼離衆雜惡摧諸外道超越假名出淤泥无
繫著无我所无所受无擾亂内懷喜護彼意
隨禪定離衆過若能如是是真出家於是維
摩詰語諸長者子汝等於正法中宜共出家
所以者何佛世難值諸長者子言居士我聞
佛言父母不聽不得出家維摩詰言然汝等
便發阿耨多羅三藐三菩提心是即出家是
即具足尒時三十二長者子皆發阿耨多羅
三藐三菩提心故我不任詣彼問疾
佛告阿難汝行詣維摩詰問疾阿難白佛言
世尊我不堪任詣彼問疾所以者何憶念昔
時世尊身小有疾當用牛乳我即持鉢詣大
婆羅門家門下立時維摩詰來謂我言唯阿
難何為晨朝持鉢住此我言居士世尊身小
有疾當用牛乳故來至此維摩詰言止止阿
難莫作是語如來身者金剛之體諸惡已斷
衆善普會當有何疾當有何惱默往阿難勿
謗如來莫使異人聞此麁言无令大威德諸

BD01892號　維摩詰所説經卷上　（13–4）

有疾當用牛乳故來至此維摩詰言止止阿
難莫作是語如來身者金剛之體諸惡已斷
衆善普會當有何疾當有何惱嘿往阿難勿
謗如來莫使異人聞此麁言无令大威德諸
天及他方淨土諸來菩薩得聞斯語阿難轉
輪聖王以少福故尚得无病豈况如來无量福
會普勝者哉行矣阿難勿使我等受斯恥也
外道梵志若聞此語當作是念何名為師自
疾不能救而能救諸疾人可密速去勿使人
聞當知阿難諸如來身即是法身非思欲身
佛為世尊過於三界佛身无漏諸漏已盡佛
身无為不墮諸數如此之身當有何疾時我
世尊實懷慚愧得无近佛而謬聽耶即聞
空中聲曰阿難如居士言但為佛出五濁惡
世現行斯法度脫衆生行矣阿難取乳勿慚
世尊維摩詰智慧辯才為若此也是故不任
詣彼問疾如是五百大弟子各各向佛說其
本緣稱述維摩詰所言皆曰不任詣彼問疾

菩薩品第四

於是佛告彌勒菩薩汝行詣維摩詰問疾彌
勒白佛言世尊我不堪任詣彼問疾所以者
何憶念我昔為兜率天王及其眷屬說不退轉
地之行時維摩詰來謂我言彌勒世尊授仁
者記一生當得阿耨多羅三藐三菩提為用
何生得受記乎過去耶未來耶現在耶若
過去生過去生已滅若未來生未來生未至若

者記一生當得阿耨多羅三藐三菩提為用
何生得受記乎過去耶未來耶現在耶若
過去生過去生已滅若未來生未來生未至若
現在生現在生无住如佛所說比丘汝今即
時亦生亦老亦滅若以无生得受記者无生
即是正位於正位中亦无受記亦无得阿耨
多羅三藐三菩提云何彌勒受一生記乎為
從如生得受記耶為從如滅得受記耶若
以如生得受記者如无有生若以如滅得受
記者如无有滅一切衆生皆如也一切法亦
如也衆聖賢亦如也至於彌勒亦如也若彌
勒得受記者一切衆生亦應受記所以者何
夫如者不二不異若彌勒得阿耨多羅三藐
三菩提者一切衆生皆亦應得所以者何一
切衆生即菩提相若彌勒滅度者一切衆生
亦當滅度所以者何諸佛知一切衆生畢竟
寂滅即涅槃相不復更滅是故彌勒无以此
法誘諸天子實无發阿耨多羅三藐三菩提
心者亦无退者彌勒當令此諸天子捨於分
別菩提之見所以者何菩提者不可以身得
不可以心得寂滅是菩提滅諸相故不觀是
菩提離諸緣故不行是菩提无憶念故斷是
菩提捨諸見故離是菩提離諸妄想故鄣是
菩提鄣諸願故不入是菩提无貪著故順是
菩提順於如故住是菩提住法性故至是菩
[illegible]

菩捨諸見故離是菩提離諸妄想故障是
菩提鄣諸願故不入是菩提无貪著故順是
菩提順於如故住是菩提住法性故至是菩
提至實際故不二是菩提離意法故等是菩
提等虛空故无為是菩提无生住滅故智是
菩提了衆生心行故不會是菩提諸入不會
故不合是菩提離煩惱習故无處是菩提无
形色故假名是菩提名字空故如化是菩提无
取捨故无亂是菩提常自靜故善寂是菩提
性清淨故无取是菩提離攀緣故无異是菩
提諸法等故无比是菩提无可喻故微妙是
菩提諸法難知故世尊維摩詰說是法時二
百天子得无生法忍故我不任詣彼問疾
佛告光嚴童子汝行詣維摩詰問疾光嚴白
佛言世尊我不堪任詣彼問疾所以者何憶
念我昔出毗耶離大城時維摩詰方入城我
即為作礼而問言居士從何所來答我言吾
從道場來我問道場者何所是答曰直心是
道場无虛假故發行是道場能辦事故深心
是道場增益功德故菩提心是道場无錯謬
故布施是道場不望報故持戒是道場得願
具故忍辱是道場於諸衆生心无礙故精進
是道場不懈退故禪定是道場心調柔故智
慧是道場現見諸法故慈是道場等衆生故
悲是道場忍疲苦故喜是道場悅樂法故捨
是道場憎愛斷故神通是道場成就六通故

BD01892 號　維摩詰所說經卷上　（13–7）

慧是道場現見諸法故慈是道場等衆生故
悲是道場忍疲苦故喜是道場悅樂法故捨
是道場憎愛斷故神通是道場成就六通故
解脫是道場能背捨故方便是道場教化衆
生故四攝法是道場攝衆生故多聞是道場如
聞行故伏心是道場正觀諸法故卅七品是道
場捨有為法故諦是道場不誑世間故緣
起是道場无明乃至老死皆无盡故諸煩惱
是道場知如實故衆生是道場知无我故一
切法是道場知諸法空故降魔是道場不傾
動故三界是道場无所趣故師子吼是道場
无所畏故力无畏不共法是道場无諸過故
三明是道場无餘礙故一念知一切法是道場
成就一切智故如是善男子菩薩若應諸
波羅蜜教化衆生諸有所作舉足下足當知
皆從道場來住於佛法矣說是法時五百天
人皆發阿耨多羅三藐三菩提心故我不任
詣彼問疾
佛告持世菩薩汝行詣維摩詰問疾持世白
佛言世尊我不堪任詣彼問疾所以者何憶
念我昔住於靜室時魔波旬從萬二千天女
狀如帝釋鼓樂絃歌來詣我所與其眷屬稽
首我足合掌恭敬於一面立我意謂是帝釋
而語之言善來憍尸迦雖福應有不當自恣
當觀五欲无常以求善本於身命財而脩堅

BD01892 號　維摩詰所說經卷上　（13–8）

首我足合掌恭敬於一面立我意謂是帝釋
而語之言善來憍尸迦雖福應有不當自恣
當觀五欲无常以求善本於身命財而脩堅
法即語我言正士受是萬二千天女可備掃
灑我言憍尸迦无以此非法之物要我沙門
釋子此非我宜所言未訖時維摩詰來謂我
言非帝釋也是為魔來嬈固汝耳即語魔言
是諸女等可與以我如我應受魔即驚懼念
維摩詰將无惱我欲隱形去而不能隱盡其
神力亦不得去即聞空中聲曰波旬以女與
之乃可得去魔以畏故俛仰而與尒時維摩
詰語諸女言魔以汝等與我令汝皆當發阿
耨多羅三藐三菩提心即隨所應而為說法
令發道意復言汝等已發道意有法樂可以
自娛不應復樂五欲樂也天女即問何謂法
樂答言樂常信佛樂欲聽法樂供養衆樂離
五欲樂觀五陰如怨賊樂觀四大如毒虵樂觀
内入如空聚樂隨護道意樂饒益衆生樂
敬養師樂廣行施樂堅持戒樂忍辱柔和樂
勤集善根樂禪定不亂樂離垢明慧樂廣菩
提心樂降伏衆魔樂斷諸煩惱樂淨佛國土
樂成就相好故脩諸功德樂莊嚴道場樂聞深
法不畏樂三脫門不樂非時樂近同學樂於
非同學中心无恚礙樂將護惡知識樂近善
知識樂心喜清淨樂脩无量道品之法是為
菩薩法樂於是波旬告諸女言我欲與汝俱

BD01892 號　維摩詰所說經卷上　（13–9）

非同學中心无恚礙樂將護惡知識樂近善
知識樂心喜清淨樂脩无量道品之法是為
菩薩法樂於是波旬告諸女言我欲與汝俱
還天宮諸女言以我等與此居士有法樂我
等甚樂不復樂五欲樂也魔言居士可捨此
女一切所有施於彼者是為菩薩維摩詰言
我已捨矣汝便將去令一切衆生得法願具
足於是諸女問維摩詰我等云何止於魔宮
維摩詰言諸姊有法門名无盡燈汝等當學
无盡燈者譬如一燈然百千燈冥者皆明明
終不盡如是諸姊夫一菩薩開導百千衆生
令發阿耨多羅三藐三菩提心於其道意亦
不滅盡隨所說法而自增益一切善法是名
无盡燈也汝等雖住魔宮以是无盡燈令无
數天子天女皆發阿耨多羅三藐三菩提心者
為報佛恩亦大饒益一切衆生尒時天女頭
面礼維摩詰足隨魔還宮忽然不現世尊維
摩詰有如是自在神力智慧辯才故我不任
詣彼問疾
佛告長者子善得汝行詣維摩詰問疾善得
白佛言世尊我不堪任詣彼問疾所以者何
憶念我昔自於父舍設大施會供養一切沙
門婆羅門及諸外道貧窮下賤孤獨乞人期
滿七日時維摩詰來入會中謂我言長者子
夫大施會不當如汝所設當為法施之會何

BD01892 號　維摩詰所說經卷上　（13–10）

滿七日時維摩詰来入會中謂我言長者子
夫大施會不當如汝所設當爲法施之會何
用是財施會爲我言居士何謂法施之會法
施會者无前无後一時供養一切衆生是名
法施之會何謂也謂以菩提起於慈心以救衆
生起大悲心以持正法起於喜心以攝智
慧行於捨心以攝慳貪起檀波羅蜜以化犯
戒起尸波羅蜜以无我法起羼提波羅蜜以
離身心相起毗梨耶波羅蜜以菩提相起禪
波羅蜜以一切智起般若波羅蜜教化衆生
而起於空不捨有爲法而起无相示現受生
而起无作護持正法起方便力以度衆生起
四攝法以敬事一切起除慢法於身命財起
三堅法於六念中起思念法於六和敬起質
直心正行善法起於淨命心淨歡喜起近賢
聖不憎惡人起調伏心以出家法起於深心
以如說行起於多聞以无諍法起空閑處趣
向佛慧起於宴坐解衆生縛起脩行地以具
相好及淨佛土起福德業知一切衆生心念
如應說法起於智業知一切法不取不捨入
一相門起於慧業斷一切煩惱一切障礙一
切不善法起一切善業以得一切智慧一切
善法起於一切助佛道法如是善男子是爲
法施之會若菩薩住是法施會者爲大施主
亦爲一切世間福田世尊維摩詰說是法時

BD01892號　維摩詰所說經卷上　（13–11）

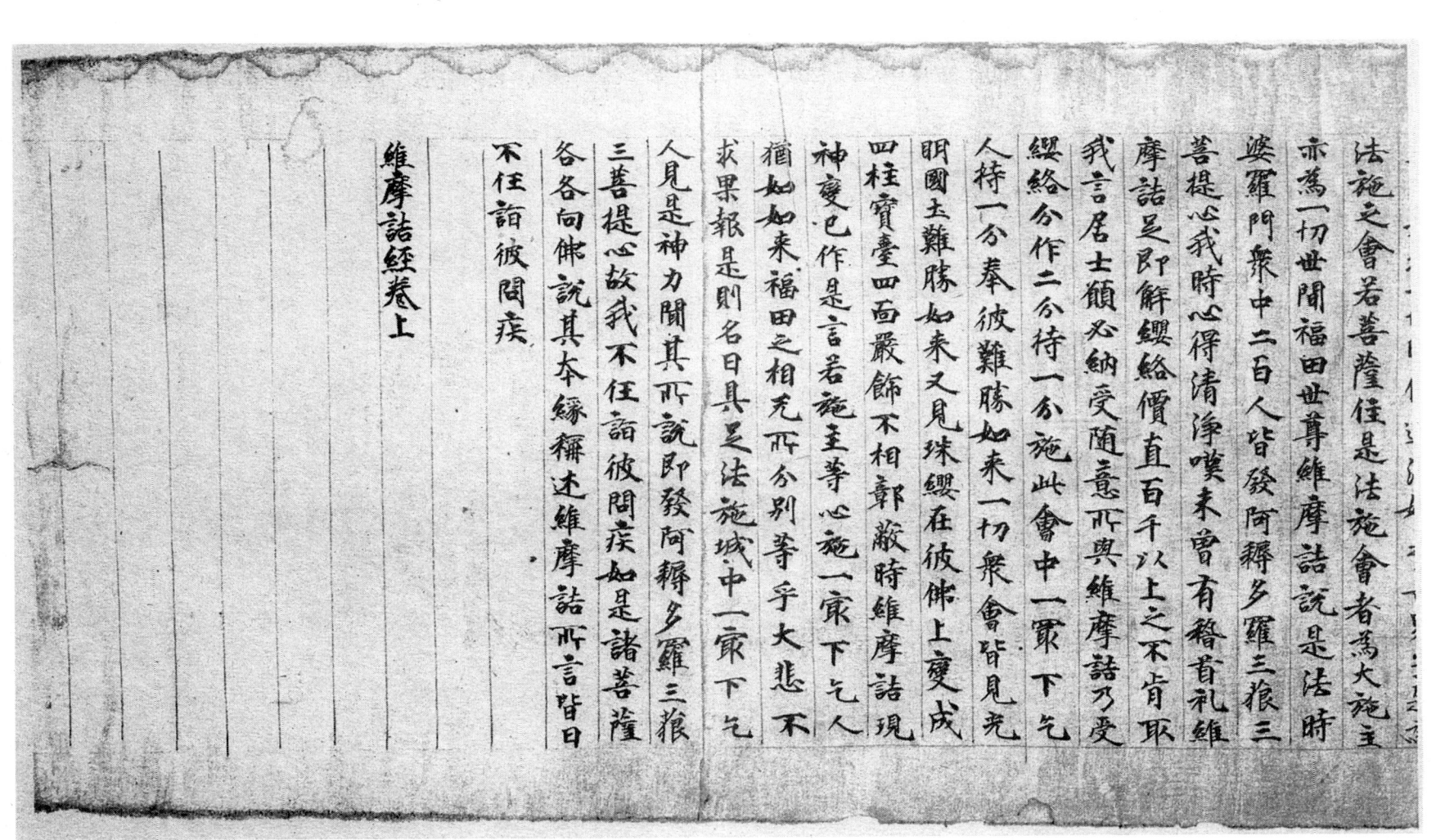

法施之會若菩薩住是法施會者爲大施主
亦爲一切世間福田世尊維摩詰說是法時
婆羅門衆中二百人皆發阿耨多羅三藐三
菩提心我時心得清淨歎未曾有稽首禮維
摩詰足即解瓔珞價直百千以上之不肯取
我言居士願必納受隨意所與維摩詰乃受
瓔珞分作二分持一分施此會中一最下乞
人持一分奉彼難勝如来一切衆會皆見光
明國土難勝如来又見珠瓔在彼佛上變成
四柱寶臺四面嚴飾不相鄣蔽時維摩詰現
神變已作是言若施主等心施一最下乞人
猶如如来福田之相无所分別等乎大悲不
求果報是則名曰具足法施城中一最下乞
人見是神力聞其所說即發阿耨多羅三藐
三菩提心故我不任詣彼問疾如是諸菩薩
各各向佛說其本緣稱述維摩詰所言皆曰
不任詣彼問疾

維摩詰經卷上

BD01892號　維摩詰所說經卷上　（13–12）

四柱寶臺四面嚴飾不相鄣蔽時維摩詰現
神變已作是言若施主等心施一最下乞人
猶如如来福田之相无所分别等乎大悲不
求果報是則名曰具足法施城中一最下乞
人見是神力聞其所說即發阿耨多羅三藐
三菩提心故我不任詣彼問疾如是諸菩薩
各各向佛說其本緣稱述維摩詰所言皆曰
不任詣彼問疾

維摩詰經卷上

BD01892 號　維摩詰所說經卷上　（13–13）

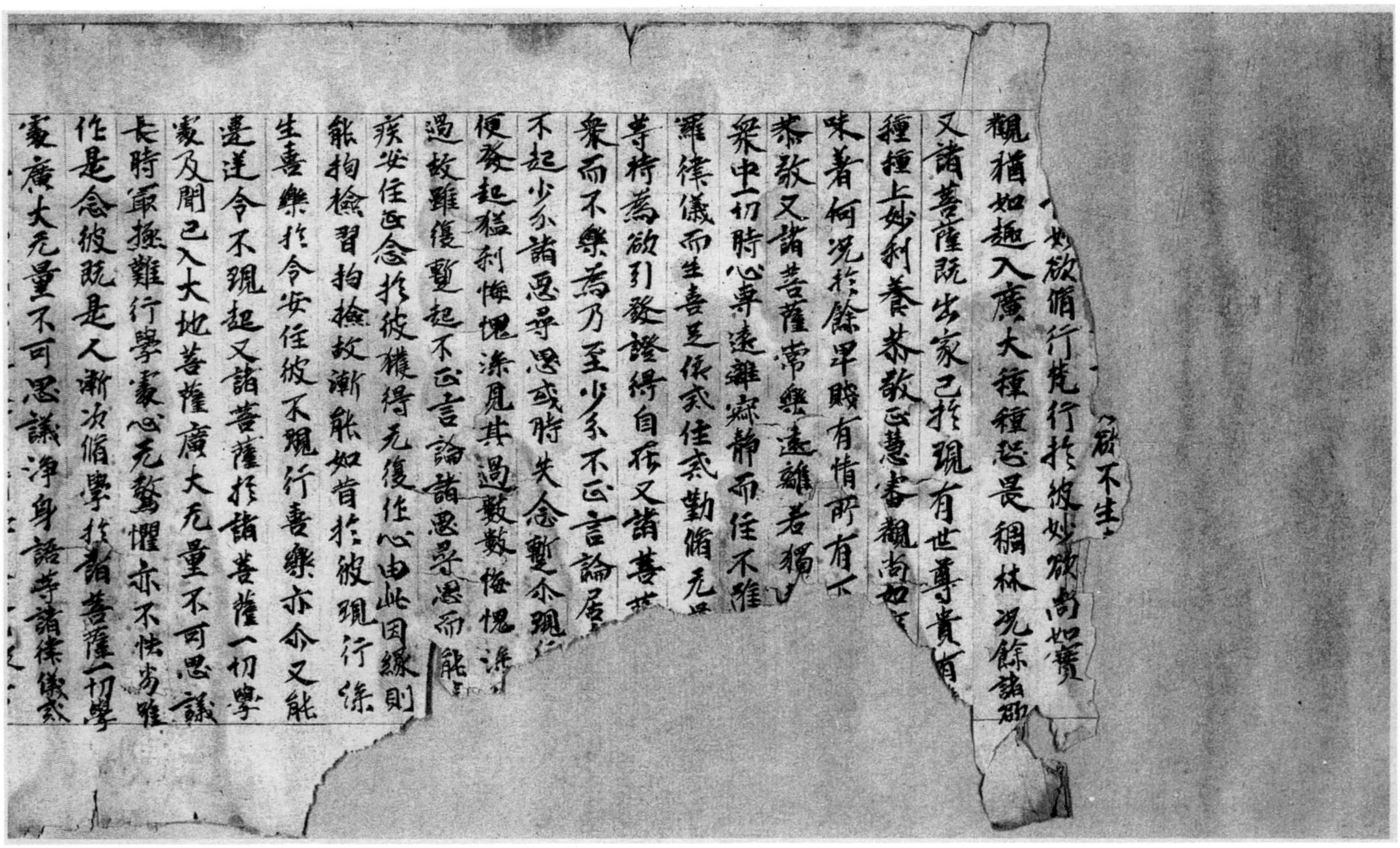

……欲不生……
……妙欲循行梵行於彼妙欲尚如寶
觀猶如趣入廣大種種惡見稠林況餘諸邪
又諸菩薩既出家已於現有世尊貴有
種種上妙利養恭敬正慧審觀尚如……
味著何況於餘卑賤有情所有下……
恭敬又諸菩薩常樂遠離若獨……
衆中一切時心專遠離寂靜而住不推……
羅律儀而生喜足依戒住戒勤修无……
等持為欲引發證得自在又諸菩……
衆而不樂為乃至少分不正言論居……
不起少分諸惡尋思或時失念暫尒現……
便發起猛利慚愧深見其過數數悔愧……
過故雖復暫起不正言論諸惡尋思而能……
疾安住正念於彼獲得无復在心由此因緣則
能拘檢習拘檢故漸能如昔於彼現行深
生喜樂於今安住彼不現行喜樂亦尒又能
遣逆令不現起又諸菩薩於諸菩薩一切學
處及聞已入大地菩薩廣大无量不可思議
長時衆苦難行學處心无驚懼亦不怯劣雖
作是念彼既是人漸次修學於諸菩薩一切學
處廣大无量不可思議淨身語等諸律儀戒

BD01893 號　瑜伽師地論卷四〇　（15–1）

處及聞已入大地菩薩廣大无量不可思議
長時最極難行學處心无驚懼亦不怯劣唯
作是念彼既是人漸次修學於諸菩薩一切學
處廣大无量不可思議淨身語等諸律儀戒
成就圓滿我亦是人漸次修學決定无疑當
得如彼淨身語等諸律儀戒成就圓滿又諸
菩薩住律儀戒常察己過不伺他非普於
一切暴惡犯戒諸有情所无損害心无瞋恚
心菩薩於彼由懷上品法大悲故現前發起憐
愍心欲饒益心又諸菩薩住律儀戒雖復
遭他手足塊石刀杖等觸之所加害於彼尚
无少恚恨心況當於彼欲出惡言欲行加害
況復發言毀辱訶責以少苦觸作不饒益又
諸菩薩住律儀戒具足成就五支所攝不放
逸行一前際俱行不放逸行二後際俱行不放
逸行三中際俱行不放逸行四先時所作不
放逸行五俱時隨行不放逸行謂諸菩薩於
菩薩學正修學時若於過去已所違犯如法
悔除是名菩薩前際俱行不放逸行若於未
來當所違犯如法悔除是名菩薩後際俱行
不放逸行若於現在正所違犯如法悔除是
名菩薩中際俱行不放逸行若諸菩薩先於
後時當所違犯發起猛利自擁欲樂謂我定
當如如所應行如如所應住如是如是行如是
如是住令无所犯是名菩薩先時所作不放
逸行若諸菩薩即以如是先時所作不放
逸行為所依止如如所應行如如所應住如
是如是行如是如是住不起毀犯是名菩薩

BD01893號　瑜伽師地論卷四〇　（15–2）

[illegible]
逸行若諸菩薩即以如是先時所作不放
逸行為所依止如如所應行如如所應住如
是如是行如是如是住不起毀犯是名菩薩
住時隨行不放逸行又諸菩薩住律儀戒
覆藏自善發露己惡少欲喜足堪忍衆苦性
无憂戚不掉不躁威儀寂靜離諸詐等所
能起邪命之法菩薩成就如是十支名住律
儀戒善護律儀戒謂不顧戀過去諸欲又不
希求未來諸欲又不耽着現在諸欲又樂遠
離不生喜足又能掃滌不正言論諸惡尋思
又能於己不自輕蔑又性柔和又能堪忍又
不放逸又能具足軌則淨命
又諸菩薩已能安住攝善法戒若於身財少
生顧戀尚不忍受何況其多又於一切犯戒
因緣根本煩惱少分煩惱忿恨等生亦不忍
受又於他所發生恚害怨恨等心亦不忍受
又於所起懈怠嬾惰亦不忍受又於所起等
至味着等至煩惱亦不忍受又於五處如實
了知謂如實知善果勝利又能如實了知善
因又能如實知善因果倒與无倒又如實知攝
善法障是諸菩薩能於善果見大勝利尋
求善因為攝善故如實了知倒與无倒由此
菩薩獲得善果不於无常妄見為常不於其
苦妄見為樂不於不淨妄見為淨不於无我
妄見為我如實了知攝善法障為攝善故速
疾遠離菩薩由此十種相故名住攝善法戒
速能攝善一切種相謂施漸次若戒漸次若

BD01893號　瑜伽師地論卷四〇　（15–3）

至見為我如實了知攝善法障為攝善故速
疾遠離菩薩由此十種相故名住攝善法戒
速能攝善一切種相謂施漸次若戒漸次若
忍漸次若精進漸次若靜慮漸次及五種慧
又諸菩薩由十相名住一切種饒益有情戒
於二相中成就一切種謂諸菩薩於諸
有情欲事業皆為助伴謂於思量所作
事業及於功用所作事業悉能與彼而作
助伴或於道路若往若來或於無倒事業加行
或於守護所有財物或於和合展轉乖離或於
義會或於脩福皆為助伴於諸救苦亦為助
伴謂於遭遇疾疫有情瞻侍供給盲者啟導
聾者籍義手代言者曉以想像迷方路者示
以隅途支不具者惠以荷乘其愚騃者誨以
勝慧為貪欲纏所苦有情開解令離貪欲
纏苦如是若為瞋恚惛沈睡眠掉舉惡作疑纏
所苦有情開解令離疑纏等苦欲尋思纏所
苦有情開解令離欲尋思苦如欲尋思恚害親
里國土不死輕侮相應所有尋
思當知亦尒他變他勝所苦有情開解令離
被蔑勝苦行路疲乏所苦有情施座施處調身
按摩令其止息勞倦衆苦又諸菩薩為諸有情
如理宣說謂於樂行惡行有情為欲令斷諸
惡行故以相應文句助伴隨順清亮有用相攝
應順常委所資糧法而為宣說或復方便
善巧宣說如於樂行惡行有情為欲令斷
惡行故如是於行慳行有情為欲令彼斷慳

BD01893號　瑜伽師地論卷四〇　（15–4）

惡行故以相應文句助伴
應順常委所資糧法而為宣說或復方便
善巧宣說如於樂行惡行有情為欲令斷諸
惡行故如是於行慳行有情為欲令彼斷慳
行故於現法中求財寶者為欲令彼正少功
力集多財寶守護无失於佛聖教增憎嫉
者為欲令彼得清淨信證清淨見超諸惡趣
盡一切結超一切苦應知亦尒又諸菩薩於其
有恩諸有情所深知恩惠常思酬報豐見
申敬讚言善來怡顏歡慰吐誠談話謙敬設
座正延令坐若等若增財利供養現前酬善非
以下劣於彼事業雖不來請尚應伴助況乎
有命如於事業如是於苦於如理說於方便
說於濟怖畏於衰惱處開解愁憂於惠資
具於與依止於隨心轉於顯實德令深歡悅於
懷親愛方便調伏於現神通驚恐引攝如應
應說當知亦尒又諸菩薩於遭怖畏諸有情
類能為救護謂於種種禽獸水火王賊怨敵
家主宰官不活惡名大衆威德非人起屍魍
魎等畏皆能救護令得安隱又諸菩薩於處
衰惱諸有情類能善開解令離愁憂或依
親屬有所衰亡所謂父母兄弟妻子奴婢僮僕
宗長朋友內外族因親教軌範及餘尊重
時有衰亡善為開解令離憂惱或依財寶有
所衰失謂或王賊之所侵奪或火所燒或水
所漂溺或為矯誑之所誑誘或由事業无方損
失或為惡親非理攝取或家生火之所耗費

BD01893號　瑜伽師地論卷四〇　（15–5）

所謂或為矯詐之所誑諂或由事業无方損
失或為惡親非理攝取或家生火之所耗費
於如是等財寶喪失善為開解令離憂惱由
是因緣諸有情類生下中上三品愁憂菩薩
皆能正為開解又諸菩薩於資生具隨有乘求
即皆施與謂諸有情求食與食求飲與飲求
乘與乘求衣與衣求莊嚴具施莊嚴具求諸
什物施以什物求塗香施塗香求止息
處施止息處求諸光明施以光明又諸菩薩
性好攝受諸有情類如法御衆方便饒益以
无染心先與依止以慎慈心現作饒益然後給
施如法衣服飲食財具病緣醫藥資身什
物若自无有應從淨信長者居士婆羅門等
求索與之於己如法所獲如法衣服飲食諸
坐卧具病緣醫藥資身什物與衆同用自无
隱費於時時間以其隨順八種教授而正教授
五種教誡而正教誡此中所說教授教誡當
知如前力種性品已廣分別又諸菩薩於有
情心性好隨轉隨心轉時先知有情若體若
性知體性已隨諸有情所應共住即應如是與
其共住隨諸有情所應同行即應如是與
彼同行若諸菩薩欲隨所化有情心轉當審
觀察若於如是如是相事現行身語生他憂
苦如是憂苦若不令其出不善處安立善處
菩薩尒時於如是事現行身語護彼心故方
便思擇勵力遮止令不現行如是憂苦若能

BD01893號　瑜伽師地論卷四〇　（15–6）

菩薩尒時於如是事現行身語護彼心故方
便思擇勵力遮止令不現行如是憂苦若能
令其出不善處安立善處菩薩尒時於如是事
現行身語住哀愍心不隨如是有情心方便思
擇勵力策發要令現行復審觀察若於如是
他有情事現行身語令餘有情發生憂苦如
是憂苦若不令他或餘有情或不令二出不
善處安立善處菩薩尒時於如是事現行身
語護餘心故方便思擇勵力遮止令不現行
如是憂苦若能令他或餘有情或能令二出
不善處安立善處菩薩尒時於如是事現行
身語住哀愍心不隨如是有情心轉方便思
擇勵力策發要令現行復審觀察若於如是
菩薩自事現行身語生他憂苦如是現行身
語二業非諸菩薩學處所攝不順福德智慧
資糧如是憂苦不能令他出不善處安立善
處菩薩尒時於如是事現行身語護他心故
方便思擇勵力遮止令不現行與此相違現
行身語如前應知如生憂苦如是廣說生於
喜樂隨其所應當知亦尒又隨他心而轉菩
薩知他有情忿纏所纏現前忿纏難可捨離
尚不讚嘆何況毀呰即於尒時亦不諫誨又
隨他心而轉菩薩他雖不來談論慶慰尚應
自往談論慶慰何況彼來而不酬報又隨他
心而轉菩薩終不故意惱觸於他唯除訶責
諸犯過者起慈悲心諸根寂靜如應訶責令
其調伏又隨他心而轉菩薩終不出詞轉弄

BD01893號　瑜伽師地論卷四〇　（15–7）

心而轉菩薩終不故意惱觸於他[illegible]
諸犯過者起慈悲心諸根寂靜如應訶責令
其調伏又隨他心而轉菩薩終不出諸轉弄
於他令其赧愧不安隱住亦不令其心生憂
悔雖能摧伏得勝於彼而不彰其墮在負處
彼雖淨信生於謙下終不現相而起自高又
隨他心而轉菩薩於諸情非不親近不極
親近亦不非時而相親近又隨他心而轉菩
薩終不現前毀他所愛亦不現前讚他非
愛非情交者不吐實誠不屢希望知量而受
若先許應他飲食等終无假託不赴先祈為
性謙沖如法曉喻又諸菩薩性好讚揚真實
功德令他歡喜於信功德具足者前讚揚信德
令其歡喜於戒功德具足者前讚揚戒德令
其歡喜於聞功德具足者前讚揚聞德令其
歡喜於捨功德具足者前讚揚捨德令其歡
喜於慧功德具足者前讚揚慧德令其歡喜
又諸菩薩性好慈愍以調伏法調伏有情若
諸有情有下品過下品違犯內懷親愛无損
惱心以耎訶責而訶責之若諸有情有中品
過中品違犯內懷親愛无損惱心以中訶責
而訶責之若諸有情有上品過上品違犯內
懷親愛无損惱心以上訶責而訶責之如訶
責法治罰亦尒若諸有情有下中品應可驅
擯過失違犯菩薩尒時為教誡彼及餘有
情以憐愍心及利益心權時驅擯後還攝受
若諸有情有其上品應可驅擯過失違犯菩
薩尒時盡壽驅擯不與共住不同受用憐愍

BD01893號　瑜伽師地論卷四〇

（15–8）

擯過失[illegible]
情以憐愍心及利益心權時驅擯後還攝受
若諸有情有其上品應可驅擯過失違犯菩
薩尒時盡壽驅擯不與共住不同受用憐愍
彼故不還攝受勿令其人於佛聖教多生非
福又為教誡利餘有情又諸菩薩為欲饒益
諸有情故現神通力或為恐怖或為引攝謂
為樂行諸惡行者方便示現種種惡行諸果
異熟謂諸惡趣小那落迦大那落迦寒那落
迦獨那落迦既示現已而告之言汝當觀此先
於人中造作增長諸惡行故令受如是最極
暴惡辛楚非愛苦果異熟彼見是已恐怖
猒患離諸惡行復有一類无信有情菩薩衆
中隨事故問彼作異思拒而不答菩薩尒時
或便化作執金剛神或復化作壯色大身巨
力藥叉令其恐怖由是因緣捨憍生信恭敬
正答其餘大衆聞彼正答亦皆調伏或現種
種神通變化或一為多或多為一或以其身
穿過石壁山巖等障往還无礙如是廣說
乃至梵世身自在轉現无量種神變差別
或復現入火界定等或復亦現共聲聞等
種種神通方便引攝令諸有情踊躍歡喜
諸未信者方便安處信具足中諸犯戒者方
便安處戒具足諸少聞者方便安處聞具足中多慳
吝者方便安處捨具足中諸惡慧者方便
安處慧具足中如是菩薩成就一切種饒益有
情戒
是名菩薩三種戒藏亦名无量大功德藏

BD01893號　瑜伽師地論卷四〇

（15–9）

安處慧身足中如是菩薩成就一切攝饒益有
情戒
是名菩薩三種戒藏亦名无量大功德藏
謂律儀戒所攝戒藏攝善法戒所攝戒藏饒
益有情戒所攝戒藏
若諸菩薩欲於如是菩薩所學三種戒藏勤
脩學者或是在家或是出家先於无上正等
菩提發弘願已當審訪求同法菩薩已發
大願有智有力於語表義能授能開於如
是等功德具足勝菩薩所先禮雙足如是請言
我今欲於善男子所或長老所或大德所乞
受一切菩薩淨戒唯願須臾不辭勞倦哀愍聽
授既作如是无倒請已偏袒右肩恭敬供養
十方三世諸佛世尊已入大地得大智慧得
大神力諸菩薩衆現前專念彼諸功德隨其
所有功能因力生殷淨心或少淨心有智有
力勝菩薩所謙下恭敬膝輪據地或蹲跪坐
對佛像前作如是請唯願大德或言長老或
善男子哀愍授我菩薩淨戒如是請已專念
一境長養淨心我今不久當得无盡无量无
上大功德藏即隨思惟如是事義默然而住
尒時有智有力菩薩於彼能行正行菩薩
以无亂心若坐若立而作是言汝如是名善男
子聽或法弟聽汝是菩薩不汝應答言是發
菩提願未應答言已發自此已後應作是言
汝如是名善男子或法弟欲於我所受諸菩
薩一切學處受諸菩薩一切淨戒謂律儀戒

子聽或法弟聽汝是菩薩不汝應答言是發
菩提願未應答言已發自此已後應作是言
汝如是名善男子或法弟欲於我所受諸菩
薩一切學處受諸菩薩一切淨戒謂律儀戒
攝善法戒饒益有情戒如是學處如是淨戒
過去一切菩薩已具未來一切菩薩當具普
於十方現在一切菩薩今具於是學處於是
淨戒過去一切菩薩已學未來一切菩薩當
學現在一切菩薩今學汝能受不答言能受
能授菩薩第二第三亦如是說受菩薩
第二第三亦如是答能授菩薩作如是問乃
至第三授淨戒已能受菩薩作如是答乃至
第三受淨戒已能受菩薩不起于座能授菩
薩對佛像前普於十方現住諸佛及諸菩
薩恭敬供養頂禮雙足作如是白某名菩
薩今已於我某菩薩所乃至三說受菩薩戒我
某菩薩已為某名菩薩作證唯願十方无邊无
際諸世界中諸佛菩薩第一真聖於現不現
一切時處一切有情皆現覺者於此某名受戒
菩薩亦為作證第二第三亦如是說如是
戒羯磨畢竟從此无間普於十方无邊无際
諸世界中現住諸佛已入大地諸菩薩前法
尒相現由此表示如是菩薩已受菩薩所受
淨戒尒時十方諸佛菩薩於是菩薩法尒之
相生起憶念由憶念故正智見轉由正智見
如實覺知某世界中某名菩薩某菩薩所
正受菩薩所受淨戒一切於此受戒菩薩如子

相生起憶念由憶念故正智見轉由正智見
如實覺智其世界中其名菩薩其菩薩所
正受菩薩所受淨戒一切於此受戒菩薩如子
如弟生親善意眷念憐愍由佛菩薩眷念
憐愍令是菩薩希求善法倍復增長无有退減
當知是名受菩薩戒啓白請證
如是已作受菩薩戒羯磨等事授受菩薩俱
起供養普於十方无邊无際諸世界中諸佛
菩薩頂礼雙足恭敬而退
如是菩薩所受律儀於餘一切所受律儀戒
最勝无上无量无邊大功德藏之所隨逐第
一最上善心意樂之所發起普能對治於
一切有情一切種惡行一切別解脫律儀於
此菩薩律儀戒百分不及一千分不及一數
分不及一計分不及一算分不及一喻分不及
一鄔波尼殺曇分亦不及一攝受一切大
功德故
又此菩薩安住如是菩薩淨戒先自數數專
諦思惟此是菩薩正所應作此非菩薩正所
應作既思惟已然後為成正所作業當勤
脩學又應專勵聽聞菩薩素怛纜藏及以
解釋即此菩薩素怛纜藏摩怛履迦隨其
所聞當勤脩學
又諸菩薩不從一切唯聰慧者求受菩薩所
受淨戒无淨信者不應從受謂於如是所受
淨戒初无信解不能趣入不善思惟有慳貪
者慳貪蔽者有大欲者无喜足者不應從

BD01893號　瑜伽師地論卷四〇　（15–12）

受淨戒无淨信者不應從受謂於如是所受
淨戒初无信解不能趣入不善思惟有慳貪
者慳貪蔽者有大欲者无喜足者不應從
受毀淨戒者於諸學處无恭敬者於於戒律
儀有慢緩者不應從受有忿恨者多不忍者
於他違犯不堪耐者不應從受有嬾惰者有
懈怠者多分耽著日夜睡樂倚樂臥樂好合
徒侶樂嬉談者不應從受心散亂者至不能
攝牛乳頃善心一緣住脩習者不應從受有
闇昧者愚癡類者極劣心者誹謗菩薩
素怛纜藏及菩薩藏摩怛履迦者不應從受
又諸菩薩於受菩薩戒律儀法雖已具足受
持究竟而於謗毀菩薩藏者无信有情終不
率尒宣示開悟所以者何為其聞已不能信
解大无知障之所覆蔽便生誹謗由誹謗故
如住菩薩淨戒律儀成就无量大功德藏彼
誹謗者亦為无量大罪業藏之所隨逐乃
至一切惡言惡見及惡思惟未永棄捨終不遠
離
又諸菩薩欲授菩薩菩薩戒時先應為說菩
薩法藏摩怛履迦菩薩學處及犯處相令
其聽受以慧觀察自所意樂堪能思擇受菩
薩戒非唯他勸非為勝他當知是名堅固菩
薩堪受菩薩淨戒律儀以受戒法如應正授
如是菩薩住戒律儀有其四種他勝處法何
等為四若諸菩薩為欲貪求利養恭敬自讚
毀他是名第一他勝處法若諸菩薩現有資

BD01893號　瑜伽師地論卷四〇　（15–13）

如是菩薩住戒律儀有其四種他勝處法
等為四若諸菩薩為欲貪求利養恭敬自讚
毀他是名第一他勝處法若諸菩薩現有資
財性慳財故有苦有貧无依无怙正求財者
來現在前不起哀憐而脩惠捨正求法者
來現在前性慳法故雖現有法而不給施
是名第二他勝處法若諸菩薩長養如是種類
忿纏由是因緣所唯發起麁言便息由忿蔽故
加以手足塊石刀杖捶打傷害損惱有情內
懷猛利忿恨意樂有所違犯他來諫謝不
受不忍捨怨結是名第三他勝處法若諸菩
薩謗菩薩藏愛樂宣說開示建立像似正法
於像似法或自信解或隨他轉是名第四他
勝處法如是名為菩薩四種他勝處法
菩薩於四他勝處法隨犯一種況犯一切不
復堪能於現法中增長攝受菩薩廣大菩提
資糧不復堪能於現法中意樂清淨是即名
為相似菩薩非真菩薩菩薩若用耎中品纏
毀犯四種他勝處法不捨菩薩淨戒律儀上
品纏犯即名為捨若諸菩薩毀犯四種他勝
處法數數現行都无慚愧深生愛樂見是功
德當知說名上品纏犯非諸菩薩暫一現行
他勝處法便捨菩薩淨戒律儀如諸苾芻犯
他勝法即便棄捨別解脫戒若諸菩薩由此
毀犯棄捨菩薩淨戒律儀於現法中堪任更
受非不堪任如苾芻住別解脫戒犯他勝法
於現法中不任更受

BD01893號　瑜伽師地論卷四〇　　　　（15–14）

他勝法即便棄捨別解脫戒若諸菩薩由此
毀犯棄捨菩薩淨戒律儀於現法中堪任更
受非不堪任如苾芻住別解脫戒犯他勝法
於現法中不任更受
略由二緣捨諸菩薩淨戒律儀一者棄捨无
上正等菩提大願二者現行上品纏犯他勝
處法若諸菩薩雖復轉身遍十方界在在
生處不捨菩薩淨戒律儀由是菩薩不捨
无上菩提大願亦不現行上品纏犯他勝處
法若諸菩薩轉受餘生忘失本念值遇
善友為欲覺悟菩薩戒念雖數重受而
新受亦不新得

瑜伽師地論卷第卌

BD01893號　瑜伽師地論卷四〇　　　　（15–15）

新譯大乘入楞伽經序　御製
蓋聞摩羅山頂既最崇而最嚴楞伽城中實難往而難入先佛弘宣之地眾聖
脩行之所爰有城主號羅婆那乘宮殿以謁　尊顏奏樂音而祈妙法因
峯以表興指藏海以明宗所言入楞伽經者斯乃諸佛心量之玄樞羣經理窟
之妙鍵廣喻幽旨洞明深義不生不滅非有非无絕去來之二途離斷常之雙
執以第一義諦得最上妙珎體諸法之皆虛知前境之如幻混假名之分別等
生死與涅槃大慧問初陳法王之旨斯發一百八義應實相而離世間三十九門
破邪見而宣正法曉名相之並假祛妄想之迷衿依正智以會如如悟緣起而
妙理境風既息識浪方澄三自性皆空二无我俱泯入如來之藏遊解脫之門
原此經文來自西國至若元嘉建號跋陀之譯未周延昌紀年流支之義多
舛朕虔思付囑情切紹隆以久視元年歲次庚子林鍾紀律炎帝司辰于
時避暑箕峯觀風穎水三陽宮內重出斯經討三本之要詮成七卷之了
教三藏沙門于闐國僧實叉難陀大德大福先寺僧復禮等並名追安遠
德契騰蘭襲龍樹之芳猷探馬鳴之祕府戒香與覺花齊馥意珠共
性月同圓故能了達沖微發揮奧賾以長安四年正月十五日繕寫云畢自惟
菲薄言謝珪璋顧四辯而多慚瞻一乘而罔測難違緇侶之請強申翰墨之文
詞拙理乖殊增媿恧伏以此經微妙最為希有所冀破昏之暗傳燈之句不窮
流注之功湧泉之義无盡題目品次列於後云
佛說大乘入楞伽經羅婆那王勸請品第一

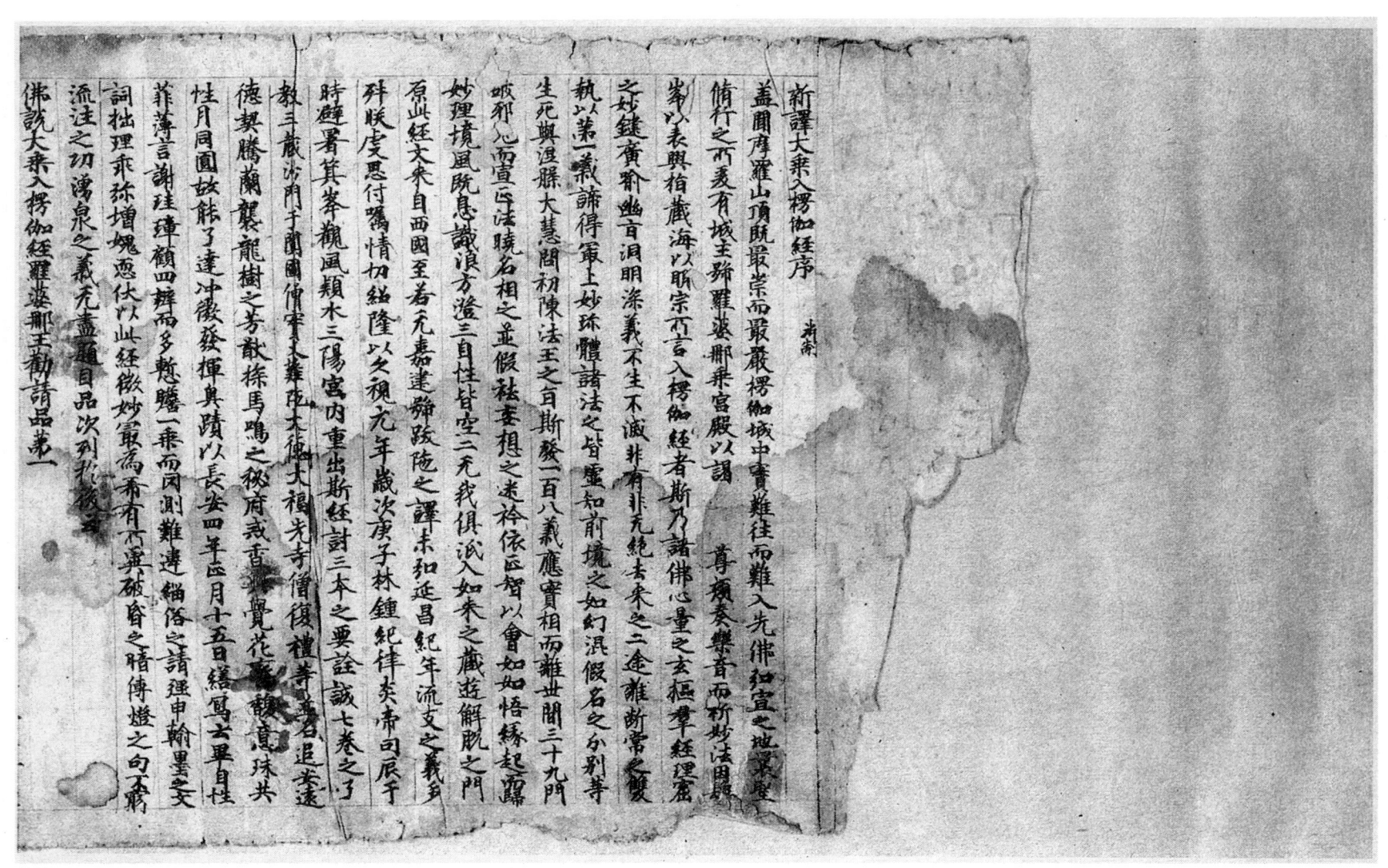

BD01894 號 1　大乘入楞伽經序　（23–1）

菲薄言謝珪璋顧四辯而多慚瞻一乘而罔測難違緇侶之請強申翰墨之文
詞拙理乖殊增媿恧伏以此經微妙最為希有所冀破昏之暗傳燈之句不窮
流注之功湧泉之義无盡題目品次列於後云
佛說大乘入楞伽經羅婆那王勸請品第一
如是我聞一時佛住大海濱摩羅耶山頂楞伽城中與大比丘眾及大菩薩
眾俱其諸菩薩摩訶薩悉已通達五法三性諸識无我善知境界自
心現義遊戲无量自在三昧神通諸力隨眾生心現種種形方便調伏一
切諸佛手灌其頂皆從種種諸佛國土而來此會大慧菩薩摩訶薩為
其上首　尒時世尊於海龍王宮說法過七日已從大海出有无量億梵
釋護世諸天龍等奉迎於佛尒時如來舉目觀見摩羅耶山楞伽大城即便
微笑而作是言昔諸如來應正等覺皆於此城說自所得聖智證法非諸外
道臆度邪見及以二乘脩行境界我今亦當為羅婆那王開示此法
尒時羅婆那夜叉王以佛神力聞佛言音遙知如來從龍宮出梵釋護世
天龍圍繞見海波浪觀其眾會藏識大海境界風動轉識浪起發歡喜心
於其城中高聲唱言我當詣佛請入此城令我及與諸天世人於長夜中得
大饒益作是語已即與眷屬乘花宮殿往世尊所到已下殿右遶三匝作眾
伎樂供養如來所持樂器皆是大青因陀羅寶瑠璃等寶以為間錯无價
上衣而用纏裹其聲美妙音節相和於中說偈而讚佛曰
心自性法藏　无我離見垢　證智之所知　願佛為宣說　善法集為身　證智常安樂
變化自在者　願入楞伽城　過去佛菩薩　皆曾住此城　此諸夜叉眾　一心願聽法
尒時羅婆那楞伽王以都吒迦音歌讚佛已復以歌聲而說頌言
世尊於七日　住摩竭海中　然後出龍宮　安詳昇此岸　我與諸婇女　及夜叉眷屬
輸迦娑刺那　眾中聰慧者　悉以其神力　往詣如來所　各下花宮殿　礼敬世所尊
復以佛威神　對佛稱己名　我是羅剎王　十首羅婆那　今來詣佛所　願佛攝受我
及楞伽城中　所有諸眾生　過去无量佛　咸昇寶山頂　住楞伽城中　說自所證法
世尊亦應尒　住彼寶嚴山　菩薩眾圍繞　演說清淨法　我等於今日　及住楞伽眾
一心共欲聞　離言自證法　我念去來世　所有无量佛　菩薩共圍繞　演說楞伽經
此入楞伽典　昔佛所稱讚　願佛同往尊　亦為眾開演　請佛為哀愍　无量夜叉眾
入彼寶嚴城　說此妙法門　此妙楞伽城　種種寶嚴飾　牆壁非土石　羅網悉珎寶
此諸夜叉眾　昔曾供養佛　脩行離諸過　證智常明了　夜叉男女等　渴仰於大乘
自信摩訶衍　亦樂令他住　唯願无上尊　為諸羅剎眾　甕耳等眷屬　往詣楞伽城

BD01894 號 2　大乘入楞伽經卷一　（23–2）

此入楞伽典 昔佛所稱讚 願佛同往尊 亦爲衆開演 諸佛爲哀愍 无量夜叉衆
入彼寶嚴城 說此妙法門 此妙楞伽城 種種寶嚴飾 牆壁非土石 羅網悉珍寶
此諸夜叉衆 昔曾供養佛 脩行離諸過 證智常明了 夜叉男女等 渴仰於大乘
自信摩訶衍 亦樂令他住 唯願无上尊 爲諸羅刹衆 甕耳等眷屬 往詣楞伽城
我於去來今 勤供養諸佛 願聞自證法 究竟大乘道 願佛哀愍我 及諸夜叉衆
共諸佛子等 入此楞伽城 我宮殿婇女 及以諸瓔珞 可愛无憂園 願佛哀納受
我於佛菩薩 无有不捨物 乃至身給侍 唯願哀納受
尒時世尊聞是語已即告之言夜叉王過去世中諸大導師咸哀愍汝受汝勸請
詣寶山中說自證法未來諸佛亦復如是此是脩行甚深觀行現法樂者之
所住處我及諸菩薩哀愍汝故受汝所請作是語已黙然而住時羅婆那王
即以所乘妙花宮殿奉施於佛佛坐其上王及諸菩薩前後導從无量婇女
歌詠讚歎供養於佛往詣彼城到彼城已羅婆那王及諸眷屬復作種種
上妙供養夜叉衆中童男童女以寶羅網供養於佛羅婆那王施寶瓔珞
奉佛菩薩以挂其頸尒時世尊及諸菩薩受供養已各爲略說自證境界甚
深之法時羅婆那王并其眷屬復更供養大慧菩薩而勸請言
我今請大士 奉問於世尊 一切諸如來 自證智境界 我與夜叉衆 及此諸菩薩
一心願欲聞 是故咸勸請 汝是脩行者 言論中最勝 是故生尊敬 勸汝請問法
自證清淨法 究竟入佛地 離外道二乘 一切諸過失
尒時世尊以神通力於彼山中復更化作无量寶山悉以諸天百千万億妙
寶嚴飾一一山上皆現佛身一一佛前皆有羅婆那王及其衆會十方所有
一切國土皆於中現一一國中悉有如來一一佛前咸有羅婆那王并其眷屬
楞伽大城阿輸迦園如是莊嚴等无有異一一皆有大慧菩薩而興請問
佛爲開示自證智境以百千種音說此經已佛及諸菩薩皆於空中隱而不
現羅婆那王唯自見身住本宮中作是思惟向者是誰誰聽其說所見何物是
誰能見佛及國城衆寶山林如是等物今何所在爲夢所作爲幻所成爲復如
乾闥婆城爲翳所見爲燄所惑爲如夢中石女生子爲如煙燄旋火輪耶
復更思惟一切諸法性皆如是唯是自心分別境界凡夫迷惑不能解了无
有能見亦无所見无有能說亦无所說見佛聞法皆是分別如向所見不能見
佛不起分別是則能見時楞伽王尋即開悟離諸雜染證唯自心住无分別
往昔所種善根力故於一切法得如實見不隨他悟能以自智善巧觀察永
離一切臆度邪解住大修行爲修行師現種種身善達方便巧知諸地上增進

BD01894 號 2　大乘入楞伽經卷一　（23–3）

佛不起分別是則能見時楞伽王尋即開悟離諸雜染證唯自心住无分別
往昔所種善根力故於一切法得如實見不隨他悟能以自智善巧觀察永
離一切臆度邪解住大修行爲修行師現種種身善達方便巧知諸地上增進
相常樂遠離心意意識斷三相續見離外道執著內自覺悟入如來藏趣
於佛地聞虛空中及宮殿內咸出聲言善哉大王如汝所覺諸修行者應如
是見一切如來應如是見一切諸法若異見者則是斷見汝應永離心意意識
應勤觀察一切諸法應修內行莫著外見莫墮二乘及以外道所修句義
所見境界及所應得諸三昧法汝不應樂戲論談笑汝不應起圍陀諸見亦
不應著王位自在亦不應住六定等中若能如是即是如實修行者行能摧他
論能破惡見能捨一切我見執著能以妙慧轉所依識能修菩薩大乘之道
能入如來自證之地汝應如是勤加修學令所得法轉更清淨善修三昧三摩
鉢底莫著二乘外道境界以爲勝樂如凡修者之所分別外道執著我見有
我相及實求那而生取著二乘見有无明緣行於性空中亂想分別楞伽王此
法殊勝是大乘道能令成就自證聖智於諸有中受上妙生楞伽王此大乘行
破无明翳滅識波浪不墮外道諸見行中楞伽王外道行者執著於我作諸異
論不能演說離執著見識性二義善哉楞伽王汝先見佛思惟此義如是思
惟乃是見佛　尒時羅婆那王復作是念願我更得奉見如來如來世尊
於觀自在離外道法能說自證聖智境界超諸應化所應作事住如來定入三
昧樂是故說名大觀行師亦復名爲大哀愍者能燒煩惱分別薪盡諸佛子
衆所共圍繞普入一切衆生心中遍一切處具一切智永離一切分別事相我今
願得重見如來大神通力以得見故未得者得已得不退離諸分別住三昧樂增
長[illegible]是如來智地　尒時世尊知楞伽王即當證悟无生法忍爲哀愍故便
現其身令所化事還復如本時十頭王見所曾覩无量山城悉寶莊嚴一一城中皆
有如來應正等覺三十二相以嚴其身自見其身遍諸佛前悉有大慧夜叉圍
繞說自證智所行之法亦見十方諸佛國土如是等事悉无有別尒時世尊普
觀衆會以慧眼觀非肉眼觀如師子王奮迅迴眄欣然大笑於其眉間髀脇腰
頸及以肩臂德字之中一一毛孔皆放无量妙色光明如虹拖暉如日舒光亦如劫
火猛燄熾然時虛空中梵釋四天王遙見如來坐如須彌楞伽山頂欣然大笑
尒時諸菩薩及諸天衆咸作是念如來世尊於法自在何因緣故欣然大笑身
放光明黙然不動住自證境入三昧樂如師子王周迴顧視觀羅婆那念如實法
尒時大慧菩薩摩訶薩先受羅婆那王請復知菩薩衆會之心及觀
未來一切衆生悉皆樂著語言文字隨言取義而生迷惑執取二乘外道之行

BD01894 號 2　大乘入楞伽經卷一　（23–4）

放光明默然不動住自證境入三昧樂如師子王周迴顧視觀羅婆那念如實法
尒時大慧菩薩摩訶薩先受羅婆那王請復知菩薩衆會之心及觀
未來一切衆生悉皆樂著語言文字隨言取義而生迷惑執取二乘外道之行
或作是念世尊已離諸識境界何因緣故欣然大笑爲斷彼疑而問於佛
佛即告言善哉大慧汝觀世間愍諸衆生於三界中惡見所纏欲令開悟
而問於我諸智慧人爲利自他能作是問大慧此楞伽王曾問過去一切如
來應正等覺二種之義今亦欲問未來亦尒此二種義差別之相一切二乘
及諸外道皆不能測　　尒時如來知楞伽王欲問此義而告之曰楞伽王汝
欲問我宜應速問我當爲汝分別解釋滿汝所願令汝歡喜能以智慧思
惟觀察離諸分別善知諸地修習對治證真實義入三昧樂爲諸如來之
所攝受住奢摩他樂遠離二乘三昧過失住於不動善慧法雲菩薩之
地能如實知諸法无我當於大寶蓮華宮中以三昧水而灌其頂復現无
量蓮華圍繞无數菩薩於中止住與諸衆會遞相瞻視如是境界不可
思議楞伽王汝起一方便行住修行地復起无量諸方便行汝定當得如上
所說不思議事處如來位隨形應物汝所當得一切二乘及諸外道梵釋
天等所未曾見尒時楞伽王蒙佛許已即於清淨光明如大寶蓮華寶山
頂上從坐而起諸婇女衆之所圍繞化作无量種種色花種種色香末香塗
香幢幡幰蓋冠珮纓珞及餘世間未曾見聞種種勝妙莊嚴之具又復化
作欲界所有種種无量諸音樂器過諸天龍乾闥婆等一切世間之所有
者又復化作十方佛土昔所曾見諸音樂器又復化作大寶羅網遍覆一
切佛菩薩上復現種種上妙衣服建立幢幡以爲供養作是事已即昇虛
空高七多羅樹於虛空中復雨種種諸供養雲作諸音樂從空而下即
坐第二日電光明如大蓮花寶山頂上歡喜恭敬而作是言我今欲問如來
二義如是二義我已曾問過去如來應正等覺彼佛世尊已爲我說
我今亦欲問於是義唯願如來爲我宣說世尊變化如來說此二義非根
本佛根本佛說三昧樂境不說虛妄分別所有善哉世尊於法自在唯
願哀愍說此二義一切佛子心皆樂聞
尒時世尊告彼王言汝應問我當爲汝說時夜叉王更著種種寶冠纓珞諸
莊嚴具以嚴其身而作是言如來常說法尚應捨何況非法云何得捨此二種法
何者是法何者非法法若應捨云何有二有二即墮分別相中有體无體是
實非實如是一切皆是分別不能了知阿賴耶識无差別相如毛輪住非淨
智境法性如是云何可捨尒時佛告楞伽王言楞伽王汝豈不見瓶等无常敗壞

尒時世尊告彼王言汝應問我當爲汝說時夜叉王更著種種寶冠纓珞諸
莊嚴具以嚴其身而作是言如來常說法尚應捨何況非法云何得捨此二種法
何者是法何者非法法若應捨云何有二有二即墮分別相中有體无體是
實非實如是一切皆是分別不能了知阿賴耶識无差別相如毛輪住非淨
智境法性如是云何可捨尒時佛告楞伽王言楞伽王汝豈不見瓶等无常敗壞
之法凡夫於中妄生分別汝今何故不如是知法與非法差別之相此是凡夫之
所分別非聖智見凡夫墮在種種相中非諸聖者楞伽王如燒宮殿園林見種種
焰由薪力故長短大小各各差別汝今云何不如是知法與非法差別之相楞伽王
如一種子生牙莖枝葉及以花菓无量差別外法如是內法亦然謂无明爲緣
生蘊界處一切諸法於三界中受諸趣生有苦樂好醜語默行止各各差別
又如諸識相雖是一隨於境界有上中下染淨善惡種種差別楞伽王非但如
上法有差別諸修行者修觀行時自智所行亦復見有差別之相況法與非
法而无種種差別分別楞伽王法與非法差別相者當知悉是相分別故楞伽
王何者是法所謂二乘及諸外道虛妄分別說有實等爲諸法因如是等
法應捨應離不應於中分別取相見自心法性則无執著瓶等諸物凡愚所
取本无有體諸觀行人以毗鉢舍那如實觀察名捨諸法楞伽王何者是非法
所謂諸法无性无相永離分別如實見者若有若无如是境界彼皆不起是
名捨非法復有非法所謂兎角石女兒等皆无性相不可分別但隨世俗說有
名字非如瓶等而可取著以彼非是識之所取如是分別亦應捨離是名捨法及捨
非法楞伽王汝先所問我已說竟楞伽王汝言我於過去諸如來所已問是義彼
諸如來已爲我說楞伽王汝言過去但是分別未來亦然我亦同彼楞伽王彼諸
佛法皆離分別已出一切分別戲論非如色相唯智能證爲令衆生得安樂故
而演說法以无相智說名如來是故如來以智爲體智爲身故不可分別不可
以何分別不可以我人衆生相分別何以故不能分別以意識因境界起取色形相
是故離能分別亦離所分別楞伽王譬如壁上彩畫衆生无有覺知世間衆生悉
亦如是无業无報諸法亦然无聞无說楞伽王世間衆生猶如變化凡夫外道不
能了達楞伽王能如是見名爲正見若他見者名分別見由分別故取著於二楞
伽王譬如有人於水鏡中自見其像於燈月中自見其影於山谷中自聞其響便
生分別而起取著此亦如是法與非法唯是分別由分別故不能捨離但更增長
一切虛妄分別不得寂滅寂滅者所謂一緣一緣者是最勝三昧從此能生自證聖智
以如來藏而爲境界

佛說大乘入楞伽經集一切法品第二之初

生分別而起取著此亦如是法與非法唯是分別由分別故不能捨離但更增長
一切虛妄分別寂滅寂滅者所謂一緣一緣者是最勝三昧從此能生自證聖智
以如來藏而為境界

佛說大乘入楞伽經集一切法品第二之初

尒時大慧菩薩摩訶薩與摩帝菩薩俱遊一切諸佛國土承佛神力從座而起
偏袒右肩右膝著地向佛合掌曲躬恭敬而說頌言
世間離生滅　譬如虛空花　智不得有无　而興大悲心　一切法如幻　遠離於心識
智不得有无　而興大悲心　世間恒如夢　遠離於斷常　智不得有无　而興大悲心
知人法无我　煩惱及尒焰　常清淨无相　而興大悲心　佛不住涅槃　涅槃不住佛
遠離覺不覺　若有若非有　法身如幻夢　云何可稱讚　知无性无生　乃名稱讚佛
佛无根境相　不見名見佛　云何於牟尼　而能有讚毀　若見於牟尼　寂靜遠離生
是人今後世　離著无所取
尒時大慧菩薩摩訶薩偈讚佛已自說姓名
我名為大慧　通達於大乘　今以百八義　仰諮尊中上　時世間解聞是語已普
觀眾會而作是言　汝等諸佛子　今皆恣所問　我當為汝說　自證之境界
尒時大慧菩薩摩訶薩蒙佛許已頂礼佛足以頌問曰
云何起計度　云何淨計度　云何起迷惑　云何淨迷惑　云何名佛子　及无影次第
云何剎土化　相及諸外道　解脫至何所　誰縛誰能解　云何禪境界　何故有三乘
彼以何緣生　何作何能作　誰說二俱異　云何諸有起　云何无色定　及與滅盡定
云何為想滅　云何從定覺　云何所作生　進去及持身　云何見諸物　云何入諸地
云何有佛子　誰能破三有　何處身云何　生復住何處　云何得神通　自在及三昧
三昧心何相　願佛為我說　云何名藏識　云何名意識　云何起諸見　云何退諸見
云何姓非姓　云何唯是心　何因建立相　云何成无我　云何无眾生　云何隨俗說
云何得不起　常見及斷見　云何佛外道　其相不相違　何故當來世　種種諸異部
云何為性空　云何剎那滅　胎藏云何起　云何世不動　云何諸世間　如幻亦如夢
乾城及陽焰　乃至水中月　云何菩提分　覺分從何起　云何國土亂　何故見諸有
云何知世法　云何離文字　云何如空花　不生亦不滅　真如有幾種　諸度心有幾
云何如虛空　云何離分別　云何地次第　云何得无影　何者二无我　云何所知淨
聖智有幾種　戒眾生亦然　摩尼等諸寶　斯並云何出　誰起於語言　眾生及諸物
明處與伎術　誰之所顯示　伽他有幾種　長行句亦然　道理幾不同　解釋幾差別
飲食是誰作　愛欲云何起　云何轉輪王　及以諸小王　云何王守護　天眾幾種別
地日月星宿　斯等並是何　解脫有幾種　修行師復幾　云何阿闍梨　弟子幾差別
如來有幾種　本生事亦然　眾魔及異學　如是各有幾　自性幾種異　心有幾種別

BD01894 號 2　大乘入楞伽經卷一

（23–7）

飲食是誰作　愛欲云何起　云何轉輪王　及以諸小王　云何王守護　天眾幾種別
地日月星宿　斯等並是何　解脫有幾種　修行師復幾　云何阿闍梨　弟子幾差別
如來有幾種　本生事亦然　眾魔及異學　如是各有幾　自性幾種異　心有幾種別
云何唯假設　願佛為開演　云何為風雲　念智何因有　藤樹等行列　此並誰能作
云何為馬獸　何因而捕取　云何卑陋人　願佛為我說　云何六時攝　云何一闡提
女男及不男　此並云何生　云何脩行進　云何脩行退　瑜伽師有幾　令人住其中
眾生生諸趣　何形何色相　富饒大自在　此復何因得　云何釋迦種　云何甘蔗種
仙人長苦行　是誰之教授　何因佛世尊　一切剎中現　異名諸色類　佛子眾圍繞
何因不食肉　何因令斷肉　食肉諸眾生　以何因故食　何故諸國土　猶如日月形
須彌及蓮花　萬字師子像　何故諸國土　如因陁羅網　覆住或側住　一切寶所成
何故諸國土　无垢日月光　或如花果形　箜篌細腰鼓　云何變化佛　云何為報佛
真如智慧佛　願皆為我說　云何於欲界　不成等正覺　何故色究竟　離染得菩提
如來滅度後　誰當持正法　世尊住久如　正法幾時住　悉檀有幾種　何故立毗尼
及以諸比丘　一切諸佛子　獨覺及聲聞　云何轉所依　云何得无相　云何得世通
云何得出世　復以何因故　心住七地中　僧伽有幾種　云何成破僧　云何為眾生
廣說醫方論　何故大牟尼　唱說如是言　迦葉拘留孫　拘那含是我　何故說斷常
及與我无我　何不恒說實　一切唯是心　云何男女林　訶梨菴摩羅　雞羅娑輪圍
及以金剛山　如是處中間　无量寶莊嚴　仙人乾闥婆　一切皆充滿　此皆何因緣
願尊為我說
尒時世尊聞其所請大乘微妙諸佛之心最上法門即
告之言善哉大慧諦聽諦聽如汝所問當次第說即說頌言
若生若不生　涅槃及空相　流轉无自性　波羅蜜佛子　聲聞辟支佛　外道无色行
須彌巨海山　洲渚剎土地　星宿與日月　天眾阿脩羅　解脫自在通　力禪諸三昧
滅及如意足　菩提分及道　禪定與无量　諸蘊及往來　乃至滅盡定　心生起言說
心意識无我　五法及自性　分別所分別　能所二種見　諸乘種性處　金摩尼真珠
一闡提大種　荒亂及一佛　智所知教得　眾生有无有　象馬獸何因　云何而捕取
云何因譬喻　相應成悉檀　所作及能作　眾林與迷惑　如是真實理　唯心无境界
諸地无次第　无相轉所依　醫方工巧論　伎術諸明處　須彌諸山地　巨海日月量
上中下眾生　身各幾微塵　一一剎幾塵　一一弓幾肘　幾弓俱盧舍　半由旬由旬
兔毫與隙遊　蟣羊毛穬麥　半升與一升　是各幾穬麥　一斛及十斛　十萬暨千億
乃至頻婆羅　是等各幾數　幾塵成芥子　幾芥成草子　復以幾草子　而成於一豆
幾豆成一銖　幾銖成一兩　幾兩成一斤　幾斤成須彌　此等所應請　何因問餘事
聲聞辟支佛　諸佛及佛子　如是等身量　各有幾微塵　火風各幾塵　一一根有幾

BD01894 號 2　大乘入楞伽經卷一

（23–8）

上中下衆生　身各幾微塵　一一剎幾塵　一一弓幾肘　幾弓俱盧舍　半由旬由旬
兔毫與隙遊塵　蟣羊毛穬麥　半升與一升　是各幾穬麥　一斛及十斛　十萬暨千億
乃至頻婆羅　是等各幾數　幾塵成芥子　幾芥成草子　復以幾草子　而成於一豆
幾豆成一銖　幾銖成一兩　幾兩成一斤　幾斤成須彌　此等所應請　何因問餘事
聲聞辟支佛　諸佛及佛子　如是等身量　各有幾微塵　火風各幾塵　一一根有幾
眉及諸毛孔　復各幾塵成　如是等諸事　云何不問我　云何得財富　云何轉輪王
云何王守護　云何得解脫　云何長行句　婬欲及飲食　云何男女林　金剛等諸山
幻夢渴愛譬　諸雲從何起　時節云何有　何因種種味　女男及不男　佛菩薩嚴飾
云何諸妙山　仙闥婆莊嚴　解脫至何所　誰縛誰解脫　云何禪境界　變化及外道
云何无因作　云何有因作　云何轉諸見　云何起計度　云何淨計度　所作云何起
云何而轉去　云何斷諸相　云何起三昧　破三有者誰　何處身云何　云何无有我
云何隨俗說　汝問相云何　及所問非我　云何為胎藏　及以餘支分　云何斷常見
云何心一境　云何言說智　戒種性佛子　云何稱理釋　云何師弟子　衆生種性別
飲食及虛空　聰明魔施設　云何樹行布　是汝之所問　何因一切剎　種種相不同
或有如箜篌　腰鼓及衆花　或有離光明　仙人長苦行　或有好族姓　令衆生尊重
或有體卑陋　為人所輕賤　云何欲界中　修行不成佛　而於色究竟　乃昇等正覺
云何世間人　而能獲神通　何因稱比丘　何故名僧伽　云何化及報　真如智慧佛
云何使其心　得住七地中　此及於餘義　汝今咸問我　如先佛所說　一百八種句
二相皆相應　遠離諸見過　亦離於世俗　言語所成法　我當為汝說　佛子應聽受
尒時大慧菩薩摩訶薩白佛言世尊何者是一百八句佛言大慧所謂生句
非生句常句非常句相句非相句住異句非住異句剎那句非剎那句自性句非自性
句空句非空句斷句非斷句心句非心句中句非中句恒句非恒句緣句非緣句因
句非因句煩惱句非煩惱句愛句非愛句方便句非方便句善巧句非善巧句
清淨句非清淨句相應句非相應句譬喻句非譬喻句弟子句非弟子句師
句非師句種性句非種性句三乘句非三乘句无影像句非无影像句願句非願
句三輪句非三輪句標相句非標相句有句非有句无句非无句俱句非俱句自
證聖智句非自證聖智句現法樂句非現樂句剎那句非剎那句塵句非塵句水
句非水句弓句非弓句大種句非大種句筭數句非筭數句神通句非神通句虛空
句非虛空句雲句非雲句巧明句非巧明句伎術句非伎術句風句非風句地句非
地句心句非心句假立句非假立句體性句非體性句蘊句非蘊句衆生句非衆
生句覺句非覺句涅槃句非涅槃句所知句非所知句外道句非外道句荒亂句
非荒亂句幻句非幻句夢句非夢句陽焰句非陽焰句影像句非影像句火輪

BD01894號2　大乘入楞伽經卷一　（23–9）

句非水句弓句非弓句大種句非大種句筭數句非筭數句神通句非神通句虛空
句非虛空句雲句非雲句巧明句非巧明句伎術句非伎術句風句非風句地句非
地句心句非心句假立句非假立句體性句非體性句蘊句非蘊句衆生句非衆
生句覺句非覺句涅槃句非涅槃句所知句非所知句外道句非外道句荒亂句
非荒亂句幻句非幻句夢句非夢句陽焰句非陽焰句影像句非影像句火輪
句非火輪句乾闥婆句非乾闥婆句天句非天句飲食句非飲食句婬欲句非婬
欲句見句非見句波羅蜜句非波羅蜜句戒句非戒句日月星宿句非日月星宿
句諦句非諦句果句非果句滅句非滅句起滅句非起滅句醫方句非醫方句相
句非相句支分句非支分句禪句非禪句迷句非迷句現句非現句護句非護句
種族句非種族句仙句非仙句王句非王句攝受句非攝受句寶句非寶句記句
非記句一闡提句非一闡提句女男不男句非女男不男句味句非味句作句非作
句身句非身句計度句非計度句動句非動句根句非根句有為句非有為句因
果句非因果句色究竟句非色究竟句時節句非時節句樹藤句非樹藤句種
種句非種種句演說句非演說句決定句非決定句毗尼句非毗尼句比丘句非比丘
句住持句非住持句文字句非文字句大慧此百八句皆是過去諸佛所說
尒時大慧菩薩摩訶薩復白佛言世尊諸識有幾種生住滅佛言大慧諸識有
二種生住滅非臆度者之所能知所謂相續生及相生相續住及相住相續
滅及相滅諸識有三相謂轉相業相真相大慧識廣說有八略則唯二謂現識及
分別事識大慧如明鏡中現諸色像現識亦尒大慧現識與分別事識此二識
无異相互為因大慧現識以不思議熏變為因分別事識以分別境界及无
始戲論習氣為因大慧阿賴耶識虛妄分別種種習氣滅即一切根識滅是名
相滅大慧相續滅者謂所依因滅及所緣滅即相續滅所依因者謂无始戲
論虛妄習氣所緣者謂自心所見分別境界大慧譬如泥團與微塵非異
非不異金與莊嚴具亦如是大慧若泥團與微塵異者應非彼成而實彼
成是故不異若不異者泥團微塵應无分別大慧轉識藏識若異者藏
識應非彼因若不異者轉識滅藏識亦應滅然彼真相不滅但業相滅真
相滅者藏識應滅若藏識滅者即不異外道斷滅論大慧彼諸外道作
如是說取境界相續識滅即无始相續識滅大慧彼諸外道說相續識從
作者生不說眼識依色光明和合而生唯說作者為生因故作者是何彼計勝
性丈夫自在時及微塵為能作者復次大慧有七種自性所謂集自性性自性
相自性大種自性因自性緣自性成自性復次大慧有七種第一義所謂心
所行智所行二見所行超二見所行超子地所行如來所行如來自聖智所行大

BD01894號2　大乘入楞伽經卷一　（23–10）

如是諸取境界相續識滅即无始相續識滅大慧彼諸外道說相續識從
作者生不說眼識依色光明和合而生唯說作者爲生因故作者是何彼計勝
性丈夫自在時及微塵爲能作者復次大慧有七種自性所謂集自性性自性
相自性大種自性因自性緣自性成自性復次大慧有七種第一義所謂心
所行智所行二見所行超二見所行超子地所行如來所行如來自證聖智所行大
慧此是過去未來現在一切如來應正等覺法自性第一義心以此心成就
如來世間出世間最上法以聖慧眼入自共相種種安立不與外道惡見謂不
知境界自分別現於自性第一義見有見無而起言說大慧我今當說若了
境如幻自心所現則滅妄想三有苦及无知愛業緣大慧有諸沙門婆羅門
妄計非有及有於因果外顯現諸物依時而住或計蘊界處依生緣住有已
即滅大慧彼於若相續若作用若生若滅若諸有若涅槃若道若業若果若
是諦破壞斷滅論何以故不得現法故不見根本故大慧譬如瓶破不作瓶
事又如燋種不能生芽此亦如是若蘊界處法已現當滅應知此則无相續
生以无因故但是自心虛妄所見復次大慧若本无有識三緣合生龜應生
毛沙應出油汝宗則壞違決定義所作事業悉空无益大慧三合爲緣是
因果性可說爲有過現未來從无生有此依住覺想地者所有理教及自惡
見熏習餘氣作如是說大慧愚癡凡夫惡見所噬邪見迷醉无智妄稱一
切智說　大慧復有沙門婆羅門觀一切法皆无自性如空中雲如旋火
輪如乾闥婆城如幻如燄如水中月如夢所見不離自心由无始來虛妄見故取以
爲外作是觀已斷分別緣亦離妄心所取名義知身及物并所住處一切皆是
藏識境界无能所取及生住滅如是思惟恒住不捨大慧此菩薩摩訶薩不
久當得生死涅槃二種平等大悲方便无功用行觀衆生如幻如影從緣无
起知一切境界離心无得行无相道漸昇諸地住三昧境了達三界皆唯自心
得如幻定絕衆影像成就智慧證无生法入金剛喻三昧當得佛身恒
如如起諸變化力通自在大慧方便以爲嚴飾遊衆佛國離諸外道及心意
識轉依次第成如來身大慧菩薩摩訶薩欲得佛身應當遠離蘊界
處心因緣所作生住滅法戲論分別但住心量觀察三有无始時來妄習所起
思惟佛无相无生自證聖法得心自在无功用行如如意寶隨宜現身令達
唯心漸入諸地是故大慧菩薩摩訶薩於自悉檀應善修學
佛說大乘入楞伽經卷第一
佛說大乘入楞伽經集一切法品第二之二　卷二
尒時大慧菩薩摩訶薩復白佛言世尊唯願爲我說心意意識五法

BD01894 號 2　大乘入楞伽經卷一
BD01894 號 3　大乘入楞伽經卷二　（23–11）

唯心漸入諸地是故大慧菩薩摩訶薩於自悉檀應善修學
佛說大乘入楞伽經卷第一
佛說大乘入楞伽經集一切法品第二之二　卷二
尒時大慧菩薩摩訶薩復白佛言世尊唯願爲我說心意意識五法
自性相衆妙法門此是一切諸佛菩薩入自心境離所行相稱真
實義諸佛教心唯願如來爲此山中諸菩薩衆隨順過去諸佛
演說藏識海浪法身境界尒時世尊告大慧菩薩摩訶薩言有
四種因緣眼識轉何等爲四所謂不覺自心現而執取故无始時來
取著於色虛妄習氣故識本性如是故樂見種種諸色相故大慧以
此四緣阿頼耶識如瀑流生轉識浪如眼識餘亦如是於一切諸根
微塵毛孔眼等轉識或頓生譬如明鏡現衆色像或漸生猶如猛
風吹大海水心海亦尒境界風吹起諸識浪相續不絕大慧因所作相
非一非異業與生相相繫深縛不能了知色等自性五識身轉大慧
與五識俱或因了別差別境相有意識生然彼諸識不作是念我等
同時展轉爲因而於自心所現境界分別執著俱時而起无差相各了
自境大慧諸脩行者入於三昧以習力微起而不覺知但作是念我謂
諸識入於三昧實不滅識而入三昧以彼不滅習氣種故但不取諸境
名爲識滅大慧如是藏識行相微細唯除諸佛及住地菩薩其餘一
切二乘外道定慧之力皆不能知唯有脩行如實行者以智慧力了諸
地相善達句義无邊佛所廣集善根不妄分別自心所現能知之耳
大慧諸修行人宴處山林上中下脩能見自心分別流注得諸三昧自在力通
諸佛灌頂菩薩圍繞知心意意識所行境界超愛无明生死大海是
故汝等應當親近諸佛菩薩如實脩行大善知識尒時世尊重說頌言
譬如巨海浪　斯由猛風起　洪波鼓溟壑　无有斷絕時　藏識海常住　境界風所動
種種諸識浪　騰躍而轉生　青赤等諸色　鹽貝乳石蜜　花果日月光　非異非不異
意等七識種　應知亦如是　如海洪波浪　心俱和合生　譬如海水動　種種波浪轉
藏識亦如是　種種諸識生　心意及意識　爲諸相故說　八識无別相　无能相所相
譬如海波浪　是則无差別　諸識心如是　異亦不可得　心能積集業　意能廣採集
了別故名識　對現境說五　尒時大慧菩薩摩訶薩以頌問曰
青赤諸色像　衆生識顯現　如浪種種法　云何願佛說
尒時世尊以偈答曰　青赤諸色像　浪中不可得　言心起衆相
開悟諸凡夫　而彼本无起　自心所取離　能取及所取　與彼波浪同

BD01894 號 3　大乘入楞伽經卷二　（23–12）

青赤諸色像　衆生識顯現　如浪種種法　云何願佛說
尒時世尊以偈荅曰　青赤諸色像　浪中不可得　言心起衆相
開悟諸凡夫　而彼本无起　自心所取離　能取及所取　與彼波浪同
身資財安住　衆生識所現　是故見此起　與浪无差別
尒時大慧復說頌言　大海波浪性　鼓躍可分別　藏識如是起
何故不覺知　尒時世尊以偈荅曰
阿賴耶如海　轉識同波浪　為凡夫无智　譬喻廣開演
尒時大慧復說頌言　譬如日出光　上下等皆照　世間燈亦然
應為愚說實　已能開示法　何不顯真實　尒時世尊以頌荅曰
若說真實者　彼心无真實　譬如海波浪　鏡中像及夢　俱時而顯現
心境界亦然　境界不具故　次第而轉生　識以能了知　意復意謂然
五識了現境　无有定次第　譬如工畫師　及畫師弟子　布彩圖衆像
我說亦如是　彩色中无文　非筆亦非素　為悅衆生故　綺煥成衆像
言說則變異　真實離文字　我所住實法　為諸修行說　真實自證處
能所分別離　此為佛子說　愚夫別開演　種種皆如幻　所見不可得
如是種種說　隨事而變異　所說非所應　於彼為非說　譬如衆病人
良醫隨處藥　如來為衆生　隨心應量說　世間依怙者　證智所行處
外道非境界　聲聞亦復然
復次大慧菩薩摩訶薩若欲了知能取所取分別境界皆是自心
之所現者當離憒閙昏滯睡眠初中後夜勤加修習遠離曾聞外道
邪論及二乘法通達自心分別之相
復次大慧菩薩摩訶薩住智慧心所住相已於上聖智三相當
勤修學何者為三所謂无影像相一切諸佛願持相自證聖
智所起相諸修行者獲此相已即捨跛驢智慧心相入菩薩
第八地於此三相修行不捨大慧无影像相者謂由慣習一切
二乘外道相故而得生起一切諸佛願持相者謂由諸佛自本
願力所加持故而得生起自證聖智所趣相者謂由不取一切
法相成就如幻諸三昧身趣佛地智故而得生起大慧是名上
聖智三種相若得此相即到自證聖智所行之處汝及諸菩
薩摩訶薩應勤修學　尒時大慧菩薩摩訶薩知諸
菩薩心之所念承一切佛威神之力白佛言唯願為說百八句
差別所依聖智事自性法門一切如來應正等覺為諸菩

法相成就如幻諸三昧身趣佛地智故而得生起大慧是名上
聖智三種相若得此相即到自證聖智所行之處汝及諸菩
薩摩訶薩應勤修學　尒時大慧菩薩摩訶薩知諸
菩薩心之所念承一切佛威神之力白佛言唯願為說百八句
差別所依聖智事自性法門一切如來應正等覺為諸菩
薩摩訶薩墮自共相者說此妄計性差別義門知此義已
則能淨治二无我觀境照明諸地超越一切二乘外道三昧之
樂見諸如來不可思議所行境界畢竟捨離五法自性以一切
佛法身智慧而自莊嚴入如幻境住一切佛剎兜率陁宮色究
竟天成如來身佛言大慧有一類外道見一切法隨因而盡生
分別解相兔无角起於无見如兔角无一切諸法悉亦如是復
有外道見大種求那塵等諸物形量分位各差別已執兔无
角於此而生牛有角想大慧彼墮二見不了唯心但於自心增長
分別大慧身及資生器世間等一切皆唯分別所現大慧應
知兔角離於有无諸法悉然勿生分別云何兔角離於有无互
因待故分析牛角乃至微塵求其體相終不可得聖智所行
遠離彼見是故於此不應分別
尒時大慧菩薩摩訶薩復白佛言世尊彼豈不以妄見起相
比度觀待妄計无耶佛言不以分別起相待以言无何以故彼
以分別為生因故以角分別為其所依所依為因離異不異非由
相待顯兔角无大慧若此分別異兔角者則非角因若不異
者因彼而起大慧分析牛角乃至極微求不可得異於有角
言无角者如是分別決定非理二俱非有誰待於誰若相待不
成待於有故言兔角无不應分別不正因故有无論者執有
執无二俱不成大慧復有外道見色形狀虛空分齊而執著
言色異虛空起於分別大慧虛空是色隨入色種大慧色是虛
空能持所持建立性故色空分齊應如是知大慧大種生時
自相各別不住虛空中非彼无虛空大慧兔亦尒觀大牛角言
彼角无大慧分析牛角乃至微塵又析彼塵其相不現彼何所
待而言无耶若待餘物彼亦如是大慧汝應遠離兔角牛角
空空及色所有分別汝及諸菩薩摩訶薩應常觀察自心
所現分別之相於一切國土為諸佛子說觀察自心修行之法

自相各別不住虛空中非彼无虛空大慧兎亦尒觀大牛角言
彼角无大慧尒析牛角乃至微塵又析彼塵其相不現彼何所
待而言无耶若待餘物彼亦如是大慧汝應遠離兎角牛角
空空及色所有分別汝及諸菩薩摩訶薩應常觀察自心
所現分別之相於一切國土爲諸佛子說觀察自心脩行之法
尒時世尊即說頌言
心所見无有　唯依心故起　身資所住影　衆生藏識現　心意及與識
自性五種法　二无我清淨　諸導師演說　長短共觀待　展轉牙相生
因有故成无　因无故成有　微塵分析事　不起色分別　唯心所安立
惡見者不信　外道非行處　聲聞亦復然　救世之所說　自證之境界
尒時大慧菩薩摩訶薩爲淨自心現流故而請佛言世尊云何
淨諸衆生自心現流爲漸次淨爲頓淨耶佛言大慧漸淨非
頓如菴羅果漸熟非頓諸佛如來淨諸衆生自心現流亦復
如是漸淨非頓如陶師造器漸成非頓諸佛如來淨諸衆生
自心現流亦復如是漸而非頓譬如大地生諸草木漸生非
頓諸佛如來淨諸衆生自心現流亦復如是漸淨非頓大慧
譬如人學音樂書畫種種伎術漸成非頓諸佛如來淨諸衆
生自心現流亦復如是漸而非頓譬如明鏡頓現衆像而无分
別諸佛如來淨諸衆生自心現流亦復如是頓現一切无相境
界而无分別如日月輪一時遍照一切色像諸佛如來淨諸衆
生自心過習亦復如是頓爲示現不可思議諸佛如來智慧
境界譬如藏識頓現於身及資生國土一切境界報佛亦尒
於色究竟天頓能成熟一切衆生令脩諸行譬如法佛頓現報
佛及以化佛光明照耀自證聖境亦復如是頓現法相而爲照
耀令離一切有无惡見
復次大慧法性所流佛說一切法自相共相自心現習氣因相
妄計性所執因相更相繫屬種種幻事皆无自性而諸衆生
種種執著取以爲實悉不可得復次大慧妄計自性執著緣
起自性起大慧譬如幻師以幻術力依草木瓦石幻作衆生
若干色像令其見者種種分別皆无真實大慧此亦如是由
取著境界習氣力故於緣起性中有妄計性種種相見是名
妄計性生大慧是名法性所流佛說法之相大慧法性佛者

BD01894號3　大乘入楞伽經卷二　（23–15）

起自性起大慧譬如幻師以幻術力依草木瓦石幻作衆生
若干色像令其見者種種分別皆无真實大慧此亦如是由
取著境界習氣力故於緣起性中有妄計性種種相見是名
妄計性生大慧是名法性所流佛說法之相大慧法性佛者
建立自證智所行離心自性相大慧應化佛說施戒忍進禪
定智慧蘊界處法及諸解脫諸識行相建立差別越外道見
起无色行復次大慧法性佛非所攀緣一切所緣一切所作根
量等相悉皆遠離非凡夫二乘及諸外道執著我相所取境
界是故大慧於自證聖智勝境界相當勤脩學於自心所現
分別見相當速捨離　復次大慧聲聞乘有二種差別
相所謂自證聖智殊勝相分別執著自性相云何自證聖智
殊勝相謂明見苦空无常无我諸諦境界離欲寂滅故於
蘊界處若自若共外不壞相如實了知故心住一境住一境已
獲禪解脫三昧道果而得出離住自證聖智境界樂未離
習氣及不思議變易死是名聲聞乘自證聖智境界相菩
薩摩訶薩雖亦得此聖智境界以憐愍衆生故本願所持
故不證寂滅門及三昧樂諸菩薩摩訶薩於此自證聖智
樂中不應脩學大慧云何分別執著自性相所謂知堅濕煖
動青黃赤白如是等法非作者生然依教理見自共相分別
執著是名聲聞乘分別執著相菩薩摩訶薩於此法中應
知應捨離人无我見入法无我相漸住諸地
尒時大慧菩薩摩訶薩白佛言世尊如來說常不思議自證
聖智第一義境將无同諸外道所說常不思議耶佛言
大慧非諸外道作者得常不思議所以者何諸外道常不思議因
自相不成既因自相不成以何顯示常不思議大慧外道所說
常不思議大慧外道所說常不思議若因自相成彼則有常
但以作者爲因相故常不思議不成大慧我第一義常不思議第
一義因相成遠離有无自證聖智所行相故有相第一義智
爲其因故有因離有无故非作者故如虛空涅槃寂滅法故
常不思議是故我說常不思議不同外道所有諍論大慧此
常不思議是諸如來自證聖智所行真理是故菩薩當勤
脩學復次大慧外道常不思議以无常異相因故常非

BD01894號3　大乘入楞伽經卷二　（23–16）

常不思議是諸如來自證聖智所行真理是故菩薩當勤
脩學復次大慧外道常不思議以无常異相因故常非
自相因力故常大慧外道常不思議以見所作法有已還无
无常已比知是義常亦見我所作法有已還无无常已不因
此說爲常大慧外道以如是因相成常不思議此因相非有
同於兎角故常不思議唯是分別但有言說何故彼因同於
兎角无自因相故大慧我常不思議以自證爲因相不以外
法有已還无无常爲因外道反此曾不能知常不思議自因
之相而恒在於自證聖智所行相外此不應說
復次大慧諸聲聞畏生死妄想苦而求涅槃不知生死涅槃差
別之相一切皆是妄分別有无所有故妄計未來諸根境滅以爲
涅槃不知證自智境界轉所依藏識爲大涅槃彼愚癡人說有三
乘不說唯心无有境界大慧彼人不知去來現在諸佛所說自心
境界取心外境常於生死輪轉不絶復次大慧去來現在諸如來
說一切法不生何以故自心所見非有性故離有无生故如兎馬等
角凡愚妄取唯自證聖智所行之處非諸愚夫二分別境大慧
身及資生器世間等一切皆是藏識影像所取能取二種相現
彼諸愚夫墮生住滅二見中故於中妄起有无分別大慧汝於此
義當勤脩學
　　復次大慧有五種性何等爲五謂聲聞
乘種性緣覺乘種性如來乘種性不定種性无種性大慧云
何知是聲聞乘種性謂若聞說於蘊界處自相共相若知若
證擧身毛竪心樂脩習於緣起相不樂觀察應知此是聲
聞乘種性彼於自乘見所證已於五六地斷煩惱結不斷煩
惱習住不思議死正師子吼言我生已盡梵行已立所作已
辦不受後有脩習人无我乃至生於得涅槃覺大慧復有
衆人求涅槃言能覺知我人衆生養者取者此是涅槃復有
說言見一切法因作者有此是涅槃大慧彼无解脫以未能
見法无我故此是聲聞乘及外道種性於未出中生出離想
應勤脩習捨此惡見大慧云何知是緣覺乘種性謂若聞說
緣覺乘法擧身毛竪悲泣流淚離憒閙緣无所染着有時聞
說現種種身或聚或散神通變化其心信受无所違逆當知

應勤脩習捨此惡見大慧云何知是緣覺乘種性謂若聞說
緣覺乘法擧身毛竪悲泣流淚離憒閙緣无所染着有時聞
說現種種身或聚或散神通變化其心信受无所違逆當知
此是緣覺乘種性應爲其說緣覺乘法大慧如來乘種性
所證法有三種所謂自性无自性法內身自證聖智法外諸佛
刹廣大法大慧若有聞說此一一法及自心所現身財建立阿
賴耶識不思議境不驚不怖不畏當知此是如來乘性大慧
不定種性者謂聞說彼三種法時隨生信解而順脩學大慧
爲初治地人而說種性欲令其入无影像地作是建立大慧彼
住三昧樂聲聞若能證知自所依識見法无我淨煩惱習畢
竟當得如來之身尒時世尊即說頌言
預流一來果　不還阿羅漢　是等諸聖人　其心悉迷惑　我所立三乘　一乘及非乘
爲愚夫少智　樂寂諸聖說　第一義法門　遠離於二取　住於无境界　何建立三乘
諸禪及无量　无色三摩提　乃至滅受想　唯心不可得
復次大慧此中一闡提何故於解脫中不生欲樂大慧以捨一切善根故爲
无始衆生起願故云何捨一切善根謂謗菩薩藏言此非隨順契經
調伏解脫之說作是語時善根悉斷不入涅槃云何爲无始衆生起
願謂諸菩薩以本願方便願一切衆生悉入涅槃若一衆生未涅
槃者我終不入此亦住一闡提趣此是无涅槃種性相大慧菩薩言
世尊此中何者畢竟不入涅槃佛言大慧彼菩薩一闡提知一切法
本來涅槃畢竟不入非捨善根何以故捨善根一闡提以佛威力故或
時善根生所以者何佛於一切衆生无捨時故是故菩薩一闡提不
入涅槃
　　復次大慧菩薩摩訶薩當善知三自性相何者爲三所
謂妄計自性緣起自性圓成自性大慧妄計自性從相生云
何從相生謂彼依緣起事相種類顯現生計著故大慧彼計著事相
有二種妄計性生是計如來之所演說謂名相計著相事相計著相
大慧事計著相者謂計著內外法相事者計著相者謂即彼內外
法中計著自共相是名二種妄計自性相大慧從所依所緣起是緣起性何
者圓成性謂離名相事相一切分別自證聖智所行真如大慧此是
圓成自性如來藏心尒時世尊說頌言

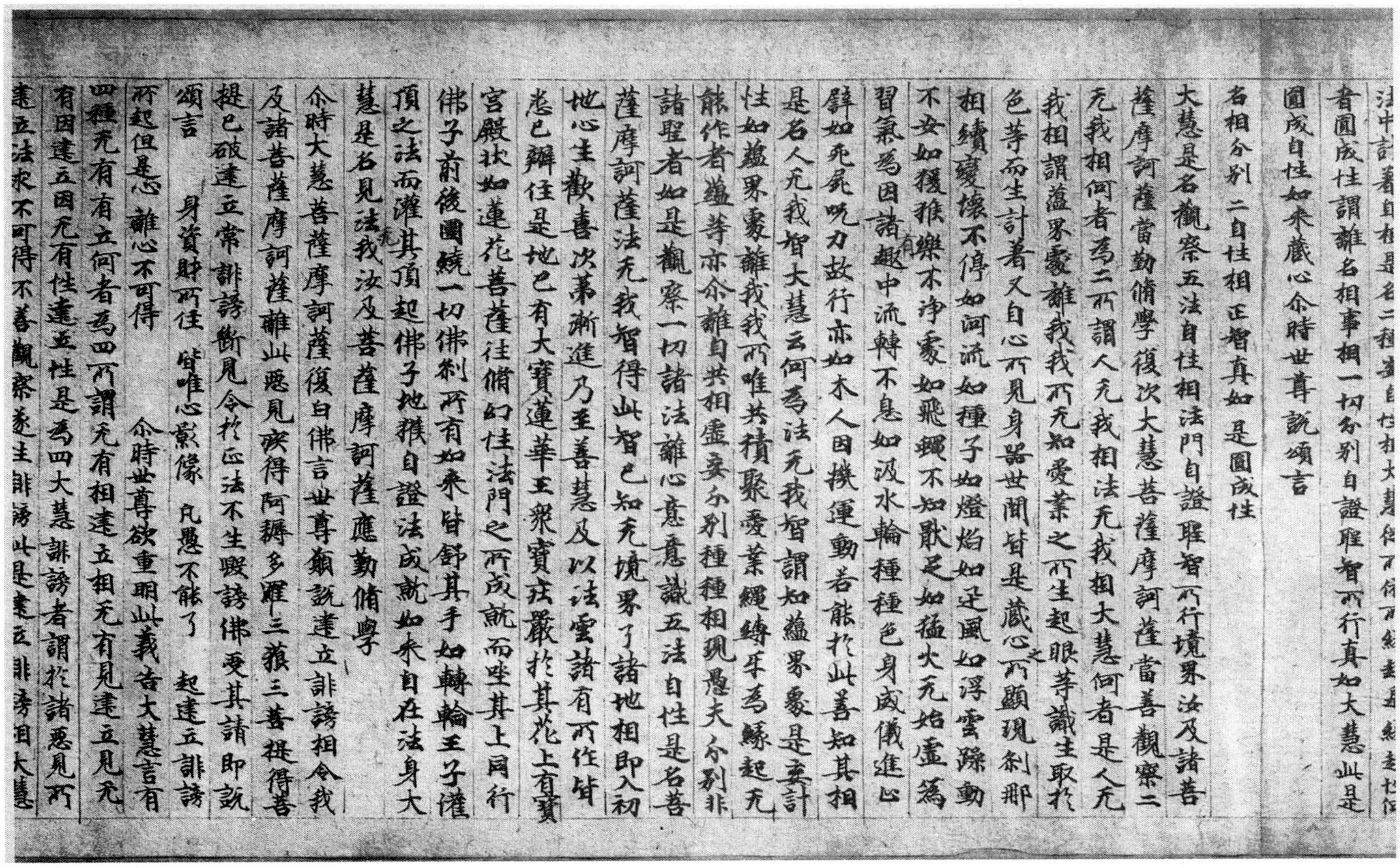

法中計著自相是名二種妄自性相大慧依所依所緣起是緣起性
者圓成性謂離名相事相一切分別自證聖智所行真如大慧此是
圓成自性如來藏心　尒時世尊說頌言
名相分別　二自性相　正智真如　是圓成性
大慧是名觀察五法自性相法門自證聖智所行境界汝及諸菩
薩摩訶薩當勤脩學復次大慧菩薩摩訶薩當善觀察二
无我相何者為二所謂人无我相法无我相大慧何者是人无
我相謂蘊界處離我我所无知愛業之所生起眼等識生取於
色等而生計著又自心所見身器世間皆是藏心之所顯現剎那
相續變壞不停如河流如種子如燈焰如迅風如浮雲躁動
不安如猨猴樂不淨處如飛蠅不知猒足如猛火无始虛偽
習氣為因諸有趣中流轉不息如汲水輪種種色身威儀進止
譬如死屍呪力故行亦如木人因機運動若能於此善知其相
是名人无我智大慧云何為法无我智謂知蘊界處是妄計
性如蘊界處離我我所唯共積聚愛業繩縛互為緣起无
能作者蘊等亦尒離自共相虛妄分別種種相現愚夫分別非
諸聖者如是觀察一切諸法離心意意識五法自性是名菩
薩摩訶薩法无我智得此智已知无境界了諸地相即入初
地心生歡喜次第漸進乃至善慧及以法雲諸有所作皆
悉已辦住是地已有大寶蓮華王眾寶莊嚴於其花上有寶
宮殿狀如蓮花菩薩往脩幻性法門之所成就而坐其上同行
佛子前後圍繞一切佛剎所有如來皆舒其手如轉輪王子灌
頂之法而灌其頂起佛子地獲自證法成就如來自在法身大
慧是名見法无我汝及菩薩摩訶薩應勤脩學
尒時大慧菩薩摩訶薩復白佛言世尊願說建立誹謗相令我
及諸菩薩摩訶薩離此惡見疾得阿耨多羅三藐三菩提得菩
提已破建立常誹謗斷見令於正法不生毀謗佛受其請即說
頌言　身資財所住　皆唯心影像　凡愚不能了　起建立誹謗
所起但是心　離心不可得　尒時世尊欲重明此義告大慧言有
四種无有有立何者為四所謂无有相建立无有見建立无
有因建立因无有性建立性是為四大慧誹謗者謂於諸惡見所
建立法求不可得不善觀察遂生誹謗此是建立誹謗相大慧

BD01894 號 3　大乘入楞伽經卷二　（23–19）

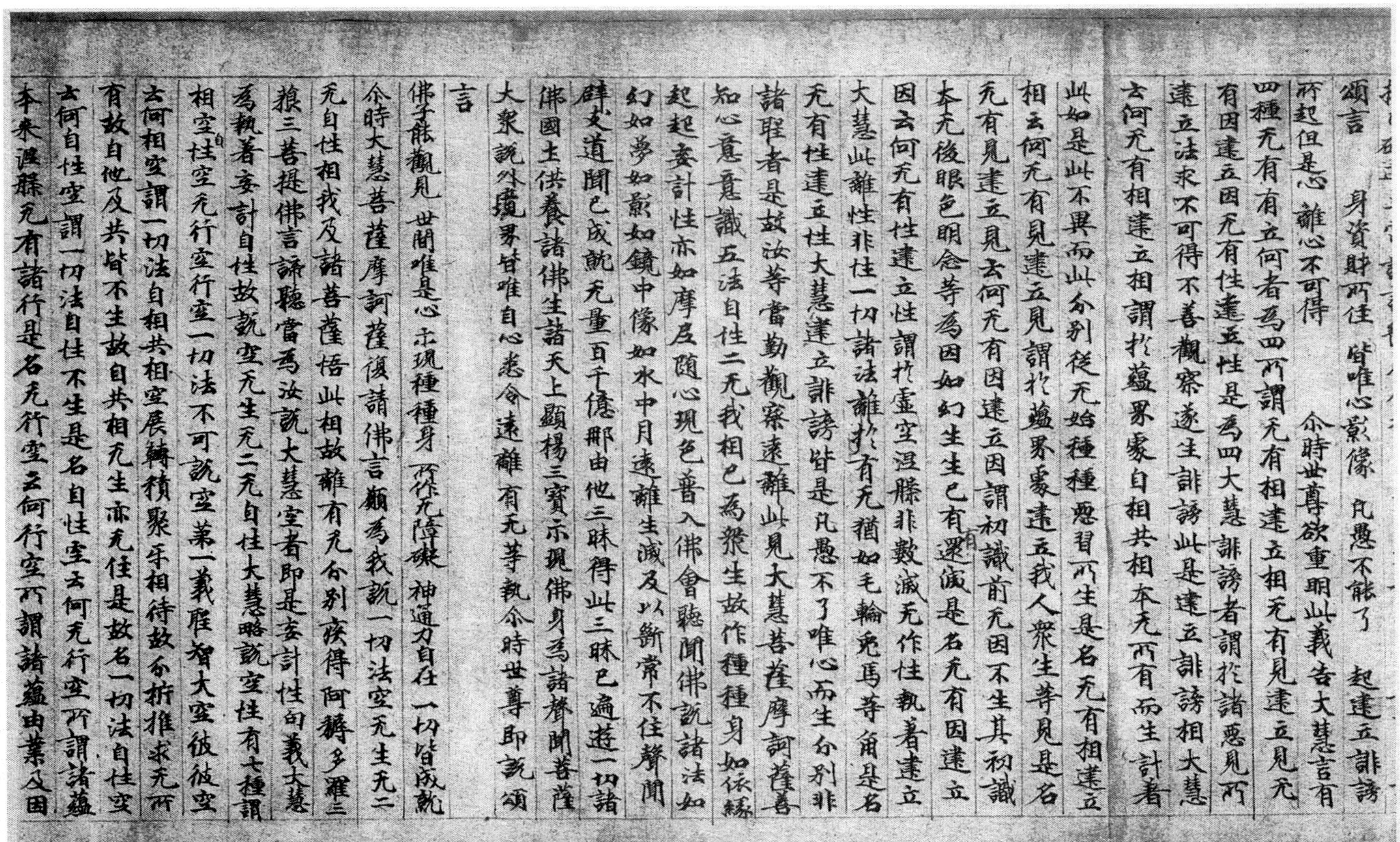

頌言　身資財所住　皆唯心影像　凡愚不能了　起建立誹謗
所起但是心　離心不可得　尒時世尊欲重明此義告大慧言有
四種无有有立何者為四所謂无有相建立无有見建立无
有因建立因无有性建立性是為四大慧誹謗者謂於諸惡見所
建立法求不可得不善觀察遂生誹謗此是建立誹謗相大慧
云何无有相建立相謂於蘊界處自相共相本无所有而生計著
此如是此不異而此分別從无始種種惡習所生是名无有相建立
相云何无有見建立見謂於蘊界處建立我人眾生等見是名
无有見建立見云何无有因建立因謂初識前无因不生其初識
本无後眼色明念等為因如幻生生已有還滅是名无有因建立
因云何无有性建立性謂於虛空涅槃非數滅无作性執著建立
大慧此離性非性一切諸法離於有无猶如毛輪兔馬等角是名
无有性建立性大慧建立誹謗皆是凡愚不了唯心而生分別非
諸聖者是故汝等當勤觀察遠離此見大慧菩薩摩訶薩善
知心意意識五法自性二无我相已為眾生故作種種身如依緣
起起妄計性亦如摩尼隨心現色普入佛會聽聞佛說諸法如
幻如夢如影如鏡中像如水中月遠離生滅及以斷常不住聲聞
辟支道聞已成就无量百千億那由他三昧得此三昧已遍遊一切諸
佛國土供養諸佛生諸天上顯揚三寶示現佛身為諸聲聞菩薩
大眾說外境界皆唯自心悉令遠離有无等執尒時世尊即說頌
言
佛子能觀見　世間唯是心　示現種種身　所作无障礙　神通力自在　一切皆成就
尒時大慧菩薩摩訶薩復請佛言願為我說一切法空无生无二
无自性相我及諸菩薩悟此相故離有无分別疾得阿耨多羅三
藐三菩提佛言諦聽當為汝說大慧空者即是妄計性句義大慧
為執著妄計自性故說空无生无二无自性大慧略說空性有七種謂
相空自性空无行空行空一切法不可說空第一義聖智大空彼彼空
云何相空謂一切法自相共相空展轉積聚互相待故分析推求无所
有故自他及共皆不生故自共相无生亦无住是故名一切法自性空
云何自性空謂一切法自性不生是名自性空云何无行空所謂諸蘊
本來涅槃无有諸行是名无行空云何行空所謂諸蘊由業及因

BD01894 號 3　大乘入楞伽經卷二　（23–20）

云何相空謂一切法自相共相空展轉積聚互相待故分析推求无所
有故自他及共皆不生故自共相无生亦无住是故名一切法自性空
云何自性空謂一切法自性不生是名自性空云何无行空所謂諸蘊
本來涅槃无有諸行是名无行空云何行空所謂諸蘊由業及因
和合而起離我我所是名行空云何一切法不可說空謂一切法妄
計自性无可言說是名不可說空云何第一義聖諦大空謂得自證
聖智時一切諸見過習悉離是名第一義聖智大空云何彼彼空
謂於此无彼是名彼彼空譬如鹿子母堂无象馬牛羊我說彼堂
空非无比丘衆大慧非謂堂无堂自性非謂比丘无比丘自性非謂
餘處无象馬牛羊大慧一切諸法自相共相彼彼求不可得是故
說名彼彼空是名七種空大慧此彼彼空空中最麁汝應遠離復
次大慧无生者自體不生而非不生除住三昧是名无生大慧无自
性者以无生故密意而說大慧一切法无自性以剎那不住故見後
變異故是名无自性云何无二相大慧如光影如長短如黑白皆相待
立獨則不成大慧非於生死外有涅槃非於涅槃外有生死生死涅
槃无相違相如生死涅槃一切法亦如是是名无二相大慧空无生无
二无自相（性）汝當勤學尒時世尊重說頌言
我常說空法　遠離於斷常　生死如幻夢　而業亦不壞　虛空及涅槃　滅二亦如是
愚夫妄分別　諸聖離有无　　尒時世尊復告大慧菩薩摩訶薩
言大慧此空无生无自性无二相悉入一切諸佛所說脩多羅中佛所
說經皆有是義大慧諸脩多羅隨順一切衆生心說而非真實
在於言中譬如陽焰誑惑諸獸令生水想而實无水衆經所說亦
復如是隨諸愚夫自所分別令生歡喜非皆顯示聖智證處真實
之法大慧應隨順義莫著言說
尒時大慧菩薩摩訶薩白佛言世尊脩多羅中說如來藏本性清
淨常恒不斷无有變易具三十二相在於一切衆生身中爲蘊界處
垢衣所纏貪恚癡等妄分別垢之所汙染如无價寶在垢衣中外道
說我是常作者離於求那自在无滅世尊所說如來藏義豈不同
於外道我耶佛言大慧我說如來藏不同外道所說之我大慧如
來應正等覺以性空實際涅槃不生无相无願等諸句義說如來
藏爲令愚夫離无我怖說无分別无影像處如來藏門未來現在諸

BD01894號3　大乘入楞伽經卷二　（23-21）

於外道我耶佛言大慧我說如來藏不同外道所說之我大慧如
來應正等覺以性空實際涅槃不生无相无願等諸句義說如來
藏爲令愚夫離无我怖說无分別无影像處如來藏門未來現在諸
菩薩摩訶薩不應於此執著於我大慧譬如陶師於泥聚中以人
功水杖輪繩方便作種種器如來亦尒於遠離一切分別相无我法中
以種種智慧方便善巧或說如來藏或說爲无我種種名字各
各差別大慧我說如來藏爲攝著我諸外道衆令離妄見入三解
脫速得證於阿耨多羅三藐三菩提是故諸佛說如來藏不同外
道所說之我若欲離於外道見者應知无我如來藏義尒時世尊
即說頌言
士夫相續蘊　衆緣及微塵　勝性自作者　此但心分別
尒時大慧菩薩摩訶薩普觀未來一切衆生復請佛言願爲我說
具脩行法如諸菩薩摩訶薩成就脩行佛言大慧菩薩摩訶薩
具四種法成大脩行何者爲四謂觀察自心所現故遠離生住滅
故善知外法无性故專求自證聖智故若諸菩薩成此四法則得
名爲大脩行者大慧云何觀察自心所現謂觀三界唯是自心離
我我所无動作无來去无始執著過習所熏三界種種色行名言
繫縛身資所住分別隨入之所顯現菩薩摩訶薩如是觀察自心
所現大慧云何得離生住滅見所謂觀一切法如幻夢生自他及俱
皆不生故隨自心量之所現故見外物无有故見諸識不起故乃衆
緣无積聚故分別因緣故起三界故如是觀時若內若外一切諸
法皆不可得知无體實遠離生見證如幻性即時逮得无生法忍
住第八地了心意意識五法自性二无我境轉所依心獲意生身
大慧言世尊以何因緣名意生身佛言大慧意生身者譬如意
去速疾无礙名意生身大慧譬如心意於无量百千由旬之外憶
先所見種種諸物念念相續疾詣於彼非是其身及山河石壁所能
爲礙意生身者亦復如是如幻三昧力通自在諸相莊嚴憶本成就
衆生願故猶如意去生於一切諸聖衆中是名菩薩摩訶薩得遠
離於生住滅見大慧云何觀察外法无性謂觀察一切法如陽焰如
夢境如毛輪无始戲論種種執著虛妄惡習爲其因故如是觀察
一切法時即是專求自證聖智大慧是名菩薩具四種法成大脩行
汝應如是勤加脩學　尒時大慧菩薩摩訶薩復請佛言願說

BD01894號3　大乘入楞伽經卷二　（23-22）

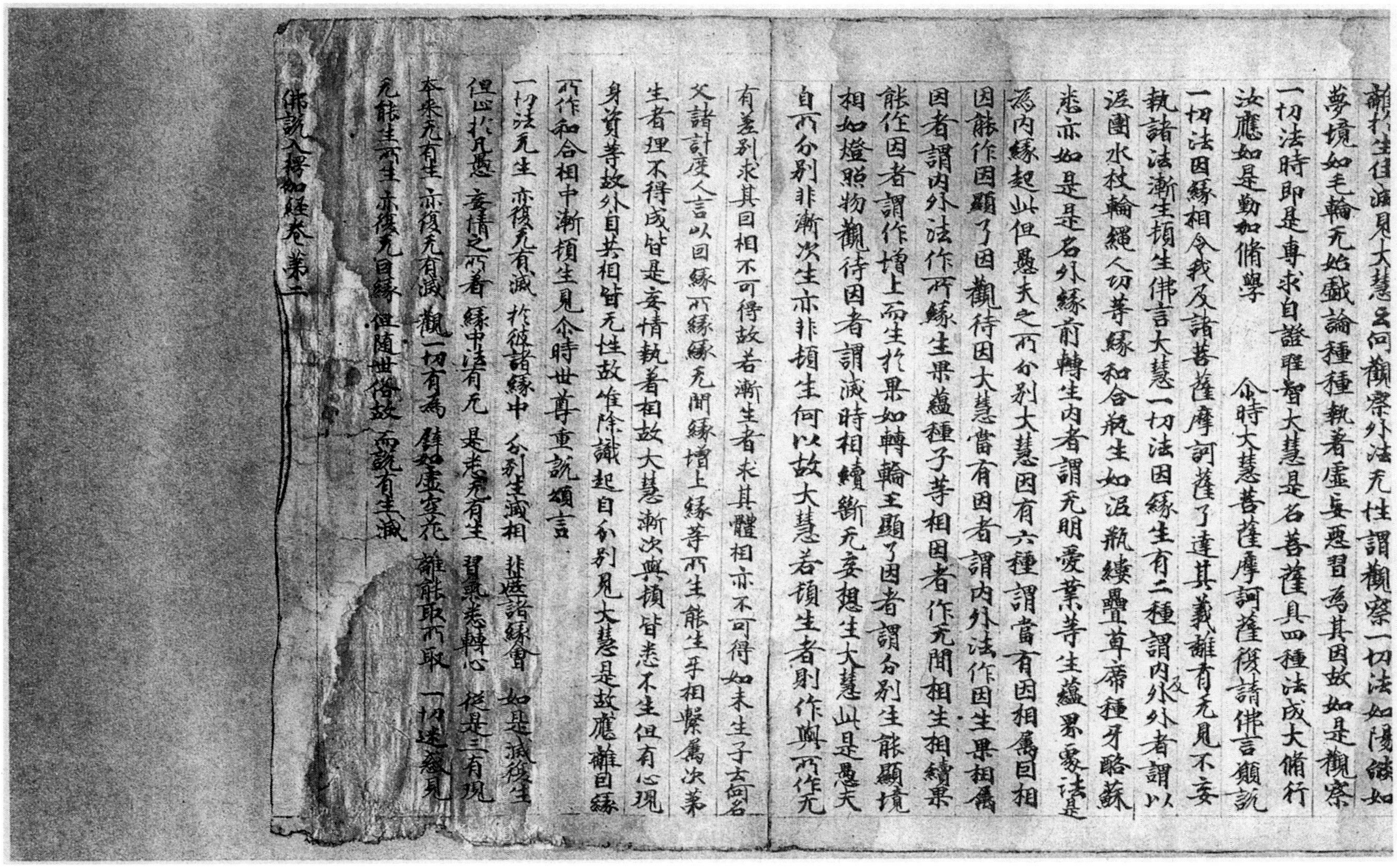
離於生住滅見大慧云何觀察外法无性謂觀察一切法如陽焰如
夢境如毛輪无始戲論種種執著虛妄惡習爲其因故如是觀察
一切法時即是專求自證聖智大慧是名菩薩具四種法成大修行
汝應如是勤加修學
尒時大慧菩薩摩訶薩復請佛言願說
一切法因緣相令我及諸菩薩摩訶薩了達其義離有无見不妄
執諸法漸生頓生佛言大慧一切法因緣生有二種謂內及外外者謂以
泥團水杖輪繩人功等緣和合瓶生如泥瓶縷疊草席種牙酪蘇
悉亦如是是名外緣前轉生內者謂无明愛業等生蘊界處法是
爲內緣起此但愚夫之所分別大慧因有六種謂當有因相屬因相
因能作因顯了因觀待因大慧當有因者謂內外法作因生果相屬
因者謂內外法作所緣生果蘊種子等相因者作无間相生相續果
能作因者謂作增上而生於果如轉輪王顯了因者謂分別生能顯境
相如燈照物觀待因者謂滅時相續斷无妄想生大慧此是愚夫
自所分別非漸次生亦非頓生何以故大慧若頓生者則作與所作无
有差別求其因相不可得故若漸生者求其體相亦不可得如未生子云何名
父諸計度人言以因緣所緣緣无間緣增上緣等所生能生互相繫屬次第
生者理不得成皆是妄情執著相故大慧漸次與頓皆悉不生但有心現
身資等故外自共相皆无性故唯除識起自分別見大慧是故應離因緣
所作和合相中漸頓生見尒時世尊重說頌言
一切法无生　亦復无有滅　於彼諸緣中　分別生滅相　非遮諸緣會　如是滅復生
但止於凡愚　妄情之所著　緣中法有无　是悉无有生　習氣迷轉心　從是三有現
本來无有生　亦復无有滅　觀一切有爲　譬如虛空花　離能取所取　一切迷惑見
无能生所生　亦復无因緣　但隨世俗故　而說有生滅
佛說入楞伽經卷第二

BD01894 號 3　大乘入楞伽經卷二　　（23–23）

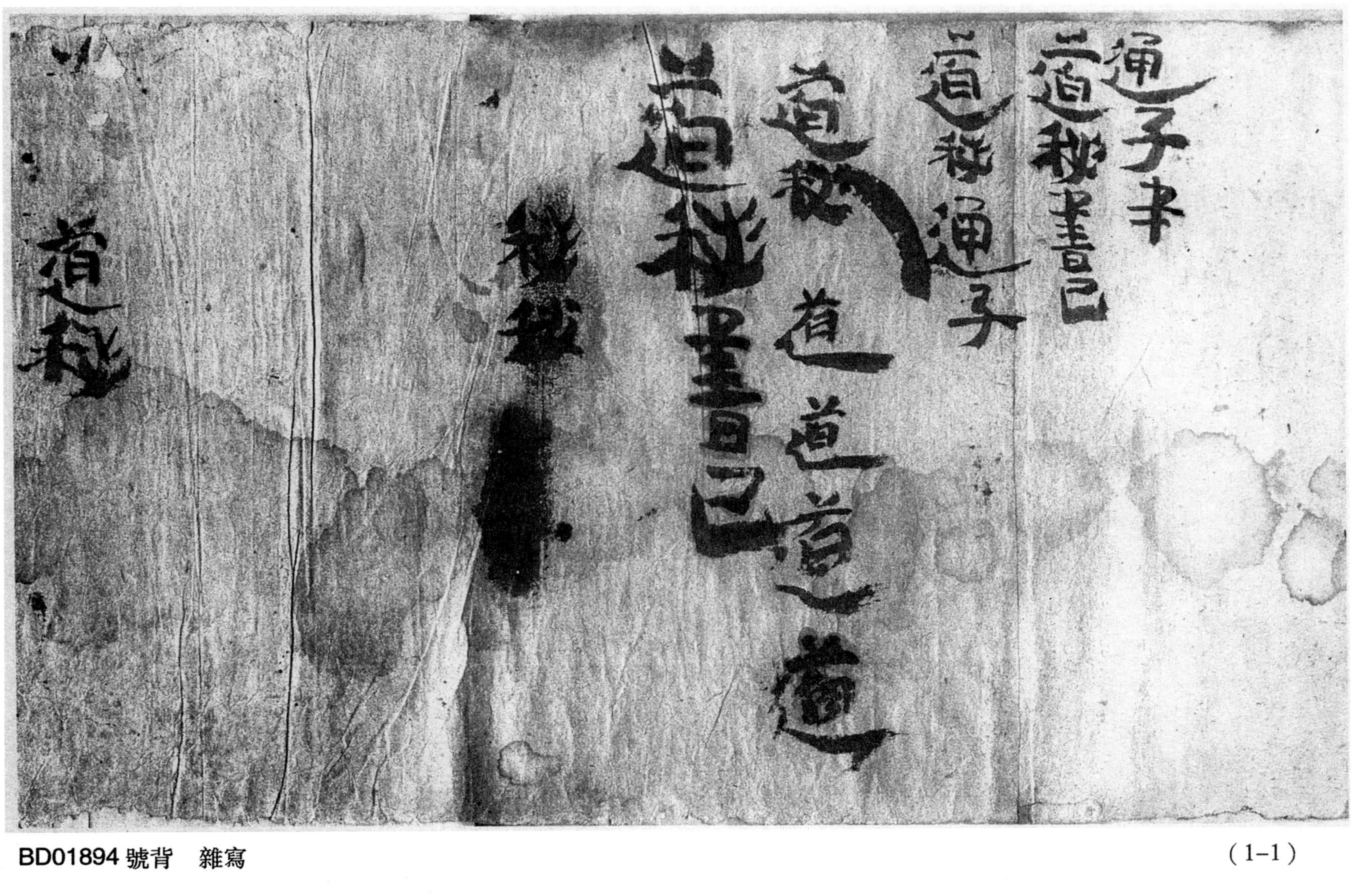

BD01894 號背　雜寫　　（1–1）

淺識聞之　迷惑不解　一切聲聞　及辟支佛
於此經中　力所不及　汝舍利弗　尚於此經
以信得入　況餘聲聞　其餘聲聞　信佛語故
隨順此經　非己智分　又舍利弗　憍慢懈怠
計我見者　莫說此經　凡夫淺識　深著五欲
聞不能解　亦勿為說　若人不信　毀謗此經
則斷一切　世間佛種　或復顰蹙　而懷疑惑
汝當聽說　此人罪報　若佛在世　若滅度後
其有誹謗　如斯經典　見有讀誦　書持經者
輕賤憎嫉　而懷結恨　此人罪報　汝今復聽
其人命終　入阿鼻獄　具足一劫　劫盡更生
如是展轉　至无數劫　從地獄出　當墮畜生
若狗野干　其形頊瘦　黧黮疥癩　人所觸嬈
又復為人　之所惡賤　常困飢渴　骨肉枯竭
生受楚毒　死被瓦石　斷佛種故　受斯罪報
若作駱駝　或生驢中　身常負重　加諸杖捶
但念水草　餘无所知　謗斯經故　獲罪如是
有作野干　來入聚落　身體疥癩　又无一目
為諸童子　之所打擲　受諸苦痛　或時致死
於此死已　更受蟒身　其形長大　五百由旬
聾騃无足　宛轉腹行　為諸小虫　之所唼食
晝夜受苦　无有休息　謗斯經故　獲罪如是
若得為人　諸根闇鈍　矬陋攣躄　盲聾背傴

BD01895號　妙法蓮華經卷二　（10–1）

為諸童子　之所打擲　受諸苦痛　或時致死
於此死已　更受蟒身　其形長大　五百由旬
聾騃无足　宛轉腹行　為諸小虫　之所唼食
晝夜受苦　无有休息　謗斯經故　獲罪如是
若得為人　諸根闇鈍　矬陋攣躄　盲聾背傴
有所言說　人不信受　口氣常臭　鬼魅所著
貧窮下賤　為人所使　多病痟瘦　无所依怙
雖親附人　人不在意　若有所得　尋復忘失
若脩醫道　順方治病　更增他疾　或復致死
若自有病　无人救療　設服良藥　而復增劇
若他反逆　抄劫竊盜　如是等罪　橫羅其殃
如斯罪人　永不見佛　眾聖之王　說法教化
如斯罪人　常生難處　狂聾心亂　永不聞法
於无數劫　如恒河沙　生輒聾瘂　諸根不具
常處地獄　如遊園觀　在餘惡道　如己舍宅
駝驢猪狗　是其行處　謗斯經故　獲罪如是
若得為人　聾盲瘖瘂　貧窮諸衰　以自莊嚴
水腫乾痟　疥癩癰疽　如是等病　以為衣服
身常臭處　垢穢不淨　深著我見　增益瞋恚
婬欲熾盛　不擇禽獸　謗斯經故　獲罪如是
告舍利弗　謗斯經者　若說其罪　窮劫不盡
以是因緣　我故語汝　无智人中　莫說此經
若有利根　智慧明了　多聞強識　求佛道者
如是之人　乃可為說　若人曾見　億百千佛
殖諸善本　深心堅固　如是之人　乃可為說
若人精進　常脩慈心　不惜身命　乃可為說
若人恭敬　无有異心　離諸凡愚　獨處山澤
如是之人　乃可為說　又舍利弗　若見有人

BD01895號　妙法蓮華經卷二　（10–2）

如是之人　乃可爲說　若人曾見　億百千佛
殖諸善本　深心堅固　如是之人　乃可爲說
若人精進　常脩慈心　不惜身命　乃可爲說
若人恭敬　无有異心　離諸凡愚　獨處山澤
如是之人　乃可爲說　又舍利弗　若見有人
捨惡知識　親近善友　如是之人　乃可爲說
若見佛子　持戒清潔　如淨明珠　求大乘經
如是之人　乃可爲說　若人无瞋　質直柔軟
常愍一切　恭敬諸佛　如是之人　乃可爲說
復有佛子　於大衆中　以清淨心　種種因緣
譬喻言辭　說法无礙　如是之人　乃可爲說
若有比丘　爲一切智　四方求法　合掌頂受
但樂受持　大乘經典　乃至不受　餘經一偈
如是之人　乃可爲說　如人至心　求佛舍利
如是求經　得已頂受　其人不復　志求餘經
亦未曾念　外道典籍　如是之人　乃可爲說
告舍利弗　我說是相　求佛道者　窮劫不盡
如是等人　則能信解　汝當爲說　妙法華經

妙法蓮華經信解品第四

尒時慧命須菩提摩訶迦栴延摩訶迦葉
摩訶目揵連從佛所聞未曾有法世尊授舍
利弗阿耨多羅三藐三菩提記發希有心歡
喜踊躍即從座起整衣服偏袒右肩右膝
著地一心合掌曲躬恭敬瞻仰尊顏而白佛言
我等居僧之首年並朽邁自謂已得涅槃
无所堪任不復進求阿耨多羅三藐三菩提
世尊往昔說法既久我時在座身體疲懈但
念空无相无作於菩薩法遊戲神通淨佛國

BD01895號　妙法蓮華經卷二　（10–3）

我等居僧之首年並朽邁自謂已得涅槃
无所堪任不復進求阿耨多羅三藐三菩提
世尊往昔說法既久我時在座身體疲懈但
念空无相无作於菩薩法遊戲神通淨佛國
土成就衆生心不喜樂所以者何世尊令我等
出於三界得涅槃證又今我等年已朽邁於
佛教化菩薩阿耨多羅三藐三菩提不生一
念好樂之心我等今於佛前聞授聲聞阿耨
多羅三藐三菩提記心甚歡喜得未曾有不
謂於今忽然得聞希有之法深自慶幸獲大
善利无量珎寶不求自得世尊我等今者樂
說譬喻以明斯義譬若有人年既幼稚捨父
逃逝久住他國或十二十至五十歲年既長大
加復窮困馳騁四方以求衣食漸漸遊行
遇向本國其父先來求子不得中止一城其家
大富財寶无量金銀琉璃珊瑚虎珀頗梨珠
等其諸倉庫悉皆盈溢多有僮僕臣佐吏
民象馬車乘牛羊无數出入息利乃遍他國商
估賈客亦甚衆多時貧窮子遊諸聚落經
歷國邑遂到其父所止之城父每念子與子
離別五十餘年而未曾向人說如此事但自思
惟心懷悔恨自念老朽多有財物金銀珎寶
倉庫盈溢无有子息一旦終沒財物散失无
所委付是以慇懃每憶其子復作是念我若
得子委付財物坦然快樂无復憂慮世尊尒
時窮子傭賃展轉遇到父舍住立門側遙見
其父踞師子床寶几承足諸婆羅門剎利居
士皆恭敬圍繞以真珠瓔珞價直千万莊嚴

BD01895號　妙法蓮華經卷二　（10–4）

所委付是以慇懃每憶其子復作是念我若
得子委付財物坦然快樂无復憂慮世尊尒
時窮子傭賃展轉遇到父舍住立門側遥見
其父踞師子床寶几承足諸婆羅門剎利居
士皆恭敬圍繞以真珠瓔珞價直千万莊嚴
其身吏民僮僕手執白拂侍立左右覆以寶
帳垂諸華幡香水灑地散衆名華羅列寶
物出内取與有如是等種種嚴餝威德特尊
窮子見父有大力勢即懷恐怖悔來至此竊作
是念此或是王或是王等非我傭力得物之
處不如往至貧里肆力有地衣食易得若久
住此或見逼迫強使我作作是念已疾走而
去時富長者於師子座見子便識心大歡喜
即作是念我財物庫藏今有所付我常思念
此子无由見之而忽自來甚適我願我雖年
朽猶故貪惜即遣傍人急追將還尒時使者
疾走往捉窮子驚愕稱怨大喚我不相犯何
為見捉使者執之逾急強牽將還于時窮子
自念无罪而被囚執此必定死轉更惶怖悶
絶躃地父還見之而語使言不須此人勿強將
來以冷水灑面令得醒悟莫復與語所以者
何父知其子志意下劣自知豪貴為子所難
審知是子而以方便不語他人云是我子使
者語之我今放汝隨意所趣窮子歡喜得
未曾有從地而起往至貧里以求衣食尒時
長者將欲誘引其子而設方便密遣二人形
色憔悴无威德者汝可詣彼徐語窮子此有
作處倍與汝直窮子若許將來使作若言欲

BD01895號　妙法蓮華經卷二　（10–5）

未曾有從地而起往至貧里以求衣食尒時
長者將欲誘引其子而設方便密遣二人形
色憔悴无威德者汝可詣彼徐語窮子此有
作處倍與汝直窮子若許將來使作若言欲
何所作便可語之雇汝除糞我等二人亦共
汝作時二使人即求窮子既已得之具陳上
事尒時窮子先取其價尋與除糞其父見
子愍而怪之又以他日於窓牖中遥見子身羸
瘦憔悴糞土塵坌汙穢不淨即脫瓔珞細軟
上服嚴餝之具更著麁弊垢膩之衣塵土坌
身右手執持除糞之器狀有所畏語諸作人
汝等勤作勿得懈息以方便故得近其子後
復告言咄男子汝常此作勿復餘去當加汝
價諸有所須瓫器米麪塩酢之屬莫自疑
難亦有老弊使人須者相給好自安意我如
汝父勿復憂慮所以者何我年老大而汝少壯
汝常作時无有欺怠瞋恨怨言都不見汝有
此諸惡如餘作人自今已後如所生子即時
長者更與作字名之為兒尒時窮子雖欣此
遇猶故自謂客作賤人由是之故於二十年中
常令除糞過是已後心相體信入出无難然
其所止猶在本處世尊尒時長者有疾自知
將死不久語窮子言我今多有金銀珎寶倉
庫盈溢其中多少所應取與汝悉知之我心
如是當體此意所以者何今我與汝便為不
異宜加用心无令漏失尒時窮子即受教勑
領知衆物金銀珎寶及諸庫藏而无希取
一飡之意然其所止故在本處下劣之心亦

BD01895號　妙法蓮華經卷二　（10–6）

異宜加用心无令漏失尒時窮子即受教勑
領知衆物金銀珎寶及諸庫藏而无希取
一飡之意然其所止故在本處下劣之心亦
未能捨復經少時父知子意漸以通泰成就
大志自鄙先心臨欲終時而命其子并會親
族國王大臣剎利居士皆悉已集即自宣言
諸君當知此是我子我之所生於某城中捨
吾逃走跉跰辛苦五十餘年其本字某我名
某甲昔在本城懷憂推覓忽於此閒遇會得
之此實我子我實其父今我所有一切財物
皆是子有先所出內是子所知世尊是時窮
子聞父此言即大歡喜得未曾有而作是念
我本无心有所希求今此寶藏自然而至世
尊大富長者則是如來我等皆似佛子如來
常說我等為子世尊我等以三苦故於生死
中受諸熱惱迷惑无知樂著小法今日世尊
令我等思惟蠲除諸法戲論之糞我等於
中勤加精進得至涅槃一日之價既得此已
心大歡喜自以為足便自謂於佛法中勤精
故所得弘多然世尊先知我等心著弊欲樂
於小法便見縱捨不為分別汝等當有如來
知見寶藏之分世尊以方便力說如來智慧
我等從佛得涅槃一日之價以為大得於此
大乘无有志求我等又因如來智慧為諸菩
薩開示演說而自於此无有志願所以者何
佛知我等心樂小法以方便力隨我等說而
我等不知真是佛子今我等方知世尊於
佛智慧无所悋惜所以者何我等昔來真是

薩開示演說而自於此无有志願所以者何
佛知我等心樂小法以方便力隨我等說而
我等不知真是佛子今我等方知世尊於
佛智慧无所悋惜所以者何我等昔來真是
佛子而但樂小法若我等有樂大之心佛則為
我說大乘法於此經中唯說一乘而昔於菩
薩前毀呰聲聞樂小法者然佛實以大乘
教化是故我等說本无有心有所希求今法
王大寶自然而至如佛子所應得者皆已得
之尒時摩訶迦葉欲重宣此義而說偈言
我等今日　聞佛音教　歡喜踊躍　得未曾有
佛說聲聞　當得作佛　无上寶聚　不求自得
譬如童子　幼稚无識　捨父逃逝　遠到他土
周流諸國　五十餘年　其父憂念　四方推求
求之既疲　頓止一城　造立舍宅　五欲自娛
其家巨富　多諸金銀　車𤦲馬瑙　真珠琉璃
象馬牛羊　輦轝車乘　田業僮僕　人民衆多
出入息利　乃遍他國　商估賈人　无處不有
千万億衆　圍繞恭敬　常為王者　之所愛念
群臣豪族　皆共宗重　以諸緣故　往來者衆
豪富如是　有大力勢　而年朽邁　益憂念子
夙夜惟念　死時將至　癡子捨我　五十餘年
庫藏諸物　當如之何　尒時窮子　求索衣食
從邑至邑　從國至國　或有所得　或无所得
飢餓羸瘦　體生瘡癬　漸次經歷　到父住城
傭賃展轉　遂至父舍　尒時長者　於其門內
施大寶帳　處師子座　眷屬圍繞　諸人侍衛
或有計算　金銀寶物　出內財産　注記券疏

傭賃展轉 遂至父舍 尒時長者 於其門內
施大寶帳 處師子座 眷屬圍繞 諸人侍衛
或有計筭 金銀寶物 出內財產 注記券疏
窮子見父 豪貴尊嚴 謂是國王 若是王等
驚怖自怪 何故至此 覆自念言 我若久住
或見逼迫 強驅使作 思惟是已 馳走而去
借問貧里 欲往傭作 長者是時 在師子座
遙見其子 嘿而識之 即勑使者 追捉將來
窮子驚喚 迷悶躃地 是人執我 必當見煞
何用衣食 使我至此 長者知子 愚癡狹劣
不信我言 不信是父 即以方便 更遣餘人
眇目矬陋 无威德者 汝可語之 云當相雇
除諸糞穢 倍與汝價 窮子聞之 歡喜隨來
為除糞穢 淨諸房舍 長者於牖 常見其子
念子愚劣 樂為鄙事 於是長者 著弊垢衣
執除糞器 往到子所 方便附近 語令勤作
既益汝價 并塗足油 飲食充足 薦席厚暖
如是苦言 汝當勤作 又以軟語 若如我子
長者有智 漸令入出 經二十年 執作家事
示其金銀 真珠頗梨 諸物出入 皆使令知
猶處門外 止宿草庵 自念貧事 我无此物
父知子心 漸已曠大 欲與財物 即聚親族
國王大臣 剎利居士 於此大眾 說是我子
捨我他行 經五十歲 自見子來 已二十年
昔於某城 而失是子 周行求索 遂來至此
凡我所有 舍宅人民 悉以付之 恣其所用
子念昔貧 志意下劣 今於父所 大獲珍寶

BD01895號　妙法蓮華經卷二　（10–9）

執除糞器 往到子所 方便附近 語令勤作
既益汝價 并塗足油 飲食充足 薦席厚暖
如是苦言 汝當勤作 又以軟語 若如我子
長者有智 漸令入出 經二十年 執作家事
示其金銀 真珠頗梨 諸物出入 皆使令知
猶處門外 止宿草庵 自念貧事 我无此物
父知子心 漸已曠大 欲與財物 即聚親族
國王大臣 剎利居士 於此大眾 說是我子
捨我他行 經五十歲 自見子來 已二十年
昔於某城 而失是子 周行求索 遂來至此
凡我所有 舍宅人民 悉以付之 恣其所用
子念昔貧 志意下劣 今於父所 大獲珍寶
并及舍宅 一切財物 甚大歡喜 得未曾有
佛亦如是 知我樂小 未曾說言 汝等作佛
而說我等 得諸无漏 成就小乘 聲聞弟子
佛勑我等 說最上道 脩習此者 當得成佛
我承佛教 為大菩薩 以諸因緣 種種譬喻
若干言辭 說无上道 諸佛子等 從我聞法
日夜思惟 精勤脩習 是時諸佛 即授其記
汝於來世 當得作佛 一切諸佛 秘藏之法
但為菩薩 演其實事 而不為我 說斯真要
如彼窮子 得近其父 雖知諸物 心不希取
我等雖說 佛法寶藏

BD01895號　妙法蓮華經卷二　（10–10）

妙法蓮華經譬喻品第三
爾時舍利弗踊躍歡喜即起合掌瞻仰尊顏
而白佛言今從世尊聞此法音心懷踊躍得
未曾有所以者何我昔從佛聞如是法見諸
菩薩受記作佛而我等不豫斯事甚自感傷
失於如來无量知見世尊我常獨處山林樹
下若坐若行每作是念我等同入法性云何如
來以小乘法而見濟度是我等咎非世尊也
所以者何若我等待說所因成就阿耨多羅
三藐三菩提者必以大乘而得度脫然我等
不解方便隨宜所說初聞佛法遇便信受思
惟取證世尊我從昔來終日竟夜每自剋
責而今從佛聞所未聞未曾有法斷諸疑悔
身意泰然快得安隱今日乃知真是佛子從
佛口生從法化生得佛法分爾時舍利弗欲重
宣此義而說偈言
我聞是法音 得所未曾有 心懷大歡喜 疑網皆已除
昔來蒙佛教 不失於大乘 佛音甚希有 能除衆生惱
我已得漏盡 聞亦除憂惱 我處於山谷 或在林樹下
若坐若經行 常思惟是事 嗚呼深自責 云何而自欺
我等亦佛子 同入无漏法 不能於未來 演說无上道
金色三十二 十力諸解脫 同共一法中 而不得此事
八十種妙好 十八不共法 如是等功德 而我皆已失

BD01896號 妙法蓮華經卷二 （26–1）

若坐若經行 常思惟是事 嗚呼深自責 云何而自欺
我等亦佛子 同入无漏法 不能於未來 演說无上道
金色三十二 十力諸解脫 同共一法中 而不得此事
八十種妙好 十八不共法 如是等功德 而我皆已失
我獨經行時 見佛在大衆 名聞滿十方 廣饒益衆生
自惟失此利 我為自欺誑 我常於日夜 每思惟是事
欲以問世尊 為失為不失 我常見世尊 稱讚諸菩薩
以是於日夜 籌量如此事 今聞佛音聲 隨宜而說法
无漏難思議 令衆至道場 我本著邪見 為諸梵志師
世尊知我心 拔邪說涅槃 我悉除邪見 於空法得證
爾時心自謂 得至於滅度 而今乃自覺 非是實滅度
若得作佛時 具三十二相 天人夜叉衆 龍神等恭敬
是時乃可謂 永盡滅无餘
佛於大衆中 說我當作佛 聞如是法音 疑悔悉已除
初聞佛所說 心中大驚疑 將非魔作佛 惱亂我心耶
佛以種種緣 譬喻巧言說 其心安如海 我聞疑網斷
佛說過去世 无量滅度佛 安住方便中 亦皆說是法
現在未來佛 其數无有量 亦以諸方便 演說如是法
如今者世尊 從生及出家 得道轉法輪 亦以方便說
世尊說實道 波旬无此事 以是我定知 非是魔作佛
我墮疑網故 謂是魔所為 聞佛柔軟音 深遠甚微妙
演暢清淨法 我心大歡喜 疑悔永已盡 安住實智中
我定當作佛 為天人所敬 轉无上法輪 教化諸菩薩
爾時佛告舍利弗吾今於天人沙門婆羅門等
大衆中說我昔曾於二万億佛所為无上道故
常教化汝汝亦長夜隨我受學我以方便引
導汝故生我法中舍利弗我昔教汝志願佛道

BD01896號 妙法蓮華經卷二 （26–2）

我定當作佛　為天人所敬　轉无上法輪　教化諸菩薩
尒時佛告舍利弗吾今於天人沙門婆羅門等
大衆中說我昔曾於二万億佛所為无上道故
常教化汝汝亦長夜隨我受學我以方便引
導汝故生我法中舍利弗我昔教汝志願佛道
汝今悉忘而便自謂已得滅度我今還欲令汝憶
念本願所行道故為諸聲聞說是大乘經名妙
法蓮華教菩薩法佛所護念舍利弗汝於未來
世過无量无邊不可思議劫供養若干千万億
佛奉持正法具足菩薩所行之道當得作佛号
曰華光如來應供正遍知明行足善逝世閒解无
上士調御丈夫天人師佛世尊國名離垢其土平
正清淨嚴餝安隱豐樂天人熾盛琉璃為地有
八交道黃金為繩以界其側其傍各有七寶行
樹常有華菓華光如來亦以三乘教化衆生舍利
弗彼佛出時雖非惡世以本願故說三乘法
其劫名大寶莊嚴何故名曰大寶莊嚴其國
中以菩薩為大寶故彼諸菩薩无量无邊不可
思議辟喻所不能及非佛智力无能知者若欲
行時寶華承足此諸菩薩非初發意皆久植
德本於无量百千万億佛所淨脩梵行恒為諸
佛之所稱歎常脩佛慧具大神通善知一切諸法
之門質直无偽志念堅固如是菩薩充滿其國
舍利弗華光佛壽十二小劫除為王子未作佛
時其國人民壽八小劫華光如來過十二小劫授
堅滿菩薩阿耨多羅三藐三菩提記告諸比丘
是堅滿菩薩次當作佛号曰華足安行多陁阿

BD01896號　妙法蓮華經卷二　（26–3）

舍利弗華光佛壽十二小劫除為王子未作佛
時其國人民壽八小劫華光如來過十二小劫授
堅滿菩薩阿耨多羅三藐三菩提記告諸比丘
是堅滿菩薩次當作佛号曰華足安行多陁阿
伽度阿羅訶三藐三佛陁其佛國土亦復如是
舍利弗是華光佛滅度之後正法住世三十二
小劫像法住世亦三十二小劫尒時世尊欲重宣此義
而說偈言
舍利弗來世　成佛普智尊　号名曰華光　當度无量衆
供養无數佛　具足菩薩行　十力等功德　證於无上道
過无量劫已　劫名大寶嚴　世界名離垢　清淨无瑕穢
以琉璃為地　金繩界其道　七寶雜色樹　常有華菓實
彼國諸菩薩　志念常堅固　神通波羅蜜　皆已悉具足
於无數佛所　善學菩薩道　如是等大士　華光佛所化
佛為王子時　棄國捨世榮　於最末後身　出家成佛道
華光佛住世　壽十二小劫　其國人民衆　壽命八小劫
佛滅度之後　正法住於世　三十二小劫　廣度諸衆生
正法滅盡已　像法三十二　舍利廣流布　天人普供養
華光佛所為　其事皆如是　其兩足聖尊　最勝无倫疋
彼即是汝身　宜應自欣慶
尒時四部衆比丘比丘尼優婆塞優婆夷天龍
夜叉乾闥婆阿脩羅迦樓羅緊那羅摩睺羅
伽等大衆見舍利弗於佛前受阿耨多羅三
藐三菩提記心大歡喜踊躍无量各各脫身
所著上衣以供養佛釋提桓因梵天王等與
无數天子亦以天妙衣天曼陁羅華摩訶曼
陁羅華等供養於佛所散天衣住虛空中而

BD01896號　妙法蓮華經卷二　（26–4）

藐三菩提記心大歡喜踊躍无量各各脫身
所著上衣以供養佛釋提桓因梵天王等與
无數天子亦以天妙衣天曼陀羅華摩訶曼
陀羅華等供養於佛所散天衣住虛空中而
自迴轉諸天伎樂百千万種於虛空中一時俱
作雨衆天華而作是言佛昔於波羅㮈初轉
法輪今乃復轉无上㝡大法輪尒時諸天子欲
重宣此義而說偈言

昔於波羅㮈　轉四諦法輪　分別說諸法　五衆之生滅
今復轉㝡妙　无上大法輪　是法甚深奧　少有能信者
我等從昔來　數聞世尊說　未曾聞如是　深妙之上法
世尊說是法　我等皆隨喜　大智舍利弗　今得受尊記
我等亦如是　必當得作佛　於一切世間　㝡尊无有上
佛道叵思議　方便隨宜說　我所有福業　今世若過世
及見佛功德　盡迴向佛道

尒時舍利弗白佛言世尊我今无復疑悔親於
佛前得受阿耨多羅三藐三菩提記是諸千二
百心自在者昔住學地佛常教化言我法能離
生老病死究竟涅槃是學无學人亦各自以離我
見及有无見等謂得涅槃而今於世尊前聞
所未聞皆墮疑惑善哉世尊願為四衆說其
因緣令離疑悔尒時佛告舍利弗我先不言諸
佛世尊以種種因緣譬喻言辭方便說法皆為
阿耨多羅三藐三菩提耶是諸所說皆為化菩
薩故然舍利弗今當復以譬喻更明此義諸
有智者以譬喻得解舍利弗若國邑聚落有大長

BD01896號　妙法蓮華經卷二　（26–5）

薩故然舍利弗今當復以譬喻更明此義諸
有智者以譬喻得解舍利弗若國邑聚落有大長
者其年衰邁財富无量多有田宅及諸僮僕其
家廣大唯有一門多諸人衆一百二百乃至五
百人止住其中堂閣朽故墻壁頹落柱根腐敗
梁棟傾危周匝俱時欻然火起焚燒舍宅長者
諸子若十二十或至三十在此宅中長者見是大
火從四面起即大驚怖而作是念我雖能於此所
燒之門安隱得出而諸子等於火宅內樂著嬉
戲不覺不知不驚不怖火來逼身苦痛切己心
不猒患无求出意舍利弗是長者作是思惟我
身手有力當以衣裓若以机案從舍出之復更
思惟是舍唯有一門而復狹小諸子幼稚未有
所識戀著戲處或當墮落為火所燒我當為
說怖畏之事此舍已燒宜時疾出无令為火之所
燒害作是念已如所思惟具告諸子汝等速出父
雖憐愍善言誘喻而諸子等樂著嬉戲不肯
信受不驚不畏了无出心亦復不知何者是火何
者為舍云何為失但東西走戲視父而已尒時長
者即作是念此舍已為大火所燒我及諸子若不
時出必為所焚我今當設方便令諸子等得免
斯害父知諸子先心各有所好種種珍玩奇異
之物情必樂著而告之言汝等所可玩好希有
難得汝若不取後必憂悔如此種種羊車鹿車
牛車今在門外可以遊戲汝等於此火宅宜速出
來隨汝所欲皆當與汝尒時諸子聞父所說
珍玩之物適其願故心各勇銳互相推排競

BD01896號　妙法蓮華經卷二　（26–6）

牛車今在門外可以戲遊汝等於此火宅宜速出
来隨汝所欲皆當與汝尒時諸子聞父所說
玩好之物適其願故心各勇鋭互相推排競
共馳走爭出火宅是時長者見諸子等安隱得
出皆於四衢道中露地而坐无復鄣㝵其心泰
然歡喜踊躍時諸子等各白父言父先所許玩
好之具羊車鹿車牛車願時賜與舍利弗尒
時長者各賜諸子等一大車其車高廣衆寶
荘挍周迊欄楯四面懸鈴又於其上張設幰蓋
亦以珎奇雜寶而嚴飾之寶繩絞絡垂諸華
瓔重敷綩綖置丹枕駕以白牛膚色充潔形
體姝好有大筋力行步平正其疾如風又多僕
從而侍衛之所以者何是長者財富无量種種
諸藏悉皆充溢而作是念我財物无極不應以
下劣小車與諸子等今此幼童皆是吾子愛无
偏黨我有如是七寶大車其數无量應當等
心各各與之不宜差別所以者何以我此物周給
一國猶尚不匱何况諸子是時諸子各乘大車得
未曾有非本所望舍利弗於汝意云何是長者
等與諸子珎寶大車寧有虛妄不舍利弗言
不也世尊是長者但令諸子得免火難全其軀
命非為虛妄何以故若全身命便為已得玩好
之具况復方便於彼火宅而拔濟之世尊若是
長者乃至不與㝡小一車猶不虛妄何以故是長
者先作是意我以方便令子得出以是因緣无
虛妄也何况長者自知財富无量欲饒益諸
子等與大車

者先作是意我以方便令子得出以是因緣无
虛妄也何况長者自知財富无量欲饒益諸
子等與大車
佛告舍利弗善哉善哉如汝所言舍利弗如来
亦復如是則為一切世間之父於諸怖畏衰惱憂
患无明闇蔽永盡无餘而悉成就无量知見力
无所畏有大神力及智慧力具足方便智慧波羅
蜜大慈大悲常无懈惓恒求善事利益一切而
生三界朽故火宅為度衆生生老病死憂悲苦
惱愚癡闇蔽三毒之火教化令得阿耨多羅三藐
三菩提見諸衆生為生老病死憂悲苦惱之所燒煑
亦以五欲財利故受種種苦又以貪著追求故現
受衆苦後受地獄畜生餓鬼之苦若生天上及
在人間貧窮困苦愛別離苦怨憎會苦如是
等種種諸苦衆生沒在其中歡喜遊戲不覺
不知不驚不怖亦不生猒不求解脫於此三界
火宅東西馳走雖遭大苦不以為患舍利弗佛
見此已便作是念我為衆生之父應拔其苦難
與无量无邊佛智慧樂令其遊戲舍利弗如来
復作是念若我但以神力及智慧力捨於方便為諸
衆生讚如来知見力无所畏者衆生不能以是
得度所以者何是諸衆生未免生老病死憂悲苦
惱而為三界火宅所燒何由能解佛之智慧舍
利弗如彼長者雖復身手有力而不用之但以慇
懃方便勉濟諸子火宅之難然後各與珎寶大
車如来亦復如是雖有力无所畏而不用之但以智
慧方便於三界火宅拔濟衆生為說三乘聲聞

懃方便勉濟諸子火宅之難然後各與珍寶大
車如來亦復如是雖有力无所畏而不用之但以智
慧方便於三界火宅拔濟衆生為說三乘聲聞
辟支佛乘而作是言汝等莫得樂住三界火宅
勿貪麁弊色聲香味觸也若貪著生愛則為
所燒汝速出三界當得三乘聲聞辟支佛佛
乘我今為汝保任此事終不虛也汝等但當懃
脩精進如來以是方便誘進衆生復作是言
汝等當知此三乘法皆是聖所稱歎自在无繫
无所依求乘是三乘以无漏根力覺道禪定解
脫三昧等而自娛樂便得无量安隱快樂舍
利弗若有衆生內有智性從佛世尊聞法信受
慇懃精進欲速出三界自求涅槃是名聲聞
乘如彼諸子為求羊車出於火宅若有衆生從
佛世尊聞法信受慇懃精進求自然慧樂獨
善寂深知諸法因緣是名辟支佛乘如彼諸
子為求鹿車出於火宅若有衆生從佛世尊聞
法信受懃修精進求一切智佛智自然智无
師智如來知見力无所畏愍念安樂无量衆生
利益天人度脫一切是名大乘菩薩求此乘故
名為摩訶薩如彼諸子為求牛車出於火宅舍
利弗如彼長者見諸子等安隱得出火宅到无
畏處自惟財富无量等以大車而賜諸子如來
亦復如是為一切衆生之父若見无量億千衆
生以佛教門出三界苦怖畏險道得涅槃樂如
來爾時便作是念我有无量无邊智慧力無
所畏諸佛法藏是諸衆生皆是我子等與大
乘不令有人獨得滅度皆以如來滅度而滅度

生以佛教門出三界苦怖畏險道得涅槃樂如
來爾時便作是念我有无量无邊智慧力無
所畏諸佛法藏是諸衆生皆是我子等與大
乘不令有人獨得滅度皆以如來滅度而滅度
之是諸衆生脫三界者悉與諸佛禪定解脫
等娛樂之具皆是一相一種聖所稱歎能生淨
妙第一之樂舍利弗如彼長者初以三車誘引諸
子然後但與大車寶物莊嚴安隱第一然彼長
者无虛妄之咎如來亦復如是无有虛妄初說
三乘引導衆生然後但以大乘而度脫之何以
故如來有无量（无邊）智慧力无所畏諸法之藏能
與一切衆生大乘之法但不盡能受舍利弗以
是因緣當知諸佛方便力故於一佛乘分別說
三佛欲重宣此義而說偈言
譬如長者　有一大宅　其宅久故　而復頓弊
堂舍高危　柱根摧朽　梁棟傾斜　基陛頹毀
牆壁圮坼　泥塗褫落　覆苫亂墜　椽梠差脫
周障屈曲　雜穢充遍　有五百人　止住其中
鵄梟鵰鷲　烏鵲鳩鴿　蚖蛇蝮蠍　蜈蚣蚰蜒
守宮百足　狖狸鼷鼠　諸惡虫輩　交橫馳走
屎尿臭處　不淨流溢　蜣蜋諸虫　而集其上
狐狼野干　咀嚼踐蹋　嚌齧死屍　骨肉狼藉
由是群狗　競來搏撮　飢羸慞惶　處處求食
鬪諍摣掣　啀喍嘷吠　其舍恐怖　變狀如是
處處皆有　魑魅魍魎　夜叉惡鬼　食噉人肉
毒虫之屬　諸惡禽獸　孚乳產生　各自藏護
夜叉競來　爭取食之　食之既飽　惡心轉熾

處處皆有 魑魅魍魎 夜叉惡鬼 食噉人肉
毒虫之屬 諸惡禽獸 孚乳產生 各自藏護
夜叉競來 諍取食之 食之既飽 惡心轉熾
鬪諍之聲 甚可怖畏 鳩槃荼鬼 蹲踞土埵
或時離地 一尺二尺 往返遊行 縱逸嬉戲
捉狗兩足 撲令失聲 以脚加頸 怖狗自樂
復有諸鬼 其身長大 裸形黑瘦 常住其中
發大惡聲 叫呼求食 復有諸鬼 其咽如針
復有諸鬼 首如牛頭 或食人肉 或復噉狗
頭髮蓬亂 殘害兇險 飢渴所逼 叫喚馳走
夜叉餓鬼 諸惡鳥獸 飢急四向 窺看窗牖
如是諸難 恐畏無量
是朽故宅 屬于一人 其人近出 未久之間
於後宅舍 欻然火起 四面一時 其炎俱熾
棟梁椽柱 爆聲震裂 摧折墮落 墻壁崩倒
諸鬼神等 揚聲大叫 鵰鷲諸鳥 鳩槃荼等
周慞惶怖 不能自出
惡獸毒虫 藏竄孔穴 毗舍闍鬼 亦住其中
薄福德故 為火所逼 共相殘害 飲血噉肉
野干之屬 並已前死 諸大惡獸 競來食噉
臭烟熢㶿 四面充塞 蜈蚣蚰蜒 毒虵之類
為火所燒 爭走出穴 鳩槃荼鬼 隨取而食
又諸餓鬼 頭上火燃 飢渴熱惱 周慞悶走
其宅如是 甚可怖畏 毒害火災 眾難非一
是時宅主 在門外立 聞有人言 汝等諸子
先因遊戲 來入此宅 稚小無知 歡娛樂著
長者聞已 驚入火宅 方宜救濟 令無燒害

BD01896號　妙法蓮華經卷二　（26–11）

先因遊戲 來入此宅 稚小無知 歡娛樂著
長者聞已 驚入火宅 方宜救濟 令無燒害
告喻諸子 說眾患難 惡鬼毒虫 災火蔓莚
眾苦次第 相續不絕 毒虵蚖蝮 及諸夜叉
鳩槃荼鬼 野干狐狗 鵰鷲鵄梟 百足之屬
飢渴惱急 甚可怖畏 此苦難處 況復大火
諸子無知 雖聞父誨 猶故樂著 嬉戲不已
是時長者 而作是念 諸子如此 益我愁惱
今此舍宅 無一可樂 而諸子等 耽湎嬉戲
不受我教 將為火害 即便思惟 設諸方便
告諸子等 我有種種 珍玩之具 妙寶好車
羊車鹿車 大牛之車 今在門外 汝等出來
吾為汝等 造作此車 隨意所樂 可以遊戲
諸子聞說 如此諸車 即時奔競 馳走而出
到於空地 離諸苦難 長者見子 得出火宅
住於四衢 坐師子座 而自慶言 我今快樂
此諸子等 生育甚難 愚小無知 而入險宅
多諸毒虫 魑魅可畏 大火猛炎 四面俱起
而此諸子 貪樂嬉戲 我已救之 令得脫難
是故諸人 我今快樂
尒時諸子 知父安坐 皆詣父所 而白父言
願賜我等 三種寶車 如前所許 諸子出來
當以三車 隨汝所欲 今正是時 唯垂給與
長者大富 庫藏眾多 金銀琉璃 車渠馬瑙
以眾寶物 造諸大車 莊校嚴飾 周匝欄楯
四面懸鈴 金繩絞絡 真珠羅網 張施其上
金華諸瓔 處處垂下 眾綵雜飾 周匝圍繞

BD01896號　妙法蓮華經卷二　（26–12）

以衆寶物　造諸大車　莊挍嚴飾　周匝欄楯
四面懸鈴　金繩絞絡　真珠羅網　張施其上
金華諸瓔　處處垂下　衆綵雜飾　周匝圍繞
柔軟繒纊　以為茵蓐　上妙細疊　價直千億
鮮白淨潔　以覆其上　有大白牛　肥壯多力
形體姝好　以駕寶車　多諸儐從　而侍衛之
如是妙車　等賜諸子　諸子是時　歡喜踊躍
乘是寶車　遊於四方　嬉戲快樂　自在无导
告舍利弗　我亦如是　衆聖中尊　世間之父
一切衆生　皆是吾子　深著世樂　无有慧心
三界无安　猶如火宅　衆苦充滿　甚可怖畏
常有生老　病死憂患　如是等火　熾然不息
如來已離　三界火宅　寂然閑居　安處林野
今此三界　皆是我有　其中衆生　悉是吾子
而今此處　多諸患難　唯我一人　能為救護
雖復教詔　而不信受　於諸欲染　貪著深故
以是方便　為說三乘　令諸衆生　知三界苦
開示演說　出世間道　是諸子等　若心決定
具足三明　及六神通　有得緣覺　不退菩薩
汝舍利弗　我為衆生　以此譬喻　說一佛乘
汝等若能　信受是語　一切皆當　成得佛道
是乘微妙　清淨第一　於諸世間　為无有上
佛所悅可　一切衆生　所應稱讚　供養禮拜
无量億千　諸力解脫　禪定智慧　及佛餘法
得如是乘　令諸子等　日夜劫數　常得遊戲
與諸菩薩　及聲聞衆　乘此寶乘　直至道場

BD01896號　妙法蓮華經卷二　（26–13）

无量億千
得如是乘　令諸子等　日夜劫數　常得遊戲
與諸菩薩　及聲聞衆　乘此寶乘　直至道場
以是因緣　十方諦求　更无餘乘　除佛方便
告舍利弗　汝諸人等　皆是吾子　我則是父
汝等累劫　衆苦所燒　我皆濟拔　令出三界
我雖先說　汝等滅度　但盡生死　而實不滅
今所應作　唯佛智慧
若有菩薩　於是衆中　能一心聽　諸佛實法
諸佛世尊　雖以方便　所化衆生　皆是菩薩
若人小智　深著愛欲　為此等故　說於苦諦
衆生心喜　得未曾有　佛說苦諦　真實无異
若有衆生　不知苦本　深著苦因　不能暫捨
為是等故　方便說道　諸苦所因　貪欲為本
若滅貪欲　无所依止　滅盡諸苦　名第三諦
為滅諦故　脩行於道　離諸苦縛　名得解脫
是人於何　而得解脫　但離虛妄　名為解脫
其實未得　一切解脫　佛說是人　未實滅度
斯人未得　无上道故　我意不欲　令至滅度
我為法王　於法自在　安隱衆生　故現於世
汝舍利弗　我此法印　為欲利益　世間故說
在所遊方　勿妄宣傳　若有聞者　隨喜頂受
當知是人　阿鞞跋致　若有信受　此經法者
是人已曾　見過去佛　恭敬供養　亦聞是法
若人有能　信汝所說　則為見我　亦見於汝
及比丘僧　并諸菩薩
斯法華經　為深智說　淺識聞之　迷惑不解
一切聲聞　及辟支佛　於此經中　力所不及

BD01896號　妙法蓮華經卷二　（26–14）

若人有能信汝所說 則為見我 亦見於汝
及比丘僧 并諸菩薩
斯法華經 為深智說 淺識聞之 迷惑不解
一切聲聞 及辟支佛 於此經中 力所不及
汝舍利弗 尚於此經 以信得入 況餘聲聞
其餘聲聞 信佛語故 隨順此經 非己智分
又舍利弗 憍慢懈怠 計我見者 莫說此經
凡夫淺識 深著五欲 聞不能解 亦勿為說
若人不信 毀謗此經 則斷一切 世間佛種
或復顰蹙 而懷疑惑 汝當聽說 此人罪報
若佛在世 若滅度後 其有誹謗 如斯經典
見有讀誦 書持經者 輕賤憎嫉 而懷結恨
此人罪報 汝今復聽
其人命終 入阿鼻獄 具足一劫 劫盡更生
如是展轉 至无數劫 從地獄出 當墮畜生
若狗野干 其形顈瘦 黧黮疥癩 人所觸嬈
又復為人 之所惡賤 常困飢渴 骨肉枯竭
生受楚毒 死被瓦石 斷佛種故 受斯罪報
若作駱駝 或生驢中 身常負重 加諸杖捶
但念水草 餘无所知 謗斯經故 獲罪如是
有作野干 來入聚落 身體疥癩 又无一目
為諸童子 之所打擲 受諸苦痛 或時致死
於此死已 更受蟒身 其形長大 五百由旬
聾騃无足 蜿轉腹行 為諸小虫 之所唼食
晝夜受苦 无有休息 謗斯經故 獲罪如是
若得為人 諸根闇鈍 矬陋攣躄 盲聾背傴

BD01896號　妙法蓮華經卷二　（26–15）

聾騃无足 蜿轉腹行 為諸小虫 之所唼食
晝夜受苦 无有休息 謗斯經故 獲罪如是
若得為人 諸根闇鈍 矬陋攣躄 盲聾背傴
有所言說 人不信受 口氣常臭 鬼魅所著
貧窮下賤 為人所使 多病痟瘦 无所依怙
雖親附人 人不在意 若有所得 尋復亡失
若脩醫道 順方治病 更增他疾 或復致死
若自有病 无人救療 設服良藥 而復增劇
若他反逆 抄劫竊盜 如是等罪 橫羅其殃
如斯罪人 永不見佛 眾聖之王 說法教化
如斯罪人 常生難處 狂聾心亂 永不聞法
於无數劫 如恒河沙 生輒聾瘂 諸根不具
常處地獄 如遊園觀 在餘惡道 如己舍宅
駝驢猪狗 是其行處 謗斯經故 獲罪如是
若得為人 聾盲瘖瘂 貧窮諸衰 以自莊嚴
水腫乾痟 疥癩癰疽 如是等病 以為衣服
身常臭處 垢穢不淨 深著我見 增益瞋恚
婬欲熾盛 不擇禽獸 謗斯經故 獲罪如是
告舍利弗 謗斯經者 若說其罪 窮劫不盡
以是因緣 我故語汝 无智人中 莫說此經
若有利根 智慧明了 多聞強識 求佛道者
如是之人 乃可為說 若人曾見 億百千佛
植諸善本 深心堅固 如是之人 乃可為說
若人精進 常脩慈心 不惜身命 乃可為說
若人恭敬 无有異心 離諸凡夫 獨處山澤
如是之人 乃可為說
又舍利弗 若見有人 捨惡知識 親近善友
如是之人 乃可為說 若見佛子 持戒清淨

BD01896號　妙法蓮華經卷二　（26–16）

若人恭敬　无有異心　離諸凡夫　獨處山澤
如是之人　乃可為說
又舍利弗　若見有人　捨惡知識　親近善友
如是之人　乃可為說　若見佛子　持戒清淨
如淨明珠　求大乘經　如是之人　乃可為說
若人无瞋　質直柔軟　常愍一切　恭敬諸佛
如是之人　乃可為說　復有佛子　於大衆中
以清淨心　種種因緣　譬喻言辞　說法无㝵
如是之人　乃可為說　若有比丘　為一切智
四方求法　合掌頂受　但樂受持　大乘經典
乃至不受　餘經一偈　如是之人　乃可為說
如人至心　求佛舍利　如是求經　得已頂受
其人不復　志求餘經　亦未曽念　外道典籍
如是之人　乃可為說
告舍利弗　我說是相　求佛道者　窮劫不盡
如是等人　則能信解　汝當為說　妙法華經

妙法蓮華經信解品第四

尒時慧命須菩提摩訶迦旃延摩訶迦葉
摩訶目揵連從佛所聞未曽有法世尊授舍利
弗阿耨多羅三藐三菩提記發希有心歡喜踊
躍即從座起整衣服偏袒右肩右膝著地一心
合掌曲躬恭敬瞻仰尊顏而白佛言我等居
僧之首年並朽邁自謂已得涅槃无所堪任
不復進求阿耨多羅三藐三菩提世尊往
昔說法既久我時在座身體疲懈但念空无
相无作於菩薩法遊戲神通淨佛國土成就
衆生心不喜樂所以者何世尊令我等出於

BD01896號　妙法蓮華經卷二　（26–17）

昔說法既久我時在座身體疲懈但念空无
相无作於菩薩法遊戲神通淨佛國土成就
衆生心不喜樂所以者何世尊令我等出於
三界得涅槃證又今我等年已朽邁於佛教化
菩薩阿耨多羅三藐三菩提不生一念好樂之
心我等今於佛前聞授聲聞阿耨多羅三藐三
菩提記心甚歡喜得未曽有不謂於今忽
然得聞希有之法深自慶幸獲大善利无量
珎寶不求自得世尊我等今者樂說譬喻以
明斯義譬若有人年既幼稚捨父逃逝久住
他國或十二十至五十歲年既長大加復窮困
馳騁四方以求衣食漸漸遊行遇向本國其父
先來求子不得中止一城其家大富財寶无
量金銀琉璃珊瑚虎珀頗梨珠等其諸倉
庫悉皆盈溢多有僮僕臣佐吏民象馬車
乘牛羊无數出入息利乃遍他國商估賈客
亦甚衆多時貧窮子遊諸聚落經歷國邑
遂到其父所止之城父每念子與子離別五十餘
年而未曽向人說如此事但自思惟心懷悔恨自
念老朽多有財物金銀珎寶倉庫盈溢无有
子息一旦終沒財物散失无所委付是以慇懃每
憶其子復作是念我若得子委付財物坦然
快樂无復憂慮世尊尒時窮子傭賃展轉遇
到父舍住立門側遙見其父踞師子牀寶机承足
諸婆羅門剎利居士皆恭敬圍繞以真珠瓔珞
價直千萬莊嚴其身吏民僮僕手執白拂侍

BD01896號　妙法蓮華經卷二　（26–18）

快樂无復憂慮世尊尒時窮子傭賃展轉遇
到父舍住立門側遥見其父踞師子牀寶机承足
諸婆羅門剎利居士皆恭敬圍繞以真珠瓔珞
價直千万莊嚴其身吏民僮僕手執白拂侍
立左右覆以寶帳垂諸華幡香水灑地散衆
名華羅列寶物出内取與有如是等種種嚴
餝威德特尊窮子見父有大力勢即懷恐怖
悔来至此竊作是念此或是王或是王等非
我傭力得物之處不如往至貧里肆力有地
衣食易得若久住此或見逼迫強使我作作
是念已疾走而去時冨長者於師子座見子
便識心大歡喜即作是念我財物庫藏今有
所付我常思念此子无由見之而忽自来甚
適我願我雖年朽猶故貪惜即遣傍人急
追將還尒時使者疾走往捉窮子驚愕稱怨
大喚我不相犯何為見捉使者執之逾急強
牽將還于時窮子自念无罪而被囚執此必定
死轉更惶怖悶絶躃地父遥見之而語使言不
須此人勿強將来以冷水灑面令得醒悟莫復
與語所以者何父知其子志意下劣自知豪
貴為子所難審知是子而以方便不語他人云
是我子使者語之我今放汝隨意所趣窮子歡
喜得未曾有從地而起往至貧里以求衣食尒
時長者將欲誘引其子而設方便密遣二人形
色顦悴无威德者汝可詣彼徐語窮子此有
作處倍與汝直窮子若許將来使作若言欲

BD01896號　妙法蓮華經卷二　（26–19）

喜得未曾有從地而起往至貧里以求衣食尒
時長者將欲誘引其子而設方便密遣二人形
色顦悴无威德者汝可詣彼徐語窮子此有
作處倍與汝直窮子若許將来使作若言欲
何所作便可語之雇汝除糞我等二人亦共
汝作時二使人即求窮子既已得之具陳上
事尒時窮子先取其價尋與除糞其父見子
愍而恠之又以他日於窓牖中遥見子身羸
瘦顦悴糞土塵坌污穢不淨即脫瓔珞細軟
上服嚴餝之具更著麁弊垢膩之衣塵土坌
身右手執持除糞之器狀有所畏語諸作人
汝等懃作勿得懈息以方便故得近其子又復
告言咄男子汝常此作勿復餘去當加汝價
諸有所須瓫器米麵塩酢之屬莫自疑難亦
有老弊使人須者相給好自安意我如汝父勿
復憂慮所以者何我年老大而汝少壯汝常作
時无有欺怠瞋恨怨言都不見汝有此諸惡
如餘作人自今已後如所生子即時長者更與
作字名之為兒尒時窮子雖忻此遇猶故自謂
客作賤人由是之故於二十年中常令除糞過是
已後心相體信入出无難然其所止猶在本處
世尊尒時長者有疾自知將死不久語窮子
言我今多有金銀珍寶倉庫盈溢其中多少
所應取與汝悉知之我心如是當體此意所
以者何今我與汝便為不異宜加用心无令漏失
尒時窮子即受教勅領知衆物金銀珍寶及
諸庫藏而无悕取一飡之意然其所止故

BD01896號　妙法蓮華經卷二　（26–20）

所應取與汝悉知之我心如是當體此意所
以者何今我與汝便為不異宜加用心无令漏失
尒時窮子即受教勑領知衆物金銀珍寶及
及諸庫藏而无悕取一飡之意然其所止故
在本處下劣之心亦未能捨復經少時父知子
意漸已通泰成就大志自鄙先心臨欲終時
而命其子并會親族國王大臣剎利居士皆
悉已集即自宣言諸君當知此是我子我之
所生於某城中捨吾逃走跉跰辛苦五十餘年
其本字某我名某甲昔在本城懷憂推覓忽
於此間遇會得之此實我子我實其父今吾
所有一切財物皆是子有先所出內是子所知
世尊是時窮子聞父此言即大歡喜得未曾
有而作是念我本无心有所悕求今此寶藏
自然而至世尊大富長者則是如來我等皆
似佛子如來常說我等為子世尊我等以三苦
故於生死中受諸熱惱迷惑无知樂著小法
今日世尊令我等思惟蠲除諸法戲論之糞
我等於中勤加精進得至涅槃一日之價既得
此已心大歡喜自以為足而便自謂於佛法中
勤精進故所得弘多然世尊先知我等心著
弊欲樂於小法便見縱捨不為分別汝等當
有如來知見寶藏之分世尊以方便力說如來
智慧我等從佛得涅槃一日之價以為大得於
此大乘无有志求我等又因如來智慧為諸菩
薩開示演說而自於此无有志願所以者何佛

BD01896號　妙法蓮華經卷二　（26–21）

有如來知見寶藏之分世尊以方便力說如來
智慧我等從佛得涅槃一日之價以為大得於
此大乘无有志求我等又因如來智慧為諸菩
薩開示演說而自於此无有志願所以者何佛
知我等心樂小法以方便力隨我等說而我等不
知真是佛子今我等方知世尊於佛智慧无
所悋惜所以者何我等昔來真是佛子而但樂
小法若我等有樂大之心佛則為我說大乘
法於此經中唯說一乘而昔於菩薩前毀呰聲
聞樂小法者然佛實以大乘教化是故我等
說本无心有所悕求今法王大寶自然而至
如佛子所應得者皆已得之尒時摩訶迦葉
欲重宣此義而說偈言
我等今日　聞佛音教　歡喜踊躍　得未曾有
佛說聲聞　當得作佛　无上寶聚　不求自得
譬如童子　幼稚无識　捨父逃逝　遠到他土
周流諸國　五十餘年　其父憂念　四方推求
求之既疲　頓止一城　造立舍宅　五欲自娛
其家巨富　多諸金銀　車𤦲馬瑙　真珠琉璃
象馬牛羊　輦輿車乘　田業僮僕　人民衆多
出入息利　乃遍他國　商估賈人　无處不有
千万億衆　圍繞恭敬　常為王者　之所愛念
群臣豪族　皆共宗重　以諸緣故　往來者衆
豪富如是　有大力勢　而年朽邁　益憂念子
夙夜惟念　死時將至　癡子捨我　五十餘年
庫藏諸物　當如之何　尒時窮子　求索衣食
從邑至邑　從國至國　或有所得　或无所得
飢餓羸瘦　體生瘡癬　漸次經歷　到父住城

BD01896號　妙法蓮華經卷二　（26–22）

庫藏諸物　當如之何　尒時窮子　求索衣食
從邑至邑　從國至國　或有所得　或无所得
飢餓羸瘦　體生瘡癬　漸次經歷　到父住城
傭賃展轉　遂至父舍　尒時長者　於其門內
施大寶帳　處師子座　眷屬圍遶　諸人侍衛
或有計筭　金銀寶物　出內財產　注記券疏
窮子見父　豪貴尊嚴　謂是國王　若是王等
驚怖自怪　何故至此　覆自念言　我若久住
或見逼迫　強駈使作　思惟是已　馳走而去
借問貧里　欲往傭作　長者是時　在師子座
遙見其子　默而識之　即勅使者　追捉將來
窮子驚喚　迷悶躃地　是人執我　必當見殺
何用衣食　使我至此　長者知子　愚癡狹劣
不信我言　不信是父　即以方便　更遣餘人
眇目矬陋　无威德者　汝可語之　云當相雇
除諸糞穢　倍與汝價　窮子聞之　歡喜隨來
為除糞穢　淨諸房舍　長者於牖　常見其子
念子愚劣　樂為鄙事　於是長者　著弊垢衣
執除糞器　往到子所　方便附近　語令勤作
既益汝價　并塗足油　飲食充足　薦席厚煖
如是苦言　汝當勤作　又以軟語　若如我子
長者有智　漸令入出　經二十年　執作家事
示其金銀　真珠頗梨　諸物出入　皆使令知
猶處門外　止宿草菴　自念貧事　我无此物
父知子心　漸已曠大　欲與財物　即聚親族
國王大臣　剎利居士　於此大眾　說是我子

BD01896號　妙法蓮華經卷二　（26–23）

示其金銀　真珠頗梨　諸物出入　皆使令知
猶處門外　止宿草菴　自念貧事　我无此物
父知子心　漸已曠大　欲與財物　即聚親族
國王大臣　剎利居士　於此大眾　說是我子
捨我他行　經五十歲　自見子來　已二十年
昔於某城　而失是子　周行求索　遂來至此
凡我所有　舍宅人民　悉以付之　恣其所用
子念昔貧　志意下劣　今於父所　大獲珍寶
并及舍宅　一切財物　甚大歡喜　得未曾有
佛亦如是　知我樂小　未曾說言　汝等作佛
而說我等　得諸无漏　成就小乘　聲聞弟子
佛勅我等　說最上道　修習此者　當得成佛
我承佛教　為大菩薩　以諸因緣　種種譬喻
若干言辭　說无上道　諸佛子等　從我聞法
日夜思惟　精懃修習　是時諸佛　即授其記
汝於來世　當得作佛　一切諸佛　秘藏之法
但為菩薩　演其實事　而不為我　說斯真要
如彼窮子　得近其父　雖知諸物　心不希取
我等雖說　佛法寶藏　自无志願　亦復如是
我等內滅　自謂為足　唯了此事　更无餘事
我等若聞　淨佛國土　教化眾生　都无欣樂
所以者何　一切諸法　皆悉空寂　无生无滅
无大无小　无漏无為　如是思惟　不生喜樂
我等長夜　於佛智慧　无貪无著　无復志願
而自於法　謂是究竟　我等長夜　修習空法
得脫三界　苦惱之患　住最後身　有餘涅槃

BD01896號　妙法蓮華經卷二　（26–24）

无大无小 无漏无為 如是思惟 不生喜樂
我等長夜 於佛智慧 无貪无着 无復志願
而自於法 謂是究竟 我等長夜 脩習空法
得脫三界 苦惱之患 住冣後身 有餘涅槃
佛所教化 得道不虛 則為已得 報佛之恩
我等雖為 諸佛子等 說菩薩法 以求佛道
而於是法 永无願樂 導師見捨 觀我心故
初不勸進 說有實利 如富長者 知子志劣
以方便力 柔伏其心 然後乃付 一切財寶
佛亦如是 現希有事 知樂小者 以方便力
調伏其心 乃教大智 我等今日 得未曾有
非先所望 而今自得 如彼窮子 得无量寶
世尊我今 得道得果 於无漏法 得清淨眼
我等長夜 持佛淨戒 始於今日 得其果報
法王法中 久脩梵行 今得无漏 无上大果
我等今者 真是聲聞 以佛道聲 令一切聞
我等今者 真阿羅漢 於諸世間 天人魔梵
普於其中 應受供養 世尊大恩 以希有事
憐愍教化 利益我等 无量億劫 誰能報者
手足供給 頭頂礼敬 一切供養 皆不能報
若以頂戴 兩肩荷負 於恒沙劫 盡心恭敬
又以美饍 无量寶衣 及諸卧具 種種湯藥
牛頭栴檀 及諸珎寶 以起塔廟 寶衣布地
如斯等事 以用供養 於恒沙劫 亦不能報
諸佛希有 无量无邊 不可思議 大神通力
无漏无為 諸法之王 能為下劣 忍于斯事
取相凡夫 隨宜為說 諸佛於法 得冣自在
知諸衆生 種種欲樂 及其志力 隨所堪任

BD01896號　妙法蓮華經卷二　（26–25）

若以頂戴 兩肩荷負 於恒沙劫 盡心恭敬
又以美饍 无量寶衣 及諸卧具 種種湯藥
牛頭栴檀 及諸珎寶 以起塔廟 寶衣布地
如斯等事 以用供養 於恒沙劫 亦不能報
諸佛希有 无量无邊 不可思議 大神通力
无漏无為 諸法之王 能為下劣 忍于斯事
取相凡夫 隨宜為說 諸佛於法 得冣自在
知諸衆生 種種欲樂 及其志力 隨所堪任
以无量喻 而為說法 隨諸衆生 宿世善根
又知成熟 未成熟者 種種籌量 分別知已
於一乘道 隨宜說三

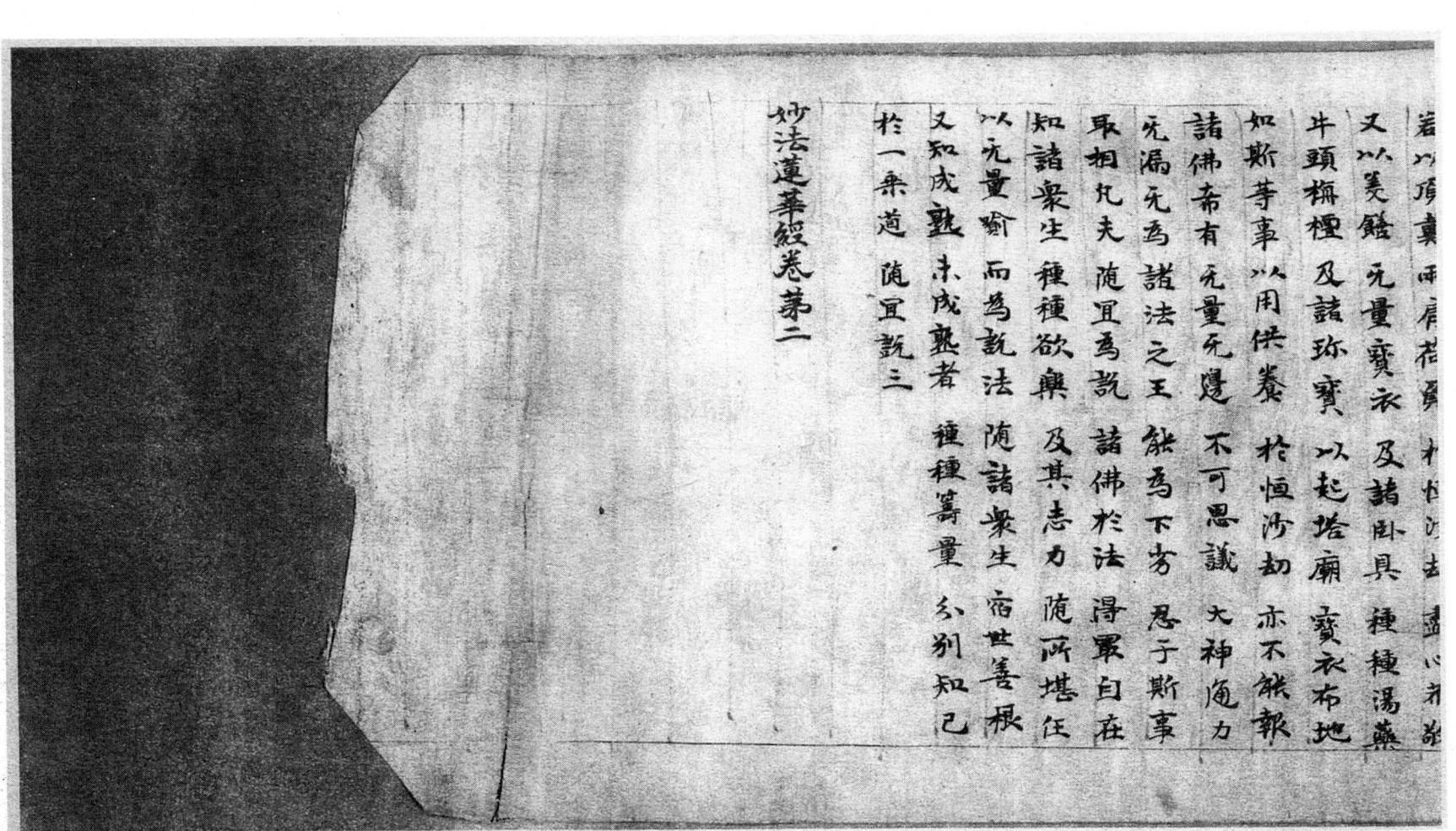

妙法蓮華經卷第二

BD01896號　妙法蓮華經卷二　（26–26）

心不亂其人臨命終時阿弥陁
衆現在其前是人終時心不顛倒
往生阿弥陁佛極樂國土舍利弗我見
故說此言若有衆生聞是說者應當
願生彼國土舍利弗如我今者讚歎阿弥
陁佛不可思議功德東方亦有阿閦鞞佛須
弥相佛大須弥佛須弥光佛妙音佛如是等恒
河沙數諸佛各於其國出廣長舌相遍覆三
千大千世界說誠實言汝等衆生當信是
稱讚不可思議功德一切諸佛所護念經
舍利弗南方世界有日月燈佛名聞光佛大焰
肩佛須弥燈佛无量精進佛如是等恒河沙
數諸佛各於其國出廣長舌相遍覆三千大千
世界說誠實言汝等衆生當信是稱讚不可
思議功德一切諸佛所護念經
舍利弗西方世界有无量壽佛无量相佛无
量幢佛大光佛大明佛寶相佛淨光佛如是
等恒河沙數諸佛各於其國出廣長舌相遍覆
三千大千世界說誠實言汝等衆生當信是稱
讚不可思議功德一切諸佛所護念經
舍利弗北方世界有焰肩佛最勝音佛難阻

BD01897 號 1　阿彌陀經　（8–1）

三千大千世界說誠實言汝等衆生當信是稱
讚不可思議功德一切諸佛所護念經
舍利弗北方世界有焰肩佛最勝音佛難阻
佛日生佛網明佛如是等恒河沙數諸佛各
於其國出廣長舌相遍覆三千大千世界說
誠實言汝等衆生當信是稱讚不可思議功
德一切諸佛所護念經
舍利弗下方世界有師子佛名聞佛名光佛
達摩佛法幢佛持法佛如是等恒河沙數
諸佛各於其國出廣長舌相遍覆三千大千
世界說誠實言汝等衆生當信是稱讚不
可思議功德一切諸佛所護念經
舍利弗上方世界有梵音佛宿王佛香上
佛香光佛大焰肩佛雜色寶華嚴身佛
娑羅樹王佛寶華德佛見一切義佛如須弥山
佛如是等恒河沙數諸佛各於其國出廣長舌
相遍覆三千大千世界說誠實言汝等衆生
當信是稱讚不可思議功德一切諸佛所護念經
舍利弗於汝意云何何故名一切諸佛所護念經
舍利弗若有善男子善女人聞是經受持者
及聞諸佛名者是諸善男子善女人皆為一
切諸佛共所護念皆得不退轉於阿耨多羅
三藐三菩提是故舍利弗汝等皆當信受我語
及諸佛所說舍利弗若有人以發願今發願當發
願欲生阿弥陁佛國者是諸人等皆得不退轉
於阿耨多羅三藐三菩提於彼國土若已生若
今生若當生是故舍利弗諸善男子善女人

BD01897 號 1　阿彌陀經　（8–2）

三藐三菩提是故舍利弗汝等皆當信受我語
及諸佛所說舍利弗若有人已發願今發願當發
願欲生阿弥陁佛國者是諸人等皆得不退轉
於阿耨多羅三藐三菩提於彼國土若已生若
今生若當生是故舍利弗諸善男子善女人
若有信者應當發願生彼國土舍利弗如我
今者稱讚諸佛不可思議功德彼諸佛等
亦稱說我不可思議功德而作是言釋迦牟尼
佛能為甚難希有之事能於娑婆國土五濁惡
世刧濁見濁煩惱濁衆生濁命濁中得阿耨多
羅三藐三菩提為諸衆生說是一切世間難信
之法舍利弗當知我於五濁惡世行此難事得
阿耨多羅三藐三菩提為一切世間說此難信之
法是為甚難佛說此經已舍利弗及諸比丘
一切世間天人阿脩羅等聞佛所說歡喜信受
阿弥陁佛所說咒
那上 謨善上 陁夜 桑可反下同 那上 謨馱囉上 摩夜
那上 謨僧伽二夜那上 磨上 阿上 須多婆上 夜
跢 丁可反下同 他伽上 多夜阿上 囉上 訶上 羝三藐三菩上
陁夜跢姪 地也反下同 他阿上 須唎上 羝阿上 須唎都婆上
鞞 善迷反下同 阿上 須唎跢三婆上 鞞阿上 須唎跢
鼻 善頻 迦蘭羝伽弭你伽上 伽上 那上 甓 吾移 唎底
都你 迦上 嘌婆上 囉上 皤 波 跛叉 楚我 焰迦上 嘌 一切惡業盡
娑上 婆訶 咒中諸口傍字皆依本音轉舌言之无口者依字讀之
右咒先已翻出流行於晨朝楊枝淨口散花燒香佛
像前胡跪合掌日誦七遍若二七遍若三七遍滅四
重五逆等罪現身不為諸橫所惱命終生无量

BD01897 號 1　阿彌陀經　（8–3）

BD01897 號 2　阿彌陀佛說咒

娑上 婆訶 咒中諸口傍字皆依本音轉舌言之无口者依字讀之
右咒先已翻出流行於晨朝楊枝淨口散花燒香佛
像前胡跪合掌日誦七遍若二七遍若三七遍滅四
重五逆等罪現身不為諸橫所惱命終生无量
壽國永離女身今更重勘梵本并對問婆
羅門僧毗尼佛陁僧伽等知此咒威力不可思議
云旦暮午時各誦一百遍滅四重五逆拔一切罪根
得生西方若能精誠滿二十万遍則菩提牙生得
不退轉滿三十万遍則面見阿弥陁佛決定得生
安樂淨土昔長安僧叡法師慧崇僧顯慧
通近至後周實禪師景禪師西河鸞法師
等數百人並生西方西河綽禪師等曰見鸞
師得生各率有緣專脩淨土之業綽師又撰
西方記驗名安樂集流行又晉朝遠法師入廬
山三十年不出乃命同志白黑百有二十三人立誓期
於西方鑿山銘願至陳天嘉年廬山珎禪師於
坐時見人乘船往西方乃求附載報云法師未誦
阿弥陁經不得去也因誦此經應二萬遍未終
四七日前夜四更有神人送一白銀臺來空中明過
於日告云法師壽終當乘此臺往生阿弥陁國
故來相示令知定生終時白黑咸聞異香數日
其夜峯頂寺僧咸見一谷内有數十炬火大大如
車輪尋驗古今生西方者非一多見化佛徒衆來
迎靈瑞如傳不可繁錄回珎禪師於此經有驗
故略述此以悟來喆冊成往生之志耳
十二光佛
无量光佛　無邊光佛

BD01897 號 2　阿彌陀佛說咒　（8–4）

故略述此以陪来喆四成往生之志耳
十二光佛
南无无量光佛　南无无邊光佛
南无无㝵光佛　南无无對光佛
南无焰王光佛　南无清淨光佛
南无歡喜光佛　南无智慧光佛
南无不斷光佛　南无難思光佛
南无无稱光佛　南无照日月光佛
右出无量壽經上卷若人一念一稱及礼除八十億
劫生死重罪命終之後必見阿弥陁佛
礼阿弥陁佛文　龍樹菩薩撰　闍那崛多三藏法師譯
至心歸命礼西方阿弥陁佛稽首天人所恭敬
阿弥陁仙両足尊在彼微妙安樂國无量佛
子衆圍遶願共諸衆生往生安樂國
至心歸命礼西方阿弥陁佛金色身相如山
王奢摩他行如象步兩目淨若青蓮華故
我頂礼阿弥陁佛願共諸衆生往生安樂國
至心歸命礼西方阿弥陁佛面善圓淨如滿月
威光猶如千日月聲如天鼓俱翅羅故我頂礼
阿弥陁佛願共諸衆生往生安樂國
至心歸命礼西方阿弥陁佛觀音頂戴冠
中住種種妙相寶莊嚴能伏外道魔憍慢
故我頂礼阿弥陁佛願共諸衆生往生安樂國
至心歸命礼西方阿弥陁佛无比无垢廣淨
清衆德皎潔如虛空所作利益得自在故
我頂礼阿弥陁佛願共諸衆生往生安樂國

BD01897 號 3　十二光佛
BD01897 號 4　禮阿彌陀佛文
（8–5）

清衆德皎潔如虛空所作利益得自在故
我頂礼阿弥陁佛願共諸衆生往生安樂國
至心歸命礼西方阿弥陁佛十方名聞菩薩
衆无量諸魔常讚歎為諸衆生願力住故
我頂礼阿弥陁佛願共諸衆生往生安樂國
至心歸命礼西方阿弥陁佛金底寶間池
生華善根所成妙高座於彼座上如山王故
我頂礼阿弥陁佛願共諸衆生往生安樂國
至心歸命礼西方阿弥陁佛十方所來諸
佛子顯現神通至安樂瞻仰尊顏常恭
敬故我頂礼阿弥陁佛願共諸衆生往生
安樂國　至心歸命礼西方阿弥陁佛
諸有无常无我等亦如水月電影露為
衆說法无名字故我頂礼弥陁佛願共諸
衆生往生安樂國
至心歸命礼西方阿弥陁佛彼尊无量
方便境无有諸趣惡知識往生不退至菩提
故我頂礼阿弥陁佛願共諸衆生往生安樂國
至心歸命礼西方阿弥陁佛彼尊佛剎无
惡名亦无女人惡道怖衆人至心敬彼尊故
我頂礼阿弥陁佛願共諸衆生往生安樂國
至心歸命礼西方阿弥陁佛我說彼尊功
德事衆善无邊如海水所作善根清淨者
故我頂礼阿弥陁佛願共諸衆生往生安樂國
普為法界衆生往生極樂世界歸命懺悔
至心懺悔自從无始受身來恒已十惡加衆

BD01897 號 4　禮阿彌陀佛文
（8–6）

德事衆善无邊如海水所作善根清淨若
故我頂礼阿弥陁佛願共諸衆生往生安樂國
普為法界衆生往生極樂世界歸命懺悔
至心懺悔自從无始受身来恒已十惡加衆
生不孝父母謗三寶造作十惡不善業以是
衆罪因緣故忘想顛倒生纏縛應受无量
生死苦頂礼懺悔願滅除以此懺悔諸善根
唯願速見阿弥陁佛懺悔已歸命三寶
至心勸請諸佛大慈无上尊恒以空慧照三
界衆生盲冥不覺知永沉生死沒苦海救
攝群生離衆苦勸請常住轉法輪以此勸
請諸善根唯願速見阿弥陁佛勸請已歸
命三寶　至心隨喜應劫已来懐嫉妬
我慢放逸由癡生恒以嗔恚毒害火焚燒
智慧慈善根令日思惟始惺悟發大精進
隨善心以此隨喜諸善根唯願速見阿
弥陁佛隨喜已歸命三寶
至心迴向流浪三界内癡愛入胎獄生已歸老
死沉浮沒苦海我令所脩福迴向薩婆若以
此迴向諸善根唯願速見阿弥陁佛迴向以
歸命三寶　至心發願願捨胎藏形
往生安樂國速見弥陁佛无邊功德身
奉覲諸如来賢聖亦復然獲六神通力救
攝苦衆生虛空法界盡我願亦如是發
願已歸命三寶
阿弥陁經一卷

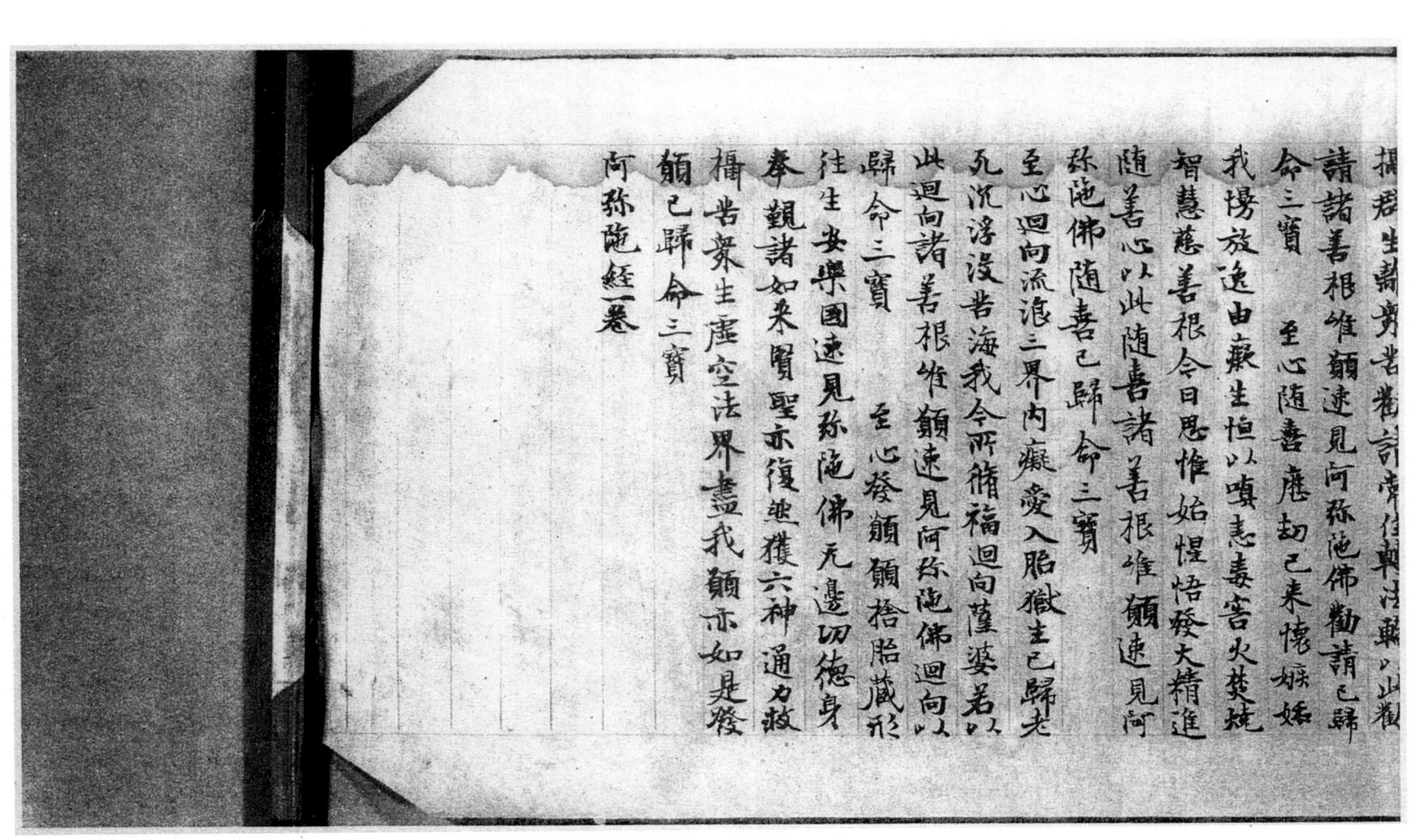

BD01897 號 4　禮阿彌陀佛文　（8–7）

攝群生離衆苦勸請常住轉法輪以此勸
請諸善根唯願速見阿弥陁佛勸請已歸
命三寶　至心隨喜應劫已来懐嫉妬
我慢放逸由癡生恒以嗔恚毒害火焚燒
智慧慈善根令日思惟始惺悟發大精進
隨善心以此隨喜諸善根唯願速見阿
弥陁佛隨喜已歸命三寶
至心迴向流浪三界内癡愛入胎獄生已歸老
死沉浮沒苦海我令所脩福迴向薩婆若以
此迴向諸善根唯願速見阿弥陁佛迴向以
歸命三寶　至心發願願捨胎藏形
往生安樂國速見弥陁佛无邊功德身
奉覲諸如来賢聖亦復然獲六神通力救
攝苦衆生虛空法界盡我願亦如是發
願已歸命三寶
阿弥陁經一卷

BD01897 號 4　禮阿彌陀佛文　（8–8）

佛說阿弥陁經
如是我聞一時佛在舍衛國祇樹給孤獨園
與大比丘衆千二百五十人俱皆是大阿羅
漢衆所知識長老舍利弗摩訶目揵連摩
訶迦葉摩訶迦旃延摩訶俱絺羅離波多周
利槃陁迦難陁阿難羅睺羅憍梵波提賓頭
盧頗羅墮迦留陁夷摩訶劫賓那薄拘羅阿
㝹樓馱如是等諸大弟子并諸菩薩摩訶薩
文殊師利法王子阿逸多菩薩乾陁訶提菩薩
常精進菩薩與如是等諸大菩薩及釋提桓
因等无量諸天大衆俱尒時佛告長老舍利
弗從西方過十万億佛土有世界名曰極樂其
土有佛号阿弥陁今現在說法舍利弗彼土何故
名為極樂其國衆生无有衆苦但受諸樂故名極
樂又舍利弗極樂國土七重欄楯七重羅網七
重行樹皆是四寶圍帀周繞是故彼〻名曰極
樂又舍利弗極樂國土有七寶池八功德水充
其中池底純以金沙布地四邊階道金銀瑠璃
頗梨合成上有樓閣亦以金銀瑠璃頗梨車𤦲

BD01898號　阿彌陀經　（7–1）

重行樹皆是四寶圍帀周繞是故彼〻名曰極
樂又舍利弗極樂國土有七寶池八功德水充
其中池底純以金沙布地四邊階道金銀瑠璃
頗梨合成上有樓閣亦以金銀瑠璃頗梨車𤦲
赤珠馬瑙而嚴飾之池中蓮華大如車輪青色
青光黃色黃光赤色赤光白色白光微妙香潔
舍利弗極樂國土成就如是功德莊嚴又舍利弗
彼佛國土常作天樂黃金為地晝夜六時而雨
曼陁羅華其國衆生常以清旦各以衣裓盛衆
妙華供養他方十万億佛即以食時還到本國
飯食經行舍利弗極樂國土成就如是功德莊
嚴復次舍利弗彼國常有種種奇妙雜色之
鳥白鵠孔雀鸚鵡舍利迦陵頻伽共命之鳥
是諸衆鳥晝夜六時出和雅音其音演暢
五根五力七菩提分八聖道分如是等法其
土衆生聞是音已皆悉念佛念法念僧
舍利弗汝勿謂此鳥實是罪報所生所
以者何彼佛國土无三惡趣舍利弗其佛
國土尚无三惡道之名何况有實是諸衆
鳥皆是阿弥陁佛欲令法音宣流變化所作
舍利弗彼佛國土微風吹動諸寶行樹及
寶羅網出微妙音譬如百千種樂同時俱作
聞是音皆自然生念佛念法念僧之心舍利
弗其佛國土成就如是功德莊嚴舍利弗於
汝意云何彼佛何故号阿弥陁舍利弗彼佛光明
无量照十方國无所鄣礙是故号為阿弥
陁又舍利弗彼佛壽命及其人民无量无邊

BD01898號　阿彌陀經　（7–2）

汝意云何何故号阿弥陁舍利弗彼佛光明
无量照十方國无所鄣礙是故号為阿弥
陁又舍利弗彼佛壽命及其人民无量无邊
阿僧祇劫故名阿弥陁舍利弗阿弥陁佛成
佛已來於今十劫又舍利弗彼佛有无量
无邊聲聞弟子皆阿羅漢非是筭數之
所能知諸菩薩亦如是舍利弗彼佛國土
成就如是功德莊嚴又舍利弗極樂國土
衆生生者皆是阿鞞跋致其中多有一生補
處其數甚多非是筭數所能知之但可
以无量无邊阿僧祇劫說舍利弗衆生聞
者應當發願願生彼國所以何得與如是諸
上善人俱會一處舍利弗不可以少善根
福德因緣得生彼國舍利弗若有善男子善
女人聞說阿弥陁佛執持名号若一日若二日
若三日若四日若五日若六日若七日一心不
乱其人臨命終時阿弥陁佛與諸聽衆現
在其前是人終時心不顛倒即得往阿弥陁
佛極樂國土舍利弗我見是利故說此言若
有衆生聞是說者應當發願生彼國土舍
利弗如我今者讚歎阿弥陁佛不可思議功
德
東方亦有阿閦鞞佛須弥相佛大須弥光佛
妙音佛如是等恒河沙數諸佛各於其國
出廣長舌相遍覆三千大千世界說誠實言
衆生當信是稱讚不可思議功德一切諸佛
所護念經

BD01898號　阿彌陀經　（7–3）

出廣長舌相遍覆三千大千世界說誠實言
衆生當信是稱讚不可思議功德一切諸佛
所護念經
舍利弗南方世界有日月燈佛名聞光佛大
焰肩佛須弥燈佛无量精進佛如是等恒
河沙數諸佛各於其國出廣長舌相遍覆
三千大千世界說誠實言汝等衆生當信是稱
讚不可思議功德一切諸佛所護念經
尒時舍利弗西方世界有无量壽佛无量相
佛无量幢佛大光佛大明佛寶相佛淨光
佛如是等恒河沙數諸佛各於其國出廣
長舌相遍覆三千大千世界說誠實言汝
等衆生當信是稱讚不可思議功德一切
諸佛所護念經
舍利弗北方世界有焰肩佛最勝音佛
難沮佛日生佛網明佛如是等恒河沙數諸
佛各於其國出廣長舌相遍覆三千大千
世界說誠實言汝等衆生當信是稱讚
不可思議功德一切諸佛所護念經
舍利弗下方世界有師子佛名聞佛名光佛
達摩佛法幢佛持法佛如是等恒河沙數
諸佛各於其國出廣長舌相遍覆三千大千
世界說誠實言言汝等衆生當信是稱讚
不可思議功德一切諸佛所護念經
舍利弗上方世界有梵音佛香上佛香光
佛大焰肩佛雜色寶華嚴身佛娑羅樹
王佛寶華德佛見一切義佛如須弥山佛

BD01898號　阿彌陀經　（7–4）

不可思議功德一切諸佛所護念經
舍利弗上方世界有梵音佛香上佛香光
佛大焰肩佛雜色寶華嚴身佛娑羅樹
王佛寶華德佛見一切義佛如須弥山佛如
等恒河沙數諸佛各於其國出廣長舌相
遍覆三千大千世界說誠實言汝等衆生當
信是稱讚不可思議功德一切諸佛所護念
經
舍利弗於汝意云何何故名一切諸佛所護念
經舍利弗若有善男子善女人聞是諸佛所
說名及經名者是諸善男子善女人皆爲一切
諸佛共所護念皆得不退轉於阿耨多羅三
藐三菩提是故舍利弗汝等皆當信受我語
及諸佛所說舍利弗若有人已發願今發願當
發願欲生阿弥陁佛國者是諸人等皆得不
退轉於阿耨多羅三藐三菩提彼國土若
已生若今生若當生是故舍利弗諸善男子
善女人若有信者應當發願生彼國土
舍利弗如我者稱讚諸佛不可思議功德
彼諸佛等亦稱說我不可思議功德而作是
言釋迦牟尼佛能爲甚難希有之事能於
娑婆國土五濁惡世劫濁見濁煩惱濁衆生
濁命濁中得阿耨多羅三藐三菩提爲諸衆
生說是一切世間難信之法
舍利弗當知我於五濁惡世行此難事得阿
耨多羅三藐三菩提爲一切世間說此難信
之法是爲甚難佛說此經已舍利弗及諸比

生說是一切世間難信之法
舍利弗當知我於五濁惡世行此難事得阿
耨多羅三藐三菩提爲一切世間說此難信
之法是爲甚難佛說此經已舍利弗及諸比
丘一切世間天人阿脩羅等聞佛所說歡喜
舍利弗下方世界有師子佛名聞佛名光佛
達摩佛法幢佛持法佛如是等恒河沙數
諸佛各於其國出廣長舌相遍覆三千大千
世界說誠實言言汝等衆生當信是稱
讚不可思議功德一切諸佛所護念經
舍利弗上方世界有梵音佛香上佛香光
佛大焰肩佛雜色寶華嚴身佛娑羅樹
王佛寶華德佛見一切義佛如須弥山佛如
是等恒河沙數諸佛各於其國出廣長舌相
遍覆三千大千世界說誠實言汝等衆生
當信是稱讚不可思議功德一切諸佛所護
念經
舍利弗於汝意云何何故名一切諸佛所護
念經舍利弗若有善男子善女人聞是諸佛
所說名及經名者是諸善男子善女人皆爲一切
諸佛共所護念皆得不退轉於阿耨多羅三
藐三菩提是故舍利弗汝等皆當信受我語
及諸佛所說舍利弗若有人已發願今發願
當發願欲生阿弥陁佛國者是諸人等皆得
不退轉於阿耨多羅三藐三菩提於彼國土
若已生若今生若當生是故舍利弗諸善男
子善女人[illegible]

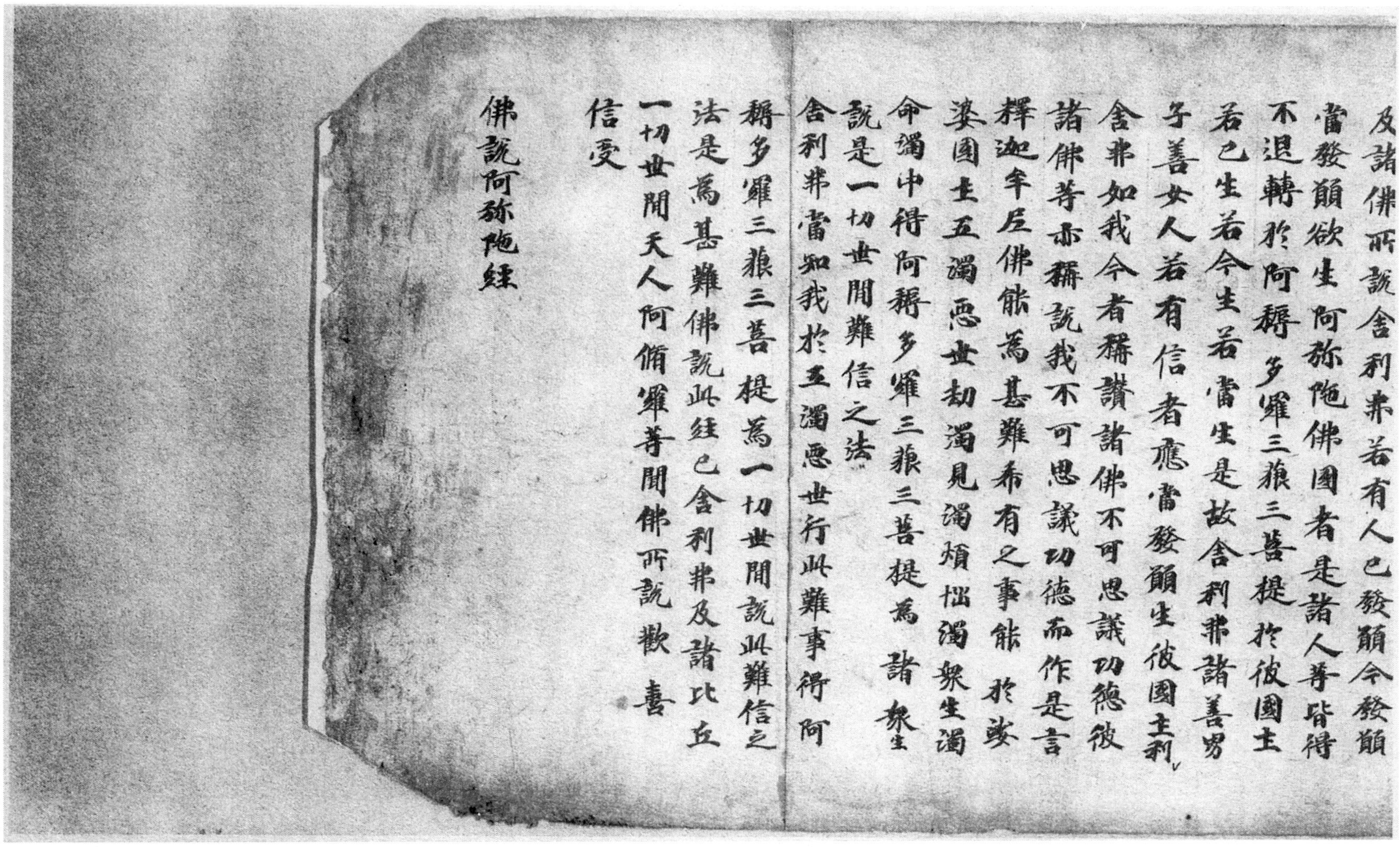

及諸佛所說舍利弗若有人已發願今發願
當發願欲生阿弥陁佛國者是諸人等皆得
不退轉於阿耨多羅三藐三菩提於彼國土
若已生若今生若當生是故舍利弗諸善男
子善女人若有信者應當發願生彼國土利
舍弗如我今者稱讚諸佛不可思議功德彼
諸佛等亦稱說我不可思議功德而作是言
釋迦牟尼佛能為甚難希有之事能於娑
婆國土五濁惡世劫濁見濁煩惱濁衆生濁
命濁中得阿耨多羅三藐三菩提為諸衆生
說是一切世間難信之法
舍利弗當知我於五濁惡世行此難事得阿
耨多羅三藐三菩提為一切世間說此難信之
法是為甚難佛說此經已舍利弗及諸比丘
一切世間天人阿脩羅等聞佛所說歡喜
信受
佛說阿弥陁經

BD01898 號　阿彌陀經　　（7–7）

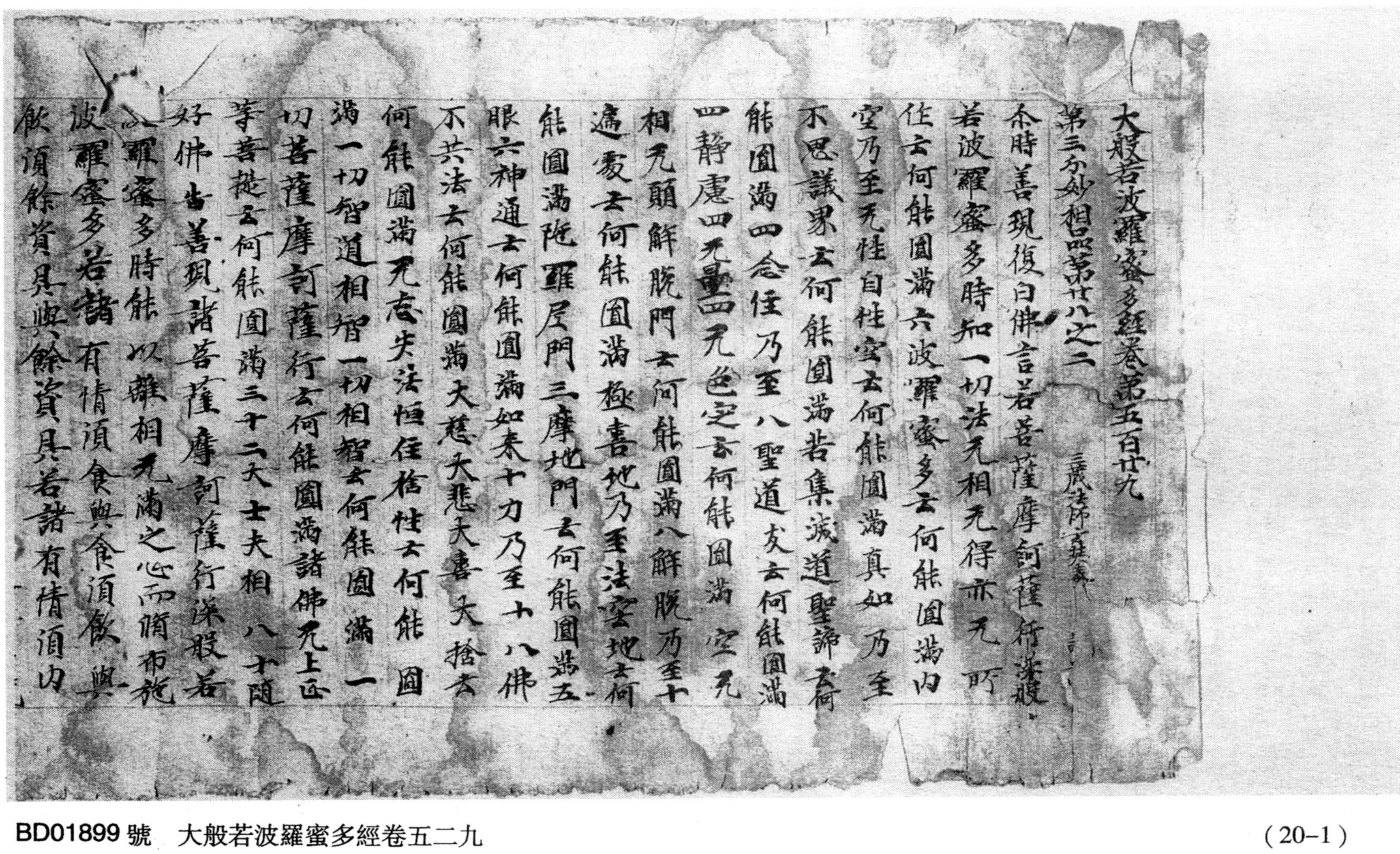

大般若波羅蜜多經卷第五百廿九
第三分妙相品第廿八之二　三藏法師玄奘奉　詔譯
尒時善現復白佛言若菩薩摩訶薩行深般
若波羅蜜多時知一切法无相无得亦无所
住云何能圓滿六波羅蜜多云何能圓滿內
空乃至无性自性空云何能圓滿真如乃至
不思議界云何能圓滿若集滅道聖諦云何
能圓滿四念住乃至八聖道支云何能圓滿
四靜慮四无量四无色定云何能圓滿空无
相无願解脫門云何能圓滿八解脫乃至十
遍處云何能圓滿極喜地乃至法雲地云何
能圓滿陁羅尼門三摩地門云何能圓滿五
眼六神通云何能圓滿如來十力乃至十八佛
不共法云何能圓滿大慈大悲大喜大捨云
何能圓滿无忘失法恒住捨性云何能圓
滿一切智道相智一切相智云何能圓滿一
切菩薩摩訶薩行云何能圓滿諸佛无上正
等菩提云何能圓滿三十二大士夫相八十隨
好佛告善現諸菩薩摩訶薩行深般若
波羅蜜多時能以離相无滿之心而脩布施
波羅蜜多若諸有情須食與食須飲與
飲須餘資具與餘資具若諸有情須內

BD01899 號　大般若波羅蜜多經卷五二九　　（20–1）

[illegible]
波羅蜜多若諸有情須食與食須飲與
飲須餘資具與餘資具若諸有情須內
所有頭目髓腦皮肉支節筋骨身命亦皆施
與若諸有情須外所有國城妻子所愛親屬
種種莊嚴歡喜施與菩薩如是行布施時設有
人來現前訶嘖何用行此无益施爲如是施者今世
後世身心勞倦多諸苦惱是菩薩摩訶薩行
深般若波羅蜜多雖聞其言而不退屈但作是
念彼人雖來訶嘖於我而我不應心生憂悔
我當勇猛施諸有情所須之物身心无倦
是菩薩摩訶薩持此施福與諸有情平等迴
向一切智智如是布施及迴向時不見其相所
謂不見誰施誰受所施何物於何而施由何
爲何云何行施亦復不見誰能迴向何所迴
向於何迴向由何爲何云何迴向於如是等
一切事物悉皆不見所以者何如是諸法无
不皆由內空故空如是乃至相空故空是菩
薩摩訶薩觀一切法无不空已復作是念誰
能迴向何所迴向於何迴向由何爲何云何
迴向如是等法皆不可得是菩薩摩訶薩由
如是觀及如是念所起迴向名善迴向由此
復能成熟有情嚴淨佛土亦能圓滿所行
布施乃至般若波羅蜜多廣說乃至亦能圓
滿八十隨好是菩薩摩訶薩雖能如是圓滿
布施波羅蜜多而不攝受施果異熟果雖不攝
受施果熟果而由布施波羅蜜多善清淨故

BD01899號　大般若波羅蜜多經卷五二九　（20-2）

[illegible]
布施波羅蜜多而不攝受施果異熟果雖不攝
受施果熟果而由布施波羅蜜多善清淨故
隨意能辦一切資具猶如他化自在諸天一切
所須隨心皆現此菩薩摩訶薩亦復如是諸
有所須隨意能辦由此布施增上勢力能以
種種上妙樂具恭敬供養諸佛世尊亦能充
足天人等衆是菩薩摩訶薩由此布施波羅
蜜多攝諸有情方便善巧以三乘法而安立
之令隨所宜各得饒益如是善現諸菩薩摩
訶薩行深般若波羅蜜多由離諸相无漏心
力能於一切无相无得无作法中圓滿布施
波羅蜜多亦能圓滿諸餘善法
復次善現諸菩薩摩訶薩行深般若波羅蜜
多時能以離相无漏之心而脩淨戒波羅蜜多
謂聖无漏道支所攝法尒所得善清淨戒
如是淨戒无缺无隙无瑕无穢无所取着應
受供養智者所讚由此淨戒於一切法都无
所取謂不取色受想行識乃至不取三十二
大士夫相八十隨好亦復不取剎帝利大族
乃至居士大族亦復不取四大王衆天乃至
非想非非想處天亦復不取預流果乃至獨
覺菩提亦復不取轉輪王位乃餘小王宰官
等位但以如是所受持戒與諸有情平等迴
向一切智智於迴向時以无相无所得无二
爲方便非有相有所得有二爲方便但依世
俗不依勝義由此因緣一切佛法皆得圓滿

BD01899號　大般若波羅蜜多經卷五二九　（20-3）

為方便非有相有所得有二為方便但依世
俗不依勝義由此因緣一切佛法皆得圓滿
是菩薩摩訶薩由此淨戒波羅蜜多方便善
巧起四靜慮勝進分无染著為方便故引發
神通是菩薩摩訶薩用異熟生清淨天
眼能見十方現在諸佛乃至證得一切智智於
所見事能不忘失用超過人清淨天耳能聞
方諸佛說法乃至證得一切智智於所聞事
能不忘失隨所聞法能作自他諸饒益事无
空過者用他心智能知十方佛及有情心及
心所知已能起一切有情隨其所宜諸饒益
事用宿住智知諸有情先所造業由所造業
不失壞故生彼彼處受諸苦樂知已為說本
業因緣令其憶知作饒益事用漏盡智安立
有情或令住預流果或令住一來果廣說乃
至或令安住无上菩提以要言之是菩薩摩
訶薩在所生處隨諸有情堪能差別方便
令住諸善品中如是菩薩摩訶薩行
深般若波羅蜜多由離諸相无漏心力能於一
切无相无得无作法中圓滿淨戒波羅蜜多
亦能圓滿諸餘善法
復次善現諸菩薩摩訶薩行深般若波羅
蜜多時能以離相无漏之心而脩安忍波羅蜜
多是菩薩摩訶薩從初發心乃至安坐妙菩
提座其中假使一切有情各持種種苦具加
害是菩薩摩訶薩不起一念忿恚俱心亦

BD01899號　大般若波羅蜜多經卷五二九　（20–4）

復次善現諸菩薩摩訶薩行深般若波羅
蜜多時能以離相无漏之心而脩安忍波羅蜜
多是菩薩摩訶薩從初發心乃至安坐妙菩
提座其中假使一切有情各持種種苦具加
害是菩薩摩訶薩不起一念忿恚俱心亦
時菩薩應脩二忍一者應受一切有情罵辱加
害不生忿恚伏瞋恨忍二者應起无生法忍
是菩薩摩訶薩若遭種種苦言罵辱或遭
種種刀杖加害應審思察誰能罵辱誰受罵
辱誰能加害誰受加害誰起忿恚誰應忍受
復應審察一切法性皆畢竟空法尚不可得況
當有法性尚无法性況有有情如是觀時若
能罵辱若所罵辱若能加害若所加害皆見
非有乃至分分割截身支其心安忍都无異
念於諸法性如實觀察復能證得无生法忍
云何名為无生法忍謂令一切煩惱不生 微
妙智慧常无間斷觀一切法畢竟不生是故
名為无生法忍是菩薩摩訶薩安住如是二
種忍中速能圓滿布施等六波羅蜜多廣說
乃至速能圓滿八十隨好是菩薩摩訶薩安
住如是諸佛法已於聖无漏出世不共一切
聲聞獨覺神通皆得圓滿安住如是勝神通
已用淨天眼常見十方現在諸佛乃至證得
一切智智起佛隨念恒无間斷用淨天耳常
聞十方諸佛說法受持不忘為諸有情如實
宣說用他心智能正測量諸佛世尊心及心
所亦能正知餘有情類心及心所隨其所應

BD01899號　大般若波羅蜜多經卷五二九　（20–5）

[illegible]
已用淨天眼常見十方現在諸佛乃至證得
一切智智起佛隨念恒无間斷用淨天耳常
聞十方諸佛說法受持不忘為諸有情如實
宣說用他心智能正測量諸佛世尊心及心
所亦能正知餘有情類心及心所隨其所應
為說正法令生勝解用宿住智知諸有情宿
種善根種種差別知已方便示現勸導讚勵
慶喜令得饒益用漏盡智隨其所宜安立有
情於三乘法是菩薩摩訶薩行深般若波羅
蜜多方便善巧嚴淨佛土成熟有情疾能具
足一切相智證得无上正等菩提轉妙法輪
饒益一切如是善現諸菩薩摩訶薩行深般
若波羅蜜多由離諸相无漏心力能於一切
无相无得无作法中圓滿安忍波羅蜜多亦
能圓滿諸餘善法
復次善現諸菩薩摩訶薩行深般若波羅蜜
多時能以離相无漏之心而脩精進波羅蜜
多是菩薩摩訶薩成就勇猛身心精進入初
靜慮乃至能入第四靜慮依四靜慮發起種
種神通變現乃至以手捫摸日月自在迴轉
不以為難成就勇猛身精進故以神通力經
須臾頃能至十方殑伽沙等諸佛世界復以
種種上妙樂具供養恭敬諸佛世尊由此善
根果報无盡漸次證得一切智智由此善根
增上勢力得成佛已復為无量世間天人阿
素洛等以无量種上妙樂具供養恭敬由此

BD01899號　大般若波羅蜜多經卷五二九　（20–6）

種種上妙樂具供養恭敬諸佛世尊由此善
根果報无盡漸次證得一切智智由此善根
增上勢力得成佛已復為无量世間天人阿
素洛等以无量種上妙樂具供養恭敬由此
善根般涅槃後自設利羅及諸弟子猶為无
量世間天人阿素洛等供養恭敬是菩薩摩
訶薩復以神力能至十方殑伽沙等諸佛世
界於諸佛所聽聞正法聞已受持乃至无上正
等菩提能不忘失是菩薩摩訶薩復以
神力能至十方殑伽沙等諸佛世界成熟有
情嚴淨佛土精勤脩學一切相智得圓滿已
證得无上正等菩提轉妙法輪度有情衆如是
善現諸菩薩摩訶薩成就勇猛身精進故能
令精進波羅蜜多速得圓滿復次善現諸菩
薩摩訶薩成就勇猛心精進故速能圓滿諸
聖无漏道及道支所攝精進波羅蜜多由此
能令一切不善身語意業无容得起是菩薩
摩訶薩於諸法中終不取著若常若无常若
樂若苦若我若无我若淨若不淨若有為界
若无為界若欲界若色界若无色界若四靜
慮四無量四無色定若四念住乃至八聖道
支若三解脫門若餘無量無邊佛法皆不取
著常無常等亦不取著若預流果乃至無上
正等菩提是菩薩摩訶薩亦不取著是預流
者是一來者乃至是佛亦不取著如是有情
見具足故名預流者如是有情下結薄故名
一來者如是有情下結盡故名不還者如是

BD01899號　大般若波羅蜜多經卷五二九　（20–7）

者是一來者乃至是佛亦不取著如是有情
見具足故名預流者如是有情下結淨故名
一來者如是有情下結盡故名不還者如是
有情上結盡故名阿羅漢如是有情得獨
覺道故名為獨覺如是有情得道相智故名
為菩薩如是有情得一切相智故名為如來應
正等覺是菩薩摩訶薩於如是等法及有情
皆不取著所以者何以一切法及諸有情皆
無自性不可取著是菩薩摩訶薩成就勇猛
心精進故雖作饒益諸有情事不顧身命而
於有情都無所得雖能圓滿所脩精進波羅
蜜多而於精進波羅蜜多都無所得雖能圓
滿一切佛法而於佛法都無所得雖能嚴淨
一切佛土而於佛土都無所得是菩薩摩訶
薩成就如是身心精進雖能遠離一切惡
法亦能攝受一切善法而無取著無取著故
從一佛土至一佛土從一世界至一世界為欲
饒益諸有情故所欲示現諸神通事皆能自
在示現無礙謂或示現雨衆妙花散衆名香
作衆伎樂現雲雷音振動大地或復示現衆
妙七寶莊嚴世界身放光明有宜衆生悉蒙
開曉或復示現身出妙香諸臭穢者皆令香
潔或復示現設大祠祀於中不惱諸有情類
因斯化導無量有情令入三道離斷生命乃
至邪見或以布施乃至般若攝諸有情為欲
饒益諸有情故或捨財寶或捨妻子或捨王
位或捨支節或捨身命隨諸有情應以如是

BD01899 號　大般若波羅蜜多經卷五二九　（20–8）

因斯化導無量有情令入三道離斷生命乃
至邪見或以布施乃至般若攝諸有情為欲
饒益諸有情故或捨財寶或捨妻子或捨王
位或捨支節或捨身命隨諸有情應以如是
如是方便而得利樂即以如是如是方便而利
樂之如是善現諸菩薩摩訶薩行深般若
波羅蜜多由離諸相無漏心力能於一切無
相无得无作法中圓滿精進波羅蜜多亦能
圓滿諸餘善法
復次善現諸菩薩摩訶薩行深般若波羅
蜜多時能以離相无漏之心而脩靜慮波羅蜜
多是菩薩摩訶薩除如來定於餘諸定皆能
圓滿是菩薩摩訶薩離欲惡不善法有尋
有伺離生喜樂入初靜慮乃至能入第四靜
慮具足而住是菩薩摩訶薩以慈俱心遍
乃至以捨俱心普緣十方具足而住是菩薩
摩訶薩起諸色想滅有對想不思惟種種想
入无邊空空无邊處乃至非想非非想處具
足而住是菩薩摩訶薩安住靜慮波羅蜜多
於八解脫九次第定皆能順逆具足而住是菩
薩摩訶薩於空无相无願等持具足而住於
无間定如電光定金剛喻定聖正定等具足
而住是菩薩摩訶薩安住靜慮波羅蜜多
脩三十七菩提分法及道相智皆令圓滿以道
相智攝受一切三摩地已漸次脩超淨觀
地乃至脩超獨覺地已證入菩薩正性離生

BD01899 號　大般若波羅蜜多經卷五二九　（20–9）

[illegible]
相智攝受一切三摩地已漸次脩起淨觀
地乃至脩起獨覺地已證入菩薩正性離生
旣入菩薩正性離生脩諸地行圓滿佛地是
菩薩摩訶薩雖於諸地漸次脩起乃至未得
一切智智而於中間不取果證是菩薩摩訶
薩安住靜慮波羅蜜多從一佛土至一佛土
親近供養諸佛世尊於諸佛所殖衆善本
成熟有情嚴淨佛土從一世界至一世界利
樂有情身心无懈或以布施乃至般若攝諸有
情或以戒蘊乃至解脫智見蘊攝諸有情或
教有情住預流果廣說乃至或教有情安住
无上正等菩提隨諸有情善根勢力善法增
長種種方便令其安住是菩薩摩訶薩安住
靜慮波羅蜜多能引一切陀羅尼門三摩地
門能得殊勝四无礙解能得殊勝異熟神通
是菩薩摩訶薩成就殊勝異熟神通決定不
復入於母胎決定不復受婬欲樂決定不復
攝受生乘決定不為生過所染所以者何是
菩薩摩訶薩善見善知一切法性皆如幻化
雖知諸行皆如幻化而乘悲願利樂有情雖
乘悲願利樂有情而達有情及彼施設皆
不可得雖達有情及彼施設皆不可得而能安
立一切有情令其安住不可得法此依世俗
不依勝義是菩薩摩訶薩安住靜慮波羅
蜜多脩行一切靜慮解脫等持等至乃至圓滿
無上菩提恒不捨離所脩靜慮波羅蜜多

BD01899號　大般若波羅蜜多經卷五二九　（20-10）

不依勝義是菩薩摩訶薩安住靜慮波羅
蜜多脩行一切靜慮解脫等持等至乃至圓滿
無上菩提恒不捨離所脩靜慮波羅蜜多
是菩薩摩訶薩行道相智方便引發一切相
智安住其中永斷煩惱習氣相續能正自利亦
正利他能與一切世間天人阿素洛等作淨
福田堪受世間供養恭敬如是善現諸菩薩
摩訶薩行深般若波羅蜜多由離諸相无漏
心力能於一切无相无得无作法中圓滿靜
慮波羅蜜多亦能圓滿諸餘善法
復次善現諸菩薩摩訶薩行深般若波羅
蜜多時能以離相无漏之心而脩般若波羅蜜
多是菩薩摩訶薩不見少法實有成就謂不
見色受想行識廣說乃至諸有漏法及无
漏法實有成就亦復不見如是諸法若生若滅
若增益門若損減門若有積集若有離散如
實觀色受想行識廣說乃至諸有漏法及无
漏法皆是虛妄皆非堅實皆无自在是菩薩
摩訶薩如是觀時不得色自性不得受想行
識自性廣說乃至不得有漏法自性不得无
漏法自性是菩薩摩訶薩行深般若波羅蜜
多如是觀時於一切法深生信解皆以无性
而為自性於如是事生信解已能行內空乃
至能行无性自性空如是行時於一切法无
所取著謂不取著色亦不取著受想行識廣
說乃至不取著一切菩薩摩訶薩行亦不取

BD01899號　大般若波羅蜜多經卷五二九　（20-11）

至能行无性自性空如是行時於一切法无
所取著謂不取著色亦不取著受想行識廣
說乃至不取著一切菩薩摩訶薩行亦不取
著諸佛无上正等菩提是菩薩摩訶薩行无
所有甚深般若波羅蜜多時能圓滿菩提道
謂能圓滿布施淨戒安忍精進靜慮般若波
羅蜜多廣說乃至八十隨好是菩薩摩訶薩
安住如是菩提道已復能圓滿異熟佛道謂
能圓滿布施淨戒安忍精進靜慮般若波羅
蜜多及餘无量菩提分法是菩薩摩訶薩安
住如是異熟佛道由異熟生勝神通力方便
饒益諸有情類隨諸有情應以布施乃至般
若波羅蜜多而攝受者即以布施乃至般若
波羅蜜多而攝受之應以戒蘊乃至解脫
智見蘊而攝受者即以戒蘊乃至解脫智見
蘊而攝受之應令安住預流果或一來果乃至
无上正等菩提者即以方便令其安住預流
果或一來果乃至无上正等菩提是菩薩摩
訶薩能住種種神通變現殑伽沙等世
界隨意能往欲現所往諸世界中種種珍寶
隨意能現欲令所往諸世界中有情受用諸
妙珍寶隨其所樂皆令滿足是菩薩摩訶薩
從一世界趣一世界利益安樂无量有情見
諸世界嚴淨之相能自攝受隨意所樂莊嚴
佛土猶如他化自在諸天諸有所須種種樂
具隨心而現如是菩薩隨意攝受種種莊嚴
无量佛土此所攝受諸佛土中微妙清淨離

BD01899號　大般若波羅蜜多經卷五二九　（20–12）

具隨心而現如是菩薩隨意攝受種種莊嚴
无量佛土此所攝受諸佛土中微妙清淨離
雜染法隨意所欲悉皆能現是菩薩摩訶薩
由異熟生布施淨戒安忍精進靜慮般若波
羅蜜多及異熟生諸妙神通并異熟生菩提
道故行道相智由道相智得成熟故復能證
得一切相智由得此智於一切法无所攝受
謂不攝受色亦不攝受受想行識廣說乃至
亦不攝受善法非善法若世間法出世間
法若有漏法无漏法若有為法无為法亦不
攝受所證无上正等菩提亦不攝受一切佛
土所受用物其中有情於一切法亦无攝受
所以者何是菩薩摩訶薩先不攝受一切法
故於一切法无所得故為諸有情无倒宣說
一切法性无攝受故如是善現諸菩薩摩訶
薩行深般若波羅蜜多由離諸相无漏心力
能於一切无相无得无作法中圓滿般若波
羅蜜多亦能圓滿諸餘善法
尒時善現復白佛言諸菩薩摩訶薩云何能
於无雜无相自相空法圓滿布施乃至般若
波羅蜜多云何能於一切无漏无差別法施
設差別云何了知如是諸法差別之相云何於
般若波羅蜜多中攝受六種波羅蜜多及
餘一切世出世法云何能於異相諸法施設
相所謂无相及於一相无相法中施設種
種差別法相佛告善現諸菩薩摩訶薩行

BD01899號　大般若波羅蜜多經卷五二九　（20–13）

餘一切世出世法云何能於異相諸法施設
相所謂无相及於一相无相法中施設種
種差別法相佛告善現諸菩薩摩訶薩行
深般若波羅蜜多時安住如夢如響如像如光
影如陽焰如幻如化如尋香城五取蘊中為
諸有情脩行布施乃至般若波羅蜜多知實
了知如夢乃至如尋香城五取蘊皆无相所以
者何夢乃至尋香城皆无自性若法无自
性是法則无相若法无相是法一相所謂无
相由此因緣當知一切施者受者施物施性
施果施緣皆同无相若如是知而行布施則
能圓滿所行布施波羅蜜多若能圓滿所行
布施波羅蜜多則於淨戒安忍精進靜慮般
若波羅蜜多常不捨離安住此六波羅蜜
多則能圓滿四靜慮四无量四无色定亦能
圓滿四念住乃至八聖道支廣說乃至亦能圓
滿一切智道相智一切相智是菩薩摩訶薩
安住如是諸果熟生聖无漏法以神通力能
往十方殑伽沙等諸佛世界以无量種上妙
樂具供養恭敬諸佛世尊與諸有情作饒
益事應以布施乃至般若波羅蜜多而攝益
者即以布施乃至般若波羅蜜多而攝益之應
以諸餘種種善法而攝益者即以諸餘種種
善法而攝益之是菩薩摩訶薩成就如是殊
勝善根於一切法皆得自在雖受生死不為
生死過失所染為欲饒益諸有情故攝受人

BD01899號　大般若波羅蜜多經卷五二九　（20–14）

善法而攝益之是菩薩摩訶薩成就如是殊
勝善根於一切法皆得自在雖受生死不為
生死過失所染為欲饒益諸有情故攝受人
天富貴自在由此富貴自在勢力能作有情
諸饒益事以四攝事而攝受之是菩薩摩訶
薩知一切法皆无相故雖知預流果而不住預
流果乃至雖知獨覺菩提而不住獨覺菩
提所以者何是菩薩摩訶薩如實了知一切
法已為欲證得不共一切聲聞獨覺一切相
智如是善現諸菩薩摩訶薩知一切法皆无
相故如實了知布施等六波羅蜜多及餘无
量无邊佛法皆同无相由是因緣普能圓
滿一切佛法便能證得一切智智窮未來際利
樂有情
復次善現諸菩薩摩訶薩行深般若波羅蜜
多時安住如夢如響如像如光影如陽焰如
幻如化如尋香城五取蘊中圓滿淨戒波羅
蜜多是菩薩摩訶薩如實了知是五取蘊如
夢乃至如尋香城便能圓滿无相淨戒波羅
蜜多如是淨戒无缺无隙无瑕无穢无所取
著應受供養智者所讚妙善受持妙善究竟
是聖无漏是出世間道支所攝安住此戒能
善受持施設戒法亦得戒律儀戒有表戒
无表戒現行戒不現行戒威儀戒非威儀戒
是菩薩摩訶薩雖具成就如是諸戒而於諸
法无所執著不作是念我因此戒當生剎帝

BD01899號　大般若波羅蜜多經卷五二九　（20–15）

无表戒現行戒不現行戒威儀戒非威儀戒
是菩薩摩訶薩雖具成就如是諸戒而於諸
法无所執著不作是念我因此戒當生刹帝
利大族乃至居士大族富貴自在不作是念
我因此戒當作小王或作大王或作輪王或作
輔相富貴自在不作是念我因此戒當生四
大王衆天乃至非想非非想處天富貴自
在不作是念我因此戒當得預流果乃至无
上正等菩提所以者何如是諸法皆同一相所
謂无相无住无得无相之法不得无相有相
之法不得有相无相之法不得有相有相
之法不得无相由此因緣都无所得如是善
現諸菩薩摩訶薩行深般若波羅蜜多疾
能圓滿无相淨戒波羅蜜多既能圓滿无相淨
戒波羅蜜多疾入菩薩正性離生既入菩薩
正性離生復得菩薩无生法忍既得菩薩无
生法忍脩行道相智趣一切相智得異熟生
五勝神通復得五百陁羅尼門亦得五百三
摩地門住此復得四无礙解從一佛土至一
佛土親近供養諸佛世尊成熟有情嚴淨
佛土是菩薩摩訶薩爲化有情雖現流轉
諸趣生死而不爲彼過失所染如幻化人雖現行
住坐卧等事而无真實往來等業雖現種種
利樂有情而於有情及彼施設都无所得如
有如來應正等覺名蘇扇多得菩提已轉妙
法輪度无量衆令出生死證得涅槃時无有
情堪受佛記遂作化佛令久住世自捨壽行

住坐卧等事而无真實往來等業雖現種種
利樂有情而於有情及彼施設都无所得如
有如來應正等覺名蘇扇多得菩提已轉妙
法輪度无量衆令出生死證得涅槃時无有
情堪受佛記遂作化佛令久住世自捨壽行
潛入涅槃彼化佛身住一劫已授一菩薩大菩
提記然後亦入无餘涅槃彼化佛身雖作種
種益有情事而无所得謂不得色受想行
識乃至不得一切有漏无漏等法及諸有情
諸菩薩摩訶薩亦復如是雖有所作而无所
得如是善現諸菩薩摩訶薩行深般若波羅
蜜多圓滿淨戒波羅蜜多由此淨戒波羅蜜
多得圓滿故便能攝受一切佛法因斯證得
一切智智窮未來際利樂有情
復次善現諸菩薩摩訶薩行深般若波羅蜜
多時安住如夢如響如像如光影如陽焰如幻
如化如尋香城五取蘊中圓滿安忍波羅蜜
多是菩薩摩訶薩如實了知五種取蘊如
夢乃至如尋香城便能圓滿無相安忍波
羅蜜多善現云何菩薩摩訶薩行深般若波
羅蜜多時如實了知五種取蘊如夢乃至如尋
香城便能圓滿無相安忍波羅蜜多善現是
菩薩摩訶薩如實了知五種取蘊無實相故
脩二種忍便能圓滿无相安忍波羅蜜多何
等爲二一安受忍二觀察忍安受忍者謂諸菩
薩從初發心乃至安坐妙菩提座於其中間
假使一切有情之類皆來呵責刀杖加害是

脩二種忍行能圓滿无相安忍波羅蜜多
等為二一安受忍二觀察忍安受忍者謂諸菩
薩從初發心乃至安坐妙菩提座於其中間
假使一切有情之類皆來呵責刀杖加害是
時菩薩為滿安忍波羅蜜多乃至不生一
念瞋恨亦復不起加報之心但作是念彼諸
有情深可怜愍增上煩惱擾擊其心不得自
在於我發起如是惡業我今不應瞋恨於彼
復作是念由我攝受怨家諸蘊令彼有情於
我發起如是惡業但應自責不應瞋彼菩薩
如是審觀察時於彼有情深生慈愍如是等
類名安受忍觀察忍者謂諸菩薩作是思惟
諸行如幻虛妄不實不得自在亦如虛空无
我乃至知者見者唯是虛妄分別所起一切
皆是自心所變誰呵責我誰加害我誰復受
彼呵責加害皆是自心虛妄分別我今不應
横起執著如是諸法由自性空勝義空故都
无所有菩薩如是審觀察時如實了知諸行
空寂於一切法不生異想如是等類名觀察忍
是菩薩摩訶薩脩學如是二種忍故便能
圓滿无相安忍波羅蜜多由此便得无生法
忍具壽善現即白佛言云何名為无生法忍
此何所斷復是何智佛告善現由斯勢力
乃至少分惡不善法亦不得生是故名為无
生法忍此令一切我及我所慢等煩惱畢竟
寂滅如實忍受諸行如夢廣說乃至如尋香
城此忍名智得此智故名為獲得无生法忍

BD01899號　大般若波羅蜜多經卷五二九　（20–18）

乃至少分惡不善法亦不得生是故名為无
生法忍此令一切我及我所慢等煩惱畢竟
寂滅如實忍受諸行如夢廣說乃至如尋香
城此忍名智得此智故名為獲得无生法忍
具壽善現復白佛言聲聞獨覺无生法忍
與諸菩薩无生法忍有何差別佛告善現諸預
流者乃至獨覺若智若斷亦名菩薩摩訶薩
忍復有菩薩摩訶薩忍謂忍諸法畢竟不生
是為差別善現當知諸菩薩摩訶薩成就如
是殊勝忍故超過一切聲聞獨覺諸菩薩
摩訶薩安住如是異熟忍中行菩薩道能圓
滿道相智成就如是道相智故常不遠離四念
住乃至八聖道支亦不遠離空无相无願解
脫門亦不遠離異熟神通由不遠離異熟神
通從一佛土至一佛土親近供養諸佛世尊成
熟有情嚴淨佛土作是事已便能證得一
切智智是善現諸菩薩摩訶薩行深般若
波羅蜜多速能圓滿无相安忍波羅蜜多由
此安忍波羅蜜多得圓滿故便能圓滿一切
佛法因斯證得一切智智窮未來際利樂有
情
復次善現諸菩薩摩訶薩行深般若波羅蜜
多時安住如夢如響如像如光影如陽焰如幻
如化如尋香城五取蘊中如實了知五種
取蘊如夢乃至如尋香城无實相已發起勇
猛身心精進是菩薩摩訶薩發起勇猛身精
進故引發殊勝迅速神通能往十方諸佛世

BD01899號　大般若波羅蜜多經卷五二九　（20–19）

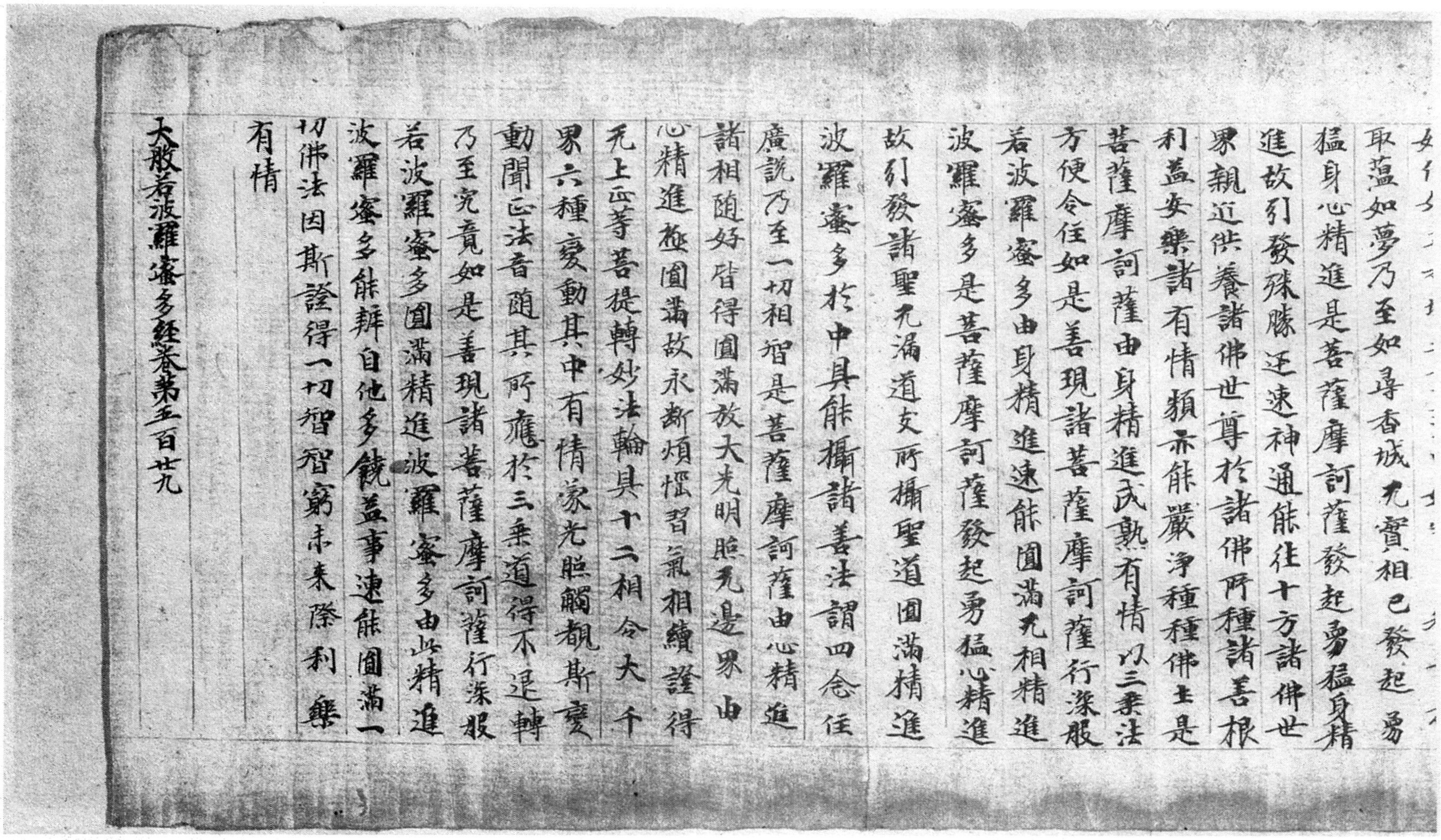

取蘊如夢乃至如尋香城无實相已發起勇
猛身心精進是菩薩摩訶薩發起勇猛身精
進故引發殊勝迅速神通能往十方諸佛世
界親近供養諸佛世尊於諸佛所種諸善根
利益安樂諸有情類亦能嚴淨種種佛土是
菩薩摩訶薩由身精進成熟有情以三乘法
方便令住如是善現諸菩薩摩訶薩行深般
若波羅蜜多由身精進速能圓滿无相精進
波羅蜜多是菩薩摩訶薩發起勇猛心精進
故引發諸聖无漏道支所攝聖道圓滿精進
波羅蜜多於中具能攝諸善法謂四念住
廣說乃至一切相智是菩薩摩訶薩由心精進
諸相隨好皆得圓滿放大光明照无邊界由
心精進極圓滿故永斷煩惱習氣相續證得
无上正等菩提轉妙法輪具十二相令大千
界六種變動其中有情蒙光照觸覩斯變
動聞正法音隨其所應於三乘道得不退轉
乃至究竟如是善現諸菩薩摩訶薩行深般
若波羅蜜多圓滿精進波羅蜜多由此精進
波羅蜜多能辦自他多饒益事速能圓滿一
切佛法因斯證得一切智智窮未來際利樂
有情

大般若波羅蜜多經卷第五百廿九

BD01899號 大般若波羅蜜多經卷五二九 （20–20）

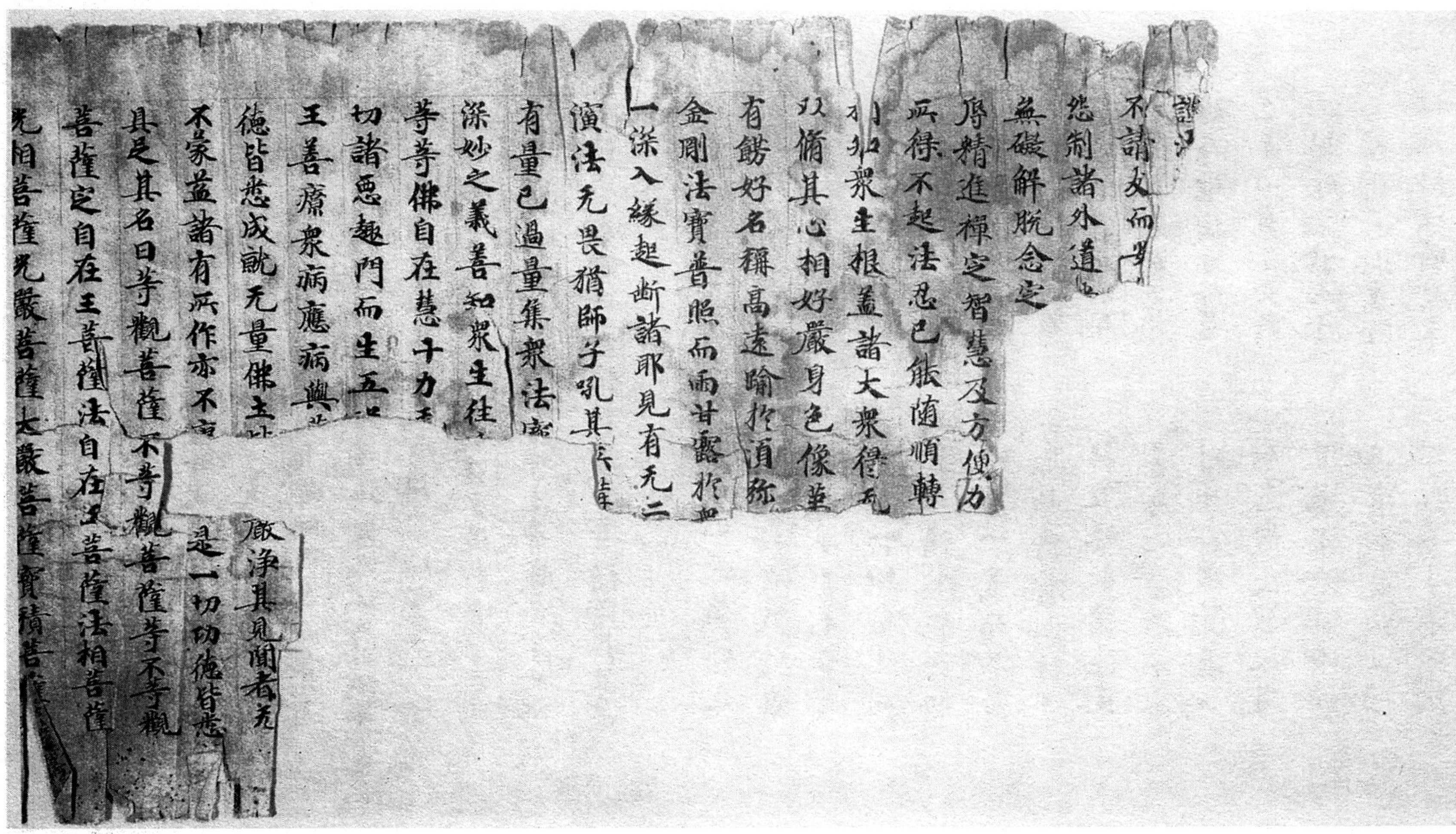

識
不請友而安
怨制諸外道
無礙解脫念定
辱精進禪定智慧及方便力
所得不起法忍已能隨順轉
相知衆生根蓋諸大衆得无
以脩其心相好嚴身色像第
有餝好名稱高遠踰於須彌
金剛法寶普照而雨甘露於衆
一深入緣起斷諸邪見有无二
演法无畏猶師子吼其
有量已過量集衆法寶
深妙之義善知衆生往
等等佛自在慧十力
切諸惡趣門而生五
王善療衆病應病與
德皆悉成就无量佛土
不豪益諸有所作亦不
嚴淨其見聞者无
是一切功德皆悉
具足其名曰等觀菩薩不等觀菩薩等不等觀
菩薩定自在王菩薩法自在王菩薩法相菩薩
光相菩薩光嚴菩薩大嚴菩薩寶積菩

BD01900號 維摩詰所說經卷上 （9–1）

不象益諸有所作亦不　是一切功德皆悉
具足其名曰等觀菩薩不等觀菩薩等不等觀
菩薩定自在王菩薩法自在王菩薩法相菩薩
光相菩薩光嚴菩薩大嚴菩薩寶積菩薩辯
積菩薩寶手菩薩寶印手菩薩常舉手菩
薩常下手菩薩常慘菩薩喜根菩薩喜王菩
薩辯音菩薩虛空藏菩薩執寶炬菩薩寶勇
菩薩寶見菩薩帝網菩薩明網菩薩无緣觀
菩薩慧積菩薩寶勝菩薩天王菩薩壞魔菩
薩電得菩薩自在王菩薩功德相嚴菩薩師子
吼菩薩雷音菩薩山相擊音菩薩香象菩薩
白香象菩薩常精進菩薩不休息菩薩妙生
菩薩華嚴菩薩觀世音菩薩得大勢菩薩梵
網菩薩寶杖菩薩无勝菩薩嚴土菩薩金髻
菩薩珠髻菩薩弥勒菩薩文殊師利法王子菩
薩如是等三万二千人俱復有万梵天王尸棄等從
餘四天下來詣佛所而聽法復有万二千天帝亦
從餘四天下來在會坐并餘大威力諸天龍神
夜叉乾闥婆阿修羅迦樓羅緊那羅摩睺羅伽
等悉來會坐諸比丘比丘尼優婆塞優婆夷俱
來會坐彼時佛與无量百千之衆恭敬圍遶而
爲說法譬如須弥山王顯于大海安處衆寶師子
之坐蔽於一切諸來大衆尒時毗耶離城有長者
子名曰寶積與五百長者子俱持七寶蓋來詣
佛所頭面礼足各以其蓋共供養佛佛之威神令
諸寶蓋合成一蓋遍覆三千大千世界而此世界廣

BD01900號　維摩詰所說經卷上　（9–2）

之坐蔽於一切諸來大衆尒時毗耶離城有長者
子名曰寶積與五百長者子俱持七寶蓋來詣
佛所頭面礼足各以其蓋共供養佛佛之威神令
諸寶蓋合成一蓋遍覆三千大千世界而此世界廣
長之相悉於中現又此三千大千世界諸須弥山
雪山目真隣陁山摩訶目真隣陁山香山寶山
金山黑山鐵圍山大鐵圍山大海江河川流泉
源及日月星辰天宮龍宮諸尊神宮悉現於寶
蓋中又十方諸佛諸佛說法亦現於寶蓋中
尒時一切大衆覩佛神力嘆未曾有合掌礼佛
瞻仰尊顏目不暫捨長者子寶積即於佛前
以偈頌曰

目淨脩廣如青蓮　心淨已度諸禪定
久積淨業稱无量　導衆以寂故稽首
既見大聖以神變　普現十方无量土
其中諸佛演說法　於是一切悉見聞
法王法力超群生　常以法財施一切
能善分別諸法相　於第一義而不動
已於諸法得自在　是故稽首此法王
說法不有亦不无　以因緣故諸法生
无我无造无受者　善惡之業亦不亡
始在佛樹力降魔　得甘露滅覺道成
已无心意无受行　而悉摧伏諸外道
三轉法輪於大千　其輪本來常清淨
天人得道此爲證　三寶於是現世間
以斯妙法濟群生　一受不退常寂然

BD01900號　維摩詰所說經卷上　（9–3）

已无心意无受行　而悉摧伏諸外道
三轉法輪於大千　其輪本來常清淨
天人得道此為證　三寶於是現世間
以斯妙法濟群生　一受不退常寂然
度老病死大醫王　當禮法海德无邊
毀譽不動如須彌　於善不善等以慈
心行平等如虛空　孰聞人寶不敬承
今奉世尊此微蓋　於中現我三千界
諸天龍神所居宮　乾闥婆等及夜叉
悉見世間諸所有　十力哀現是變化
衆覩希有皆歎佛　今我稽首三界尊
大聖法王衆所歸　淨心觀佛靡不欣
各見世尊在其前　斯則神力不共法
佛以一音演說法　衆生隨類各得解
皆謂世尊同其語　斯則神力不共法
佛以一音演說法　衆生各各隨所解
普得受行獲其利　斯則神力不共法
佛以一音演說法　或有恐畏或歡喜
或生厭離或斷疑　斯則神力不共法
稽首十力大精進　稽首已得无所畏
稽首住於不共法　稽首一切大導師
稽首能斷衆結縛　稽首已到於彼岸
稽首能度諸世間　稽首永離生死道
悉知衆生來去相　善於諸法得解脫
不著世間如蓮華　常善入於空寂行
達諸法相无罣礙　稽首如空无所依

BD01900 號　維摩詰所說經卷上　（9–4）

稽首能度諸世間　稽首永離生死道
悉知衆生來去相　善於諸法得解脫
不著世間如蓮華　常善入於空寂行
達諸法相无罣礙　稽首如空无所依
爾時長者子寶積說此偈已白佛言世尊是
五百長者子皆已發阿耨多羅三藐三菩提心
願聞得佛國土清淨唯願世尊說諸菩薩
淨土之行佛言善哉寶積乃能為諸菩薩問
於如來淨土之行諦聽諦聽善思念之當為
汝說於是寶積及五百長者子受教而聽佛
言寶積衆生之類是菩薩佛土所以者何菩
薩隨所化衆生而取佛土隨所調伏衆生而取
佛土隨諸衆生應以何國入佛智慧而取佛土
隨諸衆生應以何國起菩薩根而取佛土所以
者何菩薩取於淨國皆為饒益諸衆生故譬
如有人欲於空地造立宮室隨意无閡若於
虛空終不能成菩薩如是為成就衆生故願
取佛國願取佛國者非於空也寶積當知直
心是菩薩淨土菩薩成佛時不諂衆生來生
其國深心是菩薩淨土菩薩成佛時具足功
德衆生來生其國大乘心是菩薩淨土菩薩
成佛時大乘衆生來生其國布施是菩薩淨
土菩薩成佛時一切能捨衆生來生其國持
戒是菩薩淨土菩薩成佛時行十善道滿
願衆生來生其國忍辱是菩薩淨土菩薩成
佛時卅二相莊嚴衆生來生其國精進是菩

BD01900 號　維摩詰所說經卷上　（9–5）

土菩薩成佛時一切能捨衆生來生其國持
戒是菩薩淨土菩薩成佛時行十善道滿
願衆生來生其國忍辱是菩薩淨土菩薩成
佛時卅二相莊嚴衆生來生其國精進是菩
薩淨土菩薩成佛時懃脩一切功德衆生來
生其國禪定是菩薩淨土菩薩成佛時攝心
不亂衆生來生其國智慧是菩薩淨土菩薩
成佛時正定衆生來生其國四无量心是菩薩
淨土菩薩成佛時成就慈悲喜捨衆生來生
其國四攝法是菩薩淨土菩薩成佛時解脫
所攝衆生來生其國方便是菩薩淨土菩薩
成佛時於一切法方便无㝵衆生來生其國
卅七道品是菩薩淨土菩薩成佛時念處正
懃神足根力覺道衆生來生其國迴向心是
菩薩淨土菩薩成佛時得一切具足功德國
土說除八難是菩薩淨土菩薩成佛時國土
无有三惡八難自守戒行不譏彼闕是菩薩
淨土菩薩成佛時國土无有犯禁之名十善
道是菩薩淨土菩薩成佛時命不中夭大富
梵行所言誠諦常以濡語眷屬不離善和
諍訟言必饒益不嫉不恚正見衆生來生其
國如是寶積菩薩隨其直心則能發行隨
其發行則得深心隨其深心則意調伏隨意
調伏則如說行隨如說行則能迴向隨其迴向
則有方便隨其方便則成就衆生隨成就衆
生則佛土淨隨佛土淨則說法淨隨說法淨

BD01900 號　維摩詰所說經卷上　（9–6）

其發行則得深心隨其深心則意調伏隨意
調伏則如說行隨如說行則能迴向隨其迴向
則有方便隨其方便則成就衆生隨成就衆
生則佛土淨隨佛土淨則說法淨隨說法淨
則智慧淨隨智慧淨則其心淨隨其心淨則
一切功德淨是故寶積若菩薩欲得淨土當
淨其心隨其心淨則佛土淨
尒時舍利弗承佛威神作是念若菩薩心淨
則佛土淨者我世尊本為菩薩時意豈不淨
而是佛土不淨若此佛知其念即告之於意
云何日月豈不淨耶而盲者不見對曰不也世
尊是盲者過非日月咎舍利弗衆生罪故不
見如來佛國嚴淨非如來咎舍利弗我此土淨
而汝不見尒時螺髻梵王語舍利弗勿作是意
謂此佛土以為不淨所以者何我見釋迦牟
尼佛土清淨譬如自在天宮舍利弗言我見
此土丘陵坑坎荊棘沙礫土石諸山穢惡充
滿螺髻梵言仁者心有高下不依佛慧故見
此土為不淨耳舍利弗菩薩於一切衆生悉
皆平等深心清淨依佛智慧則能見此佛
土清淨於是佛以足指案地即時三千大千
世界若干百千珍寶嚴飾譬如寶莊嚴佛无
量功德寶莊嚴土一切大衆歎未曾有而皆
自見坐寶蓮華佛告舍利弗汝且觀是佛
土嚴淨舍利弗言唯然世尊本所不見本所
不聞今佛國土嚴淨悉現佛語舍利弗我佛
國土常淨若此為欲度斯下劣人故示是衆

BD01900 號　維摩詰所說經卷上　（9–7）

自見坐寶蓮華佛告舍利弗汝且觀是佛
土嚴淨舍利弗言唯然世尊本所不見本所
不聞今佛國土嚴淨悉現佛語舍利弗我佛
國土常淨若此為欲度斯下劣人故示是衆
惡不淨土耳譬如諸天共寶器食隨其福德
飯色有異如是舍利弗若人心淨便見此土
功德莊嚴當佛現此國土嚴淨之時寶積
所將五百長者子皆得无生法忍八万四
千人發阿耨多羅三藐三菩提心佛攝神足
於是世界還復如故求聲聞乘三万二千天
及人知有為法皆悉无常遠塵離垢得法眼
淨八千比丘不受諸法漏盡意解

方便品第二

尒時毗耶離大城中有長者名維摩詰已曾
供養无量諸佛深殖善本得无生忍辯才无
㝵遊戲神通逮諸揔持獲无所畏降魔勞怨
入深法門善於智度通達方便大願成就明了
衆生心之所趣又能分別諸根利鈍久於佛道
心已淳淑決定大乘諸有所作能善思量住佛
威儀心大如海諸佛咨嗟弟子釋梵世主所
敬欲度人故以善方便居毗耶離資財无量攝
諸貧民奉戒清淨攝諸毀禁以忍調行攝諸
恚怒以大精進攝諸懈怠一心禪寂攝諸亂
意以決定慧攝諸无智雖為白衣奉持沙
門清淨律行雖處居家不著三界示有妻
子常脩梵行現有眷屬常樂遠離雖服寶

BD01900號　維摩詰所說經卷上　（9–8）

威儀心大如海諸佛咨嗟弟子釋梵世主所
敬欲度人故以善方便居毗耶離資財无量攝
諸貧民奉戒清淨攝諸毀禁以忍調行攝諸
恚怒以大精進攝諸懈怠一心禪寂攝諸亂
意以決定慧攝諸无智雖為白衣奉持沙
門清淨律行雖處居家不著三界示有妻
子常脩梵行現有眷屬常樂遠離雖服寶
飾而以相好嚴身雖復飲食而以禪悅為味若
至博弈戲處輒以度人受諸異道不毀正信
雖明世典常樂佛法一切見敬為供養中最
執持正法攝諸長幼一切治生諧偶雖獲俗
利不以喜悅遊諸四衢饒益衆生入治政法救
護一切入講論處導以大乘入諸學堂誘開
童蒙入諸婬舍示欲之過入諸酒肆能立其志
若在長者長者中尊為說勝法若在居士居
士中尊斷其貪著若在刹利刹利中尊教以
忍辱若在婆羅門婆羅門中尊除其我慢
若在大臣大臣中尊教以正法若在王子王
子中尊示以忠孝若在內官內官中尊化政
宮女若在庶民庶民中尊令興福力若在梵

BD01900號　維摩詰所說經卷上　（9–9）

然燈佛　即智慧性是備燈[illegible]名爲智慧光照无餘世界故号然燈佛泅空生汝謂
如來於智惠中有法得菩提不空生答仏於智惠中无有法得菩提[illegible]
[illegible]智惠即是一切法不可以法得故无有法得菩提下文云實无有法如
來得阿耨菩提[illegible]此即是受記義若離智惠別有法可得即是虛妄如何
受記　經云若有法[illegible]
釋曰若有法得菩提即是人法俱存既有人法即同凡夫如何得受記耶无記可
記是名受記
贊曰　人与法相持　二相本來如　法空人似妄　人空法亦空
人法兩俱實　受記可非虛　一切皆如幻　誰言得有无　[illegible]
如義　釋曰見一切法本來不生即是如々義々即如來　勝天王經云衆生如々
佛亦如々無一無二淨名云一切法皆如也衆聖賢亦如也夫如者不二不異
法々諸若生即有一有二既[illegible]三何得不異只是諸法空相即无有異金剛
三昧經云相性如々无所動以要言之因緣若是有諸法離不如因緣既
本空諸法自然如故知諸法即義下文云是故如來說一切法皆是佛法
釋曰一切法若生即非仏法一切法本來不生云何不是仏法々若[illegible]仏即[illegible]生死
即无生何生耳下文云所言一切法者即非一切法　釋曰諸法若生即有名字依名
而辛故名一切法今明諸法本來不生何有名字々与法二俱空故々言即非
一切法下文云是故名一切法　[illegible]諸法空本无一切是故名一切法　涅槃經第二十卷
云仏即是法々即是仏故知一切法本來不生於仏亦不生　法華經云諸法從本
常自寂滅相亦[illegible]滅受无量衆生則[illegible]　釋曰衆生即是妄想
亦名煩惱若存妄想煩惱即同外道滅色歸空不了色性自空起心滅妄
如此見者即非菩薩　淨名經云色性自空非色滅空見衆生者如人食甚
蒙子空眼見針花空中无針癡眼妄見如此之人同凡夫外道蓋不
可言不名菩薩下文云無有法名爲菩薩　釋曰一切空寂本來不生不見
生死不見涅槃不見煩惱不見一切法是名見法正見之時无所見即是
菩薩故云无有法名爲菩薩下文云若菩薩通達无我法者如來說名
真是菩薩　釋曰一切法諸皆无自性各々不能自名故說无我諸法若生
即有我相法即不生誰言有我了无我者即是通達　次明五眼　肉眼
釋曰見色空寂名爲肉眼此爲初心先用宍眼　天眼　前既見色性本空一切
无有一切法能有者既若如是一切法平等即是天眼所見　慧眼　前既見
一切平等即无二相即无分別思惟經云惠眼見無物可見故名惠眼　法眼
見世間无世間見一切法无一切法見一切相无一切相見世間法是出世間法
[illegible]不生无動无捨如是見者名爲仏眼此是

BD01901號　金剛經注頌釋（擬）　（4–1）

三昧經云相性如如无所動以要言之因緣若是有諸法離不如因緣
本空諸法自然如此知諸法即義下文云是故如來說一切法皆是佛法
釋曰一切法若生即非佛法一切法本來不生云何不是佛法若反佛即反生死
即无生何生耳下文云所言一切法者即非一切法 釋曰諸法若生即反名字係名
亦爭故名一切法今明諸法本來不生何有名字了了法二俱空故云云即非
一切法下文云是名一切法 了諸法空本无一切是故名一切法 涅槃經第三十卷
云佛即是法法即是佛故知一切法本來不生佛亦不生 法華經云諸法從本來
常自寂滅相 我心滅處无[illegible]衆生 釋曰衆生即是寂相
亦名煩惱若反妄想煩惱即同外道滅色歸空不了色性自空起心滅妄
如此見者即非菩薩 淨名經云色性自空非色滅空見衆生者如人拿葉
若子空眼見針花空中无針花癡眼妄見如此之人同凡夫外道蓋不
可言不名菩薩下文云無有法名為菩薩 釋曰一切空寂本來不生不見
生死不見涅槃不見煩惱不見一切法是名見法正見之時无可見即是
菩薩故云无有法名為菩薩下文云若菩薩通達无我法者如來說名
真是菩薩 釋曰一切法諸皆无自性各各不能自名故說无我諸法若生屬
即有我相法即不生誰言有我了无我者即是通達 次明五眼 肉眼
釋曰見色空寂名為肉眼此為初心先用實眼 天眼前既見道性本空一切
无有一切法能有者既若如是一切法平等即是天眼亦見 慧眼前說
一切平等即无二相即无分別思益經云慧眼見無物可見故名慧眼 法眼
見世間无世間見一切法无一切法見一切相无一切相見世間法是出世間法
此是法眼 佛眼見一切法本來不動不生无取无捨如是見者名為佛眼此是
五眼者无論凡聖共同有之在聖名為五眼在凡名為五无明亦五千惠亦
名五无司 贊曰 天眼通非导 肉眼导非通 法眼惟觀俗 慧眼直緣空
佛眼如千日 照異體還同 圓眼法界內 无處不鑒容 所國土中眼有衆
吾身實乃至心有起處皆是國土所有衆生者即是妄念妄念若干種心皆來
[illegible]知 如來者即是本心一切妄念皆從本心而生所得不知妄念諸心皆
非心妄從本心起而起此是主客之心本心是主妄心是客不可將客為
主人不可將郎主以為奴不可為奴以為郎主不可將賊為子如此說者當
約五蘊而論約化用之康[illegible]其是之非宗其宗旨分析邪正揀[illegible]假真[illegible]
者法無敢作是說且[illegible]妄心見妄念不生本无妄念即是本心故言是名

BD01901 號　金剛經注頌釋（擬）　　（4–2）

為心即是菩提亦名涅槃心亦名道心亦名佛心亦名菩提心彼上諸所以[illegible]各
過去心不可得現在心不可得未來心不可得釋曰說了名過去今語現在未
語名未來說此三身者為約五蘊身若推五蘊空即无過去未來現在等
心故云三心不可得 讚曰 依他一念起 但為妄所行 便分六十二 九百亂縱橫
過去滅无滅 當來生不生 常作能此觀 真妄坦然平 以相壞德无
故如來說得福德多 此是无心破有心為凡夫起心愛相起心作相此
是妄心故云无相 若了人法二空心即不起心若不起即无心作相
亦无心愛相无心即是仏故云得福德多如來說具足色身即非具足
色身 釋曰如來色身具足三十二相身長丈六紫磨金色仏洞空生
此身如來是不有不世尊不如來不應以色身見此是色身
非是如來如來无相色身有相如來无生色身有生如來无滅色
身有滅所以我不將色身以為如來說色身非是色身此色身
者是推方便之身具名具足色身即是妙色之身妙色之身
即是如來 如來者即是法身能含萬法不生不滅不去不來故云是名
具足色身 讚曰 八十隨形好 相分三十二 應物万般身 理中非一異
人法兩俱遣 色身齊一弃 所以證菩提 寔由諸相離 若人言如來
有說法即為謗仏 釋曰佛身者即法身也法身作何形相而言有
說故知如來無所說無法可說是名說法 釋曰若對五蘊色身
即有所說若了色是空空中無說若對法身具合万法是名說法[illegible]
有一釋約世諦而言為色身是妄說亦是妄空假名故言是說法更
有一釋若約化境即是化身法身說若約理言即是法身說法了仏說
法推仏与仏乃能知之非諸二乘凡夫之所能解 正下可知是法平等
无高下 二乘之人為仏是高衆生是下此是妄識分別依識而解
菩薩之人法空本來无妄識无所分別即一切法平等无有高下二乘
无目不見自心自生高下想為涅槃是高生死為下[illegible]是高[illegible]
是下一切万法實无高下人心自有高下相是故螺髻梵王言
人者心有高下不依佛惠二乘之人亦復如是心有高下不依正
法故見法有高下 讚曰 水陸同真際 飛行共一如 理中何彼此 注上
豈執疎 自他分別遣 高下執情除 了知平等性 咸共入无餘 於一切善
法即得菩提 即是般若波羅蜜法即是菩提 所言善法者如來說
非善法 釋曰非者云空了人法二空即无惡无善既不作惡即无地獄

BD01901號背　金剛經注頌釋（擬）　　（4–3）

BD01901號背 金剛經注頌釋（擬）

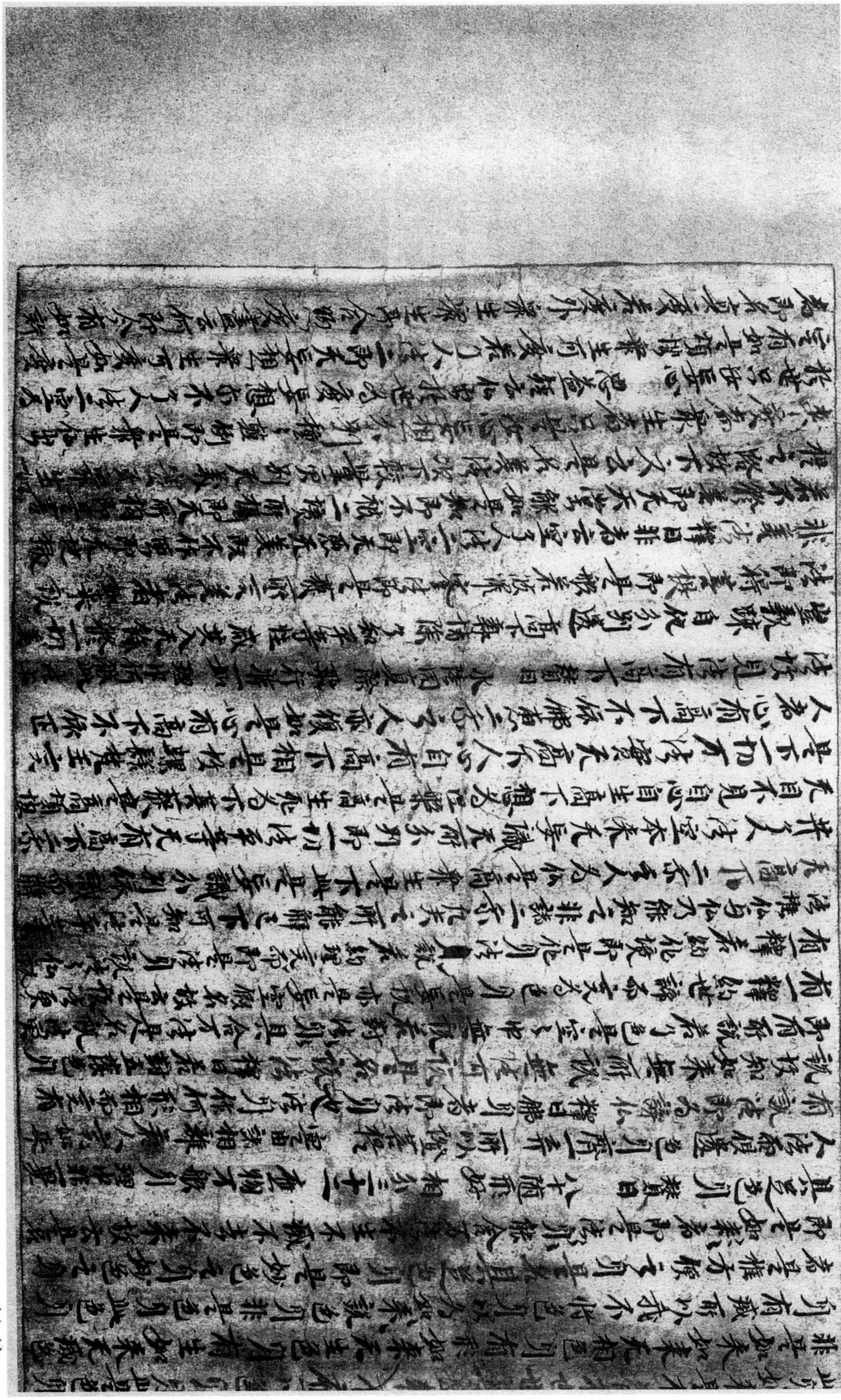

（4–4）

阿羅漢斷諸煩惱求道已息所作已辦善學
三學是名得者我聽是人得受供養是人若
受供養是名善受供養舍利弗清淨持戒者
開化擅越者及脩多羅聞讀誦經者謂讀脩
妬路毗夜受記經伽陀憂陀那尼陀那如是
諸經本生經方廣經未曾有經阿波陀那論
議經是人又能清淨持戒無有瑕疵不垢不
濁自在不着智者所讚能自具足隨順禪定
時時樂坐禪如是比丘我亦聽受供養舍利
弗身證法者無有疑悔我聽是人高坐說法
雖是凡夫清淨持戒心不貪着外道經義一
心懃求沙門上果不貪利養善巧定說多聞
廣喻猶如大海乃至失命猶不妄語不樂諍
諍自利利他唯說清淨第一實義所說如是
亦如是行舍利弗如是說者我聽說法如來
所說能使諸法不相違逆謂說戒定慧解脫
解脫知見舍利弗求利比丘為佛出家而破
戒品何用說法何以故舍利弗我經中說若
人自不善辯自不能讓能令他人善辯自讓
無有是處如人自沒汙埿欲出他人無有是
處若人能自善辯能出汙埿欲出他人則有

人自不善辯自不能讓能令他人善辯自讓
無有是處如人自沒汙埿欲出他人無有是
處若人能自善辯能出汙埿欲出他人則有
是處是故舍利弗我今明了告汝誹謗如來
其罪不輕實語比丘應聽說法者持
戒比丘則能法施舍利弗高坐說法決定斷
疑常是上事若持戒不淨着外道義我則不
聽及妄語者貴世樂者求利供養者樂諍訟
者我亦不聽我聽淨持戒者質直心者通達
諸法實相者高坐說法舍利弗破戒比丘尋
當捨戒不着覆人相聚談覆藏罪垢瘤住衆然
受人信施舍利弗云何以小因緣而於久遠受地
獄身

佛藏經囑累品第十

尒時阿難白佛言世尊當尒世時諸比丘等
於善法中云何精進佛告阿難且置莫問所
以者何佛無量智所說經典尒時比丘尚不
能信況能懃行阿難如來於有為法中所有
智慧一切辟支佛阿羅漢等不能解知阿難
如來所知法若為汝說汝則迷悶何況是人
當能信之如來於今說如是經尒時癡人猶
尚不信何況能信所說罪報阿難法應當尒
自身是惡謂餘亦惡如今第一懈怠比丘尒
時第一精進比丘所不能及若所持戒威儀
智慧不得相比如來若說此人所行一切過

尚不信何况能信所説罪報阿難法應當尒
自身是惡謂餘亦惡如今第一懈怠比丘尒
時第一精進比丘所不能及若所持戒威儀
智慧不得相比如来善説此人所行一切過
惡轉身所受是人不信更起重罪汝等若聞
亦得憂惱不能量其所受罪惡阿難如来深
法受者難有於意云何好牀茵蓐縢子槃不
不也世尊阿難我阿耨多羅三藐三菩提此
法深妙智者所樂是人不能信解通達出家
已自稱沙門不能堪受如實教化於此法中
不能猜心不得滋味振手而去墮在惡道猶
如縢子捨好牀蓐何以故阿難是我阿耨多
羅三藐三菩提甚清淨非難化者所能信解
難降伏者無智慧者難滿者難養者破戒者
難與語者住耶法者行邪行者貴財利者以
衣食為上者破威儀者破戒者墮頂者弊
惡者懈怠者小欲者精進者無著者耐着
者忿急營事業者沙門中旃陁羅沙門中白
衣沙門中敗壞沙門中行邪道者非沙門自
言是沙門者魔所吞者與外道義合者不如
説行者樂衆內者樂散亂語者具有魔事
者魔所襄惱者煩惱熾盛者我見者人見者
衆生見者顛倒者於我此法若能信解通達
無有是處何以故阿難我阿耨多羅三藐三
菩提清淨枝大與此惡人不相稱可譬如阿
難百千億三千大千世界中間曠遠此弊惡

BD01902 號　佛藏經（四卷本）卷四　（8–3）

無有是處何以故阿難我阿耨多羅三藐三
菩提清淨枝大與此惡人不相稱可譬如阿
難百千億三千大千世界中間曠遠此弊惡
人遠沙門法猶尚如是况得順忍况涅槃阿
如此事者説不可盡當来沙門弊惡鄙賤深
懷慳貪深懷瞋恚深懷不信三毒熾盛心行
麁獷難可制御譬如阿難良田善熟以火自
燒甘饍美食而自著毒舍宅所有以火自焚
為應尒不不也世尊阿難如是未來世癡人
因以我法得受供養而不信解如来功德又
不能信如是等經不能堪忍如實説過自知
創疣而逆我語如是癡人依佛自活而逆是
法阿難尒時閻浮提內如是癡人充滿其中
阿難且置何用求此愚癡惡人徒生徒老所
行惡事尒時阿難白佛言世尊當何名此經
云何奉持佛告阿難此經名為佛藏亦名發
起精進亦名降伏破戒亦名選擇諸法當奉
持之阿難若人誦持是經所得功德無量無
邊所以者何破戒比丘尚不能信誦讀教人
况於是中得歡喜心何以故阿難譬如惡賊
於王大臣不敢自現盜他物者不言賊如是阿
難破戒比丘成就非沙門法尚不自言是惡况
能向餘人説自言罪人阿難如是經者破戒比
丘隨得聞時能自降伏則有慚愧持戒比丘得
自增長説是經時九万諸天於諸法中得法眼

BD01902 號　佛藏經（四卷本）卷四　（8–4）

丘隨得聞時能自降伏則有慚愧持戒比丘得
自覺長說是經時九万諸天於諸法中得法眼
淨惡魔及諸眷屬皆大憂惱如圍十六種大坑
大啼哭言瞿曇沙門知我覺我我常長夜願佛
滅後破持戒者助破戒者欲令諸惡比丘不
知佛法但知讀誦我欲於佛法中破安隱心
誦言此非佛法無有義趣瞿曇於今在諸天
人大衆之中守護是法遮我所願魔說此已
根憂愁惱忽然不現尒時世尊欲明了此事而
說偈言
我所說諸法　隨順第一義　有爲不堅牢　如夢之所見
我今說此經　呵責未來事　隨順第一義　防制諸惡人
尒時惡世中　比丘心嬈動　諍訟生是非　不能得涅槃
沙門及白衣　所說無有異　尒時我此法　與俗法無別
爲諸在家說　汝知我希有　我得於佛法　初道第一果
更有比丘言　我說不是異　此人與我同　我真見法者
見法不見者　爲行白衣故　各於自法中　而生其議論
有言一切有　有言一切空　不住於正道　性惡毀我法
汝勿近此人　可來親附我　爲汝說真法　如我疾得道
如是諸音聲　流布於遠近　同心相僮助　破我所教法
譬如諸惡賊　同惡共爲侶　及達破國土　城邑及四落
尒時諸比丘　難可得開化　鈍根深貪著　少智依我人
不解於如來　隨宜所說法　說有漏增上　自言是得道
在於大會中　多有諸比丘　皆言有智慧　求智無一人
若是大會中　或有一比丘　如實有智慧　皆呵言無智

BD01902 號　佛藏經（四卷本）卷四　（8–5）

在於大會中　多有諸比丘　皆言有智慧　求智無一人
若是大會中　或有一比丘　如實有智慧　皆呵言無智
諸天神等見　法王道散壞　咸皆懷憂惱　相對而啼泣
中有諸樹神　從樹而墮地　咸言釋師子　妙法今悉滅
佛寶法僧寶　在世猶未久　如何於今日　悉皆當散壞
我等不復聞　如來所說法　癡冥無所知　上道今將滅
尒時諸地神　皆出大音聲　如來大法炬　於今當滅盡
諸天及神等　後莫有所悔　而言不見聞　佛道今已滅
如來無量劫　自利亦利他　忍受諸苦惱　發願得成佛
釋師子大聖　度諸衆生者　清淨微妙法　今將欲滅盡
癡惡諸賊等　於今當得力　無有慈愍心　互相謗毀惱
魔使及魔民　鈍根難開化　諂曲懈怠心　瞋恚壞佛法
但於空林中　坐禪滿三月　自言是羅漢　無禪況得道
不得言得道　死言入涅槃　衆人信起塔　而自入地獄
如是癡空夫　互共相輕慢　我於無量劫　所得今盡壞
尒時虛空神　共見釋師子　妙法毀壞敗　發聲皆啼泣
四天王聞此　皆共懷憂惱　時與諸天神　僉皆共來下
阿羅迦槃城　夜叉神衆來　僉皆大啼泣　出可畏音聲
有諸七寶城　嚴飾極微妙　失色皆如土　諸天不樂住
悲號大啼哭　處處皆來集　各共懷憂惱　相見不能言
皆從天上來　共詣我生處　宛轉臥在地　發如是音聲
共行閻浮提　見是大怖畏　佛子共闘諍　破法而分散
天神諸寶城　七日無光色　各共生啼哭　滿七日不起
如何大精進　勇猛世間尊　我等見住此　今者不復見
咸共詣祇洹　相對而啼泣　佛此說四諦　我等此中間

BD01902 號　佛藏經（四卷本）卷四　（8–6）

共行閻浮提 見是大怖畏 佛弖共闘諍 破法而分散
天神諸寶城 七日無光色 各共坐啼哭 滿七日不起
如何大精進 勇猛世間尊 我等見住此 今者不復見
咸共詣祇洹 相對而啼泣 佛此說四諦 我等此中聞
世間將盲冥 互相輕恚惕 但起諸惡業 還墮於惡道
諸天妙宮殿 可惜今將空 我等諸天神 無復救度者
尒時閻浮提 毀壞無威色 經行處樹下 山窟無善之
一切諸世間 悲皆大嬈動 諸天及天神 音聲可怖畏
尒時忉利天 舉手大悲哭 各於宮殿中 發聲而號喚
諸天宮殿中 皆稱說我子 永離大聖王 為我說法者
忉利天六月 不食脩陁食 不離妓樂音 憂惱如喪子
諸阿脩羅衆 聞有如此事 皆共相命集 欲攻忉利天
時諸閻浮王 皆共相征伐 諸天阿脩羅 亦共皆戰鬪
尒時諸比丘 及諸比丘尼 多墮惡道中 少有得免者
破戒諸白衣 隨順惡比丘 以是因緣故 皆墮於惡道
諸惡優婆夷 隨順惡師故 亦復入惡道 世間皆嬈動
有入城聚落 有至山林中 東西懷憂惱 以損其壽命
尒時多惡賊 多有諸險道 種五穀不生 若生蟲所食
尒時世人民 飢饉多餓死 所墮餓鬼中 多受諸苦惱
時人施佛物 塔及四方僧 輙皆共分食 我後僧如是
阿難汝等當 免出懃精進 莫見後惡世 如是衆惡事
一切諸凡夫 愚癡無有智 起諸凡夫業 疾墮惡道中
汝等懃讀誦 是名智慧因 若為智慧讀 疾得勝至處
我學世正見 汝亦如我學 斷世鄣礙事 疾得勝至處
懃行八聖道 當疾得涅槃 思法求自利 我所說如是
是劫過去後 六十劫無佛 尚無佛音聲 況有得道者

BD01902號 佛藏經（四卷本）卷四 （8–7）

汝等懃讀誦 是名智慧因 若為智慧讀 疾得勝至處
我學世正見 汝亦如我學 斷世鄣礙事 疾得勝至處
懃行八聖道 當疾得涅槃 思法求自利 我所說如是
是劫過去後 六十劫無佛 尚無佛音聲 況有得道者
時世諸人民 飢餓所逼切 無有孝慈心 食母食子肉
時諸家生子 常讒惡他食 誰聞是惡事 復起生死業
諸苦癡為本 五陰貪為本 若不棄五欲 當斷諸貪欲
受福果報時 深生貪著心 貪著因緣故 起惡墮惡道
無漏法空寂 世間無牢固 若知如是者 汝等應疾行
無心生心想 而自大驚畏 我為住不住 是事為云何
如是諸凡夫 思惟而籌量 我當去何住 如是常啼泣
無陰生陰想 無我生我想 聞自相空法 如是亦迷悶
不知佛如實 所說諸陰義 聞則以為定 畏處無畏想
我說去來今 諸陰皆空寂 三世悉平等 猶若如虛空
所有過去佛 亦說自相空 未來世諸佛 亦說自相空
我今出於世 亦說一切法 自性自相空 三世無有異
當來人不知 佛說所實義 貪著我衆生 當墮於惡道
當來世如是 大惡甚可畏 汝等懃精進 莫見是惡世
佛說經已長老舍利弗及諸比丘一切世間天人
大衆聞佛所說皆大歡喜信受佛語

佛藏經卷第四

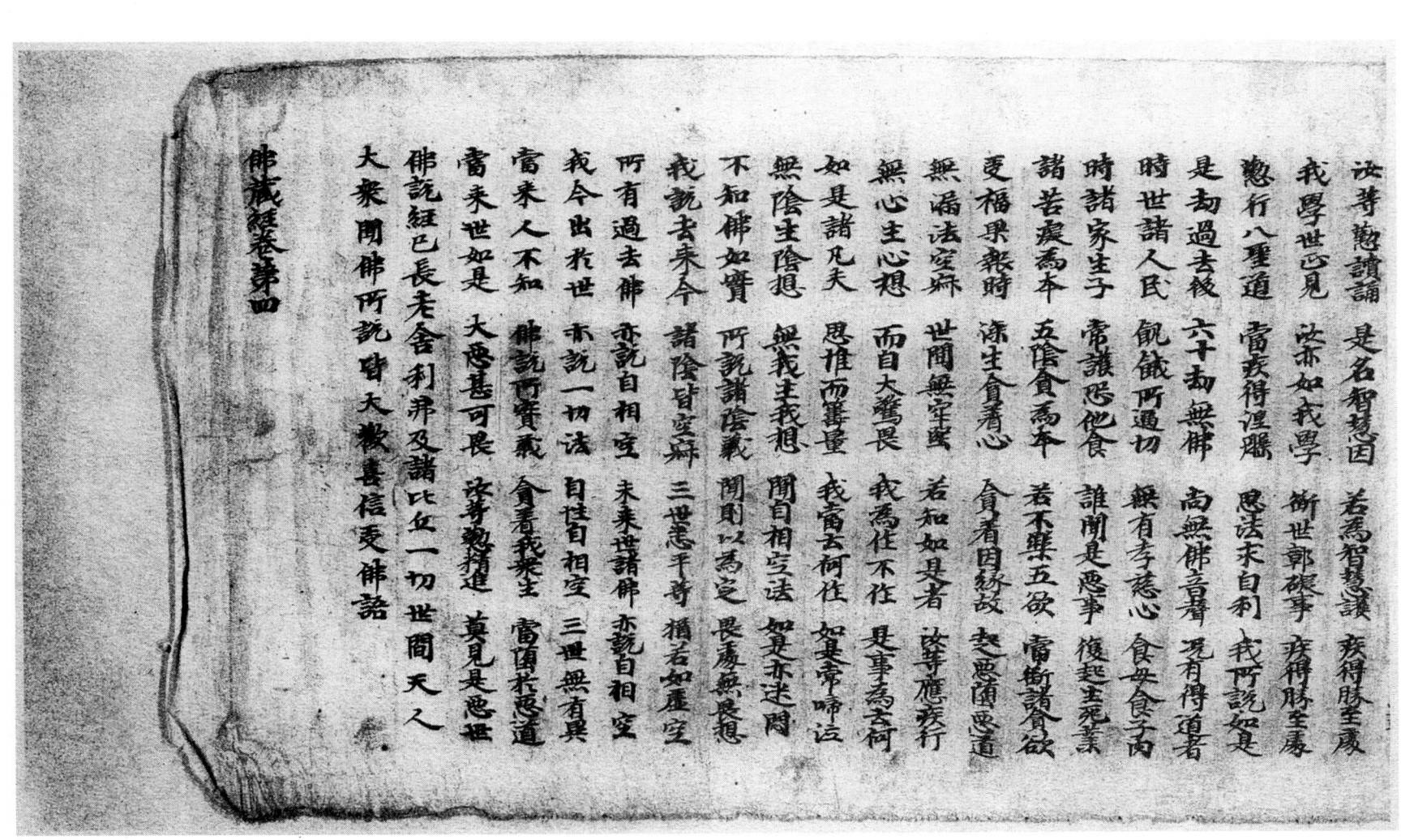

BD01902號 佛藏經（四卷本）卷四 （8–8）

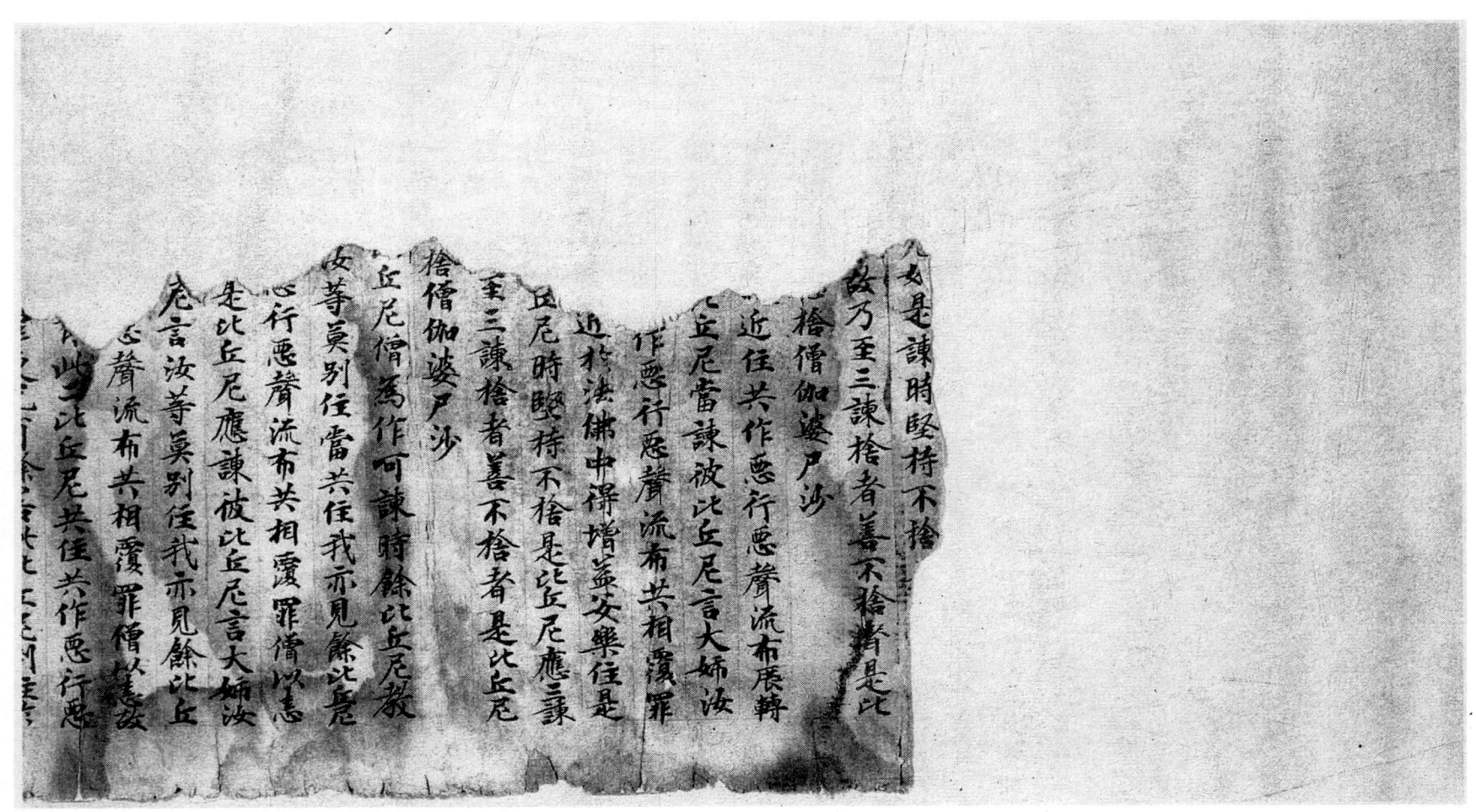

女是諫時堅持不捨
故乃至三諫捨者善不捨者是比
捨僧伽婆尸沙
近住共作惡行惡聲流布展轉
丘尼當諫彼比丘尼言大姊汝
作惡行惡聲流布共相覆罪
近於法佛中得增益安樂住是
丘尼時堅持不捨是比丘尼應三諫
至三諫捨者善不捨者是比丘尼
捨僧伽婆尸沙
丘尼僧為作呵諫時餘比丘尼教
汝等莫別住當共住我亦見餘比丘尼
行惡聲流布共相覆罪僧以恚
是比丘尼應諫彼比丘尼言大姊汝
尼言汝等莫別住我亦見餘比丘
聲流布共相覆罪僧以恚故
此比丘尼共住共作惡行惡
[illegible]

BD01903號　四分比丘尼戒本　（31–1）

汝等莫別住當共住我亦見餘比丘尼
行惡聲流布共相覆罪僧以恚
是比丘尼應諫彼比丘尼言大姊汝
尼言汝等莫別住我亦見餘比丘
聲流布共相覆罪僧以恚故
此比丘尼共住共作惡行惡
罪更无有餘若此比丘尼別住於
益安樂住是比丘尼諫彼比丘尼時
比丘尼應三諫令捨此事故乃至三
不捨者是比丘尼犯三法應捨僧伽
一事瞋恚不喜便作是語我捨
獨有此沙門釋子亦更有餘沙門
行者我等亦可於彼修梵行是比
尼言大姊汝莫趣以一小事瞋
我捨佛捨法捨僧不獨有此
餘沙門婆羅門修梵行者我等
行若是比丘尼諫彼比丘尼時堅
尼應三諫捨此事故乃至三諫
是比丘尼犯三法應捨僧伽
鬪諍不善憶持諍事後瞋恚作
有恚有怖有癡是比丘尼應諫
妹汝莫憙鬪諍不善憶持諍事
僧有愛有恚有怖有癡而僧
癡汝自有愛有恚有怖有癡
丘尼時堅持不捨彼比丘尼應

BD01903號　四分比丘尼戒本　（31–2）

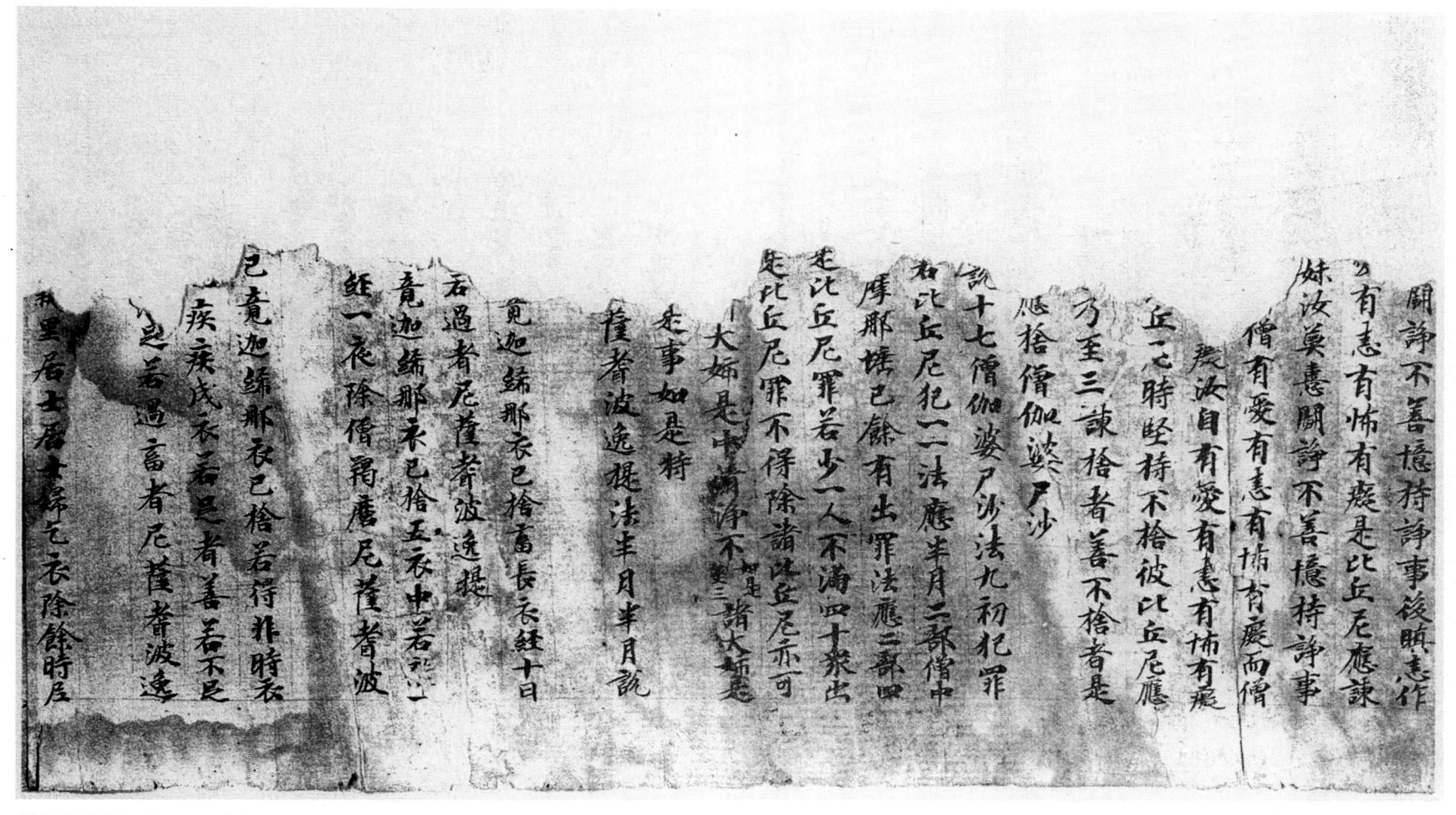

鬪諍不善憶持諍事後瞋恚作
語有恚有怖有癡是比丘尼應諫
妹汝莫憙鬪諍不善憶持諍事
僧有愛有恚有怖有癡而僧
癡汝自有愛有恚有怖有癡
丘尼時堅持不捨彼比丘尼應
乃至三諫捨者善不捨者是
應捨僧伽婆尸沙
說十七僧伽婆尸沙法九初犯罪
若比丘尼犯一一法應半月二部僧中
摩那埵已餘有出罪法應二部四
是比丘尼罪若少一人不滿四十衆出
是比丘尼罪不得除諸比丘尼亦可
大姊是中清淨不（如是三）諸大姊是
是事如是持
薩耆波逸提法半月半月說
竟迦絺那衣已捨畜長衣經十日
若過者尼薩耆波逸提
竟迦絺那衣已捨五衣中若離一
經一夜除僧羯磨尼薩耆波
已竟迦絺那衣已捨若得非時衣
疾疾成衣若足者善若不足
是若過畜者尼薩耆波逸
里居士居士婦乞衣除餘時尼

BD01903 號　四分比丘尼戒本　（31–3）

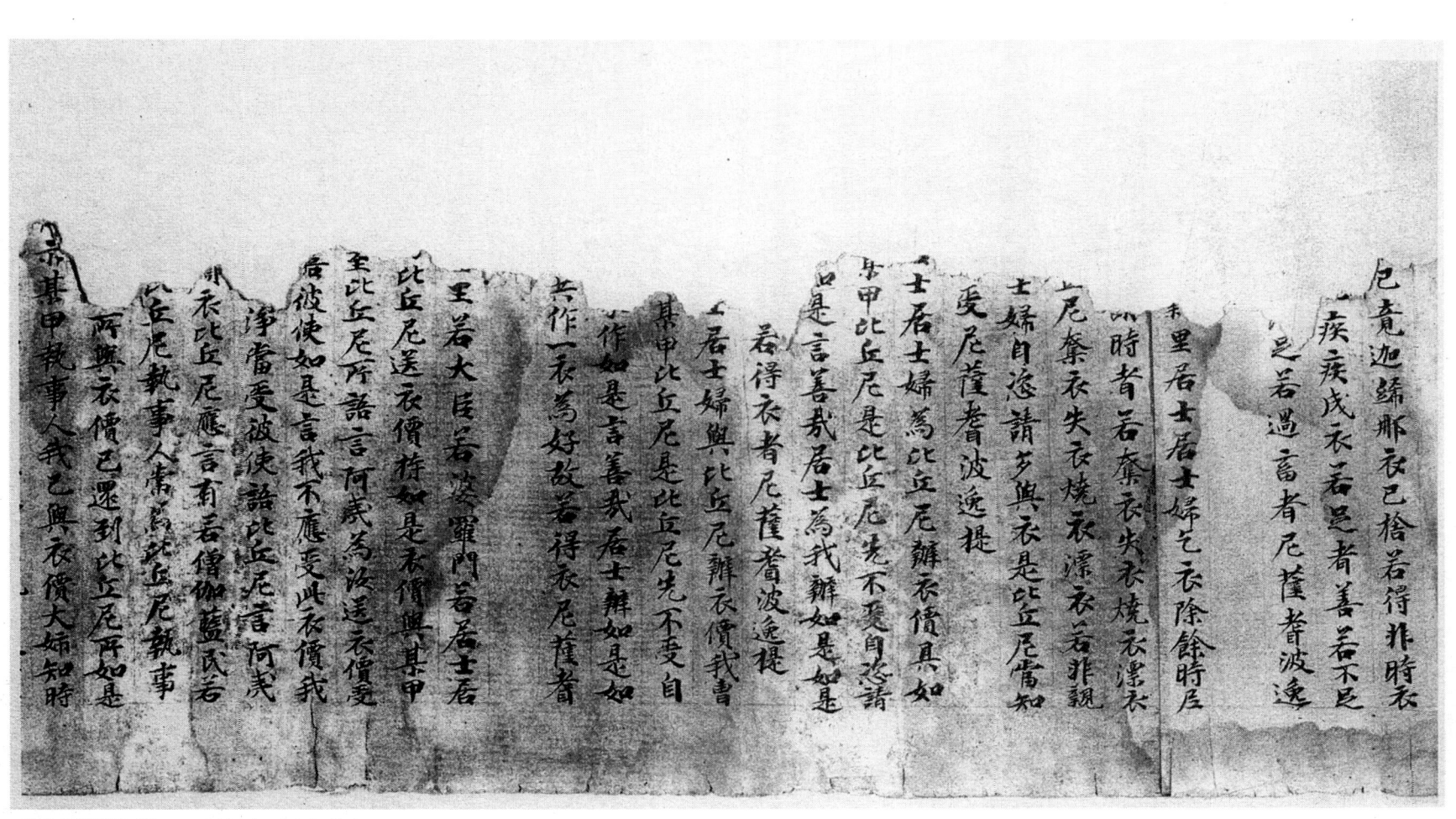

已竟迦絺那衣已捨若得非時衣
疾疾成衣若足者善若不足
是若過畜者尼薩耆波逸
里居士居士婦乞衣除餘時尼
時者若奪衣失衣燒衣漂衣
尼奪衣失衣燒衣漂衣若非親
士婦自恣請多與衣是比丘尼當知
受尼薩耆波逸提
士居士婦爲比丘尼辦衣價具如
甲比丘尼是比丘尼先不受自恣請
是言善哉居士爲我辦如是如是
若得衣者尼薩耆波逸提
居士婦與比丘尼辦衣價我當
某甲比丘尼是比丘尼先不受自
作如是言善哉居士辦如是如
共作一衣爲好故若得衣尼薩耆
里若大臣若婆羅門若居士若
比丘尼遣衣價持如是衣價與某甲
至比丘尼所語言阿姨爲汝送衣價受
若彼使如是言我不應受此衣價我
淨當受彼使語比丘尼言阿姨
衣比丘尼應言有若僧伽藍民若
比丘尼執事人常爲諸比丘尼執事
所與衣價已還到比丘尼所如是
某甲執事人我已與衣價大姊知時

BD01903 號　四分比丘尼戒本　（31–4）

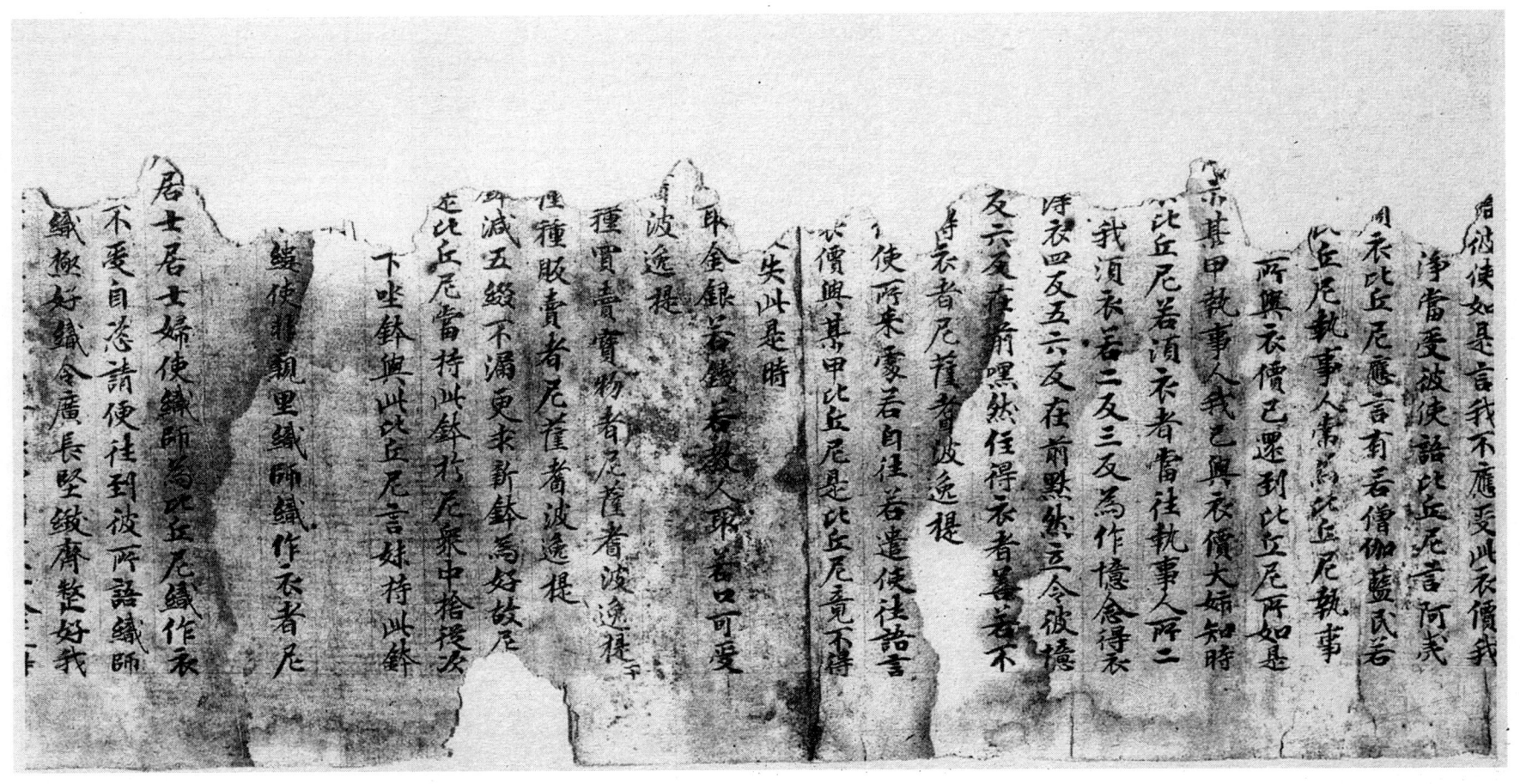

彼使如是言我不應受此衣價我
淨當受彼使語比丘尼言阿夷
用衣比丘尼應言有若僧伽藍民若
比丘尼執事人常爲比丘尼執事
所與衣價已還到比丘尼所如是
某甲執事人我已與衣價大姊知時
比丘尼若須衣者當往執事人所二
我須衣若二反三反爲作憶念得衣
得衣四反五六反在前默然立令彼憶
反六反在前嘿然住得衣者善若不
得衣者尼薩耆波逸提
使所來處若自往若遣使往語言
衣價與某甲比丘尼是比丘尼竟不得
人失此是時
取金銀若錢若教人取若口可受
波逸提
種買賣寶物者尼薩耆波逸提
種販賣者尼薩耆波逸提
鉢減五綴不漏更求新鉢爲好故尼
是比丘尼當持此鉢於尼衆中捨展次
下坐鉢與此比丘尼言妹持此鉢
綫使非親里織師織作衣者尼
居士居士婦使織師爲比丘尼織作衣
不受自恣請便往到彼所語織師
織極好織令廣長堅緻齊整好我

BD01903 號　四分比丘尼戒本　　（31–5）

綫使非親里織師織作衣者尼
居士居士婦使織師爲比丘尼織作衣
不受自恣請便往到彼所語織師
織極好織令廣長堅緻齊整好我
與價若比丘尼與衣價乃至一食直得
者波逸提
比丘尼衣已後瞋恚若自奪若教
衣來不與汝是比丘尼應還衣彼
者波逸提
病畜藥蘇油生蘇蜜石蜜得食
得服若過七日服尼薩耆波逸
日未滿夏三月若有急施衣比丘
施衣應受受已乃至衣時應畜若過
者波逸提
知物向僧自求入己者尼薩耆波逸提
索是更索彼者尼薩耆波逸提
檀越所爲僧施異迴作餘用者尼
施物異自求爲僧迴作餘用者尼
逸提
檀越所施物異迴作餘用者尼薩
檀越所爲施物異自求爲僧迴作餘
者波逸提
長鉢者尼薩耆波逸提

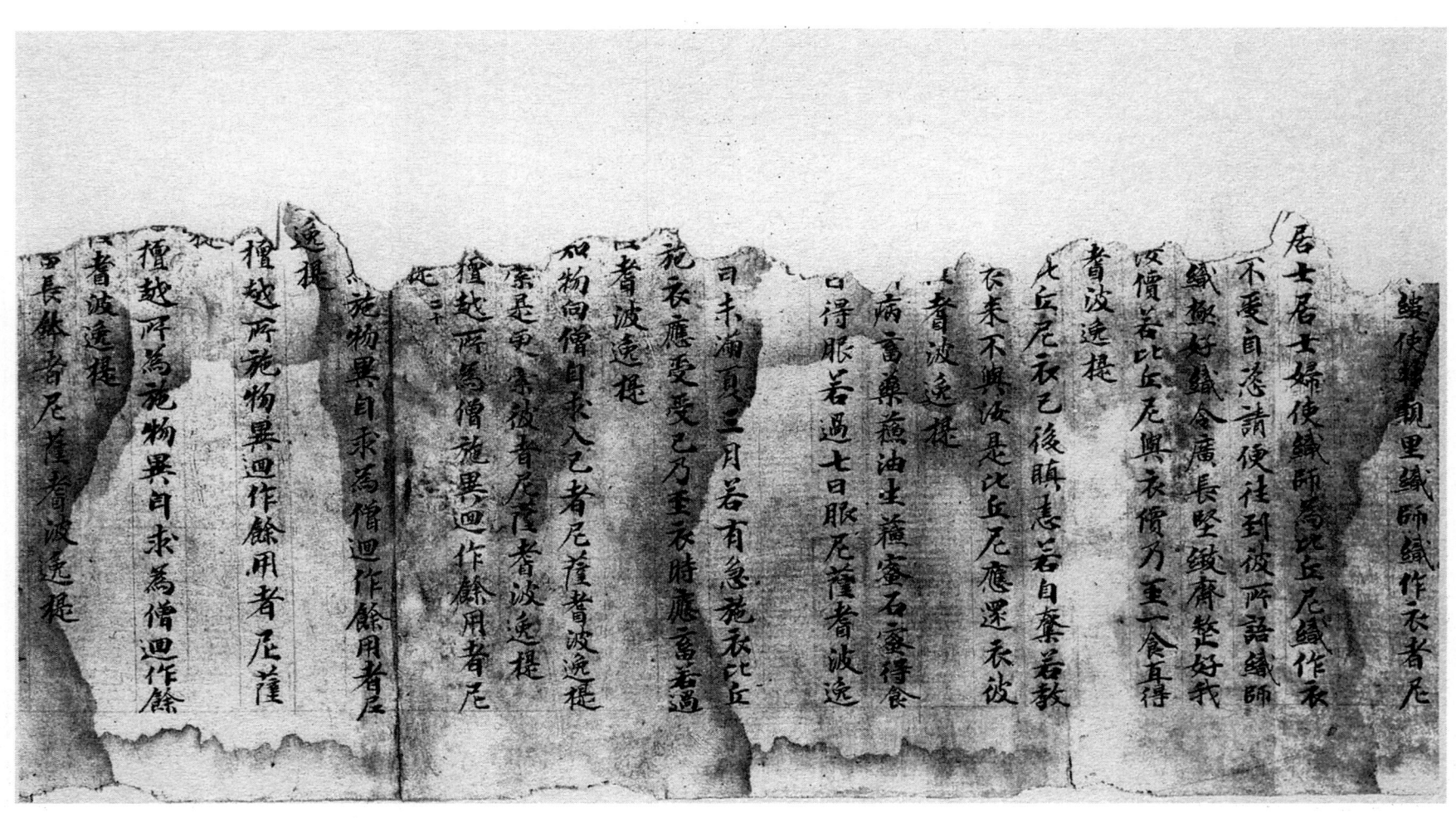

BD01903 號　四分比丘尼戒本　　（31–6）

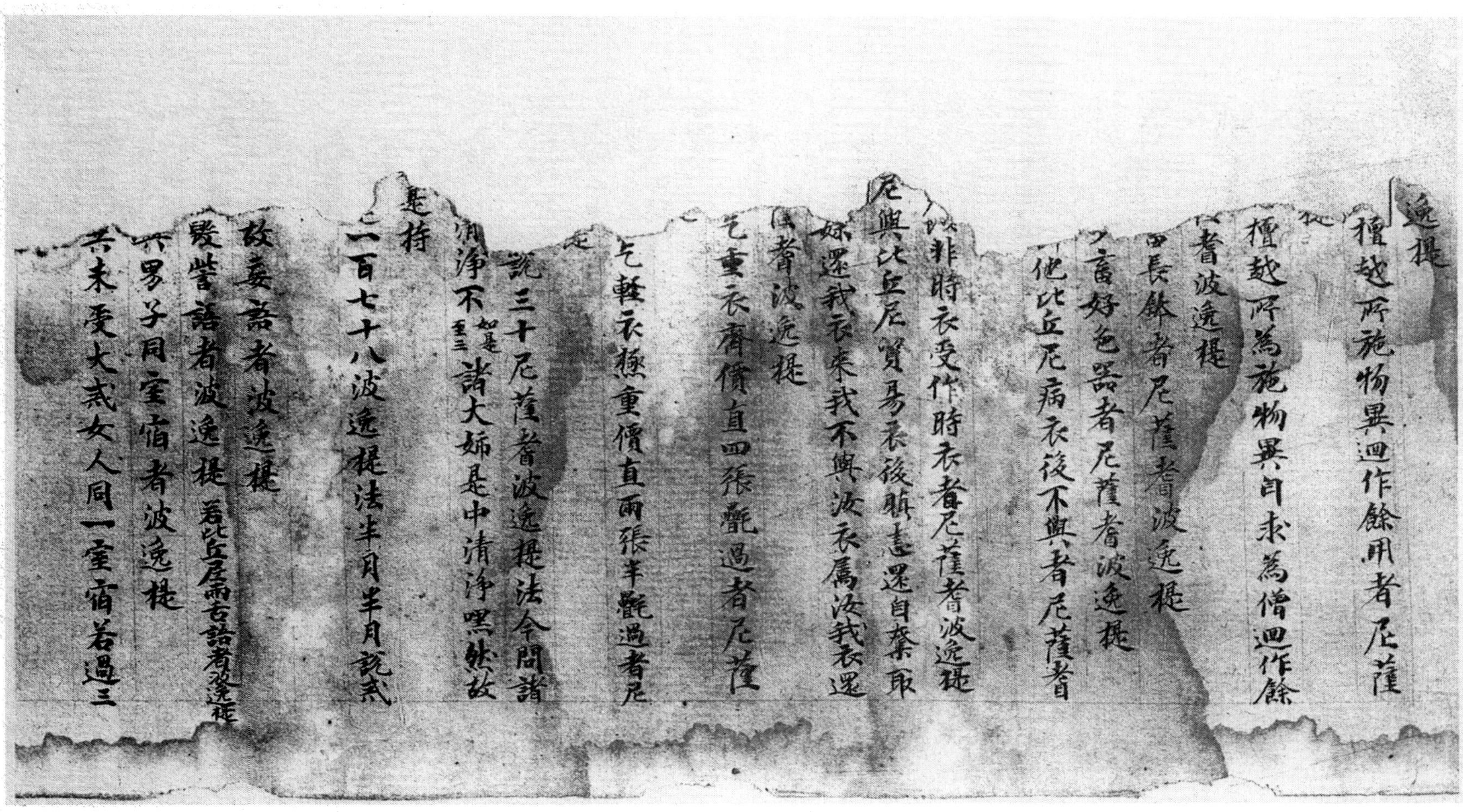

逸提
檀越所施物異廻作餘用者尼薩
檀越所為施物異自求為僧廻作餘
耆波逸提
長鉢者尼薩耆波逸提
畜好色器者尼薩耆波逸提
他比丘尼病衣後不與者尼薩耆
非時衣受作時衣者尼薩耆波逸提
尼與比丘尼貿易衣後瞋恚還自奪取
姊還我衣來我不與汝汝衣屬汝我衣還
耆波逸提
乞重衣齊價直四張氎過者尼薩
乞輕衣極重價直兩張半氎過者尼
說三十尼薩耆波逸提法今問諸
清淨不 如是三 諸大姊是中清淨嘿然故
是持
二百七十八波逸提法半月半月說戒
故妄語者波逸提
毀呰語者波逸提 若比丘尼兩舌語者波逸提
男子同室宿者波逸提
未受大戒女人同一室宿若過三

BD01903 號　四分比丘尼戒本　（31–7）

故妄語者波逸提
毀呰語者波逸提 若比丘尼兩舌語者波逸提
男子同室宿者波逸提
未受大戒女人同一室宿若過三
未受具戒人共誦法者波逸提
尼知他有麁惡罪向未受大戒人說除
逸提
向未受大戒人說過人法言我知是我
波逸提
與男子說法過五六語除有知男女
掘地若教人掘波逸提 一十
鬼神村波逸提
作異語惱他者波逸提
尼嫌罵他者波逸提
取僧繩床木床若臥具坐褥露地
人敷捨去不自舉不教人舉波逸提
於僧房中取僧臥具自敷若教人敷
若臥從彼處捨去不自舉不教人舉
知比丘尼先住處後來於中間敷臥
彼若嫌迮者自當避我去作如是因
威儀波逸提
尼瞋他比丘尼不喜眾僧房中自牽出
牽出者波逸提

BD01903 號　四分比丘尼戒本　（31–8）

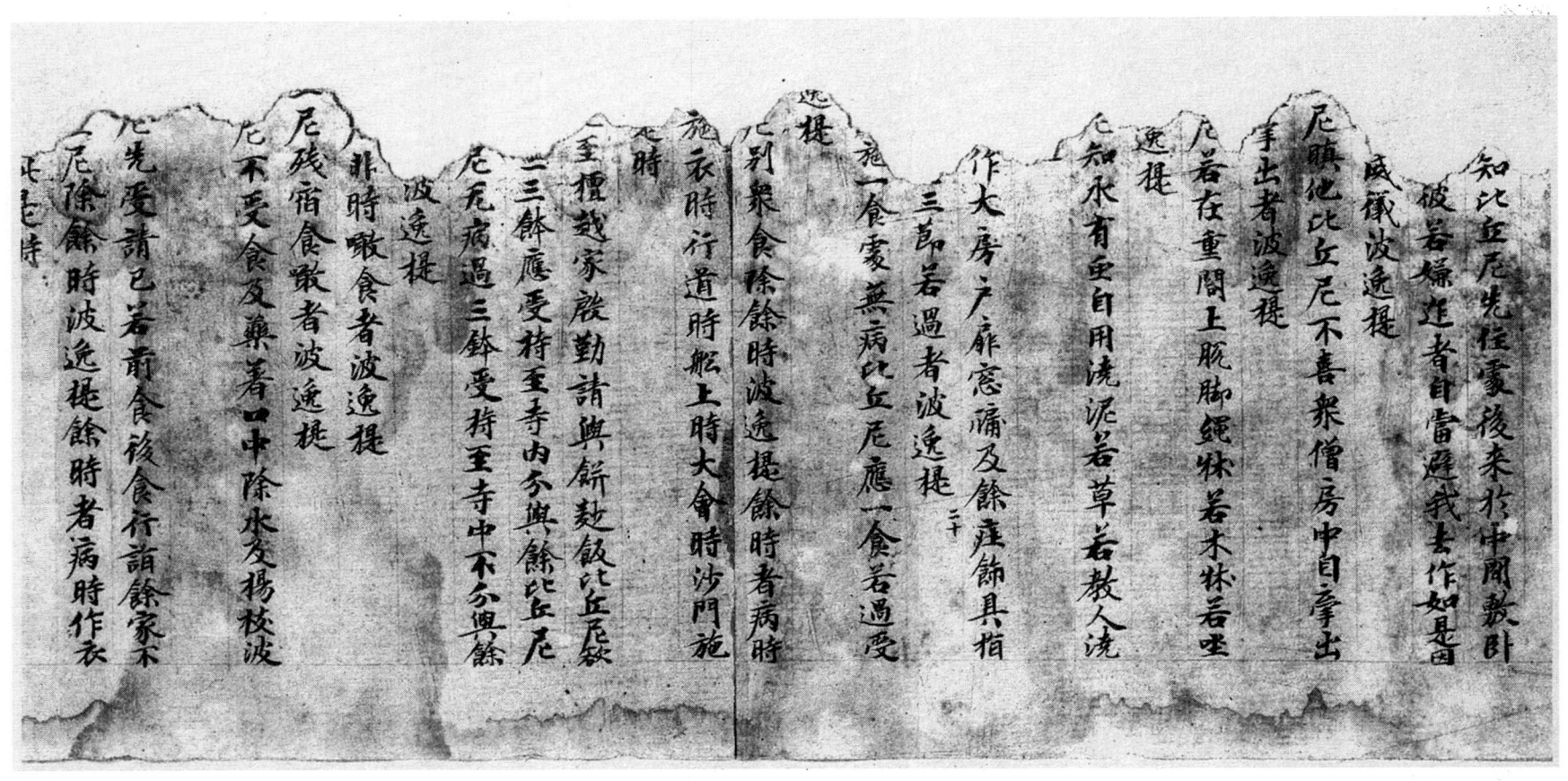

知比丘尼先住處後來於中間敷卧
彼若嫌迮者自當避我去作如是因
威儀波逸提
尼瞋他比丘尼不喜衆僧房中自牽出
手出者波逸提
尼若在重閣上脫脚繩牀若木牀若坐
逸提
尼知水有虫自用澆泥若草若教人澆
作大房戶扉窓牖及餘莊飾具指
三節若過者波逸提 二十
施一食處無病比丘尼應一食若過受
提
尼別衆食除餘時波逸提餘時者病時
施衣時行道時船上時大會時沙門施
時
至檀越家慇懃請與餅麨飯比丘尼欲
二三鉢應受持至寺內分與餘比丘尼
尼尼病過三鉢受持至寺中不分與餘
波逸提
非時噉食者波逸提
尼殘宿食噉者波逸提
尼不受食及藥著口中除水及楊枝波
尼先受請已若前食後食行詣餘家不
尼除餘時波逸提餘時者病時作衣
此是時

BD01903號　四分比丘尼戒本　（31–9）

非時噉食者波逸提
尼殘宿食噉者波逸提
尼不受食及藥著口中除水及楊枝波
尼先受請已若前食後食行詣餘家不
尼除餘時波逸提餘時者病時作衣
此是時
食家中有寶強安坐者波逸提
食家中有寶在屏處坐者波逸提
尼獨與男子露地一處共坐者波逸提 三十
尼語比丘尼如是語大姊共汝至聚落當
波比丘尼竟不教與是比丘尼食如是言
我與汝一處共坐共語不樂我獨坐獨語
因緣非餘方便遣去波逸提
請比丘尼四月與藥無病比丘尼應受
除常請更請分請盡形請波逸提
往觀軍陣除時因緣波逸提
有因緣至軍中若二宿三宿過者波
尼軍中住若二宿三宿或時觀軍陣
觀遊軍象馬勢力波逸提
尼飲酒者波逸提
尼水中戲者波逸提
以指相擊攊者波逸提
不受諫者波逸提
恐怖他比丘尼者波逸提 四十
尼半月洗浴無病比丘尼應受若過受

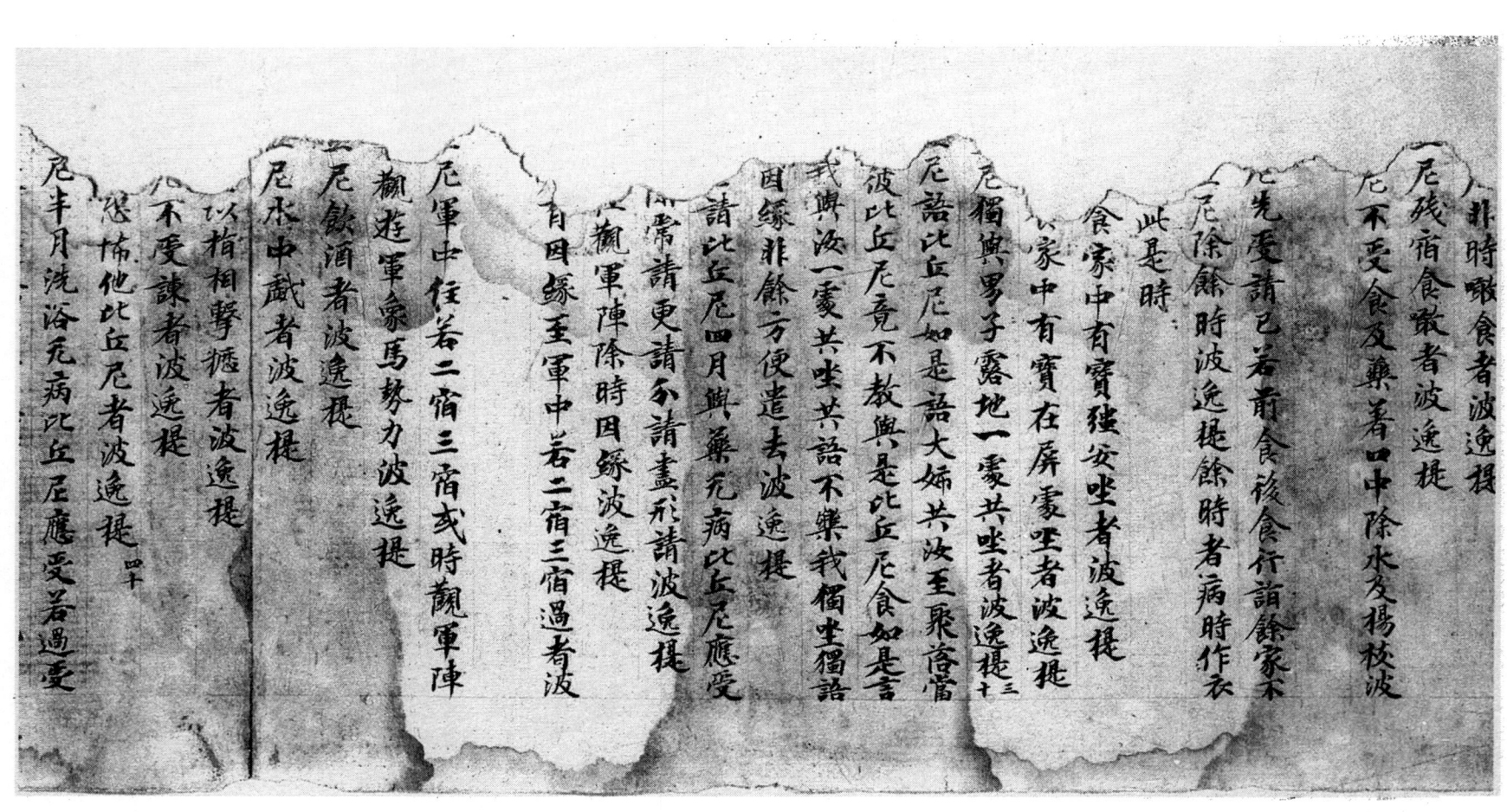

BD01903號　四分比丘尼戒本　（31–10）

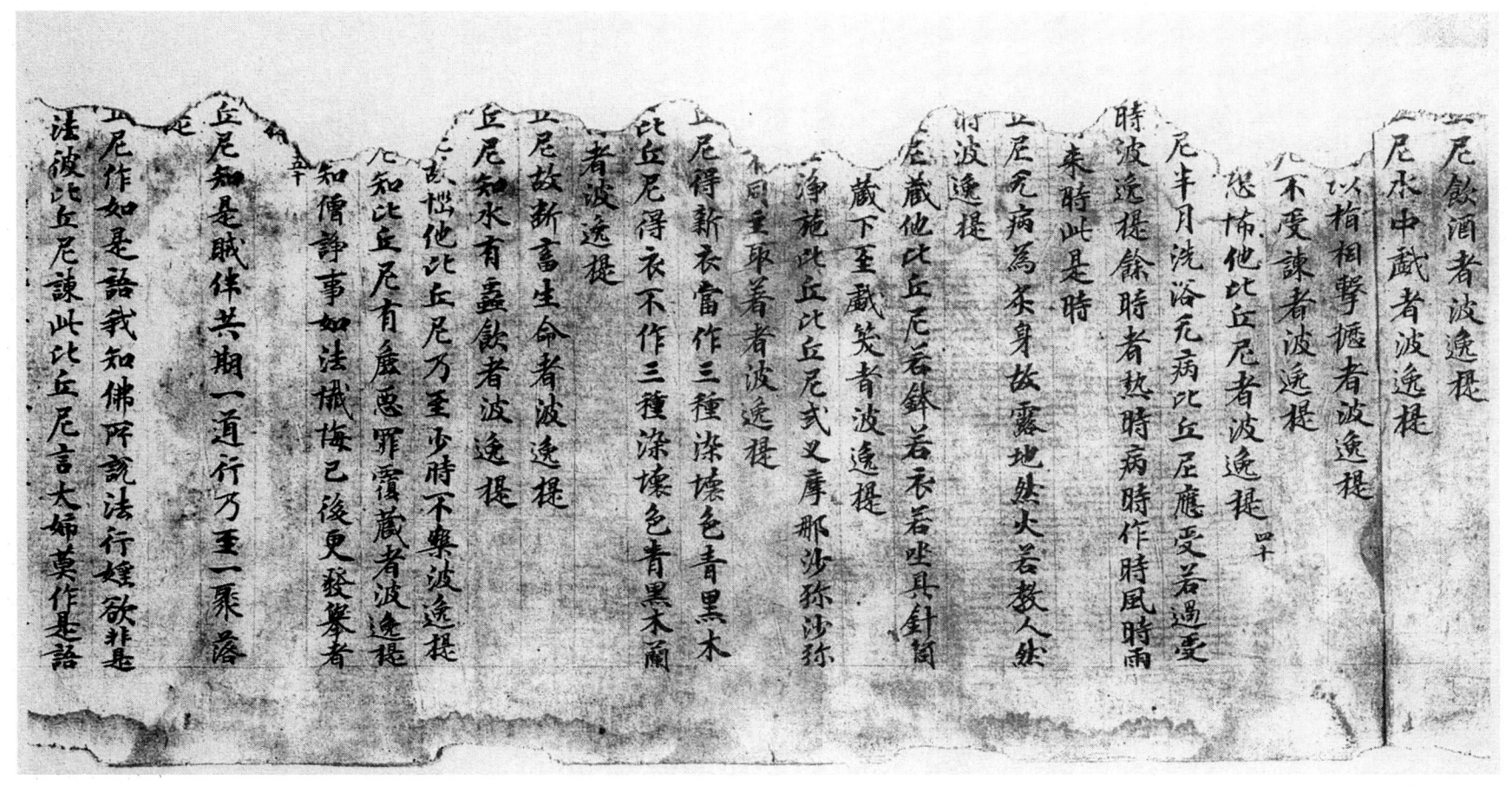

尼飲酒者波逸提
尼水中戲者波逸提
以指相擊擽者波逸提
不受諫者波逸提
恐怖他比丘尼者波逸提 四十
尼半月洗浴无病比丘尼應受若過受
時波逸提餘時者熱時病時作時風時雨
來時此是時
丘尼无病為炙身故露地然火若教人然
時波逸提
尼藏他比丘尼若鉢若衣若坐具針筒
藏下至戲笑者波逸提
淨施比丘比丘尼式叉摩那沙弥沙弥
同主取著者波逸提
丘尼得新衣當作三種染壞色青黑木
比丘尼得衣不作三種染壞色青黑木蘭
者波逸提
丘尼故斷畜生命者波逸提
丘尼知水有蟲飲者波逸提
故惱他比丘尼乃至少時不樂波逸提
知比丘尼有麁惡罪覆藏者波逸提
知僧諍事如法懺悔已後更發舉者
五十
丘尼知是賊伴共期一道行乃至一聚落
丘尼作如是語我知佛所說法行婬欲非是
法彼比丘尼諫此比丘尼言大姉莫作是語

BD01903號　四分比丘尼戒本　　（31–11）

五十
丘尼知是賊伴共期一道行乃至一聚落
丘尼作如是語我知佛所說法行婬欲非是
法彼比丘尼諫此比丘尼言大姉莫作是語
世尊謗世尊者不善世尊不作是語世
方便說婬欲是障道法犯婬欲者是障
丘尼諫此比丘尼時堅持不捨彼比丘尼
令捨是事乃至三諫時捨者善不捨者
丘尼知如是語人未作法如是邪見而不捨
同一羯磨同一止宿波逸提
丘尼知沙弥尼作如是語我知佛所說法行
非障道法彼比丘尼諫此沙弥尼言汝莫
莫誹謗世尊誹謗世尊不善世尊不
沙弥尼世尊无數方便說婬欲是障道
欲者是障道法彼比丘尼諫此沙弥尼
持不捨彼比丘尼應乃至三呵諫捨此事故乃
諫時若捨者善不捨者彼比丘尼應語是
言汝自今已去非佛弟子不得隨餘比
行如諸沙弥尼得與比丘尼二三宿汝今无是
去滅去不須此中住若比丘尼知如是被擯
若畜共同止宿者波逸提
如法諫時作如是語我今不學是戒
有智慧持律者當難問波逸提若
應當難問
說戒時如是語大姉用是雜碎戒為

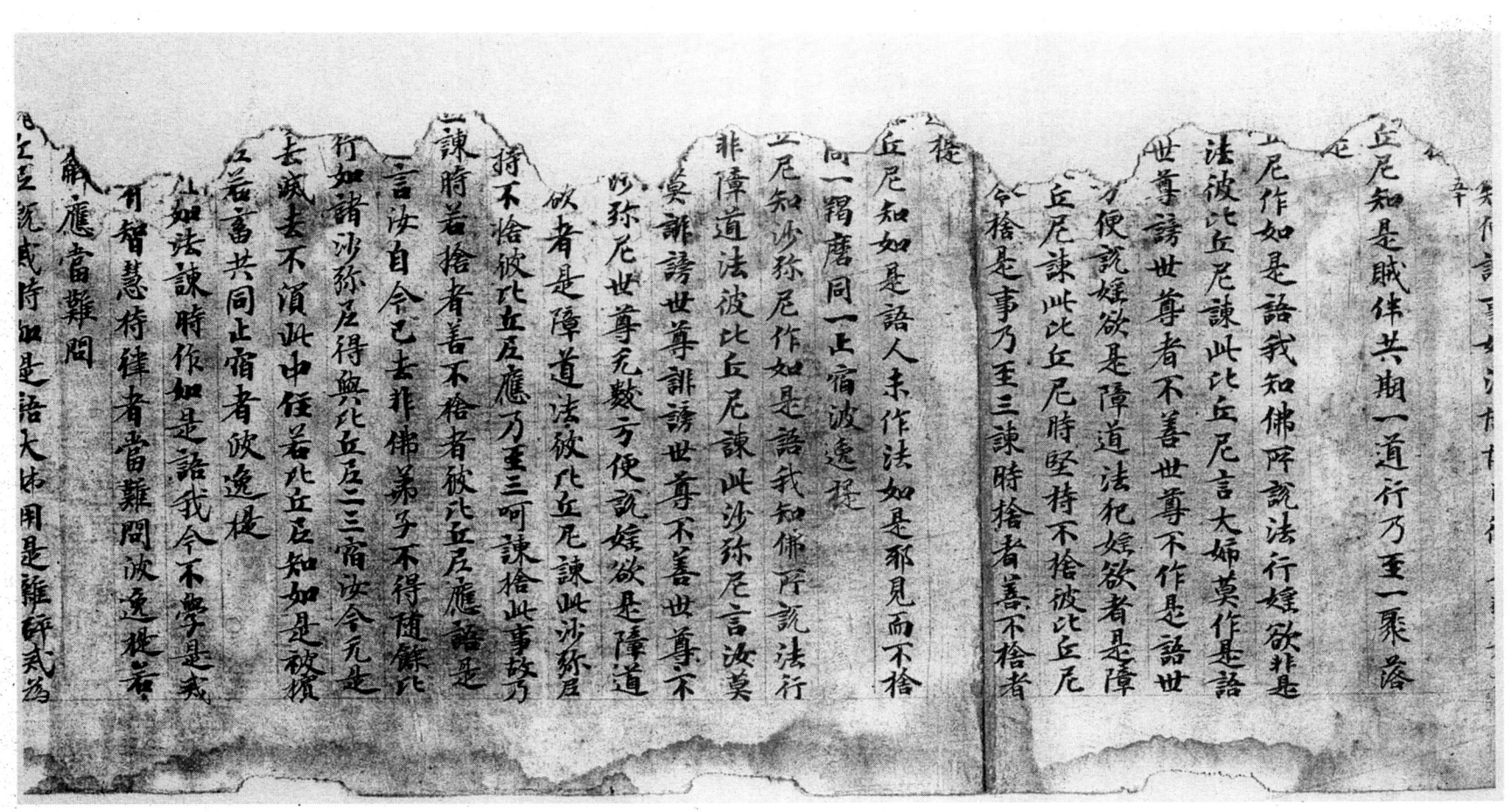

BD01903號　四分比丘尼戒本　　（31–12）

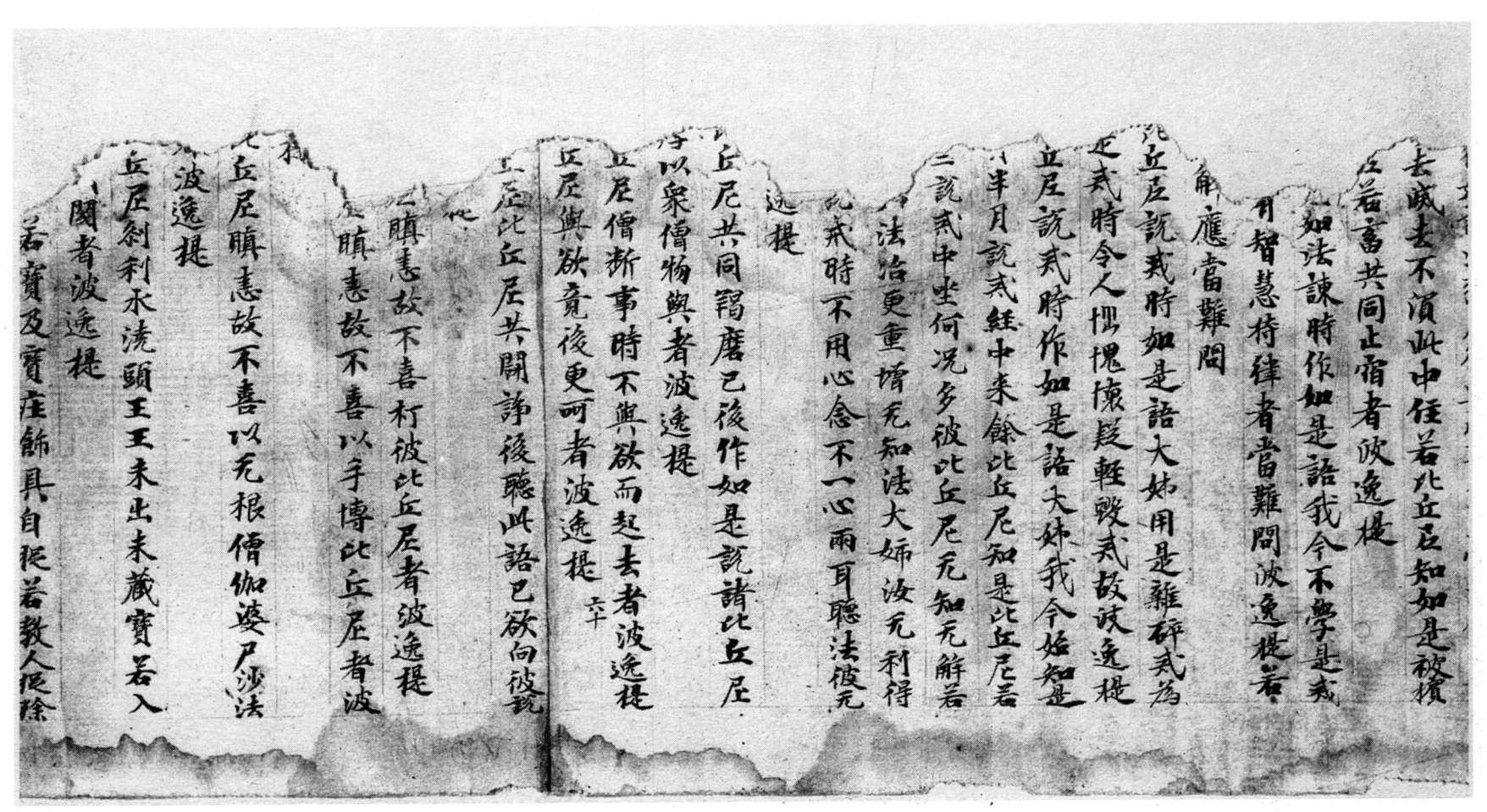

去藏去不須此中住若比丘尼知如是被擯
丘若富共同止宿者波逸提
如法諫時作如是語我今不學是戒
有智慧持律者當難問波逸提若
解應當難問
比丘尼説戒時作如是語大姊用是雜碎戒為
是戒時令人惱愧懷疑輕毀戒故波逸提
丘尼説戒時作如是語大姊我今始知是
半月説戒經中來餘比丘尼知是比丘尼若
二説戒中坐何況多彼比丘尼无知无解若
法治更重增无知法大姊汝无利得
説戒時不用心念不一心兩耳聽法彼无
逸提
丘尼共同羯磨已後作如是説諸比丘尼
以衆僧物與者波逸提
丘尼僧斷事時不與欲而起去者波逸提
丘尼與欲竟後更呵者波逸提 六十
丘尼比丘尼共鬬諍後聽此語已欲向彼説
也
瞋恚故不喜打彼比丘尼者波逸提
瞋恚故不喜以手博比丘尼者波
比丘尼瞋恚故不喜以无根僧伽婆尸沙法
波逸提
丘尼刹利水澆頭王王未出未藏寶若入
閾者波逸提
若寶及寶莊飾具自捉若教人捉除

BD01903號　四分比丘尼戒本　（31–13）

瞋恚故不喜以手博比丘尼者波
比丘尼瞋恚故不喜以无根僧伽婆尸沙法
波逸提
丘尼刹利水澆頭王王未出未藏寶若入
閾者波逸提
若寶及寶莊飾具自捉若教人捉除
及寄宿處波逸提若僧伽藍中若
若寶若以寶莊飾具自捉若教人捉
諸者當取如是因緣非餘
比丘尼非時入聚落又不屬比丘尼者波逸
丘尼作繩牀若木牀足應高如來八指除
上若截竟過者波逸提
尼持兜羅綿貯作繩牀木牀若卧具
逸提
嗽蒜者波逸提 七十
丘尼剃三處毛者波逸提
比丘尼以水作淨應齊兩指各一節若過者
丘尼以胡膠作男根者波逸提
丘尼共相拍者波逸提
比丘尼无病時供給水以扇扇者波
生穀者波逸提
丘尼在生草上大小便者波逸提
比丘尼夜便大小便器中晝不看墻外弃

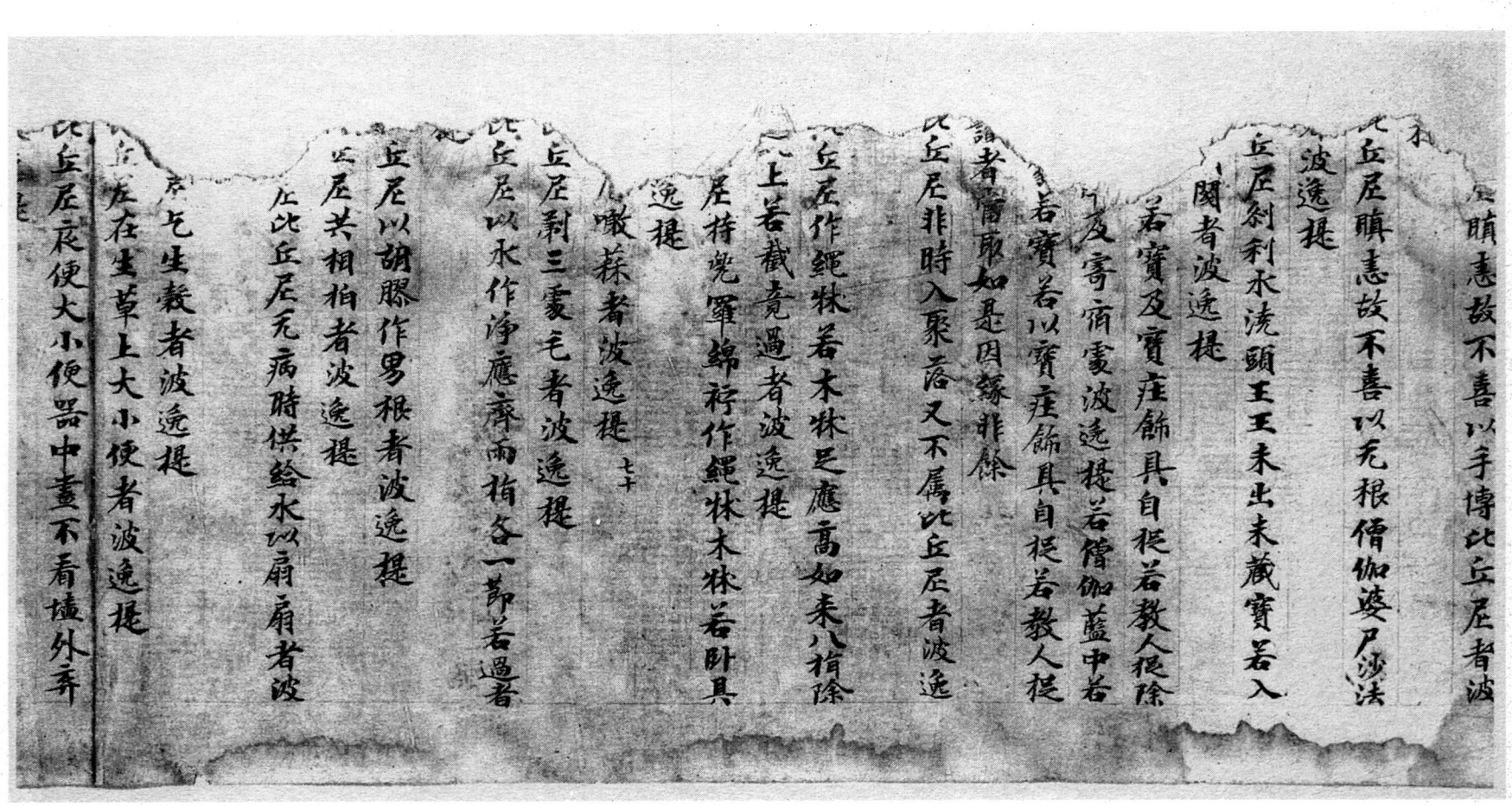

BD01903號　四分比丘尼戒本　（31–14）

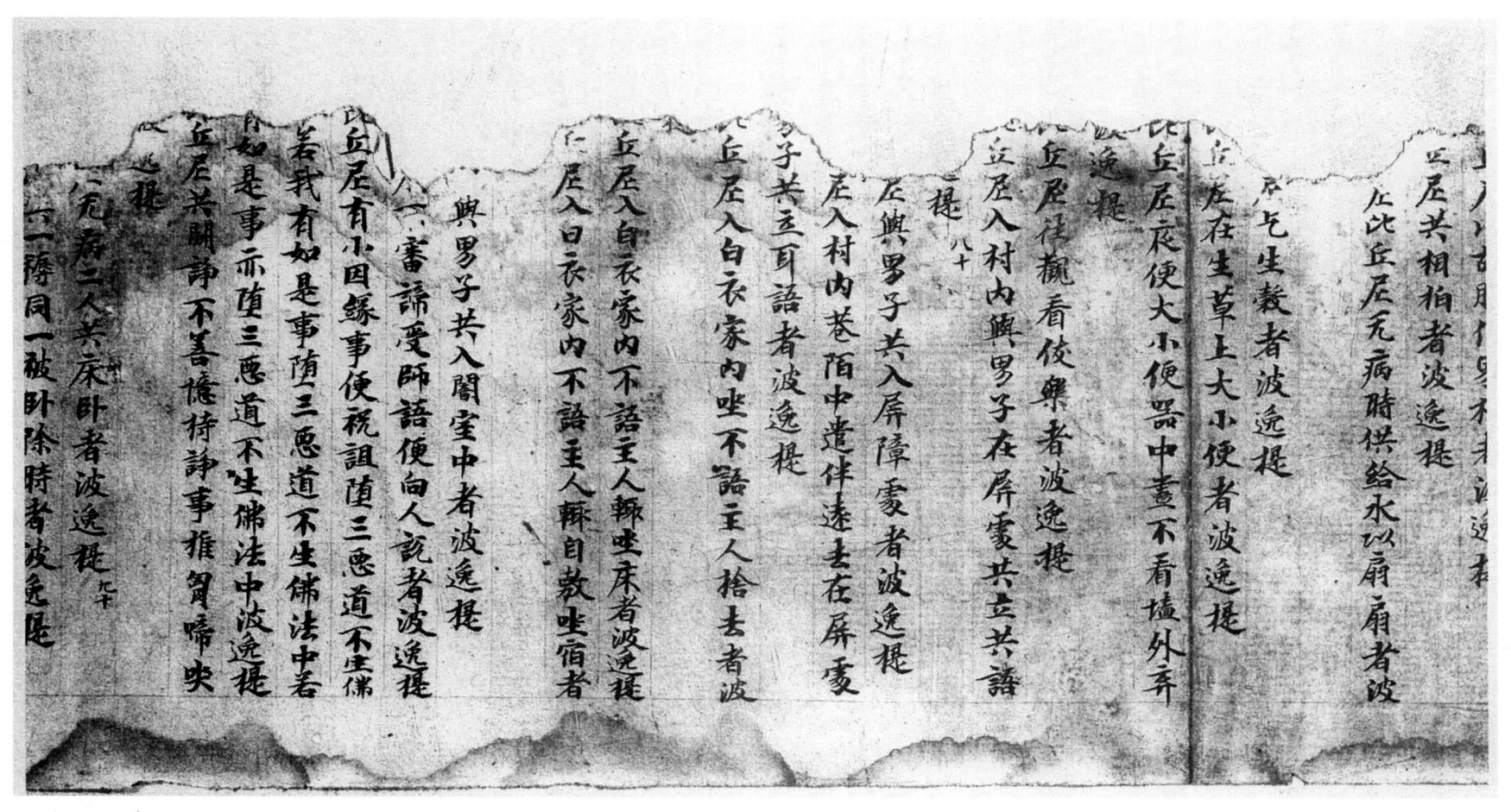

尼□□□服□□□□□逸提
丘尼共相拍者波逸提
丘比丘尼无病時供給水以扇扇者波
尼乞生穀者波逸提
丘尼在生草上大小便者波逸提
比丘尼夜便大小便器中晝不看墻外弃
者波逸提
比丘尼往觀看伎樂者波逸提
比丘尼入村內與男子在屏處共立共語
提 八十
尼與男子共入屏障處者波逸提
尼入村內巷陌中遣伴遠去在屏處
男子共立耳語者波逸提
比丘尼入白衣家內坐不語主人捨去者波
比丘尼入白衣家內不語主人輒坐床者波逸提
比丘尼入白衣家內不語主人輒自敷坐宿者
與男子共入闇室中者波逸提
人審諦受師語便向人說者波逸提
比丘尼有小因緣事便呪詛墮三惡道不生佛
若我有如是事墮三惡道不生佛法中若
有如是事亦墮三惡道不生佛法中波逸提
丘尼共鬪諍不善憶持諍事搥胷啼哭
逸提
无病二人共床卧者波逸提 九十
一褥同一被卧除時者波逸提

BD01903號　四分比丘尼戒本　（31–15）

若我有如是事墮三惡道不生佛法中若
有如是事亦墮三惡道不生佛法中波逸提
丘尼共鬪諍不善憶持諍事搥胷啼哭
逸提
无病二人共床卧者波逸提 九十
一褥同一被卧除時者波逸提
尼知先住後至知後至先住為惱故在
誦經問義教授者波逸提
丘尼同活比丘尼病不瞻視者波逸提
丘尼安居初聽餘比丘尼在房中安牀後
驅出者波逸提
尼春夏冬一切時人間遊行除餘因緣者
尼夏安居訖不去者波逸提
比丘尼邊界有疑恐怖處人間遊行者波逸
比丘尼於界內有疑恐怖處在人間遊行者
逸提
比丘尼親近居士居士兒共住作不隨順行
尼諫此比丘尼言妹汝莫親近居士居士
作不隨順行大姊可別住若別住於佛法
增益安樂住彼比丘尼諫此比丘尼時堅持不
彼比丘尼應三諫捨此事故乃至三諫捨此事
者若不捨者波逸提
比丘尼往觀王宮文飾畫堂園林浴池者波
提 一百
丘尼露身形在河水泉水流水池水中浴

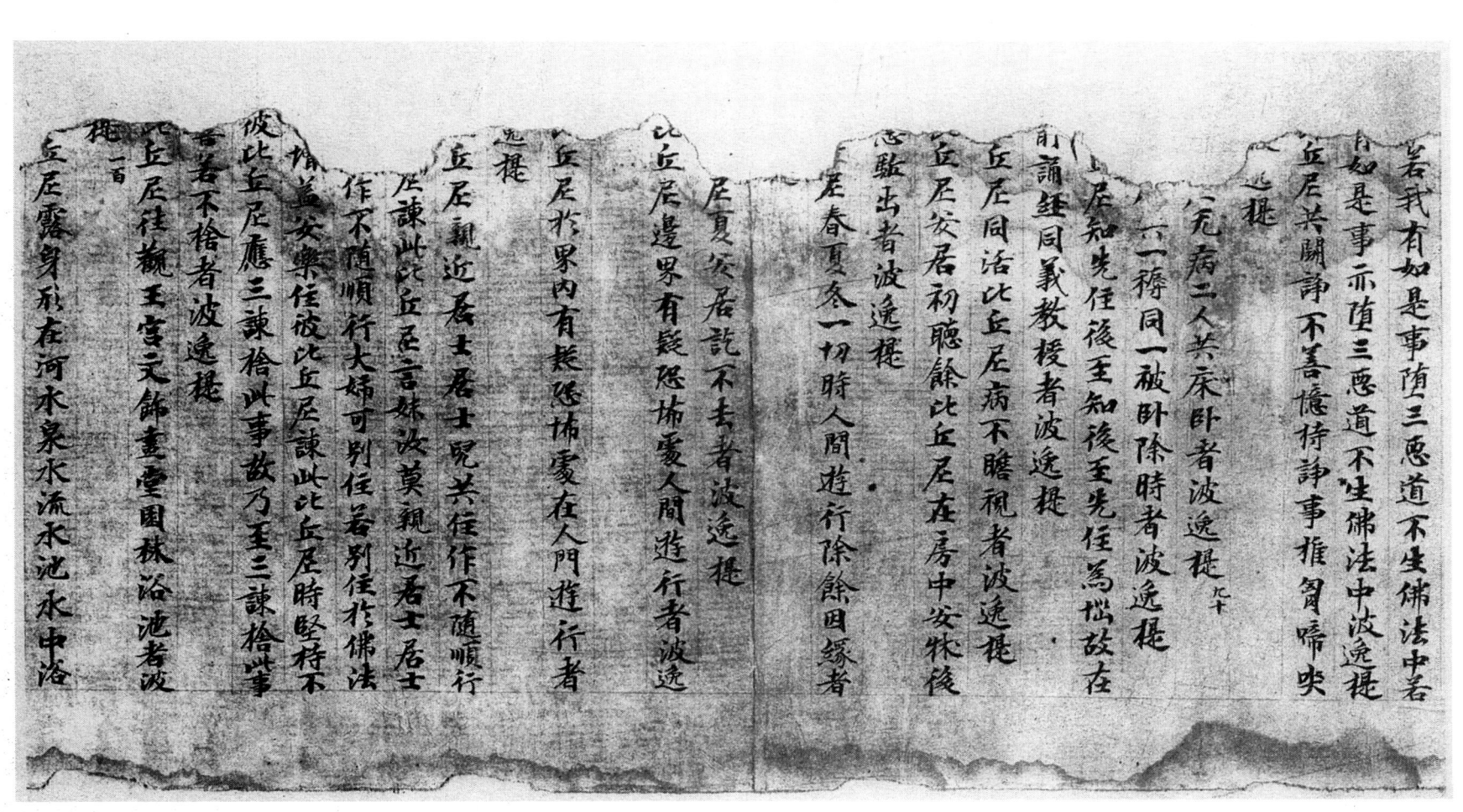

BD01903號　四分比丘尼戒本　（31–16）

增益安樂住彼比丘尼諫此比丘尼時堅持不
捨彼比丘尼應三諫捨此事故乃至三諫捨此事
者善若不捨者波逸提
比丘尼往觀王宮文飾畫堂園林浴池者波
逸提 一百
比丘尼露身形在河水泉水流水池水中浴
提
比丘尼作浴衣應量作應量作者長佛六磔
手廣二磔手半若過者波逸提
比丘尼縫僧伽梨過五日者波逸提
比丘尼過五日不看僧伽梨波逸提
比丘尼與衆僧衣作留難者波逸提
比丘尼不問主便著他衣者波逸提
比丘尼持沙門衣施與外道白衣者波逸提
比丘尼作如是意衆僧如法分衣遮令不分
子不得者波逸提
比丘尼作如是意令衆僧不得出迦絺那
衣當出欲令五事久得放捨者波逸提
比丘尼作如是意遮比丘尼僧不出迦絺那衣
久得五事放捨者波逸提 一百十
比丘尼餘比丘尼語言為我滅此諍事而不與
令滅者波逸提
比丘尼自手持食與白衣入外道食者波逸提
若比丘尼為白衣作使者波逸提
比丘尼自手紡縷者波逸提
比丘尼入白衣舍內在小床大床上若坐若臥
波逸提

BD01903號　四分比丘尼戒本　（31–17）

令滅者波逸提
比丘尼自手持食與白衣入外道食者波逸提
若比丘尼為白衣作使者波逸提
比丘尼自手紡縷者波逸提
比丘尼入白衣舍內在小床大床上若坐若臥
波逸提
比丘尼入白衣舍語主人敷座止宿明日不辭
去者波逸提
比丘尼自誦習世俗呪術者波逸提
比丘尼教人誦習世俗呪術者波逸提
若比丘尼知女人任身度與受具足戒者波逸提
比丘尼知婦女乳兒與受具足戒者波逸提 一百廿
比丘尼知年不滿二十與受具足戒者波逸提
比丘尼年十八童女不與二歲學戒年滿二十便
與受具足戒者波逸提
比丘尼年十八童女與二歲學戒不與六法滿
便與受具足戒者波逸提
若比丘尼年十八童女與二歲學戒與六法滿年
衆僧不聽便與受具足戒者波逸提
若比丘尼度曾嫁婦女年十歲與二歲學戒年
滿十二聽受具足戒若減十二與受具足戒者波
提
比丘尼度他小年曾嫁婦女與二歲學戒年
二十不白衆僧便與受具足戒者波逸提
若比丘尼知如是人與受具足戒者波逸提
若比丘尼多度弟子不教二歲學戒不以二法攝
取者波逸提

BD01903號　四分比丘尼戒本　（31–18）

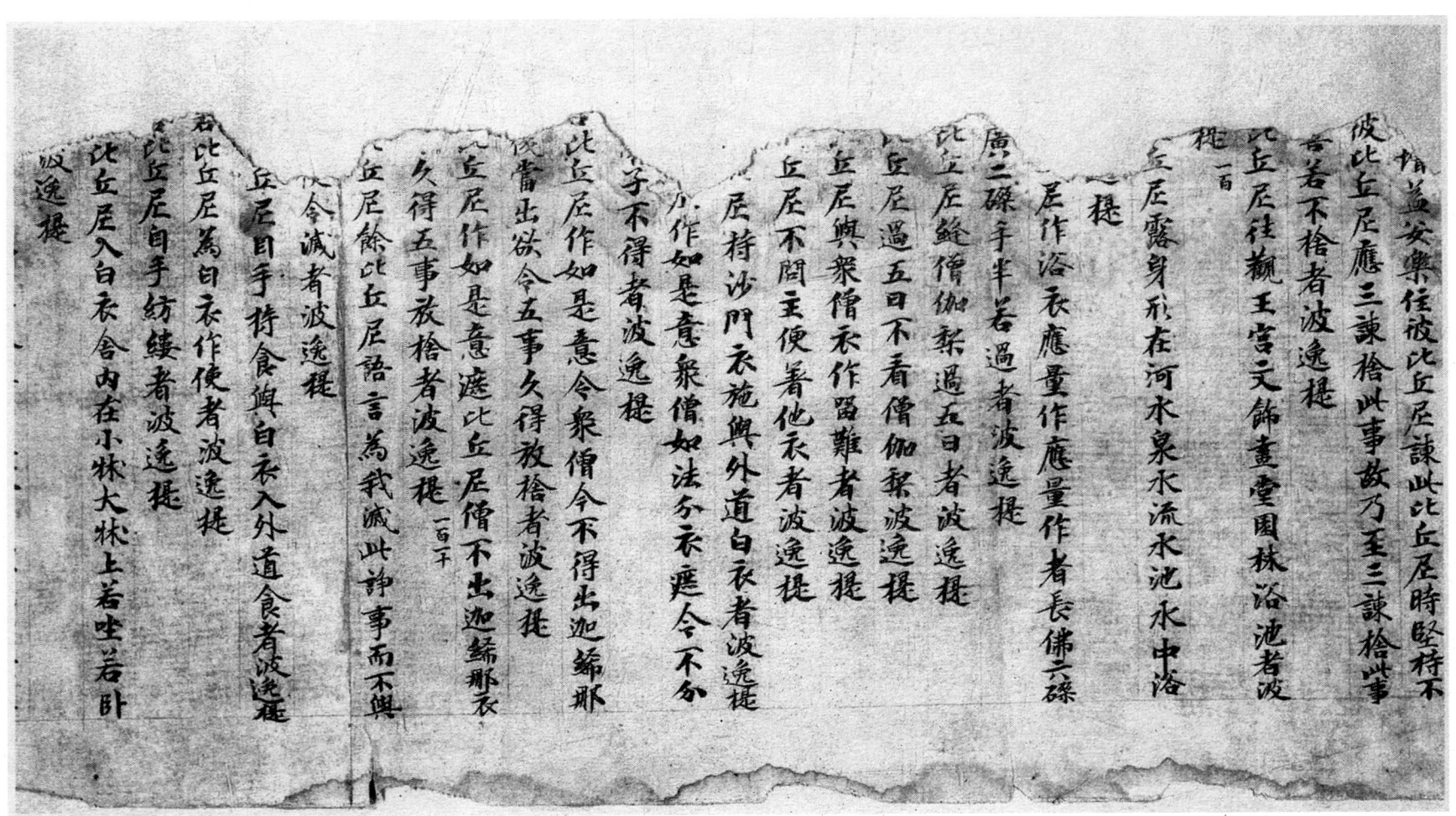

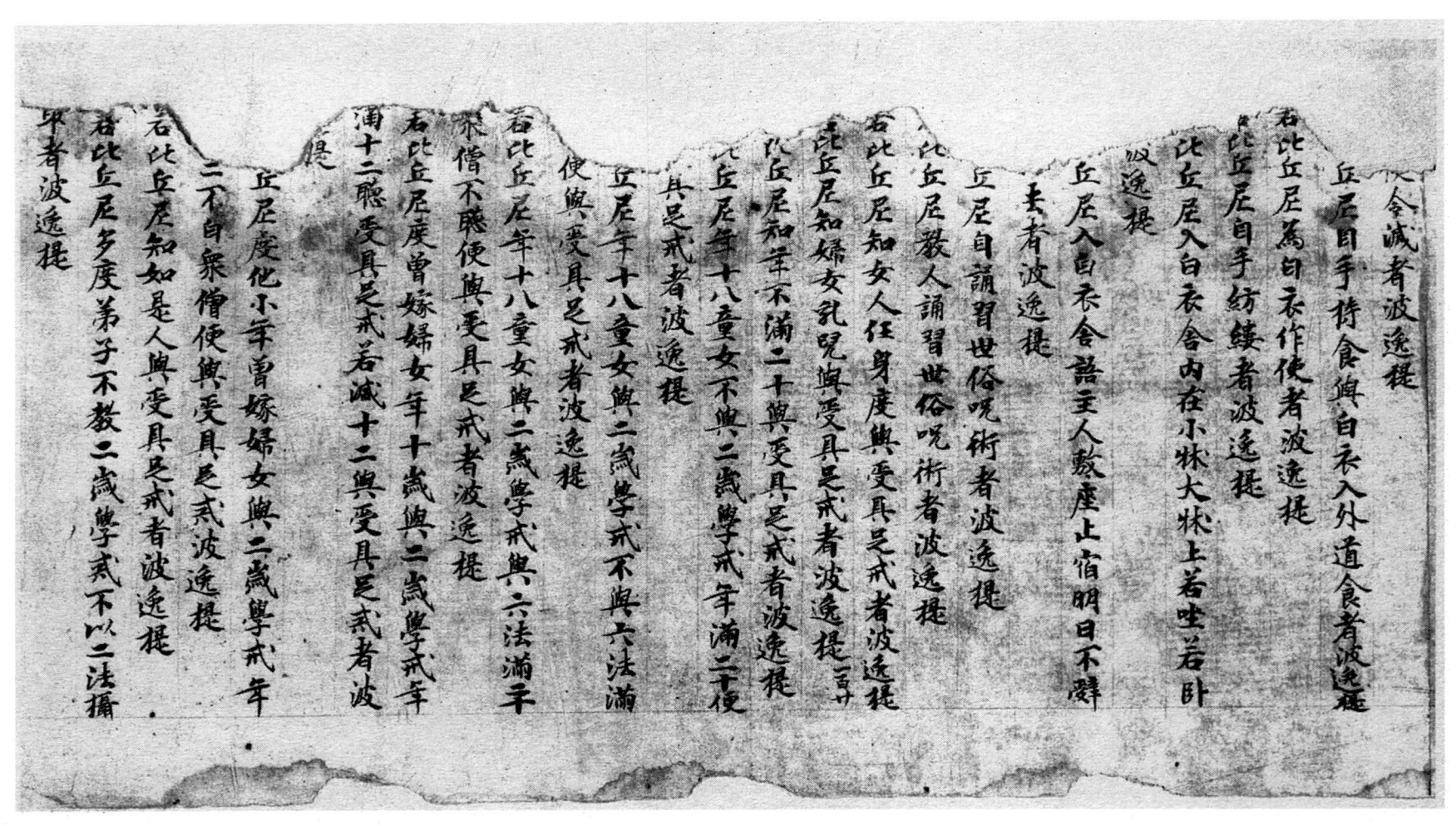

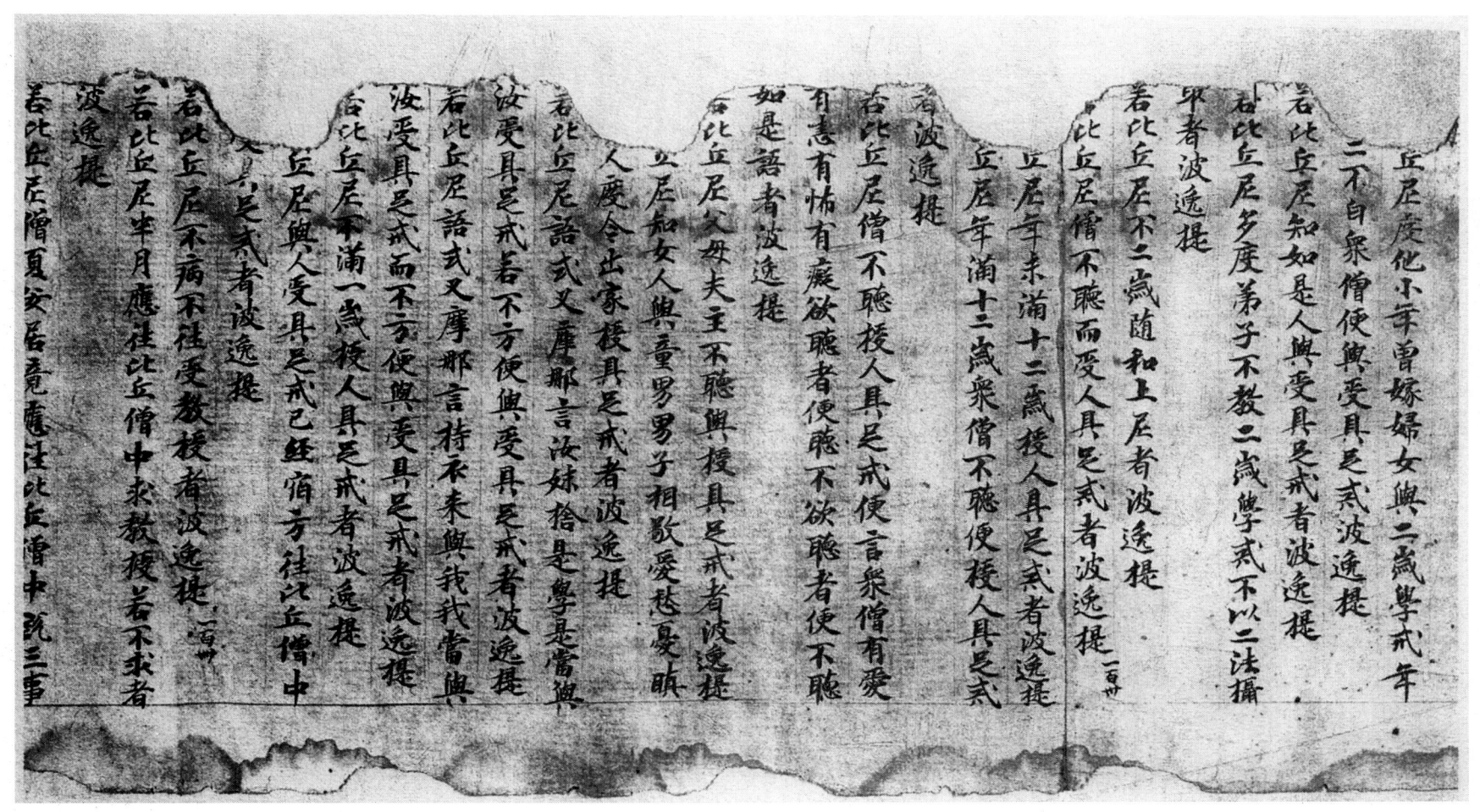

丘尼度他小年曾嫁婦女與二歲學戒年
二不白衆僧便與受具足戒波逸提
若比丘尼知如是人與受具足戒者波逸提
若比丘尼多度弟子不教二歲學戒不以二法攝
取者波逸提
若比丘尼不二歲隨和上尼者波逸提
若比丘尼僧不聽而受人具足戒者波逸提 一百卅
丘尼年未滿十二歲授人具足戒者波逸提
丘尼年滿十二歲衆僧不聽便授人具足戒
者波逸提
若比丘尼僧不聽授人具足戒便言衆僧有愛
有恚有怖有癡欲聽者便聽不欲聽者便不聽
如是語者波逸提
若比丘尼父母夫主不聽與授具足戒者波逸提
丘尼知女人與童男男子相敬愛愁憂瞋
人度令出家授具足戒者波逸提
若比丘尼語式叉摩那言汝捨是學是當與
汝受具足戒若不方便與受具足戒者波逸提
若比丘尼語式叉摩那言持衣來與我我當與
汝受具足戒而不方便與受具足戒者波逸提
若比丘尼不滿一歲授人具足戒者波逸提
丘尼與人受具足戒已經宿方往比丘僧中
受具足戒者波逸提
若比丘尼不病不往受教授者波逸提 一百卌
若比丘尼半月應往比丘僧中求教授若不求者
波逸提
若比丘尼僧夏安居竟應往比丘僧中說三事

若比丘尼不滿一歲授人具足戒者波逸提
丘尼與人受具足戒已經宿方往比丘僧中
受具足戒者波逸提
若比丘尼不病不往受教授者波逸提 一百卌
若比丘尼半月應往比丘僧中求教授若不求者
波逸提
若比丘尼僧夏安居竟應往比丘僧中說三事
自恣見聞疑若不往者波逸提
丘尼在无比丘處夏安居者波逸提
丘尼知有比丘僧伽藍不白而入者波逸提
若比丘尼罵比丘者波逸提
若比丘尼喜鬪諍不善憶持諍事後瞋恚不
喜罵比丘尼衆者波逸提
若比丘尼身生癰及種種瘡不白衆及餘人輙
令破若裹者波逸提
丘尼先受請若足食已後食飯麨乾飯魚
及肉者波逸提
若比丘尼於家生嫉妬心者波逸提 一百五十
若比丘尼以香塗摩身者波逸提
若比丘尼以故滓塗摩身者波逸提
比丘尼使比丘尼塗摩身者波逸提
丘尼使式叉摩那塗摩身者波逸提
比丘尼使沙彌尼塗摩身者波逸提
若比丘尼使白衣婦女塗摩身者波逸提
若比丘尼著貯衣者波逸提
若比丘尼畜婦女莊嚴身具除時因緣波逸提
若比丘尼[illegible]持蓋行除時因緣波逸提

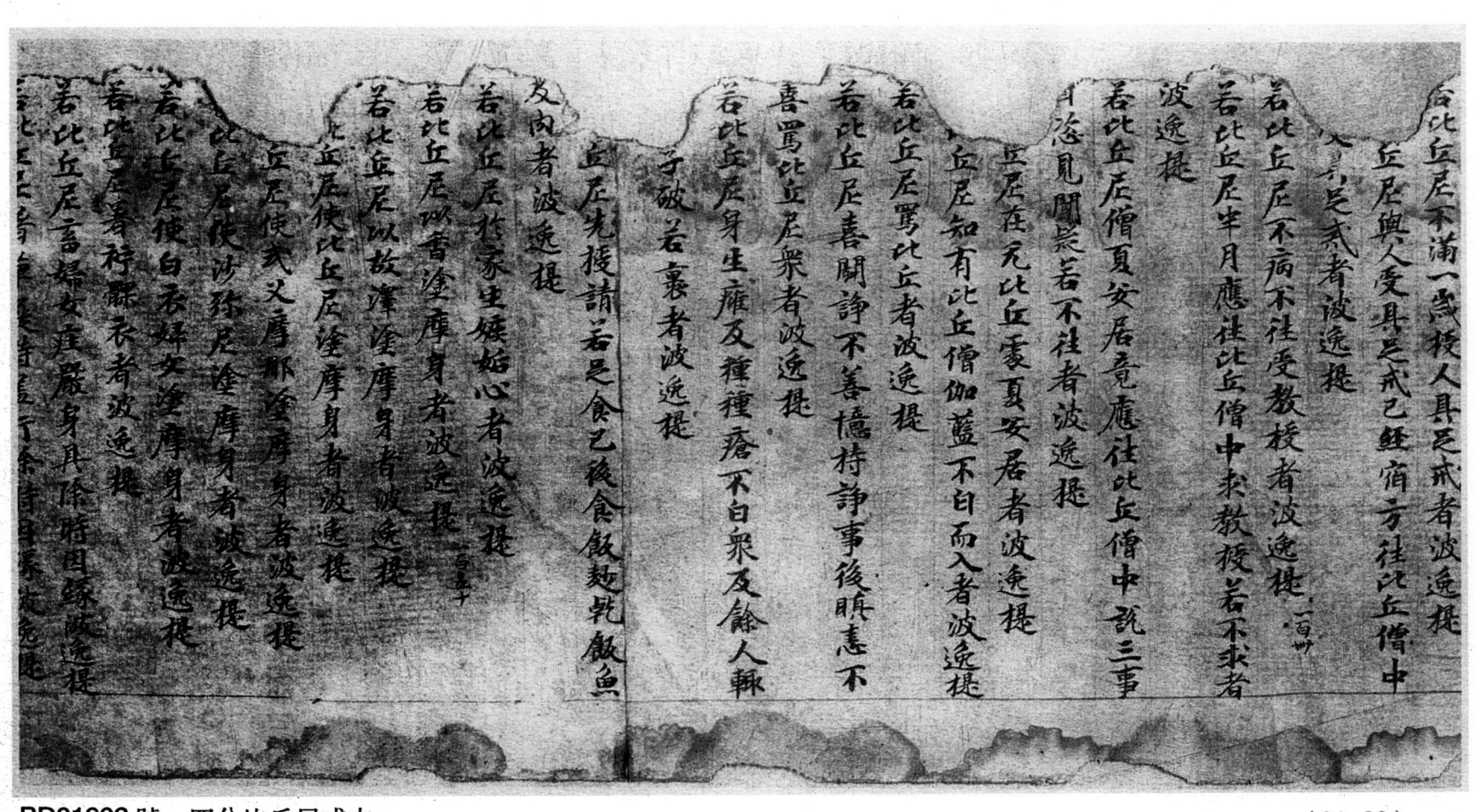

丘尼使比丘尼
丘尼使式叉摩那塗摩身者波逸提
比丘尼使沙弥尼塗摩身者波逸提
若比丘尼使白衣婦女塗摩身者波逸提
若比丘尼著紵䌊衣者波逸提
若比丘尼畜婦女莊嚴身具除時因緣波逸提
若比丘尼著草屣持蓋行除時因緣波逸提
丘尼无病乘乘行除時因緣波逸提
丘尼不著僧祇支入村者波逸提 一百六十
若比丘尼向暮至白衣家先不被喚者波逸提
若比丘尼向暮開僧伽藍門不屬授餘比丘尼而
出去者波逸提
若比丘尼日沒開僧伽藍門不屬授而出者波
逸提
丘尼不前安居不後安居者波逸提
比丘尼知女人常漏大小便涕唾常出者與受
具足戒者波逸提
若比丘尼知二形人與受具足戒者波逸提
若比丘尼知二道合者與受具足戒者波逸提
若比丘尼知有負債難者病難者與受具足
逸提
丘尼學世俗伎術以自活命者波逸提
比丘尼以世俗伎術教授白衣者波逸提 一百七十
若比丘尼被擯不去者波逸提
若比丘尼欲問比丘義先不求而問者波逸提
若比丘尼知先住後至後至先住欲惱彼故在前
經行若立若坐若臥者波逸提
丘尼在有比丘僧伽藍內起塔者波逸提

BD01903號　四分比丘尼戒本　（31–21）

比丘尼以世俗伎術教授白衣者波逸提
若比丘尼被擯不去者波逸提
若比丘尼欲問比丘義先不求而問者波逸提
若比丘尼知先住後至後至先住欲惱彼故在前
經行若立若坐若臥者波逸提
丘尼在有比丘僧伽藍內起塔者波逸提
比丘尼見新受戒比丘應起迎送恭敬礼拜
問訊請與坐不者除因緣波逸提
若比丘尼為好故搖身趨行者波逸提
若比丘尼依婦女莊嚴香塗摩身者波逸提
若比丘尼使外道女香塗身者波逸提 一百七十八
大姊我已說一百七十八波逸提法今問諸大姊
中清淨不 如是至三 諸大姊是中清淨默然故是事
如是持
諸大姊是八波羅提提舍尼法半月半月說戒
經中來
若比丘尼無病乞蘇而食者犯應懺悔可呵法應
比丘尼說言大姊我犯可呵法所不應為我今
大姊懺悔是名悔過法
若比丘尼不病乞油而食者犯應懺悔可呵法應
向餘比丘尼說言大姊我犯可呵法所不應為我今
向大姊懺悔是名悔過法
若比丘尼不病乞蜜食者犯應懺悔可呵法應
向餘比丘尼說言大姊我犯可呵法所不應為我
向大姊懺悔是名悔過法
若比丘尼不病乞黑石蜜食者犯應懺悔可呵
法應向餘比丘尼說言大姊我犯可呵法所不應

BD01903號　四分比丘尼戒本　（31–22）

向餘比丘尼說言大姊我犯可呵法所不應為我今
向大姊懺悔是名悔過法
若比丘尼不病乞蜜食者犯應懺悔可呵法應
向餘比丘尼說言大姊我犯可呵法所不應為我
今向大姊懺悔是名悔過法
若比丘尼不病乞黑石蜜食者犯應懺悔可呵
法應向餘比丘尼說言大姊我犯可呵法所不應
為我今向大姊懺悔是悔過法
若比丘尼不病乞乳而食者犯應懺悔可呵法
應向餘比丘尼說言大姊我犯可呵法所不應為
今向大姊懺悔是名悔過法
若比丘尼不病乞酪而食者犯應懺悔可呵法
應向餘比丘尼說言大姊我犯可呵法所不應為
我今向大姊懺悔是名悔過法
若比丘尼不病乞魚食者犯應懺悔可呵法應向
餘比丘尼說言大姊我犯可呵法所不應為我
向大姊懺悔是名悔過法
若比丘尼不病乞肉食者犯應懺悔可呵法應
向餘比丘尼說言大姊我犯可呵法所不應為我
今向大姊懺悔是名悔過法
諸大姊我已說八波羅提提舍尼法今問諸大
姊是中清淨不 如是三說 諸大姊是中清淨默然故是事如
是持
大姊是衆學戒法半月半月說戒經中來
當齊整著涅槃僧應當學
當齊整著三衣應當學
不得反抄衣入白衣舍應當學

BD01903號　四分比丘尼戒本　（31–23）

持
大姊是衆學戒法半月半月說戒經中來
當齊整著涅槃僧應當學
當齊整著三衣應當學
不得反抄衣入白衣舍應當學
不得反抄衣入白衣舍坐應當學
不得衣纏頸入白衣舍應當學
不得衣纏頸入白衣舍坐應當學
不得覆頭入白衣舍應當學
不得覆頭入白衣舍坐應當學
不得跳行入白衣舍應當學
不得跳行入白衣舍坐應當學 十
不得白衣舍內蹲坐應當學
不得叉腰行入白衣舍應當學
不得叉腰入白衣舍坐應當學
不得搖身行入白衣舍應當學
不得搖身行入白衣舍坐應當學
不得掉臂行入白衣舍應當學
不得掉臂行入白衣舍坐應當學
好覆身入白衣舍應當學
好覆身入白衣舍坐應當學
不得左右顧視行入白衣舍應當學
不得左右顧視行入白衣舍坐應當學
靜默入白衣舍應當學
靜默入白衣舍坐應當學
不得戲笑行入白衣舍應當學
不得戲笑行入白衣舍坐應當學

BD01903號　四分比丘尼戒本　（31–24）

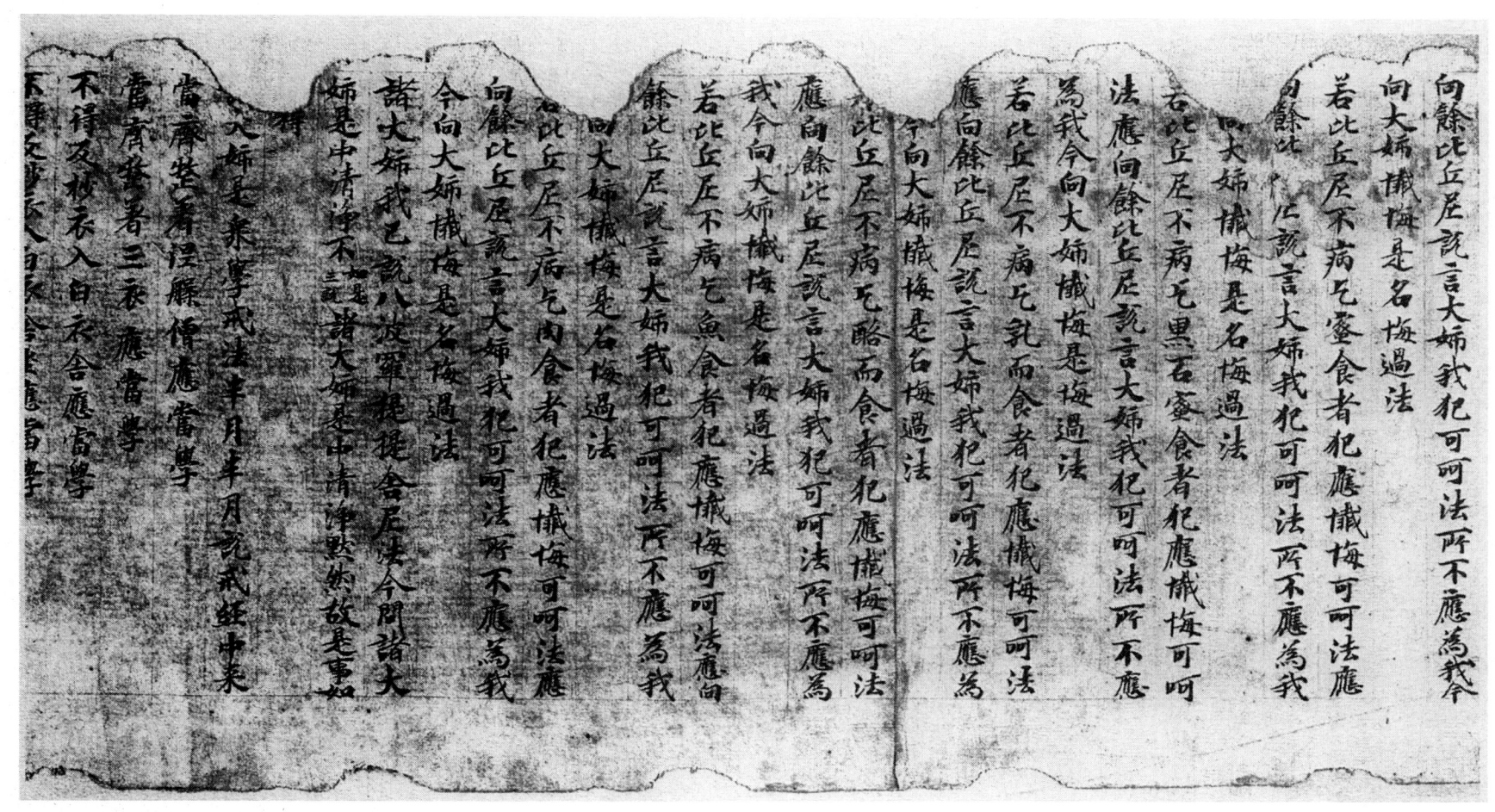

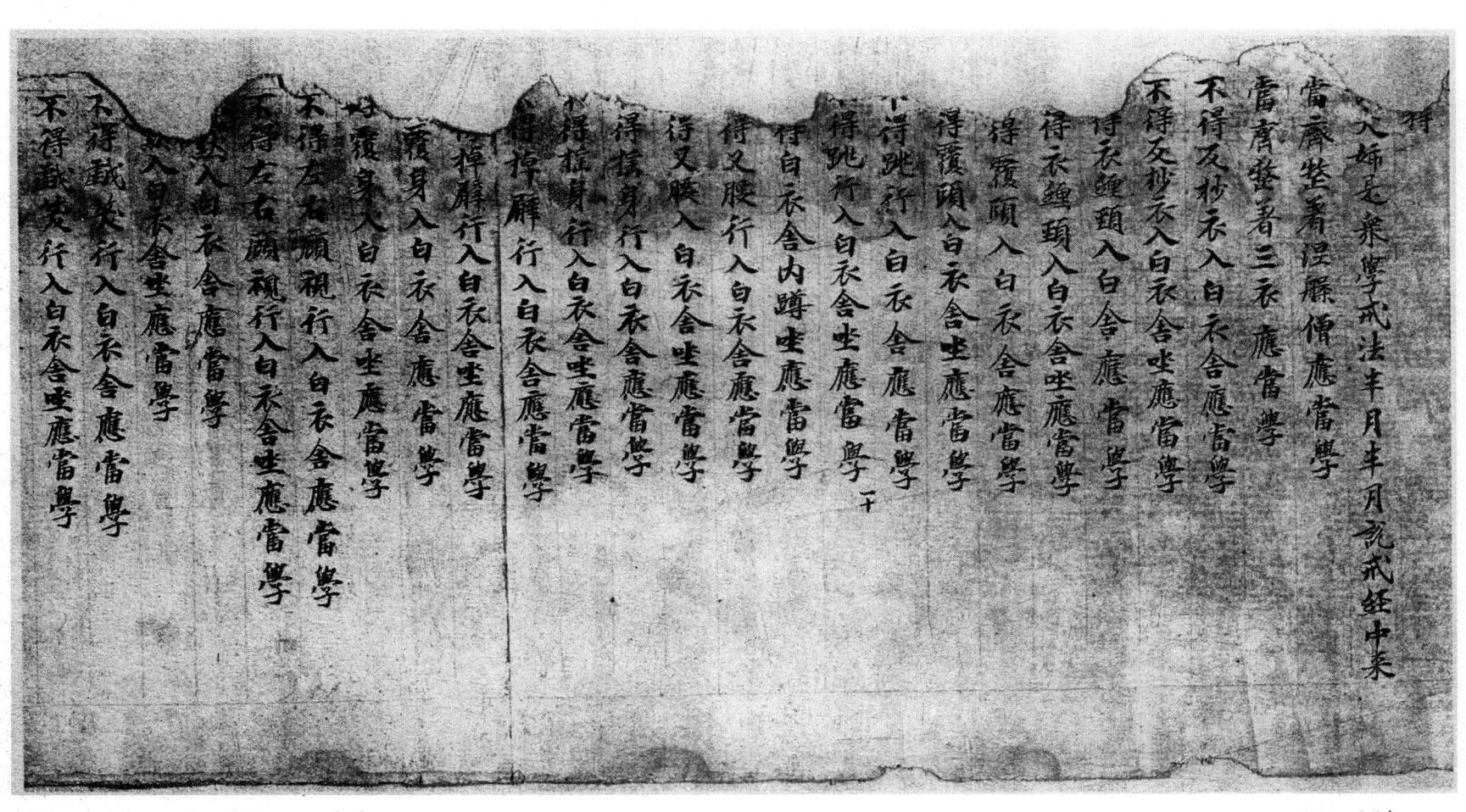

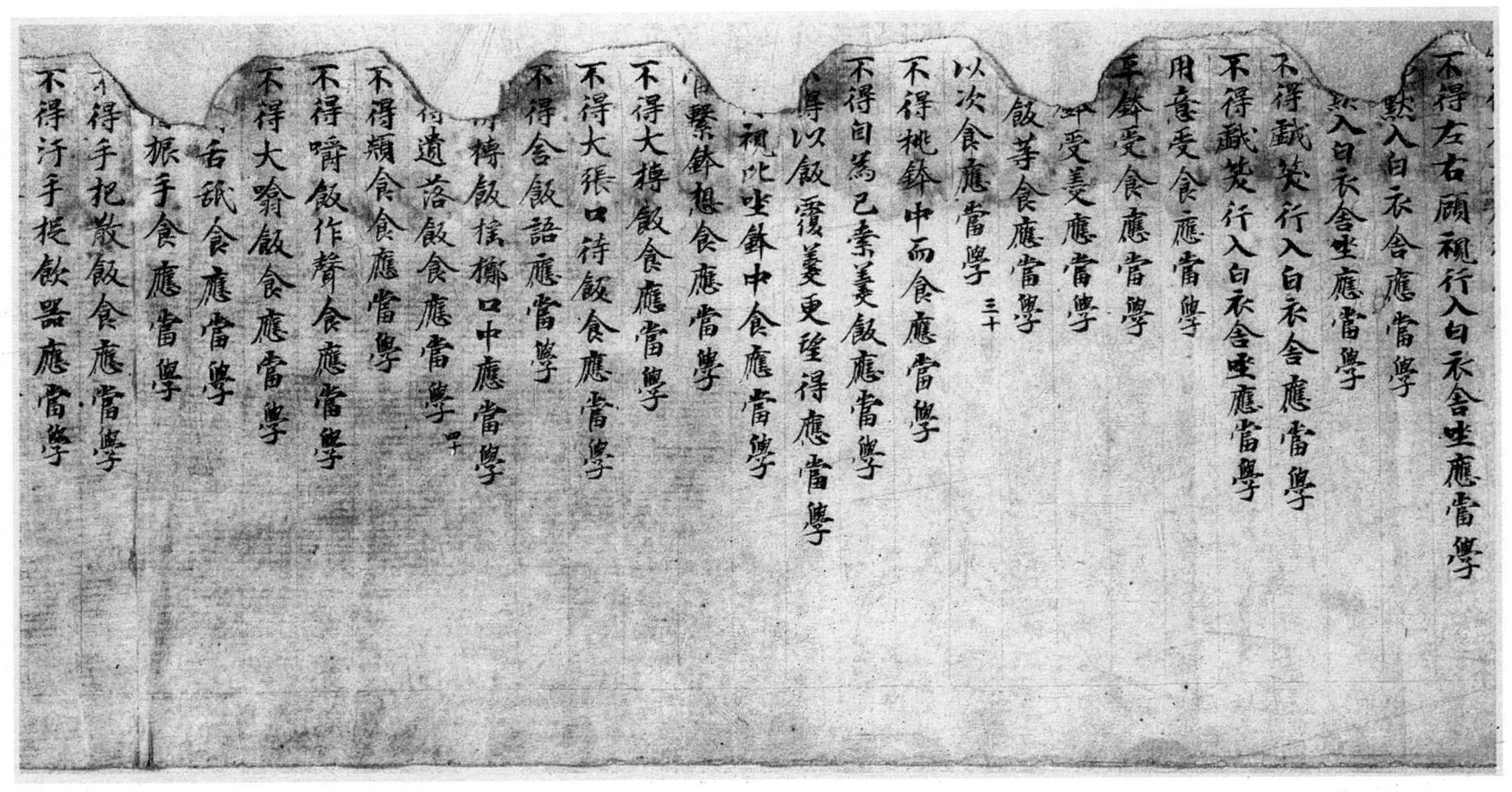

不得左右顧視行入白衣舍坐應當學
默入白衣舍坐應當學
不得戲笑行入白衣舍應當學
不得戲笑行入白衣舍坐應當學
用意受食應當學
平鉢受食應當學
鉢受羹應當學
飯等食應當學
以次食應當學 三十
不得挑鉢中而食應當學
不得自為己索羹飯應當學
得以飯覆羹更望得應當學
視比坐鉢中食應當學
當繫鉢想食應當學
不得大摶飯食應當學
不得大張口待飯食應當學
不得含飯語應當學
得摶飯擲口中應當學
得遺落飯食應當學 四十
不得頰食食應當學
不得嚼飯作聲食應當學
不得大噏飯食應當學
舌舐食應當學
振手食應當學
得手把散飯食應當學
不得汙手捉飲器應當學

BD01903號　四分比丘尼戒本　（31–25）

不得大噏飯食應當學
舌舐食應當學
振手食應當學
得手把散飯食應當學
不得汙手捉飲器應當學
不得洗鉢水棄白衣舍內應當學
得生草菜上大小便涕唾除病應當學
淨水中大小便涕唾除病應當學 五十
得立大小便除病應當學
不得與反抄衣不恭敬人說法除病應當學
不得為衣纏頸者說法除病應當學
不得為覆頭者說法除病應當學
為裹頭者說法除病應當學
得為叉腰者說法除病應當學
不得為著革屣者說法除病應當學
不得為著木屐者說法除病應當學
不得為騎乘者說法除病應當學
在佛塔中止宿除為守護應當學 六十
藏財物置佛塔中除為堅牢應當學
不得著革屣入佛塔中應當學
不得著捉革屣入佛塔中應當學
不得著革屣繞佛塔行應當學
得著富羅入佛塔中應當學
得手捉富羅入佛塔中應當學
得塔下坐食留草及食汙地應當學
不得擔死屍從塔下過應當學
不得塔下埋死屍應當學

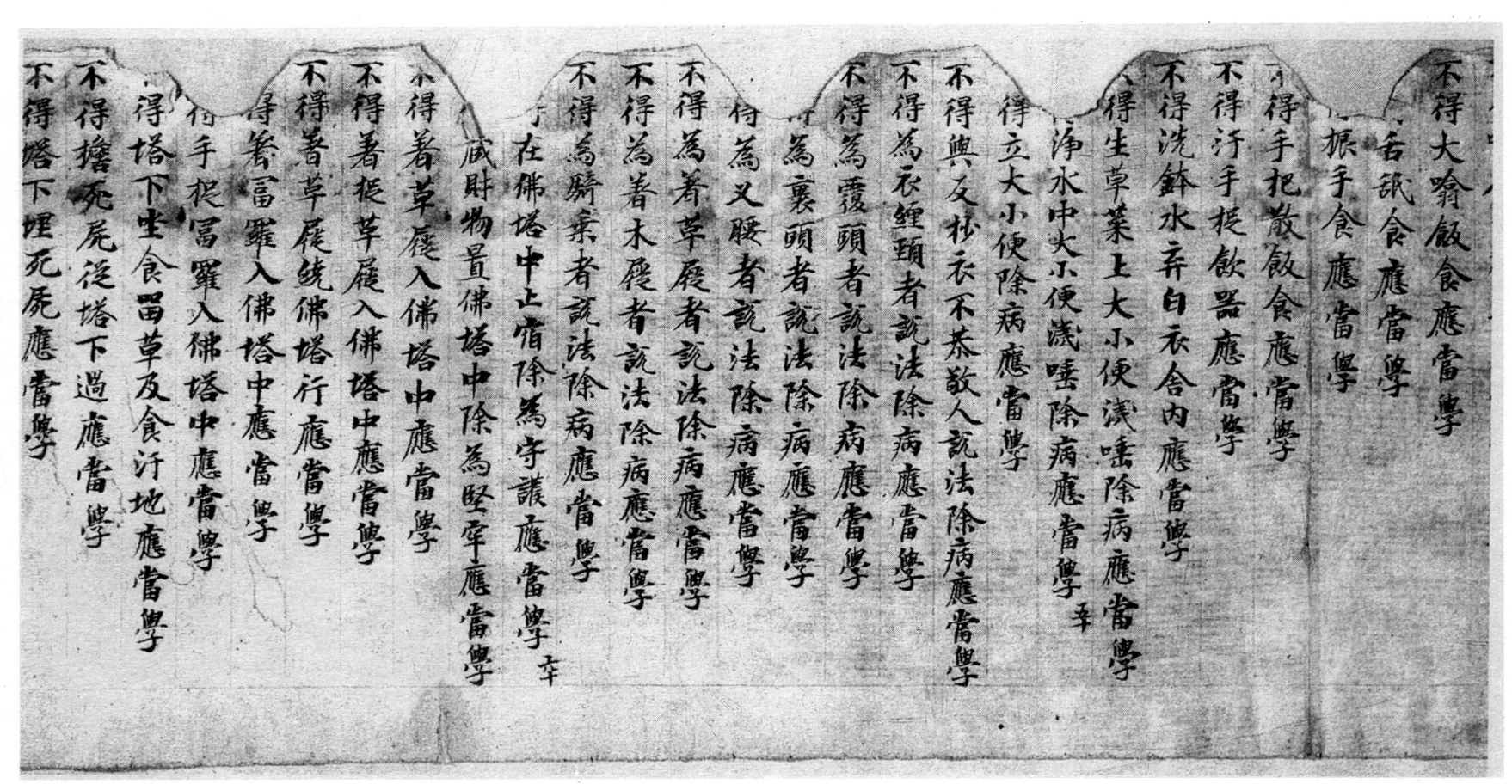

BD01903號　四分比丘尼戒本　（31–26）

不得著捉革屣入佛塔中應當學
得著富羅入佛塔中應當學
得手捉富羅入佛塔中應當學
得塔下坐食留草及食汙地應當學
不得擔死屍從塔下過應當學
不得塔下埋死屍應當學
得在佛塔下燒死屍應當學 七十
得向塔燒死屍應當學
不得佛塔四邊燒死屍臭氣來入應當學
不得持死人衣及牀從佛塔下過除浣染香熏應當學
不得佛塔下大小便應當學
得向佛塔大小便應當學
得遶佛塔四邊大小便使臭氣來入應當學
不得持佛像至大小便處應當學
不得在佛塔下嚼楊枝應當學
不得向佛塔嚼楊枝應當學
得佛塔四邊嚼楊枝應當學
得在佛塔下涕唾應當學
不得向佛塔涕唾應當學
不得塔四邊涕唾應當學
不得向佛塔舒脚坐應當學
不得安佛塔在下房已在上房住應當學
人坐已立不得為說法除病應當學
人卧已坐不得為說法除病應當學
人在坐已在非坐不得為說法除病應當學
人在高坐已在下坐不得為說法除病應當學

BD01903號　四分比丘尼戒本　（31–27）

不得向佛塔舒脚坐應當學
得安佛塔在下房已在上房住應當學
人坐已立不得為說法除病應當學
人卧已坐不得為說法除病應當學
人在坐已在非坐不得為說法除病應當學
人在高坐已在下坐不得為說法除病應當學
在前行已在後行不得為說法除病應當學 卆
人在高經行處已在下經行處不應為說法除
病應當學
人在道已在非道不應為說法除病應當學
不得攜手在道行應當學
得上樹過人除時因緣應當學
不得絡囊盛鉢貫杖頭著肩上而行應當學
人持杖不恭敬不應為說法除病應當學
人持劒不應為說法除病應當學
持鉾不應為說法除病應當學
人持刀不應為說法除病應當學
人持蓋不應為說法除病應當學 一百
諸大姊我已說衆學戒法今問諸大姊是中
清淨不 如是三 諸大姊是中清淨默然故是事如是持
諸大姊是七滅諍法半月半月說戒經中來
若比丘尼有諍事起即應除滅
應與現前毗尼當與現前毗尼
應與憶念毗尼當與憶念毗尼
應與不癡毗尼當與不癡毗尼
應與自言治當與自言治
應與覓罪相當與覓罪相

BD01903號　四分比丘尼戒本　（31–28）

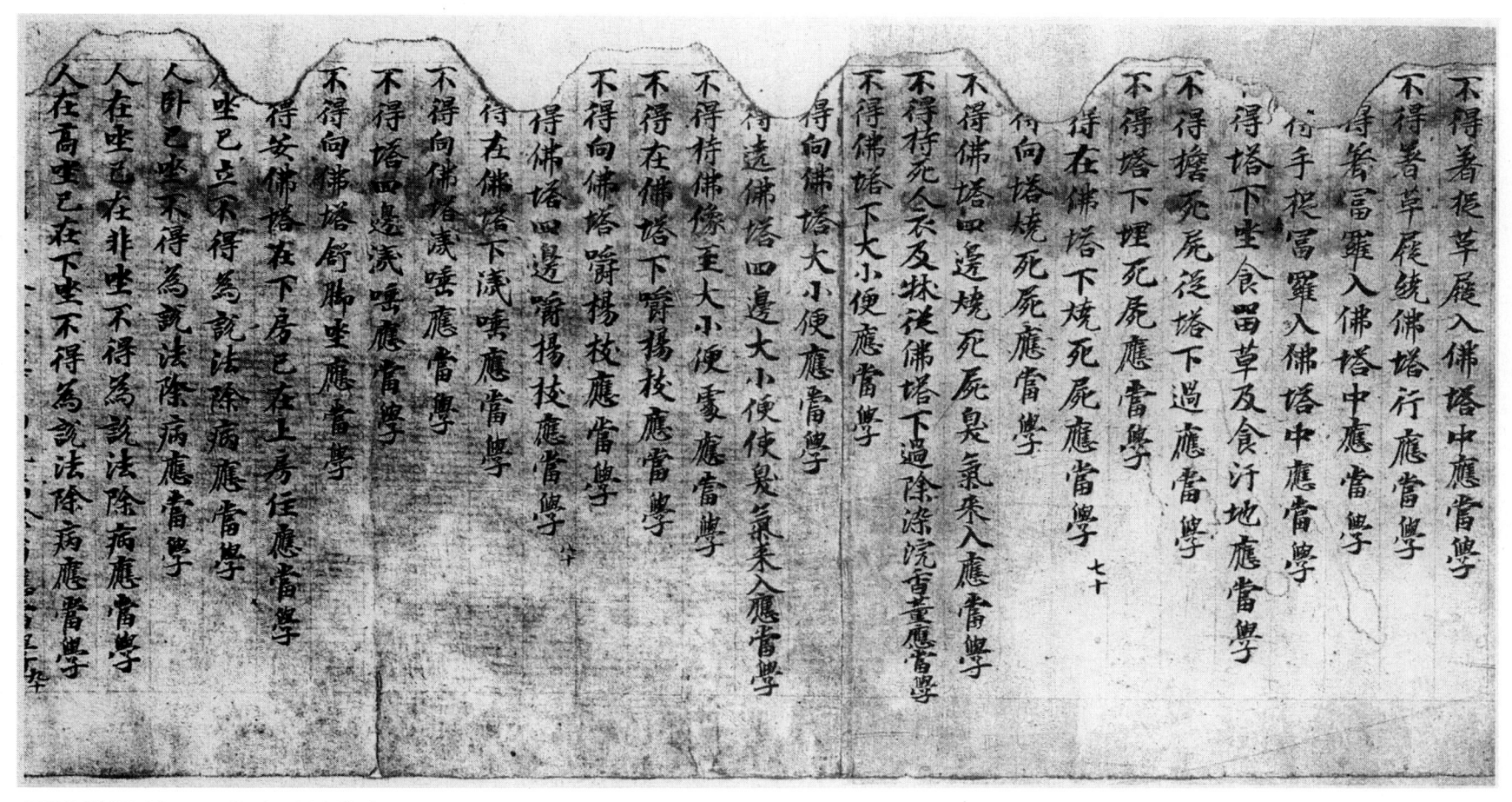

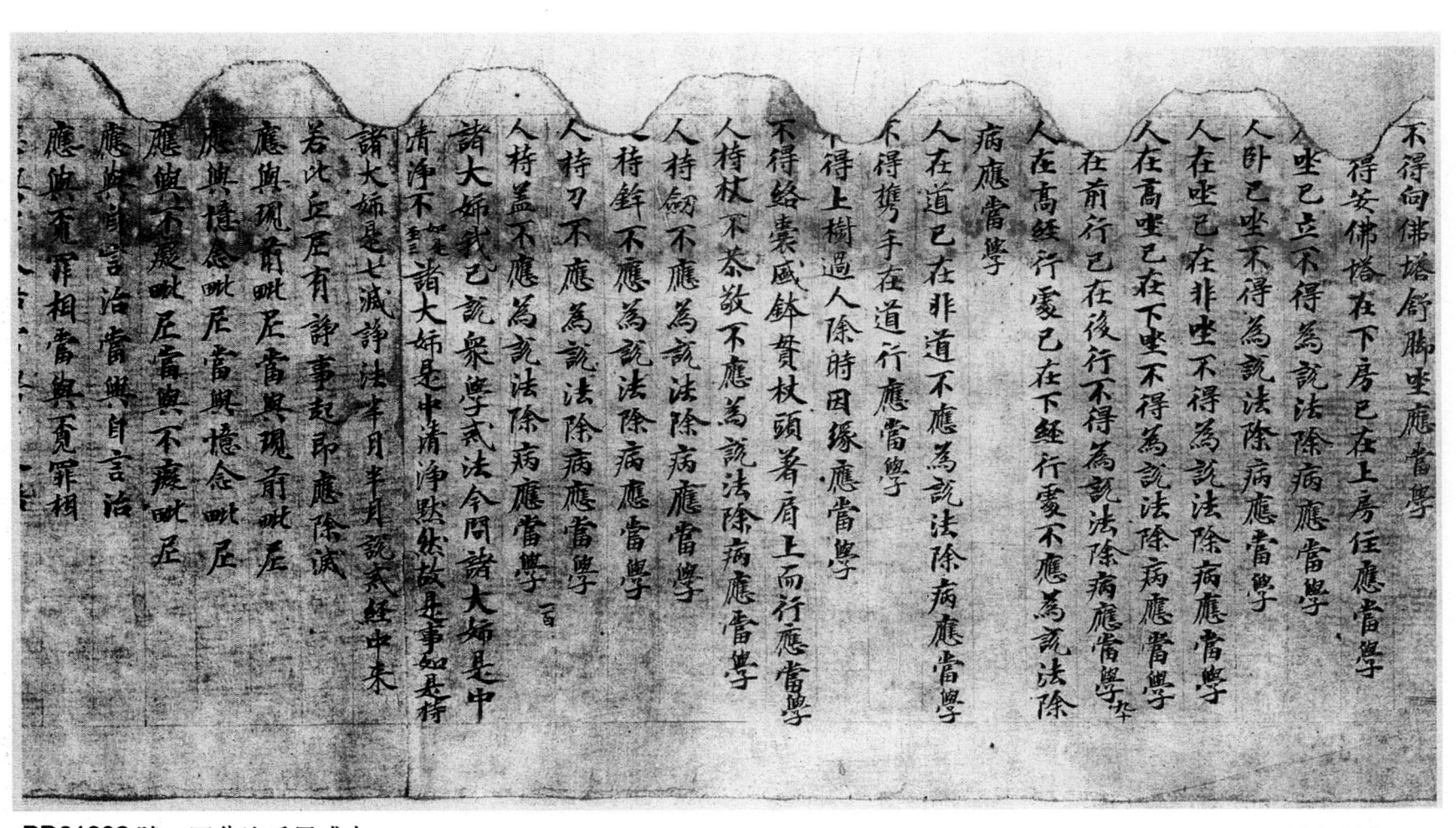

應與現前毗尼當與現前毗尼
應與憶念毗尼當與憶念毗尼
應與不癡毗尼當與不癡毗尼
應與自言治當與自言治
應與覓罪相當與覓罪相
應與多人語當與多人語
應與如草覆地當與如草覆地
諸大姊我已說七滅諍法今問諸大姊是中清
淨不（如是至三）諸大姊是中清淨默然故是事如是持
諸大姊我已說戒經序已說八波羅夷法已說
十七僧伽婆尸沙法已說三十尼薩耆波逸提法
已說一百七十八波逸提法已說八波羅提提舍尼
法已說衆學戒法已說七滅諍法此是佛所說
戒經半月半月說戒經中來
若更有餘佛法是中皆共和合應當學
忍辱第一道 佛說无為最 出家惱他人 不名為沙門
此是毗婆尸如來无所著等正覺說是戒經
譬如明眼人 能避險惡道 世有聰明人 能遠離諸惡
此是尸棄如來无所著等正覺說是戒經
不謗亦不嫉 當奉行於戒 飲食知止足 常樂在空閑
心定樂精進 是名諸佛教
此是毗葉羅如來无所著等正覺說是戒經
譬如蜂採花 不壞色與香 但取其味去 比丘入聚然
不違戾他事 不觀作不作 但自觀身行 若正若不正
此是拘樓孫如來无所著等正覺說是戒經
心莫作放逸 聖法當勤學 如是无憂愁 心定入涅槃
此是拘那含牟尼如來无所著等正覺說是戒經
一切惡莫作 當奉行諸善 自淨其志意 是則諸佛教

BD01903 號　四分比丘尼戒本　（31–29）

譬如蜂採花 不壞色與香 但取其味去 比丘入聚然
不違戾他事 不觀作不作 但自觀身行 若正若不正
此是拘樓孫如來无所著等正覺說是戒經
心莫作放逸 聖法當勤學 如是无憂愁 心定入涅槃
此是拘那含牟尼如來无所著等正覺說是戒經
一切惡莫作 當奉行諸善 自淨其志意 是則諸佛教
此是迦葉如來无所著等正覺說是戒經
善護於口言 自淨其志意 身莫作諸惡 此三業道淨
能得如是行 是大仙人道
此是釋迦牟尼如來无所著等正覺於十二年中
為无事僧說是戒經從是已後廣分別說諸比丘
尼自為樂法樂沙門者有慚有愧樂學戒者
當於中學
明人能護戒 能得三種樂 名譽及利養 死得生天上
當觀如是處 有智勤護戒 戒淨有智慧 便得第一道
如過去諸佛 及以未來者 現在諸世尊 能勝一切憂
皆共尊敬戒 此是諸佛法 若有自為身 欲求於佛道
當尊重正法 此是諸佛教 七佛為世尊 滅除諸結使
說是七戒經 諸縛得解脫 已入於涅槃 諸戲永滅盡
尊 大仙說 聖賢稱譽戒 弟子之所行 入寂滅涅槃
世尊涅槃時 興起於大悲 集諸比丘衆 與如是教誡
莫謂我涅槃 淨行者无護 我今說戒經 亦善說毗尼
我雖般涅槃 當視如世尊 此經久住世 佛法得熾盛
以是熾盛故 得入於涅槃 若不持此戒 如所應布薩
喻如日沒時 世界皆闇冥 當護持是戒 如犛牛愛尾
和合一處坐 如佛之所說 我已說戒經 衆僧布薩竟
我今說戒經 所說諸功德 施一切衆生 皆共成佛道

BD01903 號　四分比丘尼戒本　（31–30）

以是犢威故　得入於涅槃　若不持此戒　如所應布薩
喻如日沒時　世界皆闇冥　當護持是戒　如犛牛愛尾
和合一處坐　如佛之所說　我已說戒經　衆僧布薩竟
我今說戒經　所說諸功德　施一切衆生　皆共成佛道
四分尼戒本

BD01903 號　四分比丘尼戒本　（31–31）

梵網經記卷上　并序
北京小名塵沙門　傳奧　述
波羅提木叉者菩薩之師也斯蓋光錄鐵瑕光懲退衆義
徽進防言行爲万德之階陛作十身之泉源故得蓮藏
親宣千華轉受學者之要不亦宜乎玄自遠闢姚秦錦
應遐代流諸天下審誼寔多其於旨趣鮮有知者雖古德
著疏文廣義豐致令後徒思而不學且此方釋捺多
習大乘雖受假聲聞而行兼菩薩寡尤寡悔誠在深知
不有發揮終難措趾故於廣疏略此刑行有不同者願爲
毀易輒申庸鄙以繫金文敢擬其妙則筌蹄可忘矣

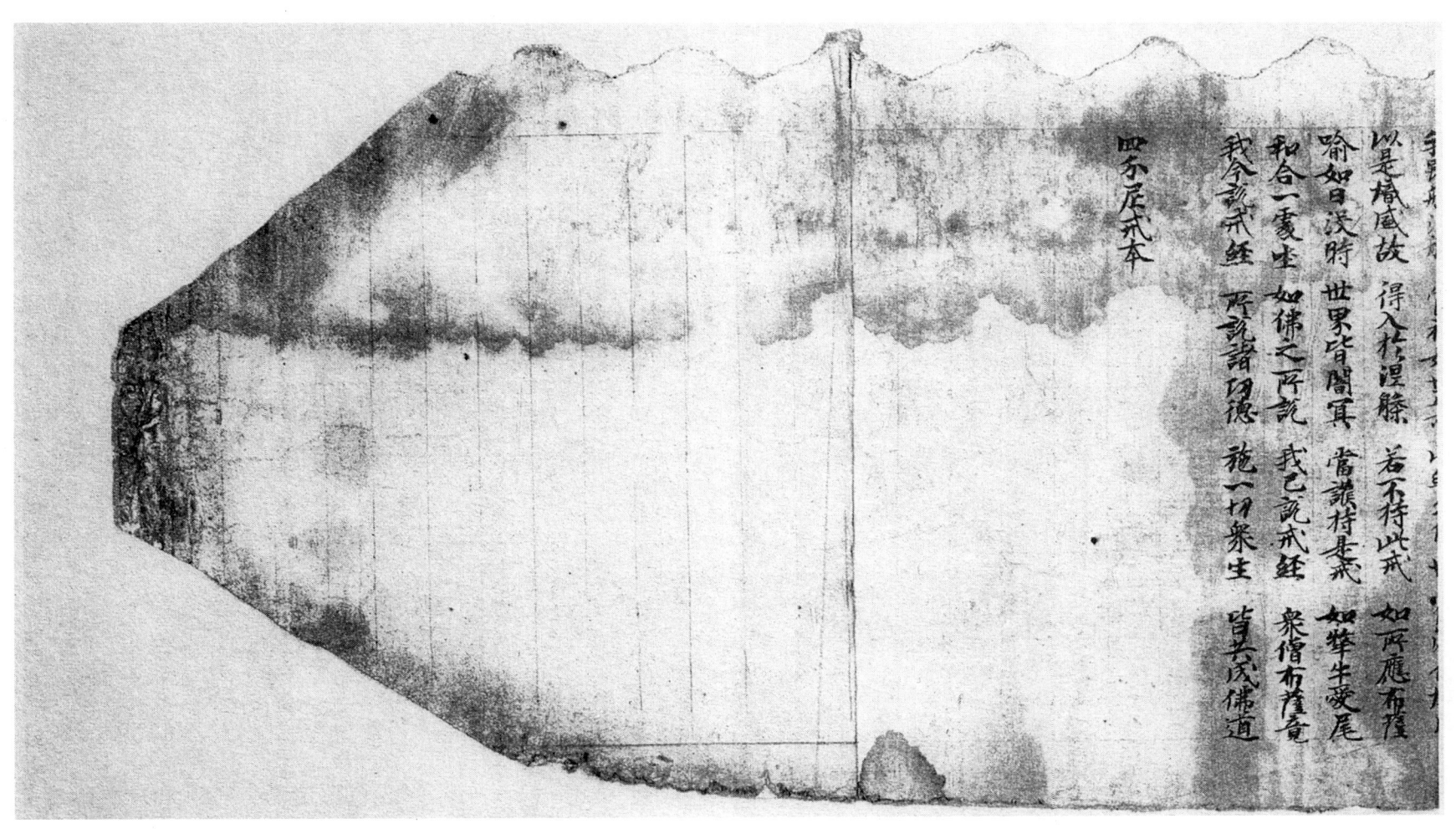

BD01904 號　梵網經記序　（1–1）

奉宣往西天取經僧 道猷 等

右道猷等 謹 詣

衙 祗 候

起居 伏 聽 處分

賀 伏 聽 處分

牒件狀如前謹牒

至道元年十一月二十四日靈圖寺寄住

BD01904 號背　奉宣往西天取經僧道猷等牒稿（擬）　（1–1）

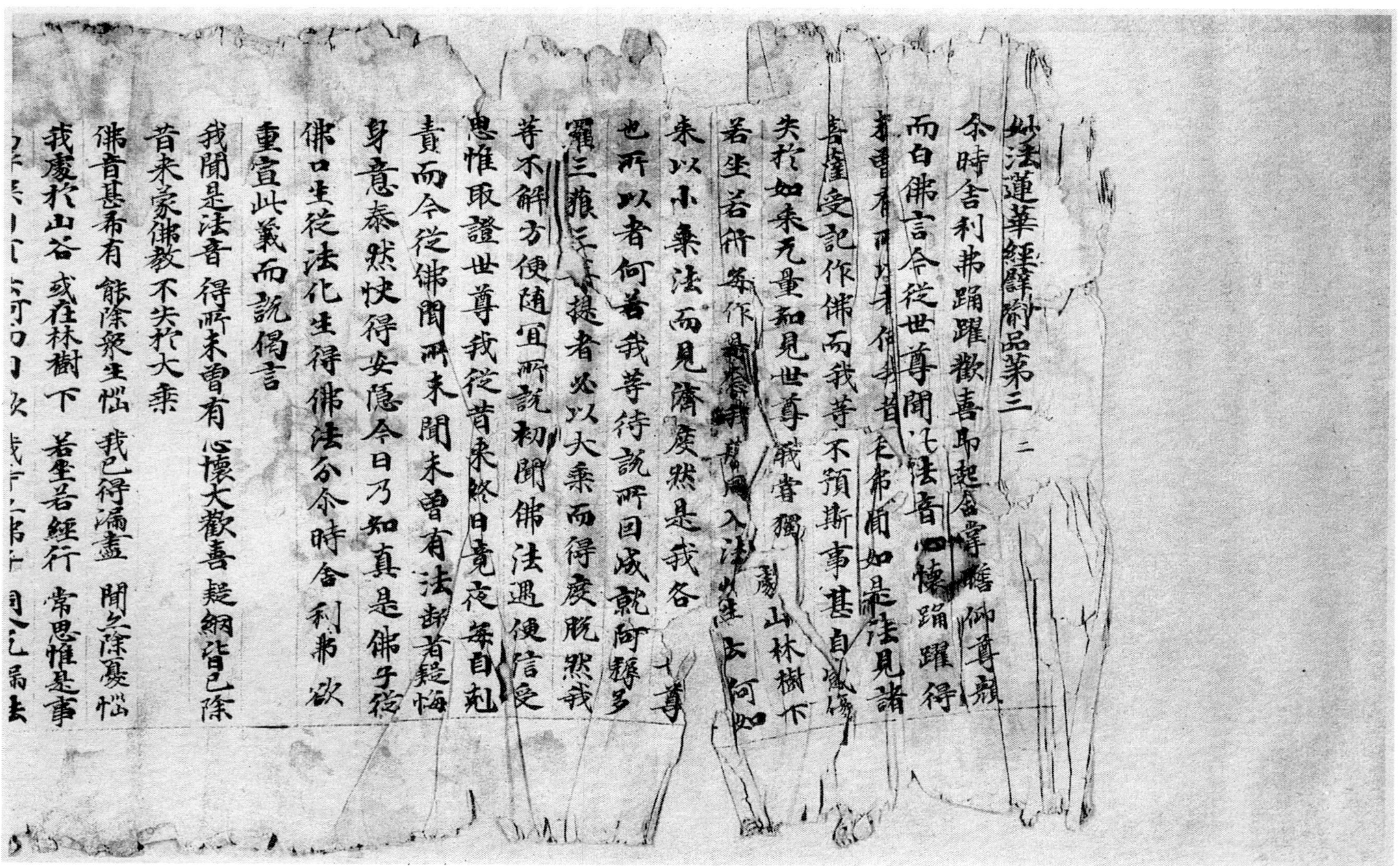

妙法蓮華經譬喻品第三　二

爾時舍利弗踊躍歡喜即起合掌瞻仰尊顏

而白佛言今從世尊聞此法音心懷踊躍得

未曾有所以者何我昔從佛聞如是法見諸

菩薩受記作佛而我等不預斯事甚自感傷

失於如來無量知見世尊我常獨處山林樹下

若坐若行每作是念我等同入法性云何如

來以小乘法而見濟度是我等咎非世尊

也所以者何若我等待說所因成就阿耨多

羅三藐三菩提者必以大乘而得度脫然我

等不解方便隨宜所說初聞佛法遇便信受

思惟取證世尊我從昔來終日竟夜每自剋

責而今從佛聞所未聞未曾有法斷諸疑悔

身意泰然快得安隱今日乃知真是佛子從

佛口生從法化生得佛法分爾時舍利弗欲

重宣此義而說偈言

我聞是法音　得所未曾有　心懷大歡喜　疑網皆已除

昔來蒙佛教　不失於大乘

佛音甚希有　能除眾生惱　我已得漏盡　聞亦除憂惱

我處於山谷　或在林樹下　若坐若經行　常思惟是事

BD01905 號　妙法蓮華經卷二　（7–1）

重宣此義而說偈言
我聞是法音　得所未曾有　心懷大歡喜　疑網皆已除
昔來蒙佛教　不失於大乘
佛音甚希有　能除衆生惱　我已得漏盡　聞亦除憂惱
我處於山谷　或在林樹下　若坐若經行　常思惟是事
嗚呼深自責　云何而自欺　我等亦佛子　同入无漏法
不能於未來　演說无上道
金色三十二　十力諸解脫　同共一法中　而不得此事
八十種妙好　十八不共法　如是等功德　而我皆已失
我獨經行時　見佛在大衆　名聞滿十方　廣饒益衆生
自惟失此利　我為自欺誑
我常於日夜　每思惟是事　欲以問世尊　為失為不失
我常見世尊　稱讚諸菩薩　以是於日夜　籌量如此事
今聞佛音聲　隨宜而說法　无漏難思議　令衆至道場
我本著邪見　為諸梵志師　世尊知我心　拔邪說涅槃
我悉除邪見　於空法得證　尒時心自謂　得至於滅度
而今乃自覺　非是實滅度　若得作佛時　具三十二相
天人夜叉衆　龍神等恭敬　是時乃可謂　永盡滅无餘
佛於大衆中　說我當作佛　聞如是法音　疑悔悉已除
初聞佛所說　心中大驚疑　將非魔作佛　惱亂我心耶
佛以種種緣　譬喻巧言說　其心安如海　我聞疑網斷
佛說過去世　无量滅度佛　安住方便中　亦皆說是法
現在未來佛　其數无有量　亦以諸方便　演說如是法
如今者世尊　從生及出家　得道轉法輪　亦以方便說
世尊說實道　波旬无此事　以是我定知　非是魔作佛
我墮疑網故　謂是魔所為
聞佛柔軟音　深遠甚微妙　演暢清淨法　我心大歡喜

BD01905號　妙法蓮華經卷二　（7–2）

世尊說實道　波旬无此事　以是我定知　非是魔作佛
我墮疑網故　謂是魔所為
聞佛柔軟音　深遠甚微妙　演暢清淨法　我心大歡喜
疑悔永已盡　安住實智中
我定當作佛　為天人所敬　轉无上法輪　教化諸菩薩
尒時佛告舍利弗吾今於天人沙門婆羅門
等大衆中說我昔曾於二万億佛所為无上
道故常教化汝汝亦長夜隨我受學我以方便
引導汝故生我法中舍利弗我昔教汝志願
佛道汝今悉忘而便自謂已得滅度我今還
欲令汝憶念本願所行道故為諸聲聞說是
大乘經名妙法蓮華教菩薩法佛所護念舍
利弗汝於未來世過无量无邊不可思議
劫供養若干千万億佛奉持正法具足菩薩
所行之道當得作佛号曰華光如來應供正
遍知明行足善逝世間解无上士調御丈夫
天人師佛世尊國名離垢其土平正清淨嚴
飾安隱豐樂天人熾盛琉璃為地有八交道
黃金為繩以界其側其傍各有七寶行樹常
有華菓華光如來亦以三乘教化衆生舍利
弗彼佛出時雖非惡世以本願故說三乘法
其劫名大寶莊嚴何故名曰大寶莊嚴其國
中以菩薩為大寶故彼諸菩薩无量无邊不
可思議筭數譬喻所不能及非佛智力无能
知者若欲行時寶華承足此諸菩薩非初發
意皆久殖德本於无量百千万億佛所淨脩
梵行恒為諸佛之所稱歎常脩佛慧具大神

BD01905號　妙法蓮華經卷二　（7–3）

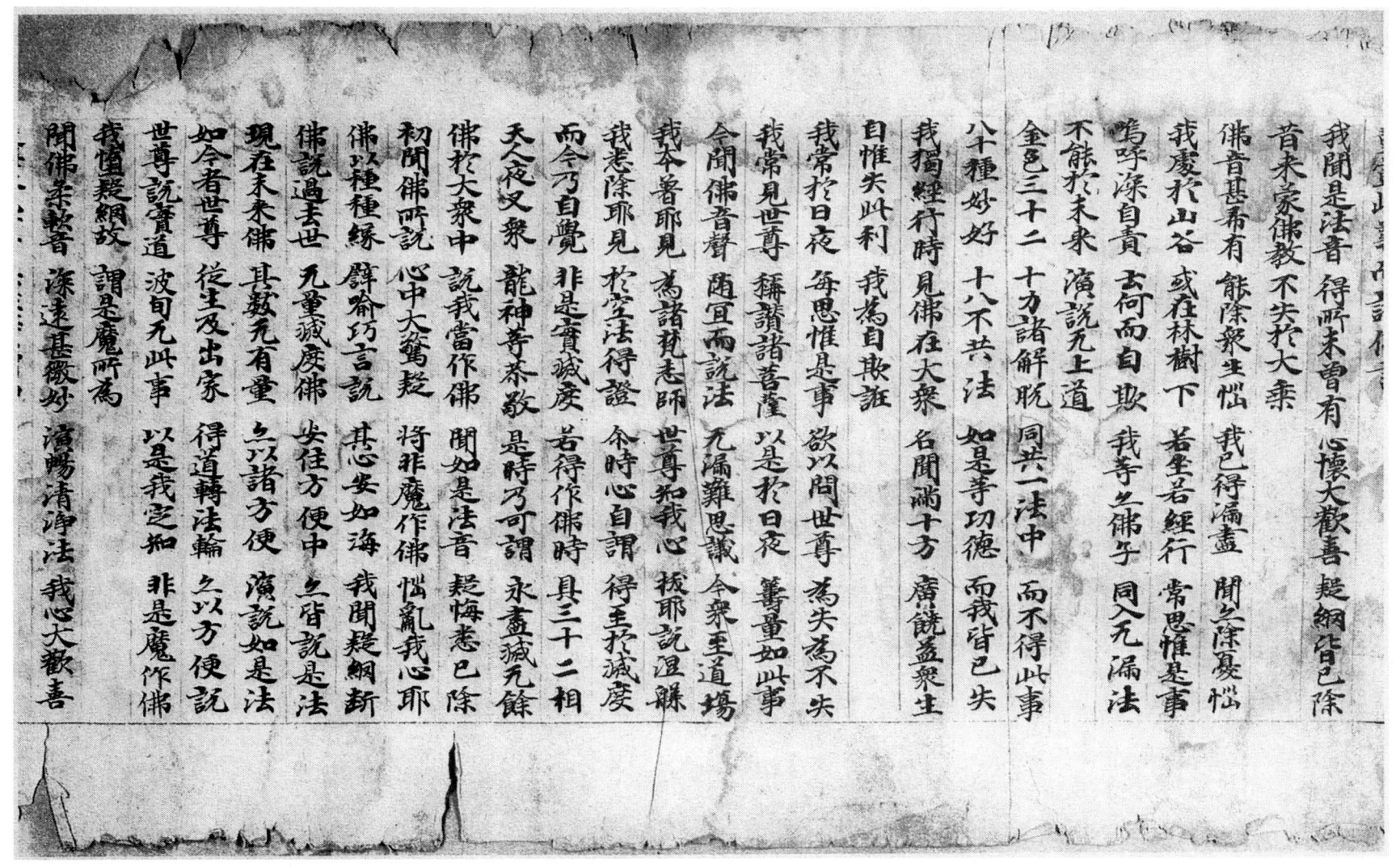

知者若欲行時寶華承足此諸菩薩非初發
意皆久殖德本於无量百千万億佛所淨脩
梵行恒為諸佛之所稱嘆常脩佛慧具大神
通善知一切諸法之門質直无偽志念堅固
如是菩薩充滿其國舍利弗華光佛壽十二
小劫除為王子未作佛時其國人民壽八小
劫華光如來過十二小劫授堅滿菩薩阿耨
多羅三藐三菩提記告諸比丘是堅滿菩薩
次當作佛号曰華足安行多陁阿伽度阿羅
訶三藐三佛陁其佛國土亦復如是舍利弗
是華光佛滅度之後正法住世三十二小劫
像法住世亦三十二小劫尒時世尊欲重宣
此義而說偈言
舍利弗來世　成佛普智尊　号名曰華光　當度无量衆
供養无數佛　具足菩薩行　十方等功德　證於无上道
過无量劫已　劫名大寶嚴　世界名離垢　清淨无瑕穢
以琉璃為地　金繩界其道　七寶雜色樹　常有華菓實
彼國諸菩薩　志念常堅固　神通波羅蜜　皆已悉具足
於无數佛所　善學菩薩道　如是等大士　華光佛所化
佛為王子時　棄國捨世榮　於冣末後時　出家成佛道
華光佛住世　壽十二小劫　其國人民衆　壽命八小劫
佛滅度之後　正法住於世　三十二小劫　廣度諸衆生
正法滅盡已　像法三十二　舍利廣流布　天人普供養
華光佛所為　其事皆如是　其兩足聖尊　冣勝无倫疋
彼即是汝身　宜應自欣慶

BD01905 號　妙法蓮華經卷二　（7–4）

正法滅盡已　像法三十二　舍利廣流布　天人普供養
華光佛所為　其事皆如是　其兩足聖尊　冣勝无倫疋
彼即是汝身　宜應自欣慶
尒時四部衆比丘比丘尼優婆塞優婆夷天龍
夜叉乾闥婆阿脩羅迦樓羅緊那羅摩睺
羅伽等大衆見舍利弗於佛前受阿耨多羅
三藐三菩提記心大歡喜踊躍无量各各脫
身所著上衣以供養佛釋提桓因梵天王等
與无數天子亦以天妙衣天曼陁羅華摩訶
曼陁羅華等供養於佛所散天衣住虛空中
而自迴轉諸天伎樂百千万種於虛空中一時
俱作雨衆天華而作是言佛昔於波羅㮈初
轉法輪今乃復轉无上冣大法輪尒時諸天
子欲重宣此義而說偈言
昔於波羅㮈　轉四諦法輪　分別說諸法　五衆之生滅
今復轉冣妙　无上大法輪　是法甚深奧　少有能信者
我等從昔來　數聞世尊說　未曾聞如是　深妙之上法
世尊說是法　我等皆隨喜
大智舍利弗　今得受尊記　我等亦如是　必當得作佛
於一切世間　冣尊无有上　佛道叵思議　方便隨宜說
我所有福業　今世若過世　及見佛功德　盡迴向佛道
尒時舍利弗白佛言世尊我今无復疑悔親
於佛前得受阿耨多羅三藐三菩提記是諸
千二百心自在者昔住學地佛常教化言我
法能離生老病死究竟涅槃是學无學人亦

BD01905 號　妙法蓮華經卷二　（7–5）

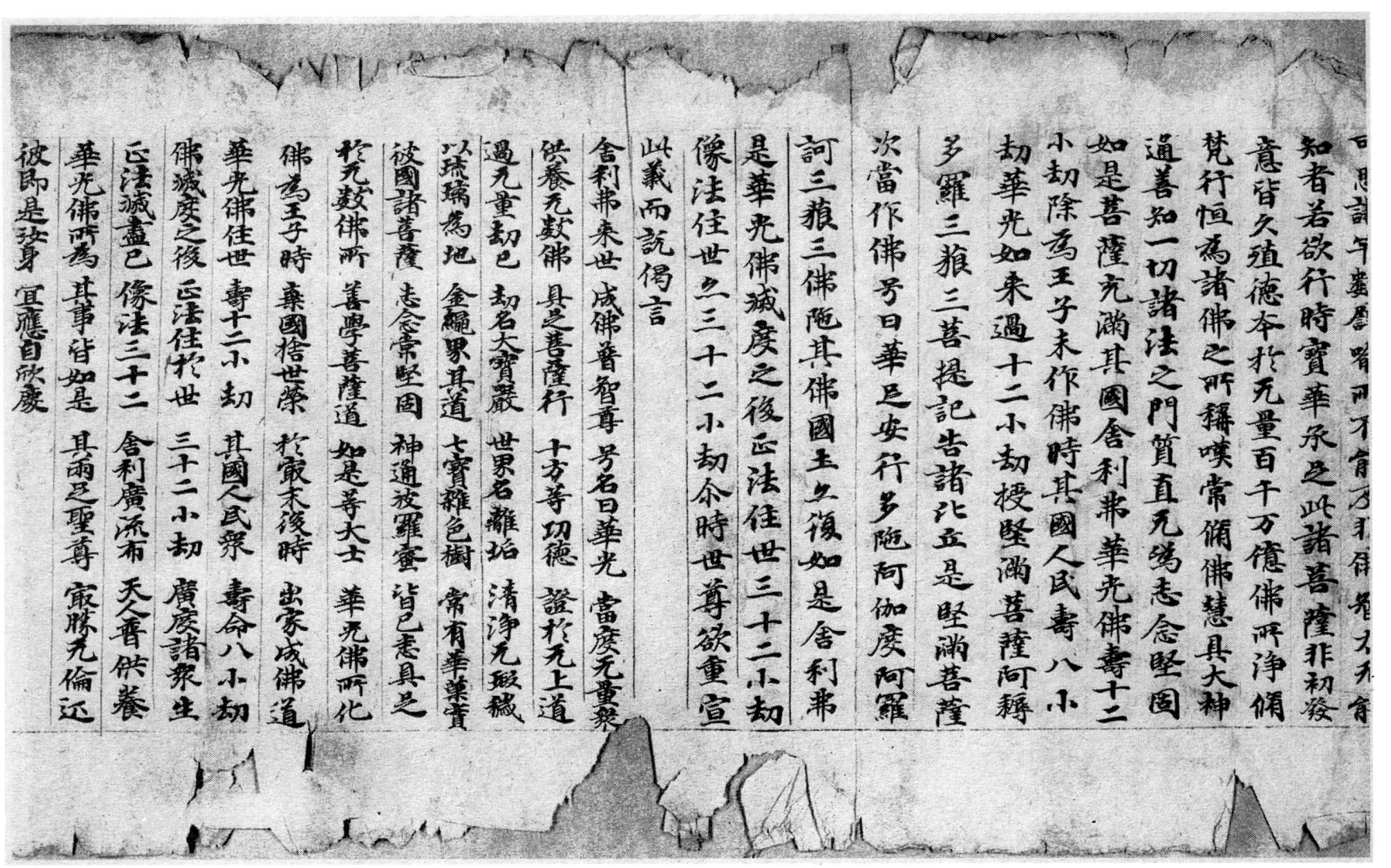

於佛前得受阿耨多羅三藐三菩提記是諸
千二百心自在者昔住學地佛常教化言我
法能離生老病死究竟涅槃是學无學人亦
各自以離我見及有无見等謂得涅槃而今
於世尊前聞所未聞皆墮疑惑善哉世尊願
為四衆說其因緣令離疑悔尒時佛告舍利
弗我先不言諸佛世尊以種種因緣譬喻言
辭方便說法皆為阿耨多羅三藐三菩提耶
是諸所說皆為化菩薩故然舍利弗今當復
以譬喻更明此義諸有智者以譬喻得解舍
利弗若國邑聚落有大長者其年衰邁財富
无量多有田宅及諸僮僕其家廣大唯有一
門多諸人衆一百二百乃至五百人止住其
中堂閣朽故墻壁頹落柱根腐敗梁棟傾危
周匝俱時欻然火起焚燒舍宅長者諸子若
十廿或至三十在此宅中長者見是大火從四
面起即大驚怖而作是念我雖能於此所燒
之門安隱得出而諸子等於火宅內樂著
嬉戲不覺不知不驚不怖火來逼身苦痛切
己心不猒患无求出意舍利弗是大長者作
是思惟我身手有力當以衣裓若以机案從
舍出之復更思惟是舍唯有一門而復狹小
諸子幼稚未有所識戀著戲處或當墮落為
火所燒我當為說怖畏之事此舍已燒宜時
疾出无令為火之所燒害作是念已如所思
惟具告諸子汝等速出父雖憐愍善言誘喻

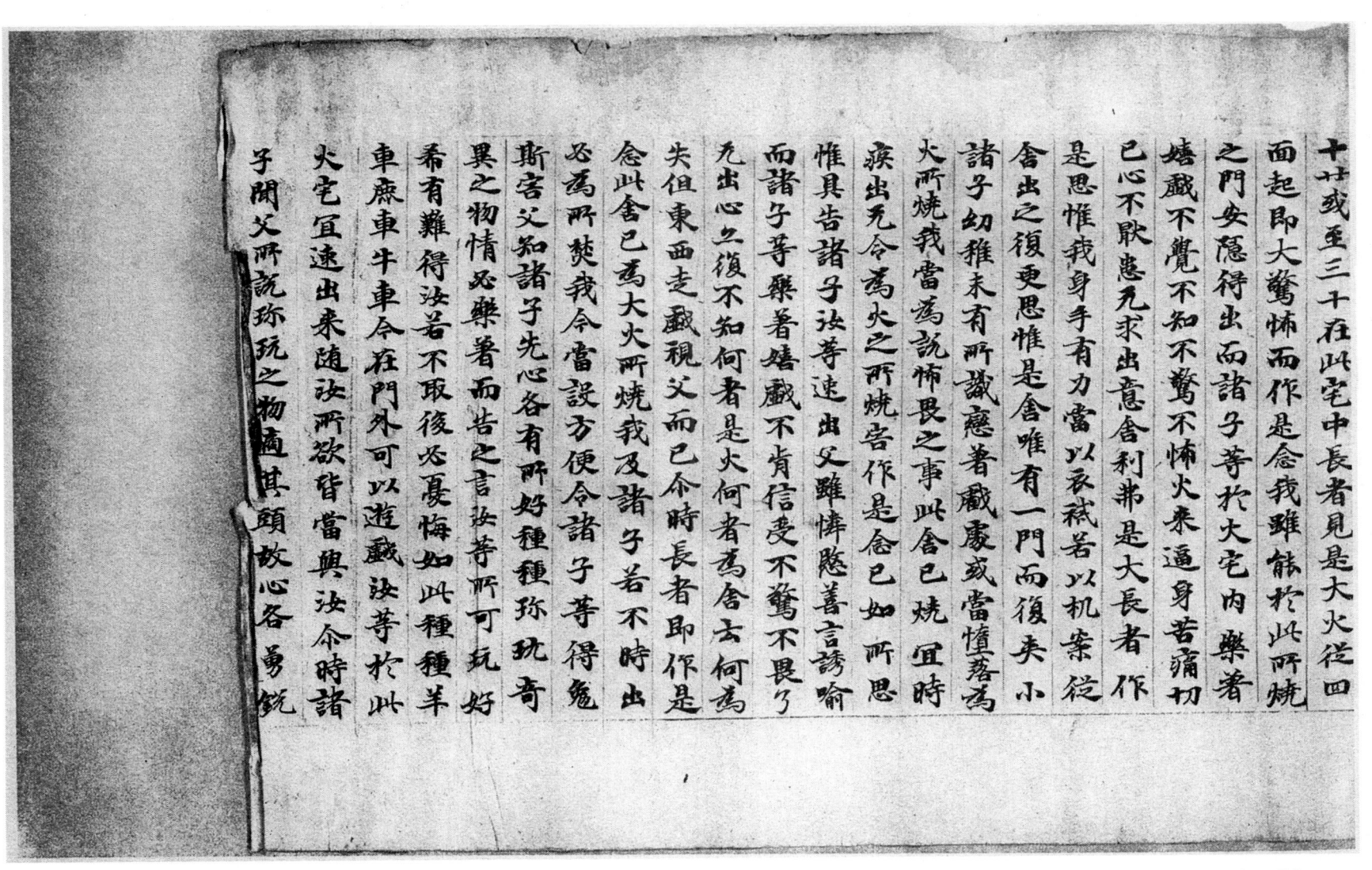

BD01905號　妙法蓮華經卷二　（7–6）

十廿或至三十在此宅中長者見是大火從四
面起即大驚怖而作是念我雖能於此所燒
之門安隱得出而諸子等於火宅內樂著
嬉戲不覺不知不驚不怖火來逼身苦痛切
己心不猒患无求出意舍利弗是大長者作
是思惟我身手有力當以衣裓若以机案從
舍出之復更思惟是舍唯有一門而復狹小
諸子幼稚未有所識戀著戲處或當墮落為
火所燒我當為說怖畏之事此舍已燒宜時
疾出无令為火之所燒害作是念已如所思
惟具告諸子汝等速出父雖憐愍善言誘喻
而諸子等樂著嬉戲不肯信受不驚不畏了
无出心亦復不知何者是火何者為舍云何為
失但東西走戲視父而已尒時長者即作是
念此舍已為大火所燒我及諸子若不時出
必為所焚我今當設方便令諸子等得免
斯害父知諸子先心各有所好種種珍玩奇
異之物情必樂著而告之言汝等所可玩好
希有難得汝若不取後必憂悔如此種種羊
車鹿車牛車今在門外可以遊戲汝等於此
火宅宜速出來隨汝所欲皆當與汝尒時諸
子聞父所說珍玩之物適其願故心各勇銳

BD01905號　妙法蓮華經卷二　（7–7）

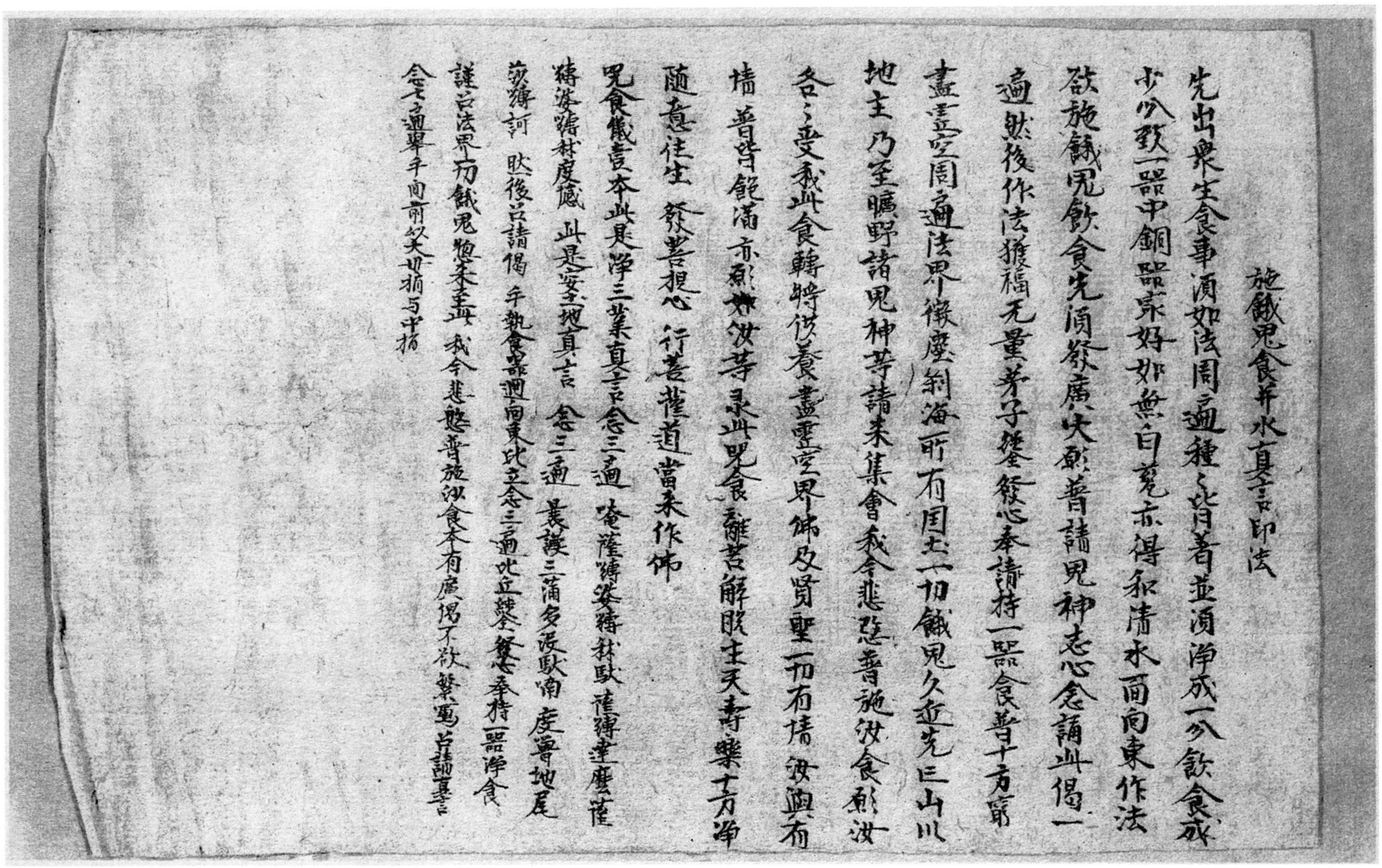

施餓鬼食并水真言印法
先出衆生食事須如法周遍種種皆著並須淨成一分飲食成
少分取一器中銅器亦好如無白瓷亦得和清水面向東作法
欲施餓鬼飲食先須發廣大願普請鬼神志心念誦此偈一
遍然後作法獲福無量弟子某甲發心奉請持一器食普十方窮
盡虛空周遍法界微塵剎海所有國土一切餓鬼久近先亡山川
地主乃至曠野諸鬼神等請來集會我今悲愍普施汝食願汝
各各受我此食轉將供養盡虛空界佛及賢聖一切有情汝與有
情普皆飽滿亦願汝等承此呪食離苦解脫生天壽樂十方淨
隨意往生 發菩提心 行菩薩道 當來作佛
呪食儀壹本此是淨三業真言念三遍 唵薩嚩娑嚩婆秫馱 薩嚩達磨薩
嚩娑嚩婆秫度憾 此是安土地真言 念三遍 曩謨三滿多沒馱喃 度嚕地尾
娑嚩訶 然後召請偈 手執食器面向東比丘念三遍比丘繼全發心奉持一器淨食
謹召法界一切餓鬼悉來至此 我今悲愍普施汝食本有慳悋不欲繫羈 召請真言
念七遍舉手向前以大母指與中指

BD01906號　比丘繼全施食儀（擬）　　（1–1）

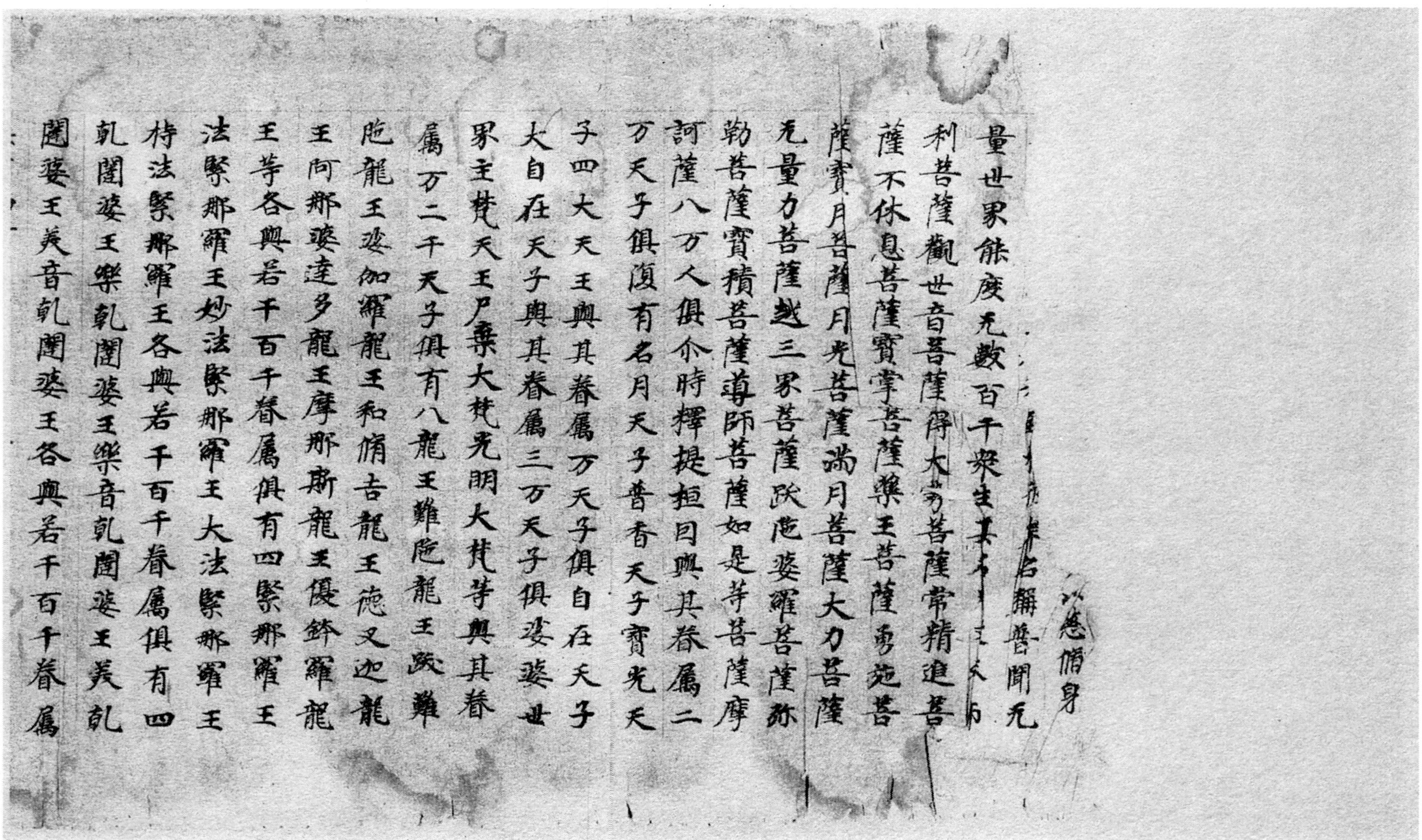

以慈脩身
名稱普聞无
量世界能度无數百千衆生其[illegible]
利菩薩觀世音菩薩得大勢菩薩常精進菩
薩不休息菩薩寶掌菩薩藥王菩薩勇施菩
薩寶月菩薩月光菩薩滿月菩薩大力菩薩
无量力菩薩越三界菩薩跋陁婆羅菩薩彌
勒菩薩寶積菩薩導師菩薩如是等菩薩摩
訶薩八万人俱尒時釋提桓因與其眷屬二
万天子俱復有名月天子普香天子寶光天
子四大天王與其眷屬万天子俱自在天子
大自在天子與其眷屬三万天子俱娑婆世
界主梵天王尸棄大梵光明大梵等與其眷
屬万二千天子俱有八龍王難陁龍王跋難
陁龍王娑伽羅龍王和脩吉龍王德叉迦龍
王阿那婆達多龍王摩那斯龍王優鉢羅龍
王等各與若干百千眷屬俱有四緊那羅王
法緊那羅王妙法緊那羅王大法緊那羅王
持法緊那羅王各與若千百千眷屬俱有四
乾闥婆王樂乾闥婆王樂音乾闥婆王美乾
闥婆王美音乾闥婆王各與若千百千眷屬

BD01907號　妙法蓮華經卷一　　（23–1）

持法緊那羅王各與若干百千眷屬俱有四
乾闥婆王樂乾闥婆王樂音乾闥婆王美乾
闥婆王美音乾闥婆王各與若干百千眷屬
俱有四阿脩羅王婆稚阿脩羅王佉羅騫馱
阿脩羅王毗摩質多羅阿脩羅王羅睺羅阿
脩羅王各與若干百千眷屬俱有四迦樓羅
王大威德迦樓羅王大身迦樓羅王大滿迦
樓羅王如意迦樓羅王各與若干百千眷屬
俱韋提希子阿闍世王與若干百千眷屬俱
各礼佛足退坐一面尒時世尊四衆圍繞供
養恭敬尊重讚歎為諸菩薩說大乘經名无
量義教菩薩法佛所護念佛說此經已結加
趺坐入於无量義處三昧身心不動是時天
雨曼陁羅華摩訶曼陁羅華曼殊沙華摩訶
曼殊沙華而散佛上及諸大衆普佛世界六
種震動尒時會中比丘比丘尼優婆塞優婆
夷天龍夜叉乾闥婆阿脩羅迦樓羅緊那羅
摩睺羅伽人非人及諸小王轉輪聖王是諸
大衆得未曾有歡喜合掌一心觀佛尒時佛
放眉間白豪相光照東方万八千世界靡不
周遍下至阿鼻地獄上至阿迦膩吒天於此
世界盡見彼土六趣衆生又見彼土現在諸佛
及聞諸佛所說經法并見彼諸比丘比丘尼
優婆塞優婆夷諸脩行得道者復見諸菩薩
摩訶薩種種因緣種種信解種種相貌行菩
薩道復見諸佛般涅槃者復見諸佛般涅槃

BD01907號　妙法蓮華經卷一　（23–2）

優婆塞優婆夷諸脩行得道者復見諸菩薩
摩訶薩種種因緣種種信解種種相貌行菩
薩道復見諸佛般涅槃者復見諸佛般涅槃
後以佛舍利起七寶塔尒時弥勒菩薩作是
念今者世尊現神變相以何因緣而有此瑞
今佛世尊入于三昧是不可思議現希有事
當以問誰誰能荅者復作此念是文殊師利
法王之子已曾親近供養過去无量諸佛必
應見此希有之相我今當問尒時比丘比丘
尼優婆塞優婆夷及諸天龍鬼神等咸作此
念是佛光明神通之相今當問誰尒時弥勒
菩薩欲自決疑又觀四衆比丘比丘尼優婆
塞優婆夷及諸天龍鬼神等衆會之心而問
文殊師利言以何因緣而有此瑞神通之相
放大光明照于東方万八千土悉見彼國界
莊嚴於是弥勒菩薩欲重宣此義以偈問曰
文殊師利　導師何故　眉間白豪　大光普照
雨曼陁羅　曼殊沙華　栴檀香風　悅可衆心
以是因緣　地皆嚴淨　而此世界　六種震動
時四部衆　咸皆歡喜　身意快然　得未曾有
眉間光明　照于東方　万八千土　皆如金色
從阿鼻獄　上至有頂　諸世界中　六道衆生
生死所趣　善惡業緣　受報好醜　於此悉見
又覩諸佛　聖主師子　演說經典　微妙第一
其聲清淨　出柔濡音　教諸菩薩　无數億万
梵音深妙　令人樂聞　各於世界　講說正法

BD01907號　妙法蓮華經卷一　（23–3）

從阿鼻獄 上至有頂 諸世界中 六道衆生
生死所趣 善惡業緣 受報好醜 於此悉見
又覩諸佛 聖主師子 演說經典 微妙第一
其聲清淨 出柔軟音 教諸菩薩 无數億万
梵音深妙 令人樂聞 各於世界 講說正法
種種因緣 以无量喻 照明佛法 開悟衆生
若人遭苦 猒老病死 為說涅槃 盡諸苦際
若人有福 曾供養佛 志求勝法 為說緣覺
若有佛子 修種種行 求无上慧 為說淨道
文殊師利 我住於此 見聞若斯 及千億事
如是衆多 今當略說
我見彼土 恒沙菩薩 種種因緣 而求佛道
或有行施 金銀珊瑚 真珠摩尼 車璖馬瑙
金剛諸珍 奴婢車乘 寶飾輦轝 歡喜布施
迴向佛道 願得是乘 三界第一 諸佛所歎
或有菩薩 駟馬寶車 欄楯華蓋 軒飾布施
復見菩薩 身肉手足 及妻子施 求无上道
又見菩薩 頭目身體 欣樂施與 求佛智慧
文殊師利 我見諸王 往詣佛所 問无上道
便捨樂土 宮殿臣妾 剃除鬚髮 而被法服
或見菩薩 而作比丘 獨處閑靜 樂誦經典
又見菩薩 勇猛精進 入於深山 思惟佛道
又見離欲 常處空閑 深修禪定 得五神通
又見菩薩 安禪合掌 以千万偈 讚諸法王
復見菩薩 智深志固 能問諸佛 聞悉受持
又見佛子 定慧具足 以无量喻 為衆講法

BD01907號　妙法蓮華經卷一　（23–4）

又見離欲 常處空閑 深修禪定 得五神通
又見菩薩 安禪合掌 以千万偈 讚諸法王
復見菩薩 智深志固 能問諸佛 聞悉受持
又見佛子 定慧具足 以无量喻 為衆講法
欣樂說法 化諸菩薩 破魔兵衆 而擊法鼓
又見菩薩 寂然宴默 天龍恭敬 不以為喜
又見菩薩 處林放光 濟地獄苦 令入佛道
又見佛子 未嘗睡眠 經行林中 懃求佛道
又見具戒 威儀无缺 淨如寶珠 以求佛道
又見佛子 住忍辱力 增上慢人 惡罵捶打
皆悉能忍 以求佛道
又見菩薩 離諸戲咲 及癡眷屬 親近智者
一心除亂 攝念山林 億千万歲 以求佛道
或見菩薩 餚饍飲食 百種湯藥 施佛及僧
名衣上服 價直千万 或无價衣 施佛及僧
千万億種 栴檀寶舍 衆妙臥具 施佛及僧
清淨園林 華菓茂盛 流泉浴池 施佛及僧
如是等施 種種微妙 歡喜无猒 求无上道
或有菩薩 說寂滅法 種種教詔 无數衆生
或見菩薩 觀諸法性 无有二相 猶如虛空
又見佛子 心无所著 以此妙慧 求无上道
文殊師利 又有菩薩 佛滅度後 供養舍利
又見佛子 造諸塔廟 无數恒沙 嚴飾國界
寶塔高妙 五千由旬 縱廣正等 二千由旬
一一塔廟 各千幢幡 珠交露幔 寶鈴和鳴
諸天龍神 人及非人 香華伎樂 常以供養
文殊師利 諸佛子等 為供舍利 嚴飾塔廟

BD01907號　妙法蓮華經卷一　（23–5）

寶塔高妙五千由旬縱廣正等二千由旬
一一塔廟各千幢幡珠交露幔寶鈴和鳴
諸天龍神人及非人香華伎樂常以供養
文殊師利諸佛子等為供舍利嚴飾塔廟
國界自然殊特妙好如天樹王其華開敷
佛放一光我及衆會見此國界種種殊妙
諸佛神力智慧希有放一淨光照无量國
我等見此得未曾有佛子文殊願決衆疑
四衆欣仰瞻仁及我世尊何故放斯光明
佛子時荅決疑令喜何所饒益演斯光明
佛坐道場所得妙法為欲說此為當授記
示諸佛土衆寶嚴淨及見諸佛此非小緣
文殊當知四衆龍神瞻察仁者為說何等
是時文殊師利語彌勒菩薩摩訶薩及諸大
士善男子等如我惟忖今佛世尊欲說大法
雨大法雨吹大法螺擊大法鼓演大法義諸
善男子我於過去諸佛曾見此瑞放斯光已
即說大法是故當知今佛現光亦復如是欲
令衆生咸得聞知一切世間難信之法故現
斯瑞諸善男子如過去无量无邊不可思議
阿僧祇劫尒時有佛号日月燈明如來應供
正遍知明行足善逝世間解无上士調御丈
夫天人師佛世尊演說正法初善中善後善
其義深遠其語巧妙純一无雜具足清白梵
行之相為求聲聞者說應四諦法度生老病
死究竟涅槃為求辟支佛者說應十二因緣
法為諸菩薩說應六波羅蜜令得阿耨多羅

BD01907號　妙法蓮華經卷一　（23–6）

其義深遠其語巧妙純一无雜具足清白梵
行之相為求聲聞者說應四諦法度生老病
死究竟涅槃為求辟支佛者說應十二因緣
法為諸菩薩說應六波羅蜜令得阿耨多羅
三藐三菩提成一切種智次復有佛亦名日
月燈明次復有佛亦名日月燈明如是二万
佛皆同一字号日月燈明又同一姓姓頗
羅墮彌勒當知初佛後佛皆同一字名日月
燈明十号具足所可說法初中後善其最後
佛未出家時有八子一名有意二名善意三名
无量意四名寶意五名增意六名除疑意七
名嚮意八名法意是八王子威德自在各
領四天下是諸王子聞父出家得阿耨多羅
三藐三菩提悉捨王位亦隨出家發大乘意
常脩梵行皆為法師已於千万佛所殖諸善
本是時日月燈明佛說大乘經名无量義教
菩薩法佛所護念說是經已即於大衆中結
跏趺坐入於无量義處三昧身心不動是時
天雨曼陁羅華摩訶曼陁羅華曼殊沙華摩
訶曼殊沙華而散佛上及諸大衆普佛世界
六種震動尒時會中比丘比丘尼優婆塞優
婆夷天龍夜叉乾闥婆阿脩羅迦樓羅緊那
羅摩睺羅伽人非人等及諸小王轉輪聖王
等是諸大衆得未曾有歡喜合掌一心觀佛
尒時如來放眉間白豪相光照東方万八千
佛土靡不周遍如今所見是諸佛土彌勒當
知尒時會中有二十億菩薩樂欲聽法是諸

BD01907號　妙法蓮華經卷一　（23–7）

佛土靡不周遍如今所見是諸佛土弥勒當
知尒時會中有二十億菩薩樂欲聽法是諸
菩薩見此光明普照佛土得未曾有欲知此
光所為因緣時有菩薩名曰妙光有八百弟
子是時日月燈明佛從三昧起因妙光菩薩
說大乘經名妙法蓮華教菩薩法佛所護念
六十小劫不起于坐時會聽者亦坐一處六
十小劫身心不動聽佛所說謂如食頃是時
衆中无有一人若身若心而生懈惓日月燈
明佛於六十小劫說是經已即於梵魔沙門
婆羅門及天人阿脩羅衆中而宣此言如來
於今日中夜當入无餘涅槃時有菩薩名曰
德藏日月燈明佛即授其記告諸比丘是德
藏菩薩次當作佛号曰淨身多陁阿伽度阿
羅訶三藐三佛陁佛授記已便於中夜入无
餘涅槃佛滅度後妙光菩薩持妙法蓮華經
滿八十小劫為人演說日月燈明佛八子皆
師妙光妙光教化令其堅固阿耨多羅三藐
三菩提是諸王子供養无量百千万億佛已
皆成佛道其最後成佛者名曰然燈八百弟
子中有一人号曰求名貪著利養雖復讀誦
衆經而不通利多所忘失故号求名是人亦
以種諸善根因緣故得值无量百千万億諸
佛供養恭敬尊重讚歎弥勒當知尒時妙光
菩薩豈異人乎我身是也求名菩薩汝身是
也今見此瑞與本无異是故惟忖今日如來

佛供養恭敬尊重讚歎弥勒當知尒時妙光
菩薩豈異人乎我身是也求名菩薩汝身是
也今見此瑞與本无異是故惟忖今日如來
當說大乘經名妙法蓮華教菩薩法佛所護
念尒時文殊師利於大衆中欲重宣此義而
說偈言

我念過去世　无量无數劫　有佛人中尊　号日月燈明
世尊演說法　度无量衆生　无數億菩薩　令入佛智慧
佛未出家時　所生八王子　見大聖出家　亦隨脩梵行
時佛說大乘　經名无量義　於諸大衆中　而為廣分別
佛說此經已　即於法座上　加趺坐三昧　名无量義處
天雨曼陁華　天鼓自然鳴　諸天龍鬼神　供養人中尊
一切諸佛土　即時大震動　佛放眉間光　現諸希有事
此光照東方　万八千佛土　示一切衆生　生死業報處
有見諸佛土　以衆寶莊嚴　瑠璃頗梨色　斯由佛光照
及見諸天人　龍神夜叉衆　揵闥緊那羅　各供養其佛
又見諸如來　自然成佛道　身色如金山　端嚴甚微妙
如淨瑠璃中　內現真金像　世尊在大衆　敷演深法義
一一諸佛土　聲聞衆无數　因佛光所照　悉見彼大衆
或有諸比丘　在於山林中　精進持淨戒　猶如護明珠
又見諸菩薩　行施忍辱等　其數如恒沙　斯由佛光照
又見諸菩薩　深入諸禪定　身心寂不動　以求无上道
又見諸菩薩　知法寂滅相　各於其國土　說法求佛道
尒時四部衆　見日月燈佛　現大神通力　其心皆歡喜
各各自相問　是事何因緣
天人所奉尊　適從三昧起　讚妙光菩薩　汝為世間眼

又見諸菩薩　知法寂滅相　各於其國土　說法求佛道
尒時四部眾　見日月燈佛　現大神通力　其心皆歡喜
各各自相問　是事何因緣
天人所奉尊　適從三昧起　讚妙光菩薩　汝為世間眼
一切所歸信　能奉持法藏　如我所說法　唯汝能證知
世尊既讚歎　令妙光歡喜　說是法華經　滿六十小劫
不起於此坐　所說上妙法　是妙光法師　悉皆能受持
佛說是法華　令眾歡喜已　尋即於是日　告於天人眾
諸法實相義　已為汝等說　我今於中夜　當入於涅槃
汝一心精進　當離於放逸　諸佛甚難值　億劫時一遇
世尊諸子等　聞佛入涅槃　各各懷悲惱　佛滅一何速
聖主法之王　安慰无量眾　我若滅度時　汝等勿憂怖
是德藏菩薩　於无漏實相　心已得通達　其次當作佛
号曰為淨身　亦度无量眾
佛此夜滅度　如薪盡火滅　分布諸舍利　而起无量塔
比丘比丘尼　其數如恒沙　倍復加精進　以求无上道
是妙光法師　奉持佛法藏　八十小劫中　廣宣法華經
是諸八王子　妙光所開化　堅固无上道　當見无數佛
供養諸佛已　隨順行大道　相繼得成佛　轉次而授記
最後天中天　号曰然燈佛　諸仙之導師　度脫无量眾
是妙光法師　時有一弟子　心常懷懈怠　貪著於名利
求名利无猒　多遊族姓家　棄捨所習誦　廢忘不通利
以是因緣故　号之為求名　亦行眾善業　得見无數佛
供養於諸佛　隨順行大道　具六波羅蜜　今見釋師子
其後當作佛　号名曰弥勒　廣度諸眾生　其數无有量
彼佛滅度後　懈怠者汝是　妙光法師者　今則我身是
我見燈明佛　本光瑞如此　以是知今佛　欲說法華經

BD01907號　妙法蓮華經卷一　　（23–10）

其後當作佛　号名曰弥勒　廣度諸眾生　其數无有量
彼佛滅度後　懈怠者汝是　妙光法師者　今則我身是
我見燈明佛　本光瑞如此　以是知今佛　欲說法華經
今相如本瑞　是諸佛方便　今佛放光明　助發實相義
諸人今當知　合掌一心待　佛當雨法雨　充足求道者
諸求三乘人　若有疑悔者　佛當為除斷　令盡无有餘
妙法蓮華經方便品第二
尒時世尊從三昧安詳而起告舍利弗諸佛
智慧甚深无量其智慧門難解難入一切聲
聞辟支佛所不能知所以者何佛曾親近百
千万億无數諸佛盡行諸佛无量道法勇猛
精進名稱普聞成就甚深未曾有法隨宜所
說意趣難解舍利弗吾從成佛已來種種因
緣種種譬喻廣演言教无數方便引導眾生
令離諸著所以者何如來方便知見波羅蜜
皆已具足舍利弗如來知見廣大深遠无量
无礙力无所畏禪定解脫三昧深入无際成
就一切未曾有法舍利弗如來能種種分別
巧說諸法言辭柔濡悅可眾心舍利弗取要
言之无量无邊未曾有法佛悉成就止舍利
弗不須復說所以者何佛所成就第一希有
難解之法唯佛與佛乃能究盡諸法實相所
謂諸法如是相如是性如是體如是力如是
作如是因如是緣如是果如是報如是本末
究竟等尒時世尊欲重宣此義而說偈言
世雄不可量　諸天及世人　一切眾生類　无能知佛者

BD01907號　妙法蓮華經卷一　　（23–11）

住如是因如是緣如是果如是報如是本末
究竟等尒時世尊欲重宣此義而說偈言
世雄不可量 諸天及世人 一切衆生類 无能知佛者
佛力无所畏 解脫諸三昧 及佛諸餘法 无能測量者
本從无數佛 具足行諸道 甚深微妙法 難見難可了
於无量億劫 行此諸道已 道場得成果 我已悉知見
如是大果報 種種性相義 我及十方佛 乃能知是事
是法不可示 言辭相寂滅 諸餘衆生類 无有能得解
除諸菩薩衆 信力堅固者
諸佛弟子衆 曾供養諸佛 一切漏已盡 住是最後身
如是諸人等 其力所不堪
假使滿世間 皆如舍利弗 盡思共度量 不能測佛智
正使滿十方 皆如舍利弗 及餘諸弟子 亦滿十方刹
盡思共度量 亦復不能知
辟支佛利智 无漏最後身 亦滿十方界 其數如竹林
斯等共一心 於億无量劫 欲思佛實智 莫能知少分
新發意菩薩 供養无數佛 了達諸義趣 又能善說法
如稻麻竹葦 充滿十方刹 一心以妙智 於恒河沙劫
咸皆共思量 不能知佛智
不退諸菩薩 其數如恒沙 一心共思求 亦復不能知
又告舍利弗 无漏不思議 甚深微妙法 我今已具得
唯我知是相 十方佛亦然
舍利弗當知 諸佛語无異 於佛所說法 當生大信力
世尊法久後 要當說真實
告諸聲聞衆 及求緣覺乘 我令脫苦縛 逮得涅槃者
佛以方便力 示以三乘教 衆生處處著 引之令得出
尒時大衆中有諸聲聞漏盡阿羅漢阿若憍

世尊法久後 要當說真實
告諸聲聞衆 及求緣覺乘 我令脫苦縛 逮得涅槃者
佛以方便力 示以三乘教 衆生處處著 引之令得出
尒時大衆中有諸聲聞漏盡阿羅漢阿若憍
陳如等千二百人及發聲聞辟支佛心比丘
比丘尼優婆塞優婆夷各作是念今者世尊
何故慇懃稱嘆方便而作是言佛所得法甚
深難解有所言說意趣難知一切聲聞辟支
佛所不能及佛說一解脫義我等亦得此法
到於涅槃而今不知是義所趣尒時舍利弗
知四衆心疑自亦未了而白佛言世尊何因
何緣慇勤稱嘆諸佛第一方便甚深微妙難
解之法我自昔来未曾從佛聞如是說今者
四衆咸皆有疑唯願世尊敷演斯事世尊何
故慇勤稱嘆甚深微妙難解之法尒時舍利
弗欲重宣此義而說偈言
慧日大聖尊 久乃說是法 自說得如是 力无畏三昧
禪定解脫等 不可思議法
道場所得法 无能發問者 我意難可測 亦无能問者
无問而自說 稱嘆所行道 智慧甚深妙 諸佛之所得
无漏諸羅漢 及求涅槃者 今皆墮疑網 佛何故說是
其求緣覺者 比丘比丘尼 諸天龍鬼神 及揵闥婆等
相視懷猶預 瞻仰兩足尊 是事為云何 願佛為解說
於諸聲聞衆 佛說我第一 我今自於智 疑惑不能了
為是究竟法 為是所行道
佛口所生子 合掌瞻仰待 願出微妙音 時為如實說

爲是究竟法　爲是所行道
佛口所生子　合掌瞻仰待　願出微妙音　時爲如實說
諸天龍神等　其數如恒沙　求佛諸菩薩　大數有八万
又諸万億國　轉輪聖王至　合掌以敬心　願聞具足道
尒時佛告舍利弗止止不須復說若說是事
一切世間諸天及人皆當驚疑舍利弗重白
佛言世尊唯願說之唯願說之所以者何是
會无數百千万億阿僧祇衆生曾見諸佛諸
根猛利智慧明了聞佛所說則能敬信尒時
舍利弗欲重宣此義而說偈言
法王无上尊　唯說願勿慮　是會无量衆　有能敬信者
佛復止舍利弗若說是事一切世間天人阿
脩羅皆當驚疑增上慢比丘將墜於大坑尒
時世尊重說偈言
止止不須說　我法妙難思　諸增上慢者　聞必不敬信
尒時舍利弗重白佛言世尊唯願說之唯願
說之今此會中如我等比百千万億世世已
曾從佛受化如此人等必能敬信長夜安隱
多所饒益尒時舍利弗欲重宣此義而說偈言
无上兩足尊　願說第一法　我爲佛長子　唯垂分別說
是會无量衆　能敬信此法　佛已曾世世　教化如是等
皆一心合掌　欲聽受佛語　我等千二百　及餘求佛者
願爲此衆故　唯垂分別說　是等聞此經　則生大歡喜
尒時世尊告舍利弗汝已慇懃三請豈得不
說汝今諦聽善思念之吾當爲汝分別解說
說此語時會中有比丘比丘尼優婆塞優婆

BD01907號　妙法蓮華經卷一　（23-14）

願爲此衆故　唯垂分別說　是等聞此經　則生大歡喜
尒時世尊告舍利弗汝已慇懃三請豈得不
說汝今諦聽善思念之吾當爲汝分別解說
說此語時會中有比丘比丘尼優婆塞優婆
夷五千人等即從坐起礼佛而退所以者何
此輩罪根深重及增上慢未得謂得未證謂
證有如此失是以不住世尊默然而不制止
尒時佛告舍利弗我今此衆无復枝葉純有
貞實舍利弗如是增上慢人退亦佳矣汝今
善聽當爲汝說舍利弗言唯然世尊願樂欲
聞佛告舍利弗如是妙法諸佛如來時乃說
之如優曇鉢華時一現耳舍利弗汝等當信佛
之所說言不虛妄舍利弗諸佛隨宜說法意
趣難解所以者何我以无數方便種種因緣
辟喻言辭演說諸法是法非思量分別之所
能解唯有諸佛乃能知之所以者何諸佛世
尊唯以一大事因緣故出現於世舍利弗云
何名諸佛世尊唯以一大事因緣故出現於
世諸佛世尊欲令衆生開佛知見使得清淨故
諸佛世尊欲令衆生開佛知見使得清淨
故出現於世欲示衆生佛之知見故出現於
世欲令衆生悟佛知見故出現於世欲令衆
生入佛知見道故出現於世舍利弗是爲諸
佛以一大事因緣故出現於世佛告舍利弗
諸佛如來但教化菩薩諸有所作常爲一事
唯以佛之知見示悟衆生舍利弗如來但以

BD01907號　妙法蓮華經卷一　（23-15）

生入佛知見道故出現於世舍利弗是為諸
佛以一大事因緣故出現於世佛告舍利弗
諸佛如來但教化菩薩諸有所作常為一事
唯以佛之知見示悟衆生舍利弗如來但以
一佛乘故為衆生說法无有餘乘若二若三
舍利弗一切十方諸佛法亦如是舍利弗過
去諸佛以无量无數方便種種因緣譬喻言
辭而為衆生演說諸法是法皆為一佛乘故
是諸衆生從諸佛聞法究竟皆得一切種智
舍利弗未來諸佛當出於世亦以无量无數
方便種種因緣譬喻言辭而為衆生演說諸
法是法皆為一佛乘故是諸衆生從佛聞法
究竟皆得一切種智舍利弗現在十方无量
百千万億佛土中諸佛世尊多所饒益安樂衆
生是諸佛亦以无量无數方便種種因緣
譬喻言辭而為衆生演說諸法是法皆為一
佛乘故是諸衆生從佛聞法究竟皆得一切
種智舍利弗是諸佛但教化菩薩欲以佛之
知見示衆生故欲以佛之知見悟衆生故欲
令衆生入佛知見道故舍利弗我今亦復如
是知諸衆生有種種欲深心所著隨其本性
以種種因緣譬喻言辭方便力而為說法舍
利弗如此皆為得一佛乘一切種知故舍利
弗十方世界中尚无二乘何況有三舍利弗
諸佛出於五濁惡世所謂劫濁煩惱濁衆生
濁見濁命濁如是舍利弗劫濁亂時衆生垢
重慳貪嫉妬成就諸不善根故諸佛以方便

BD01907號　妙法蓮華經卷一　（23－16）

弗十方世界中尚无二乘何況有三舍利弗
諸佛出於五濁惡世所謂劫濁煩惱濁衆生
濁見濁命濁如是舍利弗劫濁亂時衆生垢
重慳貪嫉妬成就諸不善根故諸佛以方便
力於一佛乘分別說三舍利弗若我弟子自
謂阿羅漢辟支佛者不聞不知諸佛如來但
教化菩薩事此非佛弟子非阿羅漢非辟支
佛又舍利弗是諸比丘比丘尼自謂已得阿
羅漢是最後身究竟涅槃便不復志求阿耨
多羅三藐三菩提當知此輩皆是增上慢人
所以者何若有比丘實得阿羅漢若不信此
法无有是處除佛滅度後現前无佛所以者
何佛滅度後如是等經受持讀誦解義者是
人難得若遇餘佛於此法中便得決了舍利
弗汝等當一心信解受持佛語諸佛如來言
无虛妄无有餘乘唯一佛乘尒時世尊欲重
宣此義而說偈言
比丘比丘尼　有懷增上慢　優婆塞我慢　優婆夷不信
如是四衆等　其數有五千
不自見其過　於戒有缺漏　護惜其瑕疵　是小智已出
衆中之糟糠　佛威德故去　斯人尠福德　不堪受是法
此衆无枝葉　唯有諸貞實
舍利弗善聽　諸佛所得法　无量方便力　而為衆生說
衆生心所念　種種所行道　若干諸欲性　先世善惡業
佛悉知是已　以諸緣譬喻　言辭方便力　令一切歡喜
或說修多羅　伽陀及本事　本生未曾有　亦說於因緣
[illegible]

BD01907號　妙法蓮華經卷一　（23－17）

佛悉知是已　以諸緣譬喻　言辭方便力　令一切歡喜
或說脩多羅　伽陁及本事　本生未曾有　亦說於因緣
譬喻并祇夜　優波提舍經
鈍根樂小法　貪著於生死　於諸无量佛　不行深妙道
衆苦所惱亂　為是說涅槃
我設是方便　令得入佛慧　未曾說汝等　當得成佛道
所以未曾說　說時未至故　今正是其時　決定說大乘
我此九部法　隨順衆生說　入大乘為本　以故說是經
有佛子心淨　柔濡亦利根　无量諸佛所　而行深妙道
為此諸佛子　說是大乘經
我記如是人　來世成佛道　以深心念佛　脩持淨戒故
此等聞得佛　大喜充遍身　佛知彼心行　故為說大乘
聲聞若菩薩　聞我所說法　乃至於一偈　皆成佛无疑
十方佛土中　唯有一乘法　无二亦无三　除佛方便說
但以假名字　引導於衆生
說佛智慧故　諸佛出於世　唯此一事實　餘二則非真
終不以小乘　濟度於衆生
佛自住大乘　如其所得法　定慧力莊嚴　以此度衆生
自證无上道　大乘平等法　若以小乘化　乃至於一人
我則墮慳貪　此事為不可
若人信歸佛　如來不欺誑　亦无貪嫉意　斷諸法中惡
故佛於十方　而獨无所畏
我以相嚴身　光明照世間　无量衆所尊　為說實相印
舍利弗當知　我本立誓願　欲令一切衆　如我等无異
如我昔所願　今者已滿足　化一切衆生　皆令入佛道
若我遇衆生　盡教以佛道　无智者錯亂　迷惑不受教
我知此衆生　未曾脩善本　堅著於五欲　癡愛故生惱

BD01907號　妙法蓮華經卷一　（23–18）

如我昔所願　今者已滿足　化一切衆生　皆令入佛道
若我遇衆生　盡教以佛道　无智者錯亂　迷惑不受教
我知此衆生　未曾脩善本　堅著於五欲　癡愛故生惱
以諸欲因緣　墜墮三惡道　輪迴六趣中　備受諸苦毒
受胎之微形　世世常增長　薄德少福人　衆苦所逼迫
入邪見稠林　若有若无等　依止此諸見　具足六十二
深著虛妄法　堅受不可捨　我慢自矜高　諂曲心不實
於千万億劫　不聞佛名字　亦不聞正法　如是人難度
是故舍利弗　我為設方便　說諸盡苦道　示之以涅槃
我雖說涅槃　是亦非真滅　諸法從本來　常自寂滅相
佛子行道已　來世得作佛
我有方便力　開示三乘法　一切諸世尊　皆說一乘道
今此諸大衆　皆應除疑惑　諸佛語无異　唯一无二乘
過去无數劫　无量滅度佛　百千万億種　其數不可量
如是諸世尊　種種緣譬喻　无數方便力　演說諸法相
是諸世尊等　皆說一乘法　化无量衆生　令入於佛道
又諸大聖主　知一切世間　天人群生類　深心之所欲
更以異方便　助顯第一義
若有衆生類　值諸過去佛　若聞法布施　或持戒忍辱
精進禪智等　種種脩福德　如是諸人等　皆已成佛道
諸佛滅度已　若人善濡心　如是諸衆生　皆已成佛道
諸佛滅度已　供養舍利者　起万億種塔　金銀及頗梨
車𤦲與馬瑙　玫瑰瑠璃珠　清淨廣嚴飾　莊校於諸塔
或有起石廟　栴檀及沈水　木櫁并餘材　塼瓦泥土等
若於曠野中　積土成佛廟　乃至童子戲　聚沙為佛塔
如是諸人等　皆已成佛道
若人為佛故　建立諸形象　刻彫成衆相　皆已成佛道

BD01907號　妙法蓮華經卷一　（23–19）

若於曠野中　積土成佛廟　乃至童子戲　聚沙為佛塔
如是諸人等　皆已成佛道
若人為佛故　建立諸形像　刻雕成眾相　皆已成佛道
或以七寶成　鍮石赤白銅　白鑞及鉛錫　鐵木及與泥
或以膠漆布　嚴飾作佛像　如是諸人等　皆已成佛道
綵畫作佛像　百福莊嚴相　自作若使人　皆已成佛道
乃至童子戲　若草木及筆　或以指爪甲　而畫作佛像
如是諸人等　漸漸積功德　具足大悲心　皆已成佛道
但化諸菩薩　度脫无量眾
若人於塔廟　寶像及畫像　以華香幡蓋　敬心而供養
若使人作樂　擊鼓吹角貝　簫笛琴箜篌　琵琶鐃銅鈸
如是眾妙音　盡持以供養　或以歡喜心　歌唄頌佛德
乃至一小音　皆已成佛道
若人散亂心　乃至以一華　供養於畫像　漸見无數佛
或有人禮拜　或復但合掌　乃至舉一手　或復小低頭
以此供養像　漸見无量佛　自成无上道　廣度无數眾
入无餘涅槃　如薪盡火滅
若人散亂心　入於塔廟中　一稱南无佛　皆已成佛道
於諸過去佛　在世或滅度　若有聞是法　皆已成佛道
未來諸世尊　其數无有量　是諸如來等　亦方便說法
一切諸如來　以无量方便　度脫諸眾生　入佛无漏智
若有聞法者　无一不成佛
諸佛本誓願　我所行佛道　普欲令眾生　亦同得此道
未來世諸佛　雖說百千億　无數諸法門　其實為一乘
諸佛兩足尊　知法常无性　佛種從緣起　是故說一乘
是法住法位　世間相常住　於道場知已　導師方便說

BD01907號　妙法蓮華經卷一　（23–20）

未來世諸佛　雖說百千億　无數諸法門　其實為一乘
諸佛兩足尊　知法常无性　佛種從緣起　是故說一乘
是法住法位　世間相常住　於道場知已　導師方便說
天人所供養　現在十方佛　其數如恒沙　出現於世間
安隱眾生故　亦說如是法
知第一寂滅　以方便力故　雖示種種道　其實為佛乘
知眾生諸行　深心之所念　過去所習業　欲性精進力
及諸根利鈍　以種種因緣　譬喻亦言辭　隨應方便說
今我亦如是　安隱眾生故　以種種法門　宣示於佛道
我以智慧力　知眾生性欲　方便說諸法　皆令得歡喜
舍利弗當知　我以佛眼觀　見六道眾生　貧窮无福慧
入生死險道　相續苦不斷　深著於五欲　如犛牛愛尾
以貪愛自蔽　盲瞑无所見　不求大勢佛　及與斷苦法
深入諸邪見　以苦欲捨苦　為是眾生故　而起大悲心
我始坐道場　觀樹亦經行　於三七日中　思惟如是事
我所得智慧　微妙最第一　眾生諸根鈍　著樂癡所盲
如斯之等類　云何而可度
尒時諸梵王　及諸天帝釋　護世四天王　及大自在天
并餘諸天眾　眷屬百千萬　恭敬合掌禮　請我轉法輪
我即自思惟　若但讚佛乘　眾生沒在苦　不能信是法
破法不信故　墜於三惡道　我寧不說法　疾入於涅槃
尋念過去佛　所行方便力　我今所得道　亦應說三乘
作是思惟時　十方佛皆現　梵音慰喻我　善哉釋迦文
第一之導師　得是无上法　隨諸一切佛　而用方便力
我等亦皆得　最妙第一法　為諸眾生類　分別說三乘
少智樂小法　不自信作佛　是故以方便　分別說諸果

BD01907號　妙法蓮華經卷一　（23–21）

第一之導師 得是无上法 隨諸一切佛 而用方便力
我等亦皆得 最妙第一法 為諸衆生類 分別說三乘
小智樂小法 不自信作佛 是故以方便 分別說諸果
雖復說三乘 但為教菩薩
舍利弗當知 我聞聖師子 深淨微妙音 稱南无諸佛
復作如是念 我出濁惡世 如諸佛所說 我亦隨順行
思惟是事已 即趣波羅柰 諸法寂滅相 不可以言宣
以方便力故 為五比丘說 是名轉法輪 便有涅槃音
及以阿羅漢 法僧差別名 從久遠劫來 讚示涅槃法
生死苦永盡 我常如是說 舍利弗當知 我見佛子等
志求佛道者 无量千万億 咸以恭敬心 皆來至佛所
曾從諸佛聞 方便所說法 我即作是念 如來所以出
為說佛慧故 今正是其時 舍利弗當知 鈍根小智人
著相憍慢者 不能信是法 今我喜无畏 於諸菩薩中
正直捨方便 但說无上道 菩薩聞是法 疑網皆已除
千二百羅漢 悉亦當作佛 如三世諸佛 說法之儀式
我今亦如是 說无分別法 諸佛興出世 懸遠值遇難
正使出于世 說是法復難 无量无數劫 聞是法亦難
能聽是法者 斯人亦復難 譬如優曇華 一切皆愛樂
天人所希有 時時乃一出 聞法歡喜讚 乃至發一言
則為已供養 一切三世佛 是人甚希有 過於優曇華
汝等勿有疑 我為諸法王 普告諸大衆 但以一乘道
教化諸菩薩 无聲聞弟子
汝等舍利弗 聲聞及菩薩 當知是妙法 諸佛之秘要
以五濁惡世 但樂著諸欲 如是等衆生 終不求佛道
當來世惡人 聞佛說一乘 迷惑不信受 破法墮惡道

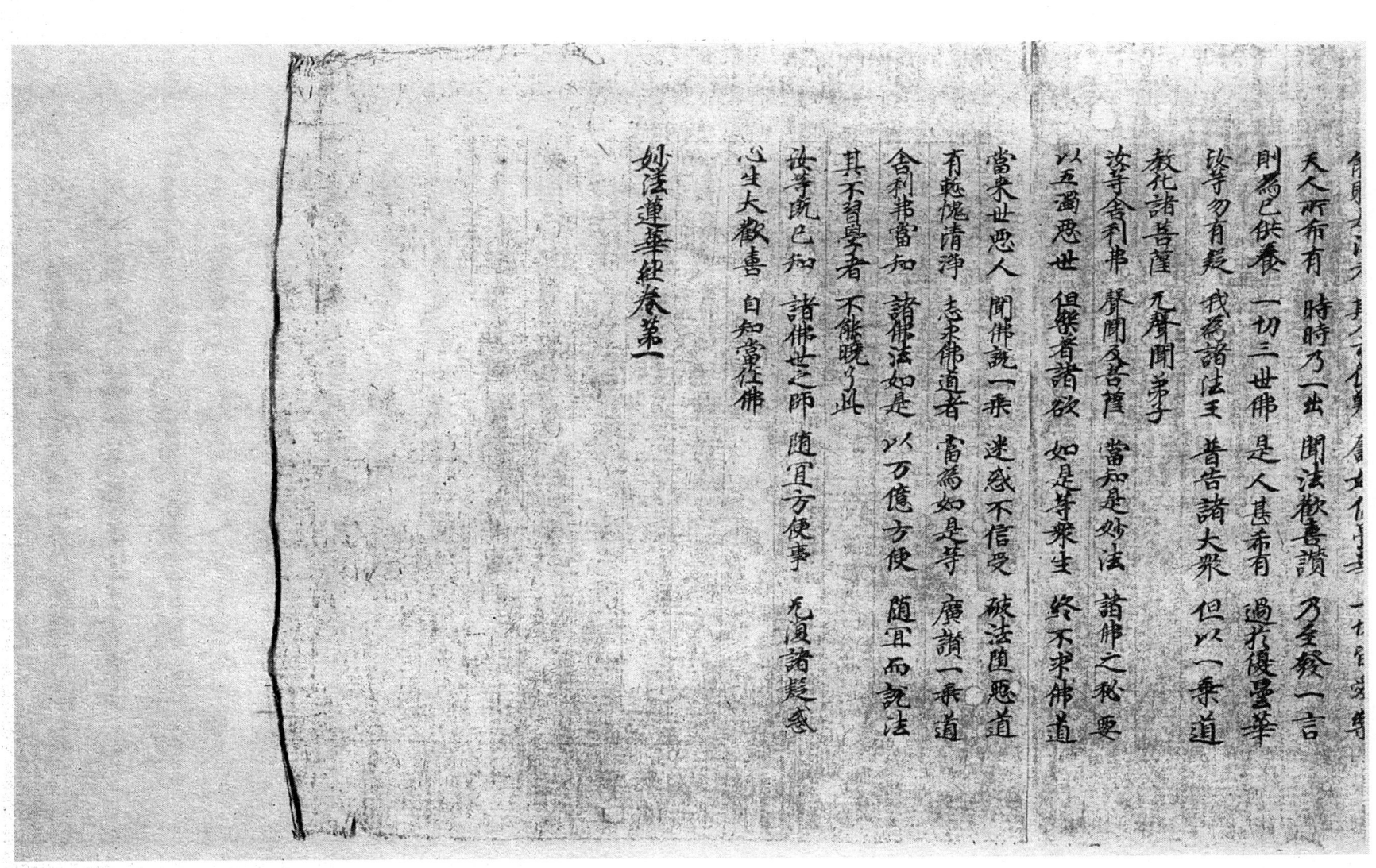

BD01907號 妙法蓮華經卷一 （23–22）

天人所希有 時時乃一出 聞法歡喜讚 乃至發一言
則為已供養 一切三世佛 是人甚希有 過於優曇華
汝等勿有疑 我為諸法王 普告諸大衆 但以一乘道
教化諸菩薩 无聲聞弟子
汝等舍利弗 聲聞及菩薩 當知是妙法 諸佛之秘要
以五濁惡世 但樂著諸欲 如是等衆生 終不求佛道
當來世惡人 聞佛說一乘 迷惑不信受 破法墮惡道
有慚愧清淨 志求佛道者 當為如是等 廣讚一乘道
舍利弗當知 諸佛法如是 以万億方便 隨宜而說法
其不習學者 不能曉了此
汝等既已知 諸佛世之師 隨宜方便事 无復諸疑惑
心生大歡喜 自知當作佛

妙法蓮華經卷第一

BD01907號 妙法蓮華經卷一 （23–23）

甚多世尊何以故
是故如來說福德多若復有
持乃至四句偈等為他人說其福勝
故須菩提一切諸佛及諸佛阿耨多羅三藐
三菩提法皆從此經出須菩提所謂佛法者
即非佛法
須菩提於意云何須陁洹能作是念我得須
陁洹果不須菩提言不也世尊何以故須陁
洹名為入流而无所入不入色聲香味觸法
是名須陁洹須菩提於意云何斯陁含能作
是念我得斯陁含果不須菩提言不也世尊
何以故斯陁含名一往來而實无往來是名
斯陁含須菩提於意云何阿那含能作是念
我得阿那含果不須菩提言不也世尊何以
故阿那含名為不來而實无來是故名阿
那含須菩提於意云何阿羅漢能作是念我
得阿羅漢道不須菩提言不也世尊何以故
實无有法名阿羅漢世尊若阿羅漢作念我
得阿羅漢道即為著我人衆生壽者世尊佛

BD01908號　金剛般若波羅蜜經　（13–1）

那含須菩提於意云何阿羅漢能作是念我
得阿羅漢道不須菩提言不也世尊何以故
實无有法名阿羅漢世尊若阿羅漢作念我
得阿羅漢道即為著我人衆生壽者世尊佛
說我得无諍三昧人中最為第一是第一離
欲阿羅漢我不作是念我是離欲阿羅漢世
尊我若作是念我得阿羅漢道世尊則不說
須菩提是樂阿蘭那行者以須菩提實无所
行而名須菩提是樂阿蘭那行
佛告須菩提於意云何如來昔在然燈佛所
於法有所得不世尊如來在然燈佛所於法
實无所得
須菩提於意云何菩薩莊嚴佛土不不也世
尊何以故莊嚴佛土者則非莊嚴是名莊
嚴是故須菩提諸菩薩摩訶薩如應是
生清淨心不應住色生心不應住聲香味觸法
生心應无所住而生其心須菩提譬如有人身如
須弥山王於意云何是身為大不須菩提言
甚大世尊何以故佛說非身是名大身
須菩提如恒河中所有沙數如是沙等恒河
於意云何是諸恒河沙寧為多不須菩提言
甚多世尊但諸恒河尚多无數何況其沙須
菩提我今實言告汝若有善男子善女人以
七寶滿尒所恒河沙數三千大千世界以用

BD01908號　金剛般若波羅蜜經　（13–2）

甚多世尊但諸恒河尚多无數何況其沙須
菩提我今實言告汝若有善男子善女人以
七寶滿尒所恒河沙數三千大千世界以用
布施得福多不須菩提言甚多世尊佛告須
菩提若善男子善女人於此經中乃至受持
四句偈等為他人說而此福德勝前福德
復次須菩提隨說是經乃至四句偈等當知
此處一切世間天人阿脩羅皆應供養如佛
塔廟何況有人盡能受持讀誦須菩提當知
是人成就最上第一希有之法若是經典所
在之處則為有佛若尊重弟子
尒時須菩提白佛言世尊當何名此經我等
云何奉持佛告須菩提是經名為金剛般若
波羅蜜以是名字汝當奉持所以者何須菩
提佛說般若波羅蜜則非般若波羅蜜須菩
提於意云何如來有所說法不須菩提白佛
言世尊如來无所說須菩提於意云何三千
大千世界所有微塵是為多不須菩提言甚
多世尊須菩提諸微塵如來說非微塵是名
微塵如來說世界非世界是名世界須菩提
於意云何可以三十二相見如來不不也世尊
不可以三十二相得見如來何以故如來說
三十二相即是非相是名三十二相
須菩提若有善男子善女人以恒河沙等身

BD01908號　金剛般若波羅蜜經　（13–3）

不可以三十二相得見如來何以故如來說
三十二相即是非相是名三十二相
須菩提若有善男子善女人以恒河沙等身
命布施若復有人於此經中乃至受持四句
偈等為他人說其福甚多
尒時須菩提聞說是經深解義趣涕淚悲
泣而白佛言希有世尊佛說如是甚深經典
我從昔來所得慧眼未曾得聞如是之經世尊
若復有人得聞是經信心清淨則生實相當
知是人成就第一希有功德世尊是實相者
則是非相是故如來說名實相世尊我今得
聞如是經典信解受持不足為難若當來世
後五百歲其有眾生得聞是經信解受持是
人則為第一希有何以故此人无我相人相眾
生相壽者相所以者何我相即是非相人相
眾生相壽者相即是非相何以故離一切諸
相則名諸佛
佛告須菩提如是如是若復有人得聞是經
不驚不怖不畏當知是人甚為希有何以故
須菩提如來說第一波羅蜜非第一波羅
蜜是名第一波羅蜜
須菩提忍辱波羅蜜如來說非忍辱波羅蜜
何以故須菩提如我昔為歌利王割截身體
我於尒時无我相无人相无眾生相无壽者

BD01908號　金剛般若波羅蜜經　（13–4）

是名第一波羅蜜
須菩提忍辱波羅蜜如來說非忍辱波羅蜜
何以故須菩提如我昔為歌利王割截身體
我於尒時无我相无人相无衆生相无壽者
相何以故我於往昔節節支解時若有我相
人相衆生相壽者相應生瞋恨須菩提又念
過去於五百世作忍辱仙人於尒所世无我
相无人相无衆生相无壽者相是故須菩提
菩薩應離一切相發阿耨多羅三藐三菩提
心不應住色生心不應住聲香味觸法生心
應生无所住心若心有住則為非住是故佛
說菩薩心不應住色布施須菩提菩薩為利
益一切衆生應如是布施如來說一切諸相
即是非相又說一切衆生則非衆生
須菩提如來是真語者實語者如語者不
誑語者不異語者須菩提如來所得法此法
无實无虛
須菩提若菩薩心住於法而行布施如人入
闇則无所見若菩薩心不住法而行布施如人
有目日光明照見種種色
須菩提當來之世若有善男子善女人能於
此經受持讀誦則為如來以佛智慧悉知是人
悉見是人皆得成就无量无邊功德
須菩提若有善男子善女人初日分以恒河

BD01908號　金剛般若波羅蜜經　（13–5）

須菩提當來之世若有善男子善女人能於
此經受持讀誦則為如來以佛智慧悉知是人
悉見是人皆得成就无量无邊功德
須菩提若有善男子善女人初日分以恒河
沙等身布施中日分復以恒河沙等身布施
後日分亦以恒河沙等身布施如是无量百
千万億劫以身布施若復有人聞此經典信
心不逆其福勝彼何況書寫受持讀誦為人
解說
須菩提以要言之是經有不可思議不可稱
量无邊功德如來為發大乘者說為發最上
乘者說若有人能受持讀誦廣為人說如來
悉知是人悉見是人皆得成就不可量不可
稱无有邊不可思議功德如是人等則為荷
擔如來阿耨多羅三藐三菩提何以故須菩
提若樂小法者著我見人見衆生見壽者見
則於此經不能聽受讀誦為人解說須菩提
在在處處若有此經一切世間天人阿修羅
所應供養當知此處則為是塔皆應恭敬作
礼圍遶以諸華香而散其處
復次須菩提善男子善女人受持讀誦此經
若為人輕賤是人先世罪業應墮惡道以今
世人輕賤故先世罪業則為消滅當得阿耨
多羅三藐三菩提須菩提我念過去无量阿
僧祇劫於然燈佛前得值八百四千万億那

BD01908號　金剛般若波羅蜜經　（13–6）

世人輕賤故先世罪業則為消滅當得阿耨
多羅三藐三菩提須菩提我念過去无量阿
僧祇劫於然燈佛前得值八百四千万億那
由他諸佛悉皆供養承事无空過者若復有
人於後末世能受持讀誦此經所得功德於
我所供養諸佛功德百分不及一千万億分
乃至筭數譬喻所不能及須菩提若善男子
善女人於後末世有受持讀誦此經所得功
德我若具說者或有人聞心則狂亂狐疑不
信須菩提當知是經義不可思議果報亦
不可思議
尒時須菩提白佛言世尊善男子善女人發
阿耨多羅三藐三菩提心云何應住云何降
伏其心佛告須菩提善男子善女人發阿耨
多羅三藐三菩提者當生如是心我應滅度
一切衆生滅度一切衆生已而无有一衆生
實滅度者何以故若菩薩有我相人相衆生
相壽者相則非菩薩所以者何須菩提實无
有法發阿耨多羅三藐三菩提者
須菩提於意云何如來於然燈佛所有法得
阿耨多羅三藐三菩提不不也世尊如我解
佛所說義佛於然燈佛所无有法得阿耨多
羅三藐三菩提佛言如是如是須菩提實无
有法如來得阿耨多羅三藐三菩提須菩提
若有法如來得阿耨多羅三藐三菩提者然

BD01908號　金剛般若波羅蜜經　（13–7）

羅三藐三菩提佛言如是如是須菩提實无
有法如來得阿耨多羅三藐三菩提須菩提
若有法如來得阿耨多羅三藐三菩提者然
燈佛則不與我受記汝於來世當得作佛号
釋迦牟尼以實无有法得阿耨多羅三藐三菩
提是故然燈佛與我受記作是言汝於來世
當得作佛号釋迦牟尼何以故如來者即諸
法如義若有人言如來得阿耨多羅三藐三
菩提須菩提實无有法佛得阿耨多羅三藐
三菩提須菩提如來所得阿耨多羅三藐三
菩提於是中无實无虛是故如來說一切法
皆是佛法須菩提所言一切法者即非一切
法是故名一切法
須菩提譬如人身長大須菩提言世尊如來
說人身長大則為非大身是名大身
須菩提菩薩亦如是若作是言我當滅度无
量衆生則不名菩薩何以故須菩提實无有
法名為菩薩是故佛說一切法无我无人无
衆生无壽者須菩提若菩薩作是言我當
莊嚴佛土是不名菩薩何以故如來說莊嚴佛
土者即非莊嚴是名莊嚴須菩提若菩薩
通達无我法者如來說名真是菩薩
須菩提於意云何如來有肉眼不如是世尊
如來有肉眼須菩提於意云何如來有天眼

BD01908號　金剛般若波羅蜜經　（13–8）

通達无我法者如来說名真是菩薩
須菩提於意云何如来有肉眼不如是世尊
如来有肉眼須菩提於意云何如来有天眼
不如是世尊如来有天眼須菩提於意云
何如来有慧眼不如是世尊如来有慧眼須
菩提於意云何如来有法眼不如是世尊如
来有法眼須菩提於意云何如来有佛眼不
如是世尊如来有佛眼須菩提於意云何恒河
中所有沙佛說是沙不如是世尊如来說是
沙須菩提於意云何如一恒河中所有沙有
如是等恒河是諸恒河所有沙數佛世界
如是寧為多不甚多世尊佛告須菩提尒所
國土中所有衆生若干種心如来悉知何以故
如来說諸心皆為非心是名為心所以者何須
菩提過去心不可得現在心不可得未来心不
可得須菩提於意云何若有人滿三千大
千世界七寶以用布施是人以是因緣得福
多不如是世尊與人以是因緣得福甚多
須菩提若福德有實如来不說得福德多
以福德无故如来說得福德多
須菩提於意云何佛可以具足色身見不不
也世尊如来不應以具足色身見何以故如
来說具足色身即非具足色身是名具足色
身須菩提於意云何如来可以具足諸相見

BD01908號　金剛般若波羅蜜經　（13–9）

也世尊如来不應以具足色身見何以故如
来說具足色身即非具足色身是名具足色
身須菩提於意云何如来可以具足諸相見
不不也世尊如来不應以具足諸相見何以
故如来說諸相具足即非具足是名諸相具足
須菩提汝勿謂如来作是念我當有所說
法莫作是念何以故若人言如来有所說法即
為謗佛不能解我所說故須菩提說法者无
法可說是名說法
須菩提白佛言世尊佛得阿耨多羅三藐三
菩提為无所得耶如是如是須菩提我於阿
耨多羅三藐三菩提乃至无有少法可得是
名阿耨多羅三藐三菩提復次須菩提是法
平等无有高下是名阿耨多羅三藐三菩提
以无我无人无衆生无壽者脩一切善法則
得阿耨多羅三藐三菩提須菩提所言善
法者如来說非善法是名善法
須菩提若三千大千世界中所有諸須弥山
王如是等七寶聚有人持用布施若人以此
般若波羅蜜經乃至四句偈等受持讀誦為
他人說於前福德百分不及一百千万億分
乃至筭數譬喻所不能及
須菩提於意云何汝等勿謂如来作是念
我當度衆生須菩提莫作是念何以故實无

BD01908號　金剛般若波羅蜜經　（13–10）

須菩提於意云何汝等勿謂如來作是念
我當度衆生須菩提莫作是念何以故實无
无衆生如來度者若有衆生如來度者如來則
有我人衆生壽者須菩提如來說有我者則
非有我而凡夫之人以為有我須菩提凡夫
者如來說則非凡夫
須菩提於意云何可以三十二相觀如來不須
菩提言如是如是以三十二相觀如來佛言須
菩提若以三十二相觀如來者轉輪聖王則是
如來須菩提白佛言世尊如我解佛所說義
不應以三十二相觀如來尒時世尊而說偈言
若以色見我 以音聲求我 是人行邪道 不能見如來
須菩提汝若作是念如來不以具足相故得
阿耨多羅三藐三菩提須菩提莫作是念如
來不以具足相故得阿耨多羅三藐三菩提
須菩提汝若作是念發阿耨多羅三藐三菩
提者說諸法斷滅莫作是念何以故發阿耨
多羅三藐三菩提者於法不說斷滅相須菩
提若菩薩以滿恒河沙等世界七寶布施若
復有人知一切法无我得成於忍此菩薩勝
前菩薩所得功德須菩提以諸菩薩不受福
德故須菩提白佛言世尊云何菩薩不受福
德須菩提菩薩所作福德不應貪著是故說
不受福德

BD01908號　金剛般若波羅蜜經　（13–11）

前菩薩所得功德須菩提以諸菩薩不受福
德故須菩提白佛言世尊云何菩薩不受福
德須菩提菩薩所作福德不應貪著是故說
不受福德
須菩提若有人言如來若來若去若坐若卧
是人不解我所說義何以故如來者无所從
來亦无所去故名如來
須菩提若善男子善女人以三千大千世界
碎為微塵於意云何是微塵衆寧為多不甚
多世尊何以故若是微塵衆實有者佛則不
說是微塵衆所以者何佛說微塵衆則非微
塵衆是名微塵衆世尊如來所說三千大千世
界則非世界是名世界何以故若世界實有
者則是一合相如來說一合相則非一合相是
名一合相須菩提一合相者則是不可說
但凡夫之人貪著其事須菩提若人言佛說
我見人見衆生見壽者見須菩提於意云何
是人解我所說義不世尊是人不解如來所
說義何以故世尊說我見人見衆生見壽者
見即非我見人見衆生見壽者見是名我見
人見衆生見壽者見須菩提發阿耨多羅三
藐三菩提心者於一切法應如是知如是見
如是信解不生法相須菩提所言法相者如
來說即非法相是名法相須菩提若有人以

BD01908號　金剛般若波羅蜜經　（13–12）

我見人見衆生見壽者見須菩提於意云何
是人解我所說義不世尊是人不解如來所
說義何以故世尊說我見人見衆生見壽者
見即非我見人見衆生見壽者見是名我見
人見衆生見壽者見須菩提發阿耨多羅三
藐三菩提心者於一切法應如是知如是見
如是信解不生法相須菩提所言法相者如
來說即非法相是名法相須菩提若有人以
滿无量阿僧祇世界七寶持用布施若有善
男子善女人發菩薩心者持於此經乃至四
句偈等受持讀誦為人演說其福勝彼云
何為人演說不取於相如如不動何以故
一切有為法　如夢幻泡影　如露亦如電　應作如是觀
佛說是經已長老須菩提及諸比丘比丘尼
優婆塞優婆夷一切世間天人阿脩羅聞佛
所說皆大歡喜信受奉持
金剛般若波羅蜜經

BD01908號　金剛般若波羅蜜經　（13–13）

淨若一切智智清淨无二无二分无別无斷
故知者清淨故聲香味觸法處清淨聲香
味觸法處清淨故一切智智清淨何以故若知
者清淨若聲香味觸法處清淨若一切智智
清淨无二无二分无別无斷故善現知者清
淨故眼界清淨眼界清淨故一切智智清淨
何以故若知者清淨若眼界清淨若一切智
智清淨无二无二分无別无斷故知者清淨
故色界眼識界及眼觸眼觸為緣所生諸受
清淨色界乃至眼觸為緣所生諸受清淨
故一切智智清淨何以故若知者清淨若色界
乃至眼觸為緣所生諸受清淨若一切智智
清淨无二无二分无別无斷故善現知者清
淨故耳界清淨耳界清淨故一切智智清淨
何以故若知者清淨若耳界清淨若一切智
智清淨无二无二分无別无斷故知者清淨
故聲界耳識界及耳觸耳觸為緣所生諸受
清淨聲界乃至耳觸為緣所生諸受清淨故
一切智智清淨何以故若知者清淨若聲界

BD01909號　大般若波羅蜜多經卷二〇〇　（9–1）

智清淨无二无二分无別无斷故知者清淨
故聲界耳識界及耳觸耳觸爲緣所生諸受
清淨聲界乃至耳觸爲緣所生諸受清淨故
一切智智清淨何以故若知者清淨若聲界
乃至耳觸爲緣所生諸受清淨若一切智智
清淨无二无二分无別无斷故善現知者清
淨故鼻界清淨鼻界清淨故一切智智清淨
何以故若知者清淨若鼻界清淨若一切智
智清淨无二无二分无別无斷故知者清淨
故香界鼻識界及鼻觸鼻觸爲緣所生諸
受清淨香界乃至鼻觸爲緣所生諸受清淨
故一切智智清淨何以故若知者清淨若香界
乃至鼻觸爲緣所生諸受清淨若一切智智
清淨无二无二分无別无斷故善現知者清
淨故舌界清淨舌界清淨故一切智智清淨
何以故若知者清淨若舌界清淨若一切智
智清淨无二无二分无別无斷故知者清淨
故味界舌識界及舌觸舌觸爲緣所生諸受
清淨味界乃至舌觸爲緣所生諸受清淨故
一切智智清淨何以故若知者清淨若味界
乃至舌觸爲緣所生諸受清淨若一切智智
清淨无二无二分无別无斷故善現知者清
淨故身界清淨身界清淨故一切智智清淨
何以故若知者清淨若身界清淨若一切智
智清淨无二无二分无別无斷故知者清淨
故觸界身識界及身觸身觸爲緣所生諸受
清淨觸界乃至身觸爲緣所生諸受清淨故

BD01909號　大般若波羅蜜多經卷二〇〇　（9–2）

何以故若知者清淨若身界清淨若一切智
智清淨无二无二分无別无斷故知者清淨
故觸界身識界及身觸身觸爲緣所生諸受
清淨觸界乃至身觸爲緣所生諸受清淨故
一切智智清淨何以故若知者清淨若觸界
乃至身觸爲緣所生諸受清淨若一切智智
清淨无二无二分无別无斷故善現知者清
淨故意界清淨意界清淨故一切智智清
淨何以故若知者清淨若意界清淨若一切智
智清淨无二无二分无別无斷故知者清淨
故法界意識界及意觸意觸爲緣所生諸受
清淨法界乃至意觸爲緣所生諸受清淨故
一切智智清淨何以故若知者清淨若法界
乃至意觸爲緣所生諸受清淨若一切智智
清淨无二无二分无別无斷故善現知者清
淨故地界清淨地界清淨故一切智智清淨
何以故若知者清淨若地界清淨若一切智
智清淨无二无二分无別无斷故知者清淨
故水火風空識界清淨水火風空識界清淨
故一切智智清淨何以故若知者清淨若水
火風空識界清淨若一切智智清淨无二无
二分无別无斷故善現知者清淨故无明清
淨无明清淨故一切智智清淨何以故若知
者清淨若无明清淨若一切智智清淨无二
无二分无別无斷故知者清淨故行識名色
六處觸受愛取有生老死愁歎苦憂惱清

BD01909號　大般若波羅蜜多經卷二〇〇　（9–3）

淨无明清淨故一切智智清淨何以故若知
者清淨若无明清淨若一切智智清淨无二
无二分无別无斷故知者清淨故行識名色
六處觸受愛取有生老死愁歎苦憂惱清
淨行乃至老死愁歎苦憂惱清淨故一切智
智清淨何以故若知者清淨若行乃至老死
愁歎苦憂惱清淨若一切智智清淨无二无
二分无別无斷故
善現知者清淨故布施波羅蜜多清淨布施
波羅蜜多清淨故一切智智清淨何以故若
知者清淨若布施波羅蜜多清淨若一切智
智清淨无二无二分无別无斷故知者清淨
故淨戒安忍精進靜慮般若波羅蜜多清
淨淨戒乃至般若波羅蜜多清淨故一切智
智清淨何以故若知者清淨若淨戒乃至般若
波羅蜜多清淨若一切智智清淨无二无二
分无別无斷故善現知者清淨故內空清淨
內空清淨故一切智智清淨何以故若知者
清淨若內空清淨若一切智智清淨无二无
二分无別无斷故知者清淨故外空內外空
空空大空勝義空有為空无為空畢竟空
无際空散空无變異空本性空自相空共相
空一切法空不可得空无性空自性空无性自
性空清淨外空乃至无性自性空清淨故一
切智智清淨何以故若知者清淨若外空乃
至无性自性空清淨若一切智智清淨无二

BD01909號　大般若波羅蜜多經卷二〇〇　（9–4）

性空清淨外空乃至无性自性空清淨故一
切智智清淨何以故若知者清淨若外空乃
至无性自性空清淨若一切智智清淨无二
无二分无別无斷故善現知者清淨故真如
清淨真如清淨故一切智智清淨何以故若
知者清淨若真如清淨若一切智智清淨无
二无二分无別无斷故知者清淨故法界法
性不虛妄性不變異性平等性離生性法定
法住實際虛空界不思議界清淨法界乃至
不思議界清淨故一切智智清淨何以故若
知者清淨若法界乃至不思議界清淨若一
切智智清淨无二无二分无別无斷故善現
知者清淨故苦聖諦清淨苦聖諦清淨故一
切智智清淨何以故若知者清淨若苦聖諦
清淨若一切智智清淨无二无二分无別无
斷故知者清淨故集滅道聖諦清淨集滅
道聖諦清淨故一切智智清淨何以故若知
者清淨若集滅道聖諦清淨若一切智智清
淨无二无二分无別无斷故善現知者清淨故
四靜慮清淨四靜慮清淨故一切智智清淨
何以故若知者清淨若四靜慮清淨若一切
智智清淨无二无二分无別无斷故知者清
淨故四无量四无色定清淨四无量四无色定
清淨故一切智智清淨何以故若知者清
淨若四无量四无色定清淨若一切智智清
淨无二无二分无別无斷故善現知者清淨

BD01909號　大般若波羅蜜多經卷二〇〇　（9–5）

淨故四无量四无色定清淨四无量四无色定
清淨故一切智智清淨何以故若知者清
淨若四无量四无色定清淨若一切智智清
淨无二无二分无別无斷故善現知者清淨
故八解脫清淨八解清淨故一切智智清淨
何以故若知者清淨若八解脫清淨若一切
智智清淨无二无二分无別无斷故知者清
淨故八勝處九次第定十遍處清淨八勝
處九次第定十遍處清淨故一切智智清淨
何以故若知者清淨若八勝處九次第定十
遍處清淨若一切智智清淨无二无二分无
別无斷故善現知者清淨故四念住清淨四
念住清淨故一切智智清淨何以故若知者
清淨若四念住清淨若一切智智清淨无二
无二分无別无斷故知者清淨故四正斷四
神足五根五力七等覺支八聖道支清淨四
正斷乃至八聖道支清淨故一切智智清淨何
以故若知者清淨若四正斷乃至八聖道支
清淨若一切智智清淨无二无二分无別无斷
故善現知者清淨故空解脫門清淨空解
脫門清淨故一切智智清淨何以故若知
者清淨若空解脫門清淨若一切智智清淨
无二无二分无別无斷故知者清淨故无相
无願解脫門清淨无相无願解脫門清淨故
一切智智清淨何以故若知者清淨若无相
无願解脫門清淨若一切智智清淨无二无
二分无別无斷故善現知者清淨故菩薩十

BD01909 號　大般若波羅蜜多經卷二〇〇　（9–6）

无願解脫門清淨无相无願解脫門清淨故
一切智智清淨何以故若知者清淨若无相
无願解脫門清淨若一切智智清淨无二无
二分无別无斷故善現知者清淨故菩薩十
地清淨菩薩十地清淨故一切智智清淨何
以故若知者清淨若菩薩十地清淨若一切
智智清淨无二无二分无別无斷故
善現知者清淨故五眼清淨五眼清淨故一
切智智清淨何以故若知者清淨若五眼清
淨若一切智智清淨无二无二分无別无斷
故知者清淨故六神通清淨六神通清淨故
一切智智清淨何以故若知者清淨若六神
通清淨若一切智智清淨无二无二分无別
无斷故善現知者清淨故佛十力清淨佛十
力清淨故一切智智清淨何以故若知者清
淨若佛十力清淨若一切智智清淨无二无
二分无別无斷故知者清淨故四无所畏四
无礙解大慈大悲大喜大捨十八佛不共法
清淨四无所畏乃至十八佛不共法清淨故
一切智智清淨何以故若知者清淨若四无
所畏乃至十八佛不共法清淨若一切智智
清淨无二无二分无別无斷故善現知者清
淨故无忘失法清淨无忘失法清淨故一切
智智清淨何以故若知者清淨若无忘失法
清淨若一切智智清淨无二无二分无別无
斷故知者清淨故恒住捨性清淨恒住捨性
清淨故一切智智清淨何以故若一切智智清淨

BD01909 號　大般若波羅蜜多經卷二〇〇　（9–7）

智智清淨何以故若知者清淨若无忘失法
清淨若一切智智清淨无二无二分无別无
斷故知者清淨故恒住捨性清淨恒住捨性
清淨故一切智智清淨何以故若知者清淨
若恒住捨性清淨若一切智智清淨无二无
二分无別无斷故善現知者清淨故一切智
清淨一切智清淨故一切智智清淨何以故
若知者清淨若一切智清淨若一切智智清
淨无二无二分无別无斷故知者清淨故道
相智一切相智清淨道相智一切相智清淨
故一切智智清淨何以故若知者清淨若道
相智一切相智清淨若一切智智清淨无二
无二分无別无斷故善現知者清淨故一切
陁羅尼門清淨一切陁羅尼門清淨故一切
智智清淨何以故若知者清淨若一切陁羅
尼門清淨若一切智智清淨无二无二分无
別无斷故知者清淨故一切三摩地門清淨
一切三摩地門清淨故一切智智清淨何以
故若知者清淨若一切三摩地門清淨若一
切智智清淨无二无二分无別无斷故善現
知者清淨故預流果清淨預流果清淨故一
切智智清淨何以故若知者清淨若預流果
清淨若一切智智清淨无二无二分无別无斷
故知者清淨故一來不還阿羅漢果清淨一
來不還阿羅漢果清淨故一切智智清淨何
以故若知者清淨若一來不還阿羅漢果清
淨若一切智智清淨无二无二分无別无斷

BD01909號　大般若波羅蜜多經卷二〇〇　（9-8）

清淨若一切智清淨无二无二分无別无斷
故知者清淨故一來不還阿羅漢果清淨一
來不還阿羅漢果清淨故一切智智清淨何
以故若知者清淨若一來不還阿羅漢果清
淨若一切智智清淨无二无二分无別无斷
故善現知者清淨故獨覺菩提清淨獨覺
菩提清淨故一切智智清淨何以故若知者
清淨若獨覺菩提清淨若一切智智清淨
无二无二分无別无斷故善現知者清淨故一
切菩薩摩訶薩行清淨一切菩薩摩訶薩
行清淨故一切智智清淨何以故若知者清
淨若一切菩薩摩訶薩行清淨若一切智智
清淨无二无二分无別无斷故善現知者清
淨故諸佛无上正等菩提清淨諸佛无上正
等菩提清淨故一切智智清淨何以故若知
者清淨若諸佛无上正等菩提清淨若一切
智智清淨无二无二分无別无斷故

大般若波羅蜜多經卷第二百

BD01909號　大般若波羅蜜多經卷二〇〇　（9-9）

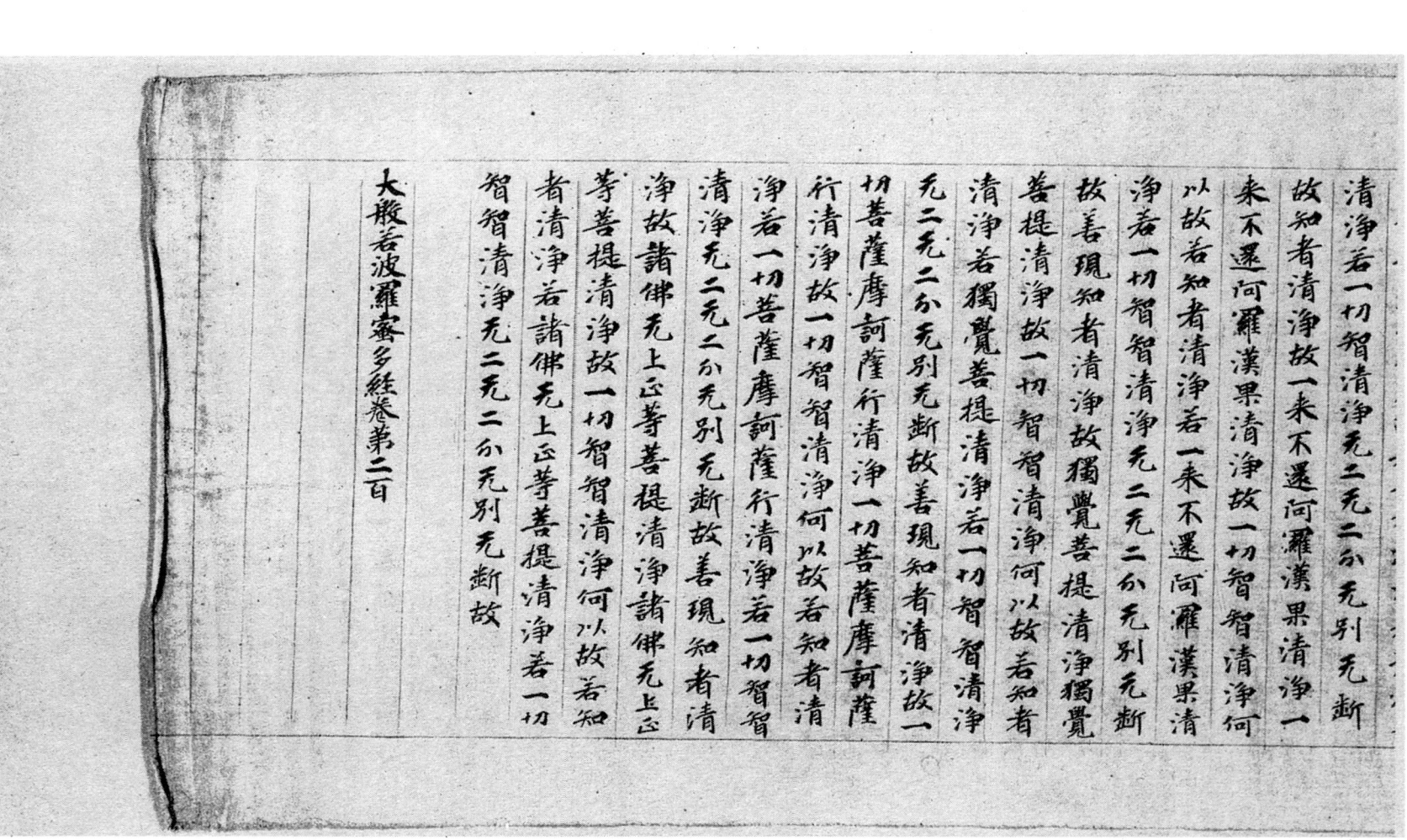

BD01909 號背　題名　　（1–1）

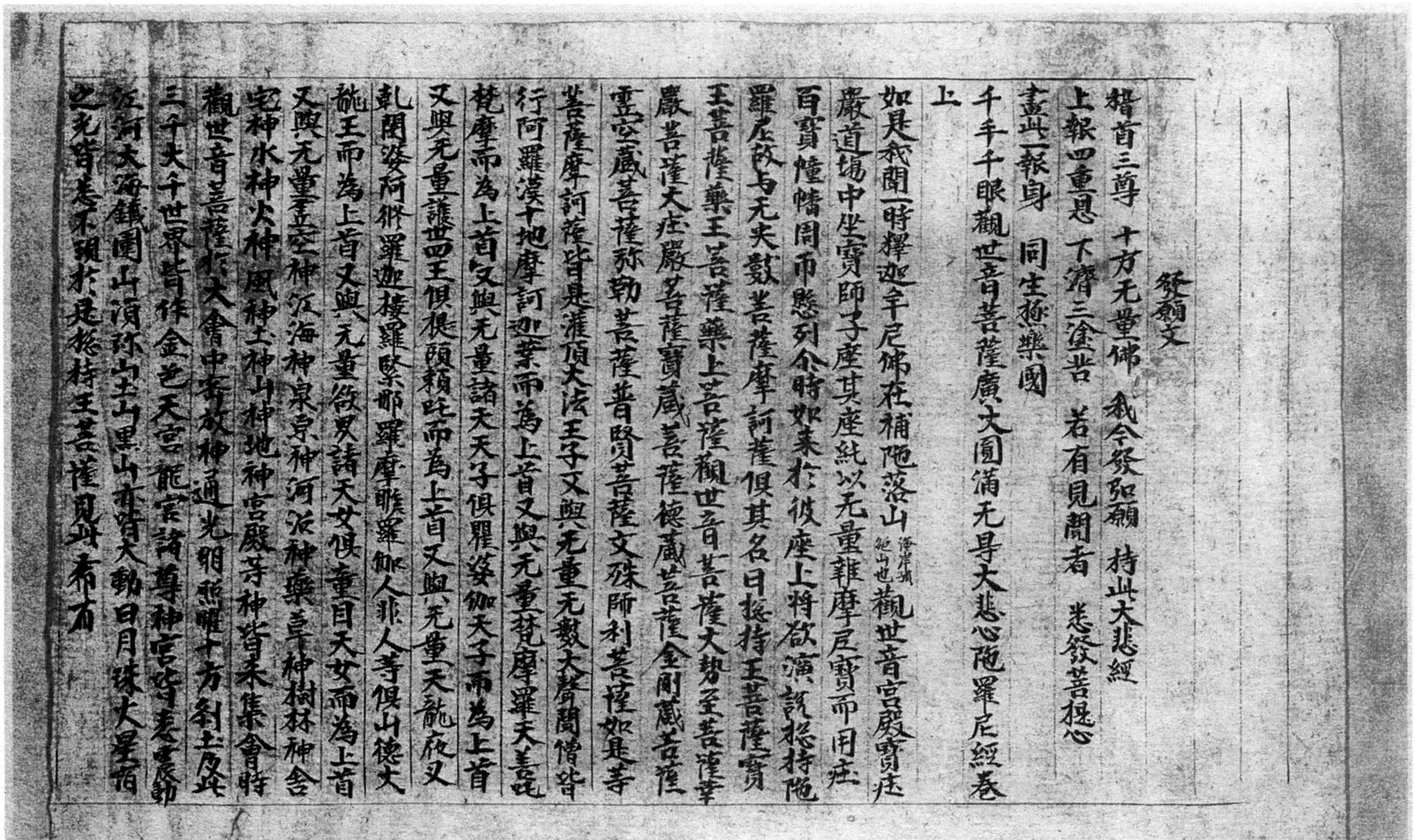
發願文
稽首三尊　十方无量佛　我今發弘願　持此大悲經
上報四重恩　下濟三塗苦　若有見聞者　悉發菩提心
盡此一報身　同生極樂國
千手千眼觀世音菩薩廣大圓滿无㝵大悲心陁羅尼經卷
上
如是我聞一時釋迦牟尼佛在補陁落山（海岸孤絕山也）觀世音宮殿寶莊
嚴道場中坐寶師子座其座純以无量雜摩尼寶而用莊
百寶幢幡周帀懸列尒時如來於彼座上將欲演說揔持陁
羅尼故与无央數菩薩摩訶薩俱其名曰揔持王菩薩寶
王菩薩藥王菩薩藥上菩薩觀世音菩薩大勢至菩薩華
嚴菩薩大莊嚴菩薩寶藏菩薩德藏菩薩金剛藏菩薩
虛空藏菩薩弥勒菩薩普賢菩薩文殊師利菩薩如是等
菩薩摩訶薩皆是灌頂大法王子又與无量无數大聲聞僧皆
行阿羅漢十地摩訶迦葉而為上首又與无量梵摩羅天善吒
梵摩而為上首又與无量諸天天子俱瞿婆伽天子而為上首
又與无量護世四王俱提頭賴吒而為上首又與无量天龍夜叉
乾闥婆阿脩羅迦樓羅緊那羅摩睺羅伽人非人等俱天德大
龍王而為上首又與无量欲界諸天女俱童目天女而為上首
又與无量虛空神江海神泉源神河沼神藥草神樹林神舍
宅神水神火神風神土神山神地神宮殿等神皆來集會時
觀世音菩薩於大會中密放神通光明照曜十方剎土及此
三千大千世界皆作金色天宮龍宮諸尊神宮皆悉震動
江河大海鐵圍山須弥山土山黑山亦皆大動日月珠火星宿
之光皆悉不現於是揔持王菩薩見此希有

BD01910 號 1　持大悲經發願文（擬）　　（1–1）
BD01910 號 2　千手千眼觀世音菩薩廣大圓滿無礙大悲心陀羅尼經（二卷本）卷上

我實不取滅度也是故我於毗耶離國告波
旬言却後三月我當涅槃善男子如來懸見
迦葉菩薩却後三月善根當熟亦見香山須
跋陁羅竟安居已當至我所是故我告魔王
波旬却後三月當般涅槃善男子有諸力士
其數五百終竟三月亦當得發阿耨多羅三
藐三菩提心我爲是故告波旬言却後三月
當般涅槃善男子純陁等輩及五百梨車菴
羅葉女却後三月无上道心善根成熟爲是
等故我告波旬却後三月當般涅槃善男子
須那刹多親近外道尼乾子等我爲說法滿
十二年彼人耶見不信不受我知是人耶見根
栽却後三月定可斫伐我爲是故告波旬
言却後三月當般涅槃善男子何因緣故我
於往昔尼連河邊告魔波旬我今未有多智
弟子是故不得入涅槃者我時欲爲五比丘
等於波羅捺轉法輪故次復欲爲五比丘等
所謂耶奢富那毗摩羅闍憍梵波提須婆睺
次復欲爲郁伽長者等五十人次復欲爲摩
伽陁國頻婆娑羅王等无量人天次復欲爲

BD01911號　大般涅槃經（北本）卷二五　（7–1）

等於波羅捺轉法輪故次復欲爲五比丘等
所謂耶奢富那毗摩羅闍憍梵波提須婆睺
次復欲爲郁伽長者等五十人次復欲爲摩
伽陁國頻婆娑羅王等无量人天次復欲爲
優樓頻螺迦葉門徒五百比丘次復欲爲那
提迦葉伽耶迦葉兄弟二人及五百弟子次
復欲爲舍利弗目乾連等二百五十比丘轉
妙法輪是故我告魔王波旬不般涅槃善男
子有名涅槃非大涅槃云何涅槃非大涅槃
不見佛性而斷煩惱是名涅槃非大涅槃以
不見佛性故无常无我无樂无淨以是義故
雖斷煩惱不得名爲大涅槃也若見佛性能
斷煩惱是則名爲大涅槃也以見佛性故得
名爲常樂我淨以是義故斷於煩惱亦得稱
爲大般涅槃善男子般涅言不槃者言織不
織之義名之涅槃槃又言覆不覆之義乃名
涅槃槃言去來不去不來乃名涅槃槃者言
取不取之義乃名涅槃槃言不定定无不定
乃名涅槃槃言新故无新故義乃名涅槃槃
言鄣閡无鄣閡義乃名涅槃善男子有優
樓迦迦毗羅弟子等言槃者名相无相之義乃
名涅槃善男子槃者言有无有之義乃名涅
槃槃名和合无和合義乃名涅槃槃者言苦
无苦之義乃名涅槃善男子斷煩惱者不名
涅槃不生煩惱乃名涅槃善男子諸佛如來
煩惱不起是名涅槃所有智慧於法无閡是

BD01911號　大般涅槃經（北本）卷二五　（7–2）

名涅槃善男子槃者言有无有之義乃名涅
槃槃名和合无和合義乃名涅槃槃者言苦
无苦之義乃名涅槃善男子斷煩惱者不名
涅槃不生煩惱乃名涅槃善男子諸佛如來
煩惱不起是名涅槃所有智慧於法无閡是
為如來如來非是凡夫聲聞緣覺菩薩是
名佛性如來身心智慧遍滿无量无邊阿僧
祇土无所鄣閡是名虛空如來常住无有變易
名曰實相以是義故如來實不畢竟涅槃是
名菩薩修大涅槃微妙經典具足成就第
七功德
復次善男子云何菩薩摩訶薩修大涅槃微
妙經典具足成就第八功德善男子菩薩摩
訶薩修大涅槃除斷五事遠離五事成就六
事修集五事守護一事親近四事信順一實
心善解脫慧善解脫善男子云何菩薩除斷
五事所謂五陰色受想行識所言陰者其義
何謂能令衆生生死相續不離重擔分散聚
合三世所攝求其義理了不可得以是諸義
故名為陰菩薩摩訶薩雖見色陰不見其相
何以故於十色中推求其性悉不可得為世
界故說言為陰受有百八雖見受陰初无受
相何以故受雖百八理无定實是故菩薩不
見受陰想行識等亦復如是菩薩摩訶薩深
見五陰是生煩惱之根本也以是義故方便
令斷云何菩薩遠離五事所謂五見何等為

BD01911號　大般涅槃經（北本）卷二五　（7–3）

相何以故受雖百八理无定實是故菩薩不
見受陰想行識等亦復如是菩薩摩訶薩深
見五陰是生煩惱之根本也以是義故方便
令斷云何菩薩遠離五事所謂五見何等為
五一者身見二者邊見三者耶見四者戒取
五者見取因是五見生六十二見因是諸見
生死不絕是故菩薩防之不近云何菩薩成
就六事謂六念處何等為六一者念佛二者
念法三者念僧四者念天五者念施六者念
戒是名菩薩成就六事云何菩薩修集五事
所謂五定一者知定二者寂定三者身心受
快樂定四者无樂定五者首楞嚴定修集如
是五種定心則得近於大般涅槃是故菩薩
勤心修集云何菩薩守護一事謂菩提心菩
薩摩訶薩常勤守護是菩提心猶如世人守
護一子亦如瞎者護餘一目如行曠野守護
導者菩薩守護菩提之心亦復如是因護如
是菩提心故得阿耨多羅三藐三菩提因得
阿耨多羅三藐三菩提故常樂我淨具足而
有即是无上大般涅槃是故菩薩守護一法
云何菩薩親近四事謂四无量心何等為四
一者大慈二者大悲三者大喜四者大捨因
是四心能令无量无邊衆生發菩提心是故
菩薩繫心親近云何菩薩信順一實菩薩了
知一切衆生皆歸一道一道者謂大乘也諸
佛菩薩為衆生故分之為三是故菩薩信順

BD01911號　大般涅槃經（北本）卷二五　（7–4）

菩薩繫心親近云何菩薩信順一實菩薩了
知一切衆生皆歸一道一道者謂大乘也諸
佛菩薩為衆生故分之為三月是故菩薩信順
不逆云何菩薩心善解脫貪恚癡心永斷滅
故是名菩薩心善解脫云何菩薩慧善解脫
菩薩摩訶薩於一切法知无鄣閡是名菩薩
慧善解脫因慧解脫昔所不聞而今得聞者
所不見而今得見昔所不到而今得到
尒時光明遍照高貴德王菩薩摩訶薩言世
尊如佛所說心解脫者是義不然何以故心
本无繫所以者何是心本性不為貪欲瞋恚
愚癡諸結所縛若本无繫云何而言心善解
脫世尊若心本性不為貪結之所繫者何等
因緣而能得繫如人攅角本无乳相雖加功
力乳无由出攅乳之者不得如是加功雖少
乳則多出心亦如是本无貪者今云何有若
本无貪後方有者諸佛菩薩本无貪相今悉
應有世尊譬如石女本无子相雖加功力无
量因緣子不可得心亦如是本无貪相雖造
衆緣貪无由生世尊如攅濕木火不可得心
亦如是雖復横求貪不可得云何貪結能繫
於心世尊譬如押沙油不可得心亦如是雖
復押之貪不可得當知貪心二理各異設復
有之何能汙心世尊譬如有人安撅於空終
不得住安貪於心亦復如是種種因緣不能

BD01911號　大般涅槃經（北本）卷二五　（7-5）

復押之貪不可得當知貪心二理各異設復
有之何能汙心世尊譬如有人安撅於空終
不得住安貪於心亦復如是種種因緣不能
令貪繫縛於心世尊若心无貪名解脫者諸
佛菩薩何故不拔虛空中刺世尊過去世心
不名解脫未來世心亦无解脫現在世心不
與道共何等世心名得解脫世尊如過去燈
不能滅闇未來世燈亦不滅闇現在世燈復
不滅闇何以故明之與闇二不並故心亦如
是云何而言心得解脫世尊貪亦是有若貪
无者見女相時不應生貪若因女相而得生
者當知是貪真實而有以有貪故墮三惡道
世尊譬如有人見畫女像亦復生貪以生貪
故得種種罪若本无貪云何見畫而生於貪
若心无貪云何如來說言菩薩心得解脫若
心有貪云何見相然後方生不見相者則不
生也我今現見有惡果報當知有貪瞋恚愚
癡亦復如是世尊譬如衆生有身无我而諸
凡夫横計我想雖有我想不墮三惡云何貪
著於无女相而起女想墮三惡道世尊譬如
攅火而生於火然是火性衆緣中无以何因
緣而得生耶世尊貪亦如是色中无貪香味
觸法亦復无貪云何於色香味觸法生於貪
耶若衆緣中悉无貪者云何衆生獨生於貪
諸佛菩薩而不生耶世尊心亦不定若心定

BD01911號　大般涅槃經（北本）卷二五　（7-6）

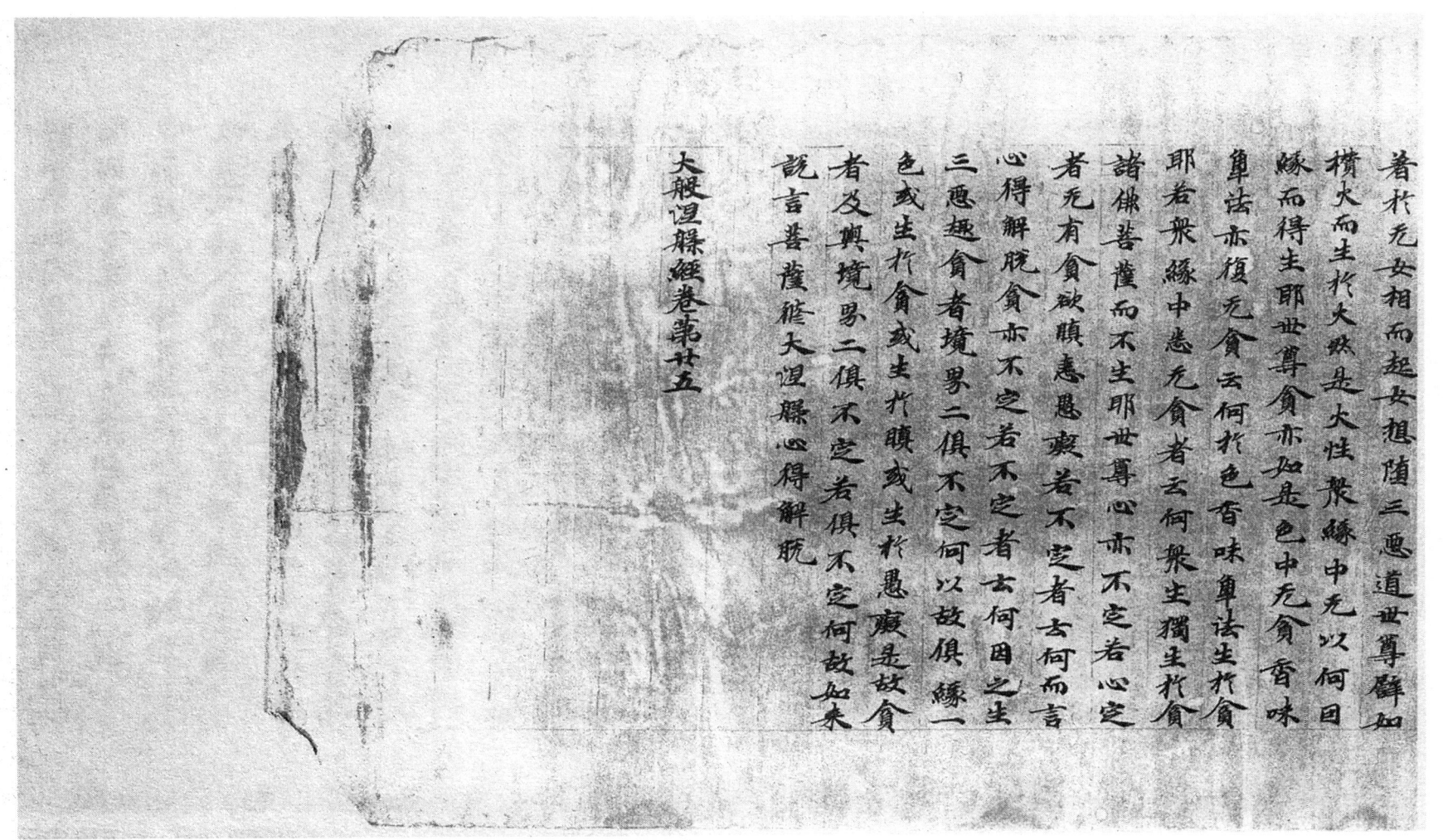

着於无女相而起女想隨三惡道世尊譬如
横火而生於火然是火性衆緣中无以何因
緣而得生耶世尊貪亦如是色中无貪香味
觸法亦復无貪云何於色香味觸法生於貪
耶若衆緣中悉无貪者云何衆生獨生於貪
諸佛菩薩而不生耶世尊心亦不定若心定
者无有貪欲瞋恚愚癡若不定者云何而言
心得解脫貪亦不定若不定者云何因之生
三惡趣貪者境界二俱不定何以故俱緣一
色或生於貪或生於瞋或生於愚癡是故貪
者及與境界二俱不定若俱不定何故如來
說言菩薩修大涅槃心得解脫

大般涅槃經卷第廿五

BD01911號 大般涅槃經（北本）卷二五 （7–7）

護持助宣无量无邊諸佛之法教化饒益无
量衆生令立阿耨多羅三藐三菩提爲淨佛
土故常勤精進教化衆生漸漸具足菩薩之
道過无量阿僧祇劫當於此土得阿耨多羅
三藐三菩提号曰法明如來應供正遍知明
行足善逝世間解无上士調御丈夫天人師
佛世尊其佛以恒河沙等三千大千世界爲
一佛土七寶爲地地平如掌无有山陵谿澗
溝壑七寶臺觀充滿其中諸天宮殿近處虛
空人天交接兩得相見无諸惡道亦无女人
一切衆生皆以化生无有婬欲得大神通身
出光明飛行自在志念堅固精進智慧普皆
金色三十二相而自莊嚴其國衆生常以二
食一者法喜食二者禪悅食有无量阿僧祇
千万億那由他諸菩薩衆得大神通四无礙
智善能教化衆生之類其聲聞衆筭數校計
所不能知皆得具足六通三明及八解脫其
佛國土有如是等无量功德莊嚴成就劫名
寶明國名善淨其佛壽命无量阿僧祇劫法

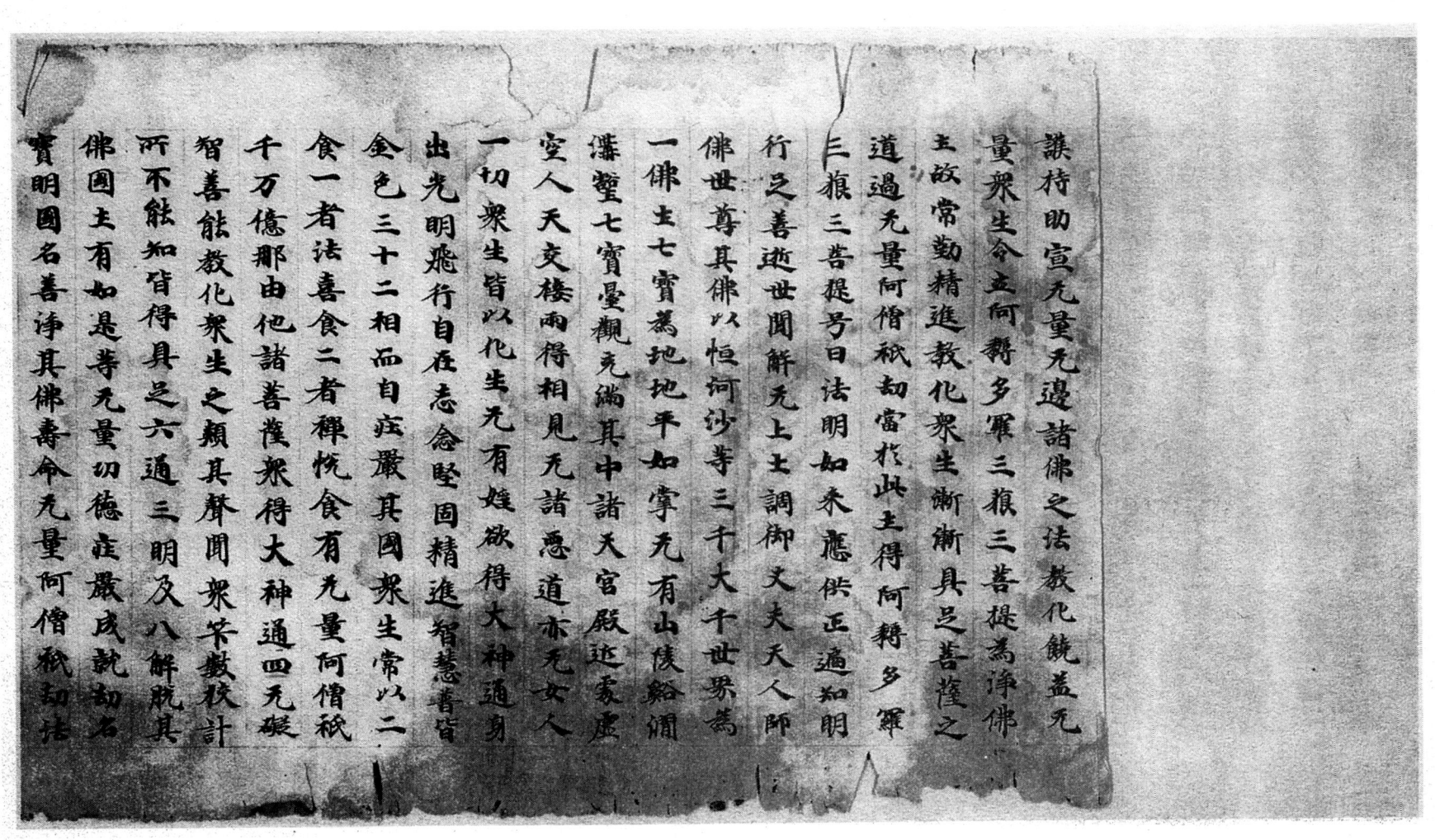

BD01912號 妙法蓮華經卷四 （5–1）

所不能知皆得具足六通三明及八解脫其
佛國土有如是等无量功德莊嚴成就劫名
寶明國名善淨其佛壽命无量阿僧祇劫法
住甚久佛滅度後起七寶塔遍滿其國尒時
世尊欲重宣此義而說偈言
諸比丘諦聽　佛子所行道　善學方便故　不可得思議
知衆樂小法　而畏於大智　是故諸菩薩　作聲聞緣覺
以无數方便　化諸衆生類　自說是聲聞　去佛道甚遠
度脫无量衆　皆悉得成就　雖少欲懈怠　漸當令作佛
內秘菩薩行　外現是聲聞　少欲猒生死　實自淨佛土
示衆有三毒　又現邪見相　我弟子如是　方便度衆生
若我具足說　種種現化事　衆生聞是者　心則懷疑惑
今此富樓那　於昔千億佛　勤脩所行道　宣護諸佛法
為求无上慧　而於諸佛所　現居弟子上　多聞有智慧
所說无所畏　能令衆歡喜　未曾有疲惓　而以助佛事
已度大神通　具四无礙智　知衆根利鈍　常說清淨法
演暢如是義　教諸千億衆　令住大乘法　而自淨佛土
未來亦供養　无量无數佛　護助宣正法　亦自淨佛土
常以諸方便　說法无所畏　度不可計衆　成就一切智
供養諸如來　護持法寶藏　其後得成佛　号名曰法明
其國名善淨　七寶所合成　劫名為寶明　菩薩衆甚多
其數无量億　皆度大神通　威德力具足　充滿其國土
聲聞亦无數　三明八解脫　得四无礙智　以是等為僧
其國諸衆生　婬欲皆已斷　純一變化生　具相莊嚴身

BD01912號　妙法蓮華經卷四　（5–2）

其數无量億　皆度大神通　威德力具足　充滿其國土
聲聞亦无數　三明八解脫　得四无礙智　以是等為僧
其國諸衆生　婬欲皆已斷　純一變化生　具相莊嚴身
法喜禪悅食　更无餘食想　无有諸女人　亦无諸惡道
富樓那比丘　功德悉成滿　當得斯淨土　賢聖衆甚多
如是无量事　我今但略說
尒時千二百阿羅漢心自在者作是念我等
歡喜得未曾有若世尊各見授記如餘大弟
子者不亦快乎佛知此等心之所念告摩訶
迦葉是千二百阿羅漢我今當現前次第與
授阿耨多羅三藐三菩提記於此衆中我大
弟子憍陳如比丘當供養六万二千億佛然
後得成為佛号曰普明如來應供正遍知明
行足善逝世間解无上士調御丈夫天人師
佛世尊其五百阿羅漢優樓頻螺迦葉伽耶
迦葉那提迦葉迦留陁夷優陁夷阿㝹樓馱
離婆多劫賓那薄拘羅周陁莎伽陁等皆當
得阿耨多羅三藐三菩提盡同一号名曰普
明尒時世尊欲重宣此義而說偈言
憍陳如比丘　當見无量佛　過阿僧祇劫　乃成等正覺
常放大光明　具足諸神通　名聞遍十方　一切之所敬
常說无上道　故号為普明　其國土清淨　菩薩皆勇猛
咸昇妙樓閣　遊諸十方國　以无上供具　奉獻於諸佛
作是供養已　心懷大歡喜　須臾還本國　有如是神力

BD01912號　妙法蓮華經卷四　（5–3）

常說无上道 故号為普明 其國土清淨 菩薩皆勇猛
咸昇妙樓閣 遊諸十方國 以无上供具 奉獻於諸佛
作是供養已 心懷大歡喜 須臾還本國 有如是神力
佛壽六万劫 正法住倍壽 像法復倍是 法滅天人憂
其五百比丘 次第當作佛 同号曰普明 轉次而授記
我滅度之後 某甲當作佛 其所化世間 亦如我今日
國土之嚴淨 及諸神通力 菩薩聲聞衆 正法及像法
壽命劫多少 皆如上所說 迦葉汝已知 五百自在者
餘諸聲聞衆 亦當復如是 其不在此會 汝當為宣說
尒時五百阿羅漢於佛前得授記已歡喜踊
躍即從座起到於佛前頭面礼足悔過自責
世尊我等常作是念自謂已得究竟滅度今
乃知之如无智者所以者何我等應得如來
智慧而便自以小智為足世尊譬如有人至
親友家醉酒而卧是時親友官事當行以无
價寶珠繫其衣裏與之而去其人醉卧都不
覺知起已遊行到於他國為衣食故勤力求
索甚大艱難若少有所得便以為足於後親
友會遇見之而作是言咄哉丈夫何為衣食
乃至如是我昔欲令汝得安樂五欲自恣於
某年日月以无價寶珠繫汝衣裏今故現在
而汝不知勤苦憂惱以求自活甚為癡也汝
今可以此寶貿易所須常可如意无所乏短
佛亦如是為菩薩時教化我等令發一切智
心而尋癡忘不知不覺既得阿羅漢道自謂

BD01912 號　妙法蓮華經卷四　（5–4）

餘諸聲聞衆 亦當復如是 其不在此會 汝當為宣說
尒時五百阿羅漢於佛前得授記已歡喜踊
躍即從座起到於佛前頭面礼足悔過自責
世尊我等常作是念自謂已得究竟滅度今
乃知之如无智者所以者何我等應得如來
智慧而便自以小智為足世尊譬如有人至
親友家醉酒而卧是時親友官事當行以无
價寶珠繫其衣裏與之而去其人醉卧都不
覺知起已遊行到於他國為衣食故勤力求
索甚大艱難若少有所得便以為足於後親
友會遇見之而作是言咄哉丈夫何為衣食
乃至如是我昔欲令汝得安樂五欲自恣於
某年日月以无價寶珠繫汝衣裏今故現在
而汝不知勤苦憂惱以求自活甚為癡也汝
今可以此寶貿易所須常可如意无所乏短
佛亦如是為菩薩時教化我等令發一切智
心而尋癡忘不知不覺既得阿羅漢道自謂
滅度資生艱難得少為足一切智願猶在不

BD01912 號　妙法蓮華經卷四　（5–5）

失今者世尊覺悟我等作如是言諸比丘汝
等所得非究竟滅我久令汝等種佛善根以
方便故示涅槃相而汝謂為實得滅度世尊
我今乃知實是菩薩得授阿耨多羅三藐三
菩提記以是因緣甚大歡喜得未曾有尒時
阿若憍陳如等欲重宣此義而說偈言
我等聞无上 安隱授記聲 歡喜未曾有 礼无量智佛
今於世尊前 自悔諸過咎 於无量佛寶 得少涅槃分
如无智愚人 便自以為足
譬如貧窮人 往至親友家 其家甚大富 具設諸餚饍
以无價寶珠 繫著內衣裏 嘿與而捨去 時臥不覺知
是人既已起 遊行詣他國 求衣食自濟 資生甚艱難
得少便為足 更不願好者 不覺內衣裏 有无價寶珠
與珠之親友 後見此貧人 苦切責之已 示以所繫珠
貧人見此珠 其心大歡喜 富有諸財物 五欲而自恣
我等亦如是 世尊於長夜 常愍見教化 令種无上願
我等无智故 不覺亦不知 得少涅槃分 自足不求餘
今佛覺悟我 言非實滅度 得佛无上慧 尒乃為真滅
我今從佛聞 授記莊嚴事 及轉次受決 身心遍歡喜

BD01913號　妙法蓮華經卷四　　（27–1）

我等亦如是 世尊於長夜 常愍見教化 令種无上願
我等无智故 不覺亦不知 得少涅槃分 自足不求餘
今佛覺悟我 言非實滅度 得佛无上慧 尒乃為真滅
我今從佛聞 授記莊嚴事 及轉次受決 身心遍歡喜
妙法蓮華經授學无學人記品第九
尒時阿難羅睺羅而作是念我等每自思惟
設得授記不亦快乎即從座起到於佛前頭
面礼足俱白佛言世尊我等於此亦應有分
唯有如來我等所歸又我等為一切世間天
人阿脩羅所見知識阿難常為侍者護持法
藏羅睺羅是佛之子若佛見授阿耨多羅三
藐三菩提記者我願既滿衆望亦足尒時學
无學聲聞弟子二千人皆從座起偏袒右肩
到於佛前一心合掌瞻仰世尊如阿難羅睺
羅所願住立一面尒時佛告阿難汝於來世
當得作佛号山海慧自在通王如來應供正
遍知明行足善逝世間解无上士調御丈夫
天人師佛世尊當供養六十二億諸佛護持
法藏然後得阿耨多羅三藐三菩提教化二
十千万億恒河沙諸菩薩等令成阿耨多羅
三藐三菩提國名常立勝幡其土清淨琉璃
為地劫名妙音遍滿其佛壽命无量千万億
阿僧祇劫若人於千万億无量阿僧祇劫中
筭數挍計不能得知正法住世倍於壽命像
法住世復倍正法阿難是山海慧自在通王

BD01913號　妙法蓮華經卷四　　（27–2）

阿僧祇劫若人於千万億无量阿僧祇劫中
筭數校計不能得知正法住世倍於壽命像
法住世復倍正法阿難是山海慧自在通王
佛為十方无量千万億恒河沙等諸佛如來
所共讚歎稱其功德尒時世尊欲重宣此義
而說偈言
我今僧中說　阿難持法者　當供養諸佛　然後成正覺
号曰山海慧　自在通王佛　其國土清淨　名常立勝幡
教化諸菩薩　其數如恒沙　佛有大威德　名聞滿十方
壽命无有量　以愍衆生故　正法倍壽命　像法復倍是
如恒河沙等　无數諸衆生　於此佛法中　種佛道因緣
尒時會中新發意菩薩八千人咸作是念我
等尚不聞諸大菩薩得如是記有何因緣而
諸聲聞得如是决尒時世尊知諸菩薩心之
所念而告之曰諸善男子我與阿難等於空
王佛所同時發阿耨多羅三藐三菩提心阿
難常樂多聞我常勤精進是故我已得成阿
耨多羅三藐三菩提而阿難護持我法亦護
將來諸佛法藏教化成就諸菩薩衆其本願
如是故獲斯記阿難面於佛前自聞授記及
國土莊嚴所願具足心大歡喜得未曾有即
時憶念過去无量千万億諸佛法藏通達无
礙如今所聞亦識本願尒時阿難而說偈言
世尊甚希有　令我念過去　无量諸佛法　如今日所聞

時憶念過去无量千万億諸佛法藏通達无
礙如今所聞亦識本願尒時阿難而說偈言
世尊甚希有　令我念過去　无量諸佛法　如今日所聞
我今无復疑　安住於佛道　方便為侍者　護持諸佛法
尒時佛告羅睺羅汝於來世當得作佛号蹈
七寶華如來應供正遍知明行足善逝世間
解无上士調御丈夫天人師佛世尊當供養
十世界微塵等數諸佛如來常為諸佛而作
長子猶如今也是蹈七寶華佛國土莊嚴壽
命劫數所化弟子正法像法亦如山海慧自
在通王如來无異亦為此佛而作長子過是
已後當得阿耨多羅三藐三菩提尒時世尊
欲重宣此義而說偈言
我為太子時　羅睺為長子　我今成佛道　受法為法子
於未來世中　見无量億佛　皆為其長子　一心求佛道
羅睺羅密行　唯我能知之　現為我長子　以示諸衆生
无量億千万　功德不可數　安住於佛法　以求无上道
尒時世尊見學无學二千人其意柔軟寂然
清淨一心觀佛佛告阿難汝見是學无學二
千人不唯然已見阿難是諸人等當供養五
十世界微塵數諸佛如來恭敬尊重護持法
藏末後同時於十方國各得成佛皆同一号
名曰寶相如來應供正遍知明行足善逝世
間解无上士調御丈夫天人師佛世尊壽命
一劫國土莊嚴聲聞菩薩正法像法皆悉同

名曰寶相如來應供正遍知明行足善逝世
間解无上士調御丈夫天人師佛世尊壽命
一劫國土莊嚴聲聞菩薩正法像法皆悉同
等尒時世尊欲重宣此義而說偈言
是二千聲聞　今於我前住　悉皆與授記　未來當成佛
所供養諸佛　如上說塵數　護持其法藏　後當成正覺
各於十方國　悉同一名号　俱時坐道場　以證无上慧
皆名爲寶相　國土及弟子　正法與像法　悉等无有異
咸以諸神通　度十方衆生　名聞普周遍　漸入於涅槃
尒時學无學二千人聞佛授記歡喜踊躍而
說偈言
世尊慧燈明　我聞授記音　心歡喜充滿　如甘露見灌
妙法蓮華經法師品第十
尒時世尊因藥王菩薩告八万大士藥王汝
見是大衆中无量諸天龍王夜叉乾闥婆阿
脩羅迦樓羅緊那羅摩睺羅伽人與非人等
及比丘比丘尼優婆塞優婆夷求聲聞者求
辟支佛者求佛道者如是等類咸於佛前聞
妙法華經一偈一句乃至一念隨喜者我皆
與授記當得阿耨多羅三藐三菩提佛告藥
王又如來滅度之後若有人聞妙法華經乃
至一偈一句一念隨喜者我亦與授阿耨多
羅三藐三菩提記若復有人受持讀誦解說
書寫妙法華經乃至一偈於此經卷敬視如
佛種種供養華香瓔珞末香塗香燒香繒蓋

BD01913號　妙法蓮華經卷四　（27–5）

羅三藐三菩提記若復有人受持讀誦解說
書寫妙法華經乃至一偈於此經卷敬視如
佛種種供養華香瓔珞末香塗香燒香繒蓋
幢幡衣服伎樂乃至合掌恭敬藥王當知是
諸人等已曾供養十万億佛於諸佛所成就
大願愍衆生故生此人間藥王若有人問何
等衆生於未來世當得作佛應示是諸人等
於未來世必得作佛何以故若善男子善女
人於法華經乃至一句受持讀誦解說書寫
種種供養經卷華香瓔珞末香塗香燒香繒
蓋幢幡衣服伎樂合掌恭敬是人一切世間
所應瞻奉應以如來供養而供養之當知此
人是大菩薩成就阿耨多羅三藐三菩提哀
愍衆生願生此間廣演分別妙法華經何況
盡能受持種種供養者藥王當知是人自捨
清淨業報於我滅度後愍衆生故生於惡世
廣演此經若是善男子善女人我滅度後能
竊爲一人說法華經乃至一句當知是人則
如來使如來所遣行如來事何況於大衆中
廣爲人說藥王若有惡人以不善心於一劫
中現於佛前常毀罵佛其罪尚輕若人以一
惡言毀呰在家出家讀誦法華經者其罪甚
重藥王其有讀誦法華經者當知是人以佛
莊嚴而自莊嚴則爲如來肩所荷擔其所至
方應隨向礼一心合掌恭敬供養尊重讚歎

BD01913號　妙法蓮華經卷四　（27–6）

惡言毀呰在家出家讀誦法華經者其罪甚
重藥王其有讀誦法華經者當知是人以佛
莊嚴而自莊嚴則為如來肩所荷擔其所至
方應隨向礼一心合掌恭敬供養尊重讚歎
華香瓔珞末香塗香燒香繒蓋幢幡衣服餚
饌作諸伎樂人中上供而供養之應持天寶
而以散之天上寶聚應以奉獻所以者何是
人歡喜說法須臾聞之即得究竟阿耨多羅
三藐三菩提故尒時世尊欲重宣此義而說
偈言
若欲住佛道　成就自然智　常當勤供養　受持法華者
其有欲疾得　一切種智慧　當受持是經　并供養持者
若有能受持　妙法華經者　當知佛所使　愍念諸衆生
諸有能受持　妙法華經者　捨於清淨土　愍衆故生此
當知如是人　自在所欲生　能於此惡世　廣說无上法
應以天華香　及天寶衣服　天上妙寶聚　供養說法者
吾滅後惡世　能持是經者　當合掌礼敬　如供養世尊
上饌衆甘美　及種種衣服　供養是佛子　冀得須臾聞
若能於後世　受持是經者　我遣在人中　行於如來事
若於一劫中　常懷不善心　作色而罵佛　獲无量重罪
其有讀誦持　是法華經者　須臾加惡言　其罪復過彼
有人求佛道　而於一劫中　合掌在我前　以无數偈讚
由是讚佛故　得无量功德　歎美持經者　其福復過彼
於八十億劫　以最妙色聲　及與香味觸　供養持經者
如是供養已　若得須臾聞　則應自欣慶　我今獲大利

BD01913號　妙法蓮華經卷四　（27–7）

有人求佛道　而於一劫中　合掌在我前　以无數偈讚
由是讚佛故　得无量功德　歎美持經者　其福復過彼
於八十億劫　以最妙色聲　及與香味觸　供養持經者
如是供養已　若得須臾聞　則應自欣慶　我今獲大利
藥王今告汝　我所說諸經　而於此經中　法華最第一
尒時佛復告藥王菩薩摩訶薩我所說經典
无量千万億已說今說當說而於其中此法
華經最為難信難解藥王此經是諸佛祕要
之藏不可分布妄授與人諸佛世尊之所守
護從昔已來未曾顯說而此經者如來現在
猶多怨嫉況滅度後藥王當知如來滅後其
能書持讀誦供養為他人說者如來則為以
衣覆之又為他方現在諸佛之所護念是人
有大信力及志願力諸善根力當知是人與
如來共宿則為如來手摩其頭藥王在在處
處若說若讀若誦若書若經卷所住之處皆
應起七寶塔極令高廣嚴飾不須復安舍利
所以者何此中已有如來全身此塔應以一
切華香瓔珞繒蓋幢幡伎樂歌頌供養恭敬
尊重讚歎若有人得見此塔礼拜供養當知
是等皆近阿耨多羅三藐三菩提藥王多有
人在家出家行菩薩道若不能得見聞讀誦
書持供養是法華經者當知是人未善行菩
薩道若有得聞是經典者乃能善行菩薩之
道其有衆生求佛道者若見若聞是法華經

BD01913號　妙法蓮華經卷四　（27–8）

薩道若有得聞是經典者乃能善行菩薩之
道其有衆生求佛道者若見若聞是法華經
聞已信解受持者當知是人得近阿耨多羅
三藐三菩提藥王譬如有人渴乏須水於彼
高原穿鑿求之猶見乾土知水尚遠施功不
已轉見濕土遂漸至泥其心決定知水必近
菩薩亦復如是若未聞未解未能修習是法
華經當知是人去阿耨多羅三藐三菩提尚
遠若得聞解思惟修習必知得近阿耨多羅
三藐三菩提所以者何一切菩薩阿耨多羅
三藐三菩提皆屬此經此經開方便門示真
實相是法華經藏深固幽遠无人能到今佛
教化成就菩薩而為開示藥王若有菩薩聞
是法華經驚疑怖畏當知是為新發意菩薩
若聲聞人聞是經驚疑怖畏當知是為增上
慢者藥王若有善男子善女人如來滅後欲
為四衆說是法華經者云何應說是善男子
善女人入如來室著如來衣坐如來座爾乃
應為四衆廣說斯經如來室者一切衆生中
大慈悲心是如來衣者柔和忍辱心是如來
座者一切法空是安住是中然後以不懈怠
心為諸菩薩及四衆廣說是法華經藥王我
於餘國遣化人為其集聽法衆亦遣化比丘
比丘尼優婆塞優婆夷聽其說法是諸化人

心為諸菩薩及四衆廣說是法華經藥王我
於餘國遣化人為其集聽法衆亦遣化比丘
比丘尼優婆塞優婆夷聽其說法是諸化人
聞法信受隨順不逆若說法者在空閑處我
時廣遣天龍鬼神乾闥婆阿脩羅等聽其說
法我雖在異國時時令說法者得見我身若
於此經忘失句逗我還為說令得具足爾時
世尊欲重宣此義而說偈言
欲捨諸懈怠　應當聽此經　是經難得聞　信受者亦難
如人渴須水　穿鑿於高原　猶見乾燥土　知去水尚遠
漸見濕土泥　決定知近水　藥王汝當知　如是諸人等
不聞法華經　去佛智甚遠　若聞是深經　決了聲聞法
是諸經之王　聞已諦思惟　當知此人等　近於佛智慧
若人說此經　應入如來室　著於如來衣　而坐如來座
處衆无所畏　廣為分別說　大慈悲為室　柔和忍辱衣
諸法空為座　處此為說法　若說此經時　有人惡口罵
加刀杖瓦石　念佛故應忍　我千万億土　現淨堅固身
於无量億劫　為衆生說法　若我滅度後　能說此經者
我遣化四衆　比丘比丘尼　及清信士女　供養於法師
引導諸衆生　集之令聽法　若人欲加惡　刀杖及瓦石
則遣變化人　為之作衛護　若說法之人　獨在空閑處
寂漠无人聲　讀誦此經典　我爾時為現　清淨光明身
若忘失章句　為說令通利　若人具是德　或為四衆說
空處讀誦經　皆得見我身　若人在空閑　我遣天龍王
夜叉鬼神等　為作聽法衆　是人樂說法　分別无罣礙

若忘失章句　爲說令通利　若人具是德　或爲四衆說
空處讀誦經　皆得見我身　若人在空閑　我遣天龍王
夜叉鬼神等　爲作聽法衆　是人樂說法　分別无罣礙
諸佛護念故　能令大衆喜　若親近法師　速得菩薩道
隨順是師學　得見恒沙佛
妙法蓮華經見寶塔品第十一
尒時佛前有七寶塔高五百由旬縱廣二百
五十由旬從地踊出住在空中種種寶物而
莊校之五千欄楯龕室千万无數幢幡以爲
嚴飾垂寶瓔珞寶鈴万億而懸其上四面皆
出多摩羅跋栴檀之香充遍世界其諸幡蓋
以金銀琉璃車𤦲馬瑙真珠玫瑰七寶合成
高至四天王宮三十三天雨天曼陁羅華供
養寶塔餘諸天龍夜叉乾闥婆阿脩羅迦樓
羅緊那羅摩睺羅伽人非人等千万億衆以
一切華香瓔珞幡蓋伎樂供養寶塔恭敬尊
重讚歎尒時寶塔中出大音聲歎言善哉善
哉釋迦牟尼世尊能以平等大慧教菩薩法
佛所護念妙法華經爲大衆說如是如是釋
迦牟尼世尊如所說者皆是真實尒時四衆
見大寶塔住在空中又聞塔中所出音聲皆
得法喜怪未曾有從座而起恭敬合掌却住
一面尒時有菩薩摩訶薩名大樂說知一切
世間天人阿脩羅等心之所疑而白佛言世

得法喜怪未曾有從座而起恭敬合掌却住
一面尒時有菩薩摩訶薩名大樂說知一切
世間天人阿脩羅等心之所疑而白佛言世
尊以何因緣有此寶塔從地踊出又於其中
發是音聲尒時佛告大樂說菩薩此寶塔中
有如來全身乃往過去東方无量千万億阿
僧祇世界國名寶淨彼中有佛号曰多寶其
佛行菩薩道時作大誓願若我成佛滅度之
後於十方國土有說法華經處我之塔廟爲
聽是經故踊現其前爲作證明讚言善哉彼
佛成道已臨滅度時於天人大衆中告諸比
丘我滅度後欲供養我全身者應起一大塔
其佛以神通願力十方世界在在處處若有
說法華經者彼之寶塔皆踊出其前全身在
於塔中讚言善哉善哉大樂說今多寶如來
塔聞說法華經故從地踊出讚言善哉善哉
是時大樂說菩薩以如來神力故白佛言世
尊我等願欲見此佛身佛告大樂說菩薩摩
訶薩是多寶佛有深重願若我寶塔爲聽法
華經故出於諸佛前時其有欲以我身示四
衆者彼佛分身諸佛在於十方世界說法盡
還集一處然後我身乃出現耳大樂說我分
身諸佛在於十方世界說法者今應當集大
樂說白佛言世尊我等亦願欲見世尊分身
諸佛禮拜供養尒時佛放白毫一光即見東

身諸佛在於十方世界說法者今應當集大
衆說白佛言世尊我等亦願欲見世尊分身
諸佛礼拜供養尒時佛放白毫一光即見東
方五百万億那由他恒河沙等國土諸佛彼
諸國土皆以頗梨為地寶樹寶衣以為莊嚴
无數千万億菩薩充滿其中遍張寶幔寶網
羅上彼國諸佛以大妙音而說諸法及見无
量千万億菩薩遍滿諸國為衆說法南西北
方四維上下白毫相光所照之處亦復如是
尒時十方諸佛各告衆菩薩言善男子我今
應往娑婆世界釋迦牟尼佛所并供養多寶
如來寶塔時娑婆世界即變清淨琉璃為地
寶樹莊嚴黃金為繩以界八道无諸聚落村
營城邑大海江河山川林藪燒大寶香曼陀
羅華遍布其地以寶網幔羅覆其上懸諸寶
鈴唯留此會衆移諸天人置於他土是時諸
佛各將一大菩薩以為侍者至娑婆世界各
到寶樹下一一寶樹高五百由旬枝葉華菓
次第莊嚴諸寶樹下皆有師子之座高五由
旬亦以大寶而校餝之尒時諸佛各於此座
結跏趺坐如是展轉遍滿三千大千世界而
於釋迦牟尼佛一方所分之身猶故未盡時
釋迦牟尼佛欲容受所分身諸佛故八方各
更變二百万億那由他國皆令清淨无有地

於釋迦牟尼佛一方所分之身猶故未盡時
釋迦牟尼佛欲容受所分身諸佛故八方各
更變二百万億那由他國皆令清淨无有地
獄餓鬼畜生及阿脩羅又移諸天人置於他
土所化之國亦以琉璃為地寶樹莊嚴樹高
五百由旬枝葉華菓次第嚴餝樹下皆有寶
師子座高五由旬種種諸寶以為莊校亦无大
海江河及目真隣陀山摩訶目真隣陀山
鐵圍山大鐵圍山須弥山等諸山王通為一佛
國土寶地平正寶交露幔遍覆其上懸諸
幡蓋燒大寶香諸天寶華遍布其地釋迦牟
尼佛為諸佛當來坐故復於八方各變二百
万億那由他國皆令清淨无有地獄餓鬼畜
生及阿脩羅又移諸天人置於他土所化之
國亦以琉璃為地寶樹莊嚴樹高五百由旬
枝葉華菓次第莊嚴樹下皆有寶師子座高
五由旬亦以大寶而校餝之亦无大海江河
及目真隣陀山摩訶目真隣陀山鐵圍山大
鐵圍山須弥山等諸山王通為一佛國土寶
地平正寶交露幔遍覆其上懸諸幡蓋燒大
寶香諸天寶華遍布其地尒時東方釋迦牟
尼佛所分之身百千万億那由他恒河沙等
國土中諸佛各各說法來集於此如是次第
十方諸佛皆悉來集坐於八方尒時一一方

反佛所分之身百千万億那由他恒河沙等
國土中諸佛各各說法來集於此如是次第
十方諸佛皆悉來集坐於八方尒時一一方
四百万億那由他國土諸佛如來遍滿其中
是時諸佛各在寶樹下坐師子座皆遣侍者
問訊釋迦牟尼佛各賫寶華滿掬而告之言
善男子汝往詣耆闍崛山釋迦牟尼佛所如
我辭曰少病少惱氣力安樂及菩薩聲聞
衆悉安隱不以此寶華散佛供養而作是言
彼某甲佛與欲開此寶塔諸佛遣使亦復如是
尒時釋迦牟尼佛見所分身佛悉已來集各
各坐於師子之座皆聞諸佛與欲同開寶塔
即從座起住虛空中一切四衆起立合掌一
心觀佛於是釋迦牟尼佛以右指開七寶塔
戶出大音聲如却關鑰開大城門即時一切
衆會皆見多寶如來於寶塔中坐師子座全
身不散如入禪定又聞其言善哉善哉釋迦
牟尼佛快說是法華經我為聽是經故而來
至此尒時四衆等見過去无量千万億劫滅
度佛說如是言歎未曾有以天寶華聚散多
寶佛及釋迦牟尼佛上尒時多寶佛於寶塔
中分半座與釋迦牟尼佛而作是言釋迦牟
尼佛可就此座即時釋迦牟尼佛入其塔中
坐其半座結跏趺坐尒時大衆見二如來在
七寶塔中師子座上結跏趺坐各作是念佛

中分半座與釋迦牟尼佛而作是言釋迦牟
尼佛可就此座即時釋迦牟尼佛入其塔中
坐其半座結跏趺坐尒時大衆見二如來在
七寶塔中師子座上結跏趺坐各作是念佛
座高遠唯願如來以神通力令我等輩俱處
虛空即時釋迦牟尼佛以神通力接諸大衆
皆在虛空以大音聲普告四衆誰能於此娑
婆國土廣說妙法華經今正是時如來不久
當入涅槃佛欲以此妙法華經付囑有在尒
時世尊欲重宣此義而說偈言
聖主世尊　雖久滅度　在寶塔中　尚為法來
諸人云何　不勤為法　此佛滅度　无鞅數劫
處處聽法　以難遇故　彼佛本願　我滅度後
在在所往　常為聽法　又我分身　无量諸佛
如恒沙等　來欲聽法　及見滅度　多寶如來
各捨妙土　及弟子衆　天人龍神　諸供養事
令法久住　故來至此　為坐諸佛　以神通力
移无量衆　令國清淨　諸佛各各　詣寶樹下
如清淨池　蓮華莊嚴　其寶樹下　諸師子座
佛坐其上　光明嚴飾　如夜暗中　然大炬火
身出妙香　遍十方國　衆生蒙薰　喜不自勝
譬如大風　吹小樹枝　以是方便　令法久住
告諸大衆　我滅度後　誰能護持　讀誦斯經
今於佛前　自說誓言　其多寶佛　雖久滅度

身出妙香　遍十方國　眾生蒙熏　喜不自勝
譬如大風　吹小樹枝　以是方便　令法久住
告諸大眾　我滅度後　誰能護持　讀誦斯經
今於佛前　自說誓言　其多寶佛　雖久滅度
以大誓願　而師子吼　多寶如來　及與我身
所集化佛　當知此意　諸佛子等　誰能護法
當發大願　令得久住　其有能護　此經法者
則為供養　我及多寶　此多寶佛　處於寶塔
常遊十方　為是經故　亦復供養　諸來化佛
莊嚴光飾　諸世界者　若說此經　則為見我
多寶如來　及諸化佛　諸善男子　各諦思惟
此為難事　宜發大願　諸餘經典　數如恒沙
雖說此等　未足為難　若接須弥　擲置他方
无數佛土　亦未為難　若以足指　動大千界
遠擲他國　亦未為難　若立有頂　為眾演說
无量餘經　亦未為難　若佛滅後　於惡世中
能說此經　是則為難　假使有人　手把虛空
而以遊行　亦未為難　於我滅後　若自書持
若使人書　是則為難　若以大地　置足甲上
昇於梵天　亦未為難　佛滅度後　於惡世中
暫讀此經　是則為難　假使劫燒　擔負乾草
入中不燒　亦未為難　我滅度後　若持此經
為一人說　是則為難　若持八万　四千法藏
十二部經　為人演說　令諸聽者　得六神通
雖能如是　亦未為難　於我滅後　聽受此經
問其義趣　是則為難　若人說法　令千万億

BD01913號　妙法蓮華經卷四　（27–17）

為一人說　是則為難　若持八万　四千法藏
十二部經　為人演說　令諸聽者　得六神通
雖能如是　亦未為難　於我滅後　聽受此經
問其義趣　是則為難　若人說法　令千万億
无量无數　恒沙眾生　得阿羅漢　具六神通
雖有是益　亦未為難　於我滅後　若能奉持
如斯經典　是則為難　我為佛道　於无量土
從始至今　廣說諸經　而於其中　此經第一
若有能持　則持佛身　諸善男子　於我滅後
誰能護持　讀誦此經　今於佛前　自說誓言
此經難持　若暫持者　我則歡喜　諸佛亦然
如是之人　諸佛所歎　是則勇猛　是則精進
是名持戒　行頭陀者　則為疾得　无上佛道
能於來世　讀持此經　是真佛子　住淳善地
佛滅度後　能解其義　是諸天人　世間之眼
於恐畏世　能須臾說　一切天人　皆應供養

妙法蓮華經提婆達多品第十二

尒時佛告諸菩薩及天人四眾　吾於過去无
量劫中求法華經无有懈惓　於多劫中常作
國王發願求於无上菩提心不退轉　為欲滿
足六波羅蜜勤行布施心无恡惜　象馬七珎
國城妻子奴婢僕從　頭目髓腦身肉手足不
惜軀命　時世人民壽命无量　為於法故捐捨
國位委政太子　擊鼓宣令四方求法　誰能為

BD01913號　妙法蓮華經卷四　（27–18）

國城妻子奴婢僕從頭目髓腦身肉手足不
惜軀命時世人民壽命无量為於法故捐捨
國位委政太子擊皷宣令四方求法誰能為
我說大乘者吾當終身供給走使時有仙人
來白王言我有大乘名妙法華若不違我當
為宣說王聞仙言歡喜踊躍即隨仙人供給
所須採菓汲水拾薪設食乃至以身而為床
座身心无惓于時奉事經於千歲為於法故
精勤給侍令无所乏尒時世尊欲重宣此義
而說偈言
我念過去劫　為求大法故　雖作世國王　不貪五欲樂
搥鍾告四方　誰有大法者　若為我解說　身當為奴僕
時有阿私仙　來白於大王　我有微妙法　世間所希有
若能脩行者　吾當為汝說　時王聞仙言　心生大喜悅
即便隨仙人　供給於所須　採薪及菓蓏　隨時恭敬與
情存妙法故　身心无懈惓　普為諸眾生　勤求於大法
亦不為己身　及以五欲樂　故為大國王　勤求獲此法
遂致得成佛　今故為汝說
佛告諸比丘尒時王者則我身是時仙人者
今提婆達多是由提婆達多善知識故令我
具足六波羅蜜慈悲喜捨三十二相八十種
好紫磨金色十力四无所畏四攝法十八不
共神通道力成等正覺廣度眾生皆因提婆
達多善知識故告諸四眾提婆達多却後過

具足六波羅蜜慈悲喜捨三十二相八十種
好紫磨金色十力四无所畏四攝法十八不
共神通道力成等正覺廣度眾生皆因提婆
達多善知識故告諸四眾提婆達多却後過
无量劫當得成佛号曰天王如來應供正遍
知明行足善逝世間解无上士調御丈夫天
人師佛世尊世界名天道時天王佛住世二
十中劫廣為眾生說於妙法恒河沙眾生得
阿羅漢果无量眾生發緣覺心恒河沙眾生
發无上道心得无生忍至不退轉時天王佛
般涅槃後正法住世二十中劫全身舍利起
七寶塔高六十由旬縱廣四十由旬諸天人
民悉以雜華末香燒香塗香衣服瓔珞幢幡
寶蓋伎樂歌頌礼拜供養七寶妙塔无量眾
生得阿羅漢果无量眾生悟辟支佛不可思議
眾生發菩提心至不退轉佛告諸比丘未來
世中若有善男子善女人聞妙法華經提婆
達多品淨心信敬不生疑惑者不墮地獄餓
鬼畜生生十方佛前所生之處常聞此經若
生人天中受勝妙樂若在佛前蓮華化生
於時下方多寶世尊所從菩薩名曰智積白多
寶佛當還本土釋迦牟尼佛告智積曰善男
子且待須臾此有菩薩名文殊師利可與相
見論說妙法可還本土尒時文殊師利坐千

子且待須臾此有菩薩名文殊師利可與相
見論說妙法可還本土尒時文殊師利坐千
葉蓮華大如車輪俱來菩薩亦坐寶華從於
大海娑竭龍宮自然踊出住虛空中詣靈鷲
山從蓮華下至於佛所頭面敬禮二世尊足
脩敬已畢往智積所共相慰問却坐一面智
積菩薩問文殊師利仁往龍宮所化衆生其
數幾何文殊師利言其數无量不可稱計非
口所宣非心所測且待須臾自當有證所言
未竟无數菩薩坐寶蓮華從海踊出詣靈鷲
山住在虛空此諸菩薩皆是文殊師利之所
化度具菩薩行皆共論說六波羅蜜本聲聞
人在虛空中說聲聞行今皆脩行大乘空義
文殊師利謂智積曰於海教化其事如是尒
時智積菩薩以偈讚曰
大智德勇健　化度无量衆　今此諸大會　及我皆已見
演暢實相義　開闡一乘法　廣度諸群生　令速成菩提
文殊師利言我於海中唯常宣說妙法華經
智積問文殊師利言此經甚深微妙諸經中
寶世所希有頗有衆生勤加精進脩行此經
速得佛不文殊師利言有娑竭羅龍王女年
始八歲智慧利根善知衆生諸根行業得陁
羅尼諸佛所說甚深秘藏悉能受持深入禪
定了達諸法於刹那頃發菩提心得不退轉

BD01913號　妙法蓮華經卷四　（27–21）

速得佛不文殊師利言有娑竭羅龍王女年
始八歲智慧利根善知衆生諸根行業得陁
羅尼諸佛所說甚深秘藏悉能受持深入禪
定了達諸法於刹那頃發菩提心得不退轉
辯才无礙慈念衆生猶如赤子功德具足心
念口演微妙廣大慈悲仁讓志意和雅能至
菩提智積菩薩言我見釋迦如來於无量劫
難行苦行積功累德求菩薩道未曾止息觀
三千大千世界乃至无有如芥子許非是菩
薩捨身命處爲衆生故然後乃得成菩提道
不信此女於須臾頃便成正覺言論未訖時
龍王女忽現於前頭面礼敬却住一面以偈
讚曰
深達罪福相　遍照於十方　微妙淨法身　具相三十二
以八十種好　用莊嚴法身　天人所戴仰　龍神咸恭敬
一切衆生類　无不宗奉者　又聞成菩提　唯佛當證知
我闡大乘教　度脫苦衆生
時舍利弗語龍女言汝謂不久得无上道是
事難信所以者何女身垢穢非是法器云何
能得无上菩提佛道懸曠經无量劫勤苦積
行具脩諸度然後乃成又女人身猶有五障
一者不得作梵天王二者帝釋三者魔王四
者轉輪聖王五者佛身云何女身速得成佛
尒時龍女有一寶珠價直三千大千世界持
以上佛佛即受之龍女謂智積菩薩尊者舍

BD01913號　妙法蓮華經卷四　（27–22）

一者不得作梵天王二者帝釋三者魔王四
者轉輪聖王五者佛身云何女身速得成佛
尒時龍女有一寶珠價直三千大千世界持
以上佛佛即受之龍女謂智積菩薩尊者舍
利弗言我獻寶珠世尊納受是事疾不荅言
甚疾女言以汝神力觀我成佛復速於此當
時衆會皆見龍女忽然之間變成男子具菩
薩行即往南方无垢世界坐寶蓮華成等正
覺三十二相八十種好普為十方一切衆生
演說妙法尒時娑婆世界菩薩聲聞天龍八
部人與非人皆遥見彼龍女成佛普為時會
人天說法心大歡喜悉遥敬礼无量衆生聞
法解悟得不退轉无量衆生得受道記无垢
世界六反震動娑婆世界三千衆生住不退
地三千衆生發菩提心而得受記智積菩薩
及舍利弗一切衆會嘿然信受

妙法蓮華經勸持品第十三

尒時藥王菩薩摩訶薩及大樂說菩薩摩訶
薩與二萬菩薩眷屬俱皆於佛前作是誓言
唯願世尊不以為慮我等於佛滅後當奉持
讀誦說此經典後惡世衆生善根轉少多增
上慢貪利供養增不善根遠離解脫雖難可
教化我等當起大忍力讀誦此經持說書寫
種種供養不惜身命尒時衆中五百阿羅漢

BD01913號　妙法蓮華經卷四　（27–23）

上慢貪利供養增不善根遠離解脫雖難可
教化我等當起大忍力讀誦此經持說書寫
種種供養不惜身命尒時衆中五百阿羅漢
得受記者白佛言世尊我等亦自誓願於異
國土廣說此經復有學无學八千人得受記
者從座而起合掌向佛作是誓言世尊我等
亦當於他國土廣說此經所以者何是娑婆
國中人多弊惡懷增上慢功德淺薄瞋濁諂
曲心不實故尒時佛姨母摩訶波闍波提比
丘尼與學无學比丘尼六千人俱從座而起
一心合掌瞻仰尊顏目不暫捨於時世尊告
憍曇弥何故憂色而視如來汝心將无謂我
不說汝名授阿耨多羅三藐三菩提記耶憍
曇弥我先惣說一切聲聞皆已授記今汝欲
知記者將來之世當於六萬八千億諸佛法
中為大法師及六千學无學比丘尼俱為法
師汝如是漸漸具菩薩道當得作佛号一切
衆生憙見如來應供正遍知明行足善逝世
間解无上士調御丈夫天人師佛世尊憍曇弥
是一切衆生憙見佛及六千菩薩轉次授記
得阿耨多羅三藐三菩提尒時羅睺羅母
耶輸陁羅比丘尼作是念世尊於授記中獨
不說我名佛告耶輸陁羅汝於來世百萬億
諸佛法中脩菩薩行為大法師漸具佛道於

BD01913號　妙法蓮華經卷四　（27–24）

耶輸陁羅比丘尼作是念世尊於授記中獨
不說我名佛告耶輸陁羅汝於來世百萬億
諸佛法中脩菩薩行為大法師漸具佛道於
善國中當得作佛号具足千萬光相如來應
供正遍知明行足善逝世間解无上士調御
丈夫天人師佛世尊佛壽无量阿僧祇劫尒
時摩訶波闍波提比丘尼及耶輸陁羅比丘
尼并其眷屬皆大歡喜得未曾有即於佛前
而說偈言
世尊導師　安隱天人　我等聞記　心安具足
諸比丘尼說是偈已白佛言世尊我等亦能
於他方國土廣宣此經尒時世尊視八十萬
億那由他諸菩薩摩訶薩是諸菩薩皆是阿
惟越致轉不退法輪得諸陁羅尼即從座起
至於佛前一心合掌而作是念若世尊告勑
我等持說此經者當如佛教廣宣斯法復作
是念佛今嘿然不見告勑我當云何時諸菩
薩敬順佛意并欲自滿本願便於佛前作師
子吼而發誓言世尊我等於如來滅後周旋
往反十方世界能令衆生書寫此經受持讀
誦解說其義如法脩行正憶念皆是佛之威
力唯願世尊在於他方遙見守護即時諸菩
薩俱同發聲而說偈言
唯願不為慮　於佛滅度後　恐怖惡世中　我等當廣說

BD01913號　妙法蓮華經卷四　（27–25）

薩俱同發聲而說偈言
唯願不為慮　於佛滅度後　恐怖惡世中　我等當廣說
有諸无智人　惡口罵詈等　及加刀杖者　我等皆當忍
惡世中比丘　邪智心諂曲　未得謂為得　我慢心充滿
或有阿練若　納衣在空閑　自謂行真道　輕賤人間者
貪著利養故　與白衣說法　為世所恭敬　如六通羅漢
是人懷惡心　常念世俗事　假名阿練若　好出我等過
而作如是言　此諸比丘等　為貪利養故　說外道論議
自作此經典　誑惑世間人　為求名聞故　分別於是經
常在大衆中　欲毀我等故　向國王大臣　婆羅門居士
及餘比丘衆　誹謗說我惡　謂是邪見人　說外道論議
我等敬佛故　悉忍是諸惡　為斯所輕言　汝等皆是佛
如此輕慢言　皆當忍受之　濁劫惡世中　多有諸恐怖
惡鬼入其身　罵詈毀辱我　我等敬信佛　當著忍辱鎧
為說是經故　忍此諸難事　我不愛身命　但惜无上道
我等於來世　護持佛所囑　世尊自當知　濁世惡比丘
不知佛方便　隨宜所說法　惡口而顰蹙　數數見擯出
遠離於塔寺　如是等衆惡　念佛告勑故　皆當忍是事
諸聚落城邑　其有求法者　我皆到其所　說佛所囑法
我是世尊使　處衆无所畏　我當善說法　願佛安隱住
我於世尊前　諸來十方佛　發如是誓言　佛自知我心

妙法蓮華經卷第四

BD01913號　妙法蓮華經卷四　（27–26）

自作此經典　誑惑世間人　為求名聞故　分別於是經
常在大衆中　欲毀我等故　向國王大臣　婆羅門居士
及餘比丘衆　誹謗說我惡　謂是邪見人　說外道論議
我等敬佛故　悉忍是諸惡　為斯所輕言　汝等皆是佛
如此輕慢言　皆當忍受之　濁劫惡世中　多有諸恐怖
惡鬼入其身　罵詈毀辱我　我等敬信佛　當著忍辱鎧
為說是經故　忍此諸難事　我不愛身命　但惜无上道
我等於來世　護持佛所囑　世尊自當知　濁世惡比丘
不知佛方便　隨宜所說法　惡口而顰蹙　數數見擯出
遠離於塔寺　如是等衆惡　念佛告勅故　皆當忍是事
諸聚落城邑　其有求法者　我皆到其所　說佛所囑法
我是世尊使　處衆无所畏　我當善說法　願佛安隱住
我於世尊前　諸來十方佛　發如是誓言　佛自知我心

妙法蓮華經卷第四

BD01913 號　妙法蓮華經卷四　（27–27）

及餘一切衆　喜歎未曾有　我等諸宮殿　蒙光故嚴飾
今以奉世尊　唯垂哀納受　願以此功德　普及於一切
我等與衆生　皆共成佛道
尒時五百萬億諸梵天王偈讚佛已，各白佛
言：唯願世尊轉於法輪，多所安隱，多所度脫。
時諸梵天而說偈言：
世尊轉法輪　擊甘露法鼓　度苦惱衆生　開示涅槃道
唯願受我請　以大微妙音　哀愍而敷演　无量劫習法
尒時大通智勝如來受十方諸梵天王及十
六王子請，即時三轉十二行法輪，若沙門、婆
羅門，若天、魔、梵及餘世間所不能轉，謂是苦，
是苦集，是苦滅，是苦滅道；及廣說十二因緣
法：无明緣行，行緣識，識緣名色，名色緣六入，
六入緣觸，觸緣受，受緣愛，愛緣取，取緣有，有
緣生，生緣老死憂悲苦惱。无明滅則行滅，行滅
則識滅，識滅則名色滅，名色滅則六入滅，六
入滅則觸滅，觸滅則受滅，受滅則愛滅，愛滅
則取滅，取滅則有滅，有滅則生滅，生滅則老
死憂悲苦惱滅。佛於天人大衆之中說是法
時，六百萬億那由他人以不受一切法故，而
於諸漏心得解脫，皆得深妙禪定、三明、六
通，具八解脫。第二、第三、第四說法時，千萬

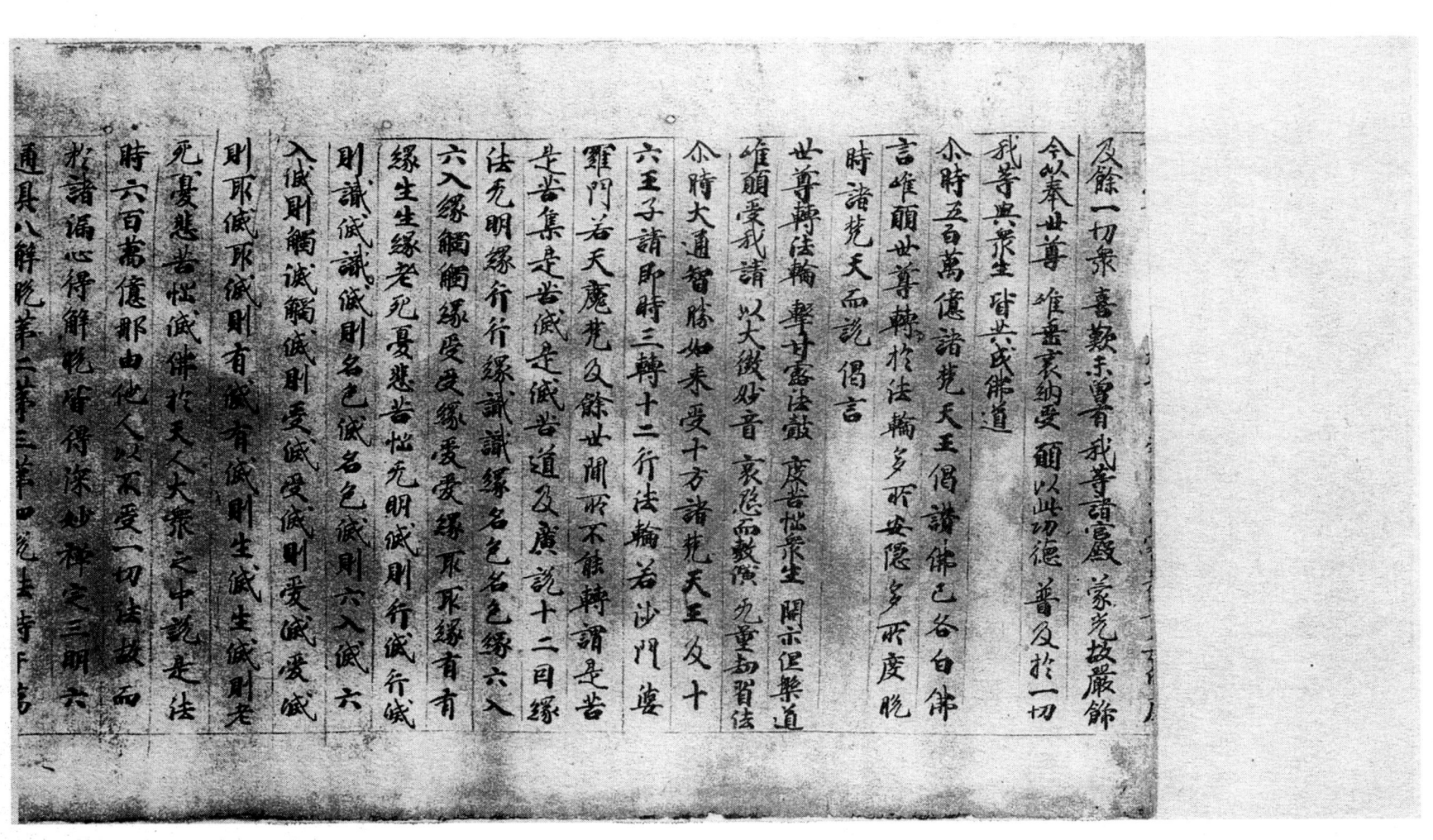

BD01914 號　妙法蓮華經卷三　（7–1）

則取滅取滅則有滅有滅則生滅生滅則老
死憂悲苦惱滅佛於天人大衆之中說是法
時六百萬億那由他人以不受一切法故而
於諸漏心得解脫皆得深妙禪定三明六
通具八解脫第二第三第四說法時千萬
億恒河沙那由他等衆生亦以不受一切法故
而於諸漏心得解脫從是已後諸聲聞衆
无量无邊不可稱數尒時十六王子皆以童子
出家而為沙弥諸根通利智慧明了已曾供
養百千萬億諸佛淨脩梵行求阿耨多羅
三藐三菩提俱白佛言世尊是諸无量千
万億大德聲聞皆已成就世尊亦當為我等
說阿耨多羅三藐三菩提法我等聞已皆共
脩學世尊我等志願如來知見深心所念佛
自證知尒時轉輪聖王所將衆中八万億人見
十六王子出家亦求出家王即聽許尒時彼
佛受沙弥請過二万劫已乃於四衆之中說是
大乘經名妙法蓮華教菩薩法佛所護念說
是經已十六沙弥為阿耨多羅三藐三菩提故
皆共受持諷誦通利說是經時十六菩薩沙弥
皆悉信受聲聞衆中亦有信解其餘衆生千
万億種皆生疑惑佛說是經於八千劫未曾休
廢說此經已即入靜室住於禪定八万四千
劫是時十六菩薩沙弥知佛入室寂然禪
定各昇法座亦於八万四千劫為四部衆廣
說分別妙法華經一一皆度六百万億那由

BD01914號　妙法蓮華經卷三　（7–2）

廢說此經已即入靜室住於禪定八万四千
劫是時十六菩薩沙弥知佛入室寂然禪
定各昇法座亦於八万四千劫為四部衆廣
說分別妙法華經一一皆度六百万億那由
他恒河沙等衆生示教利喜令發阿耨多羅
三藐三菩提心大通智勝佛過八万四千劫已
從三昧起往詣法座安詳而坐普告大衆是
十六菩薩沙弥甚為希有諸根通利智慧明了
已曾供養无量千万億數諸佛於諸佛所常
脩梵行受持佛智開示衆生令入其中汝等
皆當數數親近而供養之所以者何若聲聞
辟支佛及諸菩薩能信是十六菩薩所說經
法受持不毀者是人皆當得阿耨多羅三藐三
菩提如來之慧佛告諸比丘是十六菩薩常樂
說是妙法蓮華經一一菩薩所化六百万億那
由他恒河沙等衆生世世所生與菩薩俱從其
聞法皆皆信解以此因緣得值四万億諸佛世
尊于今不盡諸比丘我今語汝彼佛弟子十六
沙弥今皆當阿耨多羅三藐三菩提於十方國
土現在說法有无量百千万億菩薩聲聞以
為眷屬其二沙弥東方作佛一名阿閦在歡喜
國二名須弥頂東南方二佛一名師子音二名
師子相南方二佛一名虛空住二名常滅西南
方二佛一名帝相二名梵相西方二佛一名阿
弥陁二名度一切世間苦惱西北方二佛一名
多摩羅跋栴檀香神通二名須弥相北方二
佛一名雲自在二名雲自在王東北方佛名[illegible]

BD01914號　妙法蓮華經卷三　（7–3）

方二佛一名帝相二名梵相西方二佛一名阿
弥陁二名度一切世間苦惱西北方二佛一名
多摩羅䟦栴檀香神通二名須弥相北方二
佛一名雲自在二名雲自在王東北方佛名壞
一切世間怖畏第十六我釋迦牟尼佛於娑
國土成阿耨多羅三藐三菩提諸比丘我等為
沙弥時各各教化无量百千万億恒河沙等衆生
從我聞法為阿耨多羅三藐三菩提此諸衆生
于今有住聲聞地者我常教化阿耨多羅三藐
三菩提是諸人等應以是法漸入佛道所以者
何如來智慧難信難解尒時所化无量恒河沙
等衆生者汝等諸比丘及我滅度後未來世中
聲聞弟子是也我滅度後復有弟子不聞是經
不知不覺菩薩所行自於所得功德生滅度
想當入涅槃我於餘國作佛更有異名是
人雖生滅度之想入於涅槃而於彼土求佛智慧
得聞是經唯以佛乘除諸如來方便說法諸比
丘若如來自知涅槃時到衆又清淨信解堅固
了達空法深入禪定便集諸菩薩及聲聞
衆為說是經世間无有二乘而得滅度唯一佛
乘得滅度耳比丘當知如來方便深入衆生之
性知其志樂小法深著五欲為是等故說於涅
槃是人若聞則便信受譬如五百由旬險難惡
道曠絕无人怖畏之處若有多衆欲過此道至
珎寶處有一導師聦慧明達善知險道通塞
之相將導衆人欲過此難所將人衆中路懈退
白導師言我等疲極而復怖畏不能復進前

BD01914號　妙法蓮華經卷三　（7–4）

道曠絕无人怖畏之處若有多衆欲過此道至
珎寶處有一導師聦慧明達善知險道通塞
之相將導衆人欲過此難所將人衆中路懈退
白導師言我等疲極而復怖畏不能復進前
路猶遠今欲退還導師多諸方便而作是念此
等可愍云何捨大珎寶而欲退還作是念已以方
便力於險道中過三百由旬化作一城告衆人言
汝等勿怖莫得退還今此大城可於中止隨意所
作若入是城快得安隱若能前至寶所亦可得去
是時疲極之衆心大歡喜歎未曾有我等今者
免斯惡道快得安隱於是衆人前入化城生已度
想生安隱想尒時導師知此人衆既得止息无復
疲惓即滅化城語衆人言汝等去來寶處在近
向者大城我所化作為止息耳諸比丘如來亦復
如是今為汝等作大導師知諸生死煩惱惡道險
難長遠應去應度若衆生但聞一佛乘者則不
欲見佛不欲親近便作是念佛道長遠久受勤
苦乃可得成佛知是心怯弱下劣以方便力而於
中道為止息故說二涅槃若衆生住於二地如
來尒時即便為說汝等所作未辦汝所住地近
於佛慧當觀察籌量所得涅槃非真實也但
是如來方便之力於一佛乘分別說三如彼導師
為止息故化作大城既知息已而告之言寶
處在近此城非實我化作耳尒時世尊欲
重宣此義而說偈言
大通智勝佛　十劫坐道場　佛法不現前　不得成佛道

BD01914號　妙法蓮華經卷三　（7–5）

重宣此義而說偈言
大通智勝佛 十劫坐道場 佛法不現前 不得成佛道
諸天神龍王 阿脩羅衆等 常雨於天華 以供養彼佛
諸天擊天鼓 并作衆伎樂 香風吹萎華 更雨新好者
過十小劫已 乃得成佛道 諸天及世人 心皆懷踊躍
彼佛十六子 皆與其眷屬 千万億圍繞 俱行至佛所
頭面礼佛足 而請轉法輪 聖師子法雨 充我及一切
世尊甚難值 久遠時一現 為覺悟群生 震動於一切
東方諸世界 五百万億國 梵宮殿光曜 昔所未曾有
諸梵見此相 尋来至佛所 散華以供養 并奉上宮殿
請佛轉法輪 以偈而讚歎 佛知時未至 受請嘿然坐
三方及四維 上下亦復然 散華奉宮殿 請佛轉法輪
世尊甚難值 願以大慈悲 廣開甘露門 轉无上法輪
无量慧世尊 受彼衆人請 為宣種種法 四諦十二緣
无明至老死 皆從生緣有 如是衆過患 汝等應當知
宣暢是法時 六百万億姟 得盡諸苦際 皆成阿羅漢
第二說法時 千万恒沙衆 於諸法不受 亦得阿羅漢
從是後得道 其數无有量 万億劫筭數 不能得其邊
時十六王子 出家作沙弥 皆共請彼佛 演說大乘經
我等及營從 皆當成佛道 願得如世尊 慧眼第一淨
佛知童子心 宿世之所行 以无量因緣 種種諸譬喻
說六波羅蜜 及諸神通事 分別真實法 菩薩所行道
說是法華經 如恒河沙偈 彼佛說經已 靜室入禪定
一心一處坐 八万四千劫 是諸沙弥等 知佛禪未出
為无量億衆 說佛无上慧 各各坐法座 說是大乘經
於佛宴寂後 宣揚助法化 一一沙弥等 所度諸衆生

BD01914 號　妙法蓮華經卷三　（7–6）

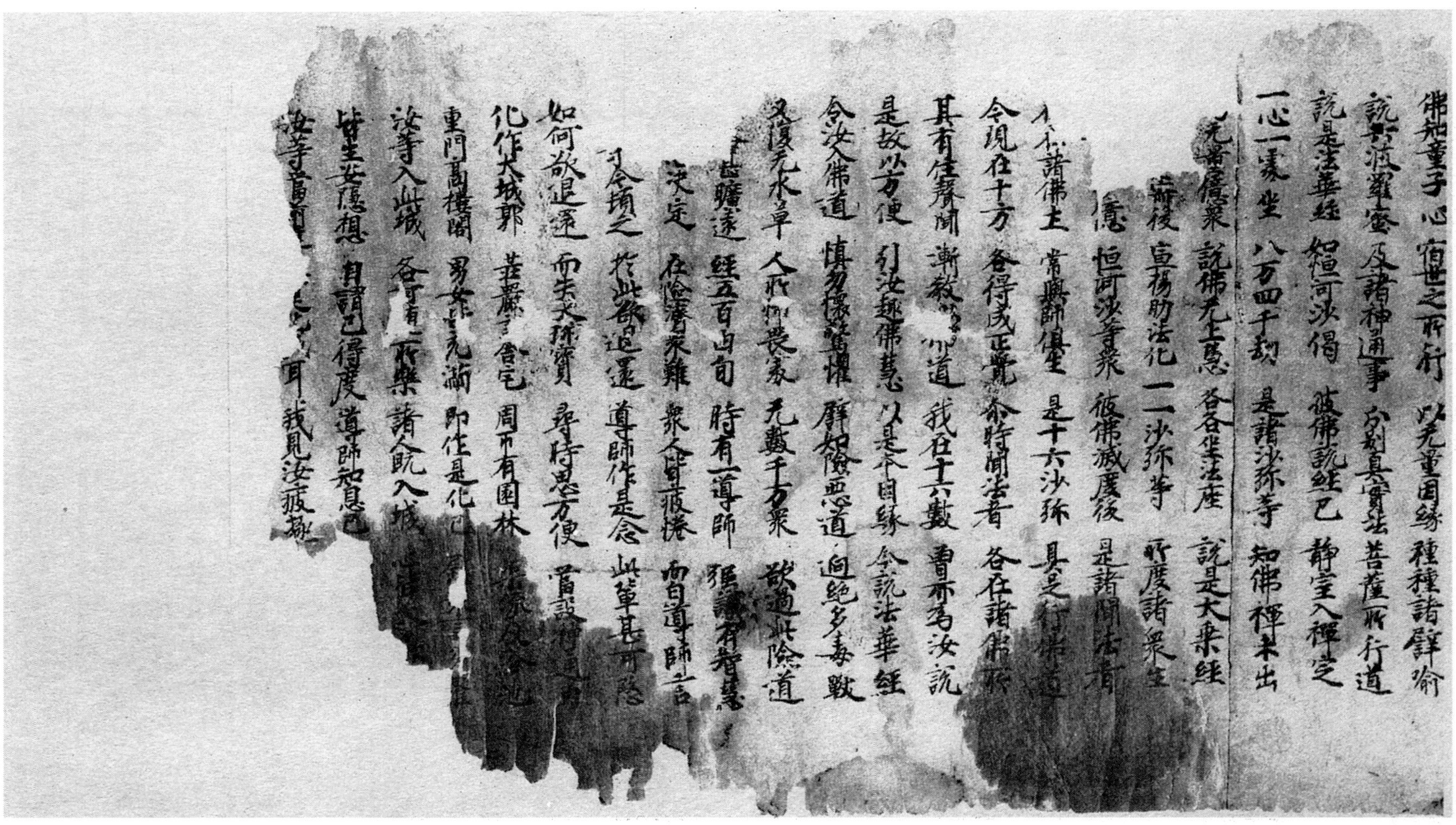

佛知童子心 宿世之所行 以无量因緣 種種諸譬喻
說六波羅蜜 及諸神通事 分別真實法 菩薩所行道
說是法華經 如恒河沙偈 彼佛說經已 靜室入禪定
一心一處坐 八万四千劫 是諸沙弥等 知佛禪未出
為无量億衆 說佛无上慧 各各坐法座 說是大乘經
於佛宴寂後 宣揚助法化 一一沙弥等 所度諸衆生
有六百万億 恒河沙等衆 彼佛滅度後 是諸聞法者
在在諸佛土 常與師俱生 是十六沙弥 具足行佛道
今現在十方 各得成正覺 爾時聞法者 各在諸佛所
其有住聲聞 漸教以佛道 我在十六數 曾亦為汝說
是故以方便 引汝趣佛慧 以是本因緣 今說法華經
令汝入佛道 慎勿懷驚懼 譬如險惡道 迥絶多毒獸
又復无水草 人所怖畏處 无數千万衆 欲過此險道
其路甚曠遠 經五百由旬 時有一導師 強識有智慧
明了心決定 在險濟衆難 衆人皆疲惓 而白導師言
我等今頓乏 於此欲退還 導師作是念 此輩甚可愍
如何欲退還 而失大珍寶 尋時思方便 當設神通力
化作大城郭 莊嚴諸舍宅 周帀有園林 渠流及浴池
重門高樓閣 男女皆充滿 即作是化已 慰衆言勿懼
汝等入此城 各可隨所樂 諸人既入城 心皆大歡喜
皆生安隱想 自謂已得度 導師知息已 集衆而告言
汝等當前進 此是化城耳 我見汝疲極

BD01914 號　妙法蓮華經卷三　（7–7）

南无寶上佛　南无无閡尋發備佛
南无无邊佛　南无寶弥留佛
南无日然燈上勝佛　南无智成就勝佛
南无鳳錦羅然燈佛　南无十方然燈佛
南无[illegible]勝佛　南无弥[illegible]自在王
南无[illegible]子佛　南无大寶弥留佛
南无毗婆尸佛　南无妙勝光明佛
南无功德王光明佛　南无花王佛
南无无量明佛　南无功德一味佛
南无十方然燈佛　南无賢勝佛
南无婆羅自在王佛　南无師子王佛
南无寶弥留堅佛　南无毗婆尸羅佛
南无明王佛　南无上首佛
南无月上王佛　南无大龍佛
南无香上勝佛　南无香勝幢佛
南无旃檀屋佛　南无香幢佛
南无旃檀香佛　南无无邊精進佛
從此以上二千一百佛十二部經一切賢聖
南无十方光明佛　南无波頭摩上佛
南无鷲怖波頭摩花成就上王佛
南无寶因佛　南无善住王佛
南无香象王佛　南无與一切樂佛

BD01915號　佛名經（十六卷本）卷三　（10–1）

南无香上勝佛　南无香勝幢佛
南无旃檀屋佛　南无香幢佛
南无旃檀香佛　南无无邊精進佛
從此以上二千一百佛十二部經一切賢聖
南无十方光明佛　南无波頭摩上佛
南无鷲怖波頭摩花成就上王佛
南无寶因佛　南无善住王佛
南无香象王佛　南无與一切樂佛
南无亦一切念佛　南无不空說佛
南无能滅一切怖畏佛　南无不住王佛
南无寶光明佛　南无與一切衆生安隱佛
南无觀无邊境界佛　南无虛空莊嚴勝佛
南无无憂莊嚴佛　南无循行幢佛
南无成就鷲怖勝花佛　南无賢勝佛
南无清淨眼佛　南无大將軍佛
南无上勝高佛　南无不可勝幢佛
南无可依佛　南无无量无邊佛
南无香弥留佛　南无月輪聞王佛
南无妙弥留寶成就勝佛　南无聞弥留善勝佛
南无淨勝佛　南无无障尋眼佛
南无无邊功德作佛　南无威德王佛
南无彌善思惟成就佛　南无清淨輪王佛
南无智上佛　南无精進山佛
南无智山佛　南无方作佛
南无大會上首佛　南无審上首佛
南无智護佛　南无上勝佛
南无不成境界佛　南无現示衆生境界鄣尋[illegible]佛
南无現示衆生境界无鄣尋佛　南无无鄣尋光明佛

BD01915號　佛名經（十六卷本）卷三　（10–2）

南无智上佛　南无精進山佛
南无智山佛　南无方作佛
南无大會上首佛　南无寂上首佛
南无智護佛　南无上勝佛
南无不成境界佛　南无現示衆生境界鄣㝵佛
南无發光明无㝵佛　南无无鄣㝵光明佛
南无現示衆生境界无鄣㝵佛　南无佛波頭摩上成就勝佛
南无觀一切佛境界現佛形佛　南无説堅佛
南无仁聲佛　南无波頭摩勝佛
南无實成就勝佛　南无海弥留佛
南无无垢慧佛　南无智花成就佛
南无積勝上威德寂靜佛　南无離貪境界佛
南无離一切取佛　南无不可思議功德成就勝佛
南无現成就勝佛　南无无畏去佛
南无香風佛　南无无等香光佛
南无雲妙鼓聲佛　南无功德成就勝佛
南无功德成就勝佛　南无无量香上境界弥留勝佛
南无香勝弥留佛　南无无量弥留佛
南无无量光明佛　南无普見佛
南无无畏佛　南无得无畏佛
南无月燃燈佛　南无火燃燈佛
南无勝脩佛　南无勝衆佛
南无金剛成佛　南无智自在王佛
南无智力稱佛　南无无畏勝佛
南无功德王光明佛　南无善眼佛
南无堅自在王佛　南无弥留王佛
南无盧空弥留寳勝佛　南无賢上勝佛
南无梵吼聲佛　南无寳花佛

BD01915號　佛名經（十六卷本）卷三　（10-3）

南无功德王光明佛　南无[illegible]佛
南无堅自在王佛　南无弥留王佛
南无盧空弥留寳勝佛　南无賢上勝佛
南无梵吼聲佛　南无寳花佛
南无波頭摩成就勝佛　南无旃檀香佛
南无須弥劫佛　南无勝莊嚴佛
南无寳蓋佛　南无香烏佛
南无无邊勝佛　南无不空説名佛
南无不可思議功德王光明佛　南无无畏王佛
南无波頭摩上勝佛
從此以上二千二百佛十二部經一切賢聖
南无常得精進佛　南无藥王佛
南无安隱佛　南无无邊意行佛
南无无邊境界佛　南无无邊光明佛
南无无邊眼佛　南无无邊盧空境界佛
南无金色境界佛　南无星宿王佛
南无香上勝佛　南无盧空勝佛
南无妙勝佛　南无方作佛
南无妙弥留佛　南无无障㝵眼佛
南无金剛堅强佛　南无然燈炬佛
歸命如是等无量无邊佛應知
南无火幢佛　南无賢无垢威德光佛
南无智積佛　南无稱力王佛
南无功德王光明佛　南无見智佛
南无波頭摩妙勝佛　南无成就勝佛
南无寳光佛　南无寳蓮華勝佛
南无遠離疑成就佛　南无衆上首佛
南无拘留孫佛　南无幢王佛

BD01915號　佛名經（十六卷本）卷三　（10-4）

南无波頭摩勝佛
南无寶光佛　南无寶蓮華勝佛
南无遠離疑成就佛　南无衆上首佛
南无枸留孫佛　南无幢王佛
南无波頭摩功德佛　南无放光明佛
南无弥勒佛　南无光明波頭摩光佛
南无勝王佛　南无法幢佛
南无无量奮迅佛　南无海須弥佛
南无妙佛　南无釋迦牟尼佛
南无不空見佛　南无无障㝵吼聲佛
南无无量功德勝名光明佛　南无无分別脩行佛
南无无邊光明佛　南无善眼佛
南无南方普寶藏佛　南无无垢遠離垢解脫佛
歸命如是等无量无邊佛應知
南无西方无量華佛　南无无量照佛
南无无量光明佛　南无无量明佛
南无无量境界佛　南无无量自在佛
南无无量奮迅佛　南无普蓋佛
南无蓋行佛　南无寶蓋佛
南无星宿王佛　南无善星宿佛
南无光明輪佛　南无光明王佛
南无光明上勝佛　南无无邊見佛
南无勝佛　南无无邊境界奮迅佛
南无无障㝵吼聲佛　南无大雲光明佛
南无羅网王佛　南无善得平等光明佛
南无波頭摩勝華佛　南无山王佛
南无月衆增上佛　南无高光明佛
南无合聚佛　南无不空光明佛

BD01915號　佛名經（十六卷本）卷三　（10–5）

南无羅网王佛　南无善得平等光明佛
南无波頭摩勝華佛　南无山王佛
南无月衆增上佛　南无高光明佛
南无合聚佛　南无不空光明佛
南无頂勝王佛　南无北方不空說燈佛
南无不空奮迅佛　南无不空境界佛
南无不空光明佛　南无无邊精進佛
南无旃羅自在王佛　南无寶旃羅王佛
南无普蓋佛　南无蓋莊嚴佛
南无寶積佛　南无旃檀屋佛
南无旃檀香佛　南无无量光明佛
南无光明輪莊嚴弥留佛　南无无障㝵眼佛
南无量无眼佛　南无寶成就佛
南无一切功德佛　南无佛華成就功德佛
南无善佳慧佛　南无无量步佛
南无不空勝佛　南无寶步佛
南无无邊脩行佛　南无无邊莊嚴勝佛
南无虛空輪光明佛　南无无量聲佛
南无藥王佛　南无无畏佛
次禮十二部尊經大藏法輪
南无枯樹經　南无當來變經
南无放牛經　南无色真羅經
南无相續經　南无灌食經
從此以上二千三百佛十二部經一切賢聖
南无本文大經　南无目連問經
南无持戒而經　南无太子思惟經
南无恩辱經　南无微密經
南无離池經　南无菩薩經

BD01915號　佛名經（十六卷本）卷三　（10–6）

南无持戒所娃　南无太子思惟娃
南无忍辱娃　南无微密娃
南无離池娃　南无菩薩娃
南无孔雀王呪娃　南无迦羅子娃
南无重生太子菩就娃　南无弥勒成佛娃
南无惟意長者子娃　南无龍女娃
南无梵綱長者子娃　南无燎淵娃
南无涅梨娃　南无沙弥五母子娃
南无月光童子娃　南无太子須達拏娃
南无滕勝娃　南无賓頭盧娃
次礼十方諸大菩薩摩訶薩
南无滕山菩薩　南无光山菩薩
南无賢首菩薩　南无功德山菩薩
南无滕護菩薩　南无那羅延菩薩
南无龍德菩薩　南无龍滕菩薩
南无住持色菩薩　南无摩留大菩薩
南无入功德菩薩　南无然燈首菩薩
南无常舉手菩薩　南无光明常照王菩薩
南无寶手菩薩　南无普光菩薩
南无星宿王菩薩　南无金剛步菩薩
南无不動華步菩薩　南无步三界菩薩
南无无邊步舊逆菩薩　南无海慧菩薩
南无善見无垢住持威德菩薩　南无智山菩薩
南无常觀菩薩　南无高精進菩薩
南无遠多羅菩薩　南无邊陁羅菩薩
南无回陁羅菩薩　南无无量明菩薩
南无勇力菩薩　南无寶藏菩薩
南无寶藏菩薩

BD01915號　佛名經（十六卷本）卷三　（10-7）

南无回陁羅菩薩　南无无量明菩薩
南无勇力菩薩　南无寶藏菩薩
南无寶藏菩薩
歸命如是等十方世界无量无邊菩薩
復次應禮辟支佛名
南无无漏辟支佛　南无憍慢辟支佛
南无盡憍慢辟支佛　南无觀辟支佛
南无得脫辟支佛　南无垢辟支佛
南无獨辟支佛　南无離畫辟支佛
南无能作憍憍辟支佛　南无退辟支佛
南无不退去辟支佛　南无尋辟支佛
歸命如是等无量无邊辟支佛
次復懺悔
次復懺悔劫盜之業經中說言若物屬他
所守護於此物中一草一葉不與不取何况
盜竊但自衆生唯見現利故以種種方便非
道而取致使未來受此殃累是故經言劫盜
之罪能令衆生墮於地獄餓鬼受苦若在畜
生則受牛馬驢騾駱駝等形以其所有身力
血肉償他宿債若生人中為他奴婢衣不蔽
形食不充命貧寒困苦人理殆盡劫盜既有
如是苦報是故弟子今日至到稽首歸依佛
南无東方壞諸煩惱佛　南无南方妙音自在佛
南无西方大雲光佛　南无北方雲自在王佛
南无東南方无緣莊嚴佛　南无西南方過諸魔界佛
南无西北方見无恐懼佛　南无東北方一切德嚴佛
南无上方蓮華藏光佛　南无下方妙善住王佛
如是十方盡虛空界一切三寶

BD01915號　佛名經（十六卷本）卷三　（10-8）

南无西北方見无恐懼佛　南无東北方一切德嚴佛
南无上方蓮華藏光佛　南无下方妙善住王佛
如是十方盡虚空界一切三寶
弟子等自從无始以來至于今日或盗他財
興刃强奪或自恃身逼迫而取或恃公
或假勢力高桁大械枉壓良善呑納姦貨考
直爲曲爲此因緣身罹憲網或任邪治領他
財物侵公益私侵私益公損彼利此損此利彼
割他自饒口与心誑或竊没租佑偷度關税
匿公課輸藏隱使役如是等罪今悉懺悔或
是佛法僧物不与而取或經像物或治葺寺
物或供養常住僧物或擬招提僧物或盗取
悞用恃勢不還或自惜或貸人或復换貸忘
漏或三寶物混亂雜用或以衆物穀米薪
塩豉醬酢菜茹菓實錢帛竹木繒綵幡蓋香
花油燭隨情逐意或自用或与人或摘佛花
菓用僧鬘物回三寶財私自利己如是等罪
无量无邊今日慚愧悉皆懺悔
又復无始以來至于今日或作周旋朋
僧同學父母兄弟六親眷屬共住同止百一
所須更相欺罔或於鄉隣比近移籬拓墻侵
他田宅改標易相奥略田園因公託私奪人
邸店及以乇蟄如是等罪今悉懺悔
又復无始以來或攻城破邑燒村壞柴偷賣
良人誘他奴婢或復枉押无罪之人使其形
殂血刃身被徒鎖家業破散骨肉生離分張
異域生死隔絶如是等罪无量无邊今悉至
到皆盡懺悔

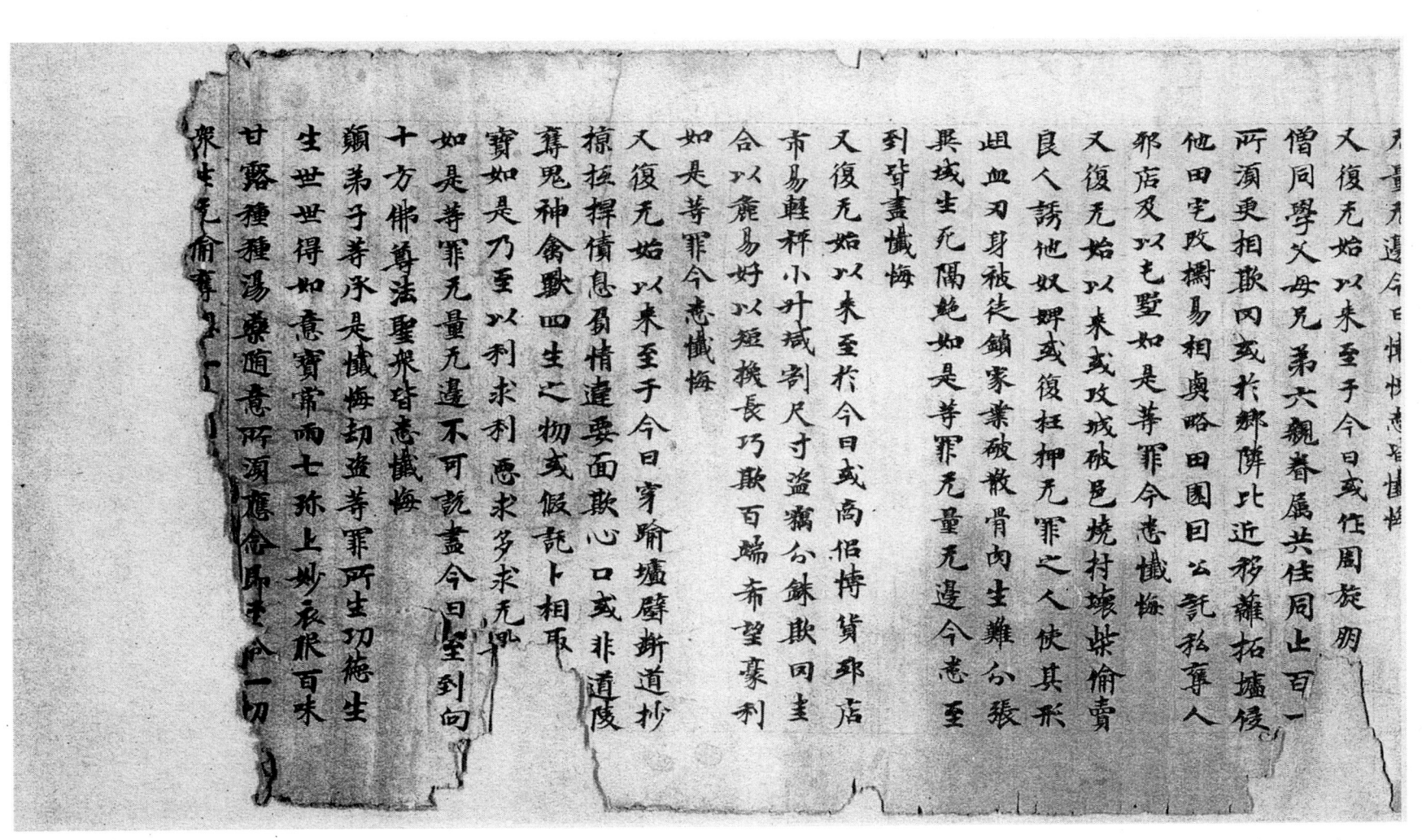

BD01915號　佛名經（十六卷本）卷三　（10–9）

无量无邊今日慚愧悉皆懺悔
又復无始以來至于今日或作周旋朋
僧同學父母兄弟六親眷屬共住同止百一
所須更相欺罔或於鄉隣比近移籬拓墻侵
他田宅改標易相奥略田園因公託私奪人
邸店及以乇蟄如是等罪今悉懺悔
又復无始以來或攻城破邑燒村壞柴偷賣
良人誘他奴婢或復枉押无罪之人使其形
殂血刃身被徒鎖家業破散骨肉生離分張
異域生死隔絶如是等罪无量无邊今悉至
到皆盡懺悔
又復无始以來至於今日或商侣博貨邸店
市易輕秤小斗减割尺寸盗竊分銖欺罔圭
合以麁易好以短换長巧欺百端希望毫利
如是等罪今悉懺悔
又復无始以來至于今日穿踰墻壁斷道抄
掠抵捍債息負情違要面欺心口或非道陵
奪鬼神禽獸四生之物或假託卜相取
寶如是乃至以利求利惡求多求无猒
如是等罪无量无邊不可説盡今日至到向
十方佛尊法聖衆皆悉懺悔
願弟子等承是懺悔刧盗等罪所生功德生
生世世得如意寶常雨七珎上妙衣服百味
甘露種種湯藥隨意所須應念即至令一切
衆生无偷奪

BD01915號　佛名經（十六卷本）卷三　（10–10）

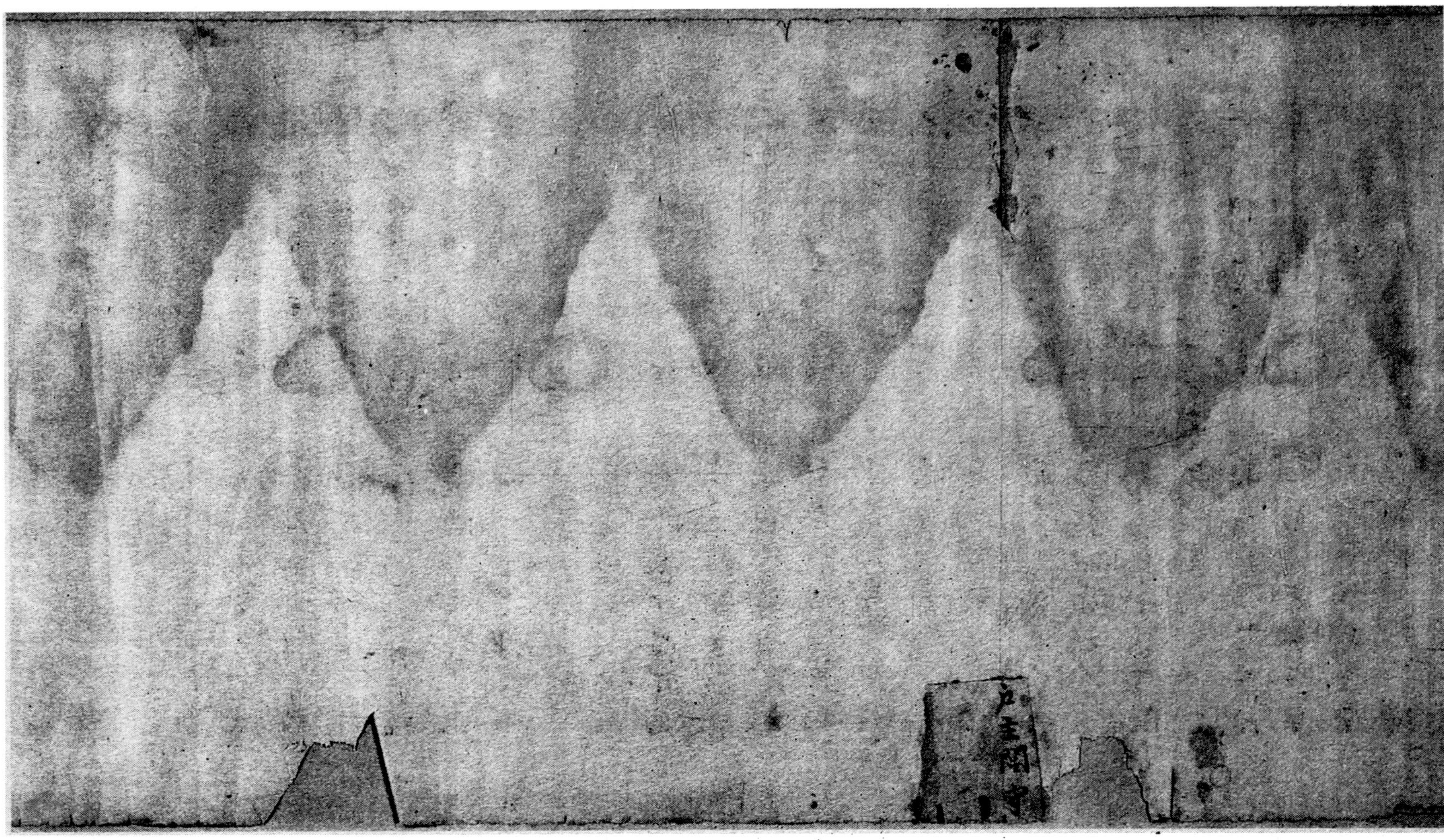

BD01915 號背　戶籍（擬）　（2–1）

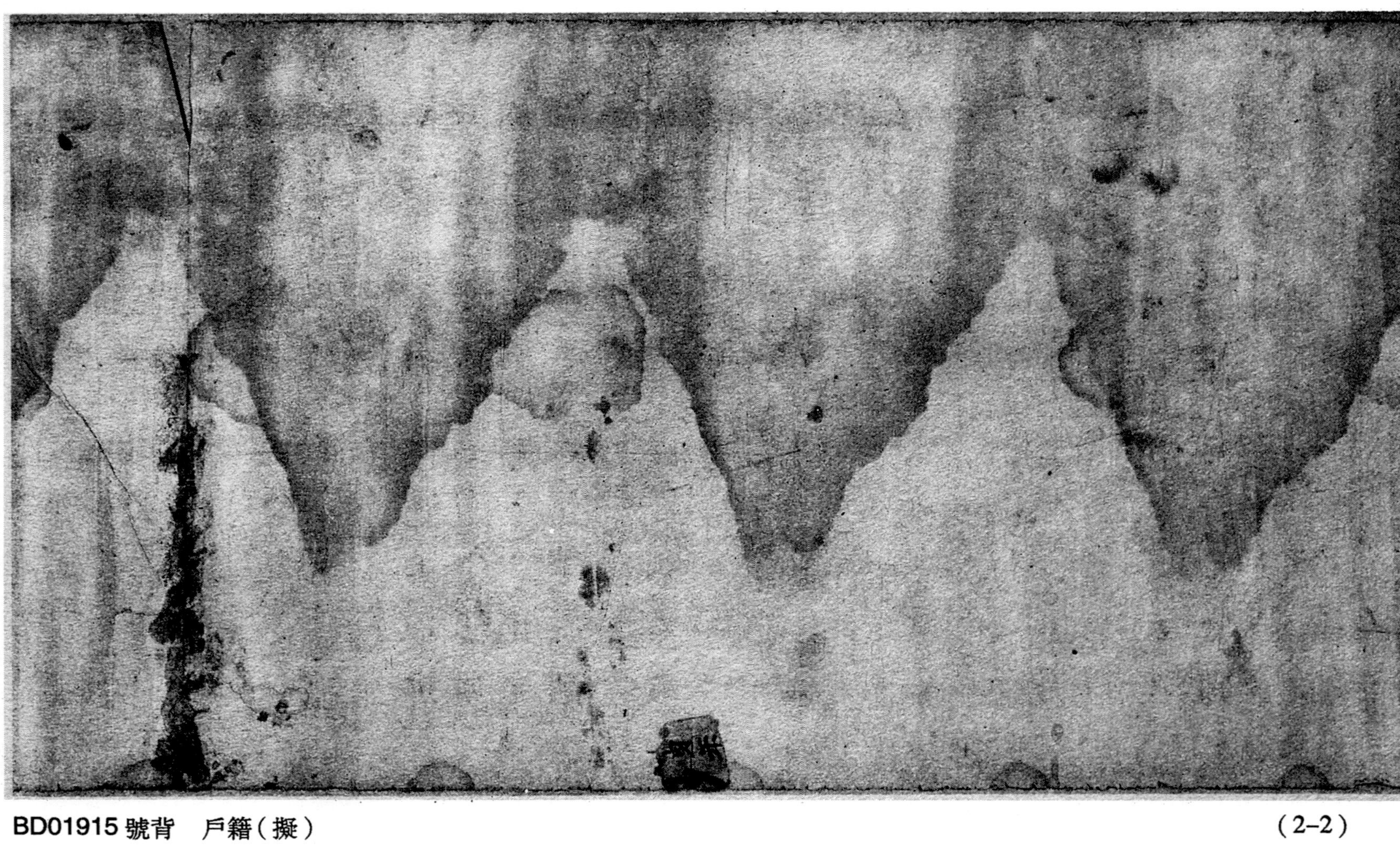

BD01915 號背　戶籍（擬）　（2–2）

鍾聲咲聲語聲男聲女聲童子聲童女聲法
聲非法聲苦聲樂聲凡夫聲聖人聲喜聲不喜
聲天聲龍聲夜叉聲乾闥婆聲阿修羅聲迦
樓羅聲緊那羅聲摩睺羅伽聲火聲水聲風
聲地獄聲畜生聲餓鬼聲比丘聲比丘尼聲
聲聞聲辟支佛聲菩薩聲佛聲以要言之三
千大千世界中一切內外所有諸聲雖未得
天耳以父母所生清淨常耳皆悉聞知如是
分別種種音聲而不壞耳根尒時世尊欲重
宣此義而說偈言
父母所生耳　清淨無濁穢　以此常耳聞　三千世界聲
象馬車牛聲　鍾鈴螺鼓聲　琴瑟箜篌聲　簫笛之音聲
清淨好歌聲　聽之而不著　無數種人聲　聞悉能解了
又聞諸天聲　微妙之歌音　及聞男女聲　童男童女聲
山川嶮谷中　迦陵頻伽聲　命命等諸鳥　悉聞其音聲
地獄衆苦痛　種種楚毒聲　餓鬼飢渴逼　求索飲食聲
諸阿修羅等　居在大海邊　自共語言時　出于大音聲
如是說法者　安住於此間　遙聞是衆聲　而不壞耳根
十方世界中　禽獸鳴相呼　其說法之人　於此悉聞之
其諸梵天上　光音及遍淨　乃至有頂天　言語之音聲
法師住於此　悉皆得聞之　一切比丘衆　及諸比丘尼

BD01916 號　妙法蓮華經（八卷本）卷六　（8–1）

十方世界中　禽獸鳴相呼　其說法之人　於此悉聞之
其諸梵天上　光音及遍淨　乃至有頂天　言語之音聲
法師住於此　悉皆得聞之　一切比丘衆　及諸比丘尼
若讀誦經典　若為他人說　法師住於此　悉皆得聞之
復有諸菩薩　讀誦於經法　若為他人說　撰集解其義
如是諸音聲　悉皆得聞之　諸佛大聖尊　教化衆生者
於諸大衆中　演說微妙法　持此法華者　悉皆得聞之
三千大千界　內外諸音聲　下至阿鼻獄　上至有頂天
皆聞其音聲　而不壞耳根　其耳聰利故　悉能分別知
持是法華者　雖未得天耳　但用所生耳　功德已如是
復次常精進　若善男子善女人受持是經若
讀若誦若解說若書寫成就八百鼻功德以
是清淨鼻根聞於三千大千世界上下內外
種種諸香須曼那華香闍提華香末利華香
瞻蔔華香波羅羅華香赤蓮華香青蓮華香
白蓮華香華樹香菓樹香旃檀香沈水香多
摩羅跋香多伽羅香及千万種和香若末若
丸若塗香持是經者於此間住悉能分別又
復別知衆生之香象香馬香牛羊等香男香
女香童子香童女香及草木叢林香若近若
遠所有諸香悉皆得聞分別不錯持是經者
雖住於此亦聞天上諸天之香波利質多羅
拘鞞陀羅樹香及曼陀羅華香摩訶曼陀羅
華香曼殊沙華香摩訶曼殊沙華香栴檀沈
水種種末香諸雜華香如是等天香和合所

BD01916 號　妙法蓮華經（八卷本）卷六　（8–2）

遠所有諸香悉皆得聞分別不錯
雖住於此亦聞天上諸天之香波利質多羅
拘鞞陀羅樹香及曼陀羅華香摩訶曼陀羅
華香曼殊沙華香摩訶曼殊沙華香栴檀沉
水種種末香諸雜華香如是等天香和合所
出之香无不聞知又聞諸天身香釋提桓因
在勝殿上五欲娛樂嬉戲時香若在妙法堂
上為忉利諸天說法時香若於諸園遊戲時
香及餘天等男女身香皆悉遙聞如是展轉
乃至梵世上至有頂諸天身香亦皆聞之并
聞諸天所燒之香及聲聞香辟支佛香菩薩
香諸佛身香亦皆遙聞知其所在雖聞此香
然於鼻根不壞不錯若欲分別為他人說憶
念不謬尒時世尊欲重宣此義而說偈言
是人鼻清淨　於此世界中　若香若臭物　種種悉聞知
須曼那闍提　多摩羅栴檀　沉水及桂香　種種華菓香
及知衆生香　男子女人香　說法者遠住　聞香知所在
大勢轉輪王　小轉輪及子　群臣諸宮人　聞香知所在
身所著珎寶　及地中寶藏　轉輪王寶女　聞香知所在
諸人嚴身具　衣服及瓔珞　種種所塗香　聞香知其身
諸天若行坐　遊戲及神變　持是法華者　聞香悉能知
諸樹華菓實　及蘇油香氣　持經者住此　悉知其所在
諸山深嶮處　栴檀樹華敷　衆生在中者　聞香皆能知
鐵圍山大海　地中諸衆生　持經者聞香　悉知其所在
阿脩羅男子　及其諸眷屬　鬪諍遊戲時　聞香皆能知
曠野險隘處　師子象虎狼　野牛水牛等　聞香知所在

諸山深嶮處
鐵圍山大海　地中諸衆生　持經者聞香　悉知其所在
阿脩羅男子　及其諸眷屬　鬪諍遊戲時　聞香皆能知
曠野險隘處　師子象虎狼　野牛水牛等　聞香知所在
若有懷妊者　未辯其男女　无根及非人　聞香悉能知
以聞香力故　知其初懷妊　成就不成就　安樂產福子
以聞香力故　知男女所念　染欲癡恚心　亦知脩善者
地中衆伏藏　金銀諸珎寶　銅器之所盛　聞香悉能知
種種諸瓔珞　无能識其價　聞香知貴賤　出處及所在
天上諸華等　曼陀曼殊沙　波利質多樹　聞香悉能知
天上諸宮殿　上中下差別　衆寶華莊嚴　聞香悉能知
天園林勝殿　諸觀妙法堂　在中而娛樂　聞香悉能知
諸天若聽法　或受五欲時　來往行坐卧　聞香悉能知
天女所著衣　好華香莊嚴　周旋遊戲時　聞香悉能知
如是展轉上　乃至於梵世　入禪出禪者　聞香悉能知
光音遍淨天　乃至于有頂　初生及退沒　聞香悉能知
諸比丘衆等　於法常精進　若坐若經行　及讀誦經法
或在林樹下　專精而坐禪　持經者聞香　悉知其所在
菩薩志堅固　坐禪若讀經　或為人說法　聞香悉能知
在在方世尊　一切所恭敬　愍衆而說法　聞香悉能知
衆生在佛前　聞經皆歡喜　如法而修行　聞香悉能知
雖未得菩薩　无漏法生鼻　而是持經者　先得此鼻相
復次常精進若善男子善女人受持是經若讀
若誦若解說若書寫得千二百舌功德若
好若醜若美不美及諸苦澁物在其舌根皆
變成上味如天甘露无不美者若以舌根於

復次常精進若善男子善女人受持是經若讀
若誦若解說若書寫得千二百舌功德若
好若醜若美不美及諸苦澁物在其舌根皆
變成上味如天甘露無不美者若以舌根於
大衆中有所演說出深妙聲能入其心皆令
歡喜快樂又諸天子天女釋梵諸天聞是深
妙音聲有所演說言論次第皆悉來聽及諸
龍龍女夜叉夜叉女乾闥婆乾闥婆女阿脩
羅阿脩羅女迦樓羅迦樓羅女緊那羅緊那羅
女摩睺羅伽摩睺羅伽女為聽法故皆來親
近恭敬供養及比丘比丘尼優婆塞優婆夷
國王王子羣臣眷屬小轉輪王大轉輪王七
寶千子內外眷屬乘其宮殿俱來聽法以是
菩薩善說法故婆羅門居士國內人民盡其
形壽隨侍供養又諸聲聞辟支佛菩薩諸佛
常樂見之是人所在方面諸佛皆向其處說
法悉能受持一切佛法又能出於深妙法音
尒時世尊欲重宣此義而說偈言
是人舌根淨　終不受惡味　其有所食噉　悉皆成甘露
以深淨妙音　於大衆說法　以諸因緣喻　引導衆生心
聞者皆歡喜　設諸上供養　諸天龍夜叉　及阿脩羅等
皆以恭敬心　而共來聽法　是說法之人　若欲以妙音
遍滿三千界　隨意即能至　大小轉輪王　及千子眷屬
合掌恭敬心　常來聽受法　諸天龍夜叉　羅刹毗舍闍
亦以歡喜心　常樂來供養　梵天王魔王　自在大自在
如是諸天衆　常來至其所　諸佛及弟子　聞其說法音

BD01916號　妙法蓮華經（八卷本）卷六　（8–5）

遍滿三千界　隨意即能至　大小轉輪王　及千子眷屬
合掌恭敬心　常來聽受法　諸天龍夜叉　羅刹毗舍闍
亦以歡喜心　常樂來供養　梵天王魔王　自在大自在
如是諸天衆　常來至其所　諸佛及弟子　聞其說法音
常念而守護　或時為現身
復次常精進若善男子善女人受持是經若
讀若誦若解說若書寫得八百身功德得清
淨身如淨琉璃衆生憙見其身淨故三千大
千世界衆生生時死時上下好醜生善處惡
處悉於中現及鐵圍山大鐵圍山彌樓山摩
訶彌樓山等諸山及其中衆生悉於中現下
至阿鼻地獄上至有頂所有及衆生悉於中
現若聲聞辟支佛菩薩諸佛說法皆於身中
現其色像尒時世尊欲重宣此義而說偈言
若持法華者　其身甚清淨　如彼淨琉璃　衆生皆憙見
又如淨明鏡　悉見諸色像　菩薩於淨身　皆見世所有
唯獨自明了　餘人所不見　三千世界中　一切諸羣萌
天人阿脩羅　地獄鬼畜生　如是諸色像　皆於身中現
諸天等宮殿　乃至於有頂　鐵圍及彌樓　摩訶彌樓山
諸大海水等　皆於身中現　諸佛及聲聞　佛子菩薩等
若獨若在衆　說法悉皆現　雖未得無漏　法性之妙身
以清淨常體　一切於中現
復次常精進若善男子善女人如來滅後受
持是經若讀若誦若解說若書寫得千二百
意功德以是清淨意根乃至聞一偈一句通

BD01916號　妙法蓮華經（八卷本）卷六　（8–6）

以清淨常體　一切於中現
復次常精進　若善男子善女人如來滅後受
持是經若讀若誦若解說若書寫得千二百
意功德以是清淨意根乃至聞一偈一句通
達无量无邊之義解是義已能演說一句一
偈至一月四月乃至一歲諸所說法隨其義
趣皆與實相不相違背若說俗間經書治世
語言資生業等皆順正法三千大千世界六趣
衆生心之所行心所動作心所戲論皆悉知
之雖未得无漏智慧而其意根清淨如此是
人有所思惟籌量言說是佛法无不真實
亦是先佛經中所說尒時世尊欲重宣此義
而說偈言
是人意清淨　明利无穢濁　以此妙意根　知上中下法
乃至聞一偈　通達无量義　次第如法說　月四月至歲
是世界內外　一切諸衆生　若天龍及人　夜叉鬼神等
其在六趣中　所念若干種　持法華之報　一時皆悉知
十方无數佛　百福莊嚴相　為衆生說法　悉聞能受持
思惟无量義　說法亦无量　終始不忘錯　以持法華故
悉知諸法相　隨義識次第　達名字語言　如所知演說
此人有所說　皆是先佛法　以演此法故　於衆无所畏
持法華經者　意根淨若斯　雖未得无漏　先有如是相
是人持此經　安住希有地　為一切衆生　歡喜而愛敬
能以千万種　善巧之語言　分別而說法　持法華經故

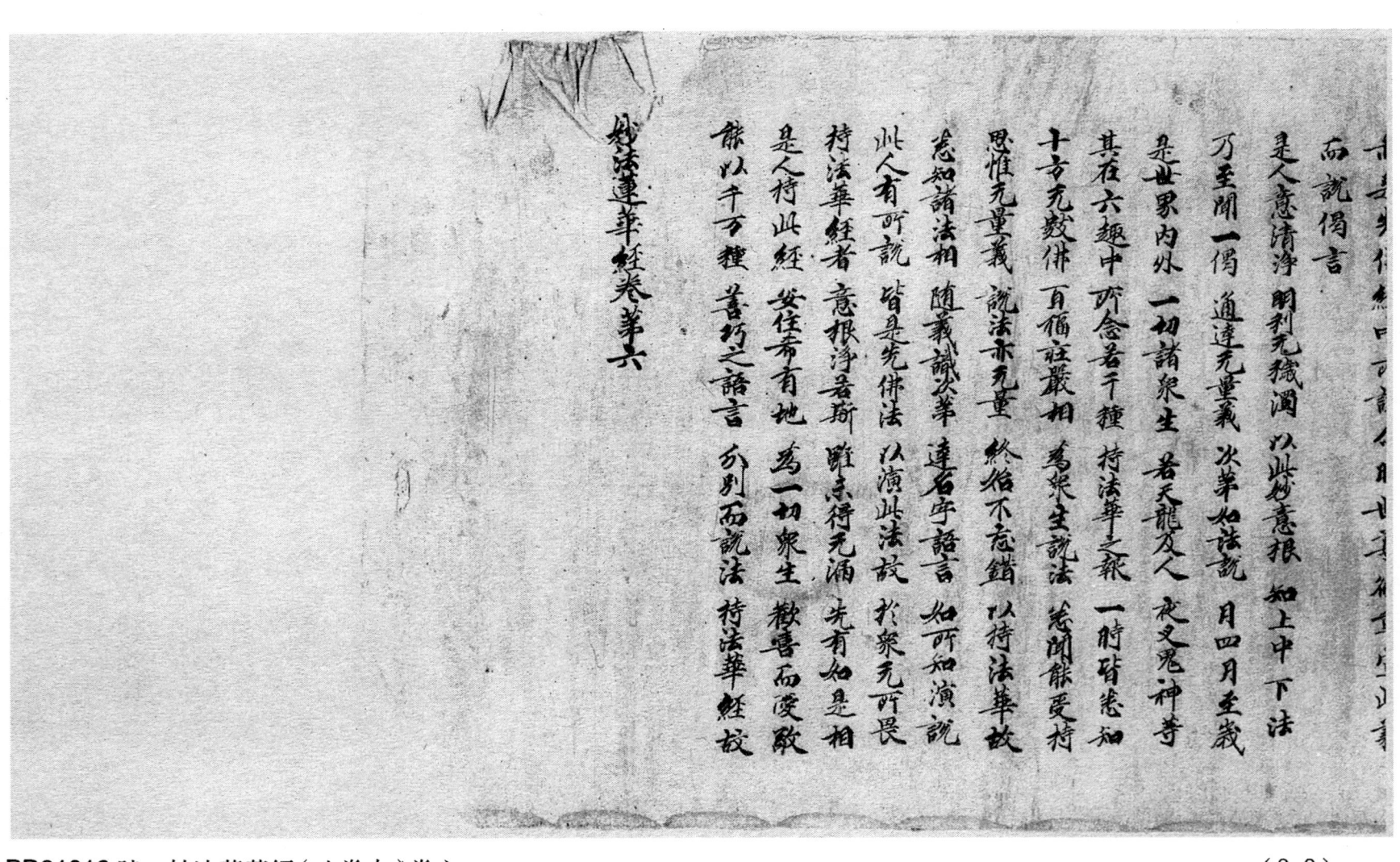

BD01916號　妙法蓮華經（八卷本）卷六　（8–7）

亦是先佛經中所說尒時世尊欲重宣此義
而說偈言
是人意清淨　明利无穢濁　以此妙意根　知上中下法
乃至聞一偈　通達无量義　次第如法說　月四月至歲
是世界內外　一切諸衆生　若天龍及人　夜叉鬼神等
其在六趣中　所念若干種　持法華之報　一時皆悉知
十方无數佛　百福莊嚴相　為衆生說法　悉聞能受持
思惟无量義　說法亦无量　終始不忘錯　以持法華故
悉知諸法相　隨義識次第　達名字語言　如所知演說
此人有所說　皆是先佛法　以演此法故　於衆无所畏
持法華經者　意根淨若斯　雖未得无漏　先有如是相
是人持此經　安住希有地　為一切衆生　歡喜而愛敬
能以千万種　善巧之語言　分別而說法　持法華經故

妙法蓮華經卷第六

BD01916號　妙法蓮華經（八卷本）卷六　（8–8）

詰因以身
是身無常無强無力無
堅速朽之法不可信也為苦為惱衆病所集
諸仁者如此身明智者所不怙是身如聚沫
不可撮摩是身如泡不得久立是身如炎從
渴愛生是身如芭蕉中無有堅是身如幻從
顛倒起是身如夢為虛妄見是身如影從業
緣現是身如響屬諸因緣是身如浮雲須臾
變滅是身如電念念不住是身無主為如地
是身無我為如火是身無壽為如風是身無
人為如水是身不實四大為家是身為空離
我我所是身無知如草木瓦礫是身無作風
力所轉是身不淨穢惡充滿是身為虛偽雖
假以澡浴衣食必歸磨滅是身為災百一病
惱是身如丘井為老所逼是身無定為要當
死是身如毒蛇如怨賊如空聚陰界諸入所
共合成諸仁者此可患厭當樂佛身所以者
何佛身者即法身也從无量功德智慧生從
戒定慧解脫解脫知見生從慈悲喜捨生從
布施持戒忍辱柔和勤行精進禪定解脫三
昧多聞智慧諸波羅蜜生從方便生從六通
生從三明生從卅七道品生從止觀生從十
力四無所畏十八不共法生從斷一切不善法

BD01917 號　維摩詰所說經卷上　（16–1）

戒定慧解脫解脫知見生從慈悲喜捨生從
布施持戒忍辱柔和勤行精進禪定解脫三
昧多聞智慧諸波羅蜜生從方便生從六通
生從三明生從卅七道品生從止觀生從十
力四無所畏十八不共法生從斷一切不善法
集一切善法生從真實生從不放逸生從如
是无量清淨法生如來身諸仁者欲得佛
身斷一切衆生病者當發阿耨多羅三藐三
菩提心如是長者維摩詰為諸問疾者如應
說法令無數千人皆發阿耨多羅三藐三菩
提心　弟子品第三　弟子品第三
爾時長者維摩詰自念寢疾于牀世尊大慈
寧不垂愍佛知其意即告舍利弗汝行詣維
摩詰問疾舍利弗白佛言世尊我不堪任詣
彼問疾所以者何憶念我昔曾於林中宴坐
樹下時維摩詰來謂我言唯舍利弗不必是
坐為宴坐也夫宴坐者不於三界現身意是
為宴坐不起滅定而現諸威儀是為宴坐不
捨道法而現凡夫事是為宴坐心不住內亦
不住外是為宴坐於諸見不動而脩行三十
七品是為宴坐不斷煩惱而入涅槃是為宴
坐若能如是坐者佛所印可時我世尊聞是
語已默然而止不能加報故我不任詣彼問疾
佛告大目揵連汝行詣維摩詰問疾目連白
佛言世尊我不堪任詣彼問疾所以者何憶

BD01917 號　維摩詰所說經卷上　（16–2）

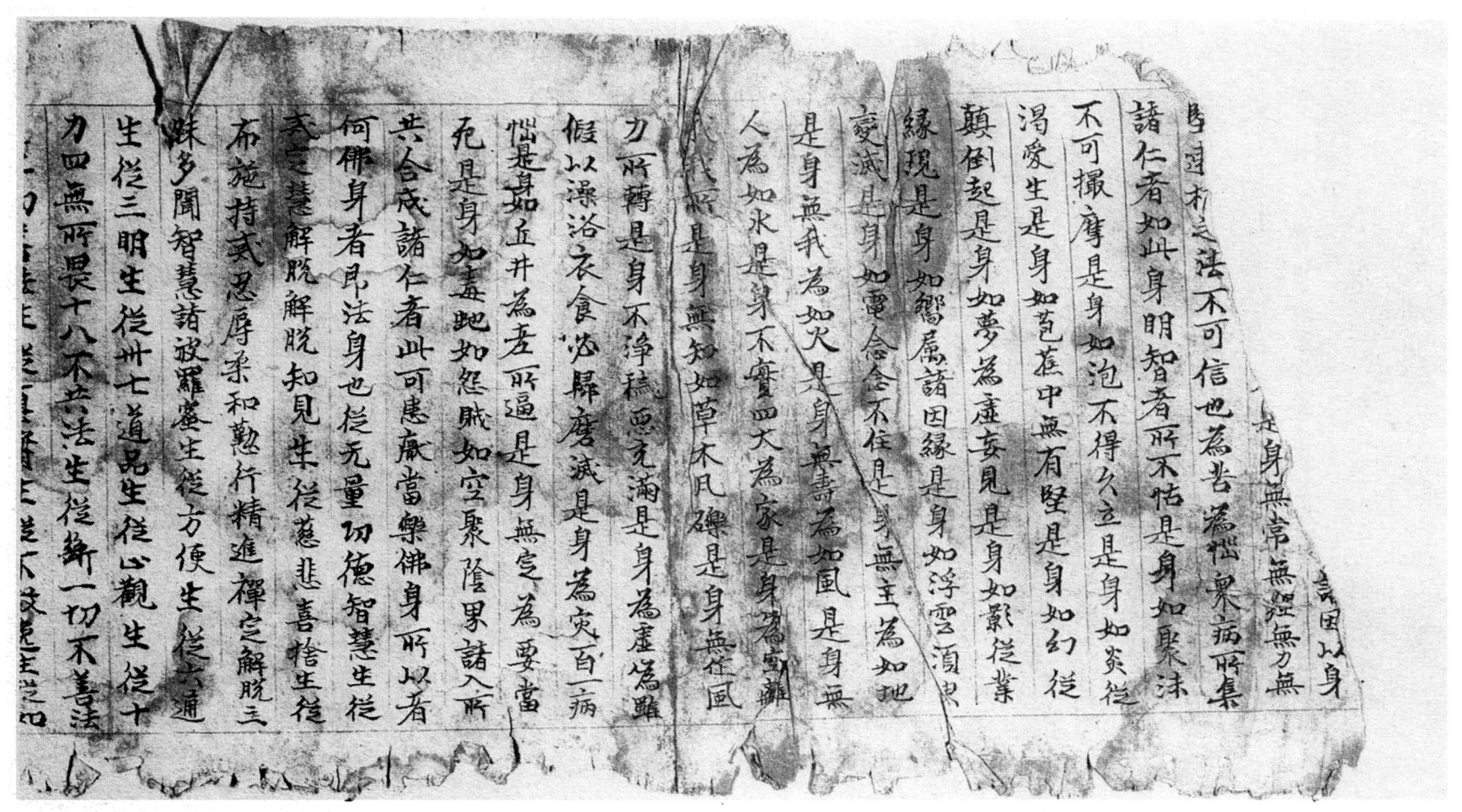

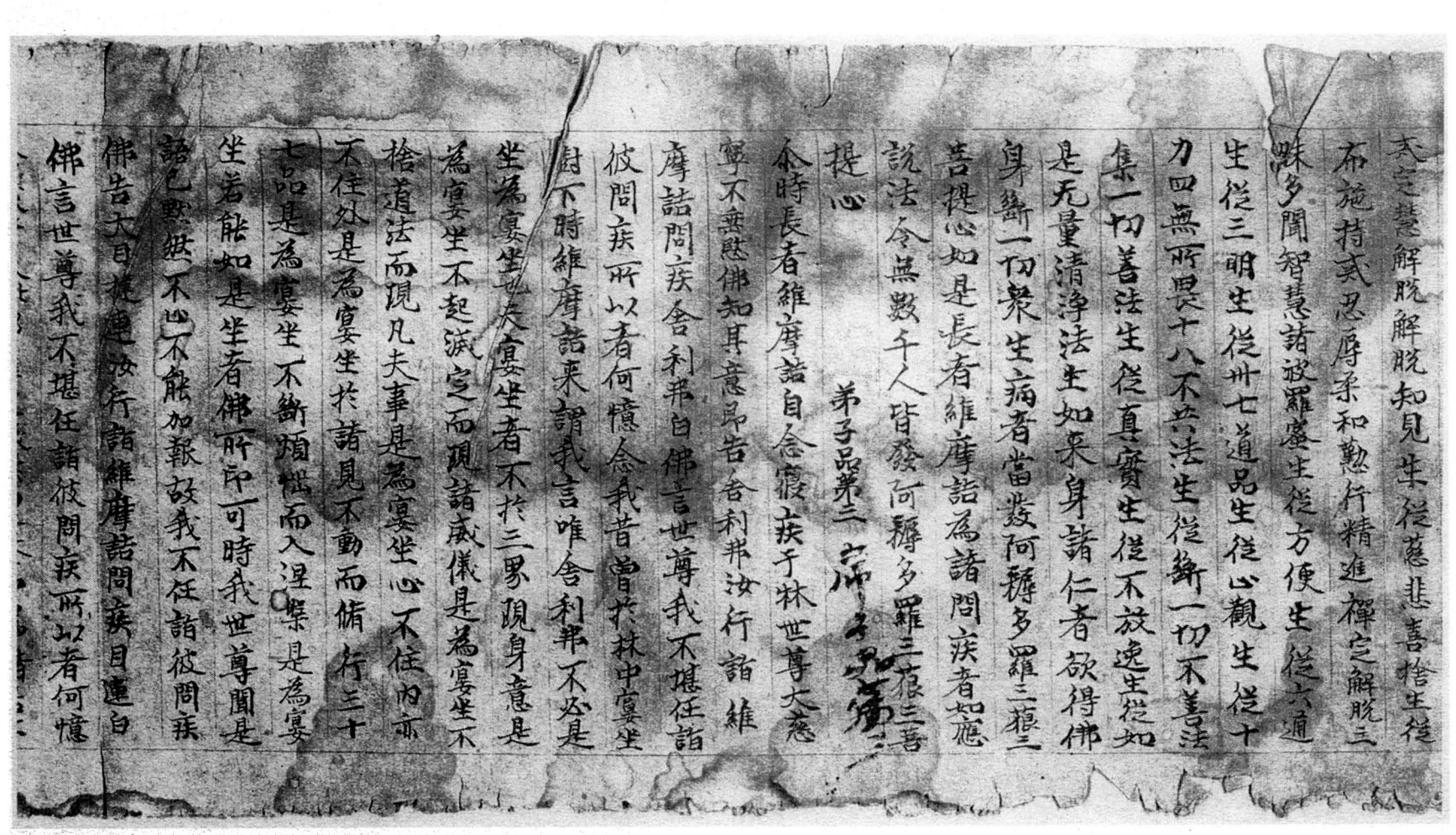

坐若能如是坐者佛所印可時我世尊聞是
語已默然不能加報故我不任詣彼問疾
佛告大目揵連汝行詣維摩詰問疾目連白
佛言世尊我不堪任詣彼問疾所以者何憶
念我昔入毗耶離大城於里巷中為諸居士
說法時維摩詰来謂我言唯大目連為白衣
居士說法不當如仁者所說夫說法者當如
法說法無衆生離衆生垢故法無有我離
我垢故法無壽命離生死故法無有人前後際
斷故法常寂然滅諸相故法離於相無所緣
故法無名字言語斷故法無有說離覺觀故
法無形相如虛空故法無戲論畢竟空故法
無我所離我所故法無分別離諸識故法無
有比無相待故法不屬因不在緣故法同法
性入諸法故法隨於如無所隨故法住實際
諸邊不動故法無動搖不依六塵故法無去
来常不住故法順空隨無相應無作法離好
醜法無增損法無生滅法無所歸法過眼耳
鼻舌身心法無高下法常住不動法離一切觀
行唯大目連法相如是豈可說乎夫說法者
無說無示其聽法者無聞無得譬如幻士為幻
人說法當建是意而為說法當了衆生根有
利鈍善於知見無所罣㝵以大悲心讚于大
乘念報佛恩不斷三寶然後說法維摩詰說
是法時八百居士發阿耨多羅三藐三菩提心

BD01917 號　維摩詰所說經卷上　（16–3）

行唯大目連法相如是豈可說乎夫說法者
無說無示其聽法者無聞無得譬如幻士為幻
人說法當建是意而為說法當了衆生根有
利鈍善於知見無所罣㝵以大悲心讚于大
乘念報佛恩不斷三寶然後說法維摩詰說
是法時八百居士發阿耨多羅三藐三菩提心
我無此辯是故不任詣彼問疾
佛告大迦葉汝行詣維摩詰問疾迦葉白佛
言世尊我不堪任詣彼問疾所以者何憶念我
昔於貧里而行乞食時維摩詰来謂我言
唯大迦葉有慈悲心而不能普捨豪富從貧乞
迦葉住平等法應次行乞食為不食故應行
乞食為壞和合相故應取揣食為不受故應
受彼食以空聚想入於聚落所見色與盲等
所聞聲與響等所嗅香與風等所食味不分
別受諸觸如智證知諸法如幻相無自性無
他性本自不然今則無滅迦葉若能不捨八
邪入八解脫以邪相入正法以一食施一切供
養諸佛及衆賢聖然後可食如是食者非
有煩惱非離煩惱非入定意非起定意非住
世間非住涅槃其有施者無大福無小福不
為益不為損是為正入佛道不依聲聞迦葉
若如是食為不空食人之施也時我世尊聞
說是語得未曾有即於一切菩薩深起敬心復
作是念斯有家名辯才智慧乃能如是其誰不
發阿耨多羅三藐三菩提心我從是来不復勸
人以聲聞辟支佛行是故我不任詣彼問疾

BD01917 號　維摩詰所說經卷上　（16–4）

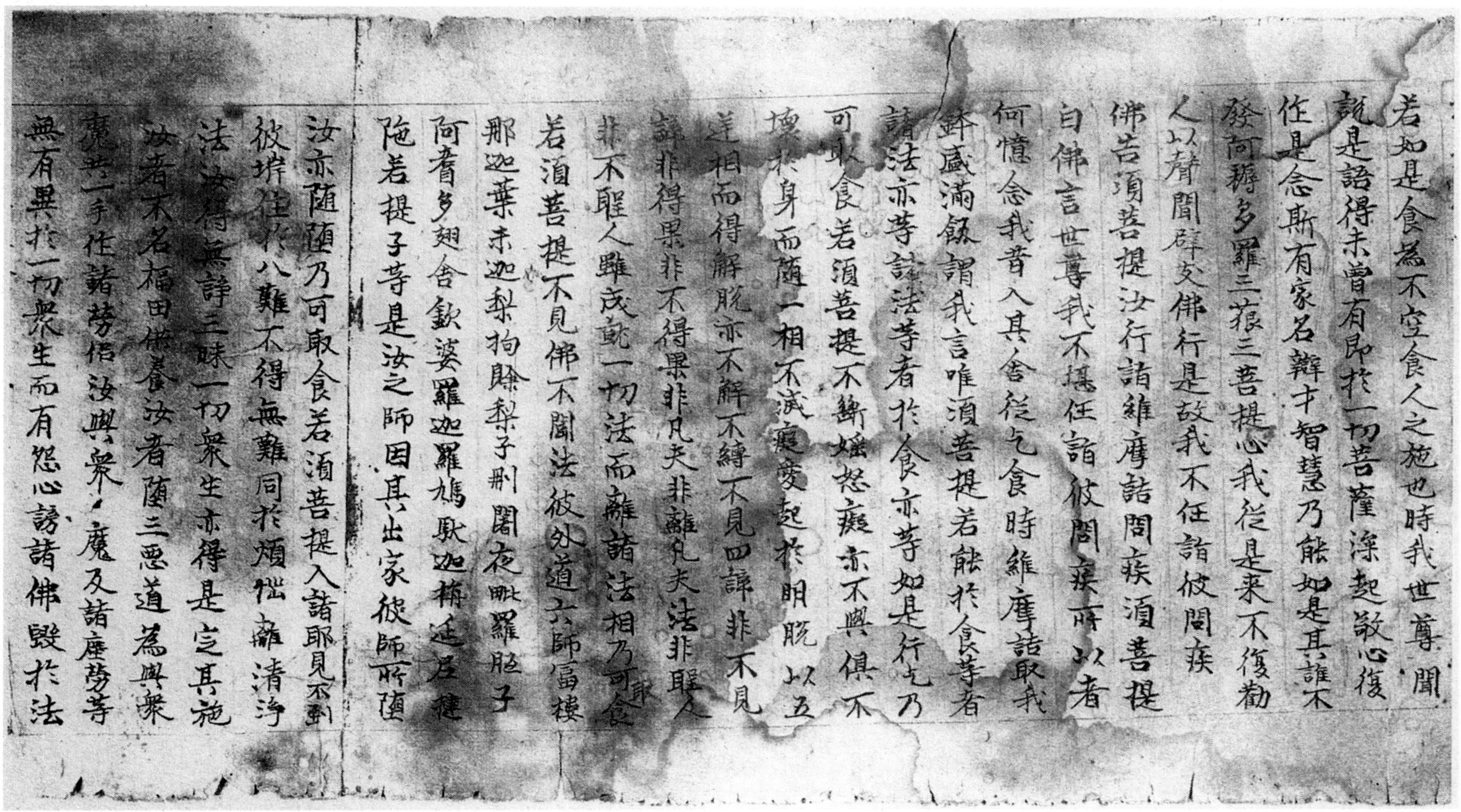

若如是食為不空食人之施也時我世尊聞
說是語得未曾有即於一切菩薩深起敬心復
作是念斯有家名辯才智慧乃能如是其誰不
發阿耨多羅三藐三菩提心我從是來不復勸
人以聲聞辟支佛行是故我不任詣彼問疾
佛告須菩提汝行詣維摩詰問疾須菩提
白佛言世尊我不堪任詣彼問疾所以者
何憶念我昔入其舍從乞食時維摩詰取我
鉢盛滿飯謂我言唯須菩提若能於食等者
諸法亦等諸法等者於食亦等如是行乞乃
可取食若須菩提不斷婬怒癡亦不與俱不
壞於身而隨一相不滅癡愛起於明脫以五
逆相而得解脫亦不解不縛不見四諦非不見
諦非得果非不得果非凡夫非離凡夫法非聖人
非不聖人雖成就一切法而離諸法相乃可取食
若須菩提不見佛不聞法彼外道六師富樓
那迦葉末迦梨拘賒梨子刪闍夜毗羅胝子
阿耆多翅舍欽婆羅迦羅鳩馱迦栴延尼揵
陁若提子等是汝之師因其出家彼師所墮
汝亦隨墮乃可取食若須菩提入諸邪見不到
彼岸住於八難不得無難同於煩惱離清淨
法汝得無諍三昧一切衆生亦得是定其施
汝者不名福田供養汝者墮三惡道為與衆
魔共一手作諸勞侶汝與衆魔及諸塵勞等
無有異於一切衆生而有怨心謗諸佛毀於法

BD01917 號　維摩詰所說經卷上　（16–5）

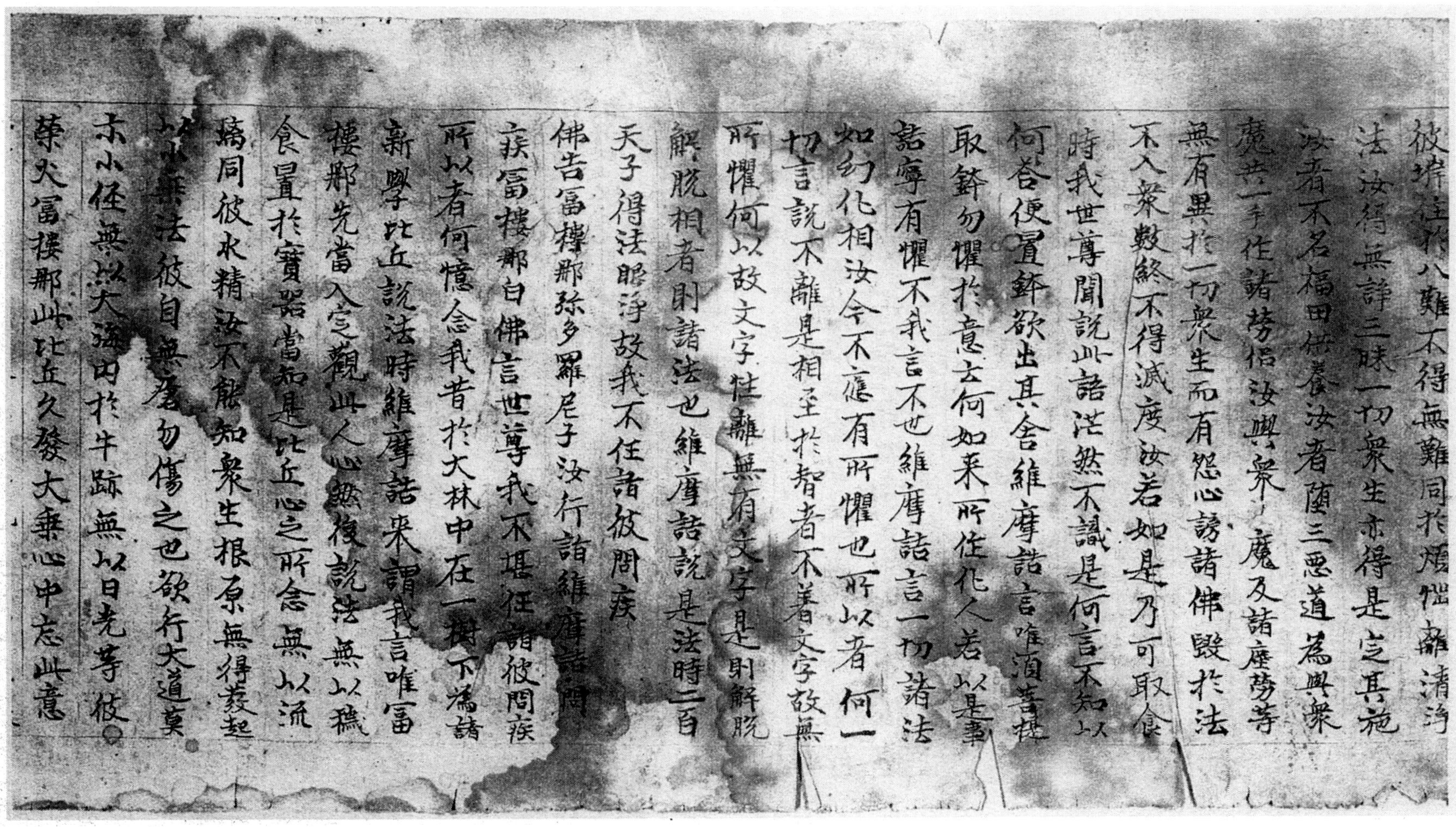

彼岸住於八難不得無難同於煩惱離清淨
法汝得無諍三昧一切衆生亦得是定其施
汝者不名福田供養汝者墮三惡道為與衆
魔共一手作諸勞侶汝與衆魔及諸塵勞等
無有異於一切衆生而有怨心謗諸佛毀於法
不入衆數終不得滅度汝若如是乃可取食
時我世尊聞說此語茫然不識是何言不知以
何答便置鉢欲出其舍維摩詰言唯須菩提
取鉢勿懼於意云何如來所作化人若以是事
詰寧有懼不我言不也維摩詰言一切諸法
如幻化相汝今不應有所懼也所以者何一
切言說不離是相至於智者不著文字故無
所懼何以故文字性離無有文字是則解脫
解脫相者則諸法也維摩詰說是法時二百
天子得法眼淨故我不任詣彼問疾
佛告富樓那彌多羅尼子汝行詣維摩詰問
疾富樓那白佛言世尊我不堪任詣彼問疾
所以者何憶念我昔於大林中在一樹下為諸
新學比丘說法時維摩詰來謂我言唯富
樓那先當入定觀此人心然後說法無以穢
食置於寶器當知是比丘心之所念無以流
璃同彼水精汝不能知衆生根原無得發起
以小乘法彼自無瘡勿傷之也欲行大道莫
示小徑無以大海內於牛跡無以日光等彼
螢火富樓那此比丘久發大乘心中忘此意

BD01917 號　維摩詰所說經卷上　（16–6）

以小乘法彼自無瘡勿傷之也欲行大道莫
示小徑無以大海內於牛跡無以日光等彼
螢火富樓那此比丘久發大乘心中忘此意
汝何以小乘法而教導之我觀小乘智慧微
淺猶如盲人不能分別一切衆生根之利鈍
時維摩詰即入三昧令此比丘自識宿命曾於
五百佛所殖衆德本迴向阿耨多羅三藐三
菩提即時豁然還得本心於是諸比丘稽首
礼維摩詰足時維摩詰因為說法於阿耨多
羅三藐三菩提不復退轉我念聲聞不觀
人根不應說法是故不任詣彼問疾
佛告摩訶迦旃延汝行詣維摩詰問疾迦旃
延白佛言世尊我不堪任詣彼問疾所以者
何憶念昔者佛為諸比丘略說法要我即於
後敷演其義謂無常義苦義空義無我義
寂滅義時維摩詰來謂我言唯迦旃延無以
生滅心行說實相法迦旃延諸法畢竟不生
不滅是無常義五受陰洞達空無所起是苦
義諸法究竟無所有是空義於我無我而不
二是無我義法本不然今則無滅是寂滅義
說是法時彼諸比丘心得解脫故我不任詣彼
問疾
佛告阿那律汝行詣維摩詰問疾阿那律白
佛言世尊我不堪任詣彼問疾所以者何憶
念我昔於一處經行時有梵王名曰嚴淨與

BD01917 號　維摩詰所說經卷上　（16–7）

佛言世尊我不堪任詣彼問疾所以者何憶
念我昔於一處經行時有梵王名曰嚴淨與
万梵俱放淨光明來詣我所稽首作礼問我
言幾何阿那律天眼所見我即答言仁者吾
見此釋迦牟尼佛土三千大千世界如觀掌中
菴摩勒菓時維摩詰來謂我言唯阿那律天
眼所見為作相耶無作相耶假使作相則與外道
五通等若無作相即是無為不應有見世尊
我時默然彼諸梵聞其言得未曾有即為
作礼而問曰世孰有真天眼者維摩詰言有
佛世尊得真天眼常在三昧悉見諸佛國不
以二相於是嚴淨梵王及其眷屬五百梵天
皆發阿耨多羅三藐三菩提心礼維摩詰足
已忽然不現故我不任詣彼問疾
佛告優波離汝行詣維摩詰問疾優波離白
佛言世尊我不堪任詣彼問疾所以者何憶
念昔者有二比丘犯律行以為恥不敢問佛
來問我言唯優波離我等犯律誠以為恥不
敢問佛願解疑悔得免斯咎我即為其如法
解脫時維摩詰來謂我言唯優波離无量增
此二比丘罪當直除滅勿擾其心所以者何
彼罪性不在內不在外不在中間如佛所說
心垢故衆生垢心淨故衆生淨心亦不在內不
在外不在中間如其心然罪垢亦然諸法亦
然不出於如如優波離以心相得解脫時寧有

BD01917 號　維摩詰所說經卷上　（16–8）

彼罪性不在內不在外不在中間如佛所說
心垢故衆生垢心淨故衆生淨心亦不在內不
在外不在中間如其心然罪垢亦然諸法亦
然不出於如如優波離以心相得解脫時寧有
垢不我言不也維摩詰言一切衆生心相無
垢亦復如是唯優波離妄想是垢無妄想是
淨顛倒是垢無顛倒是淨取我是垢不取我
是淨優波離一切法生滅不住如幻如電諸
法不相待乃至一念不住諸法皆妄見如夢
如炎如水中月如鏡中像以妄相生其知此
者是名奉律其知此者是名善解於是二比
丘言上智哉是優波離所不及持律之上而不
能說我荅言自捨如來未有聲聞及菩薩能
制其樂說之辯其智慧明達為若此也時二
比丘疑悔即除發阿耨多羅三藐三菩提心
作是願言令一切衆生皆得是辯故我不任
詣彼問疾
佛告羅睺羅汝行詣維摩詰問疾羅睺羅白
佛言世尊我不堪任詣彼問疾所以者何憶
念昔時毗耶離諸長者子來詣我所稽首作
礼問我言唯羅睺羅汝佛之子捨轉輪王位
出家為道其出家者有何等利我即如法為
說出家功德之利時維摩詰來謂我言唯羅
睺羅不應說出家功德之利所以者何無利無
功德是為出家有為法者可說有利有功德

BD01917 號　維摩詰所說經卷上　（16–9）

礼問我言唯羅睺羅汝佛之子捨轉輪王位
出家為道其出家者有何等利我即如法為
說出家功德之利時維摩詰來謂我言唯羅
睺羅不應說出家功德之利所以者何無利無
功德是為出家有為法者可說有利有功德
夫出家者為無為法無為法中無利無功德
羅睺羅夫出家者無彼無此亦無中間離六十
二見處於涅槃智者所受聖所行處降伏衆
魔度五道淨五眼得五力立五根不惱於彼
離衆雜惡摧諸外道超越假名出淤泥無
繫著無我所無所受無擾亂內懷喜護彼意
隨禪定離衆過若能如是是真出家於是維
摩詰語諸長者子汝等於正法中宜共出家
所以者何佛世難值諸長者子言居士我聞
佛言父母不聽不得出家維摩詰言然汝等
便發阿耨多羅三藐三菩提心是即出家是
即具足尒時諸長者子皆發阿耨多羅三藐三
菩提心故我不任詣彼問疾
佛告阿難汝行詣維摩詰問疾阿難白佛言
世尊我不堪任詣彼問疾所以者何憶念昔
時世尊身小有疾當用牛乳我即持鉢詣大
婆羅門家門下立時維摩詰來謂我言唯阿
難何為晨朝持鉢住此我言居士世尊身小有
疾當用牛乳故來至此維摩詰言止止阿難
莫作是語如來身者金剛之體諸惡已斷衆

BD01917 號　維摩詰所說經卷上　（16–10）

疾當用牛乳故來至此維摩詰言止止阿難
莫作是語如來身者金剛之體諸惡已斷衆
善普會當有何疾當有何惱默往阿難勿謗
如來莫使異人聞此麁言無令大威德諸天及
他方淨土諸來菩薩得聞斯語阿難轉輪
聖王以少福故尚得無病豈況如來无量福
會普勝者我行矣阿難勿使我等受斯恥
也外道梵志若聞此語當作是念何名為師
自疾不能救而能救諸疾人可密速去勿使
人聞當知阿難諸如來身即是法身非思欲
身佛為世尊過於三界佛身無漏諸漏已盡
佛身無為不墮諸數如此之身當有何病時
我世尊實懷慙愧得無近佛而謬聽耶即聞
空中聲曰阿難如居士言但為佛出五濁惡
世現行斯法度脫衆生行矣阿難取乳勿慙
世尊維摩詰智慧辯才為若此也是故不任
詣彼問疾如是五百大弟子各各向佛說其
本緣稱述維摩詰所言皆曰不任詣彼問疾

菩薩品第四

於是佛告彌勒菩薩汝行詣維摩詰問疾彌
勒白佛言世尊我不堪任詣彼問疾所以者
何憶念我昔為兜率天王及其眷屬說不退
轉地之行時維摩詰來謂我言彌勒世尊授
仁者記一生當得阿耨多羅三藐三菩提為
用何生得受記乎過去耶未來耶現在耶若

勒白佛言世尊我不堪任詣彼問
何憶念我昔為兜率天王及其眷屬說不退
轉地之行時維摩詰來謂我言彌勒世尊授
仁者記一生當得阿耨多羅三藐三菩提為
用何生得受記乎過去耶未來耶現在耶若
過去生過去生已滅若未來生未來生未至
若現在生現在生無住如佛所說比丘汝今
即時亦生亦老亦滅若以無生得受記者無
生即是正位於正位中亦無受記亦無得阿
耨多羅三藐三菩提云何彌勒受一生記乎
為從如生得受記耶為從如滅得受記耶若
以如生得受記者如無有生若以如滅得受
記者如無有滅一切衆生皆如也一切法亦如
也衆聖賢亦如也至於彌勒亦如也若彌
勒得受記者一切衆生亦應受記所以者何
夫如者不二不異若彌勒得阿耨多羅三藐三
菩提者一切衆生皆亦應得所以者何一
切衆生即菩提相若彌勒滅度者一切衆生
亦當滅度所以者何諸佛知一切衆生畢竟
寂滅即涅槃相不復更滅是故彌勒無以此
法誘諸天子實無發阿耨多羅三藐三菩
提心者亦無退者彌勒當令此諸天子捨於分
別菩提之見所以者何菩提者不可以身得
不可以心得寂滅是菩提滅諸相故不觀是
菩提離諸緣故不行是菩提無憶念故斷是
菩提捨諸見故離是菩提離諸妄想故鄣是

不可以心得寂滅是菩提滅諸相故不觀是
菩提離諸緣故不行是菩提無憶念故斷是
菩提捨諸見故離是菩提離諸妄想故鄣是
菩提鄣諸願故不入是菩提無貪著故順是
菩提順於如故住是菩提住法性故至是菩
提至實際故不二是菩提離意法故等是菩
提等虛空故無為是菩提无生住滅故智是
菩提了衆生心行故不會是菩提諸入不會
故不合是菩提離煩惱習故無處是菩提無
形色故假名是菩提名字空故如化是菩提
無取捨故無亂是菩提常自靜故善寂是菩
提性清淨故無取是菩提離攀緣故無異
是菩提諸法等故無比是菩提無可喻故微
妙是菩提諸法難知故世尊維摩詰說是法
時二百天子得無生法忍故我不任詣彼問疾
佛告光嚴童子汝行詣維摩詰問疾光嚴
白佛言世尊我不堪任詣彼問疾所以者何
憶念我昔出毗耶離大城時維摩詰方入城
我即為作礼而問言居士從何所來荅我言
吾從道場來我問道場者何所是荅曰直心
是道場無虛假故發行是道場能辦事故深
心是道場增益功德故菩提心是道場無錯
謬故布施是道場不望報故持戒是道場得
願具故忍辱是道場於諸衆生心無㝵故精
進是道場不懈退故禪定是道場心調柔故

BD01917 號　維摩詰所說經卷上　（16–13）

謬故布施是道場不望報故持戒是道場得
願具故忍辱是道場於諸衆生心無㝵故精
進是道場不懈退故禪定是道場心調柔故
智慧是道場現見諸法故慈是道場等衆生故
悲是道場忍疲苦故喜是道場悅樂法故捨
是道場憎愛斷故神通是道場成就六通故
解脫是道場能背捨故方便是道場教化
衆生故四攝法是道場攝衆生故多聞是道
場如聞行故伏心是道場正觀諸法故三十
七品是道場捨有為法故諦是道場不誑世
間故緣起是道場無明乃至老死皆無盡故
諸煩惱是道場知如實故衆生是道場知無我
故一切法是道場知諸法空故降魔是道場
不傾動故三界是道場無所趣故師子吼是
道場無所畏故力無畏不共法是道場無諸
過故三明是道場無餘㝵故一念知一切法是
道場成就一切智故如是善男子菩薩若應
諸波羅蜜教化衆生諸有所作舉足下足當
知皆從道場來住於佛法矣說是法時五百
天人皆發阿耨多羅三藐三菩提心故我不
任詣彼問疾
佛告持世菩薩汝行詣維摩詰問疾持世白
佛言世尊我不任詣彼問疾所以者何憶
念我昔住於靜室時魔波旬從万二千天女
狀如帝釋鼓樂弦歌來詣我所與其眷屬稽
首我足合掌恭敬於一面立我意謂是帝釋

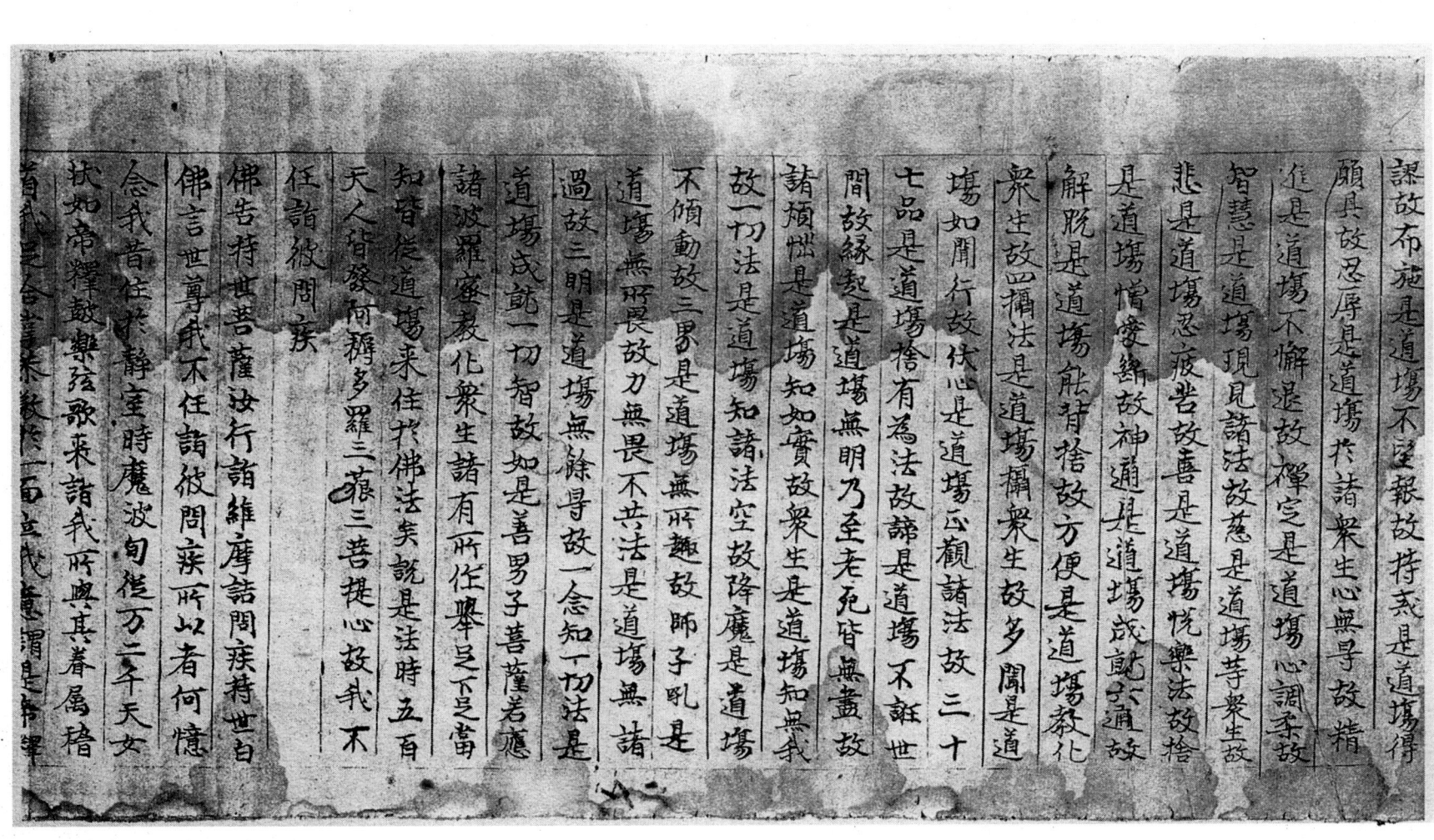

BD01917 號　維摩詰所說經卷上　（16–14）

佛言世尊我不任詣彼問疾所以者何憶
念我昔住於靜室時魔波旬從万二千天女
狀如帝釋鼓樂絃歌来詣我所與其眷屬稽
首我足合掌恭敬於一面立我意謂是帝釋
而語之言善来憍尸迦雖福應有不當自恣
當觀五欲無常以求善本於身命財而脩堅
法即語我言正士受是万二千天女可備掃灑
我言憍尸迦無以此非法之物要我沙門
釋子此非我宜所言未訖時維摩詰来謂
我言非帝釋也是為魔来嬈固汝耳即語魔言
是諸女等可以與我如我應受魔即驚懼念
維摩詰將無惱我欲隱形去而不能隱盡其
神力亦不得去即聞空中聲曰波旬以女與
之乃可得去魔以畏故俛仰而與尒時維摩
詰語諸女言魔以汝等與我今汝皆當發阿
耨多羅三藐三菩提心即隨所應而為說
法令發道意復言汝等已發道意有法樂
可以自娛不應復樂五欲樂也天女即問何
謂法樂荅言樂常信佛樂欲聽法樂供養衆
樂離五欲樂觀五陰如怨賊樂觀四大如毒蛇
樂觀內入如空聚樂隨護道意樂饒益衆生
樂敬供養師樂廣行布施樂堅持戒樂忍辱柔和
樂懃集善根樂禪定不亂樂離垢明慧樂廣
菩提心樂降伏衆魔樂斷諸煩惱樂淨佛國
土樂成就相好故脩諸功德樂莊嚴道場樂
[illegible]

BD01917 號　維摩詰所說經卷上　（16–15）

菩提心樂降伏衆魔樂斷諸煩惱樂淨佛國
土樂成就相好故脩諸功德樂莊嚴道場樂

聞深法不畏樂三脫門不樂非時樂近同學
樂於非同學中心無恚导樂將護惡知識樂近
善知識樂心喜清淨樂脩无量道品之法是
為菩薩法樂於是波旬告諸女言我欲與
汝俱還天宮諸女言以我等與此居士有法
樂我等甚樂不復樂五欲樂也魔言居士
可捨此女一切所有施於彼者是為菩薩維
摩詰言我以捨矣汝便將去令一切衆生得
法願具足於是諸女問維摩詰我等云何止
於魔宮維摩詰言諸姊有法門名無盡燈汝
等當學無盡燈者譬如一燈燃百千燈冥者
皆明明終不盡如是諸姊夫一菩薩開道百
千衆生令發阿耨多羅三藐三菩提心於其
道意亦不滅盡隨所說法而自增益一切善
法是名無盡燈也汝等雖住魔宮以是無盡
燈令無數天子天女皆發阿耨多羅三藐三菩
提心者為報佛恩亦大饒益一切衆生尒時
[illegible]忽然不現

BD01917 號　維摩詰所說經卷上　（16–16）

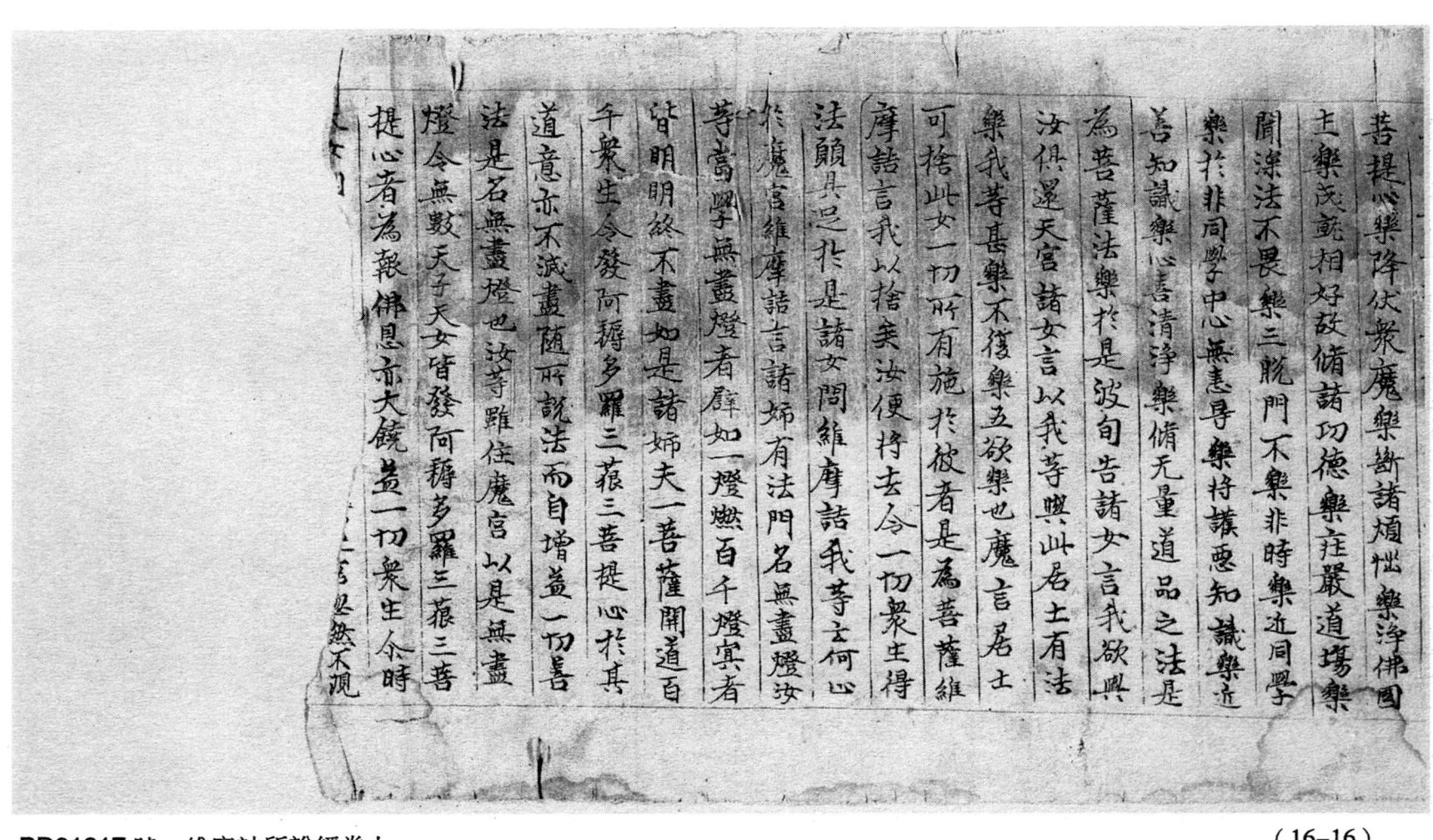

BD01917 號背　雜寫　（1–1）

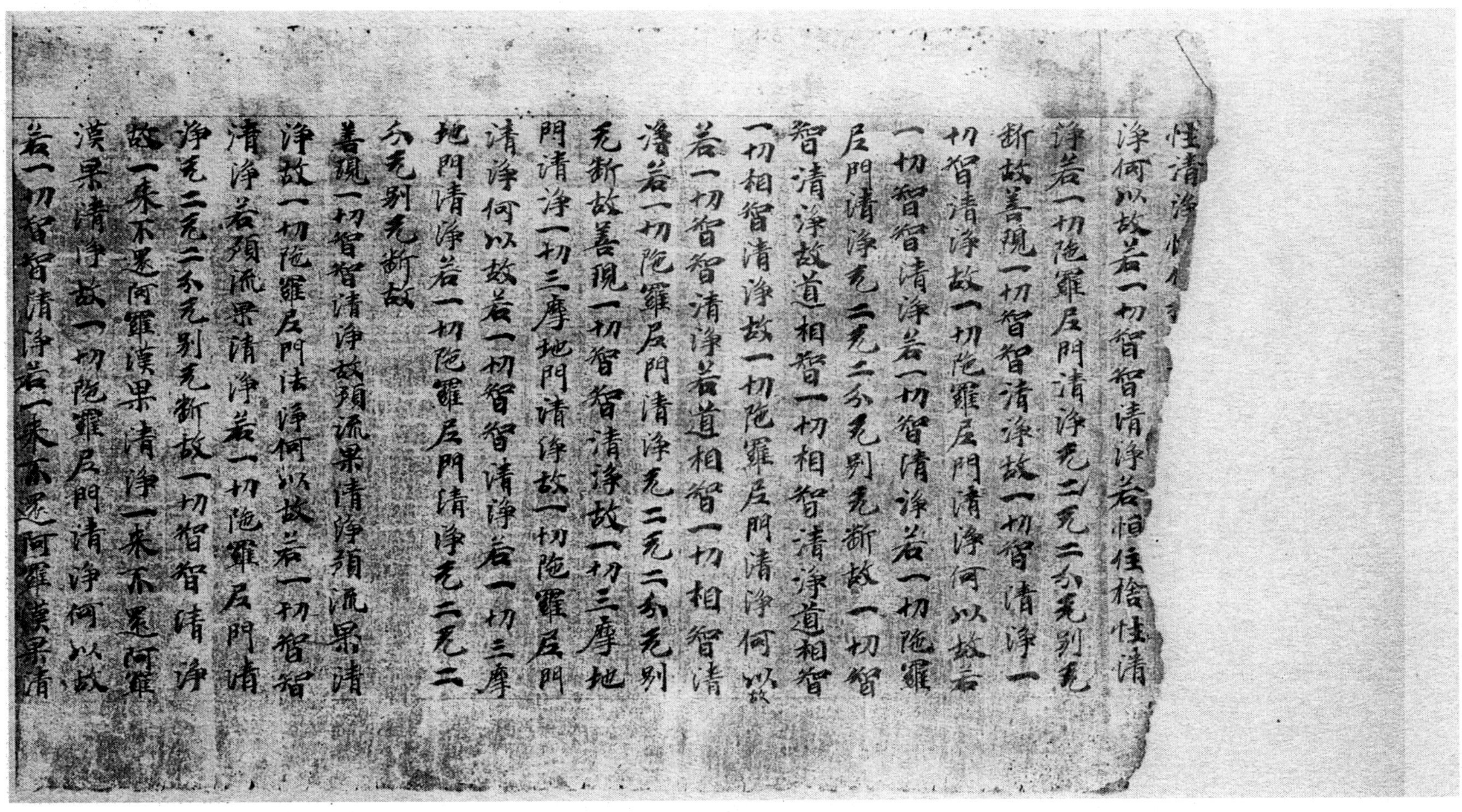

性清淨
淨何以故若一切智智清淨若恒住捨性清
淨若一切陁羅尼門清淨无二无二分无別无
斷故善現一切智智清淨故一切智清淨一
切智清淨故一切陁羅尼門清淨何以故若
一切智智清淨若一切智清淨若一切陁羅
尼門清淨无二无二分无別无斷故一切智
智清淨故道相智一切相智清淨道相智
一切相智清淨故一切陁羅尼門清淨何以故
若一切智智清淨若道相智一切相智清
淨若一切陁羅尼門清淨无二无二分无別
无斷故善現一切智智清淨故一切三摩地
門清淨一切三摩地門清淨故一切陁羅尼門
清淨何以故若一切智智清淨若一切三摩
地門清淨若一切陁羅尼門清淨无二无二
分无別无斷故
善現一切智智清淨故預流果清淨預流果清
淨故一切陁羅尼門法淨何以故若一切智智
清淨若預流果清淨若一切陁羅尼門清
淨无二无二分无別无斷故一切智智清淨
故一來不還阿羅漢果清淨一來不還阿羅
漢果清淨故一切陁羅尼門清淨何以故
若一切智智清淨若一來不還阿羅漢果清

BD01918 號　大般若波羅蜜多經卷二八一　（4–1）

淨故一切陁羅尼門清淨何以故若一切智智
清淨若預流果清淨若一切陁羅尼門清
淨无二无二分无別无斷故一切智智清淨
故一來不還阿羅漢果清淨一來不還阿羅
漢果清淨故一切陁羅尼門清淨何以故
若一切智智清淨若一來不還阿羅漢果清
淨若一切陁羅尼門清淨无二无二分无別无
斷故善現一切智智清淨故獨覺菩提清
淨獨覺菩提清淨故一切陁羅尼門清淨何
以故若一切智智清淨若獨覺菩提清淨若
一切陁羅尼門清淨无二无二分无別无斷故
善現一切智智清淨故一切菩薩摩訶薩行
清淨一切菩薩摩訶薩行清淨故一切陁
羅尼門清淨何以故若一切智智清淨若一
切菩薩摩訶薩行清淨若一切陁羅尼門清
淨无二无二分无別无斷故善現一切智智
清淨故諸佛无上正等菩提清淨諸佛无上
正等菩提清淨故一切陁羅尼門清淨何以
故若一切智智清淨若諸佛无上正等菩提
清淨若一切陁羅尼門清淨无二无二分无
別无斷故
復次善現一切智智清淨故色清淨色清淨
故一切三摩地門清淨何以故若一切智智
清淨若色清淨若一切三摩地門清淨无二
无二分无別无斷故一切智智清淨故受想
行識清淨受想行識清淨故一切三摩地門
清淨何以故若一切智智清淨若受想行識

BD01918號　大般若波羅蜜多經卷二八一　（4–2）

清淨若一切陁羅尼門清淨无二无二分无
別无斷故
復次善現一切智智清淨故色清淨色清淨
故一切三摩地門清淨何以故若一切智智
清淨若色清淨若一切三摩地門清淨无二
无二分无別无斷故一切智智清淨故受想
行識清淨受想行識清淨故一切三摩地門
清淨何以故若一切智智清淨若受想行識
清淨若一切三摩地門清淨无二无二分无
別无斷故善現一切智智清淨故眼處清淨
眼處清淨故一切三摩地門清淨何以故若
一切智智清淨若眼處清淨若一切三摩地
門清淨无二无二分无別无斷故一切智智
清淨故耳鼻舌身意處清淨耳鼻舌身意
處清淨故一切三摩地門清淨何以故若一切
智智清淨若耳鼻舌身意處清淨若一切三
摩地門清淨无二无二分无別无斷故善現
一切智智清淨故色處清淨色處清淨一
切三摩地門清淨何以故若一切智智清淨
若色處清淨若一切三摩地門清淨无二无
二分无別无斷故一切智智清淨故聲香味
觸法處清淨聲香味觸法處清淨故一切三
摩地門清淨何以故若一切智智清淨若聲
香味觸法處清淨若一切三摩地門清淨无
二无二分无別无斷故善現一切智智清淨
故眼界清淨眼界清淨故一切三摩地門清
淨何以故若一切智智清淨若眼界清淨若

BD01918號　大般若波羅蜜多經卷二八一　（4–3）

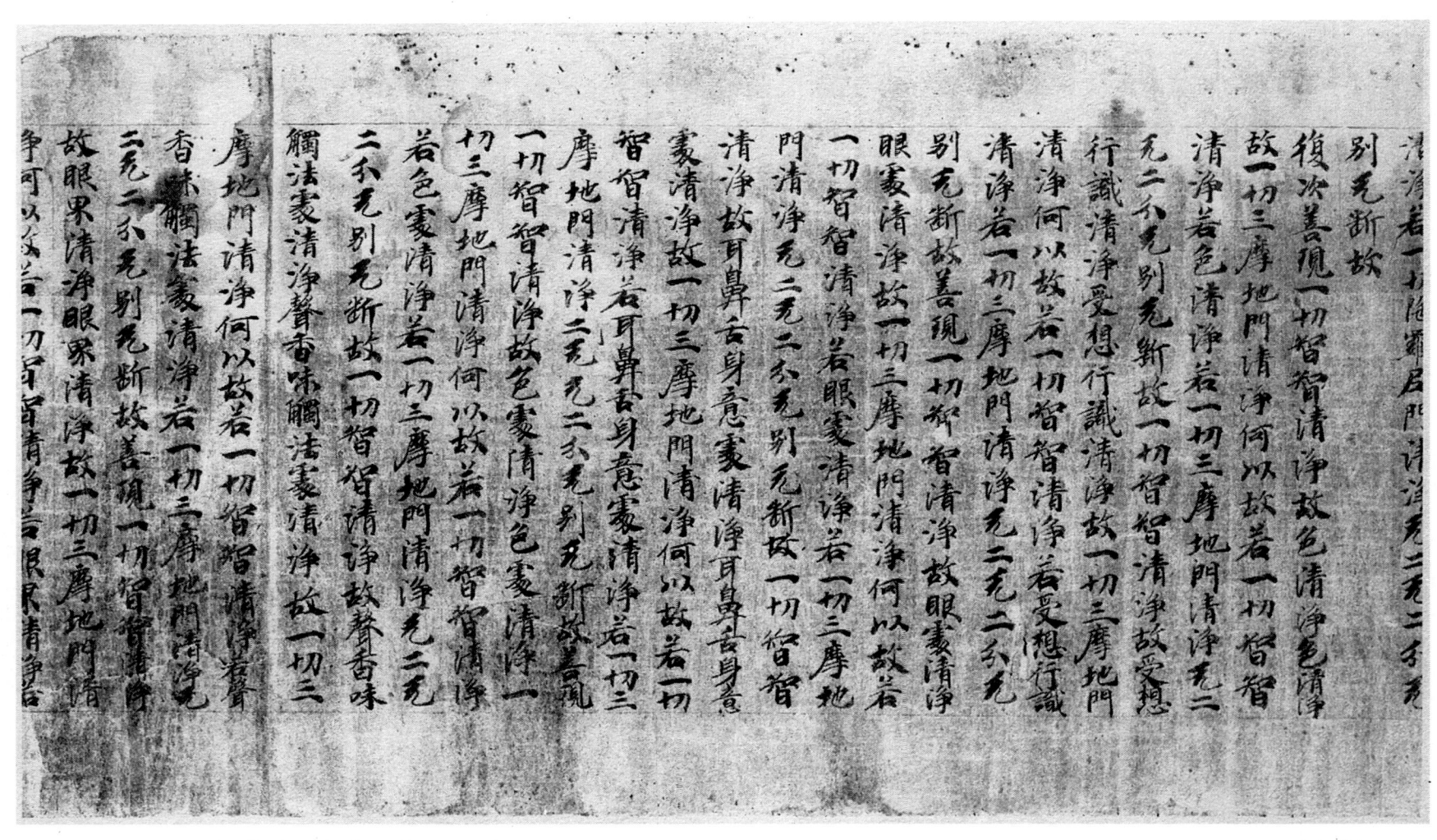

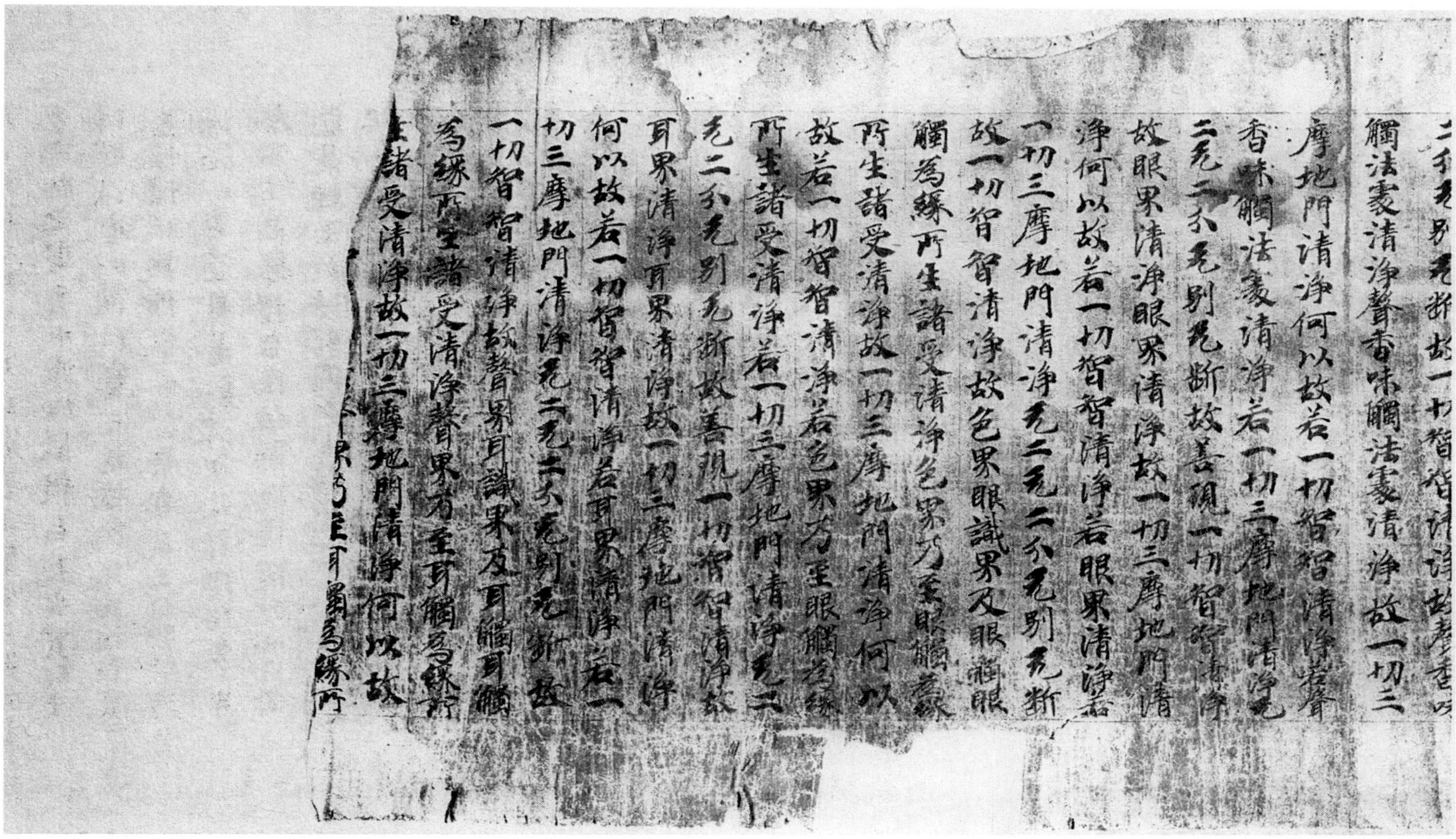

二分无別无斷故一切智智清淨故聲香味
觸法處清淨聲香味觸法處清淨故一切三
摩地門清淨何以故若一切智智清淨若聲
香味觸法處清淨若一切三摩地門清淨无
二无二分无別无斷故善現一切智智清淨
故眼界清淨眼界清淨故一切三摩地門清
淨何以故若一切智智清淨若眼界清淨若
一切三摩地門清淨无二无二分无別无斷
故一切智智清淨故色界眼識界及眼觸眼
觸為緣所生諸受清淨色界乃至眼觸為緣
所生諸受清淨故一切三摩地門清淨何以
故若一切智智清淨若色界乃至眼觸為緣
所生諸受清淨若一切三摩地門清淨无二
无二分无別无斷故善現一切智智清淨故
耳界清淨耳界清淨故一切三摩地門清淨
何以故若一切智智清淨若耳界清淨若一
切三摩地門清淨无二无二分无別无斷故
一切智智清淨故聲界耳識界及耳觸耳觸
為緣所生諸受清淨聲界乃至耳觸為緣所
生諸受清淨故一切三摩地門清淨何以故
……界乃至耳觸為緣所

BD01918 號　大般若波羅蜜多經卷二八一　（4–4）

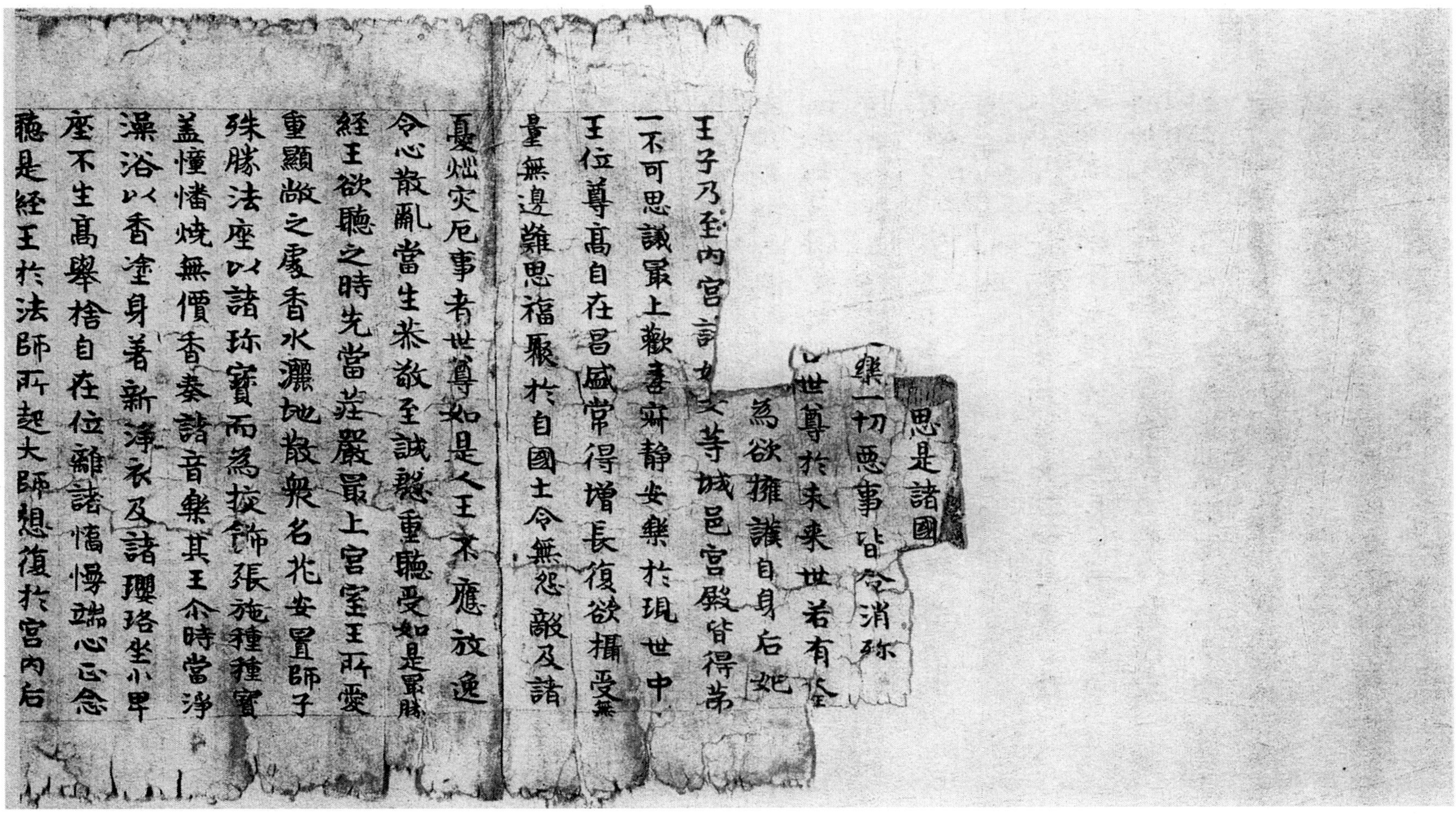

思是諸國
衆一切惡事皆令消殄
世尊於未來世若有人
為欲擁護自身后妃
王子乃至內宮諸婇女等城邑宮殿皆得苐
一不可思議最上歡喜寂靜安樂於現世中
王位尊高自在昌盛常得增長復欲攝受無
量無邊難思福聚於自國土令無怨敵及諸
憂惱災厄事者世尊如是人王不應放逸
令心散亂當生恭敬至誠慇重聽受如是最勝
經王欲聽之時先當莊嚴最上宮室王所愛
重顯敞之處香水灑地散衆名花安置師子
殊勝法座以諸珎寶而為校飾張施種種寶
蓋幢幡燒無價香奏諸音樂其王爾時當淨
澡浴以香塗身著新淨衣及諸瓔珞坐小卑
座不生高舉捨自在位離諸憍慢端心正念
聽是經王於法師所起大師想復於宮內后

BD01919 號　金光明最勝王經卷六　（8–1）

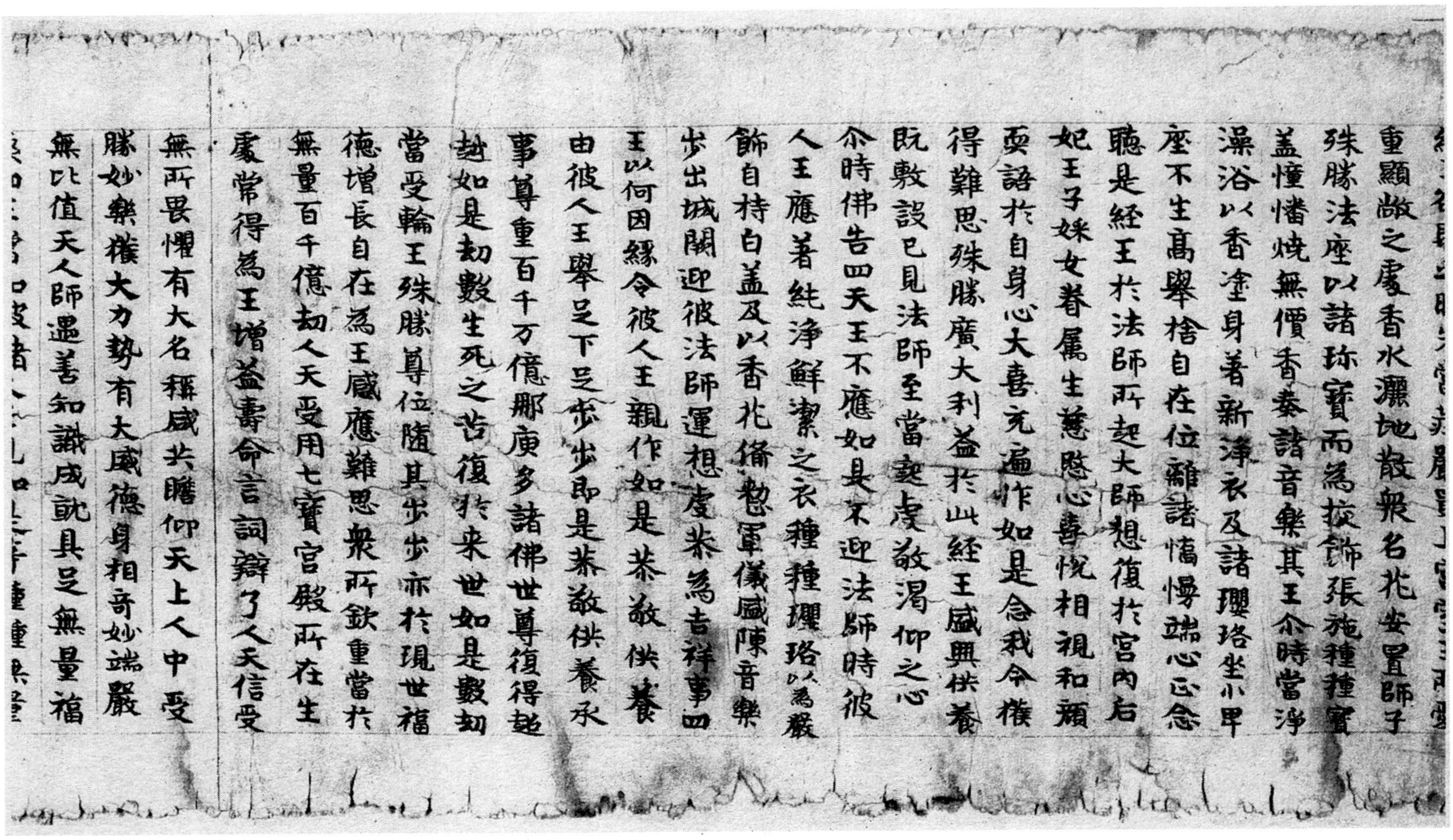
重顯敞之處香水灑地散衆名花安置師子
殊勝法座以諸珎寶而爲挍飾張施種種寶
蓋幢幡燒無價香奏諸音樂其王尒時當淨
澡浴以香塗身著新淨衣及諸瓔珞坐小卑
座不生高舉捨自在位離諸憍慢端心正念
聽是經王於法師所起大師想復於宮內后
妃王子婇女眷屬生慈愍心喜悅相視和顔
耎語於自身心大喜充遍作如是念我今獲
得難思殊勝廣大利益於此經王盛興供養
既敷設已見法師至當起虔敬渴仰之心
尒時佛告四天王不應如是來迎法師時彼
人王應著純淨鮮潔之衣種種瓔珞以爲嚴
飾自持白蓋及以香花備整軍儀盛陳音樂
步出城闕迎彼法師運想虔恭爲吉祥事四
王以何因緣令彼人王親作如是恭敬供養
由彼人王舉足下足步步即是恭敬供養承
事尊重百千万億那庾多諸佛世尊復得超
越如是劫數生死之苦復於來世如是數劫
當受輪王殊勝尊位隨其步步亦於現世福
德增長自在爲王感應難思衆所欽重當於
無量百千億劫人天受用七寶宮殿所在生
處常得爲王增益壽命言詞辯了人天信受
無所畏懼有大名稱咸共瞻仰天上人中受
勝妙樂獲大力勢有大威德身相奇妙端嚴
無比值天人師遇善知識成就具足無量福

BD01919 號　金光明最勝王經卷六　（8–2）

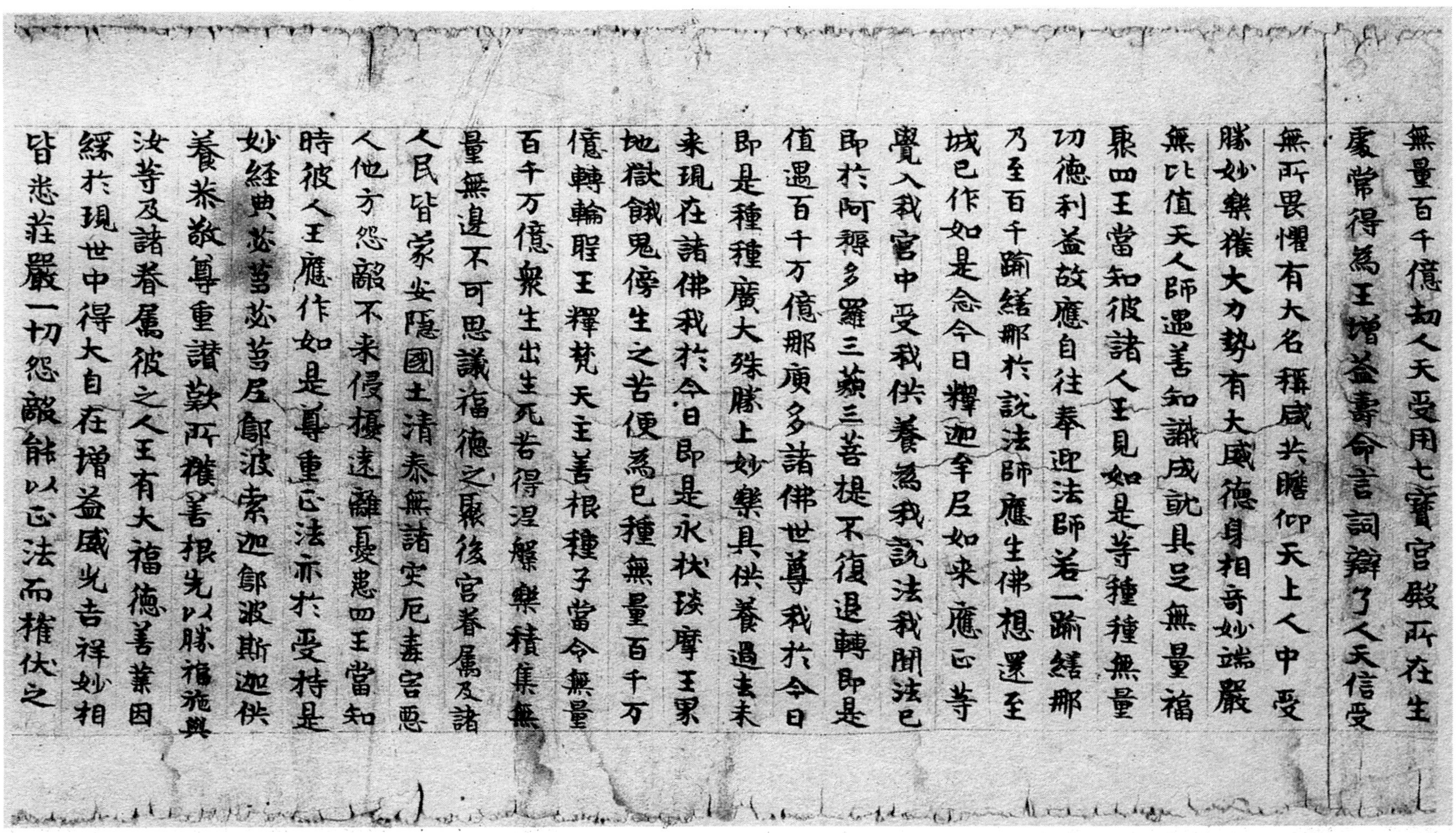
無量百千億劫人天受用七寶宮殿所在生
處常得爲王增益壽命言詞辯了人天信受
無所畏懼有大名稱咸共瞻仰天上人中受
勝妙樂獲大力勢有大威德身相奇妙端嚴
無比值天人師遇善知識成就具足無量福
聚四王當知彼諸人王見如是等種種無量
功德利益故應自往奉迎法師若一踰繕那
乃至百千踰繕那於說法師應生佛想還至
城已作如是念今日釋迦牟尼如來應正等
覺入我宮中受我供養爲我說法我聞法已
即於阿耨多羅三藐三菩提不復退轉即是
值遇百千万億那庾多諸佛世尊我於今日
即是種種廣大殊勝上妙樂具供養過去未
來現在諸佛我於今日即是永拔琰魔王界
地獄餓鬼傍生之苦便爲已種無量百千万
億轉輪聖王釋梵天主善根種子當令無量
百千万億衆生出生死苦得涅槃樂積集無
量無邊不可思議福德之聚後宮眷屬及諸
人民皆蒙安隱國土清泰無諸災厄毒害惡
人他方怨敵不來侵擾遠離憂患四王當知
時彼人王應作如是尊重正法亦於受持是
妙經典苾芻苾芻尼鄔波索迦鄔波斯迦供
養恭敬尊重讚歎所獲善根先以勝福施與
汝等及諸眷屬彼之人王有大福德善業因
緣於現世中得大自在增益威光吉祥妙相
皆悉莊嚴一切怨敵能以正法而摧伏之

BD01919 號　金光明最勝王經卷六　（8–3）

時彼人王應作如是尊重正法亦於受持是
妙經典苾芻苾芻尼鄔波索迦鄔波斯迦供
養恭敬尊重讚歎所獲善根先以勝福施與
汝等及諸眷屬彼之人王有大福德善業因
緣於現世中得大自在增益威光吉祥妙相
皆悉莊嚴一切怨敵能以正法而摧伏之
尒時四天王白佛言世尊若有人王能作如
是恭敬正法聽此經王并於四衆持經之人
恭敬供養尊重讚歎時彼人王欲為我等生
歡喜故當在一邊近於法座香水灑地散衆
名花安置處所設四王座我与彼王共聽正
法其王所有自利善根亦以福分施及我等
世尊時彼人王請說法者昇座之時便為我
等燒衆名香供養是經世尊時彼香烟於一
念頃上昇虛空即至我等諸天宮殿於虛空
中變成香蓋我等天衆聞彼妙香香有金光
照曜我等所居宮殿乃至梵宮及以帝釋大
辯才天大吉祥天堅牢地神正了知大將二十
八部諸藥叉神大自在天金剛密主寶賢
大將訶利底母五百眷屬無熱惱池龍王大
海龍王所居之處世尊如是等衆於自宮殿
見彼香烟一剎那頃變成香蓋聞香芬馥覩
色光明遍至一切諸天神宮佛告四天王是
香光明非但至此宮殿變成香蓋放大光明
由彼人王手執香爐燒衆名香供養經時其
香烟氣於一念頃遍至三千大千世界百億

BD01919號　金光明最勝王經卷六　（8–4）

見彼香烟一剎那頃變成香蓋聞香芬馥
色光明遍至一切諸天神宮佛告四天王是
香光明非但至此宮殿變成香蓋放大光明
由彼人王手執香爐燒衆名香供養經時其
香烟氣於一念頃遍至三千大千世界百億
日月百億妙高山王百億四洲於此三千大
千世界一切天龍藥叉健闥婆阿蘇羅揭路
荼緊那羅莫呼洛伽宮殿之所於虛空中充
滿而住種種香烟變成雲蓋其蓋金色普照
天宮如是三千大千世界所有種種香雲香
蓋皆是金光明最勝王經威神之力是諸人
王手持香爐供養經時種種香氣非但遍此
三千大千世界於一念頃亦遍十方無量無
邊恒河沙等百千万億諸佛國土於諸佛上
虛空之中變成香蓋金色普照亦復如是時
彼諸佛聞此妙香觀斯雲蓋及以金色於十
方界恒河沙等諸佛世尊現神變已彼諸世
尊悉共觀察異口同音讚法師曰善哉善哉
汝大丈夫能廣流布如是甚深微妙經典則
為成就無量無邊不可思議福德之聚若有
聽聞如是經者所獲功德其量甚多何況書
寫受持讀誦為他敷演如說修行何以故善
男子若有衆生聞此金光明最勝王經者即
於阿耨多羅三藐三菩提不復退轉
尒時十方有百千俱胝那庾多無量無數恒
河沙等諸佛剎土彼諸剎土一切如來異口

BD01919號　金光明最勝王經卷六　（8–5）

寫受持讀誦爲他敷演如說修行何以故善
男子若有衆生聞此金光明最勝王経者即
於阿耨多羅三藐三菩提不復退轉
尒時十方有百千俱胝那庾多無量無數恒
河沙等諸佛刹土彼諸刹土一切如来異口
同音於法座上讚彼法師言善哉善哉善男
子汝於来世以精勤力當修無量百千苦行
具足資糧超諸聖衆出過三界爲最勝尊當
坐菩提樹王之下殊勝莊嚴能救三千大千
世界有緣衆生善能摧伏可畏形儀諸魔軍
衆覺了諸法最勝清淨甚深無上正等菩提
善男子汝當坐於金剛之座轉於無上諸佛
所讚十二妙行甚深法輪能擊無上最大法
皷能吹無上極妙法螺能建無上殊勝法幢
能然無上極明法炬能降無上甘露法雨能
斷無量煩惱怨結能令無量百千万億那庾
多有情度於無涯可畏大海解脫生死無際
輪迴值遇無量百千万億那庾多佛
尒時四天王復白佛言世尊是金光明最勝
王経能於未来現在成就如是無量功德是
故人王若得聞是微妙経典即是已於百千
万億無量佛所種諸善根於彼人王我當護
念復見無量福德利故我等四王及餘眷屬
無量百千万億諸神於自宮殿見是種種香
烟雲蓋神變之時我當隱蔽不現其身爲聽
法故當至是王清淨嚴飾所止宮殿講法之

BD01919 號　金光明最勝王經卷六　（8–6）

故人王若得聞是微妙経典即是已於百千
万億無量佛所種諸善根於彼人王我當護
念復見無量福德利故我等四王及餘眷屬
無量百千万億諸神於自宮殿見是種種香
烟雲蓋神變之時我當隱蔽不現其身爲聽
法故當至是王清淨嚴飾所止宮殿講法之
處如是乃至梵宮帝釋大辯才天大吉祥天
堅牢地神正了知神大將二十八部諸藥叉
神大自在天金剛密主寶賢大將訶利底母
五百眷屬無熱惱池龍王大海龍王無量百
千万億那庾多諸天藥叉如是等衆爲聽法
故皆不現身至彼人王殊勝宮殿莊嚴高座
說法之所世尊我等四王及餘眷屬藥叉諸
神皆當一心共彼人王爲善知識因是無上
大法施主以甘露味充足於我是故我等當
護是王除其衰患令得安隱及其宮殿城邑
國土諸惡災變悉令消滅尒時四天王俱共
合掌白佛言世尊若有人王於其國土雖有
此経未甞流布心生捨離不樂聽聞亦不供
養尊重讚歎見四部衆持経之人亦復不能
尊重供養遂令我等及餘眷屬無量諸天不
得聞此甚深妙法背甘露味失於法流無有威
光及以勢力增長惡趣損減人天墜生死河
乖涅槃路世尊我等四王并諸眷屬及藥叉
等見如斯事捨其國土無擁護心非但我等
捨棄是王亦有無量守護國土諸大善神悉

BD01919 號　金光明最勝王經卷六　（8–7）

得聞此甚深妙法背甘露味失正法流無有威
光及以勢力增長惡趣損減人天墜生死河
乖涅槃路世尊我等四王并諸眷屬及藥叉
等見如斯事捨其國土無擁護心非但我等
捨棄是王亦有無量守護國土諸大善神悉
皆捨去既捨離已其國當有種種災禍喪失
國位一切人衆皆無善心唯有繫縛殺害瞋
諍互相讒諂枉及無辜疾疫流行慧星數出
兩日並現博蝕無恒黑白二虹表不祥相星
流地動井內發聲暴雨惡風不依時節常遭
飢饉苗實不成多有他方怨賊侵掠國內人
民受諸苦惱土地無有可樂之處世尊我等
四王及與無量百千天神并護國土諸舊善
神遠離去時生如是等無量百千災恠惡事
世尊若有人王欲護國土常受快樂欲令衆
生咸蒙安隱欲得摧伏一切外敵於自國境
永得昌盛欲令正教流布世間苦惱惡法皆
除滅者世尊是諸國主必當聽受是妙經王
亦應恭敬供養讀誦受持經者我等及餘無
量天衆以是聽法善根威力得服無上甘露
法味增益我等所有眷屬并餘天神皆得勝
利何以故以是人王至心聽受是經典故世
尊如大梵天於諸有情常為宣說世出世論
帝釋復說種種諸論五通神仙亦說諸論世

BD01919號　金光明最勝王經卷六　　（8–8）

大乘无量壽經
如是我聞一時薄伽梵在舍衛國祇樹給孤獨園與大苾芻僧千二百五十人大菩薩摩訶
薩衆俱尒時世尊告曼殊室利童子曼殊上方有世界名无量功德聚彼土有佛
号无量智決定王如來阿羅訶三藐三菩提現為衆生開示說法曼殊室利南閻浮提人皆雖
壽大限百年於中夭枉橫死者衆曼殊室利是无量壽如來功德名稱法要若有衆生得聞名
号若自書或使人書能為經卷受持讀誦若於舍宅所住之處以種種花鬘瓔珞塗香
末香而為供養如其命盡復得延年滿足百歲如是曼殊室利若有衆生得聞是无量智
決定王如來一百八名号者益其長壽若有衆生大命將盡憶念是如來名号更得增
壽如是曼殊室利若有善男子善女人欲求長壽於是无量壽如來一百八名号有得聞者或自書
若使人書受持讀誦得如是等果報福德具足陁羅尼曰
南謨薄伽勃底　阿波唎蜜多　阿喻紇硯那　須毗你失指陁囉佐耶　怛他羯他耶　怛姪他唵
薩婆桑塞迦羅　波唎輸底　達磨底　伽迦那　莎訶某特迦底　薩婆婆毗輸底　摩
訶那耶　波唎婆羅　莎訶　世尊後告曼殊室利如是如來一百八名号若自書或使人書為
經卷受持讀誦如壽命盡復滿百年終此身後得往生无量福智世界无量壽淨土陁羅尼曰
南謨薄伽勃底　阿波唎蜜多　阿喻紇硯那　須毗你失指陁囉佐耶　怛他羯他耶　怛姪他唵
薩婆桑塞迦羅　波唎輸底　達磨底　伽迦那　莎訶某特迦底　薩婆婆毗輸底　摩
訶那耶　波唎婆羅　莎訶　尒時有九十九俱胝佛一時同聲說是无量壽宗要經陁羅尼曰
南謨薄伽勃底　阿波唎蜜多　阿喻紇硯那　須毗你失指陁囉佐耶　怛他羯他耶　怛姪他唵
薩婆桑塞迦羅　波唎輸底　達磨底　伽迦那　莎訶某特迦底　薩婆婆毗輸底　摩
訶那耶　波唎婆羅　莎訶　尒時復有一百四俱胝佛一時同聲說是无量壽宗要經陁羅尼曰
南謨薄伽勃底　阿波唎蜜多　阿喻紇硯那　須毗你失指陁囉佐耶　怛他羯他耶　怛姪他唵
薩婆桑塞迦羅　波唎輸底　達磨底　伽迦那　莎訶某特迦底　薩婆婆毗輸底
摩訶那耶　波唎婆羅　莎訶　尒時復有七俱胝佛一時同聲說是无量壽宗要經陁羅尼曰

BD01920號　無量壽宗要經　　（5–1）

薩婆桒悉迦羅 波利輸底 達磨底 伽伽娜 莎訶 桒特迦底 薩婆婆毗輸底
摩訶娜耶波利婆羅莎訶 佘時復有八十四俱胝佛一時同聲說是无量壽宗要經陀羅尼曰
南謨薄伽勃底 阿波唎蜜多 阿喻紇硯娜 須毗你悉指陀 囉佐耶 怛他羯他耶 怛姪他唵
薩婆桒悉迦羅 波利輸底 達磨底 伽伽娜 莎訶 桒特迦底 薩婆婆毗輸底
摩訶娜耶波利婆羅莎訶 佘時復有七十七俱胝佛一時同聲說是无量壽宗要經陀羅尼曰
南謨薄伽勃底 阿波唎蜜多 阿喻紇硯娜 須毗你悉指陀 囉佐耶 怛他羯他耶 怛姪他唵
薩婆桒悉迦羅 波利輸底 達磨底 伽伽娜 莎訶 桒特迦底 薩婆婆毗輸底
摩訶娜耶波利婆羅莎訶 佘時復有六十六俱胝佛一時同聲說是无量壽宗要經陀羅尼曰
南謨薄伽勃底 阿波唎蜜多 阿喻紇硯娜 須毗你悉指陀 囉佐耶 怛他羯他耶 怛姪他唵
薩婆桒悉迦羅 波利輸底 達磨底 伽伽娜 莎訶 桒特迦底 薩婆婆毗輸底
摩訶娜耶波利婆羅莎訶 佘時復有五十五俱胝佛一時同聲說是无量壽宗要經陀羅尼曰
南謨薄伽勃底 阿波唎蜜多 阿喻紇硯娜 須毗你悉指陀 囉佐耶 怛他羯他耶 怛姪他唵
薩婆桒悉迦羅 波利輸底 達磨底 伽伽娜 莎訶 桒特迦底 薩婆婆毗輸底
摩訶娜耶波利婆羅莎訶 佘時復有四十五俱胝佛一時同聲說是无量壽宗要經陀羅尼曰
南謨薄伽勃底 阿波唎蜜多 阿喻紇硯娜 須毗你悉指陀 囉佐耶 怛他羯他耶 怛姪他唵
薩婆桒悉迦羅 波利輸底 達磨底 伽伽娜 莎訶 桒特迦底 薩婆婆毗輸底
摩訶娜耶波利婆羅莎訶 佘時復有三十六俱胝佛一時同聲說是无量壽宗要經陀羅尼曰
南謨薄伽勃底 阿波唎蜜多 阿喻紇硯娜 須毗你悉指陀 囉佐耶 怛他羯他耶 怛姪他唵
薩婆桒悉迦羅 波利輸底 達磨底 伽伽娜 莎訶 桒特迦底 薩婆婆毗輸底
摩訶娜耶波利婆羅莎訶 佘時復有二十五俱胝佛一時同聲說是无量壽宗要經陀羅尼曰
南謨薄伽勃底 阿波唎蜜多 阿喻紇硯娜 須毗你悉指陀 囉佐耶 怛他羯他耶 怛姪他唵
薩婆桒悉迦羅 波利輸底 達磨底 伽伽娜 莎訶 桒特迦底 薩婆婆毗輸底
摩訶娜耶波利婆羅莎訶 佘時復有十恒河沙俱胝佛一時同聲說是无量壽宗要經陀羅尼曰
南謨薄伽勃底 阿波唎蜜多 阿喻紇硯娜 須毗你悉指陀 囉佐耶 怛他羯他耶 怛姪他唵
薩婆桒悉迦羅 波利輸底 達磨底 伽伽娜 莎訶 桒特迦底 薩婆婆毗輸底
摩訶娜耶 波利婆羅 莎訶
善男子若有自書寫教人書寫是无量壽宗要經如其命盡復得長壽而滿年陀羅
尼曰 南謨薄伽勃底 阿波唎蜜多 阿喻紇硯娜 須毗你悉指陀 囉佐耶 怛他羯他耶 怛姪他唵
薩婆桒悉迦羅 波利輸底 達磨底 伽伽娜 莎訶 桒特迦底 薩婆婆毗輸底 摩
訶娜耶波利婆羅莎訶 若有自書寫教人書寫是无量壽宗要經讀誦受持畢竟

BD01920 號　無量壽宗要經　（5–2）

摩訶娜耶 波利婆羅 莎訶
善男子若有自書寫教人書寫是无量壽宗要經如其命盡復得長壽而滿年陀羅
尼曰 南謨薄伽勃底 阿波唎蜜多 阿喻紇硯娜 須毗你悉指陀 囉佐耶 怛他羯他耶 怛姪他唵
薩婆桒悉迦羅 波利輸底 達磨底 伽伽娜 莎訶 桒特迦底 薩婆婆毗輸底 摩
訶娜耶 波利婆羅 莎訶 若有自書寫教人書寫是无量壽宗要經讀誦受持畢竟
不墮地獄 往在所生得宿命智陀羅尼曰 南謨薄伽勃底 阿波唎蜜多 阿喻紇硯娜 須毗你
悉指陀 囉佐耶 怛他羯他耶 怛姪他唵 薩婆桒悉迦羅 波利輸底 達磨底 伽伽娜 莎訶
桒特迦底 薩婆婆毗輸底 摩訶娜耶 波利婆羅 莎訶 若有自書寫教人書寫是无量壽
宗要經受持讀誦 如同書寫八万四千一切經典 陀羅尼曰 南謨薄伽勃底 阿波唎蜜多
阿喻紇硯娜 須毗你悉指陀 囉佐耶 怛他羯他耶 怛姪他唵 薩婆桒悉迦羅 波利輸底
達磨底 伽伽娜 莎訶 桒特迦底 薩婆婆毗輸底 摩訶娜耶 波利婆羅 莎訶
若有自書寫教人書寫是无量壽宗要經 即是書寫八万四千部建立塔廟 陀羅尼曰
南謨薄伽勃底 阿波唎蜜多 阿喻紇硯娜 須毗你悉指陀 囉佐耶 怛他羯他耶 怛姪他唵
薩婆桒悉迦羅 波利輸底 達磨底 伽伽娜 莎訶 桒特迦底 薩婆婆毗輸底
摩訶娜耶 波利婆羅 莎訶 若有自書寫教人書寫是无量壽宗要經能消五无間等
重罪 陀羅尼曰 南謨薄伽勃底 阿波唎蜜多 阿喻紇硯娜 須毗你悉指陀 囉佐耶
怛他羯他耶 怛姪他唵 薩婆桒悉迦羅 波利輸底 達磨底 伽伽娜 莎訶 桒特迦底 薩婆婆
毗輸底 摩訶娜耶 波利婆羅 莎訶 若有自書寫教人書寫是无量壽宗要經受持讀誦
設有重罪猶如須弥山 悉能滅盡 陀羅尼曰 南謨薄伽勃底 阿波唎蜜多 阿喻紇硯娜
須毗你悉指陀 囉佐耶 怛他羯他耶 怛姪他唵 薩婆桒悉迦羅 波利輸底 達磨底 伽伽
娜 莎訶 桒特迦底 薩婆婆毗輸底 摩訶娜耶 波利婆羅 莎訶 若有自書寫教人書寫
是无量壽宗要經受持讀誦 若魔魔之眷屬夜叉羅剎不得其便 終无枉死 陀羅尼曰
南謨薄伽勃底 阿波唎蜜多 阿喻紇硯娜 須毗你悉指陀 囉佐耶 怛他羯他耶 怛姪他唵 薩婆桒
悉迦羅 波利輸底 達磨底 伽伽娜 莎訶 桒特迦底 薩婆婆毗輸底 摩訶娜耶 波利婆羅 莎訶
若有自書寫教人書寫是无量壽宗要經受持讀誦 當命終時 有九十九俱胝佛現其人前 來
千佛授手 遊一切佛剎 莫於此經生於疑惑 陀羅尼曰
南謨薄伽勃底 阿波唎蜜多 阿喻紇硯娜 須毗你悉指陀 囉佐耶 怛他羯他耶 怛姪他唵
薩婆桒悉迦羅 波利輸底 達磨底 伽伽娜 莎訶 桒特迦底 薩婆婆毗輸底
摩訶娜耶 波利婆羅 莎訶 若有自書寫教人書寫是无量壽宗要經受持讀誦 常得

BD01920 號　無量壽宗要經　（5–3）

若有自書寫教人書寫是无量壽宗要經[illegible]
千佛授手能遊一切佛剎 莫於此經生於疑惑 陁羅尼曰
南謨薄伽勃底 阿波唎蜜哆 阿喻紇硯娜 須毗你悉指陁 囉佐耶 怛他羯他耶 怛姪他唵
薩婆桑悉迦羅 波唎輸底 達磨底 伽迦娜 莎訶其特迦底 薩婆婆毗輸底
摩訶娜耶 波唎婆嚟 莎訶 若有自書寫教人書寫是无量壽宗要經受持讀誦 常得
四天大王隨其衛護 陁羅尼曰 南謨薄伽勃底 阿波唎蜜哆 阿喻紇硯娜 須毗你悉指陁
囉佐耶 怛他羯他耶 怛姪他唵 薩婆桑悉迦羅 波唎輸底 達磨底 伽迦娜 莎訶其特迦底
薩婆婆毗輸底 摩訶娜耶 波唎婆嚟 莎訶 若有自書寫教人書寫是无量壽宗要經受
持讀誦當得往生西方極樂世界阿弥陁淨土 陁羅尼曰 南謨薄伽勃底 阿波唎蜜哆
阿喻紇硯娜 須毗你悉指陁 囉佐耶 怛他羯他耶 怛姪他唵 薩婆桑悉迦羅 波唎輸底 達
磨底 伽迦娜 莎訶其特迦底 薩婆婆毗輸底 摩訶娜耶 波唎婆嚟 莎訶
若有方所自書寫使人書是无量壽經典之處則為是塔皆應恭敬作禮 若是旁生或為鳥獸
得聞是經 如是等類皆當不久得成一切種智 陁羅尼曰 南謨薄伽勃底 阿波唎蜜哆
阿喻紇硯娜 須毗你悉指陁 囉佐耶 怛他羯他耶 怛姪他唵 薩婆桑悉迦羅 波唎輸底 達
磨底 伽迦娜 莎訶其特迦底 薩婆婆毗輸底 摩訶娜耶 波唎婆嚟 莎訶
若有於是无量壽經自書寫若使人書 畢竟不受女之身 陁羅尼曰 南謨薄伽勃底
阿波唎蜜哆 阿喻紇硯娜 須毗你悉指陁 囉佐耶 怛他羯他耶 怛姪他唵 薩婆桑悉迦羅
波唎輸底 達磨底 伽迦娜 莎訶其特迦底 薩婆婆毗輸底 摩訶娜耶 波唎婆嚟
莎訶 若有能於是經少分能惠施者 於三千大千世界滿中七寶布施 陁羅尼曰
南謨薄伽勃底 阿波唎蜜哆 阿喻紇硯娜 須毗你悉指陁 囉佐耶 怛他羯他耶 怛姪他唵 薩婆
桑悉迦羅 波唎輸底 達磨底 伽迦娜 莎訶其特迦底 薩婆婆毗輸底 摩訶娜耶
波唎婆嚟 莎訶 若有能供養是經者 則是供養一切諸經 等无有別異 陁羅尼曰
南謨薄伽勃底 阿波唎蜜哆 阿喻紇硯娜 須毗你悉指陁 囉佐耶 怛他羯他耶 怛姪他唵
薩婆桑悉迦羅 波唎輸底 達磨底 伽迦娜 莎訶其特迦底 薩婆婆毗輸底
摩訶娜耶 波唎婆嚟 莎訶
如毗婆尸佛 尸棄佛 毗舍浮佛 俱留孫佛 俱那含牟尼佛 迦葉佛 釋迦牟尼佛
若有人以七寶供養如是佛 其福有限 書寫受持是无量壽經典所有功德不可限量 陁
羅尼曰 南謨薄伽勃底 阿波唎蜜哆 阿喻紇硯娜 須毗你悉指陁 囉佐耶 怛他羯他耶 怛
姪他唵 薩婆桑悉迦羅 波唎輸底 達磨底 伽迦娜 莎訶其特迦底 薩婆婆毗輸底
摩訶娜耶 波唎婆嚟 莎訶 若有七寶等於須弥以用布施 其福上能知其限

BD01920號　無量壽宗要經　（5–4）

若有人以七寶供養如是佛 其福有限 書寫受持是无量壽經典所有功德不可限量 陁
羅尼曰 南謨薄伽勃底 阿波唎蜜哆 阿喻紇硯娜 須毗你悉指陁 囉佐耶 怛他羯他耶 怛
姪他唵 薩婆桑悉迦羅 波唎輸底 達磨底 伽迦娜 莎訶其特迦底 薩婆婆毗輸底
摩訶娜耶 波唎婆嚟 莎訶 若有七寶等於須弥以用布施 其福上能知其限
量 是无量壽經典 其福不可知數 陁羅尼曰 南謨薄伽勃底 阿波唎蜜哆 阿喻
紇硯娜 須毗你悉指陁 囉佐耶 怛他羯他耶 怛姪他唵 薩婆桑悉迦羅 波唎輸底
達磨底 伽迦娜 莎訶其特迦底 薩婆婆毗輸底 摩訶娜耶 波唎婆嚟 莎訶
如是四大海水可知滴數 是无量壽經典所生果報不可數量 陁羅尼曰
南謨薄伽勃底 阿波唎蜜哆 阿喻紇硯娜 須毗你悉指陁 囉佐耶 怛他羯他耶 怛姪他唵
薩婆桑悉迦羅 波唎輸底 達磨底 伽迦娜 莎訶其特迦底 薩婆婆毗輸底
摩訶娜耶 波唎婆嚟 莎訶 若有自書使人書寫是无量壽經典 又能護持供養 即如
恭敬供養一切十方佛土 如來无有別異 陁羅尼曰 南謨薄伽勃底 阿波唎蜜哆 阿喻
紇硯娜 須毗你悉指陁 囉佐耶 怛他羯他耶 怛姪他唵 薩婆桑悉迦羅 波唎輸底 達磨
底 伽迦娜 莎訶其特迦底 薩婆婆毗輸底 摩訶娜耶 波唎婆嚟 莎訶
布施力能成正覺 悟布施力人師子 布施力能聲普聞 慈悲階漸最能入
持戒力能成正覺 悟持戒力人師子 持戒力能聲普聞 慈悲階漸最能入
忍辱力能成正覺 悟忍辱力人師子 忍辱力能聲普聞 慈悲階漸最能入
精進力能成正覺 悟精進力人師子 精進力能聲普聞 慈悲階漸最能入
禪定力能成正覺 悟禪定力人師子 禪定力能聲普聞 慈悲階漸最能入
智慧力能成正覺 悟智慧力人師子 智慧力能聲普聞 慈悲階漸最能入
尒時如來說是經已 一切世間天人阿脩羅揵闥婆等聞佛所說 皆大歡喜
信受奉行
佛說无量壽宗要經　　張[illegible]子

BD01920號　無量壽宗要經　（5–5）

金

BD01920 號背　寺院題名　（1–1）

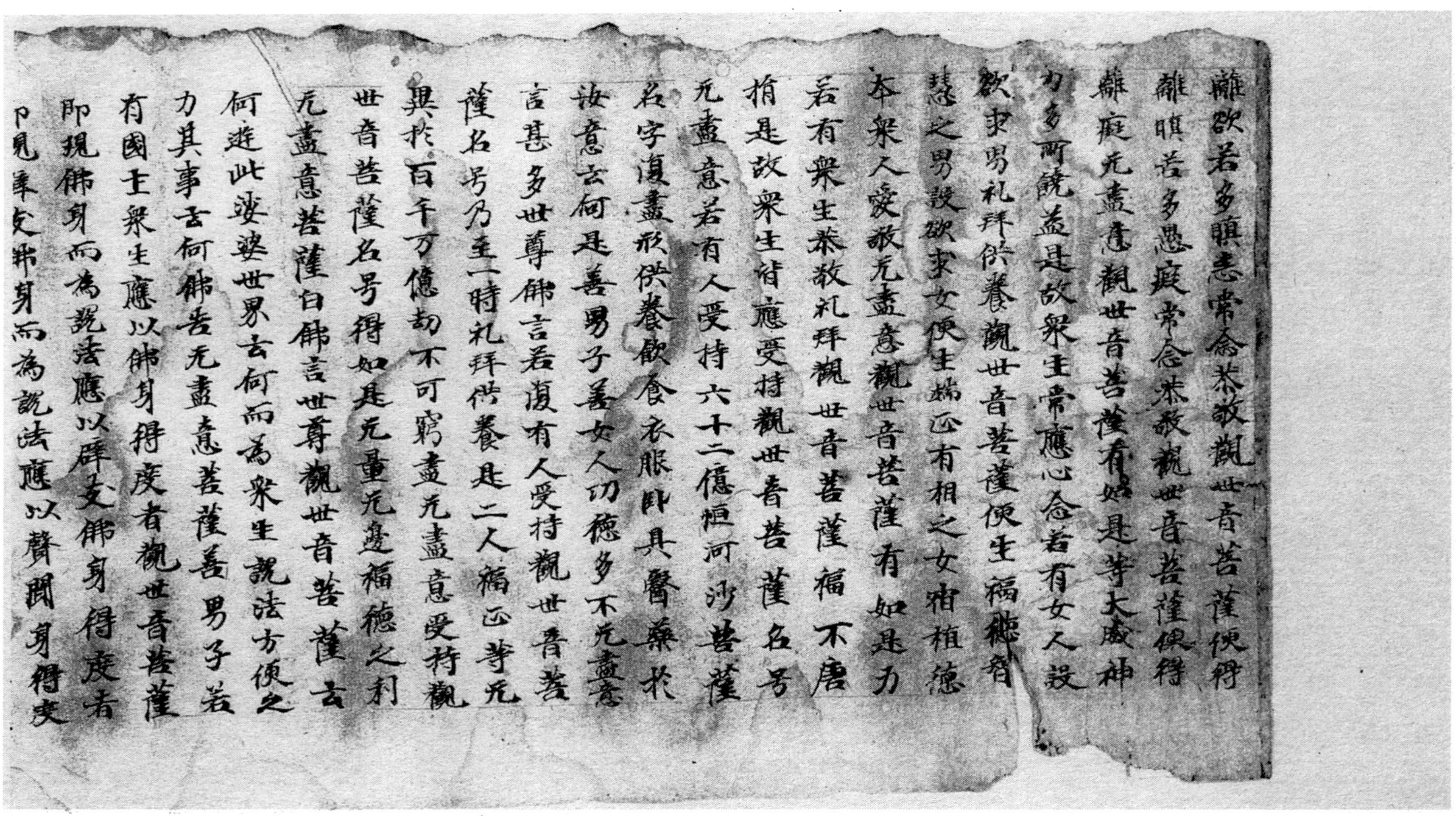
離欲若多瞋恚常念恭敬觀世音菩薩便得
離瞋若多愚癡常念恭敬觀世音菩薩便得
離癡无盡意觀世音菩薩有如是等大威神
力多所饒益是故衆生常應心念若有女人設
欲求男礼拜供養觀世音菩薩便生福德智
慧之男設欲求女便生端正有相之女宿植德
本衆人愛敬无盡意觀世音菩薩有如是力
若有衆生恭敬礼拜觀世音菩薩福不唐
捐是故衆生皆應受持觀世音菩薩名号
无盡意若有人受持六十二億恒河沙菩薩
名字復盡形供養飲食衣服卧具醫藥於
汝意云何是善男子善女人功德多不无盡意
言甚多世尊佛言若復有人受持觀世音菩
薩名号乃至一時礼拜供養是二人福正等无
異於百千万億劫不可窮盡无盡意受持觀
世音菩薩名号得如是无量无邊福德之利
无盡意菩薩白佛言世尊觀世音菩薩云
何遊此娑婆世界云何而爲衆生說法方便之
力其事云何佛告无盡意菩薩善男子若
有國土衆生應以佛身得度者觀世音菩薩
即現佛身而爲說法應以辟支佛身得度者
即現辟支佛身而爲說法應以聲聞身得度

BD01921 號　觀世音經　（5–1）

何遊此娑婆世界云何而為衆生說法方便之
力其事云何佛告无盡意菩薩善男子若
有國土衆生應以佛身得度者觀世音菩薩
即現佛身而為說法應以辟支佛身得度者
即現辟支佛身而為說法應以聲聞身得度
者即現聲聞身而為說法應以梵王身得度
者即現梵王身而為說法應以帝釋身得度
者即現帝釋身而為說法應以自在天身得
度者即現自在天身而為說法應以大自在天
身得度者即現大自在天身而為說法應以
天大將軍身得度者即現天大將軍身而為
說法應以毗沙門身得度者即現毗沙門身
而為說法應以小王身得度者即現小王身
而為說法應以長者身得度者即現長者
身而為說法應以居士身得度者即現居士
身而為說法應以宰官身得度者即現宰官
身而為說法應以婆羅門身得度者即現婆
羅門身而為說法應以比丘比丘尼優婆塞優
婆夷身得度者即現比丘比丘尼優婆塞優
婆夷身而為說法應以長者居士宰官婆羅
門婦女身得度者即現婦女身而為說法應
以童男童女身得度者即現童男童女身而
為說法應以天龍夜叉乾闥婆阿脩羅迦樓
羅緊那羅摩睺羅伽人非人等身得度者
皆現之而為說法應以執金剛神得度者即
現執金剛神而為說法无盡意是觀世音菩

BD01921號　觀世音經　（5–2）

門婦女身得度者即現婦女身而為說法應
以童男童女身得度者即現童男童女身而
為說法應以天龍夜叉乾闥婆阿脩羅迦樓
羅緊那羅摩睺羅伽人非人等身得度者
皆現之而為說法應以執金剛神得度者即
現執金剛神而為說法无盡意是觀世音菩
薩成就如是功德以種種形遊諸國土度脫衆
生是故汝等應當一心供養觀世音菩薩是
觀世音菩薩摩訶薩於怖畏急難之中能施
无畏是故此娑婆世界皆号之為施无畏者
无盡意菩薩白佛言世尊我今當供養觀世
音菩薩即解頸衆寶珠瓔珞價直百千兩金
而以與之作是言仁者受此法施珎寶瓔珞時
觀世音菩薩不肯受之无盡意復白觀世音
菩薩言仁者慜我等故受此瓔珞尒時佛
告觀世音菩薩當慜此无盡意菩薩及四
衆天龍夜叉乾闥婆阿脩羅迦樓羅緊那羅
摩睺羅伽人非人等故受是瓔珞即時觀世音
菩薩慜諸四衆及於天龍人非人等受其瓔
絡分作二分一分奉釋迦牟尼佛一分奉多寶
佛塔无盡意觀世音菩薩有如是自在神
力遊於娑婆世界尒時無盡意菩薩以偈問曰
世尊妙相具　我今重問彼　佛子何因緣　名為觀世音
具足妙相尊　偈荅无盡意　汝聽觀音行　善應諸方所
弘誓深如海　歷劫不思議　侍多千億佛　發大清淨願
我為汝略說　聞名及見身　心念不空過　能滅諸有苦

BD01921號　觀世音經　（5–3）

世尊妙相具 我今重問彼 佛子何因緣 名為觀世音
具足妙相尊 偈荅无盡意 汝聽觀音行 善應諸方所
弘誓深如海 歷劫不思議 侍多千億佛 發大清淨願
我為汝略說 聞名及見身 心念不空過 能滅諸有苦
假使興害意 推落大火坑 念彼觀音力 火坑變成池
或漂流巨海 龍魚諸鬼難 念彼觀音力 波浪不能沒
或在須弥峯 為人所推墮 念彼觀音力 如日虛空住
或被惡人逐 墮落金剛山 念彼觀音力 不能損一毛
或值怨賊遶 各執刀加害 念彼觀音力 咸即起慈心
或遭王難苦 臨刑欲壽終 念彼觀音力 刀尋段段壞
或囚禁枷鎖 手足被杻械 念彼觀音力 釋然得解脫
呪詛諸毒藥 所欲害身者 念彼觀音力 還著於本人
或遇惡羅剎 毒龍諸鬼等 念彼觀音力 時悉不敢害
若惡獸圍遶 利牙爪可怖 念彼觀音力 疾走無邊方
蚖蛇及蝮蠍 氣毒烟火然 念彼觀音力 尋聲自迴去
雲雷鼓掣電 降雹注大雨 念彼觀音力 應時得消散
衆生被困厄 无量苦逼身 觀音妙智力 能救世間苦
具足神通力 廣脩智方便 十方諸國土 无剎不現身
種種諸惡趣 地獄鬼畜生 生老病死苦 以漸悉令滅
真觀清淨觀 廣大智慧觀 悲觀及慈觀 常願常瞻仰
無垢清淨光 慧日破諸闇 能伏灾風火 普明照世間
悲體戒雷震 慈意妙大雲 注甘露法雨 滅除煩惱焰
諍訟經官處 怖畏軍陣中 念彼觀音力 衆怨悉退散
妙音觀世音 梵音海潮音 勝彼世間音 是故須常念
念念勿生疑 觀世音淨聖 於苦惱死厄 能為作依怙
具一切功德 慈眼視衆生 福聚海无量

BD01921號　觀世音經　（5–4）

蚖蛇及蝮蠍 氣毒烟火然 念彼觀音力 尋聲自迴去
雲雷鼓掣電 降雹注大雨 念彼觀音力 應時得消散
衆生被困厄 无量苦逼身 觀音妙智力 能救世間苦
具足神通力 廣脩智方便 十方諸國土 无剎不現身
種種諸惡趣 地獄鬼畜生 生老病死苦 以漸悉令滅
真觀清淨觀 廣大智慧觀 悲觀及慈觀 常願常瞻仰
無垢清淨光 慧日破諸闇 能伏灾風火 普明照世間
悲體戒雷震 慈意妙大雲 注甘露法雨 滅除煩惱焰
諍訟經官處 怖畏軍陣中 念彼觀音力 衆怨悉退散
妙音觀世音 梵音海潮音 勝彼世間音 是故須常念
念念勿生疑 觀世音淨聖 於苦惱死厄 能為作依怙
具一切功德 慈眼視衆生 福聚海无量
是故應頂礼 尒時持地菩薩即從座
起前白佛言世尊若有衆生聞是觀
世音菩薩品自在之業普門示現
神通力者當知是人功德不少佛說是普
門品時衆中八万四千衆生皆發无等等
阿耨多羅三藐三菩提心
觀世音經一卷

BD01921號　觀世音經　（5–5）

比丘尼優婆塞優婆夷
脩羅迦樓羅緊那羅摩睺羅
小王轉輪聖王是諸大衆得未曾有歡
合掌一心觀佛
尒時佛放眉間白毫相光照東方万八千世
界靡不周遍下至阿鼻地獄上至阿迦尼吒
天於此世界盡見彼土六趣衆生又見彼土
現在諸佛及聞諸佛所說經法并見彼諸比
丘比丘尼優婆塞優婆夷諸脩行得道者復
見諸菩薩摩訶薩種種因緣種種信解種種
相貌行菩薩道復見諸佛般涅槃者復見諸
佛般涅槃後以佛舍利起七寶塔
尒時弥勒菩薩作是念今者世尊現神變相
以何因緣而有此瑞今佛世尊入于三昧是
不可思議現希有事當以問誰誰能荅者復
作此念是文殊師[illegible]

BD01922號　妙法蓮華經卷一　（3–1）

相貌行菩薩道復見諸佛般涅槃者復見諸
佛般涅槃後以佛舍利起七寶塔
尒時弥勒菩薩作是念今者世尊現神變相
以何因緣而有此瑞今佛世尊入于三昧是
不可思議現希有事當以問誰誰能荅者復
作此念是文殊師利法王之子已曾親近供
養過去无量諸佛必應見此希有之相我今
當問尒時比丘比丘尼優婆塞優婆夷及諸
天龍鬼神等咸作此念是佛光明神通之相
今當問誰尒時弥勒菩薩欲自決疑又觀四
衆比丘比丘尼優婆塞優婆夷及諸天龍鬼
神等衆會之心而問文殊師利言以何因緣
而有此瑞神通之相放大光明照于東方万
八千土悉見彼佛國界莊嚴於是弥勒菩薩
欲重宣此義以偈問曰
文殊師利　導師何故　眉間白毫　大光普照
雨曼陁羅　曼殊沙華　栴檀香風　悅可衆心
以是因緣　地皆嚴淨　而此世界　六種震動
時四部衆　咸皆歡喜　身意快然　得未曾有
眉間光明　照于東方　万八千土　皆如金色
從阿鼻獄　上至有頂　諸世界中　六道衆生
生死所趣　善惡業緣　受報好醜　於此悉見
又覩諸佛　聖主師子　演說經典　微妙第一
其聲清淨　出柔軟音　教諸菩薩　无數億万
梵音深妙　令人樂聞　各於世界　講說正法
種種因緣　以无量喻　照明佛法　開悟衆生

BD01922號　妙法蓮華經卷一　（3–2）

時四部衆　咸皆歡喜　身意快然　得未曾有
眉間光明　照于東方　万八千土　皆如金色
從阿鼻獄　上至有頂　諸世界中　六道衆生
生死所趣　善惡業緣　受報好醜　於此悉見
又覩諸佛　聖主師子　演說經典　微妙第一
其聲清淨　出柔軟音　教諸菩薩　无數億万
梵音深妙　令人樂聞　各於世界　講說正法
種種因緣　以无量喻　照明佛法　開悟衆生
若人遭苦　厭老病死　為說涅槃　盡諸苦際
若人有福　曾供養佛　志求勝法　為說緣覺
若有佛子　脩種種行　求无上慧　為說淨道
文殊師利　我住於此　見聞若斯　及千億事
如是衆多　今當略說
我見彼土　恒沙菩薩　種種因緣　而求佛道
或有行施　金銀珊瑚　真珠摩尼　車𤦲馬瑙
金剛諸珎　奴婢車乘　寶飾輦轝　歡喜布施
迴向佛道　願得是乘　三界第一　諸佛所歎
或有菩薩　駟馬寶車　欄楯華蓋　軒飾布施

BD01922 號　妙法蓮華經卷一　（3–3）

BD01922 號背　勘記　（1–1）

大地以種散中衆緣和合則得生長應知大
地與種生長爲所依止爲能建立如是般若
波羅蜜多及所迴向一切智智與空解脫門
無相解脫門無願解脫門爲所依止爲能建
立令得生長故此般若波羅蜜多於空解脫
門無相解脫門無願解脫門爲尊爲導故
我但廣稱讚般若波羅蜜多慶喜當知譬如
大地以種散中衆緣和合則得生長應知大
地與種生長爲所依止爲能建立如是般若波
羅蜜多及所迴向一切智智與五眼六神通
爲所依止爲能建立令得生長故此般若波
羅蜜多於五眼六神通爲尊爲導故我但廣
稱讚般若波羅蜜多慶喜當知譬如大地
以種散中衆緣和合則得生長應知大地與
種生長爲所依止爲能建立如是般若波羅蜜
多及所迴向一切智智與佛十力四無所畏
四無礙解大慈大悲大喜大捨十八佛不共
法爲所依止爲能建立令得生長故此般若
波羅蜜多於佛十力四無所畏四無礙解大
慈大悲大喜大捨十八佛不共法爲尊爲
導故我但廣稱讚般若波羅蜜多慶喜當知

BD01923號　大般若波羅蜜多經卷一二六　（18–1）

四無礙解大慈大悲大喜大捨十八佛不共
法爲所依止爲能建立令得生長故此般若
波羅蜜多於佛十力四無所畏四無礙解大
慈大悲大喜大捨十八佛不共法爲尊爲
導故我但廣稱讚般若波羅蜜多慶喜當知
譬如大地以種散中衆緣和合則得生長應
知大地與種生長爲所依止爲能建立如是般
若波羅蜜多及所迴向一切智智與無忘失
法恒住捨性爲所依止爲能建立令得生長
故此般若波羅蜜多於無忘失法恒住捨性
爲尊爲導故我但廣稱讚般若波羅蜜多
慶喜當知譬如大地以種散中衆緣和合則得
生長應知大地與種生長爲所依止爲能建
立如是般若波羅蜜多及所迴向一切智智
與一切智道相智一切相智爲所依止爲能
建立令得生長故此般若波羅蜜多於一切
智道相智一切相智爲尊爲導故我但廣
稱讚般若波羅蜜多慶喜當知譬如大地以種
散中衆緣和合則得生長應知大地與種生
長爲所依止爲能建立如是般若波羅蜜多
及所迴向一切智智與一切陁羅尼門一切
三摩地門爲所依止爲能建立令得生長故
此般若波羅蜜多於一切陁羅尼門一切三
摩地門爲尊爲導故我但廣稱讚般若波羅
蜜多慶喜當知譬如大地以種散中衆緣和
合則得生長應知大地與種生長爲所依止

BD01923號　大般若波羅蜜多經卷一二六　（18–2）

此般若波羅蜜多於一切陀羅尼門一切三
摩地門為尊為導故我但廣稱讚般若波羅
蜜多慶喜當知譬如大地以種散中衆緣和
合則得生長應知大地與種生長為所依止
為能建立如是般若波羅蜜多及所迴向一
切智智與彼菩薩摩訶薩行為所依止為
能建立令得生長故此般若波羅蜜多於彼菩
薩摩訶薩行為尊為導故我但廣稱讚
般若波羅蜜多慶喜當知譬如大地以種散中
衆緣和合則得生長應知大地與種生長為所
依止為能建立如是般若波羅蜜多及所迴
向一切智智與彼無上正等菩提為所依止
為能建立令得生長故此般若波羅蜜多於
彼無上正等菩提為尊為導故我但廣稱
讚般若波羅蜜多
爾時天帝釋白佛言世尊今者如來應正等
覺於此般若波羅蜜多一切功德說猶未盡
所以者何我從世尊所受般若波羅蜜多功
德深廣量無邊際諸善男子善女人等於
此般若波羅蜜多至心聽聞受持讀誦精勤
修學如理思惟廣為有情宣說流布所獲功
德亦無邊際若有書寫如是般若波羅蜜多
種種嚴飾復以無量上妙花鬘塗散等香衣
服瓔珞寶幢幡蓋衆妙珍奇伎樂燈明一切所
有供養恭敬尊重讚嘆所獲功德亦無邊
際世尊若有於此甚深般若波羅蜜多至心聽

BD01923號　大般若波羅蜜多經卷一二六　　（18–3）

種種嚴飾復以無量上妙花鬘塗散等香衣
服瓔珞寶幢幡蓋衆妙珍奇伎樂燈明一切所
有供養恭敬尊重讚嘆所獲功德亦無邊
際世尊若有於此甚深般若波羅蜜多至心聽
聞受持讀誦精勤修學如理思惟解說書寫
廣令流布由此便有十善業道出現世間世
尊若有於此甚深般若波羅蜜多至心聽聞
受持讀誦精勤修學如理思惟解說書寫
廣令流布由此便有四靜慮四無量四無色定
五神通等出現世間世尊若有於此甚深般
若波羅蜜多至心聽聞受持讀誦精勤修學
如理思惟解說書寫廣令流布由此便有布
施淨戒安忍精進靜慮般若波羅蜜多出現
世間世尊若有於此甚深般若波羅蜜多至
心聽聞受持讀誦精勤修學如理思惟解
說書寫廣令流布由此便有內空外空內外空
空空大空勝義空有為空無為空畢竟空無
際空散空無變異空本性空自相空共相空
一切法空不可得空無性空自性空無性自
性空出現世間世尊若有於此甚深般若波
羅蜜多至心聽聞受持讀誦精勤修學如理
思惟解說書寫廣令流布由此便有真如法
界法性不虛妄性不變異性平等性離生性
法定法住實際虛空界不思議界出現世間
世尊若有於此甚深般若波羅蜜多至心聽
聞受持讀誦精勤修學如理思惟解說書

BD01923號　大般若波羅蜜多經卷一二六　　（18–4）

法定法住實際虛空界不思議界出現世間
世尊若有於此甚深般若波羅蜜多至心聽
聞受持讀誦精勤脩學如理思惟解說書
寫廣令流布由此便有苦聖諦集聖諦滅聖
諦道聖諦出現世間世尊若有於此甚深般若
波羅蜜多至心聽聞受持讀誦精勤脩學如
理思惟解說書寫廣令流布由此便有八解脫
八勝處九次第定十遍處出現世間世尊
若有於此甚深般若波羅蜜多至心聽聞受
持讀誦精勤脩學如理思惟解說書寫廣令
流布由此便有四念住四正斷四神足五根五
力七等覺支八聖道支出現世間世尊若
有於此甚深般若波羅蜜多至心聽聞受持
讀誦精勤脩學如理思惟解說書寫廣令
流布由此便有空解脫門無相解脫門無願解
脫門出現世間世尊若有於此甚深般若波
羅蜜多至心聽聞受持讀誦精勤脩學如理
思惟解說書寫廣令流布由此便有五眼六
神通出現世間世尊若有於此甚深般若波
羅蜜多至心聽聞受持讀誦精勤脩學如理
思惟解說書寫廣令流布由此便有佛十力
四無所畏四無礙解大慈大悲大喜大捨十
八佛不共法出現世間世尊若有於此甚深
般若波羅蜜多至心聽聞受持讀誦精勤脩
學如理思惟解說書寫廣令流布由此便有
無忘失法恒住捨性出現世間世尊若有

BD01923號　大般若波羅蜜多經卷一二六　　（18–5）

般若波羅蜜多至心聽聞受持讀誦精勤脩
學如理思惟解說書寫廣令流布由此便有
無忘失法恒住捨性出現世間世尊若有於
此甚深般若波羅蜜多至心聽聞受持讀誦
精勤脩學如理思惟解說書寫廣令流布
由此便有一切智道相智一切相智出現世間
世尊若有於此甚深般若波羅蜜多至心聽聞
受持讀誦精勤脩學如理思惟解說書寫
廣令流布由此便有一切陀羅尼門一切三
摩地門出現世間世尊若有於此甚深般若
波羅蜜多至心聽聞受持讀誦精勤脩學如
理思惟解說書寫廣令流布由此便有剎帝
利大族婆羅門大族長者大族居士大族出
現世間世尊若有於此甚深般若波羅蜜多
至心聽聞受持讀誦精勤脩學如理思惟解
說書寫廣令流布由此便有四大王衆天三
十三天夜摩天覩史多天樂變化天他化自
在天出現世間世尊若有於此甚深般若波
羅蜜多至心聽聞受持讀誦精勤脩學如理
思惟解說書寫廣令流布由此便有梵衆天
梵輔天梵會天大梵天光天少光天無量光
天極光淨天淨天少淨天無量淨天遍淨天
廣天少廣天無量廣天廣果天出現世間世
尊若有於此甚深般若波羅蜜多至心聽聞
受持讀誦精勤脩學如理思惟解說書寫

BD01923號　大般若波羅蜜多經卷一二六　　（18–6）

廣天少廣天無量廣天廣果天出現世間世
尊若有於此甚深般若波羅蜜多至心聽聞
受持讀誦精勤脩學如理思惟解說書寫
廣令流布由此便有無繁天無熱天善現天善
見天色究竟天出現世間世尊若有於此甚
深般若波羅蜜多至心聽聞受持讀誦精勤
脩學如理思惟解說書寫廣令流布由此便
有空無邊處天識無邊處天無所有處天
非想非非想處天出現世間世尊若有於此甚
深般若波羅蜜多至心聽聞受持讀誦精勤
脩學如理思惟解說書寫廣令流布由此便
有預流一來不還阿羅漢及預流向預流果
一來向一來果不還向不還果阿羅漢向阿
羅漢果出現世間世尊若有於此甚深般若
波羅蜜多至心聽聞受持讀誦精勤脩學如
理思惟解說書寫廣令流布由此便有獨覺
及獨覺菩提出現世間世尊若有於此甚深
般若波羅蜜多至心聽聞受持讀誦精勤脩
學如理思惟解說書寫廣令流布由此便有
菩薩摩訶薩及菩薩摩訶薩行出現世間世
尊若有於此甚深般若波羅蜜多至心聽聞
受持讀誦精勤脩學如理思惟解說書寫廣
令流布由此便有一切如來應正等覺及以
無上正等菩提出現世間
尒時佛告天帝釋言憍尸迦我不說此甚深

受持讀誦精勤脩學如理思惟解說書寫廣
令流布由此便有一切如來應正等覺及以
無上正等菩提出現世間
尒時佛告天帝釋言憍尸迦我不說此甚深
般若波羅蜜多但有如前所說功德何以故
如是般若波羅蜜多具足無邊殊勝功德故憍
尸迦我亦不說於此般若波羅蜜多至心聽
聞受持讀誦精勤脩學如理思惟廣為有
情宣說流布及能書寫種種嚴飾復以無量上
妙花鬘塗散等香衣服瓔珞寶幢幡蓋衆妙
珎奇伎樂燈明盡諸所有供養恭敬尊重讚
歎諸善男子善女人等但有如前所說功德
何以故憍尸迦若善男子善女人等不離一
切智智心以無所得為方便於此般若波羅
蜜多至心聽聞受持讀誦精勤脩學如理思
惟廣為有情宣說流布或復書寫種種嚴飾
復以無量上妙花鬘塗散等香衣服瓔珞寶
幢幡蓋衆妙珎奇伎樂燈明盡諸所有供養
恭敬尊重讚歎是善男子善女人等成就無
量殊勝戒蘊成就無量殊勝定蘊成就無
量殊勝慧蘊成就無量殊勝解脫蘊成就無
量殊勝解脫智見蘊憍尸迦是善男子善女人
等當知如佛何以故決定趣向阿耨多羅三
藐三菩提故憍尸迦是善男子善女人等超
過聲聞及獨覺地何以故解脫一切聲聞獨
覺下劣心故憍尸迦一切聲聞獨覺所成就

獲三菩提故憍尸迦是善男子善女人等超
過聲聞及獨覺地何以故解脫一切聲聞獨
覺下劣心故憍尸迦一切聲聞獨覺所成就
戒蘊定蘊慧蘊解脫蘊解脫智見蘊於此善
男子善女人等所成就戒蘊定蘊慧蘊解脫
蘊解脫智見蘊百分不及一千分不及一百千
分不及一俱胝分不及一百俱胝分不及一
千俱胝分不及一百千俱胝分不及一百千
俱胝那庾多分不及一數分筭分計分喻
分乃至鄔波尼殺曇分亦不及一何以故憍
尸迦是善男子善女人等超過一切聲聞獨
覺下劣心想於諸聲聞獨覺乘法終不稱讚
於一切法無所不知謂能正知都無所有憍
尸迦若善男子善女人等不離一切智智心
以無所得為方便於此般若波羅蜜多至心
聽聞受持讀誦勤脩學如理思惟廣為有
情宣說流布或復書寫種種嚴飾復以無量
上妙花鬘塗散等香衣服纓絡寶幢幡蓋衆
妙珍奇伎樂燈明盡諸所有供養恭敬尊
重讚歎是善男子善女人等我說獲得現在
未來無量無邊殊勝功德
時天帝釋復白佛言世尊若善男子善女人
等不離一切智智心以無所得為方便於此
般若波羅蜜多至心聽聞受持讀誦精勤脩
學如理思惟廣為有情宣說流布或復書寫

等不離一切智智心以無所得為方便於此
般若波羅蜜多至心聽聞受持讀誦精勤脩
學如理思惟廣為有情宣說流布或復書寫
衆寶嚴飾復以種種上妙花鬘塗散等香衣
服纓絡寶幢幡蓋衆妙珍奇伎樂燈明盡諸
所有供養恭敬尊重讚歎我等諸天常隨衛
護不令一切人非人等種種惡緣之所損害
爾時佛告天帝釋言憍尸迦若善男子善女
人等以應一切智智心用無所得為方便於
此般若波羅蜜多受持讀誦時有無量百千
天子為聽法故皆來集會歡喜踊躍敬受如
是甚深般若波羅蜜多憍尸迦若善男子善
女人等以應一切智智心用無所得為方便
宣說如是甚深般若波羅蜜多相應之法時
有無量諸天子等皆來集會以天威力令說
法者增益辯才宣揚無盡憍尸迦若善男
子善女人等以應一切智智心用無所得為方
便宣說如是甚深般若波羅蜜多時有無量
諸天子等敬重法故皆來集會以天威力
令說法者辯才無滯設有障難不能遮斷
憍尸迦諸善男子善女人等以應一切智智心用
無所得為方便於此般若波羅蜜多至心聽
聞受持讀誦精勤脩學如理思惟廣為有
情宣說流布或復書寫衆寶嚴飾復以種種
上妙花鬘塗散等香衣服纓絡寶幢幡蓋衆
妙珍奇伎樂燈明盡諸所有供養恭敬尊重

情宣說流布或復書寫衆寶嚴飾復以種種
上妙花鬘塗散等香衣服纓絡寶幢幡蓋衆
妙珍奇伎樂燈明盡諸所有供養恭敬尊重
讚歎是善男子善女人等於現在世當獲無邊
功德勝利衆魔眷屬不能侵擾復次憍尸迦
若善男子善女人等於四衆中宣說如是甚深
般若波羅蜜多心無怯怖不爲一切論難所
屈何以故彼由如是甚深般若波羅蜜多所
加祐故又此般若波羅蜜多秘密藏中具廣
分別一切法故謂善法不善法無記法若
過去法未來法現在法若欲界繫法色界繫
法無色界繫法若學法無學法非學非無學
法若見所斷法修所斷法非所斷法若世間法
出世間法若有漏法無漏法若有爲法無
爲法若有見法無見法若有色法無色法若
共法不共法若聲聞法若獨覺法若菩薩法
若如來法諸如是等無量百千種種法門皆入
此攝又由如是諸善男子善女人等善住內
空善住外空善住內外空善住空空善住
大空善住勝義空善住有爲空善住無爲空
善住畢竟空善住無際空善住散空善住無
變異空善住本性空善住自相空善住共相
空善住一切法空善住不可得空善住無性
空善住自性空善住無性自性空故都不見
有能論難者亦不見有所論難者亦不見

BD01923號　大般若波羅蜜多經卷一二六　（18–11）

空善住一切法空善住不可得空善住無性
空善住自性空善住無性自性空故都不見
有能論難者亦不見有所論難者亦不見
有所說般若波羅蜜多以是故憍尸迦此善男子
善女人等由是般若波羅蜜多大威神力
所護持故不爲一切異學論難之所屈伏復
次憍尸迦若善男子善女人等於此般若波羅
蜜多至心聽聞受持讀誦精勤修學如理思
惟辯說書寫廣令流布是善男子善女人等
其心不驚不恐不怖心不沉沒亦不憂悔所
以者何是善男子善女人等不見有法可令
驚恐怖畏沉沒及憂悔者憍尸迦若善男子
善女人輩欲得是等現在無邊功德勝利當
於如是甚深般若波羅蜜多至心聽聞受
持讀誦精勤修學如理思惟廣爲有情宣說
流布或復書寫衆寶嚴飾復以種種上妙花
鬘塗散等香衣服纓絡寶幢幡蓋衆妙珍奇
伎樂燈明盡諸所有供養恭敬尊重讚歎
復次憍尸迦若善男子善女人等以應一切智
智心用無所得爲方便於此般若波羅蜜多
至心聽聞受持讀誦精勤修學如理思惟廣
爲有情宣說流布或復書寫衆寶嚴飾復以
種種上妙花鬘塗散等香衣服纓絡寶幢幡
蓋衆妙珍奇伎樂燈明盡諸所有供養恭
敬尊重讚歎是善男子善女人等恒爲父母師
長宗親朋友知識國王大臣及諸沙門婆羅

BD01923號　大般若波羅蜜多經卷一二六　（18–12）

蓋衆妙珍奇伎樂燈明盡諸所有供養恭
敬尊重讚歎是善男子善女人等恒爲父母師
長宗親朋友知識國王大臣及諸沙門婆羅
門等之所愛敬亦爲十方無邊世界一切如
來應正等覺菩薩摩訶薩獨覺阿羅漢不
還一來預流果等之所愛念復爲世間諸天
魔梵人及非人阿素洛等之所愛護是善男子
善女人等成就寂勝無斷辯才是善男子善
女人等脩行布施淨戒安忍精進靜慮般若
波羅蜜多恒無斷盡是善男子善女人等安
住內空外空內外空空空大空勝義空有爲
空無爲空畢竟空無際空散空無變異空本
性空自相空共相空一切法空不可得空無
性空自性空無性自性空恒無斷盡是善男
子善女人等安住真如法界法性不虛妄性不
變異性平等性離生性法定法住實際虛
空界不思議界恒無斷盡是善男子善女人
等安住苦聖諦集聖諦滅聖諦道聖諦恒無
斷盡是善男子善女人等脩行四靜慮四無
量四無色定恒無斷盡是善男子善女人等
脩行八解脫八勝處九次第定十遍處恒無
斷盡是善男子善女人等脩行四念住四正
斷四神足五根五力七等覺支八聖道支恒
無斷盡是善男子善女人等脩行空解脫門
無相解脫門無願解脫門恒無斷盡是善男
子善女人等脩行五眼六神通恒無斷盡是善

斷四神足五根五力七等覺支八聖道支恒
無斷盡是善男子善女人等脩行空解脫門
無相解脫門無願解脫門恒無斷盡是善男
子善女人等脩行五眼六神通恒無斷盡是善
男子善女人等脩行佛十力四無所畏四無
礙解大慈大悲大喜大捨十八佛不共法恒
無斷盡是善男子善女人等脩行無忘失法
恒住捨性恒無斷盡是善男子善女人等
脩行一切智道相智一切相智恒無斷盡是
善男子善女人等脩行一切陁羅尼門一切三
摩地門恒無斷盡是善男子善女人等成
熟有情嚴淨佛土恒無斷盡是善男子善女
等成就菩薩殊勝神通遊諸佛土自在無
礙是善男子善女人等不爲一切外道異論
之所降伏而能降伏外道異論憍尸迦若善
男子善女人等欲得如是現在未來無斷無
盡功德勝利應於如是甚深般若波羅蜜
多至心聽聞受持讀誦精勤脩學如理思惟
廣爲有情宣說流布復應書寫衆寶嚴飾以
無量種上妙花鬘塗散等香衣服瓔珞寶幢
幡蓋衆妙珍奇伎樂燈明盡諸所有供養恭
敬尊重讚歎復次憍尸迦若善男子善女人等
書寫如是甚深般若波羅蜜多種種莊嚴置
清淨處供養恭敬尊重讚歎時此三千大千
世界所有四大王衆天三十三天夜摩天覩
史多天樂變化天他化自在天

書寫如是甚深般若波羅蜜多種種莊嚴置
清淨處供養恭敬尊重讚歎時此三千大千
世界所有四大王衆天三十三天夜魔天覩
史多天樂變化天他化自在天已發阿耨多
羅三藐三菩提心者恒來是處觀礼讀誦
如是般若波羅蜜多供養恭敬尊重讚歎右繞
礼拜合掌而去所有梵衆天梵輔天梵會
天大梵天光天少光天無量光天極光淨天淨
天少淨天無量淨天遍淨天廣天少廣天無
量廣天廣果天已發阿耨多羅三藐三菩提
心者恒來是處觀礼讀誦如是般若波羅蜜
多供養恭敬尊重讚歎右繞礼拜合掌而去
所有淨居天謂無繁天無熱天善現天善見
天色究竟天亦恒來此觀礼讀誦如是般若
波羅蜜多供養恭敬尊重讚歎右繞礼拜合
掌而去時此界中有大威德諸龍藥叉健
達縛阿素洛揭路荼緊捺洛莫呼洛伽人非
人等亦恒來此觀礼讀誦如是般若波羅蜜
多供養恭敬尊重讚歎右繞礼拜合掌而去
爾時十方無邊世界所有四大王衆天三十三天
夜魔天覩史多天樂變化天他化自在天
已發阿耨多羅三藐三菩提心者恒來是處
觀礼讀誦如是般若波羅蜜多供養恭敬尊
重讚歎右繞礼拜合掌而去所有梵衆天梵
輔天梵會天大梵天光天少光天無量光天
極光淨天淨天少淨天無量淨天遍淨天廣

BD01923號　大般若波羅蜜多經卷一二六　（18–15）

重讚歎右繞礼拜合掌而去所有梵衆天梵
輔天梵會天大梵天光天少光天無量光天
極光淨天淨天少淨天無量淨天遍淨天廣
天少廣天無量廣天廣果天已發阿耨多羅
三藐三菩提心者恒來是處觀礼讀誦如是
般若波羅蜜多供養恭敬尊重讚歎右繞礼
拜合掌而去所有淨居天謂無繁天無熱天
善現天善見天色究竟天亦恒來此觀礼讀
誦如是般若波羅蜜多供養恭敬尊重讚歎右
繞礼拜合掌而去時彼世界有大威德諸龍
藥叉健達縛阿素洛揭路荼緊捺洛莫呼
洛伽人非人等亦恒來此觀礼讀誦如是般
若波羅蜜多供養恭敬尊重讚歎右繞礼拜
合掌而去憍尸迦是善男子善女人等應作
是念今此三千大千世界并餘十方無邊世
界所有四大王衆天三十三天夜魔天覩史
多天樂變化天他化自在天梵衆天梵輔天
梵會天大梵天光天少光天無量光天極光
淨天淨天少淨天無量淨天遍淨天廣天少
廣天無量廣天廣果天無繁天無熱天善現
天善見天色究竟天及餘無量有大威德諸
龍藥叉健達縛阿素洛揭路荼緊捺洛莫
呼洛伽人非人等常來至此觀礼讀誦我所書
寫甚深般若波羅蜜多供養恭敬尊重讚歎
右繞礼拜合掌而去此我則為已設法施作是
念已歡喜踴躍令所獲福倍復增長憍尸

BD01923號　大般若波羅蜜多經卷一二六　（18–16）

呼洛伽人非人等常来至此觀礼讀誦書
寫甚深般若波羅蜜多供養恭敬尊重讃歎
右繞礼拜合掌而去此我則爲已說法施作是
念已歡喜踊躍今所獲福倍復增長憍尸
迦是善男子善女人等由此三千大千世界并
餘十方無邊世界所有四大王衆天三十三
天夜魔天覩史多天樂變化天他化自在
天梵衆天梵輔天梵會天大梵天光天少光
天無量光天極光淨天淨天少淨天無量淨
天遍淨天廣天少廣天無量廣天廣果天無
繁天無熱天善現天善見天色究竟天及餘
無量有大威德諸龍藥叉健達縛阿素洛揭
路荼緊㮈洛莫呼洛伽人非人等常来至此
隨逐擁護不爲一切人非人等之所惱害唯
除宿世定惡業因現在應熟或轉重業現世
輕受憍尸迦是善男子善女人等由此般若
波羅蜜多大威神力獲如是等現世種種功
德勝利謂諸天等已發無上菩提心者或依
佛法已獲殊勝利樂事者敬重法故恒來至
此隨逐擁護增其勢力所以者何是善男
子善女人等已發無上正等覺心恒爲救拔諸
有情故恒爲成熟諸有情故恒不棄捨諸
有情故恒爲利樂諸有情故諸天等亦復
如是由此因緣常隨擁護

大般若波羅蜜多經卷第一百廿六

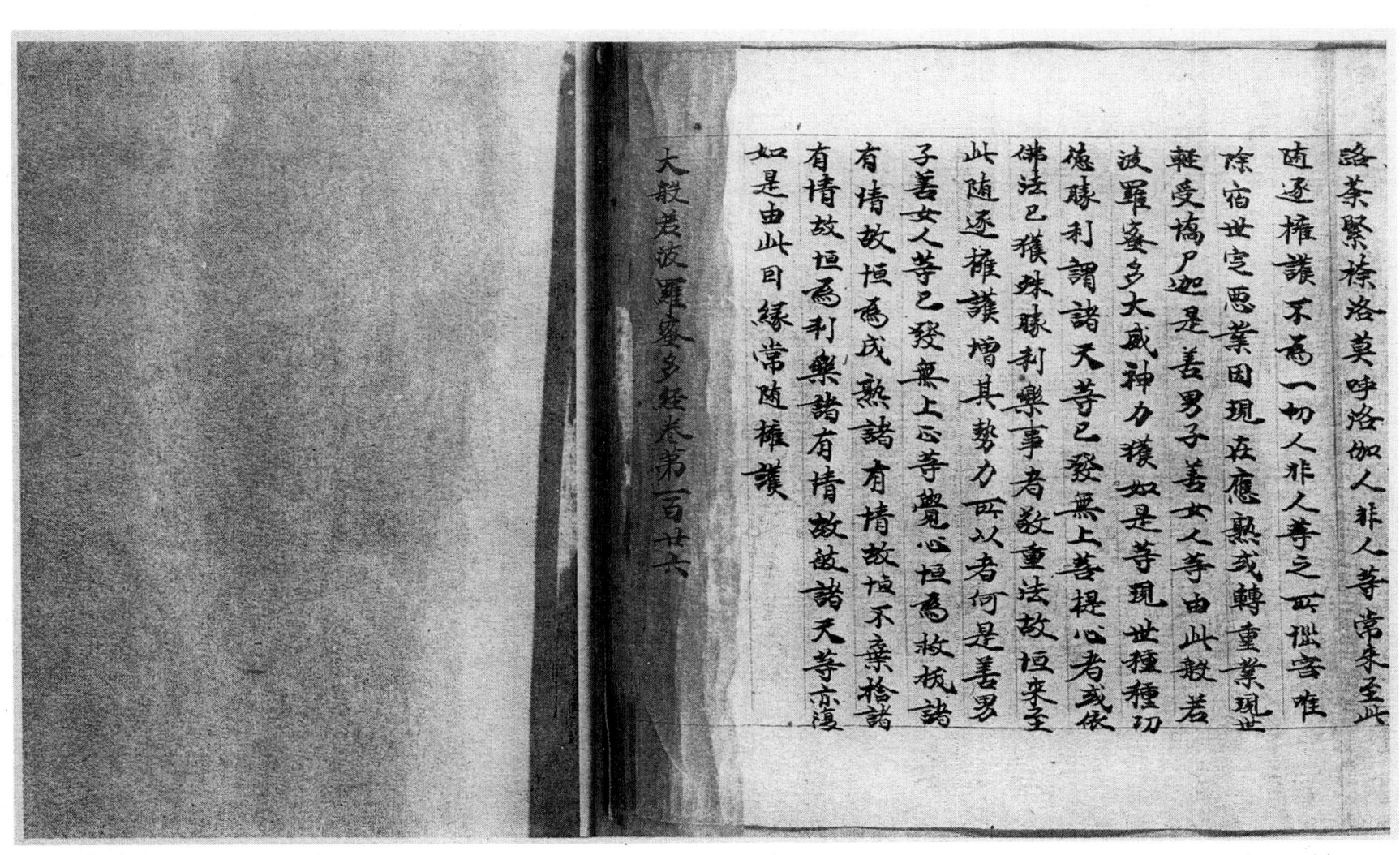

BD01923號　大般若波羅蜜多經卷一二六　（18–17）

路荼緊㮈洛莫呼洛伽人非人等常来至此
隨逐擁護不爲一切人非人等之所惱害唯
除宿世定惡業因現在應熟或轉重業現世
輕受憍尸迦是善男子善女人等由此般若
波羅蜜多大威神力獲如是等現世種種功
德勝利謂諸天等已發無上菩提心者或依
佛法已獲殊勝利樂事者敬重法故恒來至
此隨逐擁護增其勢力所以者何是善男
子善女人等已發無上正等覺心恒爲救拔諸
有情故恒爲成熟諸有情故恒不棄捨諸
有情故恒爲利樂諸有情故諸天等亦復
如是由此因緣常隨擁護

大般若波羅蜜多經卷第一百廿六

BD01923號　大般若波羅蜜多經卷一二六　（18–18）

大般若波羅蜜多經卷第三百九十七
初分勝義瑜伽品第七十五之三　三藏法師玄奘奉　詔譯
尒時具壽善現白佛言世尊若一切法平等
性中諸差別相皆不可得則諸異生若隨信
行若隨法行若諸第八若諸預流若諸一來
若諸不還若諸阿羅漢若諸獨覺若諸
菩薩摩訶薩衆若諸如來應正等覺如是一切法
及有情應无差別佛言善現如是如是如汝所說
於一切法平等性中若諸異生若諸聖者乃
至如來應正等覺法及有情皆无差別具壽
善現復白佛言世尊若一切法平等性中異
生聖者法及有情俱无差別云何三寶出現
世間所謂佛寶法寶僧寶佛言善現於意
云何佛法僧寶與平等性各有異邪善現答言
如我解佛所說義者佛法僧寶與平等性皆
无有異世尊若佛寶若法寶若僧寶若平等
性如是一切皆非相應非不相應无色无見
无對一相所謂无相然佛世尊於无相中方
便善巧建立種種法等有異謂此是異生此
是隨信行此是隨法行此是第八此是預流

BD01924 號　大般若波羅蜜多經卷三九七　（23–1）

性如是一切皆非相應非不相應无色无見
无對一相所謂无相然佛世尊於无相中方
便善巧建立種種法等有異謂此是異生此
是隨信行此是隨法行此是第八此是預流
此是一來此是不還此是阿羅漢此是獨覺
此是菩薩摩訶薩此是如來應正等覺佛言
善現如是如是如汝所說如來於法方便善
巧能於无相建立種種法等差別
復次善現於意云何若諸如來應正等覺不
證无上正等菩提設證无上正等菩提不為
有情施設諸法差別之相諸有情類為能
自知此是地獄此是傍生此是鬼界此是人此
是四大王衆天此是三十三天此是夜摩天
此是覩史多天此是樂變化天此是他化自
在天此是梵衆天此是梵輔天此是梵會天
此是大梵天此是光天此是少光天此是无
量光天此是極光淨天此是淨天此是少淨
天此是无量淨天此是遍淨天此是廣天此
是少廣天此是无量廣天此是廣果天此是
无想天此是无繁天此是无熱天此是善現
天此是善見天此是色究竟天此是空无邊
處天此是識无邊處天此是无所有處天此
是非想非非想處天此是色此是受想行識
此是眼處此是耳鼻舌身意處此是色處此
是聲香味觸法處此是眼界此是耳鼻舌身

BD01924 號　大般若波羅蜜多經卷三九七　（23–2）

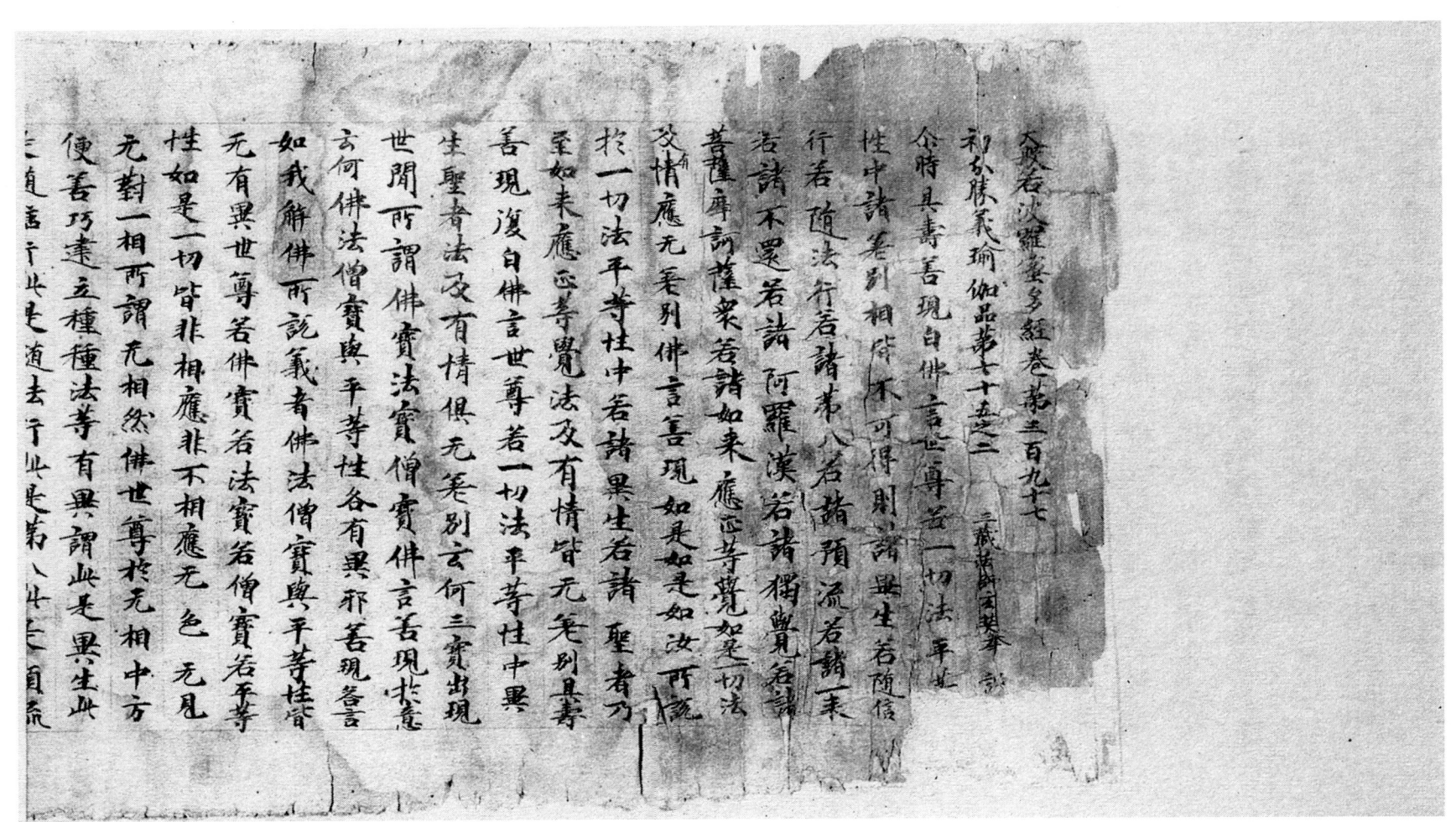

處天此是識无邊處天此是无所有處天此
是非想非非想處天此是色此是受想行識
此是眼處此是耳鼻舌身意處此是色處此
是聲香味觸法處此是眼界此是耳鼻舌身
意界此是色界此是聲香味觸法界此是眼
識界此是耳鼻舌身意識界此是眼觸此是
耳鼻舌身意觸此是眼觸為緣所生諸受此
是耳鼻舌身意觸為緣所生諸受此是地界
此是水火風空識界此是因緣此是等无間
緣此是所緣緣此是增上緣此是從緣所生
諸法此是无明此是行識名色六處觸受愛
取有生老死愁歎苦憂惱此是世間法此是
出世間法此是有漏法此是无漏法此是有
為法此是无為法此是布施波羅蜜多此是
淨戒安忍精進靜慮般若方便善巧妙願力
智波羅蜜多此是四念住此是四正斷四神
足五根五力七等覺支八聖道支此是內空
此是外空內外空空空大空勝義空有為空
无為空畢竟空无際空散空无變異空本性
空自相空共相空一切法空不可得空无性
空自性空无性自性空此是真如此是法界
法性不虛妄性不變異性平等性離生性法
定法住實際虛空界不思議界此是苦聖諦
此是集滅道聖諦此是四靜慮此是四无量
四无色定此是八解脫此是八勝處九次第
定十遍處此是陁羅尼門此是三摩地門此

BD01924 號　大般若波羅蜜多經卷三九七　（23–3）

法性不虛妄性不變異性平等性離生性法
定法住實際虛空界不思議界此是苦聖諦
此是集滅道聖諦此是四靜慮此是四无量
四无色定此是八解脫此是八勝處九次第
定十遍處此是陁羅尼門此是三摩地門此
是空解脫門此是无相无願解脫門此是極
喜地此是離垢地發光地焰慧地極難勝
地現前地遠行地不動地善慧地法雲地此是
五眼此是六神通此是佛十力此是四无所
畏四无导解大慈大悲大喜大捨十八佛不共
法此是三十二大士相此是八十隨好此
是无忘失法此是恒住捨性此是一切智此
是道相智一切相智此是一切相妙願智此
是一切智智此是佛寶此是法寶此是僧
寶此是聲聞乘此是獨覺乘此是无上乘此是
隨信行此是隨法行此是第八此是預流此是
一來此是不還此是阿羅漢此是獨覺此是
菩薩摩訶薩此是如來應正等覺諸有情
類於如是等差別之相能自知不善現言不
也世尊不也善逝若佛不為有情施設諸如
是等差別之相諸有情類不能自知諸如是
等差別之相佛言善現是故如來應正等覺
於无相法方便善巧雖為有情施設種種
差別之相而於諸法平等法性都无所動
介時具壽善現白佛言世尊為如來應正
等覺於一切法平等法性都无所動如是

BD01924 號　大般若波羅蜜多經卷三九七　（23–4）

差別之相而於諸法平等法性都无所動
尒時具壽善現白佛言世尊為如來應正
等覺於一切法平等法性都无所動如是
一切愚夫異生亦於諸法平等法性无所動
不如是隨信行若隨法行若第八若預流若
一來若不還若阿羅漢若獨覺若菩薩摩訶
薩亦於諸法平等法性无所動不佛言善現
如是如是以一切法及諸有情皆不出過平等
法性皆於諸法平等法性都无所動善現
當知一切如來應正等覺所有真如法界法性
不虛妄性不變異性平等性離生性法定法
住實際虛空界不思議界即是愚夫異生真
如法界法性不虛妄性不變異性平等性離
生性法定法住實際虛空界不思議界亦是
隨信行隨法行第八預流一來不還阿羅漢
獨覺菩薩摩訶薩真如法界法性不虛妄
性不變異性平等性離生性法定法住實際
虛空界不思議界何以故善現以一切法及諸
有情皆不出過真如法界法性不虛妄性不
變異性平等性離生性法定法住實際虛空
界不思議界善現當知真如乃至不思議界
性无差別
具壽善現白佛言世尊若一切法平等法性
即是異生平等法性亦是隨信行隨法行
第八預流一來不還阿羅漢獨覺菩薩摩
訶薩如來應正等覺平等法令一切法及

BD01924號　大般若波羅蜜多經卷三九七　（23–5）

具壽善現白佛言世尊若一切法平等法性
即是異生平等法性亦是隨信行隨法行
第八預流一來不還阿羅漢獨覺菩薩摩
訶薩如來應正等覺平等法令一切法及
諸有情相各異故性亦應異是則法性亦應各
異謂色相異故性亦應異受想行識相異故
性亦應異是則法性亦應各異眼處相異故性
亦應異耳鼻舌身意處相異故性亦應異是
則法性亦應各異色處相異故性亦應異聲
香味觸法處相異故性亦應異是則法性亦
應各異眼界相異故性亦應異耳鼻舌身
意界相異故性亦應異是則法性亦應各異
色界相異故性亦應異聲香味觸法界相異
故性亦應異是則法性亦應各異眼識界相
異故性亦應異耳鼻舌身意識界相異故性
亦應異是則法性亦應各異眼觸相異故性
亦應異耳鼻舌身意觸相異故性亦應異是
則法性亦應各異眼觸為緣所生諸受相異
故性亦應異耳鼻舌身意觸為緣所生諸受
相異故性亦應異是則法性亦應各異地界
相異故性亦應異水火風空識界相異故性
亦應異是則法性亦應各異因緣相異故性
亦應異等无間緣所緣緣增上緣相異故性
亦應異是則法性亦應各異從緣所生諸法
相各異故性亦應異是則法性亦應各異无
明相異故性亦應異行識名色六處觸受愛
[illegible]

BD01924號　大般若波羅蜜多經卷三九七　（23–6）

亦應異是則法性亦應各異從緣所生諸法
相各異故性亦應異是則法性亦應各異无
明相異故性亦應異行識名色六處觸受愛
取有生老死愁歎苦憂惱相異故性亦應異
是則法性亦應各異貪相異故性亦應異瞋
癡相異故性亦應異是則法性亦應各異
異生見趣相各異故性亦應異是則法性亦應
各異四靜慮相異故性亦應異四无量四无
色定相異故性亦應異是則法性亦應各異
四念住相異故性亦應異四正斷四神足五
根五力七等覺支八聖道支相異故性亦應
異是則法性亦應各異空解脫門相異故性
亦應異无相无願解脫門相異故性亦應異
是則法性亦應各異內空相異故性亦應異
外空內外空空空大空勝義空有為空无為
空畢竟空无際空散空无變異空本性空自
相空共相空一切法空不可得空无性空自
性空无性自性空相異故性亦應異是則法
性亦應各異苦聖諦相異故性亦應異集
滅道聖諦相異故性亦應異是則法性亦應
異異布施波羅蜜多相異故性亦應異淨戒
安忍精進靜慮般若方便善巧妙願力智波
羅蜜多相異故性亦應異是則法性亦應各異
八解脫相異故性亦應異八勝處九次第定
十遍處相異故性亦應異是則法性亦應各
異一切陁羅尼門相異故性亦應異一切三

BD01924 號　大般若波羅蜜多經卷三九七　（23–7）

安忍精進靜慮般若方便善巧妙願力智波
羅蜜多相異故性亦應異是則法性亦應各異
八解脫相異故性亦應異八勝處九次第定
十遍處相異故性亦應異是則法性亦應各
異一切陁羅尼門相異故性亦應異一切三
摩地門相異故性亦應異是則法性亦應各
異極喜地相異故性亦應異離垢地發光地
焰慧地極難勝地現前地遠行地不動地善
慧地法雲地相異故性亦應異是則法性亦
應各異五眼相異故性亦應異六神通相異
故性亦應異是則法性亦應各異如來十力
相異故性亦應異四无所畏四无礙解大慈
大悲大喜大捨十八佛不共法相異故性亦
應異是則法性亦應各異三十二大士相
異故性亦應異八十隨好相異故性亦應異
是則法性亦應各異无忘失法相異故性亦
應異恒住捨性相異故性亦應異是則法性
亦應各異一切智相異故性亦應異道相智
一切相智相異故性亦應異是則法性亦應
各異愚夫異生相異故性亦應異隨信行隨
法行第八預流一來不還阿羅漢獨覺菩薩
摩訶薩如來應正等覺相異故性亦應異
是則法性亦應各異諸世間出世間法相異故
性亦應異諸有漏无漏法有為无為法相異
故性亦應異是則法性亦應各異世尊云何
於諸異相法等可得安立法性一相云何善

BD01924 號　大般若波羅蜜多經卷三九七　（23–8）

摩訶薩如來應正等覺極異故性亦應異
是則法性亦應各異諸世間出世間法相異故
性亦應異諸有漏无漏法有為无為法相異
故性亦應異是則法性亦應各異世尊云何
於諸異相法等可得安立法性一相云何菩
薩摩訶薩脩行般若波羅蜜多時不分別法
及諸有情有種種性若菩薩摩訶薩不分別
法及諸有情有種種性則應不能脩行般若
波羅蜜多若不能脩行般若波羅蜜多則應
不能從一地至一地若不能從一地至一地則
應不能趣入菩薩正性離生超諸聲聞及
獨覺地若不能趣入菩薩正性離生超諸聲
聞及獨覺地則應不能圓滿神通波羅蜜
多若不能圓滿神通波羅蜜多則應不能圓滿
布施淨戒安忍精進靜慮般若方便善巧妙
願力智波羅蜜多若不能圓滿布施乃至智
波羅蜜多則應不能遊戲神通從一佛土至
一佛土供養恭敬尊重讚歎諸佛世尊亦應
不能於諸佛所種諸善根若不能於諸佛所
種諸善根則應不能成熟有情嚴淨佛土若
不能成熟有情嚴淨佛土則應不能證得无
上正等菩提
佛告善現如汝所言若一切法平等法性即
是異生平等法性亦是隨信行隨法行第八
預流一來不還阿羅漢獨覺菩薩摩訶薩如
來應正等覺平等法性令一切法及諸有情

BD01924號　大般若波羅蜜多經卷三九七　（23–9）

是異生平等法性亦是隨信行隨法行第八
預流一來不還阿羅漢獨覺菩薩摩訶薩如
來應正等覺平等法性令一切法及諸有情
相各異故性亦應異是則法性亦應各異云
何於諸異相法等可得安立法性一相云何
菩薩摩訶薩脩行般若波羅蜜多時不分別
法及諸有情有種種性等者善現於意云何
諸色法性是空性不諸受想行識法性是空
性不諸眼處法性是空性不諸耳鼻舌身意
處法性是空性不諸色處法性是空性不諸
聲香味觸法處法性是空性不諸眼界法
性是空性不諸耳鼻舌身意界法性是空性不
諸色界法性是空性不諸聲香味觸法界法
性是空性不諸眼識界法性是空性不諸耳
鼻舌身意識界法性是空性不諸眼觸法性
是空性不諸耳鼻舌身意觸法是空性不
諸眼觸為緣所生諸受法性是空性不諸耳鼻
舌身意觸為緣所生諸受法性是空性不諸地
界法性是空性不諸水火風空識界法性是空
性不諸因緣法性是空性不諸等无間緣所
緣緣增上緣法性是空性不諸從緣所生
諸法法性是空性不諸无明法性是空性不
諸行識名色六處觸受愛取有生老死愁歎
苦憂惱法性是空性不諸貪法性是空性不
諸瞋癡法性是空性不諸異生見趣法性是
空性不諸四靜慮法性是空性不諸四无量

BD01924號　大般若波羅蜜多經卷三九七　（23–10）

諸行諸名色六處觸受愛取有生老死愁歎
苦憂惱法性是空性不諸貪法性是空性不
諸瞋癡法性是空性不諸異生見趣法性是
空性不諸四靜慮法性是空性不諸四无量
四无色定法性是空性不諸四念住法性是空性
不諸四正斷四神足五根五力七等覺支八聖
道支法性是空性不諸空解脫門法性是空性
不諸无相无願解脫門法性是空性不諸内
空法性是空性不諸外空内外空空空大空
勝義空有為空无為空畢竟空无際空散空
无變異空本性空自相空共相空一切法空
不可得空无性空自性空无性自性空法性
是空性不諸苦聖諦法性是空性不諸集滅
道聖諦法性是空性不諸布施波羅蜜多法
性是空性不諸淨戒安忍精進靜慮般若方
便善巧妙願力智波羅蜜多法性是空性不
八解脫法性是空性不八勝處九次第定十
遍處法性是空性不一切陀羅尼門法性是
空性不一切三摩地門法性是空性不諸極
喜地法性是空性不諸離垢地發光地焰慧
地極難勝地現前地遠行地不動地善慧
地法雲地法性是空性不五眼法性是空性不
六神通法性是空性不如來十力法性是空
性不四无所畏四无礙解大慈大悲大喜大
捨十八佛不共法法性是空性不三十二大
士相法性是空性不八十隨好法性是空性

BD01924號　大般若波羅蜜多經卷三九七　（23–11）

性不四无所畏四无礙解大慈大悲大喜大
捨十八佛不共法法性是空性不三十二大
士相法性是空性不八十隨好法性是空性
不諸无忘失法法性是空性不諸恒住捨性法
性是空性不諸一切智法性是空性不諸道
相智一切相智法性是空性不諸愚夫異生
法性是空性不諸隨信行隨法行第八預流
一來不還阿羅漢獨覺菩薩摩訶薩如來應
正等覺法性是空性不世間出世間法法性
是空性不有漏无漏法有為无為法法性是
空性不善現若言如是世尊如是善逝一切
法皆是空性
佛告善現於意云何於空性中法等異相為
可得不謂色異相為可得不受想行識異相
為可得不眼處異相為可得不耳鼻舌身意
處異相為可得不色處異相為可得不聲香
味觸法處異相為可得不眼界異相為可得
不耳鼻舌身意界異相為可得不色界異相
為可得不聲香味觸法界異相為可得不眼
識界異相為可得不耳鼻舌身意識界異相
為可得不眼觸異相為可得不耳鼻舌身意
觸異相為可得不眼觸為緣所生諸受異相
為可得不耳鼻舌身意觸為緣所生諸受異
相為可得不地界異相為可得不水火風空
識界異相為可得不因緣異相為可得不等
无間緣所緣緣增上緣異相為可得不從緣

BD01924號　大般若波羅蜜多經卷三九七　（23–12）

為可得不耳鼻舌身意[illegible]
相為可得不地界異相為可得不水火風空
識界異相為可得不因緣異相為可得不等
无間緣所緣緣增上緣異相為可得不從緣
所生諸法異相為可得不无明異相為可得
不行識名色六處觸受愛取有生老死愁歎
苦憂惱異相為可得不貪異想為可得不
瞋癡異相為可得不愚夫異生見趣異相為
可得不四靜慮異相為可得不四无量四无色
定異相為可得不四念住異相為可得不四
正斷四神足五根五力七等覺支八聖道支
異相為可得不空解脫門異相為可得不无
相无願解脫門異相為可得不內空異相為
可得不外空內外空空空大空勝義空有為
空无為空畢竟空无際空散空无變異空
本性空自相空共相空一切法空不可得空无
性空自性空无性自性空異相為可得不苦
聖諦異相為可得不集滅道聖諦異相為可
得不布施波羅蜜多異相為可得不淨戒安
忍精進靜慮般若方便善巧妙願力智波羅
蜜多異相為可得不八解脫異相為可得不
八勝處九次第定十遍處異相為可得不一
切陀羅尼門異相為可得不一切三摩地門
異相為可得不極喜地異相為可得不離垢
地發光地焰慧地極難勝地現前地遠行地
不動地善慧地法雲地異相為可得不五眼
[illegible]

BD01924 號　大般若波羅蜜多經卷三九七　（23–13）

八勝處九次第定十遍處異相為可得不一
切陀羅尼門異相為可得不一切三摩地門
異相為可得不極喜地異相為可得不離垢
地發光地焰慧地極難勝地現前地遠行地
不動地善慧地法雲地異相為可得不五眼
異相為可得不六神通異相為可得不如來
十力異相為可得不四无所畏四无礙解大
慈大悲大喜大捨十八佛不共法異相為可
得不三十二大士相異相為可得不八十隨
好異相為可得不无忘失法異相為可得不
恒住捨性異相為可得不一切智異相為可
得不道相智一切相智異相為可得不愚夫
異生異相為可得不隨信行隨法行第八預
流一來不還阿羅漢獨覺菩薩摩訶薩如
來應正等覺異相為可得不世間出世間法
異相為可得不有漏无漏法有為无為法異
相為可得不善現答言不也世尊不也善
逝於空性中一切異相皆不可得
佛告善現由此當知平等法性非色不離色
非受想行識不離受想行識非眼處不離眼
處非耳鼻舌身意處不離耳鼻舌身意處
非色處不離色處非聲香味觸法處不離聲
香味觸法處非眼界不離眼界非耳鼻舌身
意界不離耳鼻舌身意界非色界不離色界非
聲香味觸法界不離聲香味觸法界非眼識
界不離眼識界非耳鼻舌身意識界不離耳
鼻舌身意識界非眼觸不離眼觸非耳鼻舌

BD01924 號　大般若波羅蜜多經卷三九七　（23–14）

意界不離耳鼻舌身意界非色界不離色界非
聲香味觸法界不離聲香味觸法界非眼識
界不離眼識界非耳鼻舌身意識界不離耳
鼻舌身意識界非眼觸不離眼觸非耳鼻舌
身意觸不離耳鼻舌身意觸非眼觸為緣所
生諸受不離眼觸為緣所生諸受非耳鼻舌
身意觸為緣所生諸受不離耳鼻舌身意
觸為緣所生諸受非地界不離地界非水火風
空識界不離水火風空識界非因緣不離因
緣非等无間緣所緣緣增上緣不離等无間
緣所緣緣增上緣非從緣所生諸法不離從
緣所生諸法非无明不離无明非行識名色
六處觸受愛取有生老死愁歎苦憂惱不離
行乃至老死愁歎苦憂惱非貪不離貪非瞋
癡不離瞋癡非諸見趣不離諸見趣非四靜
慮不離四靜慮非四无量四无色定不離四
无量四无色定非四念住不離四念住非四
正斷四神足五根五力七等覺支八聖道支
不離四正斷乃至八聖道支非空解脫門不
離空解脫門非无相无願解脫門不離无相
无願解脫門非內空不離內空非外空內外
空空空大空勝義空有為空无為空畢竟空
无際空散空无變異空本性空自相空共相
空一切法空不可得空无性空自性空无性
自性空不離外空乃至无性自性空非苦聖
諦不離苦聖諦非集滅道聖諦不離集滅道

空一切法空不可得空无性空自性空无性
自性空不離外空乃至无性自性空非苦聖
諦不離苦聖諦非集滅道聖諦不離集滅道
聖諦非布施波羅蜜多不離布施波羅蜜多
非淨戒安忍精進靜慮般若方便善巧妙願
力智波羅蜜多不離淨戒乃至智波羅蜜多
非八解脫不離八解脫非八勝處九次第定
十遍處不離八勝處九次第定十遍處非一
切陀羅尼門不離一切陀羅尼門非一切三
摩地門不離一切三摩地門非極喜地不離
極喜地非離垢地發光地焰慧地極難勝地
現前地遠行地不動地善慧法雲地不離
離垢地乃至法雲地非五眼不離五眼非六
神通不離六神通非佛十力不離佛十力非
四无所畏四无礙解大慈大悲大喜大捨十
八佛不共法不離四所畏乃至十八佛不共
法非三十二大士相不離三十二大士相非
八十隨好不離八十隨好非无忘失法不
離无忘失法非恒住捨性不離恒住捨性非
一切智不離一切智非道相智一切相智不
離道相智一切相智非愚夫異生不離愚夫
異生非隨信行隨法行第八預流一來不還
阿漢獨覺菩薩摩訶薩如來應正等覺不
離隨信行乃至如來應正等覺非世間出世間
法不離世間出世間法非有漏無漏法有為

阿漢獨覺菩薩摩訶薩如來應正等覺不
離隨信行乃至如來應正等覺非世間出世間
法不離世間出世間法非有漏無漏法有為
無為法不離有漏无漏法有為无為法
具壽善現白佛言世尊平等法性為是有
為為是无為佛告善現平等法性非是有為非
是无為然離有為法无為法不可得離无為
法有為法亦不可得善現若有為界若无為
界如是二界非相應非不相應无色无見无
對一相所謂无相一切如來應正等覺依世
俗說不依勝義何以故非勝義中可有身行
語行意行非離身行語行意行勝義可得
善現當知即有為无為平等法性說名勝義
是故菩薩摩訶薩脩行般若波羅蜜多時不
動勝義而行菩薩摩訶薩行成熟有情嚴淨
佛土能證无上正等菩提
初分无動法性品第七十六
尒時具壽善現白佛言世尊若諸法等等
法性皆本性空此本性空於有无法非能所
作云何菩薩摩訶薩脩行般若波羅蜜多
時不動勝義而菩薩所應作事以布施愛語
利行同事饒益有情佛告善現如是如是如汝
所說一切法等平等法性皆本性空此本性
空於有无法非能所作善現若諸有情自知
諸法皆本性空則諸如來應正等覺乃諸
菩薩摩訶薩衆不現神通作希有事謂於諸

所說一切法等平等法性皆本性空此本性
空於有无法非能所作善現若諸有情自知
諸法皆本性空則諸如來應正等覺乃諸
菩薩摩訶薩衆不現神通作希有事謂於諸
法本性空中雖无所動而令有情遠離動種妄
想顛倒安住諸法空解脫生死苦謂令有情
遠離我相有情相命者相生相養者相士
夫相補特伽羅相意生相儒童相作者相使
作者相起者相使起者相受者相使受者想
知者想使知者相見者想使見者想亦令遠
離色想受想行識相亦令遠離眼處想耳鼻
舌身意處想亦令遠離色處想聲香味觸法
處想亦令遠離眼界想耳鼻舌身意界想
亦令遠離色界想聲香味觸法界想亦令遠離
眼識界想耳鼻舌身意識界想亦令遠離眼
觸想耳鼻舌觸想亦令遠離眼觸為緣
所生諸受想耳鼻舌身意觸為緣所生諸受
想亦令遠離地界想水火風空識界想亦令
遠離因緣想等无間緣所緣緣增上緣想亦
令遠離從緣所生諸法想亦令遠離无明想
行識名色六處觸受愛取有生老死愁歎苦
憂惱想亦令遠離世間出世間法想有漏无
漏法有為无為法想安住无為界解脫生死
苦无為界者即諸法空依世俗說名无為界
具壽善現白佛言世尊由何空故說諸法空
佛言善現由想空故說諸法空

苦无為界者即諸法空依世俗說名无為界
具壽善現白佛言世尊由何空故說諸法空
佛言善現由想空故說諸法空
復次善現於意云何若變化身復作化事此
有實事而不空耶善現答言不也世尊不也
善逝諸所變化都无實事一切皆空佛告善
現變化與空如是二法非合非散此二俱以
空空故空不應分別是空是化何以故善現
非空性中有空有化二事可得以一切法畢竟
空故復次善現无色非化无受想行識非
化諸是化者无不皆空善現无眼處非化无
耳鼻舌身意處非化諸是化者无不皆空善
現无色處非化无聲香味觸法處非化諸是
化者无不皆空善現无眼界非化无耳鼻舌
身意界非化諸是化者无不皆空善現无色
界非化无聲香味觸法界非化諸是化者无
不皆空善現无眼識界非化无耳鼻舌身意
識界非化諸是化者无不皆空善現无眼觸
非化耳鼻舌身意觸非化諸是化者　无不
皆空善現无眼觸為緣所生諸受非化无耳
鼻舌身意觸為緣所生諸受非化諸是化者
无不皆空善現无地界非化无水火風空識
界非化諸是化者无不皆空善現无因緣非
化无等无間緣所緣緣增上緣非化諸是化
者无不皆空善現无從緣所生諸法非化諸

界非化諸是化者无不皆空善現无因緣非
化无等无間緣所緣緣增上緣非化諸是化
者无不皆空善現无從緣所生諸法非化諸
是化者无不皆空善現无无明非化无行識
名色六處觸受愛取有生老死愁歎苦憂惱
非化諸是化者无不皆空善現无布施波羅
蜜多非化无淨戒安忍精進靜慮般若方便
善巧妙願力智波羅蜜多非化諸是化者无
不皆空善現无四念住非化无四正斷四神足
五根五力七等覺支八聖道支非化諸是化
者无不皆空善現无空解脫門非化无无相
无願解脫門非化諸是化者无不皆空善現
无內空非化无外空內外空空空大空勝義
空有為空无為空畢竟空无際空散空无變
異空本性空自相空共相空一切法空不可
得空无性空自性空无性自性空非化諸是
化者无不皆空善現无苦聖諦非化无集滅
道聖諦非化諸是化者无不皆空善現无四
靜慮非化无四无量四无色定非化諸是化
者无不皆空善現无八解脫非化无八勝處
九次第定十遍處非化諸是化者无不皆空
善現无陀羅尼門非化无三摩地門非化諸
是化者无不皆空善現无極喜地非化无離
垢地發光地焰慧地極難勝地現前地遠行
地不動地善慧地法雲地非化諸是化者无不

九次第定十遍處非化諸是化者无不皆空
善現无陀羅尼門非化无三摩地門非化諸
是化者无不皆空善現无極喜地非化无離
垢地發光地焰慧地極難勝地現前地遠行
地不動地善慧地法雲地非化諸是化者无不
皆空善現无五眼非化无六神通非化諸是
化者无不皆空善現无佛十力非化无四无
所畏四无礙解大慈大悲大喜大捨十八佛
不共法非化諸是化者无不皆空善現无三
十二大士相非化无八十隨好非化諸是化者
无不皆空善現无无忘失法非化无恒住
捨性非化諸是化者无不皆空善現无一切
智非化无道相智一切相智非化諸是化者
无不皆空善現无預流果非化无一来不還
阿羅漢果獨覺菩提非化諸是化者无不
皆善現无菩薩摩訶薩行非化无佛无上正
等菩提非化諸是化者无不皆空善現依如
是法施設種種補特伽羅所謂異生若隨信
行若隨法行若第八若預流若一来若不還
若阿羅漢若獨覺若菩薩摩訶薩若諸如
来應正等覺如是一切无非是化諸是化者
无不皆空
時具壽善現白佛言世尊世間諸蘊諸處
諸界緣起緣生緣起支等可皆是化諸出世
間波羅蜜多若三十七菩提分法若三解脫門
若一切空若諸聖諦若四靜慮四无量四无色

BD01924 號　大般若波羅蜜多經卷三九七　（23–21）

諸界緣起緣生緣起支等可皆是化諸出世
間波羅蜜多若三十七菩提分法若三解脫門
若一切空若諸聖諦若四靜慮四无量四无色
定若八解脫八勝處九次第定十遍處若陀
羅尼門三摩地門若菩薩十地若五眼六神
通若佛十力四无所畏四无礙解大慈大悲大
喜大捨十八佛不共法若三十二大士相
八十隨好若无忘失法恒住捨性若一切智
道相智一切相智若由彼法所得諸果若依
彼法施設種種補特伽羅豈亦是化佛告善
現一切世間出世間法无非是化然於其中
有是聲聞所化有是獨覺所化有是菩薩所
化有是如来所化有是煩惱所化有是業法
所化善現由此因緣說一切法皆如變化等
无差別具壽善現復白佛言世尊所有斷果
謂預流果或一来果或不還果或阿羅漢果
或獨覺地或如来地永斷煩惱習氣相續豈
亦是化佛告善現如是諸法若與生滅二相合
者亦皆是化世尊何法非化善現若法不與
生滅相合是法非化世尊何法不與生滅
相合善現不虛誑法即是涅槃此法不與生
滅相合是故非化具壽善現復白佛言如世
尊說平等法一切皆空无能動者无二可
得无有少法非自性空云何涅槃可言非化
佛告善現如是如是如汝所說无有少法非
自性空此自性空非聲聞作非獨覺作非菩
薩作非如来作亦非餘作有佛无佛其性常

BD01924 號　大般若波羅蜜多經卷三九七　（23–22）

或獨覺地或如來地[illegible]
亦是化佛告善現如是諸法若與生滅二相合
者亦皆是化世尊何法非化善現若法不與
生滅相合是法非化世尊何法不與生滅
相合善現不虛誑法即是涅槃此法不與生
滅相合是故非化具壽善現復白佛言如世
尊說平等法一切皆空无能動者无二可
得无有少法非自性空云何涅槃可言非化
佛告善現如是如是如汝所說无有少法非
自性空此自性空非聲聞作非獨覺作非菩
薩作非如來作亦非餘作有佛无佛其性常
空此即涅槃是故我說涅槃非化非實有法
名為涅槃可說无生无滅非化
大般若波羅蜜多經卷第三百九十七

BD01924 號　大般若波羅蜜多經卷三九七　　（23–23）

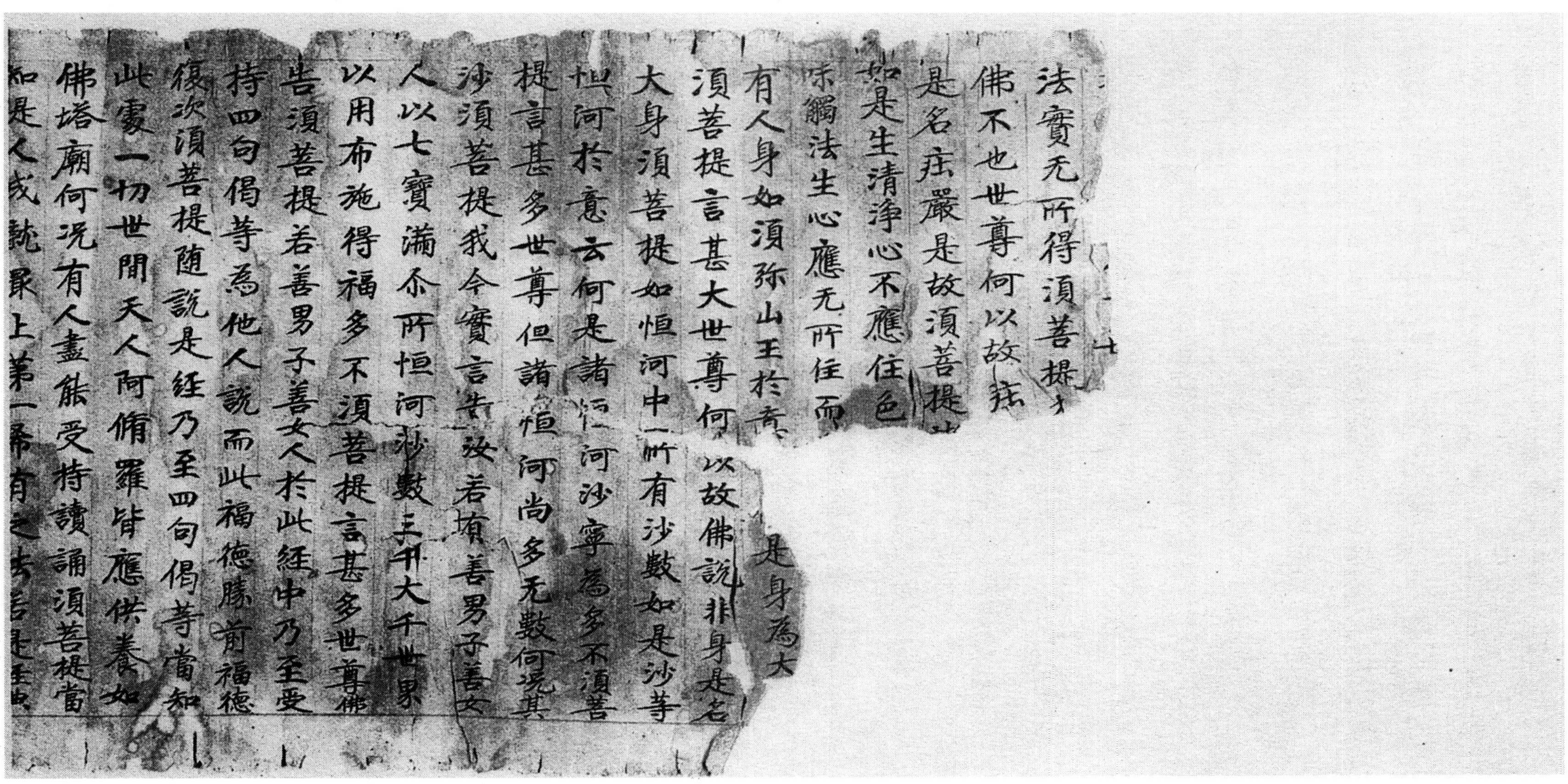

法寶无所得須菩提[illegible]
佛不也世尊何以故莊
是名莊嚴是故須菩提[illegible]
如是生清淨心不應住色
味觸法生心應无所住而
有人身如須弥山王於意[illegible]是身為大
須菩提言甚大世尊何以故佛說非身是名
大身須菩提如恒河中所有沙數如是沙等
恒河於意云何是諸恒河沙寧為多不須菩
提言甚多世尊但諸恒河尚多无數何况其
沙須菩提我今實言告汝若有善男子善女
人以七寶滿尒所恒河沙數三千大千世界
以用布施得福多不須菩提言甚多世尊佛
告須菩提若善男子善女人於此經中乃至受
持四句偈等為他人說而此福德勝前福德
復次須菩提隨說是經乃至四句偈等當知
此處一切世間天人阿脩羅皆應供養如
佛塔廟何况有人盡能受持讀誦須菩提當
知是人成就最上第一希有之法若是經典

BD01925 號 1　金剛般若波羅蜜經　　（12–1）

告須菩提若善男子善女人於此經中乃至受
持四句偈等為他人說而此福德勝前福德
復次須菩提隨說是經乃至四句偈等當知
此處一切世間天人阿脩羅皆應供養如
佛塔廟何況有人盡能受持讀誦須菩提當
知是人成就最上第一希有之法若是經典
所在之處則為有佛若尊重弟子
尒時須菩提白佛言世尊當何名此經我等
云何奉持佛告須菩提是經名為金剛般若
波羅蜜以是名字汝當奉持所以者何須菩
提佛說般若波羅蜜則非般若波羅蜜須菩
提於意云何如来有所說法不須菩提白佛
言世尊如来无所說須菩提於意云何三千
大千世界所有微塵是為多不須菩提言
甚多世尊須菩提諸微塵如来說非微塵是名
微塵如来說世界非世界是名世界須菩提
於意云何可以三十二相見如来不不也世
尊不可以三十二相得見如来何以故如来說
三十二相即是非相是名三十二相須菩提
若有善男子善女人以恒河沙等身命布
施若復有人於此經中乃至受持四句偈
等為他人說其福甚多
尒時須菩提聞說是經深解義趣涕淚悲泣
而白佛言希有世尊佛說如是甚深經典
我從昔来所得慧眼未曾得聞如是之經世
尊若復有人得聞是經信心清淨則生實相
當知是人成就第一希有功德世尊是實相者

BD01925 號 1　金剛般若波羅蜜經　（12–2）

而白佛言希有世尊佛說如是甚深經典
我從昔来所得慧眼未曾得聞如是之經世
尊若復有人得聞是經信心清淨則生實相
當知是人成就第一希有功德世尊是實相者
則是非相是故如来說名實相世尊我今得
聞如是經典信解受持不足為難若當来世
後五百歲其有衆生得聞是經信解受持是
人則為第一希有何以此人无相人相衆生
相壽者相所以者何我相即是非相人相
衆生相壽者相即是非相何以故離一切諸
相則名諸佛佛告須菩提如是如是若復有
人得聞是經不驚不怖不畏當知是人甚為
希有何以故須菩提如来說第一波羅蜜非
第一波羅蜜是名第一波羅蜜
須菩提忍辱波羅蜜如来說非忍辱波羅蜜
何以故須菩提如我昔為歌利王割截身體
我於尒時无我相无人相无衆生相无壽者
相何以故我於往昔節節支解時若有我相
人相衆生相壽者相應生瞋恨須菩提又念
過去於五百世作忍辱仙人於尒所世无我相
无人相无衆生相无壽者相是故須菩提
菩薩應離一切相發阿耨多羅三藐三菩提
心不應住色生心不應住聲香味觸法生心
應生无所住心若心有住則為非住是故佛
說菩薩心不應住色布施須菩提菩薩為利
益一切衆生應如是布施如来說一切諸相

BD01925 號 1　金剛般若波羅蜜經　（12–3）

菩薩應離一切相發阿耨多羅三藐三菩提
心不應住色生心不應住聲香味觸法生心
應生无所住心若心有住則為非住是故佛
說菩薩心不應住色布施須菩提菩薩為利
益一切衆生應如是布施如來說一切諸相
即是非相又說一切衆生則非衆生須菩提
如來是真語者實語者如語者不誑語者不
異語者須菩提如來所得法此法无實无虛
須菩提若菩薩心住於法而行布施如人入
闇則无所見若菩薩心不住法而行布施如
人有目日光明照見種種色須菩提當來之
世若有善男子善女人能於此經受持讀誦
則為如來以佛智慧悉知是人悉見是人皆
得成就无量无邊功德
須菩提若有善男子善女人初日分以恒河
沙等身布施中日分復以恒河沙等身布施
後日分亦以恒河沙等身布施如是无量百
千万億劫以身布施若復有人聞此經典信
心不逆其福勝彼何況書寫受持讀誦為人
解說須菩提以要言之是經有不可思議不
可稱量无邊功德如來為發大乘者說為發
最上乘者說若有人能受持讀誦廣為人說
如來悉知是人悉見是人皆得成就不可量
不可稱无有邊不可思議功德如是人等則
為荷擔如來阿耨多羅三藐三菩提何以故
須菩提若樂小法者著我見人見衆生見壽

BD01925 號 1　金剛般若波羅蜜經　（12–4）

不可稱无有邊不可思議功德如是人等則
為荷擔如來阿耨多羅三藐三菩提何以故
須菩提若樂小法者著我見人見衆生見壽
者見則於此經不能聽受讀誦為人解說須
菩提在在處處若有此經一切世間天人阿
脩羅所應供養當知此處則為是塔皆應
恭敬作礼圍繞以諸華香而散其處
復次須菩提若善男子善女人受持讀誦此
經若為人輕賤是人先世罪業應墮惡道以
今世人輕賤故先世罪業則為消滅當得阿
耨多羅三藐三菩提須菩提我念過去无量
阿僧祇劫於然燈佛前得值八百四千万億
那由他諸佛悉皆供養承事无空過者若
復有人於後末世能受持讀誦此經所得功
德於我所供養諸佛功德百分不及一千万億
分乃至筭數譬喻所不能及須菩提若善
男子善女人於後末世有受持讀誦此經所
得功德我若具說者或有人聞心則狂乱狐
疑不信須菩提當知是經義不可思議果報
亦不可思議
尒時須菩提白佛言世尊善男子善女人發
阿耨多羅三藐三菩提心云何應住云何降
伏其心佛告須菩提善男子善女人發阿耨
多羅三藐三菩提者當生如是心我應滅度
一切衆生滅度一切衆生已而无有一切衆生
實滅度者何以故若菩薩有我相人相衆生

BD01925 號 1　金剛般若波羅蜜經　（12–5）

阿耨多羅三藐三菩提心云何應住云何降
伏其心佛告須菩提善男子善女人發阿耨
多羅三藐三菩提者當生如是心我應滅度
一切衆生滅度一切衆生已而无有一切衆生
實滅度者何以故若菩薩有我相人相衆生
相壽者相則非菩薩所以者何須菩提實无
有法發阿耨多羅三藐三菩提者須菩提於
意云何如来於然燈佛所有法得阿耨多羅
三藐三菩提不不也世尊如我解佛所說義
佛於然燈佛所无有法得阿耨多羅三藐三
菩提佛言如是如是須菩提實无有法如来
得阿耨多羅三藐三菩提
須菩提若有法如来得阿耨多羅三藐三菩
提者然燈佛則不與我受記汝於来世當
得作佛号釋迦牟尼以實无有法得阿耨多
羅三藐三菩提是故然燈佛與我受記作是
言汝於来世當得作佛号釋迦牟尼何以故
如来者即諸法如義若有人言如来得阿耨
多羅三藐三菩提須菩提實无有法佛得阿
耨多羅三藐三菩提須菩提如来所得阿耨
多羅三藐三菩提於是中无實无虚是故如
来說一切法皆是佛法須菩提所言一切法
者即非一切法是故名一切法須菩提譬如
人身長大須菩提言世尊如来說人身長大
則非大身是名大身須菩提菩薩亦如是若
作是言我當滅度无量衆生則不名菩薩
何以故須菩提實无有法名為菩薩是故佛

BD01925 號 1　金剛般若波羅蜜經　（12–6）

者即非一切法是故名一切法須菩提譬如
人身長大須菩提言世尊如来說人身長大
則非大身是名大身須菩提菩薩亦如是若
作是言我當滅度无量衆生則不名菩薩
何以故須菩提實无有法名為菩薩是故佛
說一切法无我无人无衆生无壽者須菩提
若菩薩作是言我當莊嚴佛土是不名菩薩
何以故如来說莊嚴佛土者即非莊嚴是名
莊嚴須菩提若菩薩通達无我法者如来
說名真是菩薩
須菩提於意云何如来有肉眼不如是世尊
如来有肉眼須菩提於意云何如来有天眼
不如是世尊如来有天眼須菩提於意云何
如来有慧眼不如是世尊如来有慧眼須菩
提於意云何如来有法眼不如是世尊如来
有法眼須菩提於意云何如来有佛眼不如
是世尊如来有佛眼須菩提於意云何恒河
中所有沙佛說是沙不如是世尊如来說是
沙須菩提於意云何如一恒河中所有沙有
如是等恒河是諸恒河所有沙數佛世界如
是寧為多不甚多世尊佛告須菩提尒所國
土中所有衆生若干種心如来悉知何以故
如来說諸心皆為非心是名為心所以者何
須菩提過去心不可得現在心不可得未来
心不可得須菩提於意云何若有人滿三千
大千世界七寶以用布施是人以是因緣得

BD01925 號 1　金剛般若波羅蜜經　（12–7）

土中所有衆生若干種心如来悉知何以故
如来說諸心皆爲非心是名爲心所以者何
須菩提過去心不可得現在心不可得未来
心不可得須菩提於意云何若有人滿三千
大千世界七寶以用布施是人以是因緣得
福多不如是世尊此人以是因緣得福甚多
須菩提若福德有實如来不說得福德多
以福德无故如来說得福德多
須菩提於意云何佛可以具足色身見不不也
世尊如来不應以具足色身見何以故如来說
具足色身即非具足色身是名具足色身須
菩提於意云何如来可以具足諸相見不不
也世尊如来不應以具足諸相見何以故如
来說諸相具足即非具足是名諸相具足須
菩提汝等勿謂如来作是念我當有所說法
莫作是念何以故若人言如来有所說法即
爲謗佛不能解我所說故須菩提說法者无
法可說是名說法須菩提白佛言世尊佛得
阿耨多羅三藐三菩提爲无所得邪如是如
是須菩提我於阿耨多羅三藐三菩提乃至
无有少法可得是名阿耨多羅三藐三菩提
復次須菩提法平等无有高下是名阿耨
多羅三藐三菩提以无我无人无衆生无壽
者脩一切善法則得阿耨多羅三藐三菩提
須菩提所言善法者如来說非善法是名
善法須菩提若三千大千世界中所有諸須
弥山王如是等七寶聚有人持用布施若

BD01925號1　金剛般若波羅蜜經　（12–8）

者脩一切善法則得阿耨多羅三藐三菩提
須菩提所言善法者如来說非善法是名
善法須菩提若三千大千世界中所有諸須
弥山王如是等七寶聚有人持用布施若
人以此般若波羅蜜經乃至四句偈等受持讀
誦爲他人說於前福德百分不及一百千万億
分乃至筭數譬喻所不能及
須菩提於意云何汝等勿謂如来作是念我
當度衆生須菩提莫作是念何以故實无有
衆生如来度者若有衆生如来度者如来則
有我人衆生壽者須菩提如来說有我者則
非有我而凡夫之人以爲有我須菩提凡夫
者如来說則非凡夫須菩提於意云何可以
三十二相觀如来不須菩提言如是如是以
三十二相觀如来佛言須菩提若以三十二
相觀如来者轉輪聖王則是如来須菩提白
佛言世尊如我解佛所說義不應以三十二
相觀如来尒時世尊而說偈言
若以色見我　以音聲求我　是人行邪道　不能見如来
須菩提汝若作是念如来不以具足相故得
阿耨多羅三藐三菩提須菩提莫作是念如来
不以具足相故得阿耨多羅三藐三菩提須
菩提汝若作是念發阿耨多羅三藐三菩
提者說諸法斷滅相莫作是念何以故發阿
耨多羅三藐三菩提者於法不說斷滅相須
菩提若菩薩以滿恒河沙等世界七寶布施

BD01925號1　金剛般若波羅蜜經　（12–9）

不以具足相故得阿耨多羅三藐三菩提
菩提汝若作是念發阿耨多羅三藐三菩
提者說諸法斷滅相莫作是念何以故發阿
耨多羅三藐三菩提者於法不說斷滅相須
菩提若菩薩以滿恒河沙等世界七寶布施
若復有人知一切法无我得成於忍此菩
薩勝前菩薩所得功德須菩提以諸菩薩
不受福德故須菩提白佛言世尊云何菩薩
不受福德須菩提菩薩所作福德不應貪着
是故說不受福德須菩提若有人言如来若
来若去若坐若臥是人不解我所說義何以
故如来者无所從来亦无所去故名如来
須菩提若善男子善女人以三千大千世界
碎為微塵於意云何是微塵衆寧為多不甚
多世尊何以故若是微塵衆實有者佛則不
說是微塵衆所以者何佛說微塵衆則非微
塵衆是名微塵衆世尊如来所說三千大千
世界則非世界是名世界何以故若世界實
有者則是一合相如来說一合相則非一合
相是名一合相須菩提一合相者則是不可
說但凡夫之人貪着其事
須菩提若人言佛說我見人見衆生見壽者
見須菩提於意云何是人解我所說義不不
也世尊是人不解如来所說義何以故世尊
說我見人見衆生見壽者見即非我見人見
衆生見壽者見是名我見人見衆生見壽者
見須菩提發阿耨多羅三藐三菩提心者於

BD01925 號 1　金剛般若波羅蜜經 （12–10）

也世尊是人不解如来所說義何以故世尊
說我見人見衆生見壽者見即非我見人見
衆生見壽者見是名我見人見衆生見壽者
見須菩提發阿耨多羅三藐三菩提心者於
一切法應如是知如是見如是信解不生法
相須菩提所言法相者如来說即非法相是
名法相須菩提若有人以滿无量阿僧祇世
界七寶持用布施若有善男子善女人發菩
薩心者持於此經乃至四句偈等受持讀誦
為人演說其福勝彼云何為人演說不取於
相如如不動何以故
一切有為法　如夢幻泡影　如露亦如電　應作如是觀
佛說是經已長老須菩提及諸比丘比丘尼
優婆塞優婆夷一切世間天人阿脩羅聞佛
所說皆大歡喜信受奉行

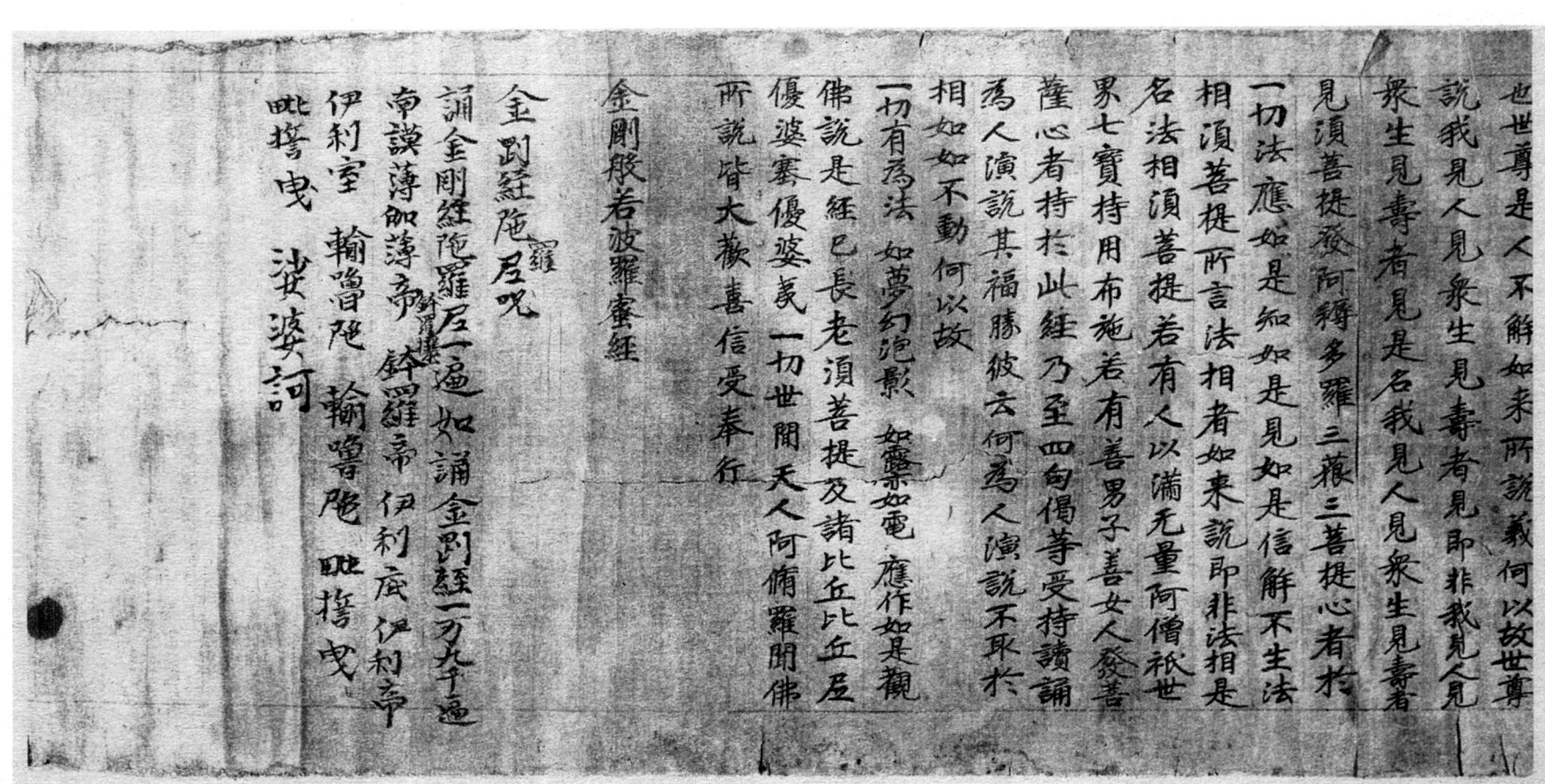

金剛般若波羅蜜經

金剛經陁羅尼呪
誦金剛經陁羅尼一遍如誦金剛經一万九千遍
南謨薄伽薄帝（鉢喇壤）鉢羅帝　伊利底　伊利帝
伊利室　輸嚕陁　輸嚕陁　毗舍曳
毗舍曳　娑婆訶

BD01925 號 1　金剛般若波羅蜜經 （12–11）

佛說是經已長老須菩提及諸比丘比丘尼
優婆塞優婆夷一切世間天人阿修羅聞佛
所說皆大歡喜信受奉行
金剛般若波羅蜜經
金剛經陀羅尼呪
誦金剛經陀羅尼一遍如誦金剛經一万九千遍
南謨薄伽薄帝 鉢羅羅帝 伊利底 伊利帝
伊利室 輸嚕陀 輸嚕陀 毗舍曳
毗舍曳 娑婆訶

BD01925 號 2　金剛經陀羅尼咒　　（12–12）

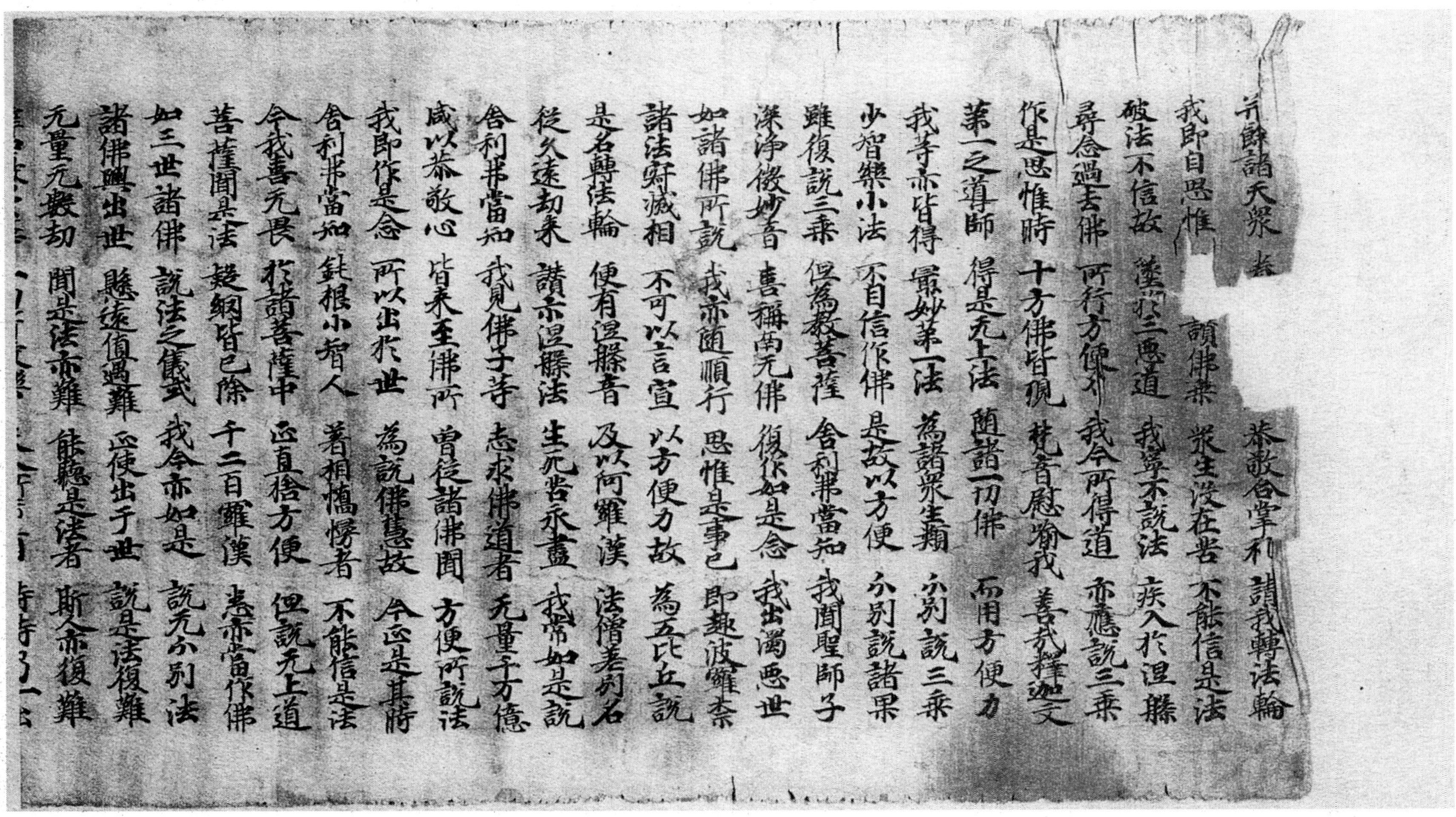
爾時諸天眾　恭敬合掌禮 請我轉法輪
我即自思惟　讚佛乘 眾生沒在苦 不能信是法
破法不信故 墜於三惡道 我寧不說法 疾入於涅槃
尋念過去佛 所行方便力 我今所得道 亦應說三乘
作是思惟時 十方佛皆現 梵音慰喻我 善哉釋迦文
第一之導師 得是无上法 隨諸一切佛 而用方便力
我等亦皆得 最妙第一法 為諸眾生類 分別說三乘
少智樂小法 不自信作佛 是故以方便 分別說諸果
雖復說三乘 但為教菩薩 舍利弗當知 我聞聖師子
深淨微妙音 喜稱南无佛 復作如是念 我出濁惡世
如諸佛所說 我亦隨順行 思惟是事已 即趣波羅柰
諸法寂滅相 不可以言宣 以方便力故 為五比丘說
是名轉法輪 便有涅槃音 及以阿羅漢 法僧差別名
從久遠劫來 讚示涅槃法 生死苦永盡 我常如是說
舍利弗當知 我見佛子等 志求佛道者 无量千万億
咸以恭敬心 皆來至佛所 曾從諸佛聞 方便所說法
我即作是念 所以出於世 為說佛慧故 今正是其時
舍利弗當知 鈍根小智人 著相憍慢者 不能信是法
今我喜无畏 於諸菩薩中 正直捨方便 但說无上道
菩薩聞是法 疑網皆已除 千二百羅漢 悉亦當作佛
如三世諸佛 說法之儀式 我今亦如是 說无分別法
諸佛興出世 懸遠值遇難 正使出于世 說是法復難
无量无數劫 聞是法亦難 能聽是法者 斯人亦復難

BD01926 號　妙法蓮華經卷一　　（2–1）

雖復說三乘 但為教菩薩 舍利弗當知 我聞聖師子
深淨微妙音 喜稱南无佛 復作如是念 我出濁惡世
如諸佛所說 我亦隨順行 思惟是事已 即趣波羅柰
諸法寂滅相 不可以言宣 以方便力故 為五比丘說
是名轉法輪 便有涅槃音 及以阿羅漢 法僧差別名
從久遠劫來 讚示涅槃法 生死苦永盡 我常如是說
舍利弗當知 我見佛子等 志求佛道者 无量千万億
咸以恭敬心 皆來至佛所 曾從諸佛聞 方便所說法
我即作是念 所以出於世 為說佛慧故 今正是其時
舍利弗當知 鈍根小智人 著相憍慢者 不能信是法
今我喜无畏 於諸菩薩中 正直捨方便 但說无上道
菩薩聞是法 疑網皆已除 千二百羅漢 悉亦當作佛
如三世諸佛 說法之儀式 我今亦如是 說无分別法
諸佛興出世 懸遠值遇難 正使出于世 說是法復難
无量无數劫 聞是法亦難 能聽是法者 斯人亦復難
譬如優曇華 一切皆愛樂 天人所希有 時時乃一出
聞法歡喜讚 乃至發一言 則為已供養 一切三世佛
是人甚希有 過於優曇華 汝等勿有疑 我為諸法王
普告諸大眾 但以一乘道 教化諸菩薩 无聲聞弟子
汝等舍利弗 聲聞及菩薩 當知是妙法 諸佛之祕要

BD01926號 妙法蓮華經卷一 （2–2）

木叉佛說偈揵……
發起演布開現反覆分別敷演說揵度下廣如律 說比丘共集在一處
尒時說戒日迦賓菟比丘在異處念言說戒者清淨也我常第一清淨便不往赴世尊
在說戒衆中坐不見迦賓菟便以神力於坐處沒在其前踊出以撥所念勅令至僧中
不得來神足往應步往也佛言若說戒日有比丘在戒場上見相更求承而不見應來
盡集一處同共說戒乃至客比丘舊比丘來僧伽藍內外相見聞疑廣說如律若不
喚不得滑元同界者羯磨說戒不成而見犯界界者成而无犯若見聞疑而不求喚
成不成 如上並犯突吉羅若呪咀罵詈者偷蘭遮時六群比丘不往說戒處往界
外至有比丘處无比丘處有比丘无比丘處乃至无住處佛言應往不往如法治
汝等諦聽善思念之 佛言端意專心聽法 若自知有犯者即應自懺悔 佛言
若說戒日一切僧犯罪當詣比丘僧寺中往清淨比丘所懺悔已還至住處 餘比丘二從其懺悔
若无者當往客比丘若无來者應作自己當懺悔然後白說戒 疑罪同犯亦如是 佛言若
有犯者不得聞戒不得向有犯者說戒不得向有犯者懺悔憂有犯者不得受他解罪
是名二種智人 不犯者嘿然 若知 諸大德清淨 佛言忍者嘿然不忍者說若衆中有犯
罪者不自見犯諸比丘或言偷蘭遮者佛言不得從遍僧應說戒 若有他問者亦如是
答 佛言如二比丘相問答不應藏 如是諸比丘在於衆中乃至三問憶念有罪
而不懺悔者得故妄語罪 故妄語者佛說障道法 僧說戒時嘿妄語者突
吉羅 障道者障禪 若彼比丘憶有罪欲求清淨者應懺悔 懺悔得安樂
得禪果安樂 諸大德我已說戒經序 今問諸大德是中清淨不 三說 諸大德
是中清淨嘿然 故是事如是持
諸大德是四波羅夷法半月半月說 戒經中來 一婬戒 緣
尒時世尊在毗舍離時迦蘭陁村須提那子持信出家後還本村其母以財勸令捨道
至三不從以婦往勸便言我能 後行不淨常懷憂愁諸比丘呵責已往白世尊集諸
比丘知時儀令問事自言種種呵責已告諸比丘當與結戒集十句義 一攝取於僧 二
令僧歡喜 三令僧安樂 四令未來信者信 五已信者令增長 六難調者調順 七慚
愧者安樂 八斷現在有漏 九斷未來有漏 十正法久住 故便制此戒 更有隨結如常
說 若比丘 佛言若比丘者名字比丘相似比丘自稱比丘乞求比丘著割截衣比丘破結使比丘善
來比丘受大戒白四羯磨如法成就得處所比丘是中比丘者受大戒白四羯磨如法成就得處
所住比丘法中是名比丘義 共比丘者餘比丘受大戒白四羯磨如法成就得處所住比丘法中是
……同戒……已下是中之餘比丘一戒同等戒是名同戒 若不

BD01927號　四分律比丘含注戒本　（21–1）

令僧歡喜三令僧安樂四令未信者信五已信者令增長六難調者調順七慚
愧者安樂八斷現在有漏九斷未來有漏十正法久住故便制此戒更有隨結如常
說 若比丘 佛言若比丘者名為比丘相似比丘自稱比丘乞求比丘著割截衣比丘破結使比丘善
來比丘受大戒白四羯磨如法成就得處所比丘是中比丘若受大戒白四羯磨如法成就得處
所住比丘法中是名比丘義 共比丘 若餘比丘受大戒白四羯磨如法成就得處所住比丘法中是
名比丘義 同戒 我為諸弟子結戒已寧死不犯是中共餘比丘一戒同等戒是名同戒 若不
還戒 若自癲狂心亂痛惱病纏又向如是人前捨戒或中國邊地人乎捨不靜靜想
捨戒戲笑捨若天龍神鬼若睡眠人若死人若無知人若自不語若前人不解如是等
不名捨若言我捨佛法和尚戒律學事若言後居家法作淨人優婆塞沙彌外道若
復嫌佛法僧乃至學事讚嘆家業如是之說是名捨戒 戒羸不自悔 佛言若有
餘比丘不樂淨行厭捨戒還家若復欲出家修梵行應受大戒或有戒羸不捨
戒若愁憂不樂梵行常懷慚愧厭比丘法意樂在家便言我念父母婦兒聚田家業
乃至非沙門釋子是為戒羸不捨戒何者戒羸而捨戒若思惟言我欲捨戒便即捨捨故
犯不淨行 是婬欲法也從道入道從道入非道若很齊盡入若以婬心乃至入如毛頭波羅
夷方便而不入偷蘭遮 乃至共畜生 可行婬處者是也是中比丘以婬意向人非人畜生
男女三處二處行不淨初入便犯有隔無隔四句亦爾若睡眠若死形未壞多未壞
亦爾若為怨家將至人女令入三處三時中隨一時受樂者犯有隔無隔亦爾乃至男子
亦爾乃至死形多未壞亦爾若為怨家強捉比丘道中行不淨隨三時中受樂者犯乃
至有隔無隔亦爾若死半壞及骨間等中犯偷蘭遮若道作道想若道疑
若道非道想一切波羅夷非道道想及疑偷蘭遮 是比丘波羅夷 譬如斷人頭不可
復起比丘亦復如是犯此法者不成比丘故名也比丘尼波羅夷式叉摩那沙彌沙彌尼突吉羅
滅擯不犯者若睡眠無所覺知不受樂一切無有婬意癡狂心亂痛惱所纏 不共住 有二
共住同一羯磨同一說戒不得於是二事中住故 二盜戒緣
爾時佛在羅閱城耆闍崛山有檀尼迦比丘在閑淨處止一草屋後為人將作薪持去便作
全成赤色瓦屋為佛呵責勅使比丘打破便至王守材人所詐宣王勅取要材持去為王
臣人民比丘呵責世尊因呵制戒 若比丘 比丘義如上 若在村落 村有四種一者周匝垣牆
二者柵籬三者籬牆不周四者四周有屋 若閑淨處 村外閑淨地是也處有多地若
地上處若乘處若擔若虛空若上若村若阿蘭若處若田若處所若船若水處
若私度關塞不輸稅若取他寄信物若取水若楊枝若園樹菓草木無足衆生
二足四足多足若同財若要若同若守若遮要道等是也 不與物 他不捨也若他物想
他護想有主想非己物非暫用非同意故 盜心取 賊心取也有五種黑闇心邪心曲戾心恐
怯心常有盜他物心又五種取法苦取恐怯取寄物取見便便取倚托取或依觀厚強力若以
言辯誑說或而取 隨不與取法 王法若取五錢若直五錢物應死佛隨王法制 若為王
得自在不屬人 大臣 種種大臣輔左右也 所捉若殺若縛若驅出國汝是賊汝癡

他護想有主想非己物非暫用非同意故盜心取 賊心取也有五種黑闇心邪心曲戾心恐
怖心常有盜他物心又五種取法窃取恐怯取寄物取見便便取倚托取或依親厚強力若以
言辞辯說誑惑而取 隨不與取法 王法若取五錢若直五錢物應死擯遣主治罰若為王
得自在不屬人大臣 種種大臣輔左王也 所捉若殺若縛若驅出國汝是賊汝癡
汝無所知是比丘波羅夷 若方便教人取五錢得者犯賊五錢偷蘭遮若雖教所教手不
相應亦犯有主想取五錢若過者犯重有主疑偷蘭无主有主想若疑亦偷蘭遮若減
五錢相當心境偷蘭遮不當者突吉羅下四眾以前犯不犯者与想取之有想稟掃想
暫取親厚意是不共住 如上說 三殺人戒緣
佛在毗舍離与諸比丘說不淨觀彼習定覺厭患身命嘆死勸死讚死有雜提比丘受
雇衣鉢便斷他命被魔惑已日殺六十人為諸居士譏嫌佛知此事便說數息觀已志比丘
脩獲果證佛如前呵已制戒若比丘故自手斷 殺者若自殺若教嘆若遣使殺若往
来使殺若重使殺若展轉使殺若求男子殺若教人求男子殺若求持刀人殺若教
求持刀人殺若口說若身現相身口俱現相若遣書若教遣書若坑陷若倚撥若
与藥若安殺具人命 從初識至後識而斷其命 持刀与人嘆譽死快勸死咄
男子用此惡活為寧死不生作如是思惟種種方便嘆譽死快勸死是
是比丘波羅夷 若比丘如上殺法及餘方便死者犯重二方便不死偷蘭若天龍鬼神二為生中
有解人語者若有變形者二方便求殺者偷蘭遮不能變形者吉羅下四眾如前說不犯者若
悞若扶病人无害心而死者不共住 如上解 四大妄語戒緣
佛在毗舍離時世穀貴乞食難得集僧告言當隨同師親友安居諸在婆求河邊安居者
便共稱讚得上人法誑信居士減食分施与安居竟攝衣持鉢往至佛所為聖慰問二
眾餘覺呵制若比丘實无所知 謂實无知見 自稱言 自稱說有信戒施聞智慧辯
上人法 人法者人陰人界人入上人法者諸法出要成就若得善果自言念在身若正憶念
若持戒若少欲若不殺遂若精進若得定若正受若有道若脩若惠若見我已入
聖智勝法我知是我見是彼於異時若問若不問欲自清淨故作是
說我實不知不見言知言見虛誑妄語除增上慢 時有比丘慢心自謂得道
後便真說諸比丘白佛佛言增上慢人不犯是比丘波羅夷 若如是虛向人說前人知者
波羅夷不知者偷蘭若遣手印遣使若書若作知相者亦尔若不能變形畜生向說得
吉羅若實得道向不同意比丘說吉羅下四眾如前說不犯者增上慢業報得不言我
得獻嘆說度之說解處說欲說此錯說彼不共住 如上說 諸大德我已說四波羅
夷法若比丘犯一一波羅夷法不得与諸比丘共住如前後亦如是是
比丘得波羅夷罪不應共住今問諸大德是中清淨不 如是三說
諸大德是中清淨嘿然故是事如是持 諸大德是十三僧伽婆尸沙
法半月半月說戒經中來 華 故弄出不淨戒緣
佛在舍衛城有迦留陀夷比丘欲意熾盛身色憔悴隨所憶念弄失精於地施數具飲食

BD01927 號　四分律比丘含注戒本　　（21–3）

比丘得波羅夷罪，不應共住。今問諸大德，是中清淨不？如是三說
諸大德，是中清淨，默然故，是事如是持。　諸大德，是十三僧伽婆尸沙
法，半月半月說，戒經中來。
一故弄出不淨戒緣
佛遊舍衛城，有迦留陀夷比丘欲意熾盛，身色憔悴，獨處一房，好床褥被地敷具飲食
豐足，隨念作失，諸根悅豫，顏色光澤。諸比丘舉過白佛，便無數呵責已，制此戒也。若比丘
故弄 實心故作 陰 前境有六，謂於內色、外色、內外色、若水、若風、若空，隨方便出明犯 失
精，除夢中。佛言亂意睡眠有五過失：一者惡夢，二者諸天不護，三者心不入法，四者不
思惟明相，五者於夢中失精。善意睡眠有五功德，即反上句。僧伽婆尸沙。若方便作不
失，偷蘭。比丘自相教，若失，犯偷蘭，不失，吉羅。尼波逸提。三眾吉羅。不犯者，一切不作精進
二觸女人戒緣
佛在舍衛國時，迦留陀夷以佛制前戒，故便在門外伺諸婦女，將至房中
手捉捫摸。樂者便笑，不樂者嗔罵呵責。諸比丘舉過呵責，往白世尊，便佛集僧制戒
若比丘婬欲意 染污心 與女人 覺觸新死，少分壞，四種也 身 從髮至足 相觸 若
捉摩重摩，或牽推，或逆摩順摩，或舉或下，捉或捺。若餘觸方便 若捉手，若捉
髮，若觸一一身分者，僧伽婆尸沙。若比丘往觸四種女，但著犯僧殘。若女來觸，比丘
動身受樂亦同犯。若不動身，吉羅。若先有染心，偷蘭。手有衣相觸偷蘭，俱有衣吉羅
若與二形相觸，偷蘭。若欲心觸男子，或衣鉢坐具，乃至自觸身，及以畜生，一切突吉羅。尼
波羅夷，下三眾吉羅。不犯者，有所取與，戲笑相解等是。　三與女人麤語戒緣
佛在舍衛國時，迦留陀夷以聞佛制前二戒，故便將諸婦女入房中，以欲心向彼麤惡語說
比丘舉過白佛，因制此戒。若比丘婬欲意與女人 人女有智，命根不斷 麤惡婬欲語 麤
惡者，非梵行婬欲語。若稱說二道好惡，若求若教他求，若問若答，若解若說，若教
若罵。求者，言與我二道。作如是事，若復作餘語，次第如是解。若隨麤惡婬欲
語，僧伽婆尸沙。若一反麤語，僧殘。隨語多少說，句了了者二僧殘，不了了偷蘭。若與
畫印遣使作相令彼女知，僧殘，不知偷蘭。除大小便道說餘處好惡，偷蘭。與非人女
黃門二形麤語，知者偷蘭，畜生不能言者，向男子麤語，一切吉羅。尼偷蘭，下三眾吉羅
乃至下戒亦爾。不犯者，為說不淨觀，若毗尼受經問答，無欲心故也。　四歎身索
婬欲供養戒緣　佛在舍衛國時，迦留陀夷以聞佛前制三戒，故便門外伺諸婦女，將入
房，自讚歎身：汝可持欲供養。諸女呵嫌，比丘舉過白佛，因制此戒。若比丘婬欲意
於女人前 女人如上 自歎身 歎身端正好顏色，我是剎帝利、長者、居士、婆羅門種
言：大姊，我修梵行 勤修離穢濁也 持戒精進 不缺不穿，漏無染污也 修善法
樂閑淨處，時到乞食，著糞掃衣，作餘食法不食，一坐食、一摶食，塚間坐、露坐、樹下坐
常坐、隨坐，持三衣，唄嘆，多聞，能說法，持毗尼，坐禪。 可持此婬欲法供養我，如是供
養第一最 僧伽婆尸沙 若作如上自歎已，供養我來，不說婬欲，偷蘭。餘境雜
犯如前戒說。不犯者，若比丘語女人言：此處妙尊最上，比丘精進持戒修善法，汝等應以身口

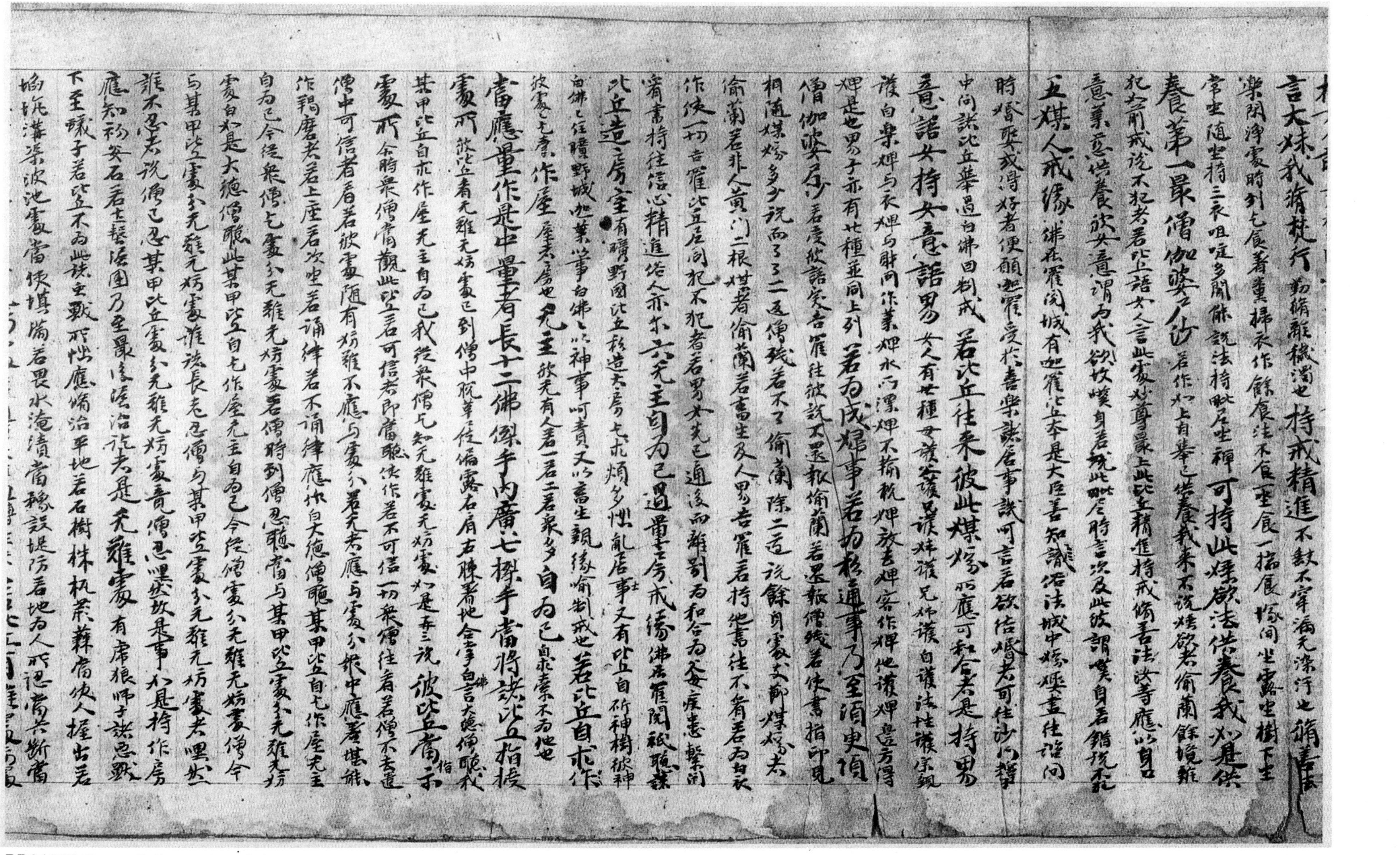
言大妹我循梵行勤脩離穢濁也持戒精進不缺不穿漏无涂汙也脩善法
樂閑淨處時到乞食著糞掃衣作餘食法不食一坐食一揣食塚間坐露坐樹下坐
常坐隨坐持三衣唄喧多聞能說法持毗尼坐禪可持此婬欲法供養我如是供
養第一最僧伽婆尸沙若作如上自歎已供養我來不說婬欲若偷蘭餘境非
犯大前戒說不犯者若比丘語女人言此處妙尊最上此比丘精進持戒脩善法汝等應以身口
意業慈供養汝女意謂為我欲故嘆身若錯說不犯
五媒人戒緣佛在羅閱城有迦羅比丘本是大臣善知識俗法城中婚娶盡往諮問
時婚娶或得好者便願迦羅受於喜樂謗者事訟呵言若欲結婚者可往沙門釋
中問訟比丘舉過白佛因制戒若比丘往來彼此媒嫁所應可和合者是持男
意語女持女意語男女人有廿種母護父護兄弟護姊妹護自護法護姓護宗親
護自樂婢與衣婢與賃同作業婢水所漂婢不輸稅婢放去婢客作婢他護婢邊方得
婢是也男子亦有廿種並同上列若為成婦事若為私通事乃至須臾頃
僧伽婆尸沙若受彼語往彼說不還報偷蘭若還報僧殘若使書指印現
相隨媒嫁多少說而了了二返僧殘若不了偷蘭除二返說餘自處文節媒嫁者
偷蘭若非人黃門二根媒者偷蘭若畜生及人男吉羅若持他書往不看者不犯白衣
作使一切吉羅比丘尼同犯不犯者若男女先已通後而離別而和合為父母病患繫閉
濟書持往信心精進俗人亦不六无主自為己過量房戒緣佛在羅閱祇聽諸
比丘造房室有曠野國比丘私造大房乞求煩多惱亂居士又有比丘自斫神樹欲神
白佛佛往曠野城也業以事白佛以神事呵責又以畜生親緣喻制戒也若比丘自求作
彼處乞索作屋屋者房也无主欲无有人若一若二若衆多自為己自求索不為他也
當應量作是中量者長十二佛搩手內廣七搩手當將諸比丘指授
處所欲比丘看无難无妨處已到僧中脫革屣偏露右肩右膝著地合掌白言大德僧聽我
某甲比丘自求作屋无主自為己我從衆僧乞知无難處无妨處如是第三說彼比丘當示指
處所今時衆僧當觀此比丘若可信者即當聽佐作若不可信一切衆僧往看若僧不去遣
僧中可信者看若彼處有妨難不應與處分若无者應與處分衆中應差堪能
作羯磨者若上座若次坐若誦律若不誦律應作白大德僧聽某甲比丘自乞作屋无主
自為己今從衆僧乞處分无難无妨處若僧時到僧忍聽當與某甲比丘處分无難无妨
處白如是大德僧聽此某甲比丘自乞作屋无主自為己今從僧處分无難无妨處僧今
與某甲比丘處分无難无妨處誰諸長老忍僧與某甲比丘處分无難无妨處者嘿然
誰不忍者說僧已忍某甲比丘處分无難无妨處竟僧忍嘿然故是事如是持作房
應知初安石若壇若擊石乃至泥治說者是无難處有虎狼師子諸惡獸
下至蟻子若比丘不在此諸惡獸所惱應治平地若石樹株杌荊棘當使人掘出若
坳坑灘渠陂池處當使填滿若畏水淹漬當豫設堤防若地為人所認當共斷當

BD01927號　四分律比丘含注戒本　（21–5）

應知彩安石若土墼塼瓦乃至[illegible]
下至蟻子若比丘不為此妨處所妨處應治平地若石樹株枳棘藂當使人掘出若
坳坑溝渠陂池處當使填滿若畏水淹漬當豫設堤防若地為人所認當共斷當
無使他有語是為難處 無妨處 若通草木車迴轉往來 若比丘有難處妨處
自求作屋無主自為己不將諸比丘指示處所若過量作者僧伽婆尸沙
不處分過量二僧殘 乘有無者有者犯使他作成亦不為他作成者二偷蘭 二者罷 若以繩拼
地作度教若過量作者犯或不果報又問知法者並犯比丘尼偷蘭不犯者如量作減量作僧
處分無難處無妨處知法拼作若為僧為佛為講堂草菴葉菴小容身屋若作多人
住屋知法者 七有主為己不處分造房戒緣 佛在拘睒彌國時填王為尊夫
闡陀造屋便斫路中神樹多人止息者俗人呵已諸比丘舉過白佛佛呵已若斫神樹吉羅
便制此戒 若比丘欲作大房 大者多用財物作房者屋 有主若一若二若眾多人
為己作 自為己身作 當將餘比丘指授處所 彼比丘知上知已應至僧中禮上座足等
已從僧三乞文同於上以有主為異 彼比丘應指授處所 眾僧應觀察彼人有信有
智慧即信彼為羯磨若不信者如上進止為羯磨文唯前 無難處 師子羆熊等若不
為彼所燒者應如上平治乃至畏識識認應先斷了 無妨處 中間容草車迴轉去 若
比丘有難處有妨處作大房有主為己作不將餘比丘往指授處所
僧伽婆尸沙 餘有 通如前戒准無量為異 八無根波羅夷謗戒緣
佛在羅閱祇耆闍崛山中時沓婆摩羅子已為僧知事佛讚第一時慈地比丘眾中得惡房明
差請又得惡食便令妹尼慈地對佛重謗問承自言已諸比丘呵已舉過白佛因制此戒
若比丘瞋恚所覆故 有十惡瞋恚法因緣故瞋 十事中以一一生瞋 非波羅夷比丘以無
根波羅夷法謗 根者有三根見根聞根疑根見根者實見犯梵行見偷五錢見
斷人命若他見從彼聞是為見根聞根者聞犯梵行聞偷五錢五聞斷人命聞自言得上人
法若彼說從聞是為聞根疑根者有二種生疑從見生者若見与婦女人入林出林無衣
裸形男根不淨惡身手捉刀血汙与惡知識為伴從聞生疑者若在闇地若聞床聲
若聞草褥轉側聲若聞身動聲若聞共語聲若交會語聲若聞犯梵行聲
若聞言我偷五錢聲若聞言我殺人若聞言我得上人法除此三根已更以餘法謗者
是謂無根也 欲壞彼清淨行 謂言眾僧滅擯此人我得安樂住 若於異時若
問若不問 佛勅諸比丘問能謗者言此事實不若以無根法謗他獲大重罪 知此事
無根說 彼比丘言沓婆清淨人無如是事 我瞋恚故作是語 猶前得惡房惡
食瞋恨故便謗彼耳 若比丘作是語者僧伽婆尸沙 若以無根四事謗說而了了
僧殘不了了偷蘭若書使知相了了不了了亦亦若以十三難事謗者亦亦除此非比丘法更
以餘無根法謗隨前所犯若謗比丘尼亦同僧犯下眾者突吉羅尼犯僧殘不犯者三
根說實戲咲說若疾疾說獨說淨處說錯說等也 九假根波羅夷謗戒緣
佛在羅閱祇時慈地比丘從耆闍崛山下見羺羊共母羊行婬便言即此羺羊即是沓婆比丘

BD01927 號　四分律比丘含注戒本　（21–6）

問若不問 佛知故問比丘言汝言此事實不……
無根說 彼比丘言沓婆清淨人無如是事我瞋恚故作是語 猶前得惡房惡
食瞋恨故便謗彼耳 若比丘作是語者僧伽婆尸沙 若以無根四事謗說而了了
僧殘不了了偷蘭若書使知相了了不了了亦爾若以十三難事謗者亦爾除此非比丘法更
以餘無根法謗隨前所犯若謗比丘尼亦同僧犯下衆者突吉羅尼犯僧殘不犯者三
根說實戲笑說若疾疾說獨說淨處說錯說等也 九假根謗戒緣
佛在羅閱祇時慈地比丘從耆闍崛山下見羖羊共母羊行婬便言即此羖羊即是沓婆比丘
母羊即是慈地比丘尼便語諸比丘我今親見諸比丘詰問已便以此事白佛制戒 若比丘以
瞋恚故 於上說 於異分事中取片 異分者異罪若異趣異人若本名字時若假嚮
非波羅夷比丘以無根波羅夷法謗欲壞彼清淨行彼於異時若問
若不問知是以異分事中取片是比丘自言我瞋恚故作是語者僧伽婆
尸沙 餘相同通並同前戒 十破僧違諫戒緣 佛在彌尼捜國度八釋子已還語
占波國並得增上地唯提婆達得神足證佛還羅閱祇時提婆教王害父事既發覺惡名流布
利養斷絕便欲別衆食而佛呵責因即破僧舉過設諫制此戒 若比丘欲壞和合 一羯磨
同說戒也 僧 四比丘若五若十乃至無數 方便受壞和合僧法堅持不捨 破者
破有十八事法非法非律非律犯不犯若輕若重有殘無殘麁惡非麁惡常所行非常所行制非制
說非說住破僧法者即住此十八事是也 彼比丘應諫是比丘言大德莫壞和合僧
莫方便壞和合僧莫受壞僧法堅持不捨大德應與僧和合和合歡喜
不諍同一師學如水乳合於佛法中有增益安樂住 應語可捨此事莫令僧
作呵諫而犯重罪若用語者善若不用語復令餘比丘比丘尼優婆塞優婆夷 王若大臣種
異道沙門婆羅門求若餘方比丘聞知其人信用言者應來 是比丘如是諫時堅持
不捨彼比丘應三諫捨此事故乃至三諫捨者善 彼比丘作白已應更求乃至一
羯磨二羯磨亦不不捨者僧伽婆尸沙 白二竟捨三偷蘭乃至白竟捨者二偷蘭白未
竟捨者吉羅一切未白前受破僧法堅持不捨並吉羅比丘尼僧殘不犯者初諫便捨若五便
非羯磨作呵諫非法非律非佛所教若破惡友知識若欲破僧者一若作非法者若為
僧塔和上知識作損減破者不犯 十一助破僧違諫戒緣 佛在羅閱祇時提婆達
收執此五法盡形受乞食著糞掃衣露地不食蘇鹽魚及肉教諸比丘衆僧諫時伴黨比丘助
破諫僧比丘舉過白佛設制戒也 若比丘伴黨 若四若過四有二種順從者以法教授增戒增心
增慧諷誦承受衣食順從者給與衣鉢飲食牀臥具病瘦醫藥 若一若二若三
乃至無數 助伴黨語比丘若一二三衆多 彼比丘語是比丘言大德莫諫此比丘此比
丘是法語比丘律語比丘此比丘所說我等喜樂此比丘所說我等忍可 彼比丘
應諫是比丘言大德莫作是說言此比丘是法語比丘律語比丘此比丘所說我
等喜樂此比丘所說我等忍可 然此比丘非法語比丘非律語比丘 大德莫欲
壞和合僧汝等當樂欲和合僧大德與僧和合歡喜不諍同一師學

乃至无數 助伴僧語比丘若一二三衆多彼比丘……
是法語比丘律語比丘此比丘所說我等喜樂此比丘所說我等忍可彼比丘
應諫是比丘言大德莫作是說言此比丘是法語比丘律語比丘此比丘所說我
等喜樂此比丘所說我等忍可然此比丘非法語比丘律語比丘大德莫欲
懷和合僧汝等當樂欲和合僧大德與僧和合歡喜不諍同一師學
如水乳合於佛法中有增益安樂住是比丘如是諫時堅持不捨彼比丘應
三諫捨是事故乃至三諫捨者善不捨者僧伽婆尸沙 釋相如上
十二汙家擯謗違諫戒第 佛在舍衛國時阿濕婆及富那婆娑在羇連聚落行惡行
汙他家比丘衆遣白佛便令舍利弗目連往彼擯羯磨當作法時謗僧不受以過白佛遂訶諫結戒
若比丘依聚落 村有四種如上 若城邑住 處王也 汙他家 家者有男女汙他家者有
四事一依家汙家從一家得物與一家所得物處聞之不喜所與物處思當報恩即作是言
若有與我當報之若不與我者我何故與 二者依利養汙家若比丘如法得利乃至鉢中之餘
或與一居士不與一居士彼得者即生此念當報其恩若不與我我何故與 三者依親友汙家
若比丘依王若大臣或為一居士不為一居士所為者即思報恩其不為我者我當供養不為我者我
不供養 四者依僧伽藍汙家若比丘取僧華菓與一居士不與一居士彼得者思當供養不與我
者我不供養 行惡行 彼比丘作如是非法行自種華樹自溉灌自摘華自作華鬘自以
綖貫若鬘自持華自持華鬘與人若復教人作如上事若彼村落中有婦女若童女共同
一牀坐起同一器飲食言語戲笑或自歌舞倡伎或他作己唱和或俳說或彈鼓簧吹唄作
衆鳥鳴或走或跛行或嘯或自作弄身或受雇戲笑是名行惡行 汙他家亦見
亦聞行惡行亦見亦聞 時有衆多比丘於彼遊行止宿晨朝著衣持盋入村乞食法服
齊整行步庠序低目直前不左右顧視以次乞食諸居士見已自相謂言此是何人低目而行
不左右顧視亦不言笑亦不周接善言問訊我等不應與其飲食我等向濕婆二人與人周接
反上所言應與飲食供養彼於羇連乞食困乏乃得之往至佛所問言住止安樂不衆僧和合
不不以飲食為苦耶彼具白佛使遣呵設擯言 諸比丘當語是比丘言大德汙他家
行惡行汙他家亦見亦聞行惡行亦見亦聞大德汝等汙他家行惡
行今可遠此聚落去不須住此 時舍利弗為諸居士說法令得信樂食訖集
僧為彼比丘作舉作憶念作憶念已與罪 如上作羯磨已驅出聚落當作法時二比丘謗僧
言更有餘同犯罪比丘不驅而獨驅我便作是言 是比丘語彼比丘作如是語大德諸
比丘有愛有恚有怖有癡有如是同罪比丘有驅者有不驅者 時舍利弗還白世尊
具陳謗事佛使遣呵令設諫言 諸比丘報言大德莫作是語有愛有恚有怖
有癡有如是同罪比丘有驅者有不驅者而諸比丘不愛不恚不怖不癡
大德汙他家行惡行汙他家亦見亦聞行惡行亦見亦聞是比丘如是諫時
堅持不捨彼比丘應三諫捨此事故乃至三諫捨者善不捨者僧伽婆尸沙
若未白前言僧有愛恚怖癡突吉羅若不看書持往及為白衣信使一切突吉羅尼同僧犯不梨

見諫謗事佛使遮呵令誤諫言　諸比丘報言大德莫作是語有愛有恚有怖
有癡有如是同罪比丘有驅者有不驅者而諸比丘不愛不恚不怖不癡
大德汙他家行惡行汙他家亦見亦聞行惡行亦見亦聞是比丘如是諫時
堅持不捨彼比丘應三諫捨此事故乃至三諫捨者善不捨者僧伽婆尸沙
若未白前言僧有愛恚怖癡突吉羅若不看書持往及為白衣信使一切突吉羅尼同僧犯不犯
初語時捨非法呵諫若與父母與病人與小兒與任身人與牢獄繫人與寺中客作者是及種花樹
自取花乃至教人貫花持供養佛法僧者一切不犯若人欲打被賊虎狼恐怖之難處若擔刺來
於中走避者不犯若度河溝渠坑跳躑者不犯若同伴在後還顧不見而嘯喚不犯若為父母若為
病人若閉牢獄若為請信優婆塞有病繫獄看書持往若為塔僧病比丘事開持書往反
十三惡性拒僧違諫戒緣　佛在拘睒彌國時尊者闡陀惡性不受人語諸比丘設諫
違拒反言我應教諸大德何以故我聖主得正覺故并說水風二譬比丘呵責舉過白佛
便設諫制戒　若比丘惡性不受人語 不忍不受人教誨也 於戒法中 戒律如法教授
者有七犯聚波羅夷僧伽婆尸沙波逸提波羅提提舍尼偷蘭遮突吉羅惡說　諸比丘
如法諫已 如法如律如佛所教 自身作不受諫語言諸大德莫向我說若好
若惡我亦不向諸大德說若好若惡諸大德且止莫諫我彼比丘諫是
比丘言大德莫自身不受諫語大德自身當受諫語大德如法諫
諸比丘諸比丘亦當如法諫大德如是佛弟子眾得增益展轉相諫展轉
相教展轉懺悔是比丘如是諫時堅持不捨彼比丘應三諫捨是事
故乃至三諫捨者善不捨者僧伽婆尸沙 若未白前惡性不受人語一切突吉羅尼偷蘭犯
不犯者若初諫便捨非法呵諫非法非律非佛所說者若无智人呵諫時語彼言汝和尚阿闍梨
所行亦尔汝可更學問誦經若其事如是若錯說者
諸大德我已說十三僧伽婆尸沙法九初犯四乃至三諫若比丘犯一一法知而
覆藏應強與波利婆沙行波利婆沙竟增上與六夜摩那埵行
摩那埵已應與出罪法應廿僧中出是比丘罪若少一人不滿廿眾出
是比丘罪是比丘罪不得除諸比丘亦可呵此是時今問諸大德是中清
淨不 三說　諸大德是中清淨默然故是事如是持　諸大德是二不定
法半月半月說戒經中來　屏處不定戒緣　佛在舍衛國時迦留陀夷先白衣
時有親友婦名齋優婆夷俱並端正各有繫意迦留陀夷時到詣彼家與共獨屏
覆坐說非法語時毗舍佉母瞯見疾往白佛因呵制戒　若比丘共女人 女有未命終 獨
一比丘一女人 在屏處 有二種一者見屏若塵若霧若黑闇中不相見也二聞屏者乃至常
語不聞聲處　覆處 上有物作蓋也　障處 若樹若牆壁若籬若衣若餘物障也
可作婬處 得容行婬處　坐說非法語 說婬欲法者　有住信優婆夷 私信
佛法僧歸依佛法僧不殺不盜不邪婬不妄語不飲酒善憶持事不錯所說真實
而不虛妄　於三法中一一法說若波羅夷若僧伽婆尸沙若波逸提是

BD01927號　四分律比丘含注戒本　（21–9）

語不聞聲處。覆處，上有物作蓋也。鄣處，若樹若墻壁若籬若衣若餘物鄣也。
可作婬處，得容行婬處。坐說非法語，說婬欲法。有住信優婆私，信
佛法僧，歸依佛法僧，不煞不盜不邪婬不妄語不飲酒，善憶持事不錯，所說真實
而不虛妄。於三法中一一法說，若波羅夷，若僧伽婆尸沙，若波逸提。是
坐比丘自言我犯是罪，於三法中應一一治，若波羅夷，若僧伽婆尸沙，
若波逸提，如信優婆私所說，應如法治。是比丘是名不定法。是中自言我趣向所到
處，若坐若臥，若作若不自言，並如優婆私所說治。露處不定之緣：佛在舍衛國時，
迦留陀夷亦犯此戒，緣起如前戒，但以露處二罪為異也。若比丘共女在露現處，
謂无墻壁及餘物鄣。不可作婬處，不容可婬處。坐作麁惡語，說婬欲不淨法，說
老讚嘆二道好惡也。有住信優婆私於二法中以一一法說，若僧伽婆尸沙，
若波逸提。是坐比丘自言我犯是罪事，於二法中應一一治，若僧伽婆尸沙，
若波逸提，如住信優婆私所說，應如法治。是比丘是名不定法。是中若自言所趣向處所到處，若坐若臥，或不自應如優婆私所說治。是中无定法，故言不定。諸大德，我已
說二不定法，今問諸大德，是中清淨不？三說。諸大德，是中清淨，嘿然故，是事
如是持。諸大德，是三十尼薩耆波逸提法，半月半月說，戒經中來。
一畜長衣過日戒。佛在舍衛國，久聽比丘持三衣，不得長。時六群比丘畜長衣，或早起衣，或
中時衣，或晡時衣，彼常經營莊嚴如是衣服藏舉。比丘舉過白佛，便呵已制戒，因開重制。若比丘
衣已竟，三衣也。迦絺那衣已出，謂出功德衣外。畜長衣，經十日，衣者有十種。長衣者，
長如來八指，若廣四指，是不淨施。得畜。若過十日，初制不得畜長衣，因阿難得一貴價
糞掃衣，欲以奉大迦葉，恐犯戒，白佛，以迦葉十日當還，故佛言聽畜長衣齊十日。尼薩耆波
逸提。若不得衣，若淨施，若遺與人，若失衣，若故壞，若作非衣，若作親厚意，若忘去，八門
作句，及上並尼薩耆波逸提。若捨墮衣不捨，更貿餘衣，一尼薩耆波逸提，一突吉羅。此捨墮衣
應捨與僧，若眾多人，若一人，不得别眾捨，不成捨，突吉羅。比丘尼同犯，下三眾乃至下戒並犯吉羅。
不犯者，十日若轉淨施，若遺與人，若賊奪，若失衣，取著，若他與著，若
作與被，不犯。若付衣者，若遠行，若水陸道斷，如是不淨施，不遺與人，不犯。二離衣宿戒。
佛在舍衛國時，六群比丘持衣付囑親友比丘，往人間遊行，彼受付比丘數數出衣曬之，諸比丘問言：
佛聽比丘畜三衣，不得長，此是誰衣具被？呵白佛，重責制此戒也。若比丘衣已竟，迦絺
那衣已出，乘上解。三衣中，僧伽梨、鬱多羅僧、安多會。衣者有十種，如上說。離一一衣異處
宿，不失衣者，僧伽藍內有一界；失衣者，僧伽藍裏有若干界。如是樹、塲、車、船、村、舍、堂、庫、倉界亦示
此。僧伽藍有四種，如上。樹者，與人等足蔭覆跏趺坐。塲者，於中治五穀處。車者，若車迴轉處。船界亦示
村者有四種，云如多敬露。庫者，積藏諸車乘輦輿賣之物。倉者，藏積米穀。阿蘭若
者，无界，八樹中間，一一樹間七弓，弓長四肘量也。僧伽藍界，命難、梵行難，若不捨衣，乃至不至擲石所及
處不犯。三月望衣過限戒。佛在舍衛國，有比丘僧伽梨故爛壞，故占聞更不能辦。
佛言聽畜長，為乃至滿足故。時六群比丘聞者，不足衣浣染點淨已寄人遊行。諸比丘舉過白

村者有四種　舍者多敞露　庫者積藏諸車乘輦輿財寶之物　倉者藏積米穀　河蘭若
者无界八樹中間一一相去七弓弓長四肘量也　僧伽藍界　命難梵行難　若不捨衣乃至不至擲石所及
處不犯　三月望衣過限戒　佛在舍衛國有比丘僧伽梨故爛壞故古間更不能辦
佛言聽畜長衣乃至滿足故　時六群比丘取同者不足衣浣染點淨已寄人遊行　諸比丘舉過白
佛　佛訶責制戒　若比丘衣已竟迦絺那衣已出　若比丘得非時衣　時者无迦絺
那衣自恣後一月　若有迦絺那衣自恣後五月　非時者若過此限　若　欲須便受　受已疾疾成
衣若足者善　若十日中同衣足者　裁割緣縫若從作衣若淨施若與人　若不裁割　如上者至
十日　隨衣多少至犯捨墮　若不足者得畜一月為滿足故　非彼僧伽藍界　亦非彼樹界　乃
至庫藏倉界亦如是　餘者作句亦如是　僧伽藍界者在僧伽藍邊一中人若用石若塼擲所及處
是名界　乃至庫界亦亦　若比丘置衣在僧伽藍中乃至在樹下宿　明相未出若捨衣若手捉衣
若至擲石所及處　若不捨衣若不至擲石所及處　明相出　隨所離衣宿　尼薩耆波逸提
除僧羯磨　時有比丘得乾痟病　糞掃僧伽梨衣極重　有因緣事人間遊行　不堪持行　以事
白佛　佛令三乞　乞已僧與白二羯磨　尼薩耆波逸提　除三衣　離餘衣者突吉羅　比丘尼同犯　不犯者
僧與作羯磨　明相未出　若手捉衣　若至擲石所及處　若奪想　若失想　若水道斷　道路難
若惡獸　若強力者所執　或若同衣不足至十日同衣足即十日應如上作　違者至十日隨衣並犯乃至
卅九日亦亦　卅日若足不足同衣不同即日至如上法　若過　尼薩耆波逸提　比丘尼同犯　不犯者
十日內同足作　乃至卅日作衣　餘有因緣至同長衣戒　四取非親尼衣戒　佛在羅閱城
時蓮花色比丘尼自持食往耆闍崛山與諸上座　時有比丘著弊故補納僧伽梨　彼尼見已
即脫自所著貴價者共換　換已著弊衣往佛所　為佛堪問　訶彼比丘因制戒　若比丘
從非親里比丘尼　非親里者　父母親里乃至七世非親里　何以故　若非親里亦不籌量可
取不可取　親里者　父母親里乃至七世有親也　若是親里籌量知有无可取不可取　若好若
惡若新若故　取衣　有十種如上　放比丘尼著故弊衣具白世尊　佛言　汝不應如是　聽畜五衣
完堅者　餘衣隨意淨施若與人　何以故　婦人著上衣服猶上不好　何況弊衣　除貿易　時二
部僧得施衣共分　二部錯得　佛言聽貿衣　貿易者　佛言　以衣貿衣　若非衣以非衣貿
衣　或若以鍼　若筒　若刀　若線　若小小物乃至一丸藥貿衣者是　尼薩耆波逸提
比丘尼突吉羅　不犯者　從親里比丘尼邊取衣　若貿易　為僧為佛圖取者不犯　五使
非親里尼浣故衣戒　佛在舍衛國　時尊者迦留陀夷　偷蘭難陀比丘尼各相顧
已俱有繫意　後便與露形而坐　口守失不淨　汙安陀會　令尼浣之　諸比丘以過白佛　因呵而
制戒也　若比丘令非親里　如上說　比丘尼　若非親又式叉尼沙彌尼浣染打故衣突吉羅　浣
故衣若染若打　故衣者下至一經身著衣者　十種如上說　若以雜衣浣染打者突吉羅　尼
薩耆波逸提　若語使浣染打彼若為者　三尼薩耆波逸提　不為者隨有吉羅　尼犯吉羅
不犯者　若病時使浣打　若為僧佛圖　若借他衣浣不犯　六親俗人乞衣戒　佛在舍衛國
時有長者入祇桓中　在跋難陀前坐聽法　便從索所著衣　便與已　著衣入城　為守門者
怪問　云祇桓中被賊　俗人譏嫌　比丘呵責　以過白佛　便制戒　若比丘從非親里居士居士婦

故衣若染若打 故衣者下至一經身著衣者十種如上說若以新衣浣染打者突吉羅 尼
薩耆波逸提 若浣使浣染打彼若為三者三尼薩耆波逸提不為者隨有吉羅尼犯吉羅
不犯者若病時使浣打若為僧佛塔若借他衣浣不犯 六親俗人乞衣戒 佛在舍衛國
時有長者入祇桓中在跋難陀前坐聽法使從索所著衣便脱与已著一衣入城為守門者
恠問云祇桓中被賊俗人譏嫌比丘呵責過白佛便制戒 若比丘從非親里居士、
婦乞衣 釋文如上 除餘時尼薩耆波逸提 比丘尼同犯也 餘時者若比丘奪衣
時謂比丘被賊剥衣裸形而行至祇桓佛言不應尒得突吉羅若不尒者當以軟草樹葉
覆形應往寺邊邊若取長衣若知友邊取若無者僧中問取可分衣若無者問取僧衣
卧具以若不与者自開庫看若褥敷氈被褥拆取裁作衣覆形出外乞食若得
衣已應還浣染縫治安著本處若不還本處如法治 失衣燒衣漂衣 緣同上
是謂餘時 不犯者若奪失因緣從非親里乞若從親里乞若從同出家人乞或為他
乞他為己乞或不求而得不犯 七過分取衣戒 佛在舍衛國有衆多比丘遇賊失衣來到
祇桓舍有優婆塞聞之多持好衣而來与之諸比丘言止便為供養已我等自有三衣不須
六群比丘令取与我比丘擧過白佛制戒 若比丘失衣奪衣燒衣漂衣 若失一衣不應取
若失二衣餘一衣若二重三重四重應攝作 若僧伽梨若鬱多羅僧若安多會
若非親里居士、婦 義如上解 自恣請多与衣 若自恣多与衣者若衣細若薄若不牢
應取作二重三重四重當安緣當肩上應揲坫膩處應安紐安鈎若有餘殘語居士言此
餘殘衣作何等若檀越言我不以失衣故与我曹自与大德耳彼若欲受者便受 是
比丘當知足受衣 若三衣都失彼應知足受衣知足有二種在家人知足者隨白衣所与衣
受已出家人知足者三衣 若過者尼薩耆波逸提 比丘尼同犯不犯者若知足取衣若
減知足取若多与衣者細薄不牢若二三四重作有餘殘語知不犯 八勸居士增衣價戒
佛遊舍衛國有居士夫婦共議言跋難陀釋子是我知舊當持如是衣價買如是衣与之
乞食比丘聞已告跋難陀知彼後往居士家勸令貴大新好堅緻作俗人譏嫌比丘擧過[illegible]
若比丘居士、婦 如上說 為比丘辦衣價 若錢若金若真珠若瑠璃貝若玉石若
瓔珞若生像金衣者有十種如上 持如是衣價買如是衣与某甲比丘是比丘先不
受自恣請 若自恣問比丘須何等衣者佛言聽諸比丘少欲知足索不如上 到居士家
作如是說善哉居士為我買如是如是衣与我為好故 求有二種一者求價極
越与作大價衣求乃至增一錢十六分之一分二者求衣語居士言作是廣長衣乃至增一線也
若得衣者尼薩耆波逸提 比丘尼同犯不犯者先受自恣請而往求索知足於求中
減少作從親里求從出家人求或為他他為己若不求自得 九勸二增衣價戒 佛在舍
衛國有二居士婦各共議欲与跋難陀比丘買衣乞食比丘聞已還具以告知明彼比丘到彼二家
語令共作一衣 諸居士譏嫌 會亦諸比丘擧過白佛因呵制戒也 若比丘若二居士、婦与
比丘辦衣持如是價買如是衣与某甲比丘是比丘先不受居士自恣請到二居士
家作如是言善哉居士辦如是如是衣價与我共作一衣為好故若得衣

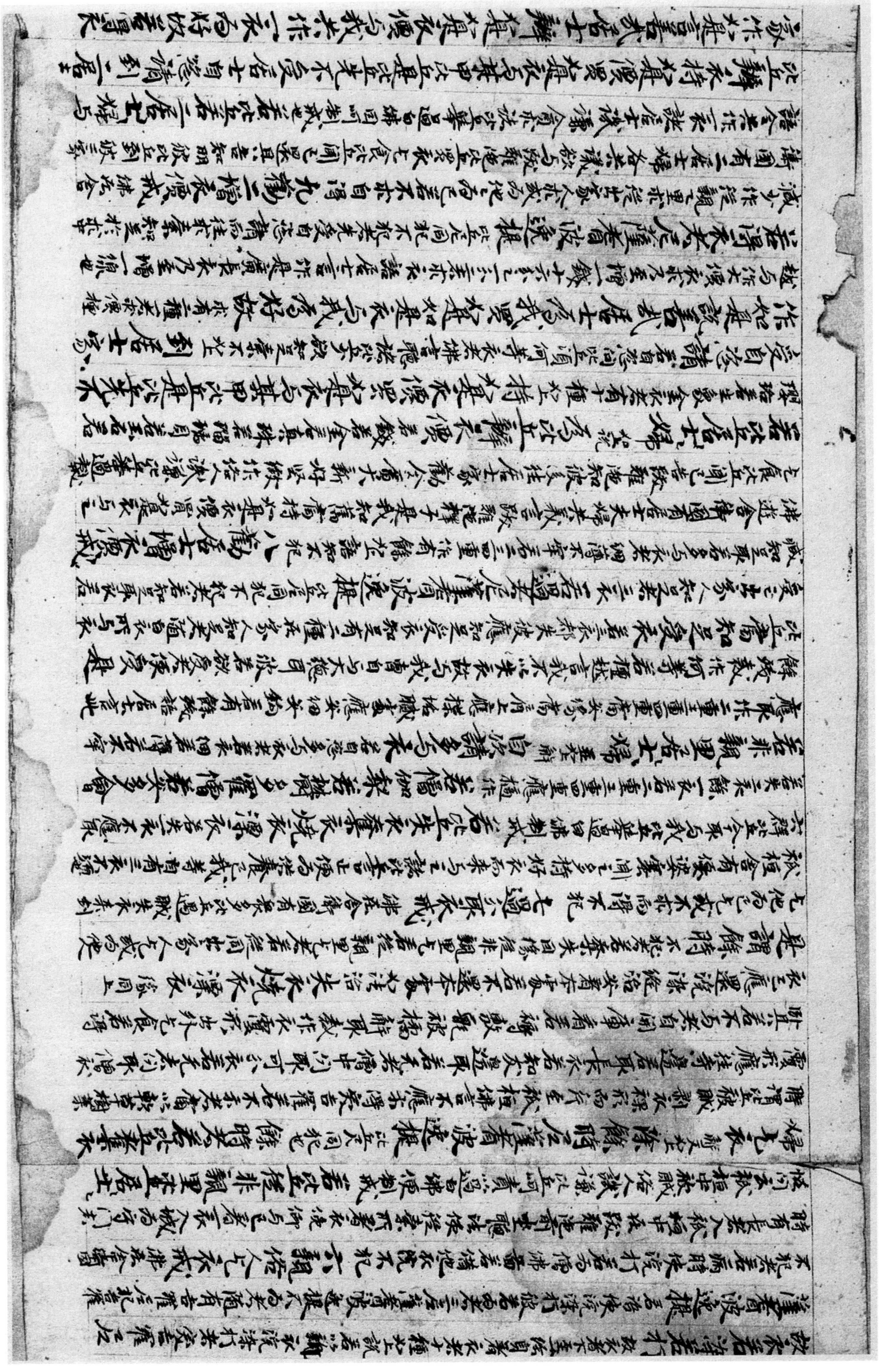

衛國有二居士婦各共議欲与跋難陀比丘買衣乞食比丘聞已還具以告知朋彼比丘到彼二家
語令共作一衣諸居士譏嫌檢亦諸比丘舉過白佛因呵制戒也 若比丘若二居士婦與
比丘辦衣持如是價買如是衣与某甲比丘是比丘先不受居士自恣請到二居士
家作如是言善哉居士辦如是如是衣價与我共作一衣為好故若得衣
者尼薩耆波逸提 戒相成犯例通如上 十過限急索衣戒 佛在舍衛城時羅閱城有
一大臣与跋難陀親厚數數往来遣使送衣價来与跋難陀彼將衣價付淨人已後因事急疾索
衣致令被罰諸居士譏嫌諸比丘舉過白佛因呵制戒 若比丘若王 得自在无所屬 若大臣
在王左右 若婆羅門 有生婆羅門也 若居士 除王大臣婆羅門諸在家者是 若居士婦
亦在家婦人 遣使為比丘送衣價 如上說 持如是衣價与某甲比丘彼使人至比丘
所語比丘言大德今為汝故送是衣價受取是比丘語彼使如是言我
不應受此衣價我若須衣合時清淨當受彼使語比丘言大德有
執事人不須衣比丘應語言有若僧伽藍民若優婆塞此是比丘執
事人常為諸比丘執事時彼使往至執事人所与衣價已還到比丘所
作如是言大德所示某甲執事人我已与衣價大德知時往彼當得衣
須衣比丘當往執事人所若二反三反為作憶念 憶念謂若執事人若在家若
在市若在作處至彼處二反三反語言我今須衣与我作衣是 應語言我須衣若
二反三反為作憶念若得衣者善若不得衣若四反五反六反在前嘿然
立 彼執事人若在家在市作處到彼前嘿然立執事人問言汝何𠋫在此比丘報言汝自知之
若彼人言我不知若有餘人知若比丘當語言彼人知之是名嘿然 若四反五反六反在前
嘿然住得衣者善 若作一反語彼二反嘿然乃至作三反語彼六反嘿然 若不得衣過
是求得衣者尼薩耆波逸提 比丘尼同僧犯 若不得衣從所得衣價處
若自往若遣使往語言汝先遣使持衣價与某甲比丘是比丘竟不
得衣汝還取莫使失此是時 不犯者若遣使遣知若欲言我不須即相布施是比丘
應以時軟語方便索衣若為作波利迦羅故与以時索軟語索方便索得 十一乞蠶綿作卧
具戒 佛在曠野國界六群索未成綿未成線至養蠶家索新雜野蠶綿卧具侍者瞻
看作聲諸居士見譏嫌言害衆生命无有正法諸比丘舉過白佛因呵制戒 若比丘雜
若毳若劫具若麻及餘縷雜 野蠶綿作卧具者尼薩耆 是中捨者若衿若
細擗斷和埿塗壁若塗墻也 波逸提 若自作教他作成者舍墮不成者吉羅為他作成亦吉羅
比丘突吉羅不犯者若得已成者斧斫和埿塗墻 十二黑毛卧具戒 佛在毗舍離時諸梨車子
多行邪婬作黑毛褥被騎夜行使人不見六群比丘見便效作之梨車譏嫌諸比丘呵責舉過
白佛因制此戒 若比丘以新純黑 若生黑或染黑 羺羊毛作新卧具者尼薩耆
波逸提 自作教他犯緣如上戒比丘尼突吉羅 不犯者若得已成者若割截壞若細薄疊作
兩重若以作褥若作方小坐具若作卧氈若作襯體氈若作剃刀囊作帽作襪作攝熱巾
又裹革屣囊一切不犯 十三白毛卧具戒 佛在舍衛國六群比丘純白毛作新卧具諸居士

多行邪婬作黑毛褥被鞍夜行使人不見六群比丘見便效作之乘車遊讌諸比丘呵責舉過
白佛因制此戒若比丘以新純黑羺羊毛作新卧具者尼薩耆
波逸提 自作教他犯捨墮比丘尼突吉羅不犯者若得已成者若割截壞若細薄疊作
兩重若以作褥若作方小坐具若作卧氈若作襯體氈或剃刀囊作帽作襪作攝熱巾
或裹革屣中一切不犯 十三白毛卧具戒 佛在舍衛國六群比丘純白毛作新卧具諸居士
譏嫌如王大臣諸比丘白佛呵責制戒若比丘作新卧具應用二分純黑羊毛三
分白 或生白或染白 四分尨 頭上毛若耳毛若脚上毛若餘尨色毛欲作卅鉢羅羊毛卧具
者廿鉢羅黑十鉢羅白十鉢羅尨乃至卅鉢羅卧具准上可知若比丘不用二分黑
三分白四分尨作新卧具者尼薩耆波逸提 若作教他為他作並同上比丘尼突
吉羅不犯者若應量作若得已成者餘同前 十四減六年卧具戒 佛在舍衛國時六群
比丘嫌卧具或重或輕或薄不捨故更作新者常營求貪蓄積眾多諸比丘舉過白佛
便呵責故制此戒若比丘作新卧具持至六年若減六年不捨故而更作新者
若自作教他為他並同前戒除僧羯磨 有比丘得乾痟病有重糞掃卧具重不堪持行佛
言當從僧乞更作新卧具眾僧當白二與 尼薩耆波逸提 尼犯吉羅不犯者僧聽
及滿六年減六年捨更作新若得已成若無他與作 十五不揲坐具戒 佛在舍衛國世
尊遣人請食常法受請後遍行諸房見故坐具處處狼藉無人收攝由諸比丘嫌薄厚輕
重不捨故更作新者佛令故者揲之具五制已六群違制比丘舉過白佛制戒 若比丘作新
具坐當取故者縱廣一磔手揲著新者上為壞色故 彼作新坐具時若故坐
具未壞未有穿孔當取浣染治壽挽令舒裁割取縱廣一磔手揲著新者上揲邊若
中央以壞色故 若作新坐具不取故者縱廣一磔手揲著新者上用壞色
故者尼薩耆波逸提 自作教他為他成犯比丘尼犯吉羅不犯者裁取故者揲新者上若
彼自無得新者更作若他為作若得已成者若純故者作 十六持羊毛過限戒 佛在舍衛國
時跋難陀羊路行多得羊毛擔負杖頭而行諸居士譏嫌言販賣羊毛耶以言此上責不
諸比丘舉過白佛呵責制戒 若比丘道路行得羊毛若無人持得自持乃至三由旬
若道行若住處得羊毛若須應取無人持自持乃至三由旬若有人者語言我有此物當助我
持乃至彼處比丘於此中間不得佑持若持吉羅若令尼四眾持過者吉羅除羊毛若持
餘衣若麻等吉羅若擔餘物朕頭吉羅 若無人持自持過三由旬者尼薩耆
波逸提 比丘尼吉羅不犯者若持至三由旬若減三由旬若有人語持中間不助擔者使尼四
眾齎三由旬若擔毳氍毹若擔頭上脚上毛作帽作攝熱巾裹革屣中者
十七使非親尼浣羊毛戒 佛在釋翅瘦迦維衛六群比丘求羊毛作具使比丘尼浣染擘時
染汙色在手往佛所禮足在一面立佛知故問呵而制戒若比丘使非親里尼比丘
浣染擘羊毛者尼薩耆波逸提 比丘尼吉羅戒犯開遍如浣故衣戒 十八畜錢寶戒
佛在羅閱城有一大臣與跋難陀親知後得好食為其留分大臣兒以五錢取食後跋難陀來使
索食錢歸置錢於地彼取錢寄市肆上為居士共譏比丘呵責王共許尼共論佛黃前可

BD01927號　四分律比丘含注戒本

十七使非親尼浣染擘羊毛戒 佛在釋翅瘦迦維羅衛國六群比丘取羊毛作使比丘尼浣染擘時
染汙色汙手往佛所禮足在一面立佛知故問呵而制戒若比丘使非親里尼比丘
浣染擘羊毛者尼薩耆波逸提 比丘尼若羅成犯開通如浣故衣戒 十八畜錢寶戒
佛在羅閱城有一大臣與跋難陀親知後得好食為其留分大臣兒以五錢取食後跋難陀來便
索食錢婦置錢於地彼取錢寄市肆上為居士共譏比丘呵責王共群臣共論佛廣讚呵
制戒若比丘自手捉錢 若金銀若教人捉若置地受者尼薩耆
是中捨者彼有信樂守園人若優婆塞當語言此是我所不應汝當知之若彼取還與
比丘者當為彼人物故受勅淨人使賣之若得淨衣鉢應持貿易受持之若彼優婆塞取
已與比丘淨衣鉢應取持之波逸提 比丘尼同犯若不語彼人知是看是處若彼不取共若
語言知是看是如上捨法若彼人不肯與衣若餘比丘當語言佛有教為淨故與應畏他物若
又不為自往語言佛教比丘作淨與汝應使語和尚知識及奉施主不欲令失彼信施故
十九貿錢寶戒 佛在羅閱祇耆闍崛山中時跋難陀往市肆上以錢易錢持去居士
譏嫌言善餘處見聞比丘聞呵責已白佛佛便制此戒若比丘種種賣買寶者 若已成金未成
金已成未成金銀亦三種錢唯一種交手相易錢者八種金銀銅鐵白鑞鉛錫錢木錢
胡膠錢八種尼薩耆波逸提 比丘尼同犯餘捨法開通廣貿方便並如前戒不犯者若
錢貿瓔珞具為佛法僧若以易錢為佛法僧者 二十販賣戒 佛在舍衛國時跋難陀
往無住處村以生薑易食食已持去舍利弗後至乞食埋越家便報言我等不應為彼跋
難陀事繳便慚愧無言又共外道博貨悔不得比丘舉過白佛制此戒若比丘種種販賣
易時非時七日盡形壽波利迦羅以衣相易乃至以衣易衣作多句 販賣者 販賣者便直一錢
數數增貴索便直一錢言直五錢買亦如是尼薩耆波逸提 比丘尼同犯不犯者
聽五種出家人共貿易應自審定不應共相高下如市道法不得與餘人貿易令淨人貿若
悔聽還若巍由相貿者 二十一畜鉢過日戒 佛在舍衛國六群比丘畜好鉢持不好者藥
置常覓好鉢畜之遂多居士往房觀看便譏似陶師瓦肆說比丘舉過佛便呵而制戒
若比丘畜長鉢 有六種鐵鉢黑鉢赤鉢蘇摩尊國鉢大要有二種鐵鉢瓦鉢大者三升
小者五升半此是鉢量如是應持應淨施不淨施 淨施不淨施相對八門如長衣戒大異得
畜十日 時阿難得貴價鉢意欲奉大迦葉以常用故十日當還思惟捨值以事白佛佛便開聽
制於十日過者尼薩耆波逸提 尼同僧犯辯相開通如長衣戒 二十二乞鉢戒 佛在
舍衛時跋難陀鉢破求眾多鉢畜諸居士一處計會乃知多受便譏嫌受施無厭受
者無足謗比丘以過白佛因呵制戒 若比丘畜鉢減五綴不漏 相去兩指間一綴也 更求新
鉢為好故 若滿五綴更求新鉢者者尼薩耆 是中捨於此住處僧中捨應往僧中捨
鉢單白受撿更說罪名種責心生慚愧離心此比丘鉢若貴好者應留置取最下不如者與之
應作白二羯磨與便作單白以鉢次第問上座持上座鉢與次座若與彼比丘如是展轉乃至下
座唯上波逸提 比丘尼同犯 彼比丘應往僧中捨展轉取最下鉢與之令持乃至
破應持此是時 僧次第以下鉢白二與彼比丘應守護此鉢不得置不好處

BD01927號　四分律比丘含注戒本　（21–15）

鉢爲好故 若滿五綴更求新鉢者吉羅 尼薩耆者 是中捨於此住處僧中捨 應往僧中捨
鉢已 單白受懺 史說罪名種 責心生厭離心 此比丘鉢若貴好者 應留置 取最下不如者与之
應作白二羯磨与 復作單白 以鉢次第問上座 持上座鉢与次座 若与彼比丘 如是展轉乃至下
座 唯上 波逸提 比丘尼同犯 彼比丘應往僧中捨 展轉取最下鉢与之 令持乃至
破 應持此是時 僧次第以下鉢白二与彼比丘 應守護此鉢 不得著瓦石落處 倚杖 倚刀
下 著懸物下 道中 石上 果樹下 不平地 不得一手捉兩鉢 除指隔中央 一手捉兩鉢 不得開戶 除
用心 不得著戶牖內 乃至肩下 若床角 除暫著 不得著兩床間 及五湯鉢 乃至曰之 令鉢破
彼不應故壞 故失 非鉢用 吉羅 不犯者 五綴漏 若減漏 更求新 若從親里索 從出家人索
若爲他乞 爲己不求而得 若施僧得 若自有價買者 卅三乞縷使非親織師戒
佛在舍衛國時 跋難陀欲縫僧伽梨 處處乞線 遂多 念言 衣服難得線 使織師織作三衣
自作羅織 居士譏嫌 比丘舉過 呵制戒 若比丘自求乞縷線 在在處處乞縷線者 十種
衣縷 使非親里織師織作衣者 若織師与線者 俱非親犯 与線者非親 吉羅
青線自織作 偷吉羅 尼薩耆波逸提 比丘尼同犯 不犯者 二俱親里 若織作鉢囊
革屣囊 鍼氈 作禪帶 作腰帶 若作帽 若作襪 作攝熱巾 裹革屣巾者 二十四
勸織師增縷戒 佛在舍衛國時 有居士是跋難陀知友 出好線与織師 爲彼作
衣 後更至居士家 擇取好線与織師 又許与價 居士得衣 怪問 譏嫌 諸比丘舉過 佛
因呵制戒 若比丘居士 婦使織師爲比丘織作衣 彼比丘先不受自恣請
若居士与比丘貴價衣 聰少欲知足 彼不知者隨意 便往織師所語言 此衣爲我作
与我極好織 令廣大堅緻 我當少多与價 是比丘与價 乃至一食直 若
得衣者 尼薩耆波逸提 若求衣不得 突吉羅 尼同犯 不犯者 減少求 從親里索 出家
家人索 他爲己者 二十五奪衣戒 佛在舍衛國時 跋難陀弟子善能勸化 意欲
共人間行 后可便先与衣 後餘比丘語彼比丘言 彼人癡 不知誦戒 說戒 布薩 羯磨
後時至共去 便言不隨 即奪衣取 諸比丘嫌呵舉過 白佛制戒 若比丘先与比丘衣 後
瞋恚 若自奪 若教人奪取 還我衣來 不与汝 若瞋恚自奪 教人奪藏者
犯 奪不藏者吉羅 若著樹上 枷上 床上 及餘著處 離處犯 取不離處吉羅 若比丘
還衣 彼取衣者 尼薩耆波逸提 尼同僧犯 不犯者 不瞋恚言 我悔 不与汝衣 還
我衣來 若彼人亦知其心悔 即還衣 若爲餘人語 書此比丘欲悔 還他衣 若借他衣著 他
衣著無道理 還奪取 不犯 若恐失 恐壞 若彼人破戒 破見 破威儀 若被舉 滅擯
應滅擯 若爲此事命梵難 一切奪取不藏 舉 廿六畜七日藥過限戒 佛在舍衛
國時 諸比丘秋月風病動 形體枯燥 又生惡瘡 佛言 有五種藥 蘇 油 生蘇 蜜 石蜜 聽
有病因緣 時非時服 佛在羅閱祇 畢陵伽婆蹉 衆大畜 流漫 道俗譏責 白佛制戒
若比丘有病 醫教服 五種藥 殘藥 蘇 油 生蘇 蜜 石蜜 齋七日得服 八日
句義如上長衣戒 若過七日服者 尼薩耆 是中應捨 當捨藥与僧已 白懺 治罪竟 若
畏波藥者 若至第七日 捨与比丘 應取食 若過七日 蘇 油 塗足 蜜 石蜜 与守園人 若

BD01927號　四分律比丘含注戒本　　（21–16）

應滅擯。若為此事命梵難，一切棄取不藏舉。廿六、畜七日藥過限戒。佛舍衛
國時，諸比丘秋月風病動，形躰枯燥，又生惡瘡。佛言有五種藥，蘇油生蘇蜜石蜜脂聽
有病因緣時非時服。佛在羅閱祇，畢陵伽婆蹉大畜，流溢道俗譏責，白佛制戒。
若比丘有病，醫教服，不所種藥，殘藥蘇油生蘇蜜石蜜，齊七日得服。八門
句義如上長衣戒。若過七日服者，尼薩耆。此應捨，當捨藥與僧，已白懺，治罪竟，若
還彼藥者，若至第七日捨與比丘，彼應取食。若過七日，蘇油塗戶嚮，蜜石蜜與守園人。若
滅七日白二還。此比丘取當塗腳，若用燃燈。波逸提。比丘尼同犯，不犯者如上捨用差別。
二十七、過前求雨衣過前用戒。佛在舍衛國時，毗舍佉母請佛及僧明日食。夜
辦甘食，明日遣婢往白時到，見諸比丘雨中裸形浴，因發八願，為佛所讚。時六群比丘一切
時常求，比丘舉過白制。若比丘春殘一月在，當求雨浴衣。衣者，比丘用雨中浴衣，有十種。彼
應三月十六日求。半月應用浴，四月一日應用。若比丘過一月前求雨浴衣，三月十六
日前求雨衣。過半月前用，謂四月一日前用。浴，尼薩耆波逸提。比丘尼吉羅。不犯者，
若捨作餘用，若著浴，若浣，若舉者。二十八、過前受急施衣過後畜戒。佛在
毗蘭若，聽諸比丘受夏衣。時六群比丘一切時常乞，常受衣，跋難陀異處安居，異處受
衣。六佛在舍衛，安居未竟，二大臣為安居施衣，佛聞制戒。若比丘十日未竟夏
三月，諸比丘得急衣，便得不受，便失衣者，有十種。比丘知是急施衣，當受，受
已，意乃至衣時應畜。衣時者，自恣竟不受迦絺那衣一月，受衣五月。若自恣十日在得
急施衣，受已至一月五月乃至，若明日自恣應受，月五月更增九日。若過是畜者，尼
薩耆波逸提。若得急施衣，若過前，若過後，並犯。比丘尼同犯。不犯者，不過前，不過
後。若棄衣、失衣過前取不犯，若寄衣比丘遠行，水陸道斷，過後不犯。二十九、蘭若
有疑離衣過限戒。佛在舍衛國，諸比丘在阿蘭若處，為賊棄，什物奪，被打撲，佛令留三
衣置村舍內。時六群比丘便多寄衣已，行周反舉，過白佛因制戒。若比丘夏三月竟，
後迦提一月滿，在阿蘭若，去村五百弓，摩羅國弓長四肘，用中肘量。若有
疑，疑有賊盜，恐懼處住。中有恐怖賊盜。比丘在如是處住，三衣中欲留一
衣置舍內，村聚。諸比丘有因緣，離衣宿乃至六夜，若彼有緣離衣宿第七
夜明相未出前，若捨，若捉衣，若至鄔石所，及處若反上。若過者，尼薩耆波逸
提。開緣如前離衣。三十、迴僧物戒。佛在舍衛國，有居士欲飯佛及僧，并施好衣時，跋
難陀聞，便往問言：施僧者多，今可施與我。居士言可爾，便得。辭食見長老比丘威儀
具足，便即悔歎。諸比丘聞知，以過白佛，因制戒。若比丘知，不知非犯，是僧物，有三種物者，
已許僧為僧者，故作未許僧已與僧者，已許僧已捨與僧物者，下至飲水器也。自求入已，
已者，若許僧轉與塔，若許四方僧轉與現前僧，若僧尼若異處，若交上交手，若數想，
並突吉羅。尼薩耆波逸提。不犯者，若不知，若作不許想，若許少勸令多，許少人勸
與多人，勸與好物，若悞嘆，若錯說，若並不犯。諸大德，我已說三十尼薩耆
波逸提法，今問諸大，是中清淨不？三說。諸大德，是中清淨，嘿然故，是事如是持。
[illegible]

BD01927 號　四分律比丘含注戒本　（21–17）

已許僧有僧未故作未許僧已與僧者已許僧已擬與僧物者下至飲水器也自求入己
己者若許僧轉与塔若許四方僧轉与現前僧若僧尼若異處若交上衣乎若疑想
並突吉羅 尼薩耆波逸提 不犯者若不知若作不許想若許少勸令多許少人勸
与多人勸与好物若悞歎若錯說若並不犯
波逸提法今問諸大德是中清淨不 三說 諸大德是中清淨嘿然故是事如是
持 諸大德是九十波逸提法半月半月說戒經中來
初妄語戒 佛釋翅瘦有釋迦子字象力善能談論與外道論議若不如時便反前
語若於僧中問是事復違反前語 諸梵志譏呵無沙門法 比丘舉過白佛因制此戒 若比丘知 謂
見聞觸知及上八種見者眼識能見乃至意識能知不見者除眼識餘五識是 如是類及
而妄語 若境界是見聞觸知若想若疑便言不見聞觸知波逸提乃至不見聞等作句
亦類 若本作妄語念及妄語已憶是妄語者不應合前後不憶正妄語時犯波
逸提 若所見異所忍異所欲異所觸異所解異所想異所心異 如是諸事皆是妄語 說
戒時乃至三問憶念罪不說吉羅 若波逸提 說不了了吉羅 尼同犯 三衆吉羅 不犯
不見言不見乃至知言知等八種若意有見想便說者不犯 二罵戒 佛在舍衛國六群
比丘斷事種類罵比丘彼妄失前後慚愧不得語比丘舉過白佛便呵責已 引古牛譬喻
生上得破不堪乃等便制 若比丘種類 有多種卑姓家生行業亦卑伎術工巧亦
卑或言汝犯過或言多結使或盲瞎等語 毀呰語者 若如上六種罵 餘比丘若罵
喻罵自比罵若說而不了了者吉羅 波逸提 若說善法面罵言汝是阿蘭若乃至坐
禪若喻罵言汝似若自比罵言我非說了不了並突吉羅 不犯者相利故說為法故為律故
為教授故為親厚故或戲或失口或錯悞者 三兩舌語戒 佛在舍衛國時六群比丘
傳他彼此語並令衆中鬬爭不能除滅 諸比丘以過白佛便呵制已 引古野干鬬亂二獸
向見不快況復於人便呵已制戒 若比丘兩舌語者 語謂鬬亂十衆破離欲此等也 波
逸提 不犯者破惡知識惡伴儻和尚同師知識親友數數語若無義無利欲方便作
無義破如是人者不犯 四與女同室宿戒 佛在舍衛國時阿那律行至中路往婬女舍
宿彼女於夜便裸身來嬲嬈尊者便飛身空中彼慚愧懺悔為說法得道具說之
諸比丘以過白佛便呵制戒 若比丘與婦女 女有智命根不斷 同室 有四周墻障上有覆
或前敞無壁或雖覆而不遍或覆遍而有開處 宿者 若天前後至俱至若惡臥隨脇
著地隨轉側 波逸提 若非人畜生女黃門若二根人同宿吉羅 晝日女立比丘臥者吉羅
不犯者不知彼室有女若室覆無壁乃至無障若盡覆若覆處作四圍障上盡病臥人縛
命梵等難並開 五共未受具人宿過限戒 佛在曠野城六群比丘共諸長者雜宿上宿
時比丘亂心睡眠形露為諸長者譏訴 比丘白佛便制 佛拘睒彌便開二三宿重結此戒
若比丘與未受大戒人 除比丘比丘尼餘未受大戒人是 共宿 同室宿如前說 過二
宿至三宿 若共至二宿若隨三宿明相未出時應起避去若至第四宿若自去若

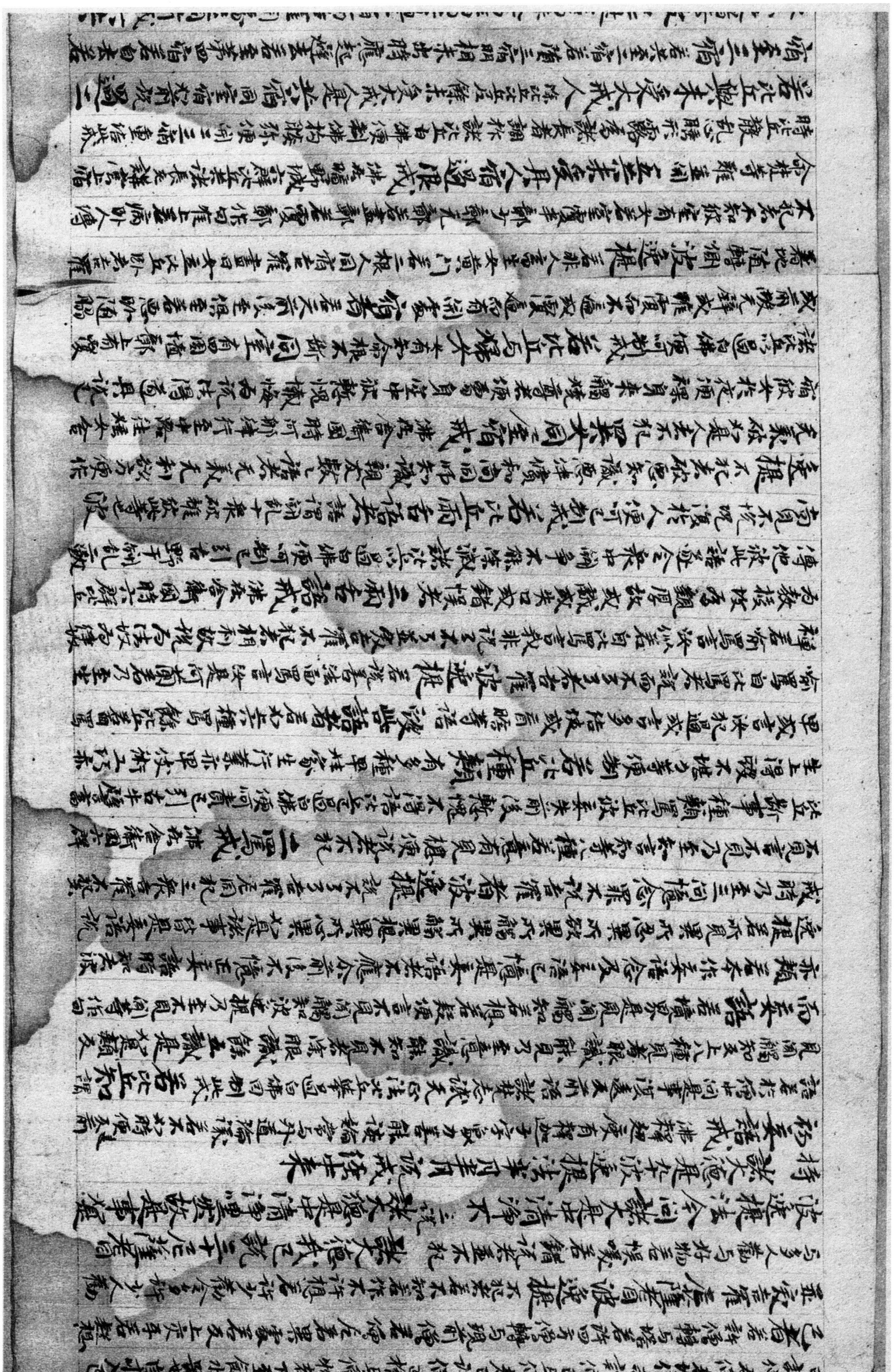

不犯者不知彼室有女若室覆半覆少覆无覆若盡覆若覆覆作句在上若病卧人傳
命梵等難並開 五共未受具人宿過限戒 佛在曠野城六群比丘共諸長者雜處上宿
時比丘亂心睡形露為諸長者調弄譏比丘白佛便制佛拘睒彌便開二三宿重結此戒
若比丘與未受大戒人 除比丘比丘尼餘未受大戒人是 共宿 同室宿如前說 過二
宿至三宿 若共至二宿若隨三宿明相未出時應起避去若至第四宿若自去若
使未受者去 波逸提 若与非人畜生男共過三宿一切吉羅例結並同前戒 六共
未受具人同誦戒 佛在曠野城六群比丘与諸長者在講堂誦佛經語聲高大亂
諸坐禪者時比丘以過白佛因制戒 若比丘與未受大戒人 如上 共誦 句義句味字
義非句義亦示句義若同誦不前不後非句義者如文說諸惡莫作未竟第二人抄前
句味者明无常等也字義者同誦阿字也非字義抄前 法者 佛聲聞仙人諸天所說
波逸提 若共誦一人說二三說若口教書受若不了了非人畜生並吉羅若師不教
我說竟汝可說師吉羅不犯者我說竟汝說又人誦竟又人書若二人同業同誦或戲嘆
語獨語錯說彼此皆不犯 七說麤罪戒 佛在羅閱城時有跋難陀釋子与比丘
在下行坐六群比丘以諸比丘所犯事具向白衣說之有過者及餘比丘皆慚愧比丘以過
白佛因制戒 若比丘知他 不知者聞 有麤惡罪 四波羅夷僧殘 向未受大戒
人說除僧羯磨 一說戒一羯磨 波逸提 除麤罪以餘罪說若自說麤罪說餘人罪
一切吉羅不犯者若不知若衆僧差若非麤想若白衣先以聞 八實得道向白
衣說戒 佛在毗舍離以前因緣集僧呵責已便制 若比丘向未受戒人說過人
法言我見是我知是實者波逸提 並如上初篇若言業報若戲錯並不犯
九獨与女人說法戒 佛在舍衛國時迦留陀夷詣長者家在姑前与兒婦耳語說法
回姑譏問乞食比丘聞已具向比丘說之舉過白佛因即制斷後開五六語及有知男過限
若比丘与女人 如上 說法過五 色受想行識无我也 六 眼耳鼻舌身意无常 語除有
知男子 解麤惡不麤惡事也 波逸提 若說不了了吉羅若非人畜生說過亦不不犯者
若五六語有知男子前過說若无有知男子前應若廣說授優婆塞五戒及說五戒法与
受八關齋說八關齋法八聖道十不善法女人問義不解廣說若錯一切不犯 十掘地戒
佛在曠野城六群比丘与佛脩治講堂遶堂周匝自掘地長者譏謙不知正法斷他命根
比丘以過白佛因呵便制後教人治講堂言掘是置是長者重譏比丘以過白佛因制戒
若比丘自手掘地 若用鍬钁斧椎打乃至指爪掐傷地析掘入地地上然火及以地想
地 若掘若已掘地經冒被雨漬還如本 若教人掘者 若不教言看是知是吉羅
波逸提 下三衆吉羅下篇同此不犯者若語言知是看是也材木若扶籬若反塼石
取牛屎取崩岸若鼠壞土除經行處土屋内土若來往掃地不故掘一切不犯 十一壞
生種戒 佛在曠野城集僧告言有一比丘脩治屋舍自斫樹非沙門法呵責已便制
若比丘壞 若斫截消名為壞 鬼 非人是 神村者 一切草木是 有五種根種枝種
節生種覆羅種子子種 波逸提 若生生想自斷教他斷自炒煑若教人隨生彭想

波逸提　下三衆吉羅下篇同此不犯者若語言知是看是此材木若柎蘿已若反埠石
取牛屎取崩岸若鼠壞土除經行處土若屋內土若來往掃地不坎掘一切不犯　十一壞
生種戒　佛在曠野城集僧告言有一比丘脩治屋舍自斫樹非沙門法呵責已便制
若比丘壞　若斫截消落名為壞　鬼　非人是　神村者　一切草木是有五種根種枝種
節生種覆羅種子子種　波逸提　若生生想自斷教他斷自炒煑若教人隨生疑想
者吉羅草木七種色自壞教他壞隨生疑及想吉羅若打杙著生草樹上若以火等隨若
斷多分生草木隨斷半乾生者若不言知是看是一切吉羅不犯者言知是看是斷枯草
木若於生草木上曳材曳竹正籬鄣若撥甓石若取牛屎若生草覆道以杖披遮令開
若以瓦石柱之而斷傷草木若經行地土若掃經行地若以杖築地而撥生草木斷者不犯
十二餘語惱觸戒　佛在拘睒彌國時闡陀比丘犯罪餘比丘問即以餘事答比丘以過白佛
便呵已作餘語等難教莫起便起不犯若惡心問不為說若作非法事便語若不語錯提
一切不犯　十三嫌罵知事戒　佛在羅閱祇城時尊者沓婆為僧所差知僧事慈地比丘
齊眼見耳不聞處譏嫌之比丘以過白佛便呵制後慈地比丘便聞而不見處罵已比丘以過
白佛便秉前重制　若比丘嫌　謂面見不聞處言有愛恚怖癡罵者背面聞不見處
而說罵也　波逸提　若受上坐爆罵吉羅不犯者實有其事恐後悔恨語令如法發露
便言有愛等若戲錯說若　十四露地敷僧物戒　佛在舍衛國有白後便觸惱衆
僧喚來不來不應起而起乃至不應語而語以過白佛便呵已作名觸惱單白　若比丘
妄作異語　僧未作白便作餘語汝向誰說為說何事為論何理為我說為餘人說我
不見此罪者一切吉羅若作白已如是語言隨惱他如若前緣中乃至不應語而語一切吉
羅作白已一切吉羅　者波逸提　若上坐喚來不來吉羅不犯若重聽不解前語有參
錯汝向誰說乃至我不見此罪若欲作非法無利羯磨不與和合喚來不來不犯若為作
非法羯磨若不欲知教言莫來不犯若一坐食若不作餘食法若病喚起不起不犯若
命梵而入房恐推吉羅不犯者若取僧物露敷去時語舊住人摩摩帝經營人令知上
方便一切不犯也　波逸提　十五覆處敷僧物戒　佛在舍衛國有客比丘在邊房敷
卧具宿後不語舊比丘便去僧卧具爛壞虫嚙色變舊比丘久不見之覓見過狀以此
白佛因制此戒　若比丘於僧房中敷僧卧具　謂繩床木床上褥坐具枕地敷下至卧氈
若自敷若教人敷若坐若卧去時不自舉不教人舉者　欲應語舊住比丘言
與我舉若無人不畏失當移床離壁高枝床脚持枕褥卧具置東以餘重覆若
恐壞敗取卧具等置衣架上竪床而去若不作如是出界須㬰發心還悔吉羅若即還二宿
在長衣請僧飯食時十七群比丘取僧坐具而露地敷望食時到便不收攝往食即為
風塵土坌虫鳥壞汙比丘以過白佛呵已制　若比丘取僧　衆僧物為僧屋三種物繩
床　有五種旋直脚曲脚入梐無脚　若木床　亦坐　若卧具　或用坐或用卧　坐褥
用坐　露地敷若教人敷捨去不自舉不教人舉者　欲以僧物付僧知事言我今
付授汝汝守護看若都无人者當舉著屏處必知无壞當持故若覆好者上若即時

僧喚來不來不應起而起乃至不應語而語以過白佛呵已作名觸惱單白若比丘
妄作異語 僧未作白便作餘語汝向誰說為說何事為論何理為我說為餘人說我
不見此罪若一切吉羅若作白已如是語言觸惱他如前僧中乃至不應語而語一切吉
羅作白已一切吉羅 者波逸提 若上坐喚來不來吉羅不犯者重聽不解前語有參
錯汝向誰說乃至我不見此罪若欲作非法无利羯磨不与和合喚來不來不犯若為作
非法羯磨若不欲知教言莫來不犯若一坐食若不作餘食法若病喚起不起不犯若
命梵而入房恐推吉羅不犯者若取僧物露敷去時語舊住人摩摩帝除營人令知上
方便一切不犯也 波逸提 十五露處敷僧物戒 佛在舍衛國有客比丘在邊房敷
卧具宿後不語舊比丘便去僧卧具爛壞虫噉色變舊比丘久不見之覓見過狀以此
白佛因制此戒 若比丘於僧房中敷僧卧具 諸繩床木床上褥坐具枕地敷下至卧枰
若自敷若教人敷若坐若卧去時不自舉不教人舉者 欲應語舊住比丘言
為我等舉若无人不畏失常移床離辟高枝床脚持枕褥卧具置㡚以餘重覆若
恐壞敗取卧具等置衣樑上竪床而去若不作如是出界須臾還悔者吉羅若即還二宿
在長者請僧飯食時十七群比丘取僧坐具露地敷坐食時到便不收攝往食即為
風塵土坌虫鳥壞汙比丘以過白佛呵已制 若比丘取僧 衆僧物為僧居僧三種物繩
床 有五種旋直脚曲脚入梐无脚 若木床 亦如上 若卧具 或用坐或用卧 坐褥
用坐 露地敷若教人敷捨去不自舉不教人舉者 欲以僧物付僧知事言我今
付㩗汝汝守護看若都无人者當舉著屏處必知无壞當持故者覆好者上若即時
還便應隨所中疾及還應往彼次第如是方便應去若不作初出門隨著方便還悔一切
吉羅若又同坐下坐應收不者犯二罪上坐犯一墮若俱不收二俱墮 餘空床踏床板等
不收及卧具表裏一切吉羅 若露敷僧物界外第二宿明相未出不自往不遣使責
護者墮也 波逸提 不犯中如上方便已在界外或水陸道斷命梵緣者 十六覆敷戒

妙法蓮華經安樂行品第十四
尒時文殊師利法王子菩薩摩訶
世尊是諸菩薩甚為難有敬順佛
願於後惡世護持讀誦是法華經世
摩訶薩於後惡世云何能說是經佛告文殊
師利若菩薩摩訶薩於後惡世欲說是經當
安住四法一者安住菩薩行處親近處能為
衆生演說是經文殊師利云何名菩薩摩訶
薩行處若菩薩摩訶薩住忍辱地柔和善順
而不卒暴心亦不驚又復於法无所行而觀
諸法如實相亦不行不分別是名菩薩摩訶
薩行處云何名菩薩摩訶薩親近處菩薩摩
訶薩不親近國王王子大臣官長不親近諸外
道梵志尼揵子等及造世俗文筆讚詠外書
及路伽耶陀逆路伽耶陀者亦不親近諸有
凶戲相扠相撲及那羅等種種變現之戲
又不親近旃陀羅及畜猪羊雞狗田獵魚捕
諸惡律儀如是人等或時來者則為說法无
所悕望又不親近求聲聞比丘比丘尼優婆塞
優婆夷亦不問訊若於房中若經行處
无在講堂中不共住止或時來者隨宜說法

BD01928號　妙法蓮華經卷五

（2–1）

薩行處若菩薩摩訶薩住忍辱地柔和善順
而不卒暴心亦不驚又復於法无所行而觀
諸法如實相亦不行不分別是名菩薩摩訶
薩行處云何名菩薩摩訶薩親近處菩薩摩
訶薩不親近國王王子大臣官長不親近諸外
道梵志尼揵子等及造世俗文筆讚詠外書
及路伽耶陀逆路伽耶陀者亦不親近諸有
凶戲相扠相撲及那羅等種種變現之戲
又不親近旃陀羅及畜猪羊雞狗田獵魚捕
諸惡律儀如是人等或時來者則為說法无
所悕望又不親近求聲聞比丘比丘尼優婆塞
優婆夷亦不問訊若於房中若經行處
无在講堂中不共住止或時來者隨宜說法
无所希求文殊師利又菩薩摩訶薩不應於
女人身取能生欲想相而為說法亦不樂見若
入他家不與小女處女寡女等共語亦復不
近五種不男之人以為親厚不獨入他家若
有因緣須獨入時但一心念佛若為女人說
法不露齒咲不現胸臆乃至為法猶不親
復餘事不樂畜年少弟子沙彌小

BD01928號　妙法蓮華經卷五

（2–2）

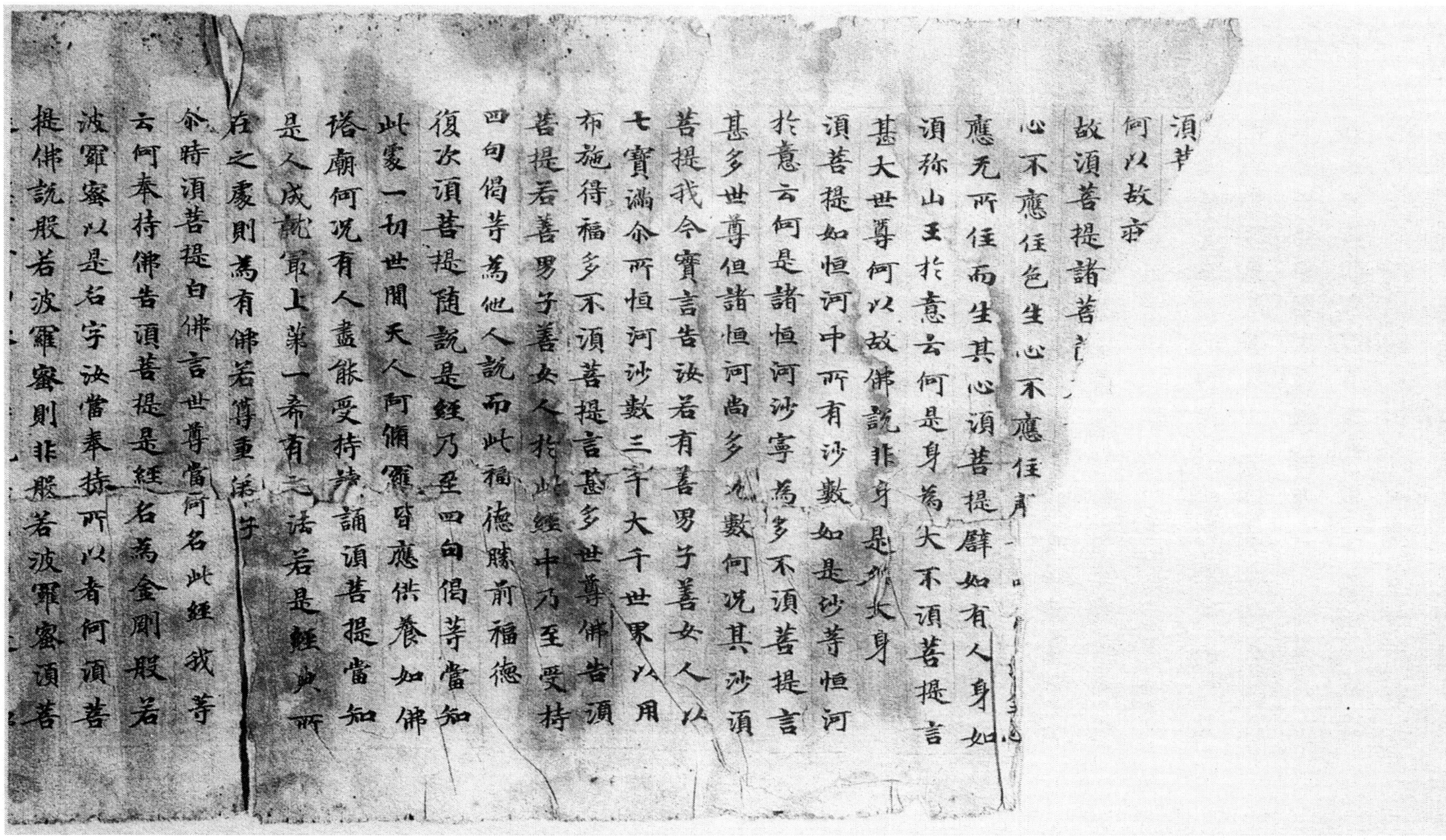
須菩
何以故亦
故須菩提諸菩
心不應住色生心不應住
應无所住而生其心須菩提譬如有人身如
須弥山王於意云何是身為大不須菩提言
甚大世尊何以故佛說非身是名大身
須菩提如恒河中所有沙數如是沙等恒河
於意云何是諸恒河沙寧為多不須菩提言
甚多世尊但諸恒河尚多无數何況其沙須
菩提我今實言告汝若有善男子善女人以
七寶滿尒所恒河沙數三千大千世界以用
布施得福多不須菩提言甚多世尊佛告須
菩提若善男子善女人於此經中乃至受持
四句偈等為他人說而此福德勝前福德
復次須菩提隨說是經乃至四句偈等當知
此處一切世間天人阿脩羅皆應供養如佛
塔廟何況有人盡能受持讀誦須菩提當知
是人成就最上第一希有之法若是經典所
在之處則為有佛若尊重弟子
尒時須菩提白佛言世尊當何名此經我等
云何奉持佛告須菩提是經名為金剛般若
波羅蜜以是名字汝當奉持所以者何須菩
提佛說般若波羅蜜則非般若波羅蜜須菩

BD01929 號　金剛般若波羅蜜經　（10–1）

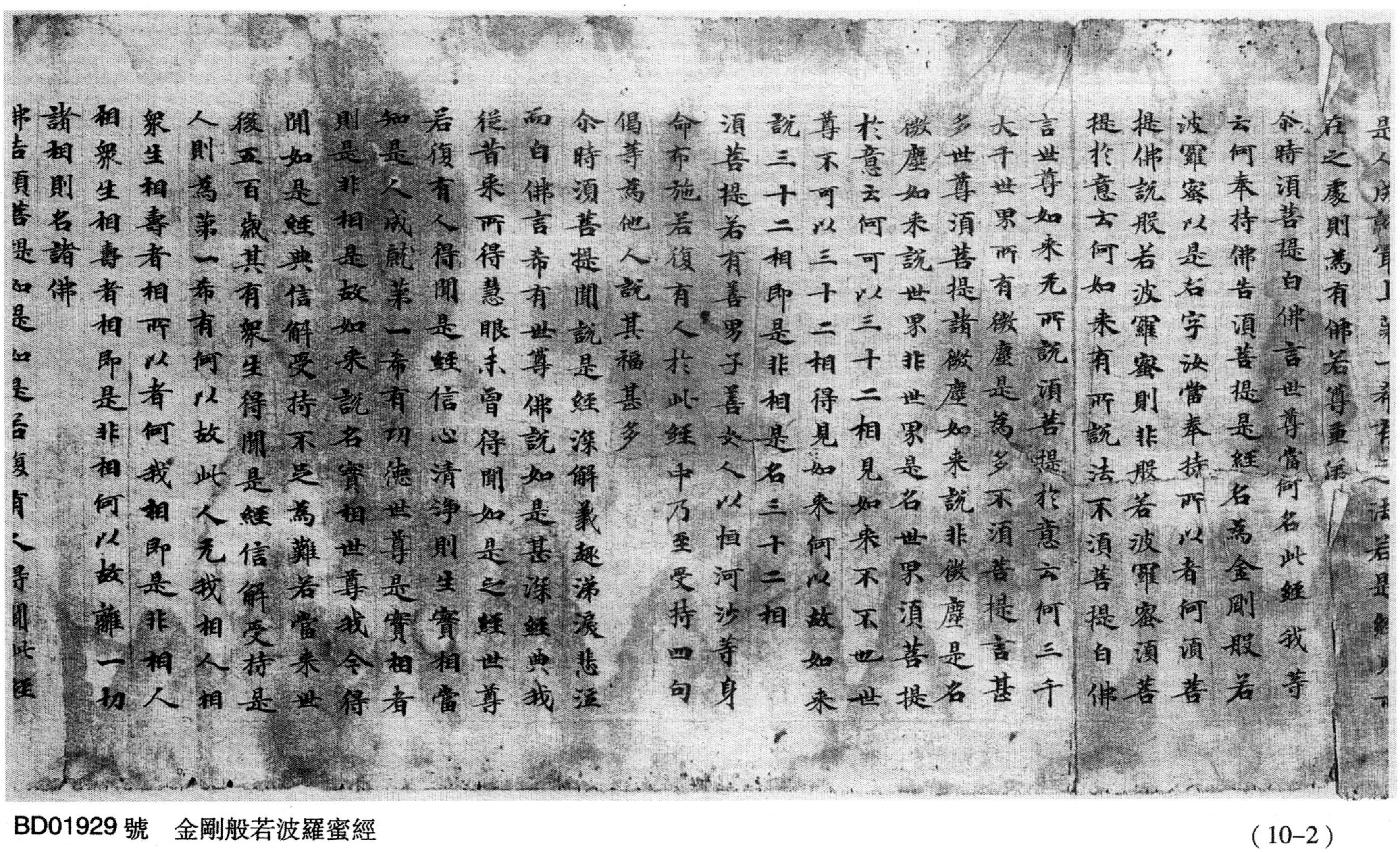
是人成就最上第一希有之法若是經典所
在之處則為有佛若尊重弟子
尒時須菩提白佛言世尊當何名此經我等
云何奉持佛告須菩提是經名為金剛般若
波羅蜜以是名字汝當奉持所以者何須菩
提佛說般若波羅蜜則非般若波羅蜜須菩
提於意云何如來有所說法不須菩提白佛
言世尊如來无所說須菩提於意云何三千
大千世界所有微塵是為多不須菩提言甚
多世尊須菩提諸微塵如來說非微塵是名
微塵如來說世界非世界是名世界須菩提
於意云何可以三十二相見如來不不也世
尊不可以三十二相得見如來何以故如來
說三十二相即是非相是名三十二相
須菩提若有善男子善女人以恒河沙等身
命布施若復有人於此經中乃至受持四句
偈等為他人說其福甚多
尒時須菩提聞說是經深解義趣涕淚悲泣
而白佛言希有世尊佛說如是甚深經典我
從昔來所得慧眼未曾得聞如是之經世尊
若復有人得聞是經信心清淨則生實相當
知是人成就第一希有功德世尊是實相者
則是非相是故如來說名實相世尊我今得
聞如是經典信解受持不足為難若當來世
後五百歲其有眾生得聞是經信解受持是
人則為第一希有何以故此人无我相人相
眾生相壽者相所以者何我相即是非相人
相眾生相壽者相即是非相何以故離一切
諸相則名諸佛
佛告須菩提如是如是若復有人得聞此經

BD01929 號　金剛般若波羅蜜經　（10–2）

衆生相壽者相所以者何我相即是非相人
相衆生相壽者相即是非相何以故離一切
諸相則名諸佛
佛告須菩提如是如是若復有人得聞此經
不驚不怖不畏當知是人甚爲希有何以故
須菩提如來說第一波羅蜜非第一波羅蜜
是名第一波羅蜜
須菩提忍辱波羅蜜如來說非忍辱波羅蜜
何以故須菩提如我昔爲歌利王割截身體
我於尒時无我相无人相无衆生相无壽者
相何以故我於往昔節節支解時若有我相
人相衆生相壽者相應生瞋恨須菩提又念
過去於五百世作忍辱仙人於尒所世无我
相无人相无衆生相无壽者相是故須菩提
菩薩應離一切諸相發阿耨多羅三藐三菩提
心不應住色生心不應住聲香味觸法生心
應生无所住心若心有住則爲非住是故佛
說菩薩心不應住色布施須菩提菩薩爲利
益一切衆生應如是布施如來說一切諸相
即是非相又說一切衆生則非衆生
須菩提如來是真語者實語者如語者不誑
語者不異語者須菩提如來所得法此法无
實无虛
須菩提若菩薩心住於法而行布施如人入
闇則无所見若菩薩心不住法而行布施如
人有目日光明照見種種色
須菩提當來之世若有善男子善女人能於
此經受持讀誦則爲如來以佛智慧悉知是
人悉見是人皆得成就无量无邊功德

BD01929號　金剛般若波羅蜜經　（10–3）

須菩提若菩薩心住於法而行布施如人入
闇則无所見若菩薩心不住法而行布施如
人有目日光明照見種種色
須菩提當來之世若有善男子善女人能於
此經受持讀誦則爲如來以佛智慧悉知是
人悉見是人皆得成就无量无邊功德
須菩提若有善男子善女人初日分以恒河
沙等身布施中日分復以恒河沙等身布施
後日分亦以恒河沙等身布施如是无量百
千万億劫以身布施若復有人聞此經典信
心不逆其福勝彼何況書寫受持讀誦爲人
解說
須菩提以要言之是經有不可思議不可稱
量无邊功德如來爲發大乘者說爲發最上
乘者說若有人能受持讀誦廣爲人說如來
悉知是人悉見是人皆得成就不可量不可
稱无有邊不可思議功德如是人等則爲荷
擔如來阿耨多羅三藐三菩提何以故須菩
提若樂小法者著我見人見衆生見壽者見
則於此經不能聽受讀誦爲人解說須菩提
在在處處若有此經一切世間天人阿脩羅
所應供養當知此處則爲是塔皆應恭敬作
禮圍遶以諸華香而散其處
復次須菩提善男子善女人受持讀誦此經
若爲人輕賤是人先世罪業應墮惡道以今
世人輕賤故先世罪業則爲消滅當得阿耨
多羅三藐三菩提須菩提我念過去无量阿
僧祇劫於然燈佛前得值八百四千万億那
由他諸佛悉皆供養承事无空過者若復有

BD01929號　金剛般若波羅蜜經　（10–4）

世人輕賤故先世罪業則爲消滅當得阿耨
多羅三藐三菩提須菩提我念過去无量阿
僧祇劫於然燈佛前得值八百四千万億那
由他諸佛悉皆供養承事无空過者若復有
人於後末世能受持讀誦此經所得功德於
我所供養諸佛功德百分不及一千万億分
乃至筭數譬喻所不能及須菩提若善男子
善女人於後末世有受持讀誦此經所得功
德我若具說者或有人聞心則狂亂狐疑不
信須菩提當知是經義不可思議果報亦不
可思議
尒時須菩提白佛言世尊善男子善女人發
阿耨多羅三藐三菩提心云何應住云何降伏
其心佛告須菩提善男子善女人發阿耨多
羅三藐三菩提者當生如是心我應滅度一
切衆生滅度一切衆生已而无有一衆生實
滅度者何以故若菩薩有我相人相衆生相
壽者相則非菩薩所以者何須菩提實无有
法發阿耨多羅三藐三菩提者
須菩提於意云何如來於然燈佛所有法得
阿耨多羅三藐三菩提不不也世尊如我解
佛所說義佛於然燈佛所无有法得阿耨多
羅三藐三菩提佛言如是如是須菩提實无
有法如來得阿耨多羅三藐三菩提須菩提
若有法如來得阿耨多羅三藐三菩提者然燈
佛則不與我受記汝於來世當得作佛號釋
迦牟尼以實无有法得阿耨多羅三藐三菩
提是故然燈佛與我受記作如是言汝於來世
當得作佛號釋迦牟尼何以故如來者即諸

BD01929號　金剛般若波羅蜜經　（10–5）

佛則不與我受記汝於來世當得作佛號釋
迦牟尼以實无有法得阿耨多羅三藐三菩
提是故然燈佛與我受記作如是言汝於來世
當得作佛號釋迦牟尼何以故如來者即諸
法如義若有人言如來得阿耨多羅三藐三
菩提須菩提實无有法佛得阿耨多羅三藐
三菩提須菩提如來所得阿耨多羅三藐三
菩提於是中无實无虛是故如來說一切法
皆是佛法須菩提所言一切法者即非一切
法是故名一切法
須菩提譬如人身長大須菩提言世尊如來
說人身長大則爲非大身是名大身
須菩提菩薩亦如是若作是言我當滅度无
量衆生則不名菩薩何以故須菩提實无有
法名爲菩薩是故佛說一切法无我无人无
衆生无壽者須菩提若菩薩作是言我當莊
嚴佛土是不名菩薩何以故如來說莊嚴佛
土者即非莊嚴是名莊嚴須菩提若菩薩通
達无我法者如來說名真是菩薩
須菩提於意云何如來有肉眼不如是世尊
如來有肉眼須菩提於意云何如來有天眼
不如是世尊如來有天眼須菩提於意云何
如來有慧眼不如是世尊如來有慧眼須菩
提於意云何如來有法眼不如是世尊如來
有法眼須菩提於意云何如來有佛眼不如
是世尊如來有佛眼須菩提於意云何如恒河
中所有沙佛說是沙不如是世尊如來說是
沙須菩提於意云何如一恒河中所有沙有
如是等恒河是諸恒河所有沙數佛世界如

BD01929號　金剛般若波羅蜜經　（10–6）

有法眼須菩提於意云何如来有佛眼不如
是世尊如来有佛眼須菩提於意云何如恒河
中所有沙佛説是沙不如是世尊如来説是
沙須菩提於意云何如一恒河中所有沙有
如是等恒河是諸恒河所有沙數佛世界如
是寧為多不甚多世尊佛告須菩提尒所國
土中所有衆生若干種心如来悉知何以故
如来説諸心皆為非心是名為心所以者何
須菩提過去心不可得現在心不可得未来
心不可得須菩提於意云何若有人滿三千
大千世界七寶以用布施是人以是因緣得
福多不如是世尊此人以是因緣得福甚多
須菩提若福德有實如来不説得福德多以
福德无故如来説得福德多
須菩提於意云何佛可以具足色身見不不
也世尊如来不應以具足色身見何以故如
来説具足色身即非具足色身是名具足色
身須菩提於意云何如来可以具足諸相見
不不也世尊如来不應以具足諸相見何以
故如来説諸相具足即非具足是名諸相具
足須菩提汝勿謂如来作是念我當有所説
法莫作是念何以故若人言如来有所説法
即為謗佛不能解我所説故須菩提説法者
无法可説是名説法
須菩提白佛言世尊佛得阿耨多羅三藐三
菩提為无所得耶如是如是須菩提我於阿
耨多羅三藐三菩提乃至无有少法可得是
名阿耨多羅三藐三菩提復次須菩提是法
平等无有高下是名阿耨多羅三藐三菩提

BD01929 號　金剛般若波羅蜜經　（10–7）

須菩提白佛言世尊佛得阿耨多羅三藐三
菩提為无所得耶如是如是須菩提我於阿
耨多羅三藐三菩提乃至无有少法可得是
名阿耨多羅三藐三菩提復次須菩提是法
平等无有高下是名阿耨多羅三藐三菩提
以无我无人无衆生无壽者脩一切善法則
得阿耨多羅三藐三菩提須菩提所言善法
者如来説非善法是名善法
須菩提若三千大千世界中所有諸須弥山
王如是等七寶聚有人持用布施若人以此
般若波羅蜜經乃至四句偈等受持讀誦為
他人説於前福德百分不及一百千万億分
乃至筭數譬喻所不能及
須菩提於意云何汝等勿謂如来作是念我
當度衆生須菩提莫作是念何以故實无有
衆生如来度者若有衆生如来度者如来則
有我人衆生壽者須菩提如来説有我者則
非有我而凡夫之人以為有我須菩提凡夫
者如来説則非凡夫
須菩提於意云何可以卅二相觀如来不須
菩提言如是如是以卅二相觀如来佛言須
菩提若以卅二相觀如来者轉輪聖王則是
如来須菩提白佛言世尊如我解佛所説義
不應以卅二相觀如来尒時世尊而説偈言
若以色見我　以音聲求我　是人行邪道　不能見如来
須菩提汝若作是念如来不以具足相故得
阿耨多羅三藐三菩提須菩提莫作是念如
来不以具足相故得阿耨多羅三藐三菩提
須菩提汝若作是念發阿耨多羅三藐三菩
提者説諸法斷滅莫作是念何以故發阿耨

BD01929 號　金剛般若波羅蜜經　（10–8）

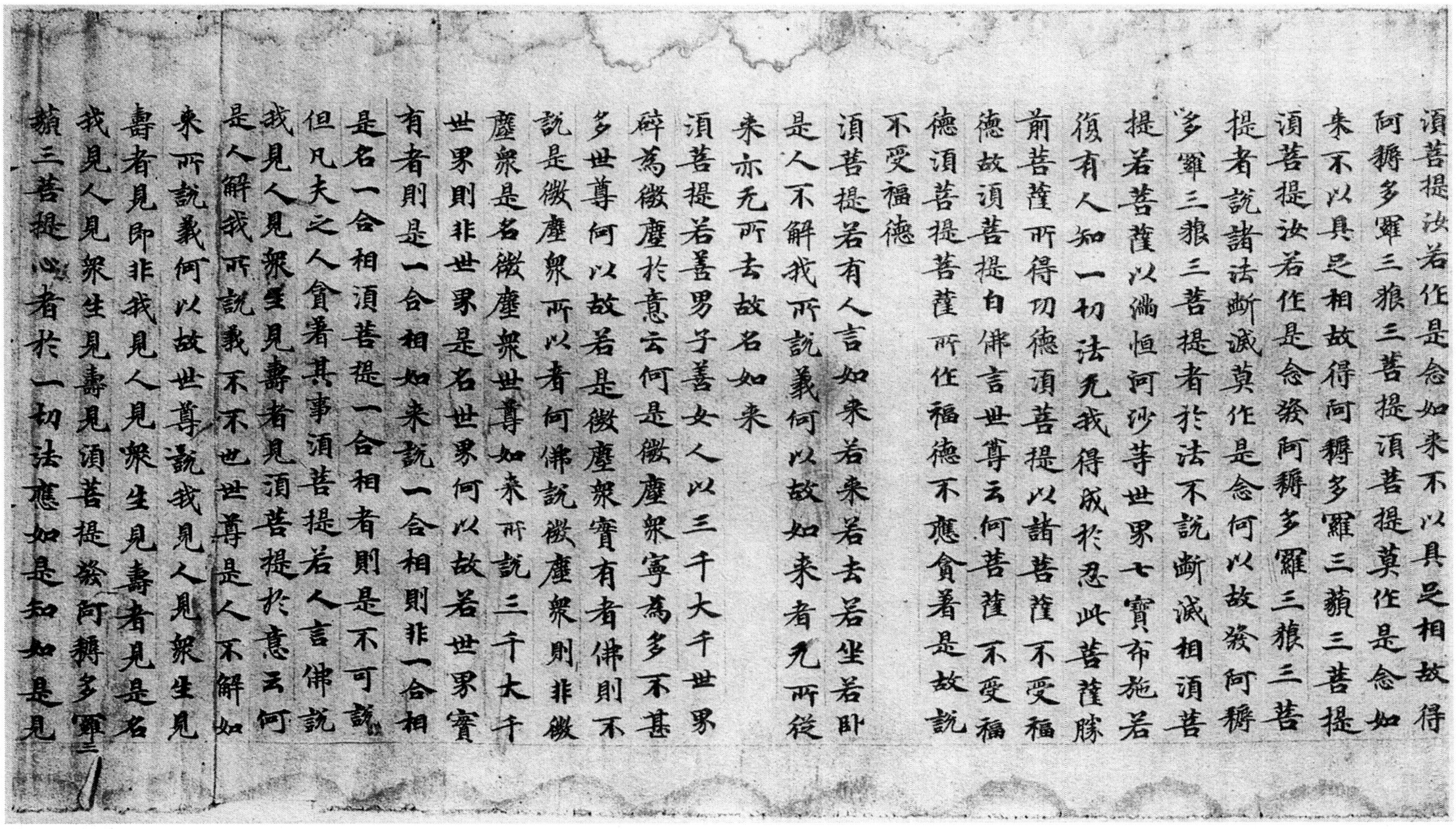

須菩提汝若作是念如来不以具足相故得
阿耨多羅三藐三菩提須菩提莫作是念如
来不以具足相故得阿耨多羅三藐三菩提
須菩提汝若作是念發阿耨多羅三藐三菩
提者說諸法斷滅莫作是念何以故發阿耨
多羅三藐三菩提者於法不說斷滅相須菩
提若菩薩以滿恒河沙等世界七寶布施若
復有人知一切法无我得成於忍此菩薩勝
前菩薩所得功德須菩提以諸菩薩不受福
德故須菩提白佛言世尊云何菩薩不受福
德須菩提菩薩所作福德不應貪著是故說
不受福德
須菩提若有人言如来若来若去若坐若卧
是人不解我所說義何以故如来者无所從
来亦无所去故名如来
須菩提若善男子善女人以三千大千世界
碎為微塵於意云何是微塵衆寧為多不甚
多世尊何以故若是微塵衆實有者佛則不
說是微塵衆所以者何佛說微塵衆則非微
塵衆是名微塵衆世尊如来所說三千大千
世界則非世界是名世界何以故若世界實
有者則是一合相如来說一合相則非一合相
是名一合相須菩提一合相者則是不可說
但凡夫之人貪著其事須菩提若人言佛說
我見人見衆生見壽者見須菩提於意云何
是人解我所說義不不也世尊是人不解如
来所說義何以故世尊說我見人見衆生見
壽者見即非我見人見衆生見壽者見是名
我見人見衆生見壽者見須菩提發阿耨多羅三
藐三菩提心者於一切法應如是知如是見

BD01929 號　金剛般若波羅蜜經　（10–9）

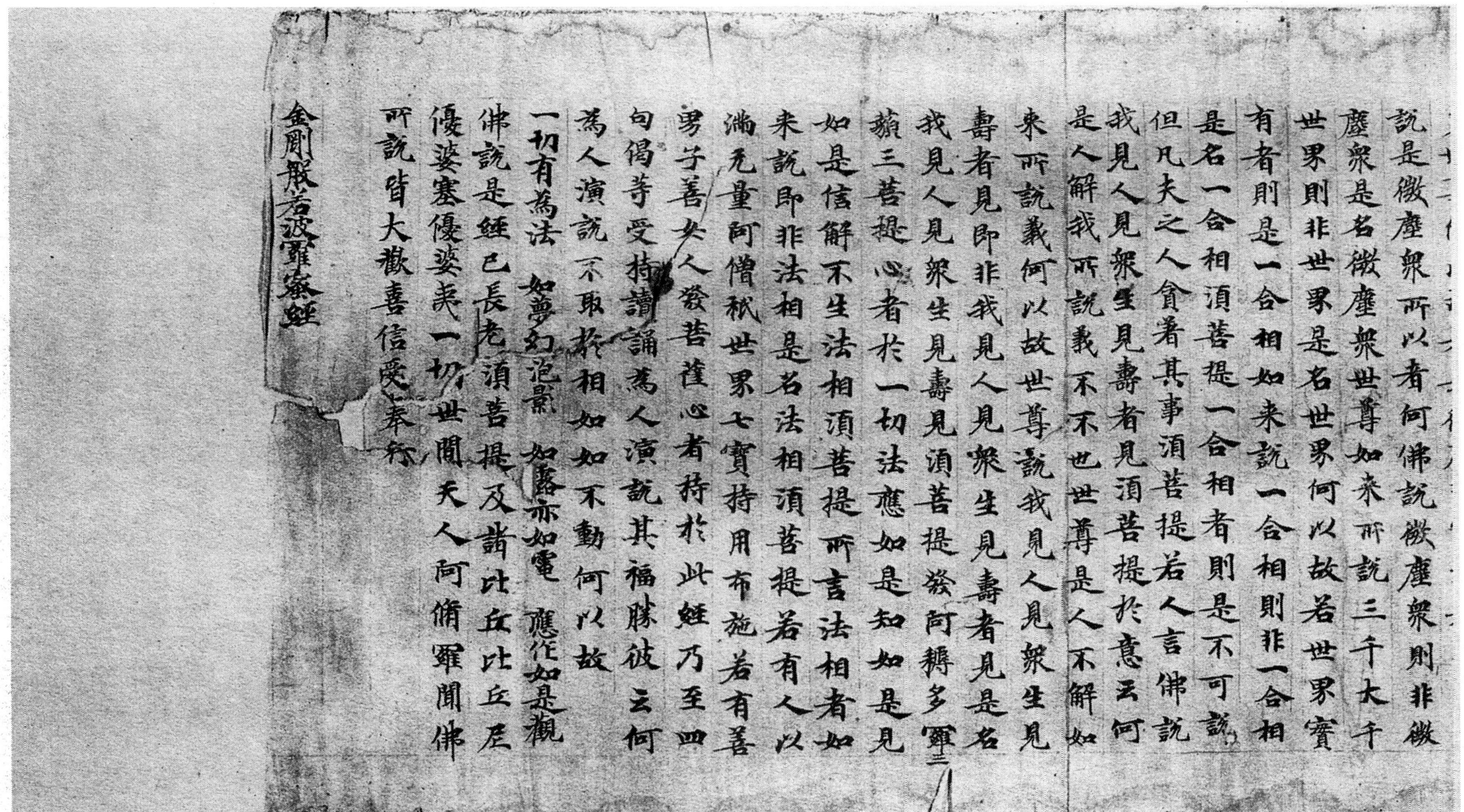

說是微塵衆所以者何佛說微塵衆則非微
塵衆是名微塵衆世尊如来所說三千大千
世界則非世界是名世界何以故若世界實
有者則是一合相如来說一合相則非一合相
是名一合相須菩提一合相者則是不可說
但凡夫之人貪著其事須菩提若人言佛說
我見人見衆生見壽者見須菩提於意云何
是人解我所說義不不也世尊是人不解如
来所說義何以故世尊說我見人見衆生見
壽者見即非我見人見衆生見壽者見是名
我見人見衆生見壽者見須菩提發阿耨多羅三
藐三菩提心者於一切法應如是知如是見
如是信解不生法相須菩提所言法相者如
来說即非法相是名法相須菩提若有人以
滿无量阿僧祇世界七寶持用布施若有善
男子善女人發菩薩心者持於此經乃至四
句偈等受持讀誦為人演說其福勝彼云何
為人演說不取於相如如不動何以故
一切有為法　如夢幻泡影　如露亦如電　應作如是觀
佛說是經已長老須菩提及諸比丘比丘尼
優婆塞優婆夷一切世間天人阿脩羅聞佛
所說皆大歡喜信受奉行
金剛般若波羅蜜經

BD01929 號　金剛般若波羅蜜經　（10–10）

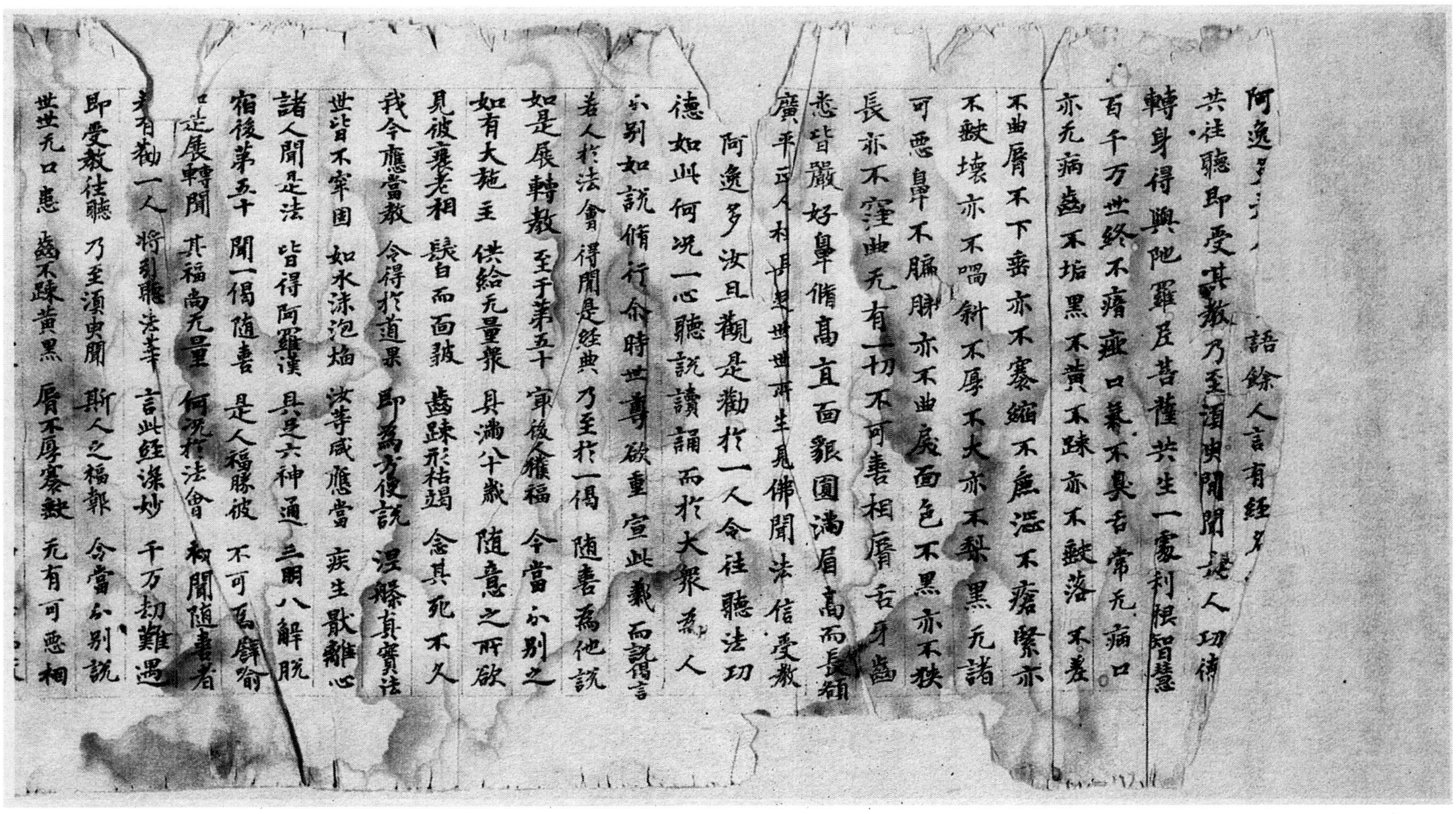

阿逸多若有人語餘人言有經名
共往聽即受其教乃至須臾間聞是人功德
轉身得與陀羅尼菩薩共生一處利根智慧
百千万世終不瘖瘂口氣不臭舌常无病口
亦无病齒不垢黑不黄不踈亦不缺落不差
不曲脣不下垂亦不褰縮不麁澁不瘡胗亦
不缺壞亦不喎斜不厚不大亦不黎黑无諸
可惡鼻不匾䏲亦不曲戾面色不黑亦不狭
長亦不窪曲无有一切不可喜相脣舌牙齒
悉皆嚴好鼻脩高直面貌圓滿眉高而長額
廣平正人相具足世世所生見佛聞法信受教
阿逸多汝且觀是勸於一人令往聽法功
德如此何况一心聽說讀誦而於大衆爲人
分別如說脩行尒時世尊欲重宣此義而說偈言
若人於法會　得聞是經典　乃至於一偈　隨喜爲他說
如是展轉教　至于第五十　冣後人獲福　今當分別之
如有大施主　供給无量衆　具滿八十歲　隨意之所欲
見彼衰老相　髮白而面皺　齒踈形枯竭　念其死不久
我今應當教　令得於道果　即爲方便說　涅槃真實法
世皆不牢固　如水沫泡焰　汝等咸應當　疾生猒離心
諸人聞是法　皆得阿羅漢　具足六神通　三明八解脫
冣後第五十　聞一偈隨喜　是人福勝彼　不可爲譬喻
如是展轉聞　其福尚无量　何况於法會　初聞隨喜者
若有勸一人　將引聽法華　言此經深妙　千万劫難遇
即受教往聽　乃至須臾聞　斯人之福報　今當分別說
世世无口患　齒不踈黄黑　脣不厚褰缺　无有可惡相

BD01930 號　妙法蓮華經卷六　（20–1）

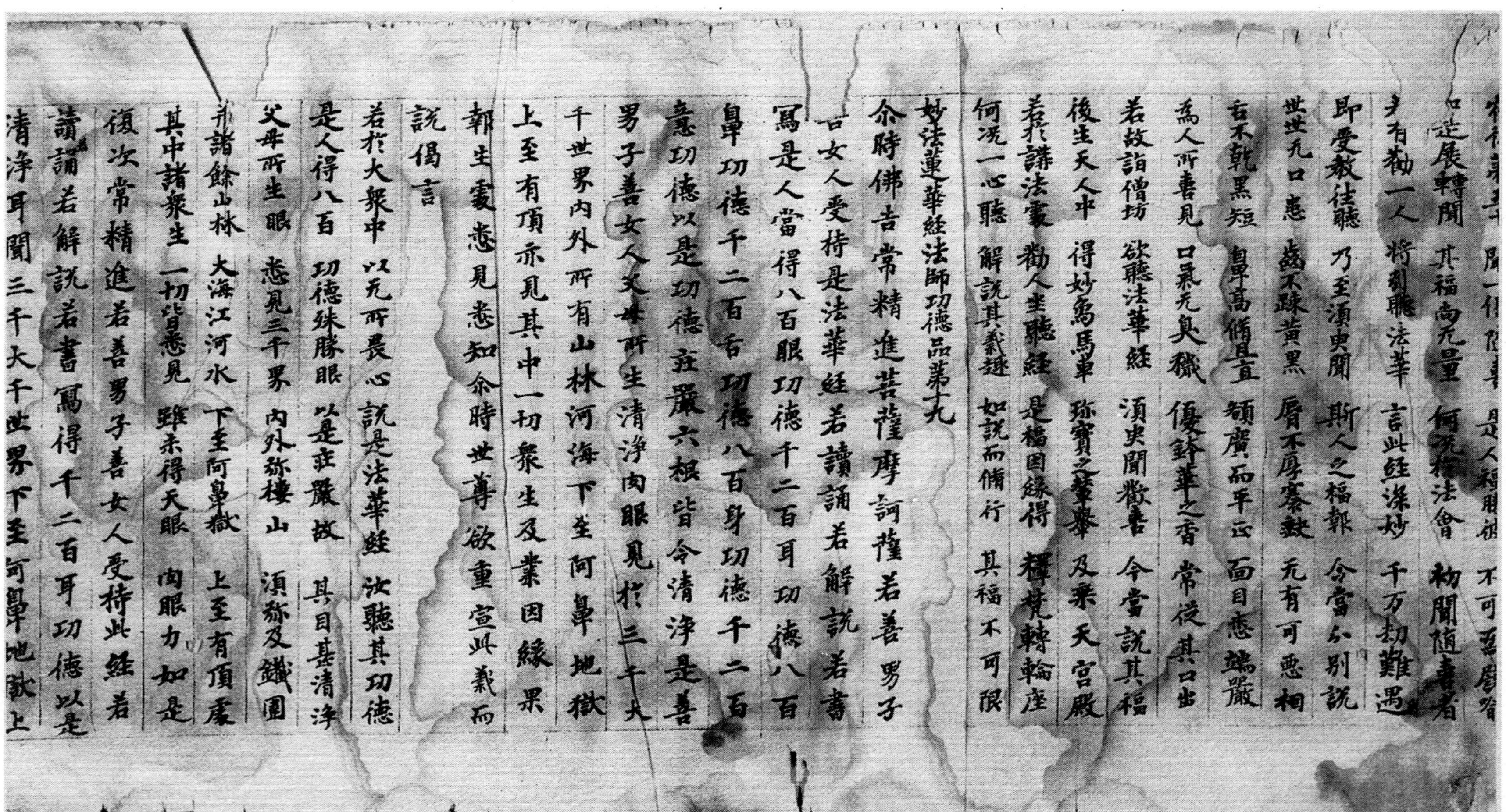

冣後第五十　聞一偈隨喜　是人福勝彼　不可爲譬喻
如是展轉聞　其福尚无量　何况於法會　初聞隨喜者
若有勸一人　將引聽法華　言此經深妙　千万劫難遇
即受教往聽　乃至須臾聞　斯人之福報　今當分別說
世世无口患　齒不踈黄黑　脣不厚褰缺　无有可惡相
舌不乾黑短　鼻高脩且直　額廣而平正　面目悉端嚴
爲人所喜見　口氣无臭穢　優鉢華之香　常從其口出
若故詣僧坊　欲聽法華經　須臾聞歡喜　今當說其福
後生天人中　得妙象馬車　珎寶之輦輿　及乘天宮殿
若於講法處　勸人坐聽經　是福因緣得　釋梵轉輪座
何况一心聽　解說其義趣　如說而脩行　其福不可限
妙法蓮華經法師功德品第十九
尒時佛告常精進菩薩摩訶薩若善男子
善女人受持是法華經若讀若誦若解說若書
寫是人當得八百眼功德千二百耳功德八百
鼻功德千二百舌功德八百身功德千二百
意功德以是功德莊嚴六根皆令清淨是善
男子善女人父母所生清淨肉眼見於三千大
千世界內外所有山林河海下至阿鼻地獄
上至有頂亦見其中一切衆生及業因緣果
報生處悉見悉知尒時世尊欲重宣此義而
說偈言
若於大衆中　以无所畏心　說是法華經　汝聽其功德
是人得八百　功德殊勝眼　以是莊嚴故　其目甚清淨
父母所生眼　悉見三千界　內外弥樓山　須弥及鐵圍
并諸餘山林　大海江河水　下至阿鼻獄　上至有頂處
其中諸衆生　一切皆悉見　雖未得天眼　肉眼力如是
復次常精進若善男子善女人受持此經若
讀誦若解說若書寫得千二百耳功德以是
清淨耳聞三千大千世界下至阿鼻地獄上

BD01930 號　妙法蓮華經卷六　（20–2）

其中諸衆生　一切皆悉見　雖未得天眼　肉眼力如是
復次常精進若善男子善女人受持此經若
讀若誦若解說若書寫得千二百耳功德以是
清淨耳聞三千大千世界下至阿鼻地獄上
至有頂其中內外種種語言音聲象聲馬
聲牛聲車聲啼哭聲愁歎聲螺聲鼓聲鍾
聲鈴聲笑聲語聲男聲女聲童子聲
童女聲法聲非法聲苦聲樂聲凡夫聲聖人
聲喜聲不喜聲天聲龍聲夜叉聲乾闥婆聲
阿修羅聲迦樓羅聲緊那羅聲摩睺羅伽聲火
聲水聲風聲地獄聲畜生聲餓鬼聲比丘聲比丘尼
聲聲聞辟支佛聲菩薩聲佛聲以要言之三
千大千世界中一切內外所有諸聲雖未得天
耳以父母所生清淨常耳皆悉聞知如是分
別種種音聲而不壞耳根爾時世尊欲重宣
此義而說偈言
父母所生耳　清淨無濁穢　以此常耳聞　三千世界聲
象馬車牛聲　鍾鈴螺鼓聲　琴瑟箜篌聲　簫笛之音聲
清淨好歌聲　聽之而不著　無數種人聲　聞悉能解了
又聞諸天聲　微妙之歌音　及聞男女聲　童子童女聲
山川險谷中　迦陵頻伽聲　命命等諸鳥　悉聞其音聲
地獄衆苦痛　種種楚毒聲　餓鬼飢渴逼　求索飲食聲
諸阿修羅等　居在大海邊　自共語言時　出于大音聲
如是說法者　安住於此間　遙聞是衆聲　而不壞耳根
十方世界中　禽獸鳴相呼　其說法之人　於此悉聞之
其諸梵天上　光音及遍淨　乃至有頂天　言語之音聲
法師住於此　悉皆得聞之　一切比丘衆　及諸比丘尼
若讀誦經典　若為他人說　法師住於此　悉皆得聞之
復有諸菩薩　讀誦於經法　若為他人說　撰集解其義

BD01930號　妙法蓮華經卷六　（20–3）

十方世界中　禽獸鳴相呼　其說法之人　於此悉聞之
其諸梵天上　光音及遍淨　乃至有頂天　言語之音聲
法師住於此　悉皆得聞之　一切比丘衆　及諸比丘尼
若讀誦經典　若為他人說　法師住於此　悉皆得聞之
復有諸菩薩　讀誦於經法　若為他人說　撰集解其義
如是諸音聲　悉皆得聞之　諸佛大聖尊　教化衆生者
於諸大衆中　演說微妙法　持此法華者　悉皆得聞之
三千大千界　內外諸音聲　下至阿鼻獄　上至有頂天
皆聞其音聲　而不壞耳根　其耳聰利故　悉能分別知
持是法華者　雖未得天耳　但用所生耳　功德已如是
復次常精進若善男子善女人受持是經若
讀若誦若解說若書寫成就八百鼻功德以
是清淨鼻根聞於三千大千世界上下內外
種種諸香須曼那華香闍提華香末利華
香瞻蔔華香波羅羅華香赤蓮華香青
蓮華香白蓮香華樹香菓樹香栴檀香沉水香多
摩羅跋香多伽羅香及千万種和香若末若
丸若塗香持是經者於此間住悉能分別又
復別知衆生之香象香馬香牛羊等香男香
女香童子香童女香及草木叢林香若近若
遠所有諸香悉皆得聞分別不錯持是經者
雖住於此亦聞天上諸天之香波利質多羅
拘鞞陀羅樹香及曼陀羅華香摩訶曼
陀羅華香曼殊沙華香摩訶曼殊沙華香
栴檀沉水種種末香諸雜華香如是等天香和
合所出之香無不聞知又聞諸天身香釋提桓因
在勝殿上五欲娛樂嬉戲時香若在妙法堂
上為忉利諸天說法時香若於諸園遊戲時
香及餘天等男女身香皆悉遙聞如是展

BD01930號　妙法蓮華經卷六　（20–4）

合所出之香无不聞知又聞諸天身香釋提桓因
在勝殿上五欲娛樂嬉戲時香若在妙法堂
上為忉利諸天說法時香若於諸園遊戲時
香及餘天等男女身香皆悉遙聞如是展
轉乃至梵世上至有頂諸天身香亦皆聞之
并聞諸天所燒之香及聲聞香辟支佛香菩
薩香諸佛身香亦皆遙聞知其所在雖聞此
香然於鼻根不壞不錯若欲分別為他人說憶
念不謬尒時世尊欲重宣此義而說偈言
是人鼻清淨　於此世界中　若香若臭物　種種悉聞知
須曼那闍提　多摩羅栴檀　沈水及桂香　種種華菓香
及知眾生香　男子女人香　說法者遠住　聞香知所在
大勢轉輪王　小轉輪及子　群臣諸宮人　聞香知所在
身所著珎寶　及地中寶藏　轉輪王寶女　聞香知所在
諸人嚴身具　衣服及瓔珞　種種所塗香　聞則知其身
諸天若行坐　遊戲及神變　持是法華者　聞香悉能知
諸樹華菓實　及蘇油香氣　持經者住此　悉知其所在
諸山深嶮處　栴檀樹華敷　眾生在中者　聞香皆能知
鐵圍山大海　地中諸眾生　持經者聞香　悉知其所在
阿脩羅男女　及其諸眷屬　鬪諍遊戲時　聞香皆能知
曠野險隘處　師子象虎狼　野牛水牛等　聞香知所在
若有懷妊者　未辯其男女　无根及非人　聞香悉能知
以聞香力故　知其初懷妊　成就不成就　安樂產福子
以聞香力故　知男女所念　染欲癡恚心　亦知脩善者
地中眾伏藏　金銀諸珎寶　銅器之所盛　聞香悉能知
種種諸瓔珞　无能識其價　聞香知貴賤　出處及所在
天上諸華等　曼陀曼殊沙　波利質多樹　聞香悉能知
天上諸宮殿　上中下差別　眾寶華莊嚴　聞香悉能知
天園林勝殿　諸觀妙法堂　在中而娛樂　聞香悉能知

BD01930號　妙法蓮華經卷六　（20–5）

天上諸宮殿　上中下差別　眾寶華莊嚴　聞香悉能知
天園林勝殿　諸觀妙法堂　在中而娛樂　聞香悉能知
諸天若聽法　或受五欲時　來往行坐臥　聞香悉能知
天女所著衣　好華香莊嚴　周旋遊戲時　聞香悉能知
如是展轉上　乃至於梵世　入禪出禪者　聞香悉能知
光音遍淨天　乃至于有頂　初生及退沒　聞香悉能知
諸比丘眾等　於法常精進　若坐若經行　及讀誦經法
或在林樹下　專精而坐禪　持經者聞香　悉知其所在
菩薩志堅固　坐禪若讀誦　或為人說法　聞香悉能知
在在方世尊　一切所恭敬　愍眾而說法　聞香悉能知
眾生在佛前　聞經皆歡喜　如法而脩行　聞香悉能知
雖未得菩薩　无漏法生鼻　而是持經者　先得此鼻相
復次常精進若善男子善女人受持是經若讀
若誦若解說若書寫得千二百舌功德若
好若醜若美不美及諸苦澁物在其舌根皆
變成上味如天甘露无不美者若以舌根於
大眾中有所演說出深妙聲能入其心皆令
歡喜快樂又諸天子天女釋梵諸天聞是深
妙音聲有所演說言論次第皆悉來聽及諸
龍龍女夜叉夜叉女乾闥婆乾闥婆女阿脩
羅阿脩羅女迦樓羅迦樓羅女緊那羅緊那
羅女摩睺羅伽摩睺羅伽女為聽法故皆來
親近恭敬供養及比丘比丘尼優婆塞優婆
夷國王王子群臣眷屬小轉輪王大轉輪王
七寶千子內外眷屬乘其宮殿俱來聽法以
是菩薩善說法故婆羅門居士國內人民盡
其形壽隨侍供養又諸聲聞辟支佛菩薩諸
佛常樂見之是人所在方面諸佛皆向其處
說法悉能受持一切佛法又能出於深妙法音

BD01930號　妙法蓮華經卷六　（20–6）

是菩薩善說法故婆羅門居士國內人民盡
其形壽隨侍供養又諸聲聞辟支佛菩薩諸
佛常樂見之是人所在方面諸佛皆向其處
說法悉能受持一切佛法又能出於深妙法音
尒時世尊欲重宣此義而說偈言
是人舌根淨　終不受惡味　其有所食噉　悉皆成甘露
以深淨妙音　於大眾說法　以諸因緣喻　引導眾生心
聞者皆歡喜　設諸上供養　諸天龍夜叉　及阿脩羅等
皆以恭敬心　而共來聽法　是說法之人　若欲以妙音
遍滿三千界　隨意即能至　大小轉輪王　及千子眷屬
合掌恭敬心　常來聽受法　諸天龍夜叉　羅剎毗舍闍
亦以歡喜心　常樂來供養　梵天王魔王　自在大自在
如是諸天眾　常來至其所　諸佛及弟子　聞其說法音
常念而守護　或時為現身
復次常精進若善男子善女人受持是經若
讀若誦若解說若書寫得八百身功德得清
淨身如淨瑠璃眾生喜見其身淨故三千大
千世界眾生生時死時上下好醜生善處惡
處悉於中現及鐵圍山大鐵圍山彌樓山摩訶
彌樓山等諸山及其中眾生悉於中現下
至阿鼻地獄上至有頂所有及眾生悉於中
現若聲聞辟支佛菩薩諸佛說法皆於身中
現其色像尒時世尊欲重宣此義而說偈言
若持法華者　其身甚清淨　如彼淨瑠璃　眾生皆喜見
又如淨明鏡　悉見諸色像　菩薩於淨身　皆見世所有
唯獨自明了　餘人所不見　三千世界中　一切諸群萌
天人阿脩羅　地獄鬼畜生　如是諸色像　皆於身中現
諸天等宮殿　乃至於有頂　鐵圍及彌樓　摩訶彌樓山
諸大海水等　皆於身中現　諸佛及聲聞　佛子菩薩等

若持法華者　其身甚清淨　如彼淨瑠璃　眾生皆喜見
又如淨明鏡　悉見諸色像　菩薩於淨身　皆見世所有
唯獨自明了　餘人所不見　三千世界中　一切諸群萌
天人阿脩羅　地獄鬼畜生　如是諸色像　皆於身中現
諸天等宮殿　乃至於有頂　鐵圍及彌樓　摩訶彌樓山
諸大海水等　皆於身中現　諸佛及聲聞　佛子菩薩等
若獨若在眾　說法悉皆現　雖未得无漏　法性之妙身
以清淨常體　一切於中現
復次常精進若善男子善女人如來滅後受
持是經若讀若誦若解說若書寫得千二
百意功德以是清淨意根乃至聞一偈一句
通達无量无邊之義解是義已能演說
一句一偈至於一月四月乃至一歲諸所說法隨
其義趣皆與實相不相違背若說俗間經
書治世語言資生業等皆順正法三千大千世
界六趣眾生心之所行心所動作心所戲論皆
悉知之雖未得无漏智慧而其意根清淨
如此是人有所思惟籌量言說皆是佛法
无不真實亦是先佛經中所說尒時世尊
欲重宣此義而說偈言
是人意清淨　明利无穢濁　以此妙意根　知上中下法
乃至聞一偈　通達无量義　次第如說法　月四月至歲
是世界內外　一切諸眾生　若天龍及人　夜叉鬼神等
其在六趣中　所念若干種　持法華之報　一時皆悉知
十方无數佛　百福莊嚴相　為眾生說法　悉聞能受持
思惟无量義　說法亦无量　終始不忘錯　以持法華故
悉知諸法相　隨義識次第　達名字語言　如所知演說
此人有所說　皆是先佛法　以演此法故　於眾无所畏
持法華經者　意根淨若斯　雖未得无漏　先有如是相
是人持此經　安住希有地　為一切眾生　歡喜而愛敬

此人有所說 皆是先佛法 以演此經故 於衆无所畏
持法華經者 意根淨若斯 雖未得无漏 先有如是相
是人持此經 安住希有地 為一切衆生 歡喜而愛敬
能以千万種 善巧之語言 分別而說法 持法華經故
妙法蓮華經常不輕菩薩品第二十
尒時佛告得大勢菩薩摩訶薩汝今當知
若比丘比丘尼優婆塞優婆夷持法華經者若
有惡口罵詈誹謗獲大罪報如前所說其所
得功德如向所說眼耳鼻舌身意清淨得大
勢乃往古昔過无量无邊不可思議阿僧祇
劫有佛名威音王如來應供正遍知明行足
善逝世間解无上士調御丈夫天人師佛世
尊劫名離衰國名大成其威音王佛於彼世
中為天人阿脩羅說法為求聲聞者說應四
諦法度生老病死究竟涅槃為求辟支佛者
說應十二因緣法為諸菩薩因阿耨多羅三
藐三菩提說應六波羅蜜法究竟佛慧得
大勢是威音王佛壽四十万億那由他恒河
沙劫正法住世劫數如一閻浮提微塵像法住
世劫數如四天下微塵其佛饒益衆生已然
後滅度正法像法滅盡之後於此國土復有
佛出亦号威音王如來應供正遍知明行足善
逝世間解无上士調御丈夫天人師佛世
尊如是次第有二万億佛皆同一号最初威
音王如來既已滅度正法滅後於像法中增
上慢比丘有大勢力尒時有一菩薩比丘名
常不輕得大勢以何因緣名常不輕是比丘
凡有所見若比丘比丘尼優婆塞優婆夷皆
悉礼拜讚歎而作是言我深敬汝等不敢輕

BD01930號 妙法蓮華經卷六 (20–9)

上慢比丘有大勢力尒時有一菩薩比丘名
常不輕得大勢以何因緣名常不輕是比丘
凡有所見若比丘比丘尼優婆塞優婆夷皆
悉礼拜讚歎而作是言我深敬汝等不敢輕
慢所以者何汝等皆行菩薩道當得作佛而
是比丘不專讀誦經典但行礼拜乃至遠見
四衆亦復故往礼拜讚歎而作是言我不敢
輕於汝等汝等皆當作佛故四衆之中有生
瞋恚心不淨者惡口罵詈言是无智比丘從
何所來自言我不敢輕汝而與我等受記當
得作佛我等不用如是虛妄受記如此經歷
多年常被罵詈不生瞋恚常作是言汝當作
佛說是語時衆人或以杖木瓦石而打擲之
避走遠住猶高聲唱言我不敢輕於汝等汝
等皆當作佛以其常作是語故增上慢比丘
比丘尼優婆塞優婆夷号之為常不輕是比
丘臨欲終時於虛空中具聞威音王佛先所
說法華經二十千万億偈悉能受持即得如
上眼根清淨耳鼻舌身意根清淨得是六
根清淨已更增壽命二百万億那由他歲廣
為人說是法華經於時增上慢四衆比丘比丘
尼優婆塞優婆夷輕賤是人為作不輕名者
見其得大神通力樂說辯力大善寂力聞其所
說皆信伏隨從是菩薩復化千万億衆令住阿
耨多羅三藐三菩提命終之後得值二千億
佛皆号日月燈明於其法中說是法華經以
是因緣復值二千億佛同号雲自在燈王於
此諸佛法中受持讀誦為諸四衆說此經典

BD01930號 妙法蓮華經卷六 (20–10)

耨多羅三藐三菩提命終之後得值二千億
佛皆号日月燈明於其法中說是法華經以
是因緣復值二千億佛同号雲自在燈王於
此諸佛法中受持讀誦為諸四衆說此經典
故得是常眼清淨耳鼻舌身意諸根清淨
於四衆中說法心无所畏得大勢是常不輕
菩薩摩訶薩供養如是若千諸佛恭敬尊
重讚嘆諸種善根於後復值千万億佛亦於
諸佛法中說是經典功德成就當得作佛得
大勢於意云何尒時常不輕菩薩豈異人乎
則我身是若我於宿世不受持讀誦此經為他
人說者不能疾得阿耨多羅三藐三菩提我
於先佛所受持讀誦此經為人說故疾得阿
耨多羅三藐三菩提得大勢彼時四衆比丘
比丘尼優婆塞優婆夷以瞋恚意輕賤我故
二百億劫常不值佛不聞法不見僧千劫於
阿鼻地獄受大苦惱畢是罪已復遇常不輕
菩薩教化阿耨多羅三藐三菩提得大勢於
汝意云何尒時四衆常輕是菩薩者豈異人
乎今此會中跋陁婆羅等五百菩薩師子
月等五百比丘尼思佛等五百優婆塞皆於阿
耨多羅三藐三菩提不退轉者是得大勢當
知是法華經大饒益諸菩薩摩訶薩能令至
於阿耨多羅三藐三菩提是故諸菩薩摩訶
薩於如來滅後常應受持讀誦解說書冩是
經尒時世尊欲重宣此義而說偈言
過去有佛　号威音王　神智无量　将導一切
天人龍神　所共供養　是佛滅後　法欲盡時
有一菩薩　名常不輕　時諸四衆　計著於法

BD01930號　妙法蓮華經卷六　（20–11）

過去有佛　号威音王　神智无量　将導一切
天人龍神　所共供養　是佛滅後　法欲盡時
有一菩薩　名常不輕　時諸四衆　計著於法
不輕菩薩　往到其所　而語之言　我不輕汝
汝等行道　皆當作佛　諸人聞已　輕毀罵詈
不輕菩薩　能忍受之　其罪畢已　臨命終時
得聞此經　六根清淨　神通力故　增益壽命
復為諸人　廣說是經　諸著法衆　皆蒙菩薩
教化成就　令住佛道　不輕命終　值无數佛
說是經故　得无量福　漸具功德　疾成佛道
彼時不輕　則我身是　時四部衆　著法之者
聞不輕言　汝當作佛　以是因緣　值无數佛
此會菩薩　五百之衆　并及四部　清信士女
今於我前　聽法者是　我於前世　勸是諸人
聽受斯經　第一之法　開示教人　令住涅槃
世世受持　如是經典　億億万劫　至不可議
時乃得聞　是法華經　億億万劫　至不可議
諸佛世尊　時說是經　是故行者　於佛滅後
聞如是經　勿生疑惑　應當一心　廣說此經
世世值佛　疾成佛道
妙法蓮華經如來神力品第二十一
尒時千世界微塵等菩薩摩訶薩從地踊
出者皆於佛前一心合掌瞻仰尊顔而白佛言
世尊我等於佛滅後世尊分身所在國土滅度
之處當廣說此經所以者何我等亦自欲得是
真淨大法受持讀誦解說書冩而供養之
尒時世尊於文殊師利等无量百千万億舊
住娑婆世界菩薩摩訶薩及諸比丘比丘尼
優婆塞優婆夷天龍夜叉乹闥婆阿脩羅
[illegible]

BD01930號　妙法蓮華經卷六　（20–12）

尒時世尊於文殊師利等无量百千万億舊
住娑婆世界菩薩摩訶薩及諸比丘比丘尼
優婆塞優婆夷天龍夜叉乾闥婆阿脩羅
迦樓羅緊那羅摩睺羅伽人非人等一切衆
前現大神力出廣長舌上至梵世一切毛孔放
於无量无數色光皆悉遍照十方世界衆寶
樹下師子座上諸佛亦復如是出廣長舌放
无量光釋迦牟尼佛及寶樹下諸佛現神力
時滿百千歲然後還攝舌相一時謦欬俱
共彈指是二音聲遍至十方諸佛世界地皆
六種震動其中衆生天龍夜叉乾闥婆阿脩
羅迦樓羅緊那羅摩睺羅伽人非人等以佛
神力故皆見此娑婆世界无量无邊百千万億
衆寶樹下師子座上諸佛及見釋迦牟尼佛
共多寶如來在寶塔中坐師子座又見无
量无邊百千万億菩薩摩訶薩及諸四衆恭
敬圍繞釋迦牟尼佛既見是已皆大歡喜得
未曾有即時諸天於虛空中高聲唱言過此
无量无邊百千万億阿僧祇世界有國名娑婆
是中有佛名釋迦牟尼今為諸菩薩摩訶薩
說大乘經名妙法蓮華教菩薩法佛所護念
汝等當深心隨喜亦當礼拜供養釋迦牟
尼佛彼諸衆生聞虛空中聲已合掌向娑婆
世界作如是言南无釋迦牟尼佛南无釋迦牟
尼佛以種種華香瓔珞幡蓋及諸嚴身之具
珎寶妙物皆共遙散娑婆世界所散諸物
從十方來譬如雲集變成寶帳遍覆此
間諸佛之上于時十方世界通達无礙如一佛土

BD01930號　妙法蓮華經卷六　（20–13）

尼佛以種種華香瓔珞幡蓋及諸嚴身之具
珎寶妙物皆共遙散娑婆世界所散諸物
從十方來譬如雲集變成寶帳遍覆此
間諸佛之上于時十方世界通達无礙如一佛土
尒時佛告上行等菩薩大衆諸佛神力如是
无量无邊不可思議若我以是神力於无量无
量无邊不可思議若我以是神力於无量无邊
百千万億阿僧祇劫為囑累故說此經功德
猶不能盡以要言之如來一切所有之法如
來一切自在神力如來一切秘要之藏如來
一切甚深之事皆於此經宣示顯說是故汝
等於如來滅後應一心受持讀誦解說書
寫如說脩行所在國土若有受持讀誦解
說書寫如說脩行若經卷所住之處若於園
中若於林中若於樹下若於僧坊若白衣舍
若在殿堂若山谷曠野是中皆應起塔供養
所以者何當知是處即是道場諸佛於此得
阿耨多羅三藐三菩提諸佛於此轉于法輪
諸佛於此而般涅槃尒時世尊欲重宣此義
而說偈言
諸佛救世者　住於大神通　為悅衆生故　現无量神力
舌相至梵天　身放无數光　為求佛道者　現此希有事
諸佛謦欬聲　及彈指之聲　周聞十方國　地皆六種動
以佛滅度後　能持是經故　諸佛皆歡喜　現无量神力
囑累是經故　讚美受持者　於无量劫中　猶故不能盡
是人之功德　无邊无有窮　如十方虛空　不可得邊際
能持是經者　則為已見我　亦見多寶佛　及諸分身者
又見我今日　教化諸菩薩　能持是經者　令我及分身

BD01930號　妙法蓮華經卷六　（20–14）

是人之功德　无邊无有窮　如十方虛空　不可得邊際
能持是經者　則為已見我　亦見多寶佛　及諸分身者
又見我今日　教化諸菩薩　能持是經者　令我及分身
滅度多寶佛　一切皆歡喜　十方現在佛　并過去未來
亦見亦供養　亦令得歡喜　諸佛坐道場　所得祕要法
能持是經者　不久亦當得　能持是經者　於諸法之義
名字及言辭　樂說无窮盡　如風於空中　一切无障礙
於如來滅後　知佛所說經　因緣及次第　隨義如實說
如日月光明　能除諸幽冥　斯人行世間　能滅眾生闇
教无量菩薩　畢竟住一乘　是故有智者　聞此功德利
於我滅度後　應受持斯經　是人於佛道　決定无有疑
妙法蓮華經囑累品第二十二
尒時釋迦牟尼佛從法座起現大神力以右手
摩无量菩薩摩訶薩頂而作是言我於无
量百千万億阿僧祇劫脩習是難得阿耨多羅
三藐三菩提法今以付囑汝等汝等應當一心
流布此法廣令增益如是三摩諸菩薩摩
訶薩頂而作是言我於无量百千万億阿僧
祇劫脩習是難得阿耨多羅三藐三菩提
法今以付囑汝等汝等當受持讀誦廣宣此
法令一切眾生普得聞知所以者何如來有
大慈悲无諸慳悋亦无所畏能與眾生佛之
智慧如來智慧自然智慧如來是一切眾生
之大施主汝等亦應隨學如來之法勿生慳悋於
未來世若有善男子善女人信如來智慧者
當為演說此法華經使得聞知為令其人得
佛慧故若有眾生不信受者當於如來餘深
法中示教利喜汝等若能如是則為已報諸

BD01930號　妙法蓮華經卷六　（20–15）

之大施主[illegible]
未來世若有善男子善女人信如來智慧者
當為演說此法華經使得聞知為令其人得
佛慧故若有眾生不信受者當於如來餘深
法中示教利喜汝等若能如是則為已報諸
佛之恩時諸菩薩摩訶薩聞佛作是說已
皆大歡喜遍滿其身益加恭敬曲躬低頭合
掌向佛俱發聲言如世尊勅當具奉行唯
然世尊願不有慮諸菩薩摩訶薩眾如是三
反俱發聲言如世尊勅當具奉行唯然世尊願
不有慮尒時釋迦牟尼佛令十方來諸分身佛
各還本土而作是言諸佛各隨所安多寶佛
塔還可如故說是語時十方无量分身諸佛坐
寶樹下師子座上者及多寶佛并上行等
无邊阿僧祇菩薩大眾舍利弗等聲聞四
眾及一切世間天人阿脩羅等聞佛所說皆大歡喜
妙法蓮華經藥王菩薩本事品第二十三
尒時宿王華菩薩白佛言世尊藥王菩薩云何
遊於娑婆世界世尊是藥王菩薩有若干百千
万億那由他難行苦行善哉世尊願少解說諸
天龍神夜叉乾闥婆阿脩羅迦樓羅緊那羅
摩睺羅伽人非人等又他國土諸來菩薩
及此聲聞眾聞皆歡喜尒時佛告宿王華
菩薩乃往過去无量恒河沙劫有佛号日月
淨明德如來應供正遍知明行足善逝世間
解无上士調御丈夫天人師佛世尊其佛有八
十億大菩薩摩訶薩七十二恒河沙大聲聞
眾佛壽四万二千劫菩薩壽命亦等彼國无
有女人地獄餓鬼畜生阿脩羅等及以諸難

BD01930號　妙法蓮華經卷六　（20–16）

[illegible]
解无上士調御丈夫天人師佛世尊其佛有八
十億大菩薩摩訶薩七十二恒河沙大聲聞
衆佛壽四万二千劫菩薩壽命亦等彼國无
有女人地獄餓鬼畜生阿脩羅等及以諸難
地平如掌琉璃所成寶樹莊嚴寶帳覆上垂
寶華幡寶瓶香爐周遍國界七寶爲臺一樹
一臺其樹去臺盡一箭道此諸寶樹皆有菩
薩聲聞而坐其下諸寶臺上各有百億諸天
作天伎樂歌嘆於佛以爲供養尒時彼佛爲一
切衆生憙見菩薩及衆菩薩諸聲聞衆說
法華經是一切衆生憙見菩薩樂習苦行於
日淨明德佛法中精進經行一心求佛滿万
二千歲已得現一切色身三昧得此三昧已心
大歡喜即作念言我得現一切色身三昧
皆是得聞法華經力我今當供養日月淨
明德佛及法華經即時入是三昧於虛空
中雨曼陁羅華摩訶曼陁羅華細末堅
黑栴檀滿虛空中如雲而下又雨海此岸栴檀
之香此香六銖價直娑婆世界以供養佛作是
供養已從三昧起而自念言我雖以神力供養
於佛不如以身供養即服諸香栴檀薰陸
兜樓婆畢力迦沉水膠香又飲瞻蔔諸華香
油滿千二百歲已香油塗身於日月淨明德佛
前以天寶衣而自纏身灌諸香油以神通力願
而自燃身光明遍照八十億恒河沙世界其
中諸佛同時讚言善哉善哉善男子是真精
進是名真法供養如來若以華香瓔珞燒香

BD01930號　妙法蓮華經卷六　（20–17）

[illegible]
而自燃身光明遍照八十億恒河沙世界其
中諸佛同時讚言善哉善哉善男子是真精
進是名真法供養如來若以華香瓔珞燒香
末香塗香天繒幡蓋及海此岸栴檀之香如
是等種種諸物供養所不能及假使國城妻
子布施亦所不及善男子是名第一之施於
諸施中最尊最上以法供養諸如來故作
是語已而各嘿然其身火燃千二百歲過是
已後其身乃盡一切衆生憙見菩薩作如是
法供養已命終之後復生日月淨明德佛國
中於淨德王家結加趺坐忽然化生即爲其父
而說偈言
大王今當知　我經行彼處　即時得一切　現諸身三昧
懃行大精進　捨所愛之身
說是偈已而白父言日月淨明德佛今故現在
我先供養佛已得解一切衆生語言陁羅尼
復聞是法華經八百千万億那由他甄迦羅頻
婆羅阿閦婆等偈大王我今當還供養此佛白
已即坐七寶之臺上昇虛空高七多羅樹往
到佛所頭面禮足合十指爪以偈讚佛
容顏甚奇妙　光明照十方　我適曾供養　今復還親近
尒時一切衆生憙見菩薩說是偈已而白佛言
世尊世尊猶故在世尒時日月淨明德佛告一
切衆生憙見菩薩善男子我涅槃時到滅
盡時至汝可安施床座我於今夜當般涅
槃又勑一切衆生憙見菩薩善男子我以佛
法囑累於汝及諸菩薩大弟子并阿耨多羅
[illegible]

BD01930號　妙法蓮華經卷六　（20–18）

[illegible]
盡時至汝可安施床座我於今夜當般涅
槃又勅一切眾生憙見菩薩善男子以佛
法囑累於汝及諸菩薩大弟子并阿耨多羅
三藐三菩提法亦以三千大千七寶世界諸寶
樹寶臺及給侍諸天悉付於汝我滅度後所
有舍利亦付囑汝當令流布廣設供養應
起若干千塔如是日月淨明德佛勅一切眾
生憙見菩薩已於夜後分入於涅槃尒時一
切眾生憙見菩薩見佛滅度悲感懊惱戀慕
於佛即以海此岸栴檀為積供養佛身而以
燒之火滅已後收取舍利作八万四千寶瓶
起八万四千塔高三世界表剎莊嚴垂諸
幡蓋懸眾寶鈴尒時一切眾生憙見菩薩
復自念言我雖作是供養心猶未足我今當更
供養舍利便語諸菩薩大弟子及天龍夜叉
等一切大眾汝等當一心念我今供養日月淨
明德佛舍利作是語已即於八万四千塔前
燃百福莊嚴臂七万二千歲而以供養令无數
求聲聞眾无量阿僧祇人發阿耨多羅三
藐三菩提心皆使得住現一切色身三昧尒時諸
菩薩天人阿脩羅等見其无臂憂惱悲
哀而作是言此一切眾生憙見菩薩是我
等師教化我者而今燒臂身不具足于時一
切眾生憙見菩薩於大眾中立此誓言我捨
兩臂必當得佛金色之身若實不虛令我兩
臂還復如故作是誓已自然還復由斯菩薩
福德智慧淳厚所致當尒之時三千大千

BD01930號　妙法蓮華經卷六　（20–19）

復自念言我雖作是供養心猶未足我今當更
供養舍利便語諸菩薩大弟子及天龍夜叉
等一切大眾汝等當一心念我今供養日月淨
明德佛舍利作是語已即於八万四千塔前
燃百福莊嚴臂七万二千歲而以供養令无數
求聲聞眾无量阿僧祇人發阿耨多羅三
藐三菩提心皆使得住現一切色身三昧尒時諸
菩薩天人阿脩羅等見其无臂憂惱悲
哀而作是言此一切眾生憙見菩薩是我
等師教化我者而今燒臂身不具足于時一
切眾生憙見菩薩於大眾中立此誓言我捨
兩臂必當得佛金色之身若實不虛令我兩
臂還復如故作是誓已自然還復由斯菩薩
福德智慧淳厚所致當尒之時三千大千世
界六種震動天雨寶華一切人天得未曾有
佛告宿王華菩薩於汝意云何一切眾生憙
見菩薩豈異人乎今藥王菩薩是也其所捨身
布施如是无量百千万億那由他數宿王華
若有發心欲得阿耨多羅三藐三菩提者
能燃手指乃至足一指供養佛塔勝以國
池諸珍寶物
滿三千大千世界

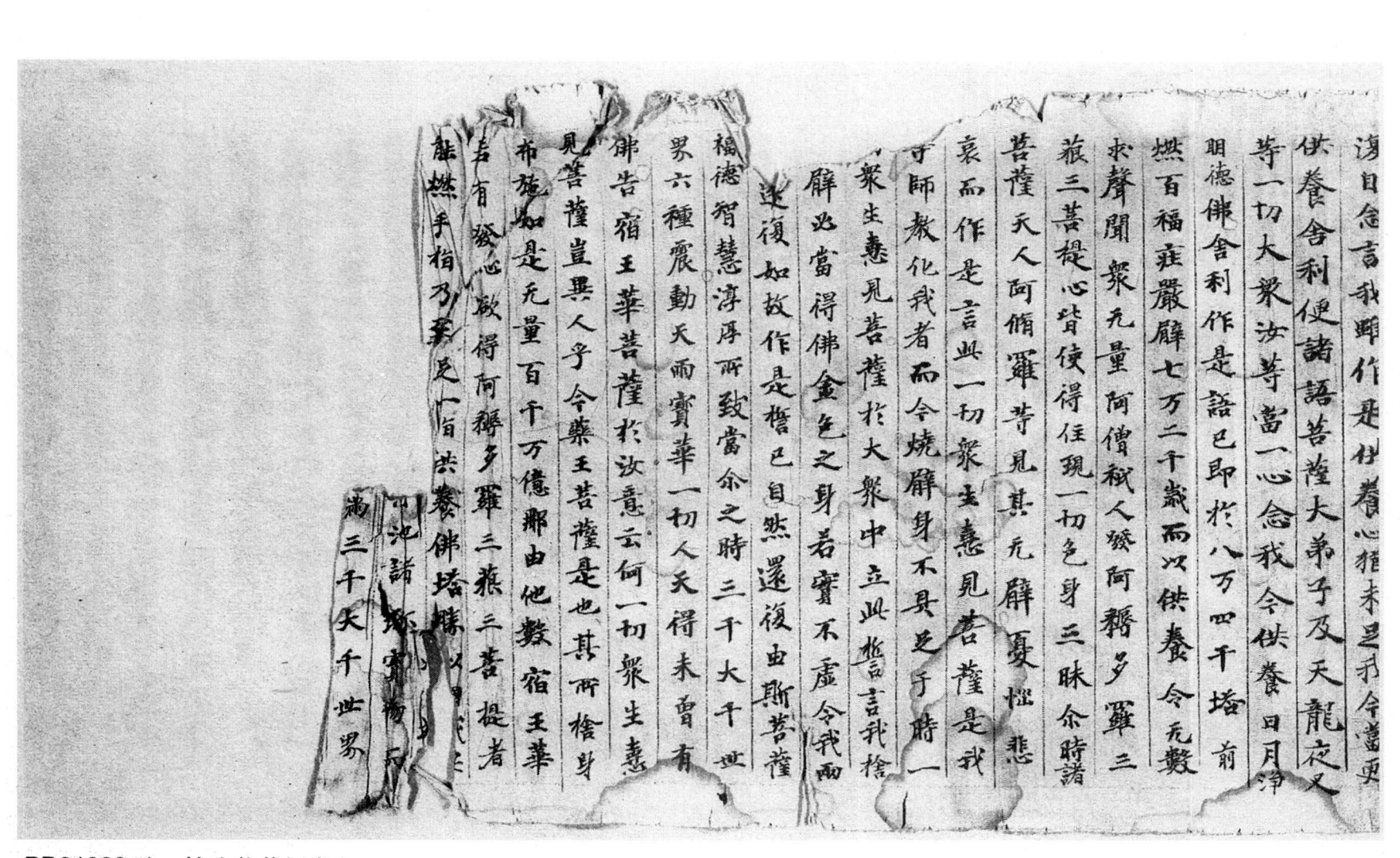

BD01930號　妙法蓮華經卷六　（20–20）

心不淨者惡口罵詈言曰
來自言我不輕汝而與我等受
我等不用如是虛妄授記如此經歷
被罵詈不生瞋恚常作是言汝當
是語時衆人或以杖木瓦石而打
住猶高聲唱言我不敢輕於汝等汝
佛以其常作是語故增上慢比丘
婆塞優婆夷号之爲常不輕是
終時於虛空中具聞威音王佛
經二十千万億偈悉能受持即得如
淨耳鼻舌身意根清淨得是六根清淨已
更增壽命二百万億那由他歲廣爲人說是
法華經於時增上慢四衆比丘比丘尼優婆
塞優婆夷輕賤是人爲作不輕名者見其
得大神通力樂說辯力大善寂力聞其所說
皆信伏隨從是菩薩復化千万億衆令住
阿耨多羅三藐三菩提命終之後得值二千億
佛皆号日月燈明於其法中說是法華經以
是因緣復值二千億佛同号雲自在燈王於
此諸佛法中受持讀誦爲諸四衆說此經典
故得是常眼清淨耳鼻舌身意諸根清淨於
四衆中說法心无所畏得大勢是常不輕菩薩
摩訶薩供養如是若干諸佛恭敬尊重讚

BD01931 號　妙法蓮華經（八卷本）卷七　（20–1）

故得是常眼清淨耳鼻舌身意諸根清淨於
四衆中說法心无所畏得大勢是常不輕菩薩
摩訶薩供養如是若干諸佛恭敬尊重讚
歎種諸善根於後復值千万億佛亦於諸佛
法中說是經典功德成就當得作佛得大勢
於意云何尒時常不輕菩薩豈異人乎則
我身是若我於宿世不受持讀誦此經爲他
人說者不能疾得阿耨多羅三藐三菩提我於
先佛所受持讀誦此經爲他人說故疾得阿
耨多羅三藐三菩提得大勢彼時四衆比丘
比丘尼優婆塞優婆夷以瞋恚意輕賤我
故二百億劫常不值佛不聞法不見僧千劫於
阿鼻地獄受大苦惱畢是罪已復遇常不輕
菩薩教化阿耨多羅三藐三菩提得大勢於
汝意云何尒時四衆常輕是菩薩者豈異人
乎今此會中跋陀婆羅等五百菩薩師子月
等五百比丘尼思佛等五百優婆塞皆於阿
耨多羅三藐三菩提不退轉者是得大勢當
知是法華經大饒益諸菩薩摩訶薩能令至
於阿耨多羅三藐三菩提是故諸菩薩摩
訶薩於如來滅後常應受持讀誦解說書寫
是經尒時世尊欲重宣此義而說偈言
過去有佛　号威音王　神智无量　將導一切
天人龍神　所共供養　是佛滅後　法欲盡時
有一菩薩　名常不輕　時諸四衆　計着於法
不輕菩薩　往到其所　而語之言　我不輕汝
汝等行道　皆當作佛　諸人聞已　輕毀罵詈

BD01931 號　妙法蓮華經（八卷本）卷七　（20–2）

汝等行道皆當作佛　諸人聞已　輕毀罵詈
不輕菩薩　能忍受之　其罪畢已　臨命終時
得聞此經　六根清淨　神通力故　增益壽命
復為諸人　廣說是經　諸著法衆　皆蒙菩薩
教化成就　令住佛道　不輕命終　值无數佛
說是經故　得无量福　漸具功德　疾成佛道
彼時不輕　則我身是　時四部衆　著法之者
聞不輕言　汝當作佛　以是因緣　值无數佛
此會菩薩　五百之衆　并及四部　清信士女
我於我前　聽法者是　我於前世　勸是諸人
聽受斯經　第一之法　開示教人　令住涅槃
世世受持　如是經典　億億万劫　至不可議
時乃得聞　是法華經　億億万劫　至不可議
諸佛世尊　時說是經　是故行者　於佛滅後
聞如是經　勿生疑惑　應當一心　廣說此經
世世值佛　疾成佛道

妙法蓮華經如來神力品第二十一

尒時千世界微塵等菩薩摩訶薩從地踊出
者皆於佛前一心合掌瞻仰尊顏而白佛言
世尊我等於佛滅後世尊分身所在國土滅
度之處當廣說此經所以者何我等亦自欲
得是真淨大法受持讀誦解說書寫供養
之尒時世尊於文殊師利等无量百千万億舊
住娑婆世界菩薩摩訶薩及諸比丘比丘尼
優婆塞優婆夷天龍夜叉乾闥婆阿脩羅
迦樓羅緊那羅摩睺羅伽人非人等一切衆
前現大神力出廣長舌上至梵世一切毛孔放

BD01931號　妙法蓮華經（八卷本）卷七　（20–3）

得是真淨大法受持讀誦解說書寫供養
之尒時世尊於文殊師利等无量百千万億舊
住娑婆世界菩薩摩訶薩及諸比丘比丘尼
優婆塞優婆夷天龍夜叉乾闥婆阿脩羅
迦樓羅緊那羅摩睺羅伽人非人等一切衆
前現大神力出廣長舌上至梵世一切毛孔放
於无量无數色光皆悉遍照十方世界衆寶
樹下師子座上諸佛亦復如是出廣長舌放
无量光釋迦牟尼佛及寶樹下諸佛現神
力時滿百千歲然後還攝舌相一時謦欬俱共
彈指是二音聲遍至十方諸佛世界地皆
六種震動其中衆生天龍夜叉乾闥婆阿脩
羅迦樓羅緊那羅摩睺羅伽人非人等以佛
神力故皆見此娑婆世界无量无邊百千万
億衆寶樹下師子座上諸佛及見釋迦牟尼
佛共多寶如來在寶塔中坐師子座又見无量
无邊百千万億菩薩摩訶薩及諸四衆恭敬
圍繞釋迦牟尼佛既見是已皆大歡喜得未
曾有即時諸天於虛空中高聲唱言過此无
量无邊百千万億阿僧祇世界有國名娑婆是
中有佛名釋迦牟尼今為諸菩薩摩訶薩說
大乘經名妙法蓮華教菩薩法佛所護念汝
等當深心隨喜亦當禮拜供養釋迦牟尼佛
彼諸衆生聞虛空中聲已合掌向娑婆世界
作如是言南无釋迦牟尼佛南无釋迦牟尼佛
以種種華香瓔珞幡蓋及諸嚴身之具珍寶
妙物皆共遙散娑婆世界所散諸物從十方

BD01931號　妙法蓮華經（八卷本）卷七　（20–4）

等當深心隨喜亦當禮拜供養釋迦牟尼佛
彼諸衆生聞虛空中聲已合掌向娑婆世界
作如是言南无釋迦牟尼佛南无釋迦牟尼佛
以種種華香瓔珞幡蓋及諸嚴身之具珎寶
妙物皆共遥散娑婆世界所散諸物從十方
來譬如雲集變成寶帳遍覆此間諸佛之
上于時十方世界通達无礙如一佛土尒時佛告
上行等菩薩大衆諸佛神力如是无量无邊
不可思議若我以是神力於无量无邊百千
万億阿僧祇劫為囑累故說此經功德猶不
不能盡以要言之如來一切所有之法如來
一切自在神力如來一切祕要之藏如來一切
甚深之事皆於此經宣示顯說是故汝等於
如來滅後應一心受持讀誦解說書寫如說
脩行所在國土若有受持讀誦解說書寫
如說脩行若經卷所住之處若於園中若
於林中若於樹下若於僧坊若白衣舍若在
殿堂若山谷曠野是中皆應起塔供養所以
者何當知是處即是道場諸佛於此得阿
耨多羅三藐三菩提諸佛於此轉于法輪諸
佛於此而般涅槃尒時世尊欲重宣此義而
說偈言
諸佛救世者　住於大神通　為悅衆生故　現无量神力
舌相至梵天　身放无數光　為求佛道者　現此希有事
諸佛謦欬聲　及彈指之聲　周聞十方國　地皆六種動
以佛滅度後　能持是經故　諸佛皆歡喜　現无量神力
囑累是經故　讚美受持者　於无量劫中　猶故不能盡

舌相至梵天　身放无數光　為求佛道者　現此希有事
諸佛謦欬聲　及彈指之聲　周聞十方國　地皆六種動
以佛滅度後　能持是經故　諸佛皆歡喜　現无量神力
囑累是經故　讚美受持者　於无量劫中　猶故不能盡
是人之功德　无邊无有窮　如十方虛空　不可得邊際
能持是經者　則為已見我　亦見多寶佛　及諸分身者
又見我今日　教化諸菩薩　能持是經者　令我及分身
滅度多寶佛　一切皆歡喜　十方現在佛　并過去未來
亦見亦供養　亦令得歡喜　諸佛坐道場　所得祕要法
能持是經者　不久亦當得　能持是經者　於諸法之義
名字及言辭　樂說无窮盡　如風於空中　一切无障礙
於如來滅後　知佛所說經　因緣及次第　隨義如實說
如日月光明　能除諸幽冥　斯人行世間　能滅衆生闇
教无量菩薩　畢竟住一乘　是故有智者　聞此功德利
於我滅度後　應受持斯經　是人於佛道　决定无有疑

妙法蓮華經囑累品第二十二

尒時釋迦牟尼佛從法座起現大神力以右手
摩无量菩薩摩訶薩頂而作是言我於无量
百千万億阿僧祇劫脩習是難得阿耨多羅
三藐三菩提法今以付囑汝等汝等應當一心
流布此法廣令增益如是三摩諸菩薩摩訶
薩頂而作是言我於无量百千万億阿僧祇
劫脩習是難得阿耨多羅三藐三菩提法今
以付囑汝等汝等當受持讀誦廣宣此法令
一切衆生普得聞知所以者何如來有大慈悲
无諸慳悋亦无所畏能與衆生佛之智慧如來
智慧自然智慧如來是一切衆生之大施主汝

以付囑汝等汝等當受持讀誦廣宣此法令
一切衆生普得聞知所以者何如來有大慈悲
无諸慳悋亦无所畏能與衆生佛之智慧如來
智慧自然智慧如來是一切衆生之大施主汝
等亦應隨學如來之法勿生慳悋於未來世
若有善男子善女人信如來智慧者當爲
演說此法華經使得聞知爲令其人得佛慧
故若有衆生不信受者當於如來餘深法
中示教利喜汝等若能如是則爲已報諸
佛之恩時諸菩薩摩訶薩聞佛作是說
已皆大歡喜遍滿其身益加恭敬曲躬低頭
合掌向佛俱發聲言如世尊勅當具奉行唯
然世尊願不有慮諸菩薩摩訶薩衆如是三
反俱發聲言如世尊勅當具奉行唯然世尊
願不有慮尒時釋迦牟尼佛令十方來諸分
身佛各還本土而作是言諸佛各隨所安多
寶佛塔還可如故說是語時十方无量分身諸
佛坐寶樹下師子座上者及多寶佛并上行
等无邊阿僧祇菩薩大衆舍利弗等聲聞四
衆及一切世間天人阿脩羅等聞佛所說皆大
歡喜

妙法蓮華經藥王菩薩本事品第二十三

尒時宿王華菩薩白佛言世尊藥王菩薩云何
遊於娑婆世界世尊是藥王菩薩有若干百
千万億那由他難行苦行善哉世尊願解說
諸天龍神夜叉乾闥婆阿脩羅迦樓羅緊那
羅摩睺羅伽人非人等又他國土諸來菩薩及

尒時宿王華菩薩白佛言世尊藥王菩薩云何
遊於娑婆世界世尊是藥王菩薩有若干百
千万億那由他難行苦行善哉世尊願解說
諸天龍神夜叉乾闥婆阿脩羅迦樓羅緊那
羅摩睺羅伽人非人等又他國土諸來菩薩及
此聲聞衆聞皆歡喜尒時佛告宿王華菩
薩乃往過去无量恒河沙劫有佛号日月淨
明德如來應供正遍知明行足善逝世間解
无上士調御丈夫天人師佛世尊其佛有八十
億大菩薩摩訶薩七十二恒河沙大聲聞衆
佛壽四万二千劫菩薩壽命亦等彼國无有女
人地獄餓鬼畜生阿脩羅等及以諸難地平
如掌琉璃所成寶樹莊嚴寶帳覆上垂寶
華幡寶瓶香爐周遍國界七寶爲臺一樹
一臺其樹去臺盡一箭道此諸寶樹皆有
菩薩聲聞而坐其下諸寶臺上各有百億
諸天作伎樂歌歎於佛以爲供養尒時彼佛
爲一切衆生憙見菩薩及衆菩薩諸聲聞
衆說法華經是一切衆生憙見菩薩樂習苦
行於日月淨明德佛法中精進經行一心求佛滿
万二千歲已得現一切色身三昧得此三昧已心
大歡喜即作念言我得現一切色身三昧皆
是得聞法華經力我今當供養日月淨明德
佛及法華經即時入是三昧於虛空中雨
曼陁羅華摩訶曼陁羅華細末堅黑栴
檀滿虛空中如雨而下又雨海此岸栴檀之
香此香六銖價直娑婆世界以供養佛

佛及法華經即時入是三昧於虚空中雨
曼陁羅華摩訶曼陁羅華細末堅黒栴
檀滿虚空中如雨而下又雨海此岸栴檀之
香此香六銖價直娑世界以供養佛作是
供養已從三昧起而自念言我雖以神力供
養於佛不如以身供養即服諸香栴檀薫
陸兜樓婆畢力迦沉水膠香又飲瞻蔔諸華
香油滿千二百歲已香油塗身於日月淨明
德佛前以天寶衣而自纏身灌諸香油以神
通力願而自然身光明遍照八十億恒河沙
世界其中諸佛同時讚善哉善哉善男子
是真精進是名真法供養如來若以華香瓔
珞燒香末香塗香天繒幡蓋及海此岸栴檀
之香如是等種種諸物供養所不能及假使國
城妻子布施亦所不及善男子是名第一之施
於諸施中最尊最上以法供養諸如來故
作是語已而各嘿然其身火然千二百歲過是
已後其身乃盡一切衆生憙見菩薩作如
是法供養已命終之後復生日月淨明德
佛國中於淨德王家結加趺坐忽然化生即
為其父而說偈言
大王今當知　我經行彼處　即時得一切　現諸身三昧
勤行大精進　捨所愛之身
說是偈已而白父言日月淨明德佛今故現
在我先供養佛已得解一切衆生語言陁羅
尼復聞是法華經八百千万億那由他甄迦

勤行大精進　捨所愛之身
說是偈已而白父言日月淨明德佛今故現
在我先供養佛已得解一切衆生語言陁羅
尼復聞是法華經八百千万億那由他甄迦
羅頻婆羅阿閦婆等偈大王我今當還供
養此佛白已即坐七寶之臺上昇虚空高七
多羅樹往到佛所頭面禮足合十指爪掌以
讚偈佛
容顏甚奇妙　光明照十方　我適曾供養　今復還親近
尒時一切衆生憙見菩薩說是偈已而白佛言
世尊世尊猶故在世尒時日月淨明德佛告
一切衆生憙見菩薩善男子我涅槃時到滅
盡時至汝可安施床座我於今夜當般涅槃
又勅一切衆生憙見菩薩善男子我以佛法
囑累於汝及諸菩薩大弟子并阿耨多羅
三藐三菩提法亦以三千大千七寶世界諸寶
樹寶臺及給侍諸天悉付於汝我滅度後
所有舍利亦付囑汝當令流布廣設供養應
起若干千塔如是日月淨明德佛勅一切衆
生憙見菩薩已於夜後分入於涅槃尒時一
切衆生憙見菩薩見佛滅度悲感懊惱戀慕
於佛即以海此岸栴檀為積供養佛身而以
燒之火滅已後收取舍利作八万四千寶瓶以
起八万四千塔高三世界表刹莊嚴垂諸幡
蓋懸衆寶鈴尒時一切衆生憙見菩薩復
自念言我雖作是供養心猶未足我今當更
供養舍利便語諸菩薩大弟子及天龍夜叉

起八万四千塔高三世界表刹莊嚴垂諸幡
蓋懸衆寶鈴尒時一切衆生憙見菩薩復
自念言我雖作是供養心猶未足我今當更
供養舍利便語諸菩薩大弟子及天龍夜叉
等一切大衆汝等當一心念我今供養日月淨
明德佛舍利作是語已即於八万四千塔前
然百福莊嚴臂七万二千歲而以供養令无
數求聲聞衆无量阿僧祇人發阿耨多羅
三藐三菩提心皆使得住現一切色身三昧尒
時諸菩薩天人阿脩羅等見其无臂
憂惱悲哀而作是言此一切衆生憙見菩薩
是我等師教化我者而今燒臂身不具足于時
一切衆生憙見菩薩於大衆中立此誓言我捨
兩臂必當得佛金色之身若實不虛令我
兩臂還復如故作是誓已自然還復由斯菩
薩福德智慧淳厚所致當尒之時三千大千
世界六種震動天雨寶華一切人天得未曾
有佛告宿王華菩薩於汝意云何一切衆生
憙見菩薩豈異人乎今藥王菩薩是也其所
捨身布施如是无量百千万億那由他數宿
王華若有發心欲得阿耨多羅三藐三菩
提者能然手指乃至足一指供養佛塔勝以國
城妻子及三千大千國土山林河池諸珎寶物
而供養者若復有人以七寶滿三千大千世
界供養佛及大菩薩辟支佛阿羅漢是人
所得功德不如受持此法華經乃至一四句偈

而供養者若復有人以七寶滿三千大千世
界供養佛及大菩薩辟支佛阿羅漢是人
所得功德不如受持此法華經乃至一四句偈
其福最多宿王華譬如一切川流江河諸水
之中海為第一此法華經亦復如是於諸如
來所說經中最為深大又如土山黑山小鐵
圍山大鐵圍山及十寶山衆山之中須弥山為
第一此法華經亦復如是於諸經中最為其
上又如衆星之中月天子最為第一此法華
經亦復如是於千万億種諸經法中最為
照明又如日天子能除諸闇此經亦復如是
能破一切不善之闇又如諸小王中轉輪聖王
最為第一此經亦復如是於衆經中最為其
尊又如帝釋於三十三天中王此經亦復如是
諸經中王又如大梵天王一切衆生之父此經
亦復如是一切賢聖學无學及發菩薩心者
之父又如一切凡夫人中須陁洹斯陁含阿那
含阿羅漢辟支佛為第一此經亦復如是
一切如來所說若菩薩所說若聲聞所說
諸經法中最為第一有能受持是經典者
亦復如是於一切衆生中亦為第一一切聲聞辟
支佛中菩薩為第一此經亦復如是於一切
諸經法中最為第一如佛為諸法王此經
亦復如是諸經中王宿王華此經能救一切
衆生者此經能令一切衆生離諸苦惱此
經能大饒益一切衆生充滿其願如清涼
池能滿一切諸渴乏者如寒者得火如裸者得衣

亦復如是諸經中王宿王華此經能救一切
衆生者此經能令一切衆生離諸苦惱此
經能大饒益一切衆生充滿其願如清涼
池能一切諸渴之者如寒者得火如裸者得衣
如商人得主如子得母如渡得舡如病得
醫如暗得燈如貧得寶如民得王如賈客
得海如炬除暗此法華經亦復如是能令
衆生離一切苦一切病痛能解一切生死之
縛若人得聞此法華經若自書若使人書所
得功德以佛智慧籌量多少不得其邊若
書是經卷華香瓔珞燒香末香塗香幡蓋衣
服種種之燈蘇燈油燈諸香油燈瞻蔔油燈須
曼那油燈波羅羅油燈婆利師迦油燈那婆摩
利油燈供養所得功德亦復无量宿王華若
有人聞是藥王菩薩本事品者亦得无量无
邊功德若有女人聞是藥王菩薩本事品能受
持者盡是女身後不復受若如來滅後後
五百歲中若有女人聞是經典如說脩行於
此命終即往安樂世界阿弥陁佛大菩薩衆
圍繞住處生蓮華中寶座之上不復為貪欲
所惱亦復不為瞋恚愚癡所惱亦復不為憍
慢嫉妬諸垢所惱得菩薩神通无生法忍得
是忍已眼根清淨以是清淨眼根見七百万
二千億那由他恒河沙等諸佛如來是時諸
佛遥共讚言善哉善哉男子汝能於釋迦
牟尼佛法中受持讀誦思惟是經為他人說
所得福德无量无邊火不能燒水不能漂汝之功

BD01931 號　妙法蓮華經（八卷本）卷七　（20–13）

是忍已眼根清淨以是清淨眼根見七百万
二千億那由他恒河沙等諸佛如來是時諸
佛遥共讚言善哉善哉男子汝能於釋迦
牟尼佛法中受持讀誦思惟是經為他人說
所得福德无量无邊火不能燒水不能漂汝之功
德千佛共說不能令盡汝今已能破諸魔賊
壞生死軍諸餘怨敵皆悉摧滅善男子百
千諸佛以神通力共守護汝於一切世間天人
之中无如汝者唯除如來其諸聲聞辟支佛
乃至菩薩智慧禪定无有與汝等者宿王華
此菩薩成就如是功德智慧之力若有人聞
是藥王菩薩本事品能隨喜讚善者是人
現世口中常出青蓮華香身毛孔中常出
牛頭栴檀之香所得功德如上所說是故宿
王華以此藥王菩薩本事品囑累於汝我滅
度後後五百歲中廣宣流布於閻浮提无令
斷絕惡魔魔民諸天龍夜叉鳩槃荼等得
其便也宿王華汝當以神通之力守護是經所以
者何此經則為閻浮提人病之良藥若人有
病得聞是經病即消滅不老不死宿王華汝
若見有受持是經者應以青蓮華盛滿末香
供散其上散已作是念言此人不久必當取草
坐於道場破諸魔軍當吹法螺擊大法
鼓度脫一切衆生老病死海是故求佛道者
見有受持是經典人應當如是生恭敬心說
是藥王菩薩本事品時八万四千菩薩得解
一切衆生語言陀羅尼多寶如來於寶塔中讚

BD01931 號　妙法蓮華經（八卷本）卷七　（20–14）

見有受持是經典人應當如是生恭敬心說
是藥王菩薩本事品時八万四千菩薩得解
一切衆生語言陁羅尼多寶如來於寶塔中讚
宿王華菩薩言善哉善哉宿王華汝成就不
可思議功德乃能問釋迦牟尼佛如此之事利益
无量一切衆生
妙法蓮華經妙音菩薩品第二十四
尒時釋迦牟尼佛放大人相肉髻光明及放眉
間白毫相光遍照東方百八万億那由他恒河沙
等諸佛世界過是數已有世界名淨光莊嚴
其國有佛号淨華宿王智如來應供正遍
知明行足善逝世間解无上士調御丈夫天
人師佛世尊爲无量无邊菩薩大衆恭敬圍
遶而爲說法釋迦牟尼佛白毫光明遍照其
國尒時一切淨光莊嚴國中有一菩薩名曰妙
音久已殖衆德本供養親近无量百千万億
諸佛而悉成就甚深智慧得妙幢相三昧法華
三昧淨德三昧宿王戲三昧无緣三昧智印三
昧解一切衆生語言三昧集一切功德三昧清
淨三昧神通遊戲三昧慧炬三昧莊嚴王三昧
淨光明三昧淨藏三昧不共三昧日旋三昧
得如是等百千万億恒河沙等諸大三昧
諸大三昧釋迦牟尼佛光照其身即白淨華
宿王智佛言世尊我當往詣娑婆世界礼
拜親近供養釋迦牟尼佛及見文殊師
利法王子菩薩藥王菩薩勇施菩薩宿王華
菩薩上行意菩薩莊嚴王菩薩藥上菩薩尒

BD01931號　妙法蓮華經（八卷本）卷七　（20–15）

宿王智佛言世尊我當往詣娑婆世界礼
拜親近供養釋迦牟尼佛及見文殊師
利法王子菩薩藥王菩薩勇施菩薩宿王華
菩薩上行意菩薩莊嚴王菩薩藥上菩薩尒
時淨華宿王智佛告妙音菩薩汝莫輕彼
國生下劣想善男子彼娑婆世界高下不平土石諸
山穢惡充滿佛身卑小諸菩薩衆其形亦小
而汝身四万二千由旬我身六百八十万由旬汝
身第一端正百千万福光明殊妙是故汝往
莫輕彼國若佛菩薩及國土生下劣想妙
音菩薩白其佛言世尊我今詣娑婆世界
皆是如來之力如來神通遊戲如來功德智
慧莊嚴於是妙音菩薩不起于座身不動
搖而入三昧以三昧力於耆闍崛山去法座
不遠化作八万四千衆寶蓮華閻浮檀金爲莖
白銀爲葉金剛爲鬚甄叔迦寶以爲其臺
尒時文殊師利法王子見是蓮華而白佛言世
尊是何因緣先現此瑞有若干千万蓮華閻
浮檀金爲莖白銀爲葉金剛爲鬚甄叔迦寶
以爲其臺尒時釋迦牟尼佛告文殊師利是妙
音菩薩摩訶薩欲從淨華宿王智佛國與
八万四千菩薩圍遶而來至此娑婆世界供養
親近礼拜於我亦欲供養聽法華經文殊師
利白佛言世尊是菩薩種何善本脩何功德
而能有是大神通力行何三昧願爲我等說
是三昧名字我等亦欲勤脩行之行此三昧
乃能見是菩薩色相大小威儀進止唯願世

BD01931號　妙法蓮華經（八卷本）卷七　（20–16）

利曰佛言世尊是菩薩種何善本脩何功德
而能有是大神通力行何三昧願為我等說
是三昧名字我等亦欲勤脩行之行此三昧
乃能見是菩薩色相大小威儀進止唯願世
尊以神通力彼菩薩來令我得見尒時釋
迦牟尼佛告文殊師利此久滅度多寶如來
當為汝等而現其相時多寶佛告彼菩薩善
男子來文殊師利法王子欲見汝身于時妙音
菩薩於彼國沒與八万四千菩薩俱共發
來所經諸國六種震動皆悉雨於七寶蓮華
百千天樂不鼓自鳴是菩薩目如廣大青蓮華
葉正使和合百千万月其面貌端正復過於
此身真金色无量百千功德莊嚴威德熾盛
光明照曜諸相具足如那羅延堅固之身入
七寶臺上昇虛空去地七多羅樹諸菩薩眾
恭敬圍遶而來詣此娑婆世界耆闍崛山到
已下七寶臺以價直百千瓔珞持至釋迦牟尼
佛所頭面禮足奉上瓔珞而白佛言世尊淨
華宿王智佛問訊世尊少病少惱起居輕
利安樂行不四大調和不世事可忍不眾生
易度不无多貪欲瞋恚愚癡嫉妬慳慢不无
不孝父母不敬沙門邪見不善心不攝五情
不世尊眾生能降伏諸魔怨不久滅度多寶
如來在七寶塔中來聽法不又問訊多寶如來
安隱少惱堪忍久住不世尊我今欲見多寶
佛身唯願世尊示我令見尒時釋迦牟尼
佛語多寶佛是妙音菩薩欲得相見時多寶

BD01931 號　妙法蓮華經（八卷本）卷七　（20–17）

如來在七寶塔中來聽法不又問訊多寶如來
安隱少惱堪忍久住不世尊我今欲見多寶
佛身唯願世尊示我令見尒時釋迦牟尼
佛語多寶佛是妙音菩薩欲得相見時多寶
佛告妙音言善哉善哉汝能為供養釋迦牟
尼佛及聽法華經并見文殊師利等故來至
此尒時華德菩薩白佛言世尊是妙音菩
薩種何善根脩何功德有是神力佛告華德
菩薩過去有佛名雲雷音王多陀阿伽度阿
羅呵三藐三佛陀國名現一切世間劫名憙見
妙音菩薩於万二千歲以十万種伎樂供養雲
雷音王佛并奉上八万四千七寶鉢以是因緣
果報今生淨華宿王智佛國有是神力華
德於汝意云何尒時雲雷音王佛所妙音
菩薩伎樂供養奉上寶器者豈異人乎今
此妙音菩薩摩訶薩是華德是妙音菩薩
已曾供養親近无量諸佛久殖德本又值恒河
沙等百千万億那由他佛華德汝但見妙音菩
薩其身在此而是菩薩現種種身處處為諸
眾生說是經典或現梵王身或現帝釋身或
現自在天身或現大自在天身或現天大將軍
身或現毗沙門天王身或現轉輪聖王身或
現諸小王身或現長者身或現居士身或現宰
官身或現婆羅門身或現比丘比丘尼優婆
塞優婆夷身或現長者居士婦女身或現宰
官婦女身或現婆羅門婦女身或現童男童
女身或現天龍夜叉乾闥婆阿脩羅迦樓羅

BD01931 號　妙法蓮華經（八卷本）卷七　（20–18）

宮身或現婆羅門身或現比丘比丘尼優婆
塞優婆夷身或現長者居士婦女身或現宰
官婦女身或現婆羅門婦女身或現童男童
女身或現天龍夜叉乾闥婆阿脩羅迦樓羅
緊那羅摩睺羅伽人非人等身而說是經諸
有地獄餓鬼畜生及衆難處皆能救濟乃
至於王後宮變為女身而說是經華德妙音
菩薩能救護娑婆世界諸衆生者是妙音
菩薩如是種種變化現身在此娑婆國土為諸
衆生說是經典於神通變化智慧无所損減
是菩薩以若干智慧明照娑婆世界令一切
衆生各得所知於十方恒河沙世界中亦復如
是若應以聲聞形得度者現聲聞形而為說
法應以辟支佛形得度者現辟支佛形而
為說法應以菩薩形得度者現菩薩形而
為說法應以佛形得度者即現佛形而為說
法如是種種隨所應度而為現形乃至應以滅
度而得度者示現滅度華德妙音菩薩摩訶
薩成就大神通智慧之力其事如是尒時華
德菩薩白佛言世尊是妙音菩薩深種善根
世尊是菩薩住何三昧而能如是在所變現
度脫衆生佛告華德菩薩善男子其三昧
名現一切色身妙音菩薩住是三昧中能如
是饒益无量衆生說是妙音菩薩品時與妙
音菩薩俱來者八万四千人皆得現一切色身
三昧此娑婆世界无量菩薩亦得是三昧及
陁羅尼尒時妙音菩薩摩訶薩供養釋迦

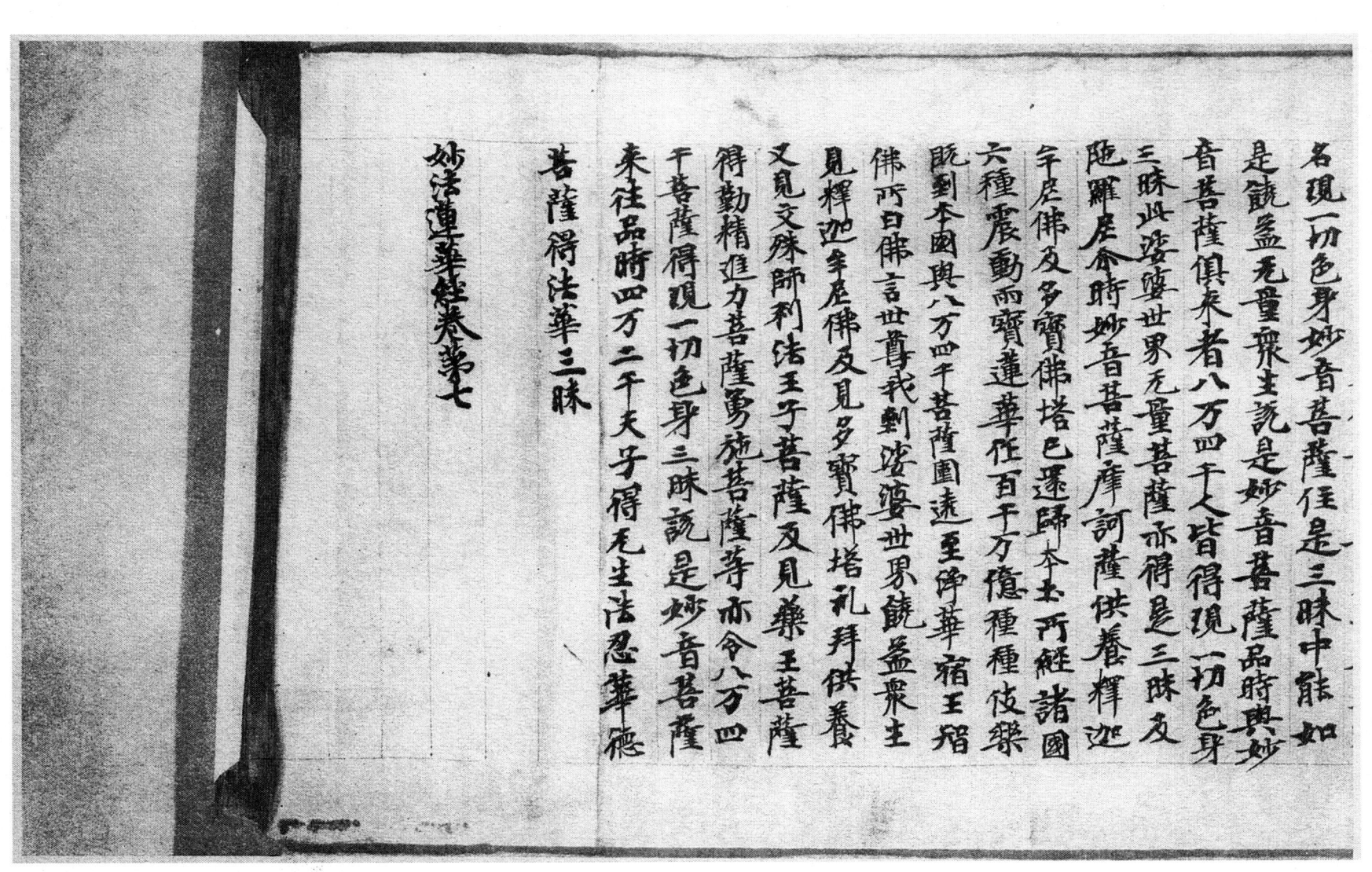

BD01931號　妙法蓮華經（八卷本）卷七　（20–19）

名現一切色身妙音菩薩住是三昧中能如
是饒益无量衆生說是妙音菩薩品時與妙
音菩薩俱來者八万四千人皆得現一切色身
三昧此娑婆世界无量菩薩亦得是三昧及
陁羅尼尒時妙音菩薩摩訶薩供養釋迦
牟尼佛及多寶佛塔已還歸本土所經諸國
六種震動雨寶蓮華作百千万億種種伎樂
既到本國與八万四千菩薩圍遶至淨華宿王智
佛所白佛言世尊我到娑婆世界饒益衆生
見釋迦牟尼佛及見多寶佛塔礼拜供養
又見文殊師利法王子菩薩及見藥王菩薩
得勤精進力菩薩勇施菩薩等亦令八万四
千菩薩得現一切色身三昧說是妙音菩薩
來往品時四万二千天子得无生法忍華德
菩薩得法華三昧

妙法蓮華經卷第七

BD01931號　妙法蓮華經（八卷本）卷七　（20–20）

著　錄　凡　例

本目錄採用條目式著錄法。諸條目意義如下：

1.1　著錄編號。用漢語拼音首字“BD”表示，意為“北京圖書館藏敦煌遺書”，簡稱“北敦號”。文獻寫在背面者，標註為“背”。一件遺書上抄有多個文獻者，用數字 1、2、3 等標示小號。一號中包括幾件遺書，且遺書形態各自獨立者，用字母 A、B、C 等區別。

1.2　著錄分類號。本條記目錄暫不分類，該項空缺。

1.3　著錄文獻的名稱、卷本、卷次。

1.4　著錄千字文編號。

1.5　著錄縮微膠卷號。

2.1　著錄遺書的總體數據。包括長度、寬度、紙數、正面抄寫總行數與每行字數、背面抄寫總行數與每行字數。如該遺書首尾有殘破，則對殘破部分單獨度量，用加號加在總長度上。凡屬這種情況，長度用括弧標註。

2.2　著錄每紙數據。包括每紙長度及抄寫行數或界欄數。

2.3　著錄遺書的外觀。包括：（1）裝幀形式。（2）首尾存況。（3）護首、軸、軸頭、天竿、縹帶，經名是書寫還是貼簽，有無經名號，扉頁、扉畫。（4）卷面殘破情況及其位置。（5）尾部情況。（6）有無附加物（蟲繭、油污、線繩及其他）。（7）有無裱補及其年代。（8）界欄。（9）修整。（10）其他需要交待的問題。

2.4　著錄一件遺書抄寫多個文獻的情況。

3.1　著錄文獻首部文字與對照本核對的結果。

3.2　著錄文獻尾部文字與對照本核對的結果。

3.3　著錄錄文。

3.4　著錄對文獻的說明。

4.1　著錄文獻首題。

4.2　著錄文獻尾題。

5　　著錄本文獻與對照本的不同之處。

6.1　著錄本遺書首部可與另一遺書綴接的編號。

6.2　著錄本遺書尾部可與另一遺書綴接的編號。

7.1　著錄題記、題名、勘記等。

7.2　著錄印章。

7.3　著錄雜寫。

7.4　著錄護首及扉頁的內容。

8　　著錄年代。

9.1　著錄字體。如有武周新字、合體字、避諱字等，予以說明。

9.2　著錄卷面二次加工的情況。包括句讀、點標、科分、間隔號、行間加行、行間加字、硃筆、墨塗、倒乙、刪除、兌廢等。

10　著錄敦煌遺書發現後，近現代人所加內容，裝裱、題記、印章等。

11　備註。著錄揭裱互見、圖版本出處及其他需要說明的問題。

上述諸條，有則著錄，無則空缺。

為避文繁，上述著錄中出現的各種參考、對照文獻，暫且不列版本說明。全目結束時，將統一編制本條記目錄出現的各種參考書目。

本條記目錄為農曆年份標註其公曆紀年時，未經行歲頭年末之換算，請讀者使用時注意自行換算。

條　記　目　錄

BD01869—BD01931

1.1　BD01869 號
1.3　金光明最勝王經卷一〇
1.4　秋 069
1.5　083:1976
2.1　471×27.9 厘米；11 紙；277 行，行 17 字。
2.2　01：45.8，28；　02：45.3，28；　03：45.4，28；
04：45.5，28；　05：45.5，28；　06：45.3，28；
07：45.3，28；　08：45.3，28；　09：45.4，28；
10：45.0，25；　11：17.2，拖尾；
2.3　卷軸裝。首脫尾全。上下邊殘破，有蟲繭。有烏絲欄。
3.1　首殘→大正 665，16/452B24。
3.2　尾全→16/456C19。
4.2　金光明最勝王經卷第十（尾）。
5　尾附音義。
8　8～9 世紀。吐蕃統治時期寫本。
9.1　楷書。
9.2　有刮改。
11　圖版：《敦煌寶藏》，71/225B～231A。

1.1　BD01870 號 1
1.3　維摩詰所說經卷上
1.4　秋 070
1.5　070:0856
2.1　（14.5＋851.5）×27 厘米；18 紙；733 行，行字不等。
2.2　01：14.5＋27，34；　02：50.5，42；　03：50.5，43；
04：50.5，43；　05：50.5，42；　06：47.0，40；
07：50.5，43；　08：50.5，42；　09：51.0，43；
10：50.5，42；　11：50.5，44；　12：50.5，43；
13：50.5，44；　14：50.5，43；　15：50.5，42；
16：50.5，43；　17：50.5，43；　18：19.5，17。
2.3　卷軸裝。首殘尾全。卷首有殘裂，卷中有殘洞，接縫處有開裂。有烏絲欄。已修整。
2.4　本遺書包括 3 個文獻：（一）《維摩詰所說經卷上》，300 行，今編為 BD01870 號 1。（二）《維摩詰所說經卷中》，246 行，今編為 BD01870 號 2。（三）《維摩詰所說經卷下》，187 行，今編為 BD01870 號 3。
3.1　首 11 行上下殘→大正 475，14/537A3～24。
3.2　尾全→14/544A19。
4.1　維摩所說經，一名不可思議解脫，佛國品第一（首）。
4.2　維摩詰經卷上（尾）。
7.3　卷首有經名雜寫“□…□名不可思議解脫佛國品第一”，首紙經文中有雜寫。
8　8～9 世紀。吐蕃統治時期寫本。
9.1　楷書。
9.2　有行間校加字。有圈改。有刪除號。
11　圖版：《敦煌寶藏》，63/108B～119A。

1.1　BD01870 號 2
1.3　維摩詰所說經卷中
1.4　秋 070
1.5　070:0856
2.4　本遺書由 3 個文獻組成，本號為第 2 個，246 行。餘參見 BD01870 號 1 之第 2 項、第 11 項。
3.1　首全→大正 475，14/544A22。
3.2　尾全→14/551C27。
4.1　維摩詰經文殊師利問疾品第五，中（首）。
4.2　維摩詰經卷中（尾）。
8　8～9 世紀。吐蕃統治時期寫本。
9.1　楷書。

1.1　BD01870 號 3
1.3　維摩詰所說經卷下
1.4　秋 070
1.5　070:0856
2.4　本遺書由 3 個文獻組成，本號為第 3 個，187 行。餘參見 BD01870 號 1 之第 2 項、第 11 項。

3.1 首全→大正 475，14/552A3。
3.2 尾全→14/557B26。
4.1 維摩詰經香積佛品第十，下（首）。
4.2 維摩詰經卷下（尾）。
5 與《大正藏》本對照，本卷經文末尾多“作禮而去”一句。
8 8～9 世紀。吐蕃統治時期寫本。
9.1 楷書。

1.1 BD01871 號 1
1.3 維摩詰所說經卷中
1.4 秋 071
1.5 070:1053
2.1 （4+821.5）×28.5 厘米；19 紙；622 行，行 30～32 字。
2.2 01：4+8，07； 02：47.5，36； 03：47.5，36；
04：47.5，36； 05：47.5，36； 06：47.5，36；
07：47.5，36； 08：47.5，36； 09：47.5，36；
10：47.5，36； 11：47.5，36； 12：47.5，36；
13：47.5，36； 14：47.5，36； 15：47.5，36；
16：47.5，36； 17：47.5，36； 18：47.5，36；
19：06.0，03。
2.3 卷軸裝。首殘尾全。有烏絲欄。
2.4 本遺書包括 2 個文獻：（一）《維摩詰所說經卷中》，342 行，今編為 BD01871 號 1。（二）《維摩詰所說經卷下》，280 行，今編為 BD01871 號 2。
3.1 首 2 行中上殘→大正 475，14/544A27～28。
3.2 尾全→14/551C27。
4.2 維摩詰經卷中（尾）。
8 8～9 世紀。吐蕃統治時期寫本。
9.1 楷書。
9.2 有刮改、刪除號。有行間校加字。
11 圖版：《敦煌寶藏》，64/473A～483B。

1.1 BD01871 號 2
1.3 維摩詰所說經卷下
1.4 秋 071
1.5 070:1053
2.4 本遺書由 2 個文獻組成，本號為第 2 個，280 行。餘參見 BD01871 號 1 之第 2 項、第 11 項。
3.1 首全→大正 475，14/552A3。
3.2 尾全→14/557B26。
4.1 維摩詰所說經卷下，香積佛品第十（首）。
4.2 維摩詰所說經卷下（尾）。
7.3 第 12 紙背有經名雜寫“佛說救苦滅罪經”。
8 8～9 世紀。吐蕃統治時期寫本。
9.1 楷書。

1.1 BD01872 號
1.3 淨名經集解關中疏卷上
1.4 秋 072
1.5 078:1327
2.1 （51.9+1055.2+67.1）×30.9 厘米；29 紙；766 行，行 27～29 字。
2.2 01：03.5，01； 02：44.0，30； 03：4.4+39.9，29；
04：44.8，29； 05：44.7，29； 06：44.8，29；
07：44.8，29； 08：44.3，29； 09：44.5，29；
10：44.1，27； 11：44.9，29； 12：44.7，28；
13：44.6，31； 14：43.5，26； 15：44.4，26；
16：44.2，29； 17：09.6，06； 18：44.3，30；
19：45.0，31； 20：44.9，31； 21：44.7，31；
22：44.7，31； 23：44.9，31； 24：44.4，30；
25：35.1，24； 26：44.1，29； 27：35.3+9，29；
28：44.3，30； 29：13.8，03。
2.3 卷軸裝。首尾均殘。通卷上部黴爛，全卷斷裂爲數截。有烏絲欄。已修整。
3.1 首 34 行上殘→《藏外佛教文獻》，2/第 229 頁第 21 行～第 232 頁第 3 行。
3.2 尾 39 行上殘→《藏外佛教文獻》，2/第 288 頁第 11 行～第 292 頁第 3 行。
7.1 卷尾有題名，難以辨認。
7.3 卷背有墨筆塗抹。
8 8～9 世紀。吐蕃統治時期寫本。
9.1 行書。
9.2 有硃筆校改，通卷有硃筆科分。
10 卷首、卷尾上方各有 1 方陽文硃印，2×5 厘米，印文為“京師圖書/館收藏之印/”。
11 卷中原夾有殘片一塊，今另編為 BD16407 號。
圖版：《敦煌寶藏》，66/597A～610B。

1.1 BD01873 號
1.3 妙法蓮華經卷二
1.4 秋 073
1.5 105:4723
2.1 （14.7+1111.5）×26.8 厘米；27 紙；591 行，行 17 字。
2.2 01：08.8，05； 02：5.9+37.9，23； 03：43.5，23；
04：43.5，23； 05：43.7，23； 06：43.8，23；
07：43.8，23； 08：43.7，23； 09：43.7，23；
10：43.8，23； 11：43.6，23； 12：43.7，23；
13：43.8，23； 14：43.7，23； 15：43.6，23；
16：43.7，23； 17：43.8，23； 18：43.8，23；
19：43.7，23； 20：43.7，23； 21：43.7，23；
22：43.8，23； 23：43.9，23； 24：43.7，23；
25：43.8，23； 26：43.8，23； 27：24.3，11。
2.3 卷軸裝。首殘尾全。卷首殘破，卷面有殘裂，尾部有撕裂

殘損。背有古代裱補。有烏絲欄。
3.1 首 8 行上下殘→大正 262，9/10C18 ~ 11A2。
3.2 尾全→9/19A12。
4.2 妙法蓮華經卷第二（尾）。
8 7 ~ 8 世紀。唐寫本。
9.1 楷書。
11 圖版：《敦煌寶藏》，85/587A ~ 602B。

1.1 BD01874 號 1
1.3 四分律比丘含注戒本序
1.4 秋 074
1.5 165: 6997
2.1 （8 + 298.5）× 31 厘米；8 紙；205 行，行 28 字。
2.2 01：8 + 6，26； 02：45.0，28； 03：43.5，27；
04：43.5，27； 05：43.5，27； 06：43.5，27；
07：43.5，27； 08：30.0，16。
2.3 卷軸裝。首尾均殘。卷首殘破嚴重，脱落殘片 2 塊，可綴接。卷面有等距離油污。有烏絲欄。
2.4 本遺書包括 2 個文獻：（一）《四分律比丘含注戒本序》，24 行，今編為 BD01874 號 1。（二）《四分律比丘含注戒本》，181 行，今編為 BD01874 號 2。
3.1 首 4 行上殘→大正 1806，40/429A3 ~ 10。
3.2 尾殘→40/429B16。
4.1 □□（四分）戒本序，太一山沙門釋道宣述（首）
8 9 ~ 10 世紀。歸義軍時期寫本。
9.1 楷書。
11 圖版：《敦煌寶藏》，103/317A ~ 321A。

1.1 BD01874 號 2
1.3 四分律比丘含注戒本
1.4 秋 074
1.5 165: 6997
2.4 本遺書由 2 個文獻組成，本號為第 2 個，181 行。餘參見 BD01874 號 1 之第 2 項、第 11 項。
3.1 首 4 行上下殘→大正 1806，40/0429B19。
3.2 尾殘→40/0434B10。
4.1 戒本含注一卷，出曇無徳（唐言法護）部律（首）。
5 與《大正藏》相比，文字有參差。
8 9 ~ 10 世紀。歸義軍時期寫本。
9.1 楷書。
9.2 有刮改。上下邊有校改字 4 處。

1.1 BD01875 號
1.3 妙法蓮華經（八卷本）卷六
1.4 秋 075
1.5 105: 5761
2.1 242.8 × 29.6 厘米；6 紙；148 行，行 15 ~ 20 字。
2.2 01：47.0，28； 02：46.8，28； 03：46.6，28；
04：46.7，28； 05：46.7，28； 06：09.0，08。
2.3 卷軸裝。首脱尾全。有烏絲欄。
3.1 首殘→大正 262，9/48A8。
3.2 尾全→9/50B22。
4.2 妙法蓮華經卷第六（尾）。
5 與《大正藏》本對照，分卷不同，相當於法師功德品第十九。為八卷本。
8 9 ~ 10 世紀。歸義軍時期寫本。
9.1 楷書。
11 圖版：《敦煌寶藏》，94/637A ~ 640A。

1.1 BD01876 號
1.3 金光明最勝王經卷二
1.4 秋 076
1.5 083: 1501
2.1 （11 + 652.4）× 25.5 厘米；15 紙；398 行，行 17 字。
2.2 01：11 + 12.5，15； 02：44.5，28； 03：45.0，28；
04：45.5，28； 05：45.3，28； 06：45.2，28；
07：45.3，28； 08：45.3，28； 09：45.0，28；
10：46.8，28； 11：47.0，28； 12：46.5，28；
13：46.5，28； 14：46.5，28； 15：45.5，19；
2.3 卷軸裝。首殘尾全。卷首脱落 1 塊殘片，第 13、14 紙破碎嚴重。卷前部背有多處古代裱補，卷首背脱落裱補紙一塊，有文字。有烏絲欄。已修整。
3.1 首 8 行殘→大正 665，16/408B16 ~ 23。
3.2 尾全→16/413C6。
4.2 金光明最勝王經卷第二（尾）。
5 尾附音義。
7.3 卷背有墨筆雜寫，難以辨認。
8 7 ~ 8 世紀。唐寫本。
9.1 楷書。
11 從該件上揭下古代裱補紙 2 塊，今編爲 BD16058 號。
圖版：《敦煌寶藏》，68/136B ~ 144B。

1.1 BD01877 號
1.3 佛名經（十六卷本）卷六
1.4 秋 077
1.5 063: 0647
2.1 （2.5 + 244）× 29.5 厘米；6 紙；129 行，行 17 字。
2.2 01：2.5 + 34，19； 02：42.0，22； 03：42.0，22；
04：42.0，22； 05：42.0，22； 06：42.0，22。
2.3 卷軸裝。首殘尾脱。首紙中下部殘裂，卷中上部有殘裂。有烏絲欄。已修整。
3.1 首 1 行中下殘→《七寺古逸經典研究叢書》，3/第 288 頁第 243 行。
3.2 尾殘→《七寺古逸經典研究叢書》，3/第 298 頁第 375 行。

5　與七寺本對照，文字略有不同。
8　9～10世紀。歸義軍時期寫本。
9.1　楷書。
11　圖版：《敦煌寶藏》，60/646A～649A。

1.1　BD01878號
1.3　大般若波羅蜜多經卷二九八
1.4　秋078
1.5　084:2825
2.1　(1+65)×25.4厘米；2紙；26行，行17字。
2.2　01：1+20.2，護首；　02：44.8，26。
2.3　卷軸裝。首全尾脫。有護首，上有經名和經名號，首端有竹製天竿，天竿下殘，有殘裂。第2紙有破裂，通卷下邊殘破。有烏絲欄。
3.1　首全→大正220，6/514B10。
3.2　尾殘→6/514C9。
4.1　大般若波羅波多經卷第二百九十八，三藏法師玄奘奉詔譯，/初分難聞功德品第卅九之二/（首）。
6.2　尾→BD03641號。
7.4　護首有經名"大般若波羅蜜多經卷第二百九十八"。
8　8～9世紀。吐蕃統治時期寫本。
9.1　楷書。
11　圖版：《敦煌寶藏》，75/185。

1.1　BD01879號
1.3　無量壽宗要經
1.4　秋079
1.5　275:7731
2.1　180×31.5厘米；4紙；128行，行30餘字。
2.2　01：43.5，31；　02：45.5，33；　03：45.5，33；
04：45.5，31。
2.3　卷軸裝。首尾均全。首紙下邊有殘裂，第3紙上邊有撕裂，卷面有殘洞，卷背有鳥糞。
3.1　首全→大正936，19/82A3。
3.2　尾全→19/84C29。
4.1　大乘無量壽經（首）。
4.2　佛說無量壽經（尾）。
7.1　卷首背有寺院題名"修"，為敦煌靈修寺簡稱。第4紙有題名"氾子昇"。
8　8～9世紀。吐蕃統治時期寫本。
9.1　楷書。
11　圖版：《敦煌寶藏》，107/450B～452B。

1.1　BD01880號
1.3　妙法蓮華經卷一
1.4　秋080
1.5　105:4699
2.1　70.9×25.3厘米；2紙；34行，行20字（偈）。
2.2　01：48.6，28；　02：22.3，06。
2.3　卷軸裝。首脫尾全。經黄紙。尾紙末端上下有3處蟲繭。有烏絲欄。
3.1　首殘→大正262，9/9C13。
3.2　尾全→9/10B21。
4.2　妙法蓮華經卷第一（尾）。
8　7～8世紀。唐寫本。
9.1　楷書。
11　圖版：《敦煌寶藏》，85/302A～B。

1.1　BD01881號
1.3　維摩詰所說經卷下
1.4　秋081
1.5　070:1282
2.1　(7.5+235+65)×25.5厘米；9紙；174行，行17字。
2.2　01：07.5，04；　02：41.0，24；　03：41.0，24；
04：41.0，24；　05：41.0，24；　06：41.0，24；
07：30+11，24；　08：41.0，24；　09：13.0，02。
2.3　卷軸裝。首尾均殘。首紙殘破，接縫處有開裂，卷尾上部殘缺。有燕尾。有烏絲欄。已修整。
3.1　首4行中下殘→大正475，14/555B15～19。
3.2　尾32行上殘→14/557A20～B25。
5　本卷經文與《大正藏》本對照，在經文尾部"皆大歡喜"之後，增加"作禮而去"。
8　8～9世紀。吐蕃統治時期寫本。
9.1　楷書。
11　圖版：《敦煌寶藏》，66/404A～407B。

1.1　BD01882號
1.3　妙法蓮華經卷二
1.4　秋082
1.5　105:4748
2.1　(22.5+493.9+11.7)×25.8厘米；12紙；347行，行17字。
2.2　01：22.5+24.5，31；　02：47.2，31；　03：47.2，31；
04：47.2，31；　05：47.1，31；　06：47.3，31；
07：47.1，31；　08：47.1，31；　09：47.1，31；
10：47.1，31；　11：45+1.9，31；12：09.8，06。
2.3　卷軸裝。首脫尾殘。經黄打紙，研光上蠟。卷首右上殘缺一塊，第4紙有殘洞，卷後部上殘。卷面脫落2塊殘片，已綴接。有烏絲欄。已修整。
3.1　首15行上殘→大正262，9/12A12～B3。
3.2　尾7行上殘→9/16C17～25。
6.2　尾→BD05082號。
8　7～8世紀。唐寫本。
9.1　楷書。

9.2　有硃筆斷句。
11　圖版：《敦煌寶藏》，86/241A～248A。

1.1　BD01883 號
1.3　妙法蓮華經卷二
1.4　秋 083
1.5　105:4819
2.1　(9.5＋379.4＋1.8)×26.5 厘米；8 紙；正面 214 行，行 17 字。背面 2 行，行字不等。
2.2　01：9.5＋25.2，18；　02：50.7，28；　03：50.9，28；
04：50.7，28；　05：51.1，28；　06：51.0，28；
07：50.8，28；　08：49＋1.8，28。
2.3　卷軸裝。首殘尾脫。經黃紙。首紙脫落，前 3 紙有等距離殘洞，接縫處有數處開裂，卷尾殘破。卷内夾 2 塊殘片。首紙背有古代裱補，上有 2 行字。有烏絲欄。
2.4　本遺書包括 2 個文獻：（一）《妙法蓮華經卷二》，214 行，抄寫在正面，今編為 BD01883 號。（二）《維摩詰所說經卷上》，2 行，抄寫在背面裱補紙上，今編為 BD01883 號背。
3.1　首 4 行下殘→大正 262，9/10C8～12。
3.2　尾行下殘→9/13C12～13。
7.3　背有古回鶻文或粟特文文字。
8　7～8 世紀。唐寫本。
9.1　楷書。
11　圖版：《敦煌寶藏》，87/5A～10A。

1.1　BD01883 號背
1.3　維摩詰所說經卷上
1.4　秋 083
1.5　105:4819
2.4　本遺書由 2 個文獻組成，本號為第 2 個，2 行，抄寫在古代裱補紙上。餘參見 BD01883 號之第 2 項、第 11 項。
3.1　首殘→大正 0475，14/0537B08。
3.2　尾殘→14/0537B09。
8　8～9 世紀。吐蕃統治時期寫本。
9.1　楷書。
9.2　有硃筆斷句。

1.1　BD01884 號
1.3　藥師瑠璃光如來本願功德經
1.4　秋 084
1.5　030:0266
2.1　(3.5＋474.9)×25.6 厘米；11 紙；284 行，行 17 字。
2.2　01：3.5＋9，07；　02：46.5，28；　03：46.5，28；
04：46.5，28；　05：47.0，28；　06：47.0，28；
07：47.0，28；　08：47.0，28；　09：47.0，28；
10：46.9，28；　11：44.5，25。
2.3　卷軸裝。首殘尾全。經黃紙。卷面多有殘裂。有燕尾。有烏絲欄。已修整。
3.1　首 2 行殘→大正 450，14/405A4～5。
3.2　尾全→14/408B25。
4.2　佛說藥師瑠璃光如來本願功德經（尾）。
8　7～8 世紀。唐寫本。
9.1　楷書。
11　圖版：《敦煌寶藏》，57/518B～526A。

1.1　BD01885 號
1.3　無量壽宗要經
1.4　秋 085
1.5　275:7982
2.1　(5.5＋184.5)×31 厘米；5 紙；121 行，行 30 餘字。
2.2　01：5.5＋25，21；　02：43.0，29；　03：43.0，29；
04：43.0，29；　05：30.5，13。
2.3　卷軸裝。首殘尾全。第 1、2 紙上邊撕裂殘缺，首紙脫落一塊殘片，可綴接。有烏絲欄。
3.1　首 4 行中上殘→大正 936，19/82A17～24。
3.2　尾全→19/84C29。
4.2　佛說無量壽宗要經（尾）。
7.1　尾題後有題記“安國興寫”。
7.3　卷面有墨筆塗抹。
8　8～9 世紀。吐蕃統治時期寫本。
9.1　行楷。
9.2　有硃筆行間校加字
11　圖版：《敦煌寶藏》，108/435B～437B。

1.1　BD01886 號
1.3　佛名經（十六卷本）卷六
1.4　秋 086
1.5　063:0655
2.1　(10＋516.1)×32.2 厘米；13 紙；239 行，行字不等。
2.2　01：10＋33，19；　02：44.0，20；　03：43.8，20；
04：43.8，20；　05：43.8，20；　06：43.8，20；
07：43.8，20；　08：43.8，20；　09：43.8，20；
10：43.5，20；　11：43.5，20；　12：43.5，20；
13：02.0，素紙。
2.3　卷軸裝。首全尾脫。首紙上下殘缺，接縫處有開裂。有烏絲欄。
3.1　首全→《七寺古逸經典研究叢書》，3/270 頁第 1 行。
3.2　尾缺→《七寺古逸經典研究叢書》，3/288 頁第 238 行。
4.1　佛說佛名經卷第六（首）。
7.3　卷上邊有墨筆雜寫“樂、能、勝、聲、微”。
8　9～10 世紀。歸義軍時期寫本。
9.1　楷書。
11　圖版：《敦煌寶藏》，61/23B29。

1.1　BD01887 號
1.3　無量壽宗要經
1.4　秋 087
1.5　275:7983
2.1　(4.5+164.5)×31.5 厘米；5 紙；110 行，行 30 餘字。
2.2　01：4.5+12，11；　02：44.0，31；　03：44.0，31；
　　04：44.0，30；　05：20.5，07。
2.3　卷軸裝。首殘尾全。前 2 紙殘破，第 4 紙下邊有殘洞。有等距離水漬。有烏絲欄。已修整。
3.1　首 3 行中下殘→大正 936，19/82B22～24。
3.2　尾全→19/84C29。
4.2　佛說大乘無量受（壽）經（尾）。
7.1　尾題後有題記："王瀚經，十卷，共五十一紙。"
8　8～9 世紀。吐蕃統治時期寫本。
9.1　行楷。
11　圖版：《敦煌寶藏》，108/438A～440A。

1.1　BD01888 號
1.3　思益梵天所問經卷一
1.4　秋 088
1.5　043:0403
2.1　533.8×25.5 厘米；11 紙；290 行，行 17 字。
2.2　01：19.0，10；　02：51.0，28；　03：51.5，28；
　　04：51.0，28；　05：51.5，28；　06：51.8，28；
　　07：51.5，28；　08：51.8，28；　09：51.7，28；
　　10：51.5，28；　11：51.5，28。
2.3　卷軸裝。首殘尾脫。卷下邊多殘缺，有等距離殘洞。有烏絲欄。已修整。
3.1　首 6 行下殘→大正 586，15/34A12～18。
3.2　尾脫→15/37C24。
8　8～9 世紀。吐蕃統治時期寫本。
9.1　楷書。
11　圖版：《敦煌寶藏》，58/587B～595A。

1.1　BD01889 號
1.3　大智度論卷八八
1.4　秋 089
1.5　218:7302
2.1　(1.5+1082)×26.2 厘米；22 紙；630 行，行 17 字。
2.2　01：1.5+39，24；　02：50.5，30；　03：50.5，30；
　　04：50.5，30；　05：50.5，30；　06：50.5，30；
　　07：50.5，30；　08：50.5，30；　09：50.5，30；
　　10：50.5，30；　11：50.5，30；　12：50.5，30；
　　13：50.5，30；　14：50.5，30；　15：50.5，30；
　　16：51.0，30；　17：51.0，30；　18：51.0，30；
　　19：50.5，30；　20：50.5，30；　21：50.5，30；
　　22：31.5，06。
2.3　卷軸裝。首殘尾全。卷首下部殘缺，卷面下部有破損殘裂。有燕尾。有烏絲欄。
3.1　首 1 行上下殘→大正 1509，25/676C7。
3.2　尾全→25/684B5。
4.2　摩訶衍經卷第八十八，品第七十六，品第七十七（尾）。
5　與《大正藏》本對照，尾缺"八十種"三字。
7.3　第 15 紙下方有"果"字。
8　6 世紀。南北朝寫本。
9.1　隸楷。
9.2　有刮改。
11　圖版：《敦煌寶藏》，105/400A～414A。

1.1　BD01890 號
1.3　大般若波羅蜜多經卷二〇〇
1.4　秋 090
1.5　084:2502
2.1　(8+229.5)×25.2 厘米；5 紙；140 行，行 17 字。
2.2　01：8+39.8，28；　02：47.5，28；　03：47.4，28；
　　04：47.4，28；　05：47.4，28；
2.3　卷軸裝。首殘尾脫。首紙有殘洞及上邊殘缺。有烏絲欄。
3.1　首 4 行下殘→大正 220，5/1071A9～13。
3.2　尾殘→5/1072C3。
7.1　第 1 紙背有勘記"廿袟，第十卷"，前者是本文獻所屬袟次，後者是袟内卷次。
8　8～9 世紀。吐蕃統治時期寫本。
9.1　楷書。
11　圖版：《敦煌寶藏》，73/516B～519B。

1.1　BD01891 號
1.3　妙法蓮華經（八卷本）卷六
1.4　秋 091
1.5　105:5617
2.1　199.8×25.7 厘米；6 紙；116 行，行 17 字。
2.2　01：12.0，護首；　02：43.3，27；　03：45.0，28；
　　04：45.2，28；　05：45.1，28；　06：09.2，05。
2.3　卷軸裝。首全尾斷。經黄紙。有護首。卷首殘破，通卷黴爛。第 2 紙背有 2 塊古代裱補，裱補紙上有字，因反貼在卷背，難以辯識。有烏絲欄。
3.1　首全→大正 262，9/42A29。
3.2　尾殘→9/44A3。
4.1　妙法蓮華經如來壽□（量）品第十六，六（首）
5　與《大正藏》本對照，分卷不同。相當於《大正藏》本卷五如來壽量品第十六全文。為八卷本。
8　7～8 世紀。唐寫本。
9.1　楷書。
11　圖版：《敦煌寶藏》，93/385A～387B。

1.1 BD01892 號
1.3 維摩詰所説經卷上
1.4 秋 092
1.5 070:0982
2.1 (2+457)×26 厘米；10 紙；257 行，行 17 字。
2.2 01：2+47，28； 02：49.0，28； 03：49.0，28；
04：49.0，28； 05：49.0，28； 06：49.0，28；
07：49.0，28； 08：49.0，28； 09：49.0，28；
10：18.0，05。
2.3 卷軸裝。首脱尾全。尾紙有殘裂。有燕尾。有烏絲欄。
3.1 首行中下殘→大正 475，14/541A8~9。
3.2 尾全→14/544A19。
4.2 維摩詰經卷上（尾）。
8 7~8 世紀。唐寫本。
9.1 楷書。
9.2 有行間校加字，有刮改。
11 圖版：《敦煌寶藏》，64/249A~255A。

1.1 BD01893 號
1.3 瑜伽師地論卷四〇
1.4 秋 093
1.5 201:7207
2.1 (3.1+579.5)×27 厘米；16 紙；343 行，行 16~18 字。
2.2 01：3.1+2.2，3； 02：39.5，24； 03：39.9，24；
04：39.8，24； 05：39.5，24； 06：39.5，24；
07：40.1，24； 08：40.1，24； 09：40.2，24；
10：40.1，24； 11：39.4，24； 12：39.5，24；
13：40.1，24； 14：40.1，24； 15：40.1，24；
16：19.4，04。
2.3 卷軸裝。首殘尾全。卷首殘缺，接縫處有開裂，卷面有殘裂。有烏絲欄。
3.1 首 2 行上下殘→大正 1579，30/511C16~17。
3.2 尾全→30/515C29。
4.2 瑜伽師地論卷第卌（尾）
7.3 尾題後有硃筆寫題記："大中十（?）年正月□。"墨色極淡。
8 8~9 世紀。吐蕃統治時期寫本。
9.1 楷書。
9.2 有倒乙。有硃筆科分。
11 圖版：《敦煌寶藏》，104/566A~573A。

1.1 BD01894 號 1
1.3 大乘入楞伽經序
1.4 秋 094
1.5 038:0340
2.1 883.8×28 厘米；22 紙；621 行，行 29~30 字。
2.2 01：07.0，護首； 02：41.5，29； 03：43.0，30；
04：43.2，31； 05：43.3，31； 06：43.3，31；
07：43.3，31； 08：43.2，31； 09：43.3，31；
10：43.0，31； 11：43.2，31； 12：43.2，31；
13：43.3，31； 14：43.2，31； 15：43.4，31；
16：43.2，30； 17：43.0，30； 18：43.2，30；
19：43.0，30； 20：42.0，30； 21：43.0，30；
22：15.9，10。
2.3 卷軸裝。首尾均全。有護首。卷首有殘洞。有烏絲欄。
2.4 本遺書包括 3 個文獻：（一）《大乘入楞伽經序》，18 行，今編為 BD01894 號 1。（二）《大乘入楞伽經卷一》，289 行，今編為 BD01894 號 2。（三）《大乘入楞伽經卷二》，314 行，今編為 BD01894 號 3。
3.1 首全→大正 672，16/587A3。
3.2 尾全→16/587B7。
4.1 新譯大乘入楞伽經序，御製（首）。
7.3 背有雜寫"道秘書已，通秘，通子"等，共 7 行。
8 8~9 世紀。吐蕃統治時期寫本。
9.1 楷書。
9.2 有硃筆校加字。
11 圖版：《敦煌寶藏》，58/171A~183A。

1.1 BD01894 號 2
1.3 大乘入楞伽經卷一
1.4 秋 094
1.5 038:0340
2.4 本遺書由 3 個文獻組成，本號為第 2 個，289 行。餘參見 BD01894 號 1 之第 2 項、第 11 項。
3.1 首全→大正 672，16/587B10。
3.2 尾全→16/594A29。
4.1 佛説大乘入楞伽經羅婆那王勸請品第一（首）。
4.2 佛説大乘入楞伽經卷第一（尾）。
8 8~9 世紀。吐蕃統治時期寫本。
9.1 楷書。
9.2 有硃筆、墨筆行間校加字。有倒乙。

1.1 BD01894 號 3
1.3 大乘入楞伽經卷二
1.4 秋 094
1.5 038:0340
2.4 本遺書由 3 個文獻組成，本號為第 3 個，314 行。餘參見 BD01894 號 1 之第 2 項、第 11 項。
3.1 首全→大正 672，16/594B2。
3.2 尾全→16/600B14。
4.1 佛説大乘入楞伽經集一切法品第二之二，卷二（首）。
4.2 佛説入楞伽經卷第二（尾）。
8 8~9 世紀。吐蕃統治時期寫本。
9.1 楷書。

9.2　有硃筆校加字。有倒乙。有硃筆點去。

1.1　BD01895 號
1.3　妙法蓮華經卷二
1.4　秋 095
1.5　105:4785
2.1　(360.1 +1.9) ×25 厘米；8 紙；224 行，行 16 ~18 字。
2.2　01：45.7，28；　02：44.8，28；　03：45.0，28；
04：45.5，28；　05：45.4，28；　06：45.0，28；
07：45.5，28；　08：43.2 +1.9，28。
2.3　卷軸裝。首尾均脫。經黄紙。接縫處有開裂，卷面油污變色，上下邊殘破，尾有殘缺。有烏絲欄。
3.1　首殘→大正 262，9/15B15。
3.2　尾行下殘→9/18B23。
8　7 ~8 世紀。唐寫本。
9.1　楷書。
11　圖版：《敦煌寶藏》，86/569B ~574B。

1.1　BD01896 號
1.3　妙法蓮華經卷二
1.4　秋 096
1.5　105:4705
2.1　1007.2 ×25 厘米；24 紙；589 行，行 17 ~18 字。
2.2　01：40.7，24；　02：42.0，25；　03：42.2，25；
04：42.3，24；　05：42.3，26；　06：42.2，25；
07：42.2，25；　08：42.1，26；　09：42.2，25；
10：42.1，25；　11：42.2，26；　12：42.1，24；
13：42.2，25；　14：42.1，25；　15：42.2，26；
16：42.1，25；　17：42.1，25；　18：42.1，25；
19：42.0，25；　20：42.2，24；　21：41.9，25；
22：42.1，25；　23：41.8，26；　24：39.8，14。
2.3　卷軸裝。首尾均全。卷首殘破，第 2 紙有殘裂。有燕尾。有烏絲欄。
3.1　首全→大正 262，9/10B24。
3.2　尾全→9/19A12。
4.1　妙法蓮華經譬喻品第三，二（首）。
4.2　妙法蓮華經卷第二（尾）。
7.3　首題下有“七王子”3 字。
8　9 ~10 世紀。歸義軍時期寫本。
9.1　楷書。
9.2　有行間校加字。有刮改、倒乙。
11　圖版：《敦煌寶藏》，85/334A ~347B。

1.1　BD01897 號 1
1.3　阿彌陀經
1.4　秋 097
1.5　014:0178
2.1　(10.7 +266) ×25.2 厘米；6 紙；159 行，行 16 ~18 字不等。
2.2　01：10.7 +36，28；　02：47.0，28；　03：47.0，28；
04：47.0，28；　05：47.0，28；　06：42.0，19。
2.3　卷軸裝。首脫尾全。尾有原軸，兩端塗棕色漆。卷首右上殘缺，接縫處有開裂。有烏絲欄。已修整。
2.4　本遺書包括 4 個文獻：（一）《阿彌陀經》，55 行，今編為 BD01897 號 1。（二）《阿彌陀佛說咒》，33 行，今編為 BD01897 號 2。（三）《十二光佛》，9 行，今編為 BD01897 號 3。（四）《禮阿彌陀佛文》，62 行，今編為 BD01897 號 4。
3.1　首 5 行上殘→大正 366，12/347B12 ~16。
3.2　尾全→12/347A28。
3.4　說明：

本遺書雖然包括 4 個文獻，但已經形成一個整體。是以阿彌陀佛信仰為中心，出現的一套完整的禮懺儀軌。應該看作《阿彌陀經》的一種新的發展形式。在此爲了分析新的形式的構成，還是將諸組成文獻分別著錄。

4.2　阿彌陀經一卷（尾）。
5　與《大正藏》本對照，尾少“作禮而去”四字。
8　7 ~8 世紀。唐寫本。
9.1　楷書。
11　圖版：《敦煌寶藏》，517/63B ~67B。

1.1　BD01897 號 2
1.3　阿彌陀佛說咒
1.4　秋 097
1.5　014:0178
2.4　本遺書由 4 個文獻組成，本號為第 2 個，33 行。餘參見 BD01897 號 1 之第 2 項、第 11 項。
3.1　首全→大正 369，12/352A23。
3.2　尾全→12/352B3。
4.1　阿彌陀佛所說咒（首）。
5　與《大正藏》本對照，尾附有關此咒的念誦法、念誦功德及往生西方記驗。
8　7 ~8 世紀。唐寫本。
9.1　楷書。

1.1　BD01897 號 3
1.3　十二光佛
1.4　秋 097
1.5　014:0178
2.4　本遺書由 4 個文獻組成，本號為第 3 個，9 行。餘參見 BD01897 號 1 之第 2 項、第 11 項。
3.4　說明：

該“十二光佛”之名號出於《無量壽經》卷上，為無量壽佛的另一些稱呼。可參見大正 360，12/270A29 ~B3。

根據《九品往生阿彌陀三摩地集陀羅尼經》稱：“若有衆生

欲往生如是九品淨土，奉視十二圓妙，日夜三時稱如是九品淨土名，讚十二光佛號。即永出三界火宅，定生真如，離有漏，永入無漏。"參見大正 933，19/79C19～22。
4.1　十二光佛（首）。
8　7～8 世紀。唐寫本。
9.1　楷書。

1.1　BD01897 號 4
1.3　禮阿彌陀佛文
1.4　秋 097
1.5　014:0178
2.4　本遺書由 4 個文獻組成，本號為第 4 個，62 行。餘參見 BD01897 號 1 之第 2 項、第 11 項。
3.4　說明：
　　本文獻傳為龍樹撰，闍那崛多譯。歷代大藏經中無單行本，但被善導《往生禮讚偈》等淨土禮懺儀軌重新組織吸收。可參見《往生禮讚偈》"第三謹依龍樹菩薩願往生禮讚偈"部分，大正 1980，47/442A22～443B1。
4.1　禮阿彌陀佛文，龍樹菩薩撰，闍那崛多三藏法師譯（首）。
8　7～8 世紀。唐寫本。
9.1　楷書。

1.1　BD01898 號
1.3　阿彌陀經
1.4　秋 098
1.5　014:0116
2.1　254.7×26.2 厘米；6 紙；148 行，行約 17 字。
2.2　01：48.0，28；　02：48.0，29；　03：48.2，29；
04：48.0，28；　05：48.0，29；　06：14.5，05。
2.3　卷軸裝。首尾均全。卷背有古代裱補。有烏絲欄。
3.1　首全→大正 366，12/346B25。
3.2　尾全→12/348A29。
4.1　佛說阿彌陀經（首）。
4.2　佛說阿彌陀經（尾）。
8　7～8 世紀。唐寫本。
9.1　楷書。
9.2　有行間校加字。
11　圖版：《敦煌寶藏》，56/561A～564～B。

1.1　BD01899 號
1.3　大般若波羅蜜多經卷五二九
1.4　秋 099
1.5　084:3292
2.1　784.8×25.9 厘米；17 紙；459 行，行 17 字。
2.2　01：45.8，26；　02：47.8，28；　03：47.8，28；
04：47.8，28；　05：47.6，28；　06：47.9，28；
07：47.8，28；　08：47.8，28；　09：47.7，28；
10：47.8，28；　11：47.8，28；　12：47.7，28；
13：47.8，28；　14：47.7，28；　15：47.6，28；
16：46.6，28；　17：23.8，13。
2.3　卷軸裝。首尾均全。首紙上有殘洞，前端有橫裂及殘損。背有古代裱補。有烏絲欄。
3.1　首殘→大正 220，7/713B10。
3.2　尾全→7/718C6。
4.1　大般若波羅蜜多經卷第五百廿九，/第三分妙相品第廿八之二，三藏法師玄奘奉詔譯/（首）。
4.2　大般若波羅蜜多經卷第五百廿九（尾）。
8　8～9 世紀。吐蕃統治時期寫本。
9.1　楷書。
9.2　有刮改。
11　圖版：《敦煌寶藏》，77/132A～142A。

1.1　BD01900 號
1.3　維摩詰所說經卷上
1.4　秋 100
1.5　070:0909
2.1　（19+299.5）×26 厘米；7 紙；189 行，行 17 字。
2.2　01：19+9，21；　02：48.0，28；　03：48.5，28；
04：48.5，28；　05：48.5，28；　06：48.5，28；
07：48.5，28。
2.3　卷軸裝。首殘尾脫。經黃紙。首紙殘缺，脫落 1 殘片，可綴接；第 2 紙上下邊有殘裂，接縫處有開裂。背有古代裱補。有烏絲欄。
3.1　首 19 行中下殘→大正 475，14/537A10～29。
3.2　尾殘→14/539B6。
8　7～8 世紀。唐寫本。
9.1　楷書。
9.2　有刮改。
11　圖版：《敦煌寶藏》，64/1A～5B。

1.1　BD01901 號
1.3　金剛經注頌釋（擬）
1.4　收 001
1.5　100:4446
2.1　48.5×25.7 厘米；1 紙；正面 41 行，行 23 字。背面 37 行，行約 23 字。
2.3　卷軸裝。首尾均斷。本件正背兩面有文字，硃墨兩色，硃筆寫經文，墨筆寫讚文。正反面文字相接。
3.1　首殘→《藏外佛教文獻》，9/78 頁第 16 行。
3.2　尾殘→《藏外佛教文獻》，9/86 頁第 1 行。
3.4　說明：
　　依經文內容看，本件與 BD02242 號原屬同一件文獻。經文接續的順序爲：①BD02242 號正面→②BD01901 號正面→③BD01901 號背面→④BD02242 號背面。

6.1 首→BD02242 號。
8 9～10 世紀。歸義軍時期寫本。
9.1 行書。
9.2 有行間校加字。有塗改。有倒乙、重文符號。
11 圖版：《敦煌寶藏》，83/285B～287A。與經文對照，《敦煌寶藏》此號之背面應爲正面。

1.1 BD01902 號
1.3 佛藏經（四卷本）卷四
1.4 收 002
1.5 145:6779
2.1 307.2×25.7 厘米；6 紙；172 行，行 17 字。
2.2 01：51.5，29； 02：51.3，29； 03：51.2，29；
04：51.3，29； 05：51.1，29； 06：50.8，27；
2.3 卷軸裝。首脱尾全。有燕尾。有烏絲欄。
3.1 首殘→大正 653，15/802B26。
3.2 尾全→15/805B11。
4.2 佛藏經第四（尾）。
5 《大正藏》本所收本經為三卷本，本號則與《思溪藏》、《普寧藏》、《嘉興藏》相同，為四卷本。
6.1 首→BD02000 號。
8 8 世紀。唐寫本。
9.1 楷書。
11 圖版：《敦煌寶藏》，101/577B～581B。

1.1 BD01903 號
1.3 四分比丘尼戒本
1.4 收 003
1.5 157:6900
2.1 （1.5+1028.5）×25 厘米；23 紙；603 行，行 17 字。
2.2 01：01.5，01； 02：47.0，28； 03：48.0，29；
04：48.0，29； 05：48.0，29； 06：48.0，29；
07：48.0，29； 08：48.0，29； 09：48.0，29；
10：48.0，29； 11：48.0，29； 12：48.0，29；
13：48.0，29； 14：28+20，29； 15：48.0，29；
16：48.0，29； 17：48.0，29； 18：48.0，29；
19：48.0，29； 20：48.0，29； 21：47.5，29；
22：47.0，23； 23：23.0，拖尾。
2.3 卷軸裝。首殘尾全。通卷上殘。第 1、2 紙斷開。脱落 2 塊殘片，已綴接。第 5 紙下部有殘洞。第 21 紙下部破裂，第 14 紙至尾上邊等距離殘破。有燕尾。有烏絲欄。已修整。
3.1 首 367 行上殘→大正 1431，22/1033A5。
3.2 尾全→22/1041A18。
4.2 四分尼戒本（尾）。
8 8～9 世紀。吐蕃統治時期寫本。
9.1 楷書。
11 圖版：《敦煌寶藏》，102/422B～436B。

1.1 BD01904 號
1.3 梵網經記序
1.4 收 004
1.5 143:6774
2.1 19.5×30 厘米；1 紙；正面 10 行，行 22 字。背面 7 行，行字不等。
2.3 卷軸裝。首全尾斷。有烏絲欄。
2.4 本遺書包括 2 個文獻：（一）《梵網經記序》，10 行，抄寫在正面，今編為 BD01904 號。（二）《奉宣往西天取經僧道猷等牒稿》（擬），7 行，抄寫在背面，今編為 BD01904 號背。
3.1 首全→《藏經書院續藏經》，59/862B1。
3.2 尾殘→《藏經書院續藏經》，59/86211。
4.1 梵網經記卷上，並序，/北京石壁沙門傳奥述/（首）。
8 8～9 世紀。吐蕃統治時期寫本。
9.1 楷書。
9.2 有硃筆點標。
11 圖版：《敦煌寶藏》，101/534B～535A。

1.1 BD01904 號背
1.3 奉宣往西天取經僧道猷等牒稿（擬）
1.4 收 004
1.5 143:6774
2.4 本遺書由 2 個文獻組成，本號為第 2 個，抄寫在背面，7 行。餘參見 BD01904 號之第 2 項、第 11 項。
3.3 錄文：
奉宣住西天取經僧道猷等/
右道猷等謹詣/
衙祇侯/
起居/
賀伏聽　　處分/
牒件狀如前，謹牒/
至道元年十一月二十四日靈圖寺寄住。/
（錄文完）
8 995 年。歸義軍時期寫本。
9.1 楷書。

1.1 BD01905 號
1.3 妙法蓮華經卷二
1.4 收 005
1.5 105:4811
2.1 248.9×28.4 厘米；6 紙；144 行，行 17 字。
2.2 01：40.0，23； 02：41.7，25； 03：41.7，24；
04：41.7，24； 05：42.1，24； 06：41.7，24。
2.3 卷軸裝。首全尾脱。卷前部殘破嚴重，上下邊殘破。有烏絲欄。
3.1 首全→大正 262，9/10B24。
3.2 尾殘→9/12C13。

4.1　妙法蓮華經辟喻品第三，二（首）。
8　8世紀。唐寫本。
9.1　楷書。
11　圖版：《敦煌寶藏》，86/656B～659B。

1.1　BD01906號
1.3　比丘繼全施食儀（擬）
1.4　收006
1.5　267:7674
2.1　41.5×30.1厘米；1紙；15行，行字不等。
2.3　卷軸裝。首尾均全。尾有餘空。
3.3　錄文：
施餓鬼食並水真言印法/
先出衆生食，事須如法周遍，種種皆著。並須淨成（盛）一分，飲食成（盛）/
少分，致一器中。銅器最好，如無，白瓷亦得。和清水，面向東作法。/
欲施餓鬼飲食，先須發廣大願，普請鬼神，志心念誦此偈一/
遍，然後作法，獲福無量。弟子繼全，發心奉持一器［淨］食，普［施］十方，窮/
盡虛空，周遍法界，微塵剎海，所有國土，一切餓鬼，久近先亡，山川/
地主，乃至曠野諸鬼神等，請來集會。我今悲愍，普施汝食，願汝/
各各受我此食，轉將供養，盡虛空界，佛及賢聖，一切有情。汝與有/
情，普皆飽滿。亦願汝等，錄此咒食，離苦解脫，生天壽（受）樂。十方淨［土］，/
隨意往生。發菩提心，行菩薩道，當來作佛。/
咒食儀壹本。此是淨三業真言，念三遍：唵，薩嚩婆，嚩秫馱，薩嚩達麼薩，/
嚩婆秫度憾。此是安土地真言，念三遍：曩謨三蒲多沒馱喃，度魯地尾/
莎嚩訶。然後召請偈，手執食器，回向東北，立念三遍：比丘繼全，發心奉持，一器淨食，/
謹召法界，一切餓鬼，總來至此。我今悲愍，普施汝食。本有廣偈，不欲繁寫。召請真言/
念七遍，舉手向前，以大母（拇）指與中指/
（錄文完）
3.4　說明：
本文獻乃比丘繼全施食的實用儀軌。
4.1　施餓鬼食並水真言印法（首）。
5　參照《大正藏》1315，21/466C1。
8　9～10世紀。歸義軍時期寫本。
9.1　楷書。
9.2　有刪除號。有塗改。
11　圖版：《敦煌寶藏》，107/288A。

1.1　BD01907號
1.3　妙法蓮華經卷一
1.4　收007
1.5　105:4508
2.1　（4.5+873.1）×27.2厘米；21紙；511行，行17字。
2.2　01：4.5+13.3，10；　02：44.0，26；　03：44.0，26；
04：43.8，26；　05：43.8，26；　06：44.1，26；
07：43.9，26；　08：43.8，26；　09：44.0，26；
10：43.9，26；　11：44.1，26；　12：44.1，26；
13：43.9，26；　14：44.1，26；　15：44.0，26；
16：43.9，26；　17：44.0，26；　18：43.5，26；
19：44.0，26；　20：43.9，26；　21：25.0，07。
2.3　卷軸裝。首殘尾全。尾有蟲繭。有烏絲欄。
3.1　首2行上殘→大正262，9/2A6～7。
3.2　尾全→9/10B21。
4.2　妙法蓮華經卷第一（尾）。
8　7～8世紀。唐寫本。
9.1　楷書。
9.2　有刮改。
11　圖版：《敦煌寶藏》，83/532B～545B。

1.1　BD01908號
1.3　金剛般若波羅蜜經
1.4　收008
1.5　094:3843
2.1　（7.5+472）×26厘米；10紙；258行，行17字。
2.2　01：7.5+44，28；　02：51.6，28；　03：52.0，28；
04：52.0，28；　05：51.6，28；　06：51.8，28；
07：51.6，28；　08：51.6，28；　09：51.6，28；
10：14.2，06。
2.3　卷軸裝。首脫尾全。經黃紙。卷上下殘缺。有烏絲欄。
3.1　首3行上下殘→大正235，8/749B20～23。
3.2　尾全→8/752C3。
4.2　金剛般若波羅蜜經（尾）。
8　7～8世紀。唐寫本。
9.1　楷書。
11　圖版：《敦煌寶藏》，80/546B～553A。

1.1　BD01909號
1.3　大般若波羅蜜多經卷二〇〇
1.4　收009
1.5　084:2507
2.1　332.1×25.7厘米；7紙；191行，行17字。
2.2　01：47.8，28；　02：47.5，28；　03：47.5，28；
04：47.5，28；　05：47.5，28；　06：47.3，28；

07：47.0，23。
2.3　卷軸裝。首脱尾全。有烏絲欄。
3.1　首殘→大正220，5/1072C3。
3.2　尾全→5/1074C20。
4.2　大般若波羅蜜多經卷第二百（尾）。
7.1　卷尾背面有題名“善才”。
8　8世紀。唐寫本。
9.1　楷書。
11　圖版：《敦煌寶藏》，73/540B～544B。

1.1　BD01910號1
1.3　持大悲經發願文（擬）
1.4　收010
1.5　311:8349
2.1　41.2×30厘米；1紙；25行，行23字。
2.3　卷軸裝。首全尾斷。有烏絲欄。首3行空白。
2.4　本遺書包括2個文獻：（一）《持大悲經發願文》（擬），4行，今編為BD01910號1。（二）《千手千眼觀世音菩薩廣大圓滿無礙大悲心陀羅尼經卷上》，21行，今編為BD01910號2。
3.3　錄文：
發願文/
稽首三尊，十方無量佛，我今發弘願，持此大悲經，/
上報四重恩，下濟三塗苦，若有見聞者，悉發菩提心，/
盡此一報身，同生極樂國。/
（錄文完）
3.4　説明：
本文獻為持誦《千手千眼觀世音菩薩廣大圓滿無礙大悲心陀羅尼經》發願文，與《千手千眼觀世音菩薩廣大圓滿無礙大悲心陀羅尼經》實為一個整體。此處為辨析文本的構成，分爲兩個主題著錄。
4.1　發願文（首）。
8　9～10世紀。歸義軍時期寫本。
9.1　楷書。
11　圖版：《敦煌寶藏》，110/56B。

1.1　BD01910號2
1.3　千手千眼觀世音菩薩廣大圓滿無礙大悲心陀羅尼經（二卷本）卷上
1.4　收010
1.5　311:8349
2.4　本遺書由2個文獻組成，本號為第2個，21行。餘參見BD01910號1之第2項、第11項。
3.1　首全→大正1060，20/106A4。
3.2　尾殘→20/106B4。
4.1　千手千眼觀世音菩薩廣大圓滿無礙大悲心陀羅尼經卷上（首）。
5　與《大正藏》本相比，本件為兩卷本，分卷不同。
8　9～10世紀。歸義軍時期寫本。
9.1　楷書。

1.1　BD01911號
1.3　大般涅槃經（北本）卷二五
1.4　收011
1.5　115:6457
2.1　252.6×26厘米；6紙；136行，行17字。
2.2　01：42.0，24；　02：42.0，24；　03：42.2，24；
04：42.2，24；　05：42.2，24；　06：42.0，16。
2.3　卷軸裝。首脱尾全。卷首殘破。有燕尾。有烏絲欄。
3.1　首殘→大正374，12/514B11。
3.2　尾全→12/516A6。
4.2　大般涅槃經卷第廿五（尾）。
5　與《大正藏》本對照，分卷不同。
8　8世紀。唐寫本。
9.1　楷書。
9.2　有刮改。
11　圖版：《敦煌寶藏》，99/301B～305A。

1.1　BD01912號
1.3　妙法蓮華經卷四
1.4　收012
1.5　105:5301
2.1　153.2×25.5厘米；3紙；84行，行17字。
2.2　01：51.2，28；　02：51.0，28；　03：51.0，28。
2.3　卷軸裝。首尾均脱。經黄紙。上下邊殘缺。有烏絲欄。
3.1　首殘→大正262，9/27C15。
3.2　尾殘→9/29A19。
6.2　尾→BD01913號。
8　7～8世紀。唐寫本。
9.1　楷書。
11　圖版：《敦煌寶藏》，90/500B～502B。

1.1　BD01913號
1.3　妙法蓮華經卷四
1.4　收013
1.5　105:5237
2.1　1014.2×25.5厘米；20紙；548行，行17字。
2.2　01：51.5，28；　02：51.5，28；　03：51.5，28；
04：51.5，28；　05：51.4，28；　06：51.5，28；
07：51.3，28；　08：51.3，28；　09：51.5，28；
10：51.5，28；　11：51.5，28；　12：51.5，28；
13：51.5，28；　14：51.5，28；　15：51.5，28；
16：51.5，28；　17：51.4，28；　18：51.8，28；
19：51.5，28；　20：36.0，16。
2.3　卷軸裝。首脱尾全。經黄紙。卷面污穢變色。接縫處有開

裂，第18紙斷開。背有古代裱補。有燕尾。有烏絲欄。
3.1　首殘→大正262，9/29A19。
3.2　尾全→9/37A2。
4.2　妙法蓮華經卷第四（尾）。
6.1　首→BD01912號。
8　7～8世紀。唐寫本。
9.1　楷書。
11　圖版：《敦煌寶藏》，90/196A～210A。

1.1　BD01914號
1.3　妙法蓮華經卷三
1.4　收014
1.5　105:5181
2.1　(241.1+16.8)×25.7厘米；6紙；151行，行17字。
2.2　01：50.0，29；　02：44.5，26；　03：44.3，26；
　　04：44.6，26；　05：44.5，26；　06：13.2+16.8，18。
2.3　卷軸裝。首斷尾殘。卷面有殘損破裂及殘洞，接縫處有開裂，尾紙殘破嚴重。有烏絲欄。已修整。
3.1　首殘→大正262，9/24C18。
3.2　尾10行上下殘→9/27A1～20。
8　8～9世紀。吐蕃統治時期寫本。
9.1　楷書。
11　圖版：《敦煌寶藏》，89/347B～351A。

1.1　BD01915號
1.3　佛名經（十六卷本）卷三
1.4　收015
1.5　063:0627
2.1　(359.7+2.5)×25.5厘米；9紙；正面225行，行17字。背面2行，行字不清。
2.2　01：45.0，28；　02：45.0，28；　03：45.3，28；
　　04：45.3，28；　05：45.0，28；　06：45.3，28；
　　07：45.3，28；　08：43.5+1.5，28；　09：01.0，01。
2.3　卷軸裝。首脱尾殘。經黄紙。首紙殘破嚴重，接縫處有開裂，第5至8紙下部等距離殘缺。第3、6紙背各有1小塊有字裱補。背有鳥糞。有烏絲欄。
2.4　本遺書包括2個文獻：(一)《佛名經卷三》，225行，抄寫在正面，今編為BD01915號。(二)《戶籍》(擬)，抄寫在卷背2塊古代裱補紙上，今編為BD01915號背。
3.1　首殘→《七寺古逸經典研究叢書》，3/145頁第389行。
3.2　尾2行中下殘→《七寺古逸經典研究叢書》，3/163頁第617行。
8　7～8世紀。唐寫本。
9.1　楷書。
11　圖版：《敦煌寶藏》，60/477A～482A。

1.1　BD01915號背
1.3　戶籍（擬）
1.4　收015
1.5　063:0627
2.4　本遺書由2個文獻組成，本號為第2個，抄寫在背面2塊古代裱補紙上，共2行。餘參見BD01915號之第2項、第11項。
3.3　錄文：
　　第一塊裱補紙為3.8×4.4厘米，可見文字為“戶主間守”。另有殘字痕。
　　第二塊裱補紙為2.3×2.3厘米，可見文字為“身年”，另有殘字痕。
8　7～8世紀。唐寫本。
9.1　楷書。

1.1　BD01916號
1.3　妙法蓮華經（八卷本）卷六
1.4　收016
1.5　105:5760
2.1　278.2×27厘米；6紙；150行，行17字。
2.2　01：46.5，26；　02：46.4，26；　03：46.3，26；
　　04：46.5，26；　05：46.5，26；　06：46.0，20。
2.3　卷軸裝。首脱尾全。第2紙下邊有撕裂，第2、3紙接縫處下部有開裂，第6紙尾部有撕裂。有燕尾。
3.1　首殘→大正262，9/47C28。
3.2　尾全→9/50B22。
4.2　妙法蓮華經卷第六（尾）。
5　與《大正藏》本對照，分卷不同，相當於法師功德品第十九。為八卷本。
8　9～10世紀。歸義軍時期寫本。
9.1　楷書。
11　圖版：《敦煌寶藏》，94/633A～636B。

1.1　BD01917號
1.3　維摩詰所說經卷上
1.4　收017
1.5　070:0950
2.1　(5+593+2)×25厘米；9紙；338行，行17字。
2.2　01：5+16.5，12；　02：75.5，43；　03：76.5，43；
　　04：76.5，43；　05：76.5，43；　06：76.5，43；
　　07：76.5，43；　08：76.5，43；　09：42+2，25。
2.3　卷軸裝。首尾均殘。卷面污穢，有水漬，紙變色；前3紙上下邊有殘裂，第6紙有火灼殘洞，第7紙斷爲2截，卷尾油污。背有古代裱補。有烏絲欄。
3.1　首3行上殘→大正475，14/539B12～14。
3.2　尾行上殘→14/543B26～27。
7.3　第2紙品名下有雜寫“弟子品第三”。卷背有雜寫。
8　9～10世紀。歸義軍時期寫本。
9.1　楷書。

9.2　有行間加行。
11　圖版：《敦煌寶藏》，64/100B～108B。

1.1　BD01918 號
1.3　大般若波羅蜜多經卷二八一
1.4　收 018
1.5　084:2766
2.1　（4+127.4+1.3）×25.9 厘米；4 紙；77 行，行 17 字。
2.2　01：04.0，02；　02：48.3，28；　03：48.1，28；
04：31+1.3，19。
2.3　卷軸裝。首尾均殘。通卷油污變色，第 3 紙有殘洞，第 4 紙有殘裂、下邊殘破，第 4 紙下邊脱落 1 殘片，可以綴接。有烏絲欄。
3.1　首 2 行下殘→大正 220，6/426B28～C1。
3.2　尾行上殘→6/427B17～18。
8　8～9 世紀。吐蕃統治時期寫本。
9.1　楷書。
11　圖版：《敦煌寶藏》，75/43A～44B。

1.1　BD01919 號
1.3　金光明最勝王經卷六
1.4　收 019
1.5　083:1774
2.1　（24+261）×26 厘米；7 紙；308 行，行 17 字。
2.2　01：24.0，08；　02：43.0，25；　03：43.6，25；
04：43.5，25；　05：43.7，25；　06：43.6，25；
07：43.6，25；
2.3　卷軸裝。首殘尾脱。經黄紙。卷端碎裂嚴重。卷端脱落 2 塊殘片，已綴接。有烏絲欄。已修整。
3.1　首 8 行上殘→大正 665，16/428B1～8。
3.2　尾殘→16/430A25。
8　7～8 世紀。唐寫本。
9.1　楷書。
11　圖版：《敦煌寶藏》，70/39B～43A。

1.1　BD01920 號
1.3　無量壽宗要經
1.4　收 020
1.5　275:7732
2.1　184.5×31.5 厘米；4 紙；116 行，行 30 餘字。
2.2　01：48.0，29；　02：47.0，31；　03：47.0，31；
04：42.5，25。
2.3　卷軸裝。首尾均全。首紙上下邊有破裂，第 3 紙中間有殘洞。有烏絲欄。
3.1　首全→大正 936，19/82A3。
3.2　尾全→19/83C29。
4.1　大乘無量壽經（首）。
4.2　佛說無量壽宗要經（尾）。
7.1　卷背有寺院題名“金”，為敦煌金光明寺的簡稱。第 4 紙尾有題名“張涓子”。
8　8～9 世紀。吐蕃統治時期寫本。
9.1　楷書。
9.2　有刮改。
11　圖版：《敦煌寶藏》，107/453A～455A。

1.1　BD01921 號
1.3　觀世音經
1.4　收 021
1.5　111:6229
2.1　162.6×25.5 厘米；4 紙；92 行，行 17 字。
2.2　01：49.4，28；　02：49.0，28；　03：48.6，28；
04：15.6，08。
2.3　卷軸裝。首脱尾全。卷首上部殘缺。背有古代裱補。尾紙後補。有燕尾。有烏絲欄。
3.1　首脱→大正 262，9/57A2。
3.2　尾全→9/58B7。
4.2　觀世音經一卷（尾）
8　9～10 世紀。歸義軍時期寫本。
9.1　楷書。
11　圖版：《敦煌寶藏》，97/415A～417A。

1.1　BD01922 號
1.3　妙法蓮華經卷一
1.4　收 022
1.5　105:4625
2.1　（12.2+66.5+2.4）×26.4 厘米；3 紙；46 行，行 17 字。
2.2　01：08.9，05；　02：3.3+45.4，28；
03：21.1+2.4，13。
2.3　卷軸裝。首尾均殘。經黄打紙，研光上蠟。第 2 紙上下多處破裂殘損，有殘洞，尾紙嚴重破裂。有烏絲欄。已修整。
3.1　首 7 行上下殘→大正 262，9/2B13～19。
3.2　尾殘→9/3A13。
7.1　卷首背有勘記“第一”。
8　7～8 世紀。唐寫本。
9.1　楷書。
11　圖版：《敦煌寶藏》，85/124A～125B。

1.1　BD01923 號
1.3　大般若波羅蜜多經卷一二六
1.4　收 023
1.5　084:2342
2.1　660.7×26 厘米；14 紙；376 行，行 17 字。
2.2　01：48.8，28；　02：48.8，28；　03：48.8，28；
04：49.0，28；　05：49.0，28；　06：49.0，28；

07：49.0，28；　08：49.0，28；　09：49.0，28；
10：49.1，28；　11：49.2，28；　12：49.0，28；
13：49.0，28；　14：24.0，12。
2.3　卷軸裝。首脫尾全。尾有原軸，兩端塗硃漆，軸頭已斷。首紙有橫向破裂。首紙背有一字，被古代裱補紙遮蓋。有烏絲欄。
3.1　首殘→大正220，5/689B29。
3.2　尾全→5/693C27。
4.2　大般若波羅蜜多經卷第一百廿六（尾）。
7.1　首紙背有勘記“一百廿□…□”。
8　8～9世紀。吐蕃統治時期寫本。
9.1　楷書。
11　圖版：《敦煌寶藏》，73/29B～38A。

1.1　BD01924號
1.3　大般若波羅蜜多經卷三九七
1.4　收024
1.5　084:3059
2.1　（6.8+846.2）×25.7厘米；18紙；487行，行17字。
2.2　01：6.8+39.8，26；　02：48.3，28；　03：48.3，28；
04：48.5，28；　05：48.5，28；　06：48.6，28；
07：48.4，28；　08：48.5，28；　09：48.5，28；
10：48.2，28；　11：48.3，28；　12：48.4，28；
13：48.3，28；　14：48.3，28；　15：48.5，28；
16：48.3，28；　17：48.2，28；　18：32.3，13。
2.3　卷軸裝。首尾均全。首紙下有破裂，上邊下邊殘破；第3紙下有破裂，接縫處有開裂；尾有蟲繭，有油污。首紙背有雙層古代裱補。有烏絲欄。
3.1　首3行下殘→大正220，6/1053B16～22。
3.2　尾全→6/1059A8。
4.1　大般若波羅蜜多經卷第三百九十七，/初分勝義瑜伽品第七十五之二，三藏法師玄奘奉詔□/（首）。
4.2　大般若波羅蜜多經卷第三百九十七（尾）。
8　9～10世紀。歸義軍時期寫本。
9.1　楷書。
11　圖版：《敦煌寶藏》，76/258A～269A。

1.1　BD01925號1
1.3　金剛般若波羅蜜經
1.4　收025
1.5　094:3950
2.1　（11+399.5）×23厘米；9紙；232行，行17字。
2.2　01：11+32，25；　02：46.2，27；　03：46.0，27；
04：46.2，27；　05：46.4，27；　06：46.0，27；
07：46.2，27；　08：46.5，27；　09：44.0，18。
2.3　卷軸裝。首殘尾全。卷首殘破嚴重，第7、8紙接縫處脫落爲兩截，卷尾殘破。有燕尾。有烏絲欄。
2.4　本遺書包括2個文獻：（一）《金剛般若波羅蜜經》，227行，今編為BD01925號1。（二）《金剛經陀羅尼咒》，5行，今編為BD01925號2。
3.1　首6行下殘→大正235，8/749C18～24。
3.2　尾全→8/752C3。
4.2　金剛般若波羅蜜經（尾）。
8　8～9世紀。吐蕃統治時期寫本。
9.1　楷書。
11　圖版：《敦煌寶藏》，81/297A～302A。

1.1　BD01925號2
1.3　金剛經陀羅尼咒
1.4　收025
1.5　094:3950
2.4　本遺書由2個文獻組成，本號為第2個，5行。餘參見BD01925號1之第2項、第11項。
3.4　説明：
本文獻為《金剛經陀羅尼咒》並附念誦功德。本身雖屬《金剛般若波羅蜜經》的附屬文獻，與《金剛般若波羅蜜經》原為一個整體，但字體與《金剛般若波羅蜜經》正文不同，從形態看，顯然是後人補抄。爲了顯示文本的結構，在此暫且分編為2號。
4.1　金剛經陀羅尼咒（首）。
8　8～9世紀。吐蕃統治時期寫本。
9.1　楷書。

1.1　BD01926號
1.3　妙法蓮華經卷一
1.4　收026
1.5　105:4700
2.1　（4+44.5）×25厘米；1紙；28行，行20字（偈）。
2.3　卷軸裝。首尾均脫。經黄紙。卷面殘破，有蟲繭。有烏絲欄。
3.1　首2行中殘→大正262，9/9C11～13。
3.2　尾殘→9/10B8。
8　7～8世紀。唐寫本。
9.1　楷書。
11　圖版：《敦煌寶藏》，85/303A～B。

1.1　BD01927號
1.3　四分律比丘含注戒本
1.4　收027
1.5　165:7002
2.1　（3.5+772.5）×27厘米；21紙；586行，行33字。
2.2　01：3.5+34.5，29；　02：40.0，30；　03：39.5，30；
04：41.0，30；　05：39.5，30；　06：40.0，31；
07：40.0，30；　08：36.5，28；　09：36.5，28；
10：37.0，28；　11：37.0，28；　12：37.0，28；

13：37.5，28；　14：37.0，28；　15：36.5，28；
16：37.5，28；　17：37.0，28；　18：37.0，28；
19：36.5，28；　20：37.0，28；　21：18.0，12。
2.3　卷軸裝。首尾均殘。卷前部有殘裂，接縫處多有開裂，卷面有油污。尾有餘空。有烏絲欄。
3.1　首2行中殘→大正1860，40/430A20。
3.2　尾殘→40/444C14。
3.4　説明：
本文獻為一卷本，與《大正藏》本不同，行文亦有差異。可參見《敦煌寫本〈比丘含注戒本〉釋文》。
8　8～9世紀。吐蕃統治時期寫本。
9.1　楷書。
9.2　有行間校加字。有重文符號。
11　圖版：《敦煌寶藏》，103/339A～348B。

1.1　BD01928號
1.3　妙法蓮華經卷五
1.4　收028
1.5　105:5517
2.1　（7.9+40.7+1.8）×26厘米；1紙；28行，行17字。
2.3　卷軸裝。首全尾殘。經黄紙。卷首右下殘缺。背有鳥糞。有烏絲欄。
3.1　首4行下殘→大正262，9/37A5～13。
3.2　尾殘上下殘→9/37B9。
4.1　妙法蓮華經安樂行品第十四，五（首）。
8　7～8世紀。唐寫本。
9.1　楷書。
11　圖版：《敦煌寶藏》，92/610A～A。

1.1　BD01929號
1.3　金剛般若波羅蜜經
1.4　收029
1.5　094:3947
2.1　（7+353.4）×26厘米；9紙；231行，行17字。
2.2　01：7+32.3，25；　02：42.3，27；　03：42.0，27；
04：42.3，27；　05：42.3，27；　06：42.5，27；
07：42.4，28；　08：42.2，28；　09：25.1，15。
2.3　卷軸裝。首殘尾全。首紙脱落1塊殘片，文可綴接；卷面污穢，有水漬，接縫處有開裂，卷尾殘破。背有古代裱補，已脱落。有烏絲欄。
3.1　首4行下殘→大正235，8/749C18～22。
3.2　尾全→8/752C3。
4.2　金剛般若波羅蜜經（尾）。
8　7～8世紀。唐寫本。
9.1　楷書。
11　圖版：《敦煌寶藏》，81/286A～290B。

1.1　BD01930號
1.3　妙法蓮華經卷六
1.4　收030
1.5　105:5672
2.1　（2.2+748.1+4.5）×25.2厘米；19紙；479行，行17字。
2.2　01：2.2+5.6，05；　02：41.0，27；　03：41.5，27；
04：41.5，27；　05：42.0，27；　06：42.0，27；
07：42.0，27；　08：42.0，27；　09：41.8，27；
10：42.0，27；　11：41.9，27；　12：42.0，27；
13：41.8，26；　14：42.0，26；　15：42.0，26；
16：42.0，26；　17：42.0，26；　18：42.0，25；
19：31+4.5，22。
2.3　卷軸裝。首尾均殘。經黄紙。卷面有水漬，紙張變色，第2至4紙上部有等距殘缺，卷面有殘裂，卷尾上部及尾部有缺損，卷下邊脱落1塊殘片，可綴接。有烏絲欄。
3.1　首殘→大正262，9/47A8～9。
3.2　尾3行上中殘→9/54A14～17。
8　7～8世紀。唐寫本。
9.1　楷書。
9.2　有刮改。
11　圖版：《敦煌寶藏》，94/100B～112A。

1.1　BD01931號
1.3　妙法蓮華經（八卷本）卷七
1.4　收031
1.5　105:5784
2.1　（7+755.7）×25.5厘米；17紙；447行，行17字。
2.2　01：7+34.5，25；　02：47.0，28；　03：47.0，28；
04：47.3，28；　05：47.0，28；　06：47.4，28；
07：47.3，28；　08：47.2，28；　09：47.2，28；
10：47.4，28；　11：47.3，28；　12：47.4，28；
13：47.5，28；　14：47.4，28；　15：47.3，28；
16：47.0，28；　17：12.5，02。
2.3　卷軸裝。首殘尾全。經黄紙。卷首右下殘缺。尾有原軸，兩端鑲蓮蓬形軸頭，上軸頭嵌螺鈿花瓣，下軸頭螺鈿花瓣脱落。有烏絲欄。
3.1　首10行下殘→大正262，9/50C24～51A5。
3.2　尾全→9/56C1。
4.2　妙法蓮華經卷第七（尾）。
5　與《大正藏》本對照，分卷不同。本卷相當於《大正藏》本經卷第六常不輕菩薩品第二十起至卷第七妙音菩薩品第二十四。為八卷本。
8　7～8世紀。唐寫本。
9.1　楷書。
11　圖版：《敦煌寶藏》，95/69A～79A。

新舊編號對照表

一、千字文號與北敦號、縮微膠卷號對照表

千字文號	北敦號	縮微膠卷號
秋 069	BD01869 號	083：1976
秋 070	BD01870 號 1	070：0856
秋 070	BD01870 號 2	070：0856
秋 070	BD01870 號 3	070：0856
秋 071	BD01871 號 1	070：1053
秋 071	BD01871 號 2	070：1053
秋 072	BD01872 號	078：1327
秋 073	BD01873 號	105：4723
秋 074	BD01874 號 1	165：6997
秋 074	BD01874 號 2	165：6997
秋 075	BD01875 號	105：5761
秋 076	BD01876 號	083：1501
秋 077	BD01877 號	063：0647
秋 078	BD01878 號	084：2825
秋 079	BD01879 號	275：7731
秋 080	BD01880 號	105：4699
秋 081	BD01881 號	070：1282
秋 082	BD01882 號	105：4748
秋 083	BD01883 號	105：4819
秋 083	BD01883 號背	105：4819
秋 084	BD01884 號	030：0266
秋 085	BD01885 號	275：7982
秋 086	BD01886 號	063：0655
秋 087	BD01887 號	275：7983
秋 088	BD01888 號	043：0403
秋 089	BD01889 號	218：7302
秋 090	BD01890 號	084：2502
秋 091	BD01891 號	105：5617
秋 092	BD01892 號	070：0982
秋 093	BD01893 號	201：7207
秋 094	BD01894 號 1	038：0340
秋 094	BD01894 號 2	038：0340
秋 094	BD01894 號 3	038：0340
秋 095	BD01895 號	105：4785
秋 096	BD01896 號	105：4705
秋 097	BD01897 號 1	014：0178
秋 097	BD01897 號 2	014：0178
秋 097	BD01897 號 3	014：0178
秋 097	BD01897 號 4	014：0178
秋 098	BD01898 號	014：0116
秋 099	BD01899 號	084：3292
秋 100	BD01900 號	070：0909
收 001	BD01901 號	100：4446
收 002	BD01902 號	145：6779
收 003	BD01903 號	157：6900
收 004	BD01904 號	143：6774
收 004	BD01904 號背	143：6774
收 005	BD01905 號	105：4811
收 006	BD01906 號	267：7674
收 007	BD01907 號	105：4508
收 008	BD01908 號	094：3843
收 009	BD01909 號	084：2507
收 010	BD01910 號 1	311：8349
收 010	BD01910 號 2	311：8349
收 011	BD01911 號	115：6457
收 012	BD01912 號	105：5301
收 013	BD01913 號	105：5237
收 014	BD01914 號	105：5181
收 015	BD01915 號	063：0627
收 015	BD01915 號背	063：0627
收 016	BD01916 號	105：5760
收 017	BD01917 號	070：0950
收 018	BD01918 號	084：2766
收 019	BD01919 號	083：1774
收 020	BD01920 號	275：7732
收 021	BD01921 號	111：6229
收 022	BD01922 號	105：4625
收 023	BD01923 號	084：2342

收 024	BD01924 號	084：3059	收 028	BD01928 號	105：5517
收 025	BD01925 號 1	094：3950	收 029	BD01929 號	094：3947
收 025	BD01925 號 2	094：3950	收 030	BD01930 號	105：5672
收 026	BD01926 號	105：4700	收 031	BD01931 號	105：5784
收 027	BD01927 號	165：7002			

二、縮微膠卷號與北敦號、千字文號對照表

縮微膠卷號	北敦號	千字文號	縮微膠卷號	北敦號	千字文號
014：0116	BD01898 號	秋 098	094：3950	BD01925 號 1	收 025
014：0178	BD01897 號 1	秋 097	094：3950	BD01925 號 2	收 025
014：0178	BD01897 號 2	秋 097	100：4446	BD01901 號	收 001
014：0178	BD01897 號 3	秋 097	105：4508	BD01907 號	收 007
014：0178	BD01897 號 4	秋 097	105：4625	BD01922 號	收 022
030：0266	BD01884 號	秋 084	105：4699	BD01880 號	秋 080
038：0340	BD01894 號 1	秋 094	105：4700	BD01926 號	收 026
038：0340	BD01894 號 2	秋 094	105：4705	BD01896 號	秋 096
038：0340	BD01894 號 3	秋 094	105：4723	BD01873 號	秋 073
043：0403	BD01888 號	秋 088	105：4748	BD01882 號	秋 082
063：0627	BD01915 號	收 015	105：4785	BD01895 號	秋 095
063：0627	BD01915 號背	收 015	105：4811	BD01905 號	收 005
063：0647	BD01877 號	秋 077	105：4819	BD01883 號	秋 083
063：0655	BD01886 號	秋 086	105：4819	BD01883 號背	秋 083
070：0856	BD01870 號 1	秋 070	105：5181	BD01914 號	收 014
070：0856	BD01870 號 2	秋 070	105：5237	BD01913 號	收 013
070：0856	BD01870 號 3	秋 070	105：5301	BD01912 號	收 012
070：0909	BD01900 號	秋 100	105：5517	BD01928 號	收 028
070：0950	BD01917 號	收 017	105：5617	BD01891 號	秋 091
070：0982	BD01892 號	秋 092	105：5672	BD01930 號	收 030
070：1053	BD01871 號 1	秋 071	105：5760	BD01916 號	收 016
070：1053	BD01871 號 2	秋 071	105：5761	BD01875 號	秋 075
070：1282	BD01881 號	秋 081	105：5784	BD01931 號	收 031
078：1327	BD01872 號	秋 072	111：6229	BD01921 號	收 021
083：1501	BD01876 號	秋 076	115：6457	BD01911 號	收 011
083：1774	BD01919 號	收 019	143：6774	BD01904 號	收 004
083：1976	BD01869 號	秋 069	143：6774	BD01904 號背	收 004
084：2342	BD01923 號	收 023	145：6779	BD01902 號	收 002
084：2502	BD01890 號	秋 090	157：6900	BD01903 號	收 003
084：2507	BD01909 號	收 009	165：6997	BD01874 號 1	秋 074
084：2766	BD01918 號	收 018	165：6997	BD01874 號 2	秋 074
084：2825	BD01878 號	秋 078	165：7002	BD01927 號	收 027
084：3059	BD01924 號	收 024	201：7207	BD01893 號	秋 093
084：3292	BD01899 號	秋 099	218：7302	BD01889 號	秋 089
094：3843	BD01908 號	收 008	267：7674	BD01906 號	收 006
094：3947	BD01929 號	收 029	275：7731	BD01879 號	秋 079

275：7732	BD01920號	收020
275：7982	BD01885號	秋085
275：7983	BD01887號	秋087
311：8349	BD01910號1	收010
311：8349	BD01910號2	收010